CW00544355

Peugeot 307
Gör-det-själv-handbok

Martynn Randall

Modeller som behandlas *(SV4809-3AN1-384/4147-6AN1-384)*

Bensin: 1,4 liter SOHC & DOHC (1360cc), 1,6 liter (1587cc) & 2,0 liter (1997cc)
Turbo-Diesel: 1,4 liter SOHC (1398cc), 1,6 liter DOHC (1560cc) & 2,0 liter SOHC & DOHC (1997cc)

Behandlar inte 307CC, kupémodeller eller 180hk 2,0-liters bensinmotor

© Haynes Publishing 2010

ABCDE
FGHIJ
KLMNO
PQRST

En bok i **Haynes serie med Gör-det-själv-handböcker**

ISBN **978 1 84425 809 3**

British Library Cataloguing in Publication Data
En katalogpost för denna bok finns att få från British Library

Tryckt i USA

Haynes Publishing
Sparkford, Yeovil, Somerset BA22 7JJ, England

Haynes North America, Inc
861 Lawrence Drive, Newbury Park, California 91320, USA

Haynes Publishing Nordiska AB
Box 1504, 751 45 UPPSALA, Sverige

Innehåll

DIN PEUGEOT 307

Reparationer vid vägkanten

Veckokontroller

Smörjmedel och vätskor

Däcktryck

UNDERHÅLL

Rutinunderhåll och service

Bensinmotor

Dieselmotor

Innehåll

REPARATIONER & RENOVERING

Motor och tillhörande system

Växellåda

Bromsar och fjädring

Kaross och utrustning

Kopplingsscheman

REFERENS

Sakregister

Peugeot 307 introducerades i början av 2001. När 307:an släpptes levererades den med alternativen 1,4 (1360 cc), 1,6 (1587 cc) och 2,0 liter (1997 cc) för bensinmotorerna eller 1,4 liter (1398 cc), 1,6 liter (1560 cc) och 2,0 liter (1997 cc) turbodieselmotorer. Den fanns med två karossformer – en 3/5-dörrars halvkombi eller en 5-dörrars kombi. I mars 2002 släpptes SW-modellen (Sports Wagon) med tre rader av passagerarsäten och ett hellångt glaspaneltak som utmärkande drag.

Motorerna i 307-sortimentet är alla versioner av de beprövade enheter som har använts i många Peugeot/Citroën-bilar under åren, med undantag för 1,4- och 1,6-liters HDI-motorn som är nyutvecklad i samarbete med Ford Motor Co.

Motorn är placerad på tvären i bilens främre del med växellådan monterad på motorns vänstra sida. Alla motorer har manuell växellåda som standard (automatväxellåda finns på vissa motorer).

Alla modeller har helt oberoende främre fjädring med stötdämpare, spiralfjädrar och krängningshämmare. Bakaxelbalken har en inbyggd krängningshämmare med separata stötdämpare och spiralfjäder.

Det finns ett brett utbud med standard- och tillvalsutrustning i sortimentet för att passa de flesta olika smaker inklusive centrallås, elektriska fönsterhissar, främre krockkuddar, sido krockkuddar och sidokrockgardiner. Luftkonditioneringsystem finns tillgängligt på alla modeller.

Förutsatt regelbunden service enligt tillverkarens rekommendationer kommer bilen att visa sig pålitlig och mycket ekonomisk. Motorrummet är väl utformat och de flesta komponenter som behöver regelbunden tillsyn är lättåtkomliga.

Din Peugeot 307 handbok

Syftet med den här handboken är att hjälpa dig att få så stor glädje av din bil som möjligt. Det kan göras på flera sätt. Boken är till hjälp vid beslut om vilka åtgärder som ska vidtas (även då en verkstad anlitas för att utföra själva arbetet). Den ger även information om rutinunderhåll och service, och föreslår arbetssätt för ändamålsenliga åtgärder och diagnos om slumpmässiga fel uppstår. Förhoppningsvis kommer handboken dock att användas till försök att klara av arbetet på egen hand. Vad gäller enklare jobb kan det till och med gå snabbare att ta hand om det själv än att först boka tid på en verkstad och sedan ta sig dit två gånger, en gång för att lämna bilen och en gång för att hämta den. Och kanske viktigast av allt: en hel del pengar kan sparas genom att man undviker de avgifter verkstäder tar ut för att kunna täcka arbetskraft och chefslöner.

Handboken innehåller teckningar och beskrivningar som förklarar de olika komponenternas funktion och utformning. Alla arbetsförfaranden är beskrivna och fotograferade i tydlig ordningsföljd, steg för steg.

Hänvisningar till "vänster" och "höger" avser vänster eller höger för en person som sitter i förarsätet och tittar framåt.

Tack

Tack till Draper Tools Limited, som stod för en del av verktygen, samt till alla på Sparkford som hjälpte till att producera den här boken.

Vi är mycket stolta över tillförlitligheten hos informationen i den här boken, men biltillverkare modifierar och gör konstruktionsändringar under pågående tillverkning och talar inte alltid om det för oss. Författarna och förlaget kan inte ta på sig något ansvar för förluster, skador eller personskador som uppstår till följd av fel eller ofullständig information i denna bok.

Att arbeta på din bil kan vara farligt. Den här sidan visar potentiella risker och faror och har som mål att göra dig uppmärksam på och medveten om vikten av säkerhet i ditt arbete.

Allmänna faror

Skållning

• Ta aldrig av kylarens eller expansionskärlets lock när motorn är het.
• Motorolja, automatväxellådsolja och styrservovätska kan också vara farligt varma om motorn just varit igång.

Brännskador

• Var försiktig så att du inte bränner dig på avgassystem och motor. Bromsskivor och -trummor kan också vara heta efter körning.

Lyftning av fordon

• Vid arbete nära eller under ett lyft fordon, använd alltid extra stöd i form av pallbockar eller använd ramper. *Arbeta aldrig under en bil som endast stöds av en domkraft.*

• När muttrar eller skruvar med högt åtdragningsmoment skall lossas eller dras, bör man lossa dem något innan bilen lyfts och göra den slutliga åtdragningen när bilens hjul åter står på marken.

Brand och brännskador

• Bränsle är mycket brandfarligt och bränsleångor är explosiva.
• Spill inte bränsle på en het motor.
• Rök inte och använd inte öppen låga i närheten av en bil under arbete. Undvik också gnistbildning (elektrisk eller från verktyg).
• Bensinångor är tyngre än luft och man bör därför inte arbeta med bränslesystemet med fordonet över en smörjgrop.
• En vanlig brandorsak är kortslutning i eller överbelastning av det elektriska systemet. Var försiktig vid reparationer eller ändringar.
• Ha alltid en brandsläckare till hands, av den typ som är lämplig för bränder i bränsle- och elsystem.

Elektriska stötar

• Högspänningen i tändsystemet kan vara farlig, i synnerhet för personer med hjärtbesvär eller pacemaker. Arbeta inte med eller i närheten av tändsystemet när motorn går, eller när tändningen är på.

• Nätspänning är också farlig. Se till att all nätansluten utrustning är jordad. Man bör skydda sig genom att använda jordfelsbrytare.

Giftiga gaser och ångor

• Avgaser är giftiga. De innehåller koloxid vilket kan vara ytterst farligt vid inandning. Låt aldrig motorn vara igång i ett trångt utrymme, t ex i ett garage, med stängda dörrar.
• Även bensin och vissa lösnings- och rengöringsmedel avger giftiga ångor.

Giftiga och irriterande ämnen

• Undvik hudkontakt med batterisyra, bränsle, smörjmedel och vätskor, speciellt frostskyddsvätska och bromsvätska. Sug aldrig upp dem med munnen. Om någon av dessa ämnen sväljs eller kommer in i ögonen, kontakta läkare.
• Långvarig kontakt med använd motorolja kan orsaka hudcancer. Bär alltid handskar eller använd en skyddande kräm. Byt oljeindränkta kläder och förvara inte oljiga trasor i fickorna.
• Luftkonditioneringens kylmedel omvandlas till giftig gas om den exponeras för öppen låga (inklusive cigaretter). Det kan också orsaka brännskador vid hudkontakt.

Asbest

• Asbestdamm kan ge upphov till cancer vid inandning, eller om man sväljer det. Asbest kan finnas i packningar och i kopplings- och bromsbelägg. Vid hantering av sådana detaljer är det säkrast att alltid behandla dem som om de innehöll asbest.

Speciella faror

Flourvätesyra

• Denna extremt frätande syra bildas när vissa typer av syntetiskt gummi i t ex O-ringar, tätningar och bränsleslangar utsätts för temperaturer över 400 °C. Gummit omvandlas till en sotig eller kladdig substans som innehåller syran. *När syran väl bildats är den farlig i flera år. Om den kommer i kontakt med huden kan det vara tvunget att amputera den utsatta kroppsdelen.*
• Vid arbete med ett fordon, eller delar från ett fordon, som varit utsatt för brand, bär alltid skyddshandskar och kassera dem på ett säkert sätt efteråt.

Batteriet

• Batterier innehåller svavelsyra som angriper kläder, ögon och hud. Var försiktig vid påfyllning eller transport av batteriet.
• Den vätgas som batteriet avger är mycket explosiv. Se till att inte orsaka gnistor eller använda öppen låga i närheten av batteriet. Var försiktig vid anslutning av batteriladdare eller startkablar.

Airbag/krockkudde

• Airbags kan orsaka skada om de utlöses av misstag. Var försiktig vid demontering av ratt och/eller instrumentbräda. Det kan finnas särskilda föreskrifter för förvaring av airbags.

Dieselinsprutning

• Insprutningspumpar för dieselmotorer arbetar med mycket högt tryck. Var försiktig vid arbeten på insprutningsmunstycken och bränsleledningar.

⚠️ *Varning: Exponera aldrig händer eller annan del av kroppen för insprutarstråle; bränslet kan tränga igenom huden med ödesdigra följder*

Kom ihåg...

ATT

• Använda skyddsglasögon vid arbete med borrmaskiner, slipmaskiner etc, samt vid arbete under bilen.

• Använda handskar eller skyddskräm för att skydda händerna.

• Om du arbetar ensam med bilen, se till att någon regelbundet kontrollerar att allt står väl till.

• Se till att inte löst sittande kläder eller långt hår kommer i vägen för rörliga delar.

• Ta av ringar, armbandsur etc innan du börjar arbeta på ett fordon - speciellt med elsystemet.

• Försäkra dig om att lyftanordningar och domkraft klarar av den tyngd de utsätts för.

ATT INTE

• Ensam försöka lyfta för tunga delar - ta hjälp av någon.

• Ha för bråttom eller ta osäkra genvägar.

• Använda dåliga verktyg eller verktyg som inte passar. De kan slinta och orsaka skador.

• Låta verktyg och delar ligga så att någon riskerar att snava över dem. Torka upp olje- och bränslespill omgående.

• Låta barn eller husdjur leka nära en bil under arbetets gång.

Följande sidor är tänkta att vara till hjälp vid hantering av vanligt förekommande problem. Mer detaljerad information om felsökning finns i slutet av boken, och beskrivningar av reparationer finns i bokens olika huvudkapitel.

Om bilen inte startar och startmotorn inte går runt

☐ Om det är en modell med automatväxellåda, se till att växelväljaren står på P eller N.

☐ Öppna motorhuven och kontrollera att batteripolerna är rena och sitter fast ordentligt.

☐ Slå på strålkastarna och försök starta motorn. Om strålkastarljuset försvagas mycket under startförsöket är batteriet troligen urladdat. Prova att dra igång bilen (se nästa sida) med hjälp av en annan bil.

Om bilen inte startar trots att startmotorn går runt som vanligt

☐ Finns det bränsle i tanken?

☐ Finns det fukt i elsystemet under motorhuven? Slå av tändningen och torka bort synlig fukt med en torr trasa. Spraya vattenavstötande medel (WD-40 eller liknande) på tändningen och bränslesystemets elektriska kontaktdon av den typ som visas på bilden. Var extra uppmärksam på tändspolarnas kontaktdon. (Observera att fukt sällan förekommer i dieselmotorer.)

A Först ta bort plastkåpan och kontrollera batterianslutningarnas skick och att de sitter ordentligt.

B Kontrollera att bränsle-/tändsystemets (efter tillämplighet) kontaktdon är ordentligt anslutna (1,6-liters bensinmodell visas).

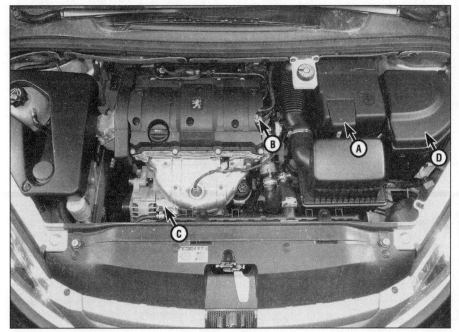

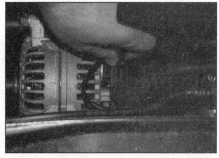

C Kontrollera generatorns kontaktdon sitter ordentligt.

Kontrollera att alla elektriska kopplingar sitter korrekt (med tändningen avstängd) och spraya dem med vattenavstötande medel av typen WD-40 om problemet misstänks bero på fukt.

D Kontrollera att alla säkringar är i bra skick och att inga av dem är trasiga.

Starthjälp

Vidta följande säkerhetsåtgärder när bilen startas med hjälp av ett laddningsbatteri:

✔ Innan laddningsbatteriet ansluts ska tändningen vara avslagen.

✔ Kontrollera att all elektrisk utrustning (ljus, värme, vindrutetorkare etc.) är avslagen.

✔ Se efter om det står några speciella föreskrifter på batteriet.

✔ Kontrollera att laddningsbatteriet har samma spänning som det urladdade batteriet i bilen.

✔ Om bilen startas med hjälp av batteriet i en annan bil får de två bilarna INTE VARA I KONTAKT med varandra.

✔ Se till att växellådan står i friläge (eller PARK, om bilen har automatväxellåda).

HAYNES TiPS Med starthjälp får du igång bilen, men orsaken till att batteriet laddats ur måste fortfarande åtgärdas. Det finns tre möjliga orsaker:

1 Batteriet har laddats ur på grund av upprepade startförsök eller på grund av att strålkastarna lämnats påslagna.

2 Laddningssystemet fungerar inte som det ska (växelströmsgeneratorns drivrem är lös eller trasig, generatorns kablage eller själva växelströmsgeneratorn är defekt).

3 Själva batteriet är defekt (elektrolytnivån är för låg eller atteriet är utslitet).

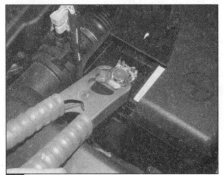

1 Anslut ena änden av den röda startkabeln till pluspolen (+) på det urladdade batteriet.

2 Anslut den andra änden av den röda startkabeln till pluspolen (+) på laddningsbatteriet.

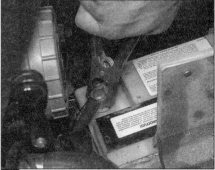

3 Anslut ena änden av den svarta startkabeln till minuspolen (-) på det urladdade batteriet.

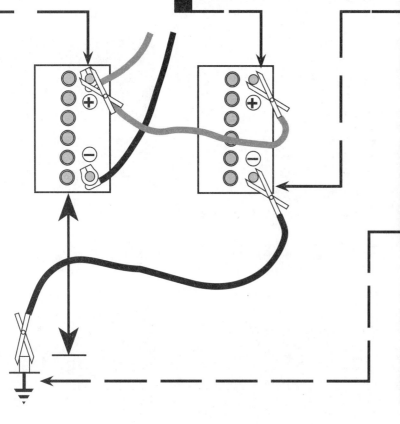

4 Anslut den andra änden av den svarta startkabeln till en bult eller fästbygel på motorblocket på den bil som ska startas, på säkert avstånd från batteriet.

5 Se till att startkablarna inte kommer i kontakt med fläkten, drivremmarna eller andra rörliga delar.

6 Starta motorn med hjälp av laddningsbatteriet och kör den på tomgång. Slå på strålkastarna, bakfönstrets avimning och värmefläktsmotorn. Koppla sedan loss startkablarna i omvänd ordning mot den som de anslöts i. Slå av strålkastare etc.

Hitta läckor

Pölar på garagegolvet (eller där bilen parkeras) eller våta fläckar i motorrummet tyder på läckor som man måste försöka hitta. Det är inte alltid så lätt att se var läckan är, särskilt inte om motorrummet är mycket smutsigt. Olja eller andra vätskor kan spridas av fartvinden under bilen och göra det svårt att avgöra var läckan egentligen finns.

 Varning: De flesta oljor och andra vätskor i en bil är giftiga. Vid spill bör man tvätta huden och byta indränkta kläder så snart som möjligt

> **HAYNES TiPS** *Lukten kan vara till hjälp när det gäller att avgöra varifrån ett läckage kommer och vissa vätskor har en färg som är lätt att känna igen. Det är en bra idé att tvätta bilen ordentligt och ställa den över rent papper över natten för att lättare se var läckan finns. Tänk på att motorn ibland bara läcker när den är igång.*

Olja från sumpen

Motorolja kan läcka från avtappnings-pluggen . . .

Olja från oljefiltret

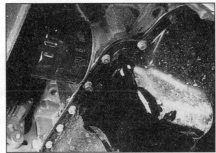

. . . eller från oljefiltrets packning.

Växellådsolja

Växellådsolja kan läcka från tätningarna i ändarna på drivaxlarna.

Frostskydd

Läckande frostskyddsvätska lämnar ofta kristallina avlagringar liknande dessa.

Bromsvätska

Läckage vid ett hjul är nästan alltid bromsvätska.

Servostyrningsvätska

Servostyrningsvätska kan läcka från styrväxeln eller dess anslutningar.

Bogsering

När ingenting annat hjälper kan du behöva bli bogserad hem. Eller kanske är det du som får hjälpa någon annan med bogsering. Hur som helst underlättar det om du vet hur man går tillväga. Bogsering längre sträckor bör överlåtas till verkstäder eller bärgningsfirmor. Kortare sträckor går det utmärkt att låta en annan privatbil bogsera, men tänk på följande:

☐ Använd en riktig bogserlina – de är inte dyra.
☐ Slå alltid på tändningen när bilen bogseras så att rattlåset släpper och riktningsvisare och bromsljus fungerar.

☐ Bogseringsöglan sitter inuti reservhjulet (se *Hjulbyte*) på halvkombimodeller och bakom den högra klädselpanelen i bagageutrymmet på kombimodeller. Sätt dit öglan genom att lossa åtkomstluckan från den aktuella stötfångaren och skruva dit öglan på plats.
☐ Lossa handbromsen och lägg växeln i friläge innan bogseringen börjar.
Varning: Överskrid inte 50 km/h och bogsera inte under mer än 50 km vid modeller med automatväxellåda. Om bogseringshastigheten/-avståndet överskrider dess gränser måste bilen bogseras med framhjulen lyfta från marken.

☐ Observera att du behöver trycka hårdare än vanligt på bromspedalen när du bromsar eftersom vakuumservon bara fungerar när motorn är igång.
☐ Föraren av den bogserade bilen måste vara noga med att hålla bogserlinan spänd hela tiden för att undvika ryck.
☐ Försäkra er om att båda förarna känner till den planerade färdvägen innan ni startar.
☐ Bogsera aldrig längre sträcka än nödvändigt och håll lämplig hastighet (högsta tillåtna hastighet vid bogsering är 30 km/h). Kör försiktigt och sakta ner mjukt och långsamt innan korsningar.

Hjulbyte

 Varning: *Byt aldrig hjul om du befinner dig i en situation där du riskerar att bli påkörd av ett annat fordon. Försök att stanna på en parkeringsficka eller på en mindre avtagsväg om du befinner dig på en hårt trafikerad väg. Håll uppsikt över passerande trafik när du byter däck. Det är lätt att bli distraherad av arbetet med hjulbytet.*

Förberedelser

- [ ] Vid punktering, stanna så snart det är säkert för dig och dina medtrafikanter.
- [ ] Parkera om möjligt på plan mark där du inte hamnar i vägen för annan trafik.

- [ ] Använd varningsblinkers om det behövs.
- [ ] Använd en varningstriangel (obligatorisk utrustning) för att göra andra trafikanter uppmärksamma på bilens närvaro.

- [ ] Dra åt handbromsen och lägg i ettan eller backen (eller parkeringsläge på modeller med automatväxellåda).
- [ ] Använd en brädbit för att fördela tyngden under domkraften om marken är mjuk.

Hjulbyte

1 Reservhjulet och verktyg förvaras under bagageutrymmet (på halvkombi modeller) Lyft upp mattan/det bakre familjesätet (efter tillämplighet), lossa fästremmen och ta bort verktygslådan och domkraften från mitten av reservhjulet. Demontera reservhjulet.

2 På kombimodeller förvaras reservhjulet och några verktyg under bakvagnen medan övriga verktyg bakom den högra plastpanelen i bagageutrymmet. Dra upp kåpan i bagageutrymmets golv, vrid runt kåpan och använd verktyget i verktygslådan bakom plastkåpan, vrid vinschbulten moturs för att sänka reservhjulet och domkraften/verktygslådan.

3 Ta bort hjulkapsel/navkapsel (efter tillämplighet).

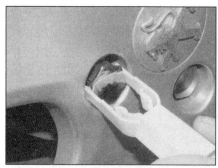

4 På modeller med låsbara hjulbultar drar du bort plastkåpan med det gula plastverkyget i verktygslådan . . .

5 . . . och skruvar loss stöldskyddsbulten med det medföljande specialverktyget – förvaras normalt i handskfacket på passagerarsidan eller i verktygslådan.

6 Placera klossen (markerad med pil) från verktygslådan mot hjulet diagonalt från det hjul som ska tas bort eller använd en sten för att hindra bilen från att rulla.

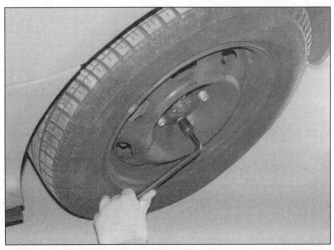

7 Använd det medföljande verktyg för att lossa alla hjulbultar ett halvt varv På modeller med lättmetallfälgar, använd specialverktyget för att lossa de självlåsande hjulmuttrarna.

8 Se till att domkraften placeras på stabilt underlag och placera domkraftens lyftsadel mot tröskeln. Höj sedan domkraften tills hjulet lyfts från marken.

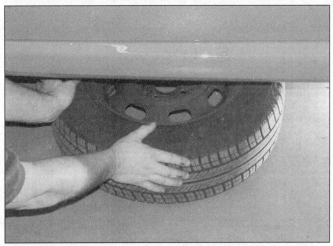

9 Skruva loss hjulbultarna och ta bort hjulet. Placera hjulet under tröskelpanelen och domkraften skulle välta. Montera reservhjulet, och skruva på bultarna. Dra åt bultarna något med fälgkorset och sänk ner bilen.

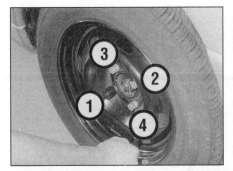

10 Dra åt hjulbultarna i diagonal ordningsföljd och sätt tillbaka hjulsidan/navkapseln/hjulbultarnas kåpor (efter tillämplighet). Stuva in det punkterade däcket och verktygen i bagageutrymmet och fäst dem på plats (halvkombimodeller). . .

11 . . . på kombimodeller drar du vinschvajern genom hjulet, placerar vajeränden i locket på verktygs-/domkraftslådan och använder fästet för att dra tillbaka vinschvajern.

Slutligen...

☐ Ta bort hjulblockeringen.

☐ Kontrollera lufttrycket i det nymonterade däcket. Om det är lågt eller om du inte har en tryckmätare med dig, kör långsamt till närmaste bensinstation och kontrollera/justera trycket.

☐ Hjulbultarna ska lossas och dras åt till angivet moment så snart som möjligt (se Kapitel 1A eller 1B).

☐ Reparera det skadade däcket eller hjulet så snart som möjligt eftersom ännu en punktering innebär att du blir strandsatt.

Inledning

Det finns ett antal mycket enkla kontroller som endast tar några minuter i anspråk, men som kan bespara dig mycket besvär och stora kostnader.

Dessa *Veckokontroller* kräver inga större kunskaper eller specialverktyg, och den korta tid de tar att utföra kan visa sig vara väl använd;

☐ Att hålla ett öga på däckens skick och lufttryck förebygger inte bara att de slits ut i förtid utan kan också rädda liv.

☐ Om det uppstår en läcka i bromssystemet kanske den upptäcks först när bromsarna slutar att fungera. Vid regelbundna kontroller av bromsoljenivån uppmärksammas sådana fel i god tid.

☐ Många motorhaverier orsakas av elektriska problem. Batterirelaterade fel är särskilt vanliga och genom regelbundna kontroller kan de flesta av dessa förebyggas.

☐ Om olje- eller kylvätskenivån blir för låg är det t.ex. betydligt billigare att laga läckan direkt, än att bekosta dyra reparationer av de motorskador som annars kan uppstå.

Kontrollpunkter i motorrummet

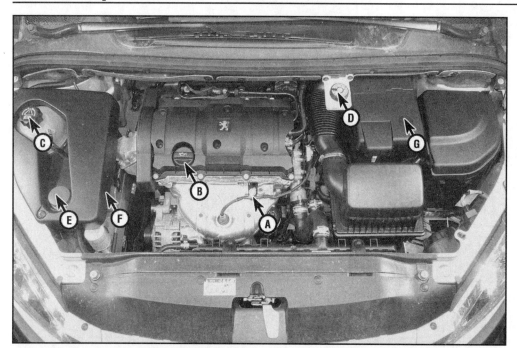

◄ 1,6 liter bensin (1,4 och 2,0 liknande)

A *Mätsticka för motorolja*

B *Påfyllningslock för motorolja*

C *Kylsystemets expansionskärl*

D *Broms- och kopplingsvätskebehållaren*

E *Spolarvätskebehållare*

F *Behållare för servostyrningsolja*

G *Batteri*

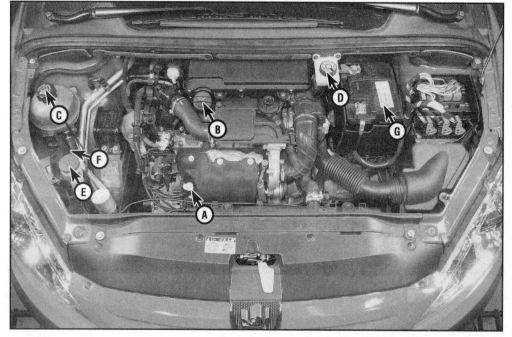

◄ 1,4 liter diesel (1,6 och 2,0 liknande)

A *Mätsticka för motorolja*

B *Påfyllningslock för motorolja*

C *Kylsystemets expansionskärl*

D *Broms- och kopplingsvätskebehållaren*

E *Spolarvätskebehållare*

F *Behållare för servostyrningsolja*

G *Batteri*

Motoroljenivå

Innan arbetet påbörjas

✔ Se till att bilen står plant.
✔ Oljenivån måste kontrolleras innan bilen körs, eller tidigast 5 minuter efter det att motorn har stängts av.

 HAYNES TiPS *Om oljenivån kontrolleras direkt efter att bilen körts, kommer en del av oljan att vara kvar i den övre delen av motorn. Detta ger felaktig avläsning på mätstickan.*

Rätt olja

Moderna motorer ställer höga krav på oljans kvalitet. Det är mycket viktigt att man använder en lämplig olja till sin bil (Se "Smörjmedel och vätskor").

Bilvård

● Om oljan behöver fyllas på ofta bör bilen kontrolleras med avseende på oljeläckor. Lägg ett rent papper under motorn över natten och se om det finns fläckar på det på morgonen. Finns det inga läckor kanske motorn bränner olja.

● Oljenivån ska alltid vara någonstans mellan oljestickans övre och nedre markering (se bild 3). Om oljenivån är för låg kan motorn ta allvarlig skada. Oljetätningarna kan gå sönder om man fyller på för mycket olja.

1 Mätstickan sitter i motorns främre del (se *Kontrollpunkter i motorrummet* på sidan 0•12); Mätstickan är ofta målad med stark färg eller har en symbol som föreställer en oljekanna ovanpå som identifiering. Dra upp oljemätstickan.

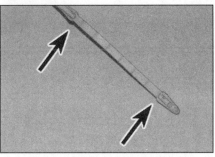

3 Observera oljenivån på mätstickans ände, som ska vara mellan den övre (MAX) och nedre (MIN) markeringen. Det skiljer ungefär en liter olja mellan minimi- och maximinivån.

2 Torka av oljan från mätstickan med en ren trasa eller en bit papper. Stick in den rena mätstickan i röret och dra ut den igen.

4 Oljan fylls på genom påfyllningsröret. Skruva av locket och fyll på olja; med en tratt minimeras oljespillet. Häll i oljan långsamt och kontrollera på mätstickan så att behållaren fylls med rätt mängd. Fyll inte på för mycket (se *Bilvård*).

Kylvätskenivå

 Varning: *Skruva ALDRIG av expansionskärlets lock när motorn är varm på grund av risken för brännskador. Låt inte behållare med kylvätska stå öppna eftersom vätskan är giftig.*

Bilvård

● Kylvätskan ska inte behöva fyllas på regelbundet. Om kylvätskan behöver fyllas på ofta har bilen troligen en läcka i kylsystemet. Kontrollera kylaren, alla slangar och fogytor efter stänk och våta märken och åtgärda eventuella problem.

● Det är viktigt att frostskyddsmedel används i kylsystemet året runt, inte bara under vintermånaderna. Fyll inte på med enbart vatten, då sänks koncentrationen av frostskyddsvätska.

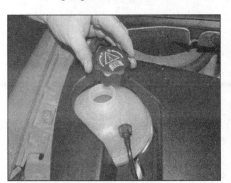

1 Kontrollera alltid kylvätskenivån när motorn är kall. Ta bort trycklocket (se *Varning*) från expansionskärlet, som sitter till höger om motorrummet.

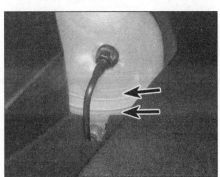

2 Kylvätskenivån ska ligga mellan MIN och MAX markeringarna på expansionskärlet

3 Om du behöver fylla på, använder du en blandning av vatten och frostskyddsvätska och häller i expansionskärlet tills nivån ligger mellan nivåmarkeringarna. Dra åt locket ordentligt när rätt oljenivå uppnåtts.

Däckens skick och tryck

Det är viktigt att däcken är i bra skick och att de har rätt tryck. Det är mycket farligt då däck går sönder vid hög hastighet.

Däckens slitage påverkas av körstilen. Snabba inbromsningar och accelerationer eller tvära kurvtagningar orsakar snabbare däckslitage. Framdäcken slits i regel ut snabbare än bakdäcken. Om man roterar däcken (sätter framdäcken bak och flyttar fram bakdäcken) då och då blir slitaget mer jämnt fördelat. Fungerar det här systemet bra kan alla fyra däcken behöva bytas samtidigt!

Ta bort alla spikar och stenar som fastnar i däckmönstret så att de inte orsakar punktering. Om det visar sig att däcket är punkterat när en spik tas bort, sätt tillbaka spiken för att märka ut platsen för punkteringen. Byt sedan omedelbart ut det punkterade däcket och lämna in det till en däckåterförsäljare för reparation.

Kontrollera regelbundet däcken med avseende på skador i form av rispor eller bulor, särskilt på däckssidorna. Skruva bort hjulen med jämna mellanrum för att rengöra dem invändigt och utvändigt. Undersök hjulfälgarna efter rost, korrosion eller andra skador. Lättmetallfälgar skadas lätt om man kör emot trottoarkanten när man parkerar. stålhjul kan också bli buckliga. Är ett hjul väldigt skadat är ett hjulbyte ofta den enda lösningen.

Nya däck ska balanseras när de monteras men de kan behöva balanseras om i takt med att de slits ut eller om motvikten på hjulfälgen ramlar av. Obalanserade däck slits ut snabbare än balanserade och orsakar dessutom onödigt slitage på styrning och fjädring. Vibrationer är ofta ett tecken på obalanserade hjul, särskilt om vibrationerna förekommer vid en viss hastighet (oftast runt 70 km/h). Om vibrationerna endast känns genom styrningen är det troligen bara framhjulen som behöver balanseras. Om vibrationerna däremot känns i hela bilen är det antagligen bakhjulen som är obalanserade. Balansering av hjul ska utföras av en däckåterförsäljare eller en verkstad.

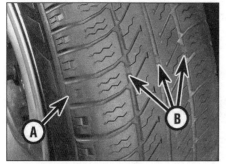

1 Mönsterdjup – visuell kontroll

Originaldäcken har säkerhetsband mot mönsterslitage (B), som blir synliga när däcken slitits ner ungefär 1,6 mm. En triangelformad markering på däcksidan (A) anger säkerhetsbandens placering.

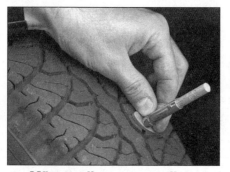

2 Mönsterdjup – manuell kontroll

Mönsterdjupet kan också kontrolleras med hjälp av en enkel och billig mönsterdjupsmätare.

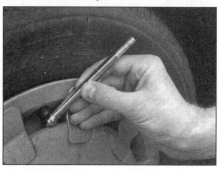

3 Däcktryck – kontroll

Kontrollera däcktrycket regelbundet när däcken är kalla. Justera inte däcktrycket omedelbart efter att bilen har används, det kommer att resultera i felaktigt tryck.

Däckslitage

Slitage på sidorna

Otillräckligt lufttryck i däck (slitage på båda sidor)
Är trycket i däcken för lågt kommer däcket att överhettas på grund av för stora rörelser och mönstret kommer att ligga an mot underlaget på ett felaktigt sätt. Det bidrar till sämre fäste och överdrivet slitage och risken för punktering på grund av upphettning ökar.
Kontrollera och justera tryckets
Felaktig cambervinkel (slitage på en sida)
Reparera eller byt fjädringens delar
Hård kurvtagning
Sänk hastigheten!

Slitage i mitten

För högt däcktryck
För högt däcktryck orsakar snabbt slitage av mittersta delen av däcket. Det leder dessutom till minskat väggrepp, stötigare gång och risk för stötskador i korden.
Kontrollera och justera tryckets

Om däcktrycket ibland måste ändras till högre tryck på grund av maximal lastvikt eller ihållande hög hastighet, måste det minskas igen efteråt.

Ojämnt slitage

Framdäcken kan slitas ojämnt på grund av felaktig hjulinställning. De flesta däckåterförsäljare och verkstäder kan kontrollera och justera hjulinställningen för en låg kostnad.
Felaktig camber- eller castervinkel
Reparera eller byt ut fjädringsdetaljer.
Defekt fjädring
Reparera eller byt ut fjädringsdetaljer.
Obalanserade hjul
Balansera hjulen.
Felaktig toe-inställning
Justera framhjulsinställningen.
Observera: *Den fransiga ytan i däckmönstret som kännetecknar toe-förslitning, kontrolleras bäst genom att man känner med handen över ytan.*

Broms- och kopplingsoljenivå

Varning:
● Bromsolja kan skada dina ögon och bilens lack, så var ytterst försiktig när du arbetar med den.
● Använd inte olja ur kärl som har stått öppna en längre tid. Bromsolja drar åt sig fuktighet från luften vilket kan försämra bromsegenskaperna avsevärt.

HAYNES TiPS *Oljenivån i behållaren kommer att sjunka något allt eftersom bromsklossarna slits, men nivån får aldrig hamna under MIN-markeringen.*

Innan arbetet påbörjas
✔ Se till att bilen står plant.

Säkerheten främst!
● Om du måste fylla på bromsoljebehållaren ofta har bilen fått en läcka i bromssystemet. Detta måste undersökas omedelbart.

● Vid en misstänkt läcka i systemet får bilen inte köras förrän bromssystemet har kontrollerats. Ta aldrig några risker med bromsarna.

1 Den övre (MAX) och nedre (MIN) nivåmarkeringen sitter på sidan av behållaren, som i sin tur är placerad i motorrummets vänstra hörn.

2 Om du behöver fylla på torkar du först rent området runt påfyllningslocket med en ren trasa, skruvar loss locket och tar bort det tillsammans med gummimembranet.

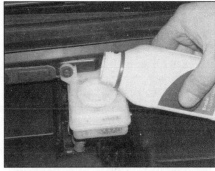

3 Fyll på vätska försiktigt. Var noga med att inte spilla på lacken. Använd bara hydraulolja av angiven typ; När du har fyllt tillrätt nivå sätter du tillbaka locket och membranet och drar åt ordentligt. Torka omedelbart upp eventuellt spill.

Servostyrningens oljenivå

Innan arbetet påbörjas
✔ Parkera bilen på en plan yta.
✔ Vrid ratten så att hjulen pekar rakt framåt.
✔ Motorn ska hålla omgivningstemperatur och vara avstängd.

Säkerheten främst!
● Om servostyrningsoljan ofta behöver fyllas på betyder det att systemet läcker, vilket måste undersökas omedelbart.

1 Vätskebehållaren är placerat i motorrummets högra del. Tryck ner sprintarna i mitten något, bänd ut hela plastnitarna, lossa sidoklämman och ta bort plastkåpan från kylvätske- och spolarvätskebehållaren. Rengör området runt behållarlocket (markerad med pil).

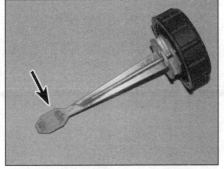

2 Skruva loss behållarlocket och kontrollera att vätskenivån ligger vid den övre nivåindikatorn (MAX) på mätstickan.

3 Använd en tratt för att fylla på behållaren med den angivna vätskan. Dra åt locket ordentligt när oljenivån är mellan markeringarna. Överfyll inte behållaren.

Spolarvätskenivå

● Spolarvätskekoncentrat rengör inte bara rutan utan fungerar även som frostskydd så att spolarvätskan inte fryser under vintern, då den behövs som mest. Fyll inte på med enbart vatten eftersom spolarvätskan då späds ut och kan frysa.

Använd aldrig kylvätska i spolarsystemet. Det kan missfärga eller skada lacken.

1 Spolarvätskebehållaren sitter längst fram till höger i motorrummet. Kontrollera vätskenivån genom att öppna locket och titta i påfyllningsröret.

2 Om påfyllning behövs, bör vatten och spolarvätskekoncentrat tillsättas enligt rekommendationerna på flaskan.

Torkarblad

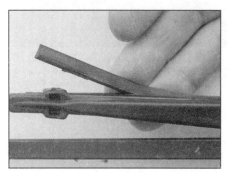

1 Kontrollera torkarbladens skick: Om de är spruckna eller ser slitna ut, eller om rutan inte torkas ordentligt, ska de bytas ut. Torkarblad bör bytas en gång om året för bästa sikt.

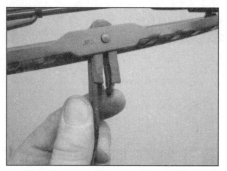

2 Om du ska ta bort ett tidigt torkarblad, slår du på tändningen, stänger av den och trycker torkarspaken nedåt en gång. Detta placerar armarna i serviceläge. Lyft torkararmen, vrid bladet på armen och kläm ihop plastinsatsens ändar.

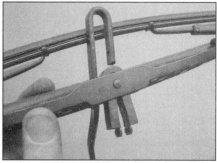

3 Lossa bladet från torkararmen, ta bort det från bilen och se till så att armen inte repar vindrutan. Tryck på torkarspaken en gång till för att återställa torkarbladen i parkeringsläge.

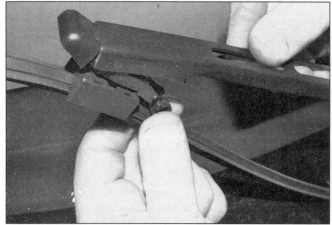

4 Om du ska ta bort ett senare torkarblad, slår du på tändningen, stänger av den och trycker torkarspaken nedåt en gång. Detta placerar armarna i serviceläge. Lyft torkararmen och tryck ihop sidoklämmorna för att sänka bladet från armen.

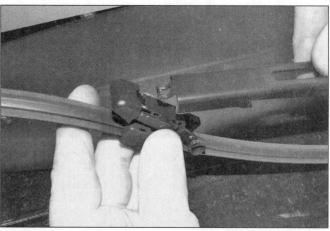

5 Fäll ner torkarbladet och haka loss den från änden på armen och se till så att armen inte skadar vindrutan. Tryck på torkarspaken en gång till för att återställa torkarbladen i parkeringsläge.

Batteri

Varning: Innan något arbete utförs på batteriet, läs föreskrifterna i "Säkerheten främst!" i början av denna handbok.

✔ Se till att batterilådan är i gott skick och att klämman sitter ordentligt. Rost på plåten, hållaren och batteriet kan avlägsnas med en lösning av vatten och bikarbonat. Skölj noggrant alla rengjorda delar med vatten. Alla rostskadade metalldelar ska först målas med en zinkbaserad grundfärg och därefter lackeras.

✔ Kontrollera regelbundet (ungefär var tredje månad) batteriets skick enligt beskrivningen i kapitel 5A.

✔ *Om batteriet är tomt och du måste använda startkablar för att starta bilen, se* Reparationer vid vägkanten.

1 Lyft upp plastkåpan så att du kommer åt batteriets pluspol som sitter på vänster sida av motorrummet. Batteriets utsida bör kontrolleras regelbundet efter skador, som sprickor i höljet eller kåpan.

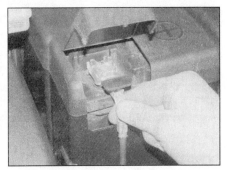

2 Kontrollera att batterikablarna är åtdragna så att det är god elektrisk kontakt och kontrollera om kablarna är åtdragna.

HAYNES TiPS

Korrosion på batteriet kan minimeras genom att man stryker lite vaselin på batteriklämmorna och polerna när man dragit åt dem.

3 Om synlig korrosion finns (vita porösa avlagringar), ta bort kablarna från batteripolerna och rengör dem med en liten stålborste. Sätt sedan tillbaka dem. I biltillbehörsbutiker kan man köpa ett särskilt verktyg för rengöring av batteripoler . . .

4 . . . och batteriets kabelklämmor.

Glödlampor och säkringar

✔ Kontrollera alla yttre lampor samt signalhornet. Se aktuella avsnitt i kapitel 12 för närmare information om någon av kretsarna inte fungerar.

✔ Se över alla tillgängliga kontaktdon, kablar och kabelklämmor så att de sitter ordentligt och inte är skavda eller skadade.

HAYNES TiPS *Om bromsljus och körriktningsvisare behöver kontrolleras när ingen medhjälpare finns till hands, backa upp mot en vägg eller garageport och sätt på ljusen. Ljuset som reflekteras visar om de fungerar eller inte.*

1 Om enstaka körriktningsvisare, bromsljus, sidoljus eller strålkastare inte fungerar beror det troligen på en trasig glödlampa som behöver bytas ut. Se kapitel 12 för mer information. Om båda bromsljusen har slutat fungera, kan det bero på att brytaren har gått sönder (se kapitel 9).

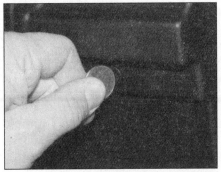

2 Om mer än en blinkers eller baklykt inte fungerar har troligen en säkring gått eller ett fel uppstått i kretsen. Säkringarna sitter bakom en kåpa i handskfacket. Öppna handskfacket och vrid skruvhållaren moturs för att sänka kåpan. Extra säkringar och reläer är placerade i säkringsdosan i motorrummets vänstra sida.

3 Byt trasiga säkringar genom att dra ut dem och sätt dit nya säkringar med rätt kapacitet (se kapitel 12). Om säkringen går sönder igen måste orsaken till detta fastställas. I kapitel 12 beskrivs en fullständig kontroll.

Smörjmedel och vätskor

Motor (bensin)	Multigrade motorolje 5W30 till 10W40 till ACEA A3 eller API SH/SJ: Total Quartz eller Esso Ultra/Ultron
Motor (diesel)	Helsyntetisk multigrade-motorolja 5W30 till 10W40 till ACEA B3 eller API CFB3: Esso Ultron diesel eller Total Activa/Quartz 9000
Kylsystem	Gurit Essex Revko Gel2000 eller BASF Glysantin G33-23F
Manuell växellåda	SAE 75W-80W till API GL5: ESSO växellådsolja BV eller Total Transmission BV
Automatväxellåda	ESSO 4HP20-AL4 automatväxelvätska
Broms- och kopplingssystem	Hydraulvätska DOT 4
Servostyrning	Total Fluide DA

Däcktryck (kallt)

Observera 1: *Däckmärke, storlek och tryck för varje bil anges på en etikett på förardörrens A-stolpe. På modeller med ett utrymmesbesparande reservhjul (familjekombi) anges ett separat tryck för reservhjulet och man måste vara noggrann så att man inte läser fel på etiketten. För utrymmesbesparande reservhjul är trycket betydligt högre än för normala däck (oftast 4 bar). På modeller med utrymmesbesparande reservhjul är reservhjulet endast avsett för tillfällig användning. När reservhjulet används ska bilen inte köras fortare än 80 km/h.*
Observera 2: *Tryckvärdena på etiketten gäller de originaldäck som specificeras och kan variera om du använder någon annan typ eller annat märke av däck. Om andra däck monteras, kontrollera tillverkarens rekommendationer.*
Observera 3: *Däcken måste vara kalla när däcktrycket kontrolleras för att garantera korrekta värden.*

Halvkombimodeller (normalt)	Fram (bar)	Bak (bar)
195/65 R15 däck	2,3	2,3
205/55 R16 däck	2,4	2,4

Kombimodeller (normalt)		
195/65 R15 däck	2,3	2,4
205/55 R16 däck	2,4	2,4

SW-modeller (Sports Wagon) (normalt)		
195/65 R15 däck	2,3	2,4
205/55 R16 däck	2,4	2,4

Kapitel 1 Del A:
Rutinunderhåll och service – bensinmodeller

Innehåll

Svårighetsgrad

 Enkelt, passar novisen med lite erfarenhet

 Ganska enkelt, passar nybörjaren med viss erfarenhet

 Ganska svårt, passar kompetent hemmamekaniker

 Svårt, passar hemmamekaniker med erfarenhet

 Mycket svårt, för professionell mekaniker

Smörjmedel och vätskor .... Se slutet av *Veckokontroller* på sidan 0•18

Volymer

Motorolja
Inklusive filter:
1,4-liters motorer .... 3,00 liter
1,6-liters motorer .... 3,25 liter
2,0-liters motorer .... 4,00 liter
Skillnad mellan MAX- och MIN-markeringarna på mätstickan .... 1,5 liter

Kylsystem (ungefärlig)
1,4-liters motorer .... 6,0 liter
1,6-liters motorer .... 6,2 liter
2,0-liters motorer .... 6,4 liter

Växellåda
Manuell:
1,4- och 1,6-liters motor. .... 2,0 liter
2,0-liters motorer .... 1,9 liter
Automat:
Fyll på efter att ha tömt .... 4,5 liter
Från torr .... 6,0 liter

Servostyrning (ungefärlig) .... 0,8 liter

Bensintank .... 60 liter

Motor

Drivremsspänningar (för remspänningsverktyget – se text):
1,4-liters modeller:
Ny rem .... 120 SEEM-enheter
Använd rem. .... 60 till 80 SEEM-enheter
1,6-liters modeller:
Utan luftkonditionering:
Ny rem. .... 87 SEEM-enheter
Använd rem. .... 61 SEEM-enheter
Med luftkonditionering:
Ny rem. .... 120 SEEM-enheter
Använd rem. .... 58 SEEM-enheter
2,0-liters modeller. .... Automatisk justering

Kylsystem

Frys- och korrosionsskydd. .... Se frostskyddsmedeltillverkarens koncentrationsrekommendationer

Tändningssystem

Tändstift:
1,4-liters motor. .... Bosch FR7DE
1,6-liters motor. .... Bosch FR7ME
2,0-liters motor. .... Bosch FR8ME
Elektrodavstånd .... 0,9 mm

Bromsar

Minsta tjocklek på bromsklossbeläggen .... 2,0 mm

Däcktryck .... Se slutet av *Veckokontroller* på sidan 0•18

Åtdragningsmoment

	Nm
Generatorns fästbultar	37
Automatväxellåda:	
Påfyllningsplugg	24
Nivåplugg	24
Drivremmens spännarremskivas mutter.	45
Manuell växellåda påfyllnings-/nivåplugg:	
1,4- och 1,6-liters modeller	25
2,0-liters modeller.	20
Oljefilterkåpa (1,4- och 1,6-liters modeller)	25
Hjulbultar	85
Tändstift	25
Sumpens dräneringsplugg	30

Observera: *Det här underhållsschemat är en rekommendation från Haynes, för att underhålla din bil. Tillverkarens underhållsschema kan du få av din lokala verkstad.*

1 Underhållsintervallen i denna handbok är angivna efter förutsättningen arbetet utförs hemma och inte överlämnas till en verkstad. Detta är minimiintervall för underhåll som vi rekommenderar för fordon som körs varje dag. Om bilen konstant ska hållas i toppskick bör vissa moment utföras oftare. Vi rekommenderar regelbundet underhåll

eftersom det höjer bilens effektivitet, prestanda och andrahandsvärde.
2 Om bilen körs i dammiga områden, används till att bogsera en släpvagn eller ofta körs i låga hastigheter (tomgångskörning i trafik) eller på korta resor, rekommenderas tätare underhållsintervall.
3 Medan bilen är ny skall underhållsservice utföras av auktoriserad verkstad så att garantin ej förverkas. Biltillverkaren kan avslå garantianspråk om du inte kan bevisa att service har utförts på det sätt och vid de

tidpunkter som har angivits, och då endast med originalutrustning eller delar som har godkänts som likvärdiga.
4 Ventilspelskontroll på 1,4-liters motorer (kapitel 2A, avsnitt 9) föreskrivs inte längre som en del av rutinunderhållsschemat (1,6- och 2,0-liters motorerna har hydrauliska justerare). Kontrollera ventilspelet och det hör knackningar eller skallrande från motorns överdel eller om kapaciteten är ovanligt låg. Noggranna ägare kan kontrollera spelen efter 60 000 km eller med fyra års intervall.

Var 400 km eller en gång i veckan

☐ *Se Veckokontroller*

Var 15 000 km eller var tolfte månad – det som inträffar först

☐ Byt motoroljan och filtret* (avsnitt 3).
☐ Kontrollera alla komponenter under motorhuven eller eventuella vätskeläckage (avsnitt 4).
☐ Kontrollera skicket hos drivaxelns gummidamasker och drivknutar (avsnitt 5).
☐ Smörj alla gångjärn och lås (avsnitt 6).
☐ Gör ett landsvägsprov (avsnitt 7).
*Observera: *Peugeot rekommenderar att motorolja och filter byts var 30 000 km eller efter två år. Det är bra för motorn att byta olja och filter oftare, så vi rekommenderar att du byter tätare, särskilt om bilen används till många kortare resor.*

Var 30 000 km eller vart andra år – det som inträffar först

☐ Återställ servicedisplayen (avsnitt 8).
☐ Kontrollera pollenfiltret (avsnitt 9).
☐ Kontrollera drivremmens skick (avsnitt 10).
☐ Kontrollera bromsklossarnas skick (avsnitt 11).
☐ Kontrollera funktionen hos handbromsen (avsnitt 12).
☐ Kontrollera styrnings- och fjädringsdelarna (avsnitt 13).

Var 60 000 km

☐ Byt kamremmen (avsnitt 14).
Observera: *Trots att det normala bytesintervallet för kamremmen är 120 000 km rekommenderar vi att intervallet sänks till 60 000 km, särskilt på bilar som används intensivt, dvs. huvudsakligen till kortare resor eller många start och stopp. Det faktiska bytesintervallet för remmen är därför upp till den enskilde ägaren, men tänk på att allvarliga motorskador blir följden om remmen går sönder.*

Var 60 000 km eller vart andra år – det som inträffar först

☐ Byt bromsoljan (avsnitt 15).
Observera: *En hydraulisk koppling delar vätskebehållare med bromssystemet och kan också behöva luftas.*

Var 60 000 km eller var fyra år – det som inträffar först

☐ Byt tändstiften (avsnitt 16).
☐ Byt bränslefiltret* (avsnitt 17).
☐ Byt ut luftfiltret (avsnitt 18).
☐ Kontrollera oljenivån i den manuella växellådan (avsnitt 19).
☐ Kontrollera automatväxellådsoljans nivå (avsnitt 20).
☐ Kontrollera avgasutsläppen (avsnitt 21).
☐ Byt kylvätskan (avsnitt 22).
*Observera: *Monteras endast på marknader där bränsle av sämre kvalitet säljs.*

Vart tionde år

☐ Byt krockkudden och bältesförsträckarna (avsnitt 23).

Översikt över motorrummet på en 1,6-liters modell

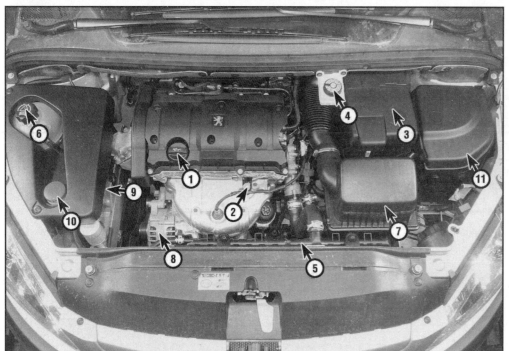

1 Påfyllningslock för motorolja
2 Mätsticka för motorolja
3 Batteri
4 Broms/kopplings-oljebehållare
5 Kylare
6 Kylsystemets expansionskärl
7 Luftfilterhus
8 Växelströmsgenerator
9 Behållare för servostyrningsolja
10 Spolarvätskebehållare
11 Säkrings-/eldosa

Översikt över det främre underredet

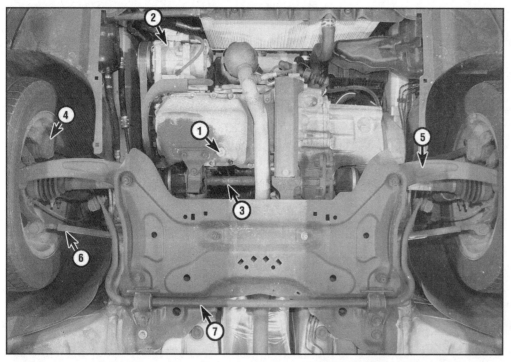

1 Motoroljans dräneringsplugg
2 Luftkonditionerings-kompressor
3 Drivaxel
4 Bromsskiva
5 Fjädringens nedre arm
6 Parallellstag
7 Krängningshämmare

Översikt över det bakre underredet

1 Bränsletank
2 Axelbalk
3 Handbromsvajer
4 Bromsskiva
5 Spiralfjäder

Underhållsrutiner

1 Allmän information

1 Informationen i detta kapitel är avsedd att hjälpa hemmamekanikern att underhålla sin bil för att få god säkerhet, driftsekonomi, lång tjänstgöring och topprestanda.
2 Kapitlet innehåller ett underhållsschema som följs av avsnitt som i detalj tar upp varje post på schemat. Bland annat behandlas användbara saker som kontroller, justeringar och byte av delar.. Se de tillhörande bilderna av motorrummet och bottenplattan vad gäller de olika delarnas placering.
3 Underhållsschemat för tid/körsträcka och de följande avsnitten ger dig ett tydligt underhållsprogram som, om du följer det, bidrar till att din bils tjänstgöring blir både lång och säker. Planen är heltäckande så om man väljer att bara underhålla vissa delar, men inte andra, vid angivna tidpunkter går det inte att garantera samma goda resultat.
4 Ofta kan eller bör flera åtgärder utföras samtidigt på bilen, antingen för att den åtgärd som ska utföras kräver det eller för att delarnas läge gör det praktiskt. Om bilen lyfts av någon orsak kan t.ex. avgassystemet kontrolleras samtidigt som styrningen och fjädringen.
5 Första steget i detta underhållsprogram

är förberedelser innan arbetet påbörjas. Läs igenom relevanta avsnitt, gör sedan upp en lista på vad som behövs och skaffa verktyg och delar. Rådfråga en specialist på reservdelar eller vänd dig till återförsäljarens serviceavdelning om problem uppstår.

2 Rutinunderhåll

1 Om underhållsschemat följs noga från det att bilen är ny och om vätske- och oljenivåerna och de delar som är utsatta för stort slitage kontrolleras enligt denna handboks rekommendationer, kommer motorn att hållas i bra skick och behovet av extra arbete minimeras.
2 Ibland går motorn dåligt på grund av bristande underhåll. Risken för detta ökar om bilen är begagnad och inte fått tät och regelbunden service. I sådana fall kan extra arbeten behöva utföras, utöver det normala underhållet.
3 Om motorn misstänks vara sliten ger ett kompressionsprov (se kapitel 2A) värdefull information om de inre huvuddelarnas skick. Ett kompressionsprov kan användas för att avgöra omfattningen på det kommande arbetet. Om provet avslöjar allvarligt inre slitage är det slöseri med tid och pengar att

utföra underhåll på det sätt som beskrivs i detta kapitel, om inte motorn först renoveras (kapitel 2F).
4 Följande åtgärder är de som oftast behöver vidtas för att förbättra prestanda hos en motor som går dåligt:

I första hand

a) Rengör, undersök och testa batteriet (se Veckokontroller).
b) Kontrollera alla motorrelaterade oljor och vätskor (se Veckokontroller).
c) Kontrollera drivremmens skick och spänning (avsnitt 10).
d) Byt tändstiften (avsnitt 16).
e) Kontrollera luftrenarens filterelement och byt ut det om det behövs (avsnitt 18).
f) Byt bränslefiltret (avsnitt 17).
g) Kontrollera skick på samtliga slangar och leta efter läckor (avsnitt 4).
5 Om ovanstående åtgärder inte ger fullständiga resultat, gör följande:

Sekundära åtgärder

Allt som anges under I första hand, plus följande:
a) Kontrollera laddningssystemet (kapitel 5A).
b) Kontrollera tändningssystemet (kapitel 5B).
c) Kontrollera bränslesystemet (kapitel 4A).

3.3a Ta bort skruvarna . . .

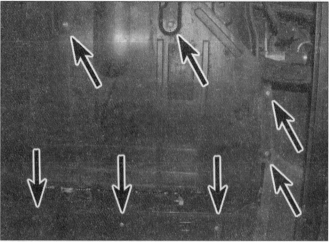

3.3b . . . som håller fast motorns undre skyddskåpa (höger sida markerad med pil)

Var 15 000 km eller var tolfte månad

3 Motorolja och filter – byte

Observera: *Du kan behöva en lämplig nyckel för att lossa sumpens dräneringsplugg.*

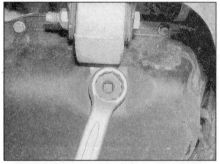

3.4 Lossa sumpens dräneringsplugg

HAYNES TiPS

Dra snabbt bort dräneringspluggen när den släpper från gängorna, så att oljan hamnar i kärlet och inte i tröjärmen!

Lämpliga nycklar kan köpas hos de flesta motorspecialister eller Peugeot-verkstäder.

1 Täta byten av olja och filter är det viktigaste förebyggande underhåll en hemmamekaniker kan utföra själv. När motoroljan åldras blir den utspädd och förorenad, vilket leder till förtida motorslitage.

2 Innan arbetet påbörjas, plocka fram alla verktyg och material som behövs. Se även till att ha gott om rena trasor och tidningar till hands för att torka upp eventuellt spill. Motoroljan ska helst vara varm eftersom den rinner ut lättare då och även tar med sig slam. Se dock till att inte vidröra avgassystemet eller andra heta delar vid arbete under bilen. Använd handskar för att undvika skållning och för att skydda huden mot irritationer och skadliga föroreningar i begagnad motorolja. Det är mycket lättare att komma åt bilens underrede om bilen kan lyftas på en lyft, köras upp på en ramp, eller höjas med domkraft och stöttas på pallbockar (se *Lyftning och stödpunkter*). Oavsett vilken metod som används, se till att bilen är plan eller, om den lutar, att oljeavtappningspluggen befinner sig på den lägsta punkten.

3 Lossa skruvarna och ta bort motorns undre skyddskåpa – om en sådan finns, **(se bild)**.
4 Lossa dräneringsplugg ett halvt varv **(se bild)**. Placera avtappningskärlet under avtappningspluggen och skruva ur pluggen helt. Om det går, försök pressa pluggen mot sumpen när den skruvas loss för hand de sista varven **(se Haynes tips)**. Ta bort pluggens tätningsring.
5 Ge den gamla oljan tid att rinna ut. Observera att det kan bli nödvändigt att flytta behållaren när oljeflödet minskar.
6 Torka av avtappningspluggen med en ren trasa och sätt på en ny tätningsbricka när all olja tappats ur. Rengör området kring dräneringsplugg och skruva in den till angivet moment.
7 Placera behållaren i läge under oljefiltret, som sitter på motorblockets front.

1,4- och 1,6-liters motorer

8 På dessa motorer sitter filtret i en filterkåpa. Använd en hylsnyckel eller skiftnyckel, lossa och ta bort filterkåpan från ovansidan **(se bilder)**. Var beredd på vätskespill, och ta loss O-ringstätningen från kåpan.

3.8a Lossa filterkåpan . . .

3.8b . . . och ta loss O-ringstätningen

3.11a Sätt dit det nya filtret i kåpan. . .

3.11b . . . och stryk på lite, ren motorolja på O-ringstätningen

3.13 Använd en oljefilter demonteringsverktyg för att lossa kolkanister oljefiltret

9 Dra bort filterinsatsen från filterkåpan.
10 Torka bort all olja, smuts och slam från filterkåpans in- och utsida med en ren trasa.
11 Sätt i den nya filterinsatsen i kåpan, lägg på lite ren motorolja på den nya O-ringstätningen och sätt dit den på filterkåpan **(se bilder)**.
12 Sätt dit filtret/kåpan på huset och dra åt kåpan till angivet moment.

2,0-liters motorer

13 Lossa först filtret med ett oljefilterverktyg, om det behövs, och skruva sedan loss det för hand **(se bild)**. Töm ut oljan från filtret i behållaren.
14 Torka bort all olja, smuts och slam från filtrets tätningsyta på motorn med en ren trasa. Kontrollera det gamla filtret så att ingen del av gummitätningen sitter fast på motorn. Om någon del av tätningen fastnat ska den försiktigt avlägsnas.
15 Lägg ett tunt lager ren motorolja på tätningsringen på det nya filtret, och skruva sedan fast det på motorn **(se bilder)**. Dra åt filtret ordentligt, men endast för hand – använd inte något verktyg.

Alla motorer

16 Avlägsna den gamla oljan och verktygen under bilen och sänk ner bilen.
17 Ta bort mätstickan och skruva loss oljepåfyllningslocket från ventilkåpan. Fyll motorn med rätt klass och typ av olja (se *Smörjmedel och vätskor*). En oljekanna eller tratt kan minska spillet. Häll först i hälften av den angivna mängden olja. Vänta sedan några minuter så att oljan hinner rinna ner i sumpen. Fortsätt fylla på små mängder i taget till dess att nivån når det nedre märket på mätstickan. Montera påfyllningslocket.
18 Starta motorn och låt den gå några minuter. leta efter läckor runt oljefiltrets tätning och sumpens dräneringsplugg. Observera att det kan ta ett par sekunder innan oljetryckslampan släcks sedan motorn startats första gången efter ett oljebyte. Detta beror på att oljan cirkulerar runt i kanalerna och det nya filtret innan trycket byggs upp.
19 Montera tillbaka motorns undre skyddskåpa (om tillämpligt) och fäst det på plats med skruvhållarna.

3.15a Smörj tätningsringen på det nya filtret med ren motorolje . . .

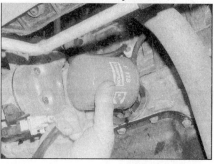

3.15b . . . och skruva dit filtret på motorn och dra åt ordentligt för hand

20 Stäng av motorn och vänta ett par minuter på att oljan ska rinna tillbaka till sumpen. När den nya oljan har cirkulerat runt motorn och fyllt filtret ska oljenivån kontrolleras igen, fyll på mer vid behov.
21 Ta hand om den använda motoroljan på ett säkert sätt och i enlighet med *Allmänna reparationsanvisningar*.

4 Kontroll av slang- och vätskeläckage

1 Undersök motorns fogytor, packningar och tätningar efter tecken på vatten- eller oljeläckage. Var speciellt uppmärksam på områdena kring topplocket, oljefiltret och sumpfogen. Tänk på att med tiden är ett litet läckage från dessa områden helt normalt, så leta efter tecken på allvarliga läckor. Om ett läckage påträffas, byt den defekta packningen eller tätningen enligt beskrivning i relevant kapitel i denna handbok.
2 Kontrollera även åtdragning och skick för alla motorrelaterade rör och slangar. Kontrollera att alla kabelskor eller fästklämmor sitter ordentligt fast, och att de är i god kondition. Trasiga eller saknade klämmor kan leda till skav på slangar, rör eller kablage. Detta kan i sin tur leda till allvarligare fel i framtiden.
3 Undersök noga alla kylar- och värmeslangar utmed hela deras längd. Byt ut alla slangar som är spruckna, svällda eller åldrade. Sprickor är

lättare att se om slangen trycks ihop. Var extra uppmärksam på slangklämmorna som håller fast slangarna vid kylsystemets komponenter. Slangklämmor kan punktera slangarna med läckor i kylsystemet som följd. Om du använder veckade slangklämmor kan det vara bra att byta dem mot vanliga klämmor.
4 Undersök kylsystemets alla delar (slangar, fogytor etc.) och leta efter läckor **(se Haynes tips)**.
5 Om några problem föreligger med någon systemkomponent, byt komponenten eller packningen enligt beskrivningen i kapitel 3.
6 Undersök i förekommande fall om automatväxellådans oljekylarslangar visar tecken på defekter eller läckor.

En läcka i kylsystemet syns normalt som vita eller rostfärgade avlagringar på området runt läckan

5.1 Kontrollera drivaxeldamaskerna med avseende på tecken på skador eller slitage

7 Lyft upp bilen och kontrollera att bensintanken och påfyllningsröret inte har några läckor, sprickor och andra skador. Anslutningen mellan påfyllningsröret och tanken är speciellt kritisk. Ibland läcker ett påfyllningsrör av gummi eller en slang beroende på att slangklämmorna är för löst åtdragna eller att gummit åldrats.

8 Undersök noga alla gummislangar och bränslerör från tanken. Leta efter lösa anslutningar, åldrade slangar, veckade ledningar och andra skador. Var extra uppmärksam på ventilationsrör och slangar som ofta är lindade runt påfyllningsröret och som kan bli igensatta eller veckade. Följ rören till bilens front och kontrollera dem hela vägen. Byt ut skadade delar vid behov.

9 I motorrummet kontrollerar du alla anslutningar för bränslerör, och om bränslerör och vakuumslangar är veckade, skavda eller åldrade.

10 Kontrollera i förekommande fall skicket på servostyrningens slangar och rör.

5 Drivaxeldamask och drivknut – kontroll

1 Hissa upp bilen och stöd den på pallbockar (se *Lyftning och stödpunkter*), vrid ratten till fullt utslag och vrid sedan hjulet långsamt. Undersök konditionen för de yttre drivknutarnas damasker, och tryck på damaskerna så att vecken öppnas **(se bild)**. Leta efter spår av sprickor, bristningar och åldrat gummi som kan släppa ut fett

och släppa in vatten och smuts i drivknuten. Kontrollera även damaskernas klamrar vad gäller åtdragning och skick. Upprepa dessa kontroller på de inre drivknutarna. Om skador eller slitage påträffas bör damaskerna bytas (se Kapitel 8).

2 Kontrollera samtidigt drivknutarnas allmänna skick genom att hålla fast drivaxeln och samtidigt försöka vrida hjulet. Håll sedan fast innerknuten och försök vrida på drivaxeln. Varje märkbar rörelse är ett tecken på slitage i drivknutarna, slitage i drivaxelspårningen eller på lösa fästmuttrar till drivaxeln.

6 Gångjärn och lås – smörjning

1 Gå runt hela bilen och smörj gångjärnen på motorhuv, dörrar och baklucka med en liten mängd tunn smörjolja.

2 Smörj motorhuvens låsmekanism och den synliga biten av den inre vajern med lite fett.

3 Undersök säkerheten och funktionen hos alla gångjärn, reglar och lås noga och justera dem om det behövs. Kontrollera funktionen hos centrallåssystemet (om en sådan finns).

4 Kontrollera skick och funktion hos bakluckans dämpare och byt dem om någon av dem läcker eller inte längre kan hålla upp bakluckan ordentligt.

7 Landsvägsprov

Instrument och elektrisk utrustning

1 Kontrollera funktionen hos alla instrument och den elektriska utrustningen.

2 Kontrollera att instrumenten ger korrekta avläsningar och slå i tur och ordning på all elektrisk utrustning för att kontrollera att den fungerar korrekt.

Fjädring och styrning

3 Kontrollera om bilen uppför sig onormalt i styrning, fjädring, köregenskaper och vägkänsla.

4 Kör bilen och var uppmärksam på ovanliga vibrationer eller ljud.

5 Kontrollera att styrningen känns positiv, utan överdrivet fladder eller kärvningar, och lyssna efter fjädringsmissljud vid kurvtagning och gupp.

Drivaggregat

6 Kontrollera motorns, kopplingens, växellådans och drivaxlarnas funktion.

7 Lyssna efter onormala ljud från motorn, kopplingen och växellådan.

8 Kontrollera att motorns tomgång är jämn och att det inte finns tvekan vid gaspådrag.

9 Kontrollera att kopplingen går mjukt, att den "tar" jämnt och att pedalen inte har för lång slaglängd. Lyssna även efter missljud när kopplingspedalen är nedtryckt.

10 Kontrollera att alla växlar kan läggas i jämnt och utan missljud, och att växelspakens rörelse inte är vag eller hackig.

11 På modeller med automatväxellåda, kontrollera att alla växlingar är ryckfria, mjuka och fria från ökning av motorvarvet mellan växlar. Kontrollera att alla lägen kan väljas när bilen står stilla. Om problem föreligger ska dessa tas om hand av en Audi/VAG-verkstad.

12 Lyssna efter metalliska klickljud från framvagnen när bilen körs långsamt i en cirkel med fullt rattutslag. Utför kontrollen åt båda hållen. Om ett klickljud hörs indikerar detta att en drivaxeled är sliten, och då måste hela drivaxeln bytas (se kapitel 8).

Bromssystem

13 Kontrollera att bilen inte drar åt ena hållet vid inbromsning, och att hjulen inte låser sig vid hård inbromsning.

14 Kontrollera att ratten inte vibrerar vid inbromsning.

15 Kontrollera att handbromsen fungerar ordentligt utan för stort spel i spaken, och att den kan hålla bilen stilla i en backe.

16 Testa bromsservon (om det är tillämpligt) enligt följande. Stäng av motorn, tryck ner bromspedalen 4 eller 5 gånger för att häva vakuumet. Håll pedalen nedtryckt och starta motorn. När motorn startar ska pedalen ge efter märkbart medan vakuumet byggs upp. Låt motorn gå i minst två minuter och stäng sedan av den. Om pedalen nu trycks ner ska ett väsande ljud höras från servon. Efter ungefär fyra eller fem nedtryckningar ska väsandet inte längre höras, och pedalen ska kännas betydligt fastare.

Var 30 000 km eller vart andra år

8 Servicedisplay – återställning

1 När du är klar med servicen, återställer du servicedisplayen enligt följande.

2 Stäng av tändningen, tryck och håll in trippmätarknappen.

3 Slå på tändningen så börjar en nedräkning på displayen. När nedräkningen når 0, släpper du trippmätarknappen så försvinner skiftnyckelsymbolen för service från displayen.

4 Slå av tändningen.

5 Slå på tändningsbrytaren och kontrollera att korrekt sträcka till nästa service visas på displayen.

Observera: *Om du behöver lossa batteriet efter den här åtgärden låser du fordonet och väntar i minst 5 minuter. Annars kan det hända att nollställningen inte registreras.*

9.2a Bänd upp mittsprintarna och bänd ur plastnitarna (markerade med pil) ...

9.2b ... och ta bort ljudisoleringsmaterialet

9.3 Dra loss filterkåpan (markerad med pil) från mellanväggen

9 Pollenfilter – kontroll

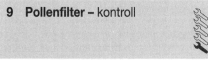

1 Öppna motorhuven.
2 Bänd upp mittsprintarna, bänd ur hela plastnitarna och ta bort den ljudisolerande klädseln som täcker pollenfilterkåpan **(se bilder)**.
3 Ta filterkåpan och och dra bort den från mellanväggen **(se bild)**.
4 För ut filtret **(se bild)**.
5 Kontrollera skicket på filtret, och byt vid behov.
6 Torka rent insidan av huset och sätt dit pollenfilterelementet och se till att det sitter ordentligt på plats.
7 Montera tillbaka pollenfilterkåpan,
8 Sätt tillbaka den ljudisolerande klädseln och sätt den på plats med plastnitarna.
9 Stäng motorhuven.

10 Drivrem – kontroll och byte

Observera: *På modeller utan servostyrning och luftkonditionering anger Peugeot att man ska använda ett särskilt elektroniskt verktyg (SEEM C.TRONIC typ 105.5 mätverktyg för remspänning) för att ställa in drivremmens spänning. Om du inte har tillgång till den här utrustningen kan du åstadkomma en ungefärlig inställning med nedanstående metod. Om du använder den här metoden måste du kontrollera spänningen med det särskilda elektroniska verktyget så snart som möjligt.*

Kontroll

1 Dra åt handbromsen, lossa det högra framhjulets bultar, och lyft sedan upp framvagnen och ställ den på pallbockar (se *Lyftning och stödpunkter*). Demontera höger framhjul.
2 Ta bort plastnitarna (dra ut mittstiftet och ta sedan bort hela niten) som håller fast hjulhusets foder och dra ut fodret under skärmen.
3 Använd en lämplig hylsa och förlängningsstång som sätts dit på vevaxeldrevets bult och vrid vevaxeln så att drivremmen kan undersökas

i hela sin längd. Undersök drivremmen och leta efter sprickor, delningar, fransningar eller skadade. Leta också efter tecken på polering (blanka fläckar) och efter delning av remlagren. Byt ut remmen om den är utsliten eller skadad.
4 Om remmen är i tillräckligt bra skick kontrollerar du drivremmen spänning på 1,4- och 1,6-liters modellerna enligt nedan.
Observera: *På 2,0-liters modellerna behöver man inte kontrollera drivremmens spänning (en automatisk sträckare monteras).*
5 Sätt tillbaka hjulhusfodret och fäst det med plastnitarna.
6 Montera tillbaka hjulet, sänk ner bilen och dra åt hjulbultarna till angivet moment.

1,4 och 1,6 liter utan luftkonditionering

Byte

7 Om du inte redan har gjort det, fortsätt enligt beskrivningen i avsnitt 1 och 2.
8 På 1,4-liters modellerna lossar du både generatorns övre och nedre fästbultar medan det på 1,6-liters modellerna räcker att lossa den nedre fästbultarna.
9 Lossa justeringsbulten för att lätta på drivremmens spänning och dra loss drivremmen från remskivorna. **Observera:**

9.4 Dra ut pollenfiltret

Markera remmens rotationsriktning före borttagningen om du ska återanvända den. På så vis kan du vara säker på att du sätter tillbaka den på rätt sätt.
10 Om du ska byta remmen måste du använda rätt typ. Om du ska sätta tillbaka den ursprungliga remmen använder du märket du gjorde före borttagningen så att den hamnar i rätt rotationsriktning.
11 Sätt dit remmen runt remskivorna och avlägsna spelet i remmen genom att dra åt justeringsbulten **(se bild)**. Spänna drivremmen enligt beskrivningen i följande avsnitt.

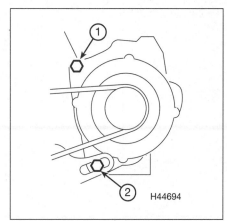

10.11a Dragning och justering av remmen (1,4-liters modell utan luftkonditionering)

1 *Generatorns styrbult*
2 *Justeringsbulten*

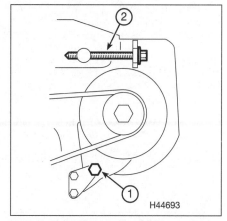

10.11b Dragning och justering av remmen (1,6-liters modell utan luftkonditionering)

1 *Generatorns styrbult*
2 *Justeringsbulten*

Spänna

12 Om du inte redan har gjort det, fortsätt enligt beskrivningen i avsnitt 1 och 2.

13 Om du har tillgång till specialmätverktyget, sätt dit mätutrustningen på remmens "nedre del", ungefär mitt emellan vevaxeln och generatorn remskivor. Remspänningen ska ställas in på värdet i Specifikationer i början av det här Kapitlet.

14 Om du inte har tillgång till mätverktyget ska remmen spännas så att det finns cirka 5,0 mm fri rörelse mitt emellan remskivorna på den nedre delen av rembanan när du trycker hårt med tummen mot den.

Varning: En korrekt spänd drivrem får längre livslängd. Om remmen är för slak slirar den och gnisslar. Var dock försiktig med att spänna den för hårt, eftersom detta kan slita generatorlagren.

15 Justera remspänningen genom att lossa fästbultarna lätt och vrida justeringsbulten tills du uppnår rätt spänning.

16 Vrid vevaxeln några varv, kontrollera spänningen igen och dra åt generatorns fästbultar till angivet moment.

17 Sätt tillbaka hjulhusfodret och fäst det med plastnitarna.

18 Montera tillbaka hjulet, sänk ner bilen och dra åt hjulbultarna till angivet moment. Återanslut batteriet.

1,4 och 1,6 liter med luftkonditionering

Byte

19 Om du inte redan har gjort det, fortsätt enligt beskrivningen i avsnitt 1 och 2.

20 Lossa spännarremskivans fästbultar och vrid justeringsbulten för att lätta på spänningen i remmen och ta bort remmen från remskivorna. **Observera:** *Markera remmens rotationsriktning före borttagningen om du ska återanvända den. På så vis kan du vara säker på att du sätter tillbaka den på rätt sätt.*

21 Om du ska byta remmen måste du använda rätt typ. Om du ska sätta tillbaka den ursprungliga remmen använder du märket du gjorde före borttagningen så att den hamnar i rätt rotationsriktning. Sätt dit drivremmen runt remskivorna i följande ordning **(se bild):**

a) *Luftkonditioneringskompressor.*
b) *Vevaxel.*
c) *Generator.*
d) *Tomgångsrulle*
e) *Spännarremskiva.*

22 Kontrollera att ribborna på remmen hamnar i spåren på remskivorna och att drivremmen är korrekt dragen. Spänn remmen enligt följande.

Spänna

23 Om du inte redan har gjort det, fortsätt enligt beskrivningen i avsnitt 1 och 2.

24 Om du har tillgång till specialmätverktyget, sätt dit mätutrustningen på remmens ungefär mitt emellan vevaxelns och AC-kompressorns remskivor. Kontroller att remspänningen stämmer överens med Specifikationer i början av det här kapitlet.

25 Om du inte har tillgång till mätverktyget ska remmen spännas så att det finns cirka 5,0 mm fri rörelse mitt emellan vevaxelns och AC-kompressorns remskiva när du trycker hårt med tummen mot den.

Varning: En korrekt spänd drivrem får längre livslängd. Om remmen är för slak slirar den och gnisslar. Var dock försiktig med att spänna den för hårt, eftersom detta kan slita generatorlagren.

26 Ställ in spänningen genom att vrida justeringsbulten tills du får rätt spänning. När remmen har rätt spänning drar du åt spännarremskivans fästbultar till angivet moment. Dra runt vevaxeln några varv och kontrollera spänningen igen.

27 När remmen har spänts ordentligt sätter du dit hjulhusets foder och fäster det med plastnitarna.

28 Montera tillbaka hjulet, sänk ner bilen och dra åt hjulbultarna till angivet moment. Återanslut batteriet.

2,0 liter

Demontering

29 Om du inte redan har gjort det, fortsätt enligt beskrivningen i avsnitt 1 och 2.

30 För undan spännarremskivan från drivremmen med en skruvnyckel på spännarremskivans fästmutter. Vrid spännarremskivan moturs bort från remmen. **Observera:** *Spännarremskivan är vänstergängad, så den lossnar inte när spänningen på remmen släpps.*

31 När spänningen har släppts lossar du remmen från alla remskivor och notera att den är rätt dragen. Ta bort drivremmen från motorn. Observera: *Markera remmens rotationsriktning före borttagningen om du ska återanvända den. På så vis kan du vara säker på att du sätter tillbaka den på rätt sätt.*

Montering och spänning

32 Om du ska byta remmen måste du använda rätt typ. Om du ska sätta tillbaka den ursprungliga remmen använder du märket du gjorde före borttagningen så att den hamnar i rätt rotationsriktning. Sätt dit drivremmen runt remskivorna i följande ordning **(se bild):**

a) *Generator.*
b) *Överföringsstyrningarna*
c) *Luftkonditioneringskompressor (om tillämpligt).*
d) *Vevaxel.*
e) *Automatisk spännarremskiva.*

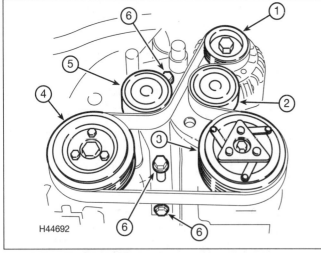

10.21 Dragning och justering av remmen (1,4- och 1,6-liters modell med luftkonditionering)

1 *Generatorns remskiva*
2 *Tomgångsöverföring*
3 *Kompressorremskiva*
4 *Vevaxelns remskiva*
5 *Spännhjul*
6 *Spännhjulets bultar*

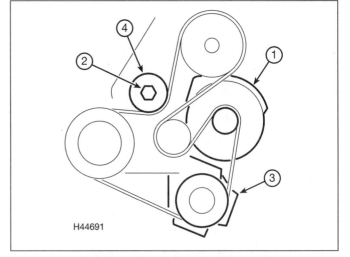

10.32 Dragning och justering av remmen (2,0-litersmodell med luftkonditionering)

1 *Generator*
2 *Spännarremskivans bult*
3 *Kompressor*
4 *Spännhjul*

33 Se till att ribborna på remmen hamnar i spåren på remskivorna
Varning: Låt inte spännarremskivan fjädra hårt mot remskivan eftersom det kan leda till skador.
34 Sätt tillbaka hjulhusfodret och fäst det med plastnitarna.
35 Montera tillbaka hjulet, sänk ner bilen och dra åt hjulbultarna till angivet moment.

11 Bromsklossar – kontroll

1 Lossa framhjulsbultarna. Dra åt handbromsen. Lyft upp framvagnen och ställ den på pallbockar (se *Lyftning och stödpunkter*). Demontera framhjulen.
2 Bromsklossen tjocklek kan snabbt kontrolleras via inspektionsöppningen på det främre bromsoket **(se Haynes tips)**. Använd en stållinjal och mät tjockleken på bromsklossarnas friktionsbelägg. Det måste vara minst så tjockt som anges i Specifikationer.
3 En fullständig kontroll innebär att klossarna demonteras och rengörs. Du kan även kontrollera bromsokets funktion och bromsskivans båda sidor. Se kapitel 9 för mer information.
4 Om belägget på någon back är slitet till eller under specificerat minimum måste alla fyra bromsbackarna bytas som en uppsättning. Se kapitel 9 för mer information.
5 Avsluta med att sätta på hjulen, ställa ner bilen och dra åt hjulbultarna till angivet moment.

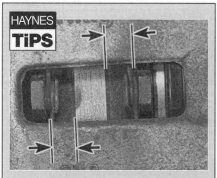

Vid en snabbkontroll kan beläggens tjocklek på varje bromskloss kontrolleras genom hålet i bromsoket.

6 Lossa bakhjulsbultarna. Lyft upp bakvagnen och ställ den på pallbockar. Demontera bakhjulen. Upprepa åtgärden i avsnitt 2 till 5 på de bakre bromsklossarna.

12 Handbroms – kontroll och justering

1 Handbromsen ska vara helt åtdragen innan 8 klick hörs från spakens spärrmekanism. Kontrollera och justera vid behov handbromsen enligt beskrivningen i Kapitel 9.

13 Styrning och fjädring – kontroll

Framfjädring och styrning

1 Lyft upp framvagnen, och ställ den på pallbockar (se *Lyftning och stödpunkter*).
2 Undersök spindelledernas dammskydd och styrinrättningens damasker. De får inte vara spruckna eller skavda och gummit får inte ha torkat. Slitage på någon av dessa delar gör att smörjmedel läcker ut och att smuts och vatten kan tränga in, vilket snabbt sliter ut spindellederna eller styrinrättningen.
3 Kontrollera servostyrningens oljeslangar och rör och leta efter tecken på skavning och åldrande och undersök rör- och slanganslutningar efter oljeläckage. Leta även efter läckor under tryck från styrinrättningens gummidamasker, vilket indikerar trasiga tätningar i styrinrättningen.
4 Ta tag i hjulet längst upp och längst ner och försök vicka på det **(se bild)**. Ett ytterst litet spel kan märkas, men om rörelsen är stor krävs en närmare undersökning för att fastställa orsaken. Fortsätt rucka på hjulet medan en medhjälpare trycker på bromspedalen. Om spelet försvinner eller minskar markant är det troligen fråga om ett defekt hjulnavlager. Om spelet finns kvar när bromsen är nedtryckt rör det sig om slitage i fjädringens leder eller fästen.
5 Greppa sedan hjulet på sidorna och försök rucka på det igen. Märkbart spel beror antingen på slitage på hjulnavlager eller styrstagets spindelleder. Om den inre eller yttre kulleden är sliten kommer den synliga rörelsen att vara tydlig.

6 Använd en stor skruvmejsel eller ett plattjärn och leta efter glapp i fjädringsfästenas bussningar genom att bända mellan relevant komponent och dess fästpunkt. En viss rörelse förekommer alltid eftersom bussningarna är av gummi, men större slitage syns tydligt. Kontrollera även skicket på synliga gummibussningar, leta efter bristningar, sprickor eller föroreningar i gummit.
7 Ställ bilen på marken och låt en medhjälpare vrida ratten fram och tillbaka ungefär en åttondels varv åt vardera hållet. Det ska inte finnas något, eller bara ytterst lite, spel mellan rattens och hjulens rörelser. Om spelet är större ska kullederna och fästena som beskrivs ovan undersökas noga. Dessutom ska rattstångens kardanknutar kontrolleras efter tecken på slitage och styrningens drev kontrolleras.

Fjädringsben/ stötdämpare

8 Leta efter tecken på oljeläckage kring fjäderbenet/stötdämparen eller gummidamasken runt kolvstången. Om det finns spår av olja är fjäderbenet/stötdämparen defekt och ska bytas. **Observera:** *Fjädringsbenen/stötdämparna ska alltid bytas i par på samma axel, annars kan bilen påverkas negativt.*
9 Fjäderbenets/stötdämparens effektivitet kan kontrolleras genom att bilen gungas i varje hörn. I normala fall ska bilen återta planläge och stanna efter en nedtryckning. Om den höjs och återvänder med en studs är troligen fjäderbenet/stötdämparen defekt. Undersök även om fjäderbenets/stötdämparens övre och nedre fästen visar tecken på slitage.

13.4 Kontrollera om det föreligger slitage i navlagren genom att ta tag i hjulet och försöka vicka på det.

Var 60 000 km

14 Kamrem – byte

1 Se kapitel 2A eller 2B, efter tillämplighet.

Var 60 000 km eller två år

15 Bromsvätska – byte

⚠️ **Varning:** *Hydraulisk bromsolja kan skada ögonen och bilens lack, så var ytterst försiktig vid hanteringen. Använd aldrig olja som stått i ett öppet kärl under någon längre tid eftersom den absorberar fukt från luften. För mycket fukt i bromsoljan kan medföra att bromseffekten minskar, vilket är livsfarligt.*
Observera: *En hydraulisk koppling delar vätskebehållare med bromssystemet och kan också behöva luftas (se kapitel 6).*

1 Arbetet liknar i stort det som beskrivs för avluftning i kapitel 9, förutom det att bromsoljebehållaren måste tömmas genom sifonering med en ren bollspruta eller liknande innan du börjar, och du måste lämna plats för den gamla oljan som töms vid avluftning av en del av kretsen.
2 Arbeta enligt beskrivningen i kapitel 9 och öppna den första luftningsskruven i ordningen, och pumpa sedan försiktigt på bromspedalen tills nästan all gammal olja runnit ut ur huvudcylinderbehållaren.
3 Fyll på ny olja till MAX-markeringen och

> **HAYNES TiPS**
> *Gammal hydraulolja är alltid mycket mörkare än ny olja, vilket gör att det är enkelt att skilja dem åt.*

fortsätt pumpa tills det bara finns ny olja i behållaren och ny olja kan ses rinna ut från luftningsskruven. Dra åt skruven och fyll på behållaren upp till MAX-markeringen.
4 Gå igenom de återstående luftningsskruvarna i rätt ordningsföljd tills det kommer ny olja ut ur dem. Var noga med att alltid hålla huvudcylinderbehållarens nivå över DANGER-markeringen, annars kan luft tränga in i systemet och då ökar arbetstiden.
5 Avsluta med att kontrollera att alla luftningsskruvar är ordentligt åtdragna och att deras dammskydd sitter på plats. Tvätta bort allt spill och kontrollera huvudcylinderbehållarens oljenivå en sista gång.
6 Kontrollera att bromsarna fungerar innan bilen körs igen.

Var 60 000 km eller fyra år

16 Tändstift – byte

1 Det är av avgörande betydelse att tändstiften fungerar som de ska för att motorn

16.3 Skruva loss tändstiften

16.4 Undersök tändstiften för att kontrollera motorns skick – se text

16.8a Mät tändstiftens elektrodavstånd med ett bladmått

ska gå jämnt och effektivt. Det är viktigt att sätta dit rätt typ av pluggar för motorn (se Specifikationer). Om rätt typ används och motorn är i bra skick ska tändstiften inte behöva åtgärdas mellan de schemalagda bytesintervallen. Rengöring av tändstift är sällan nödvändig och ska inte utföras utan specialverktyg, eftersom det är lätt att skada elektrodernas spetsar.
2 Ta bort tändspolen enligt beskrivningen i kapitel 5B så att du kommer åt tändstiften.
3 Skruva loss tändstiften med en tändstiftsnyckel eller passande hylsnyckel med förlängare **(se bild)**. Håll hylsan rakt riktad mot tändstiftet – om den tvingas åt sidan kan porslinsisolatorn brytas av. När ett stift skruvats ur ska det undersökas enligt följande:
4 En undersökning av tändstiften ger en god indikation av motorns skick **(se bild)**. Om isolatorns spets är ren och vit, utan avlagringar indikerar detta en mager bränsleblandning eller

ett stift med för högt värmetal (ett stift med högt värmetal överför värme långsammare från elektroden medan ett med lågt värmetal överför värmen snabbare).
5 Om isolatorns spets är täckt med en hård svartaktig avlagring, indikerar detta att bränsleblandningen är för fet. Om tändstiftet är svart och oljigt är det troligt att motorn är ganska sliten, förutom att bränsleblandningen är för fet.
6 Om isolatorns spets är täckt med en ljusbrun till gråbrun avlagring, är bränsleblandningen korrekt och motorn är troligen i bra skick.
7 Tändstiftets elektrodavstånd är av avgörande betydelse. Är det för stort eller för litet kommer gnistans storlek och dess effektivitet att vara starkt begränsad. Avståndet ska stämma med värdet i Specifikationer i början av detta kapitel. **Observera:** *Elektrodavståndet kan inte justeras på tändstift med flera elektroder.*
8 Justera avståndet på tändstift med en elektrod genom att först mäta avståndet med ett bladmått och sedan böja den yttre elektroden till rätt avstånd **(se bild)**. Centrumelektroden får inte böjas eftersom detta kan spräcka isolatorn och förstöra tändstiftet, om inget värre. Om bladmått används ska avståndet vara så stort att det rätta bladet precis ska gå att skjuta in.
9 Det finns speciella verktyg för justering av tändstiftselektrodavstånd att köpa i de flesta biltillbehörsaffärer, eller från en tändstiftstillverkare.
10 Innan tändstiften monteras tillbaka, kontrollera att de gängade anslutningshylsorna sitter tätt och att tändstiftens utsidor och gängor är rena (se Haynes tips här intill).

11 Ta loss gummislangen (om du använt en sådan) och dra åt stiftet till angivet moment med hjälp av en tändstiftshylsa och momentnyckel. Upprepa med de resterande tändstiften.

12 Sätt dit tändspolarna enligt beskrivningen i kapitel 5B.

17 Bränslefilter – byte

⚠️ **Varning: Innan arbetet påbörjas, se föreskrifterna i "Säkerheten främst!" i början av denna handbok och följ dem till punkt och pricka. Bensin är en ytterst brandfarlig vätska och säkerhetsföreskrifterna för hantering kan inte nog betonas.**

Observera: *Monteras bara på bilar i länder där det finns bränsle av sämre kvalitet.*

Observera: *Innan du kopplar från några bränsleledningar måste du tryckutjämna bränslesystemet enligt beskrivningen i kapitel 4A.*

1 Bränslefiltret sitter under bakvagnen på höger sida av bränsletankens framdel. För att förbättra åtkomsten till filtret klossar du framhjulen, hissar upp bakvagnen och stöder den på pallbockar (se *Lyftning och stödpunkter*).

2 Skruva loss muttrarna, bänd upp mittstiften lite, bänd ur hela plastnitarna och ta bort plasttråget under bränsletanken. Placera en behållare under bränslefiltret för att fånga upp bränsle.

3 Placera en stor trasa runt bränslerörets fog för att fånga upp eventuell bränslespray som kan spruta ut när bränsletrycket släpps, tryck in fästklämmorna och koppla långsamt bort bränsleröret. Lossa det andra röret från den andra änden av filtret och låt filterinnehållet rinna ut i behållaren.

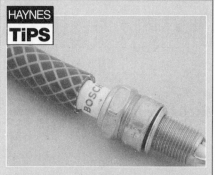

Det är ofta svårt att placera tändstift i sina hål utan att felgänga dem. Detta kan undvikas genom att man använder en 8 mm gummislang över änden på tändstiften. Slangen fungerar som en kardanknut och hjälper till att rikta tändstiftet i hålet. Om tändstiftet håller på att bli felgängat kommer slangen att glida ner över nederdelen och förhindra att gängorna förstörs

4 Lossa fästklämmorna och skjut ut bränslefiltret ur hållaren. Notera åt vilket håll det är monterat. Kasta det gamla filtret, och tänk på brandrisken; det är mycket brandfarligt och kan explodera om det eldas upp.

5 För det nya filtret i läge och se till så att det hamnar åt rätt håll. filtret har antingen en pil på höljet (som visar rätt bränsleflödesriktning) eller OUT markerat i ena änden (markerar filtrets bränsleutloppsände).

6 Se till att filtret kläms fast på hållaren och koppla tillbaka båda bränslerören. Se till att rören klickar i läge på filtret och att de hålls fast ordentligt med snabbkopplingarna.

7 Starta motorn och se efter om det läcker bränsle runt filtret.

18 Luftfilter – byte

1 Skruva loss fästskruvarna som håller fast locket på luftrenarhuset **(se bild)**.

2 Lyft locket och ta bort luftfiltret från huset medan du noterar vilket håll det är monterat åt **(se bild)**. Om det behövs lossar du fästklämman som håller fast ingångskanalen till luftrenarhusets lock och tar bort locket för att förbättra åtkomsten.

3 Torka rent insidan av huset och sätt dit den nya filterinsatsen och se till att den är rättvänd.

4 Placera locket korrekt på huset och dra åt fästskruvarna ordentligt. Vid behov sätter du tillbaka ingångskanalen och drar åt fästklämman ordentligt.

19 Manuell växellåda – oljenivåkontroll

Observera: *Du kan behöva en lämplig nyckel för att kunna skruva loss växellådans påfyllnings-/nivåplugg på vissa modeller. Lämpliga nycklar kan köpas hos de flesta motorspecialister eller Peugeot-verkstäder.*

1 Parkera bilen på en plan yta. Oljenivån måste kontrolleras innan bilen körs, eller åtminstone 5 minuter efter det att motorn stängts av. Om nivån kontrolleras omedelbart efter körning kommer en del olja att finnas kringspridd i växellådan vilket ger en felaktig nivåavläsning.

2 Tryck mittsprintarna något, bänd sedan ur hela plastnitarna och ta bort det vänstra hjulhusfodret **(se bild)**.

3 Torka rent runt påfyllnings-/nivåpluggen i vänster ände av växellådan. Skruva

18.1 Skruva loss luftrenarhusetlockets skruvar

18.2 Notera hur filterelementen sitter monterad.

19.2 Tryck i mittsprinten och bänd ur hela plastniten

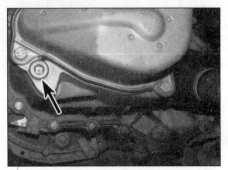

19.3a Oljenivå/påfyllningsplugg (MA5 växellåda)

19.3b Oljenivå/påfyllningsplugg (BE4 växellåda)

loss plugget och rengöra den. kassera tätningsbrickan **(se bild)**.

4 Oljenivån ska vara precis jämte hålets nedre kant. Det samlas alltid lite olja under påfyllnings/nivåpluggen som sipprar ut när pluggen tas bort; det betyder inte nödvändigtvis att nivån är korrekt. Undersök detta genom att låta denna första omgång rinna ut och fyll sedan på olja efter behov till dess att den nya oljan börjar rinna ut. Nivån blir korrekt när flödet upphör. använd endast olja av hög kvalitet av angiven grad (se *Smörjmedel och vätskor*).

5 Att fylla växellådan med olja är en mycket svår åtgärd. framför allt måste du låta det gå tillräckligt mycket tid för att oljenivån ska hinna stabiliseras innan du kontrollerar den. Om du

fyller på en stor volym i växellådan och en stor volym rinner ut när du kontrollerar nivån sätter du tillbaka påfyllnings-/nivåpluggen och kör en kort sträcka med bilen så att den nya oljan fördelas i alla delar av växellådan och kontrollerar därefter nivån när den har stabiliserats igen.

6 Om växellådan har överfyllts så att oljan rinner ut direkt när du tar bort påfyllnings-/nivåpluggen kontrollerar du att bilen står helt jämnt (i både längs- och sidled) och låter överskottet rinna ut i en behållare.

7 När nivån stämmer säter du dit en ny tätningsbricka på påfyllnings-/nivåpluggen. Montera tillbaka plugget, och dra åt den till rätt moment. Skölj av eventuell utspilld olja

och sätt tillbaka hjulhusets foder och fäst det med skruvarna och hållarna.

20 Automatväxellådans oljenivå – kontroll

Observera: *Växellådan har en vätskebytesindikator som informerar föraren om när det är dags att byta vätska (ECU tänder Sport- och snölägelamporna och låter dem blinka när det är dags att byta vätska). Varje gång växellådan fylls på ska den här givaren justeras för att kompensera för den vätska som fylls på. Detta kan dock bara göras med Peugeots diagnostestlåda. Om man fyller på vätska utan att justera givaren uppstår inga problem, men givaren kommer att visa felaktiga värden vilket får till följd att vätskepåfyllning rekommenderas tidigare än nödvändigt.*

1 Kör bilen en kort sträcka så att växellådan värms upp till normal arbetstemperatur, och parkera sedan bilen på plan mark. Dra åt handbromsen och kontrollera att växelspaken är i läge P.

2 Torka rent runt påfyllningspluggen som sitter ovanpå växellådan, direkt under batteriet. Ta bort batteriet och batterilådan enligt beskrivningen i kapitel 5A och skruva loss påfyllningspluggen från växellådan och ta bort tätningsbrickan **(se bild)**.

3 Fyll försiktigt på 0,5 liter av den angivna typen av vätska i växellådan via påfyllningspluggens öppning. Sätt dit en ny tätningsbricka på påfyllningspluggen, sätt tillbaka pluggen och dra åt den till angivet moment.

4 Lossa skruvarna och ta bort motorns undre skyddskåpa – om en sådan finns, **(se bilder 3.3a och 3.3b)**.

5 Placera en lämplig behållare under dränerings-/påfyllningspluggen längst ner på växellådan. Nivåpluggen är den mindre pluggen som sitter mitt på den större dräneringspluggen **(se bild)**.

Varning: Ta inte bort dräneringspluggen av misstag.

6 Starta motorn och låt den gå på tomgång. Låt motorn gå, låt dräneringspluggen sitta i och ta bort nivåpluggen och tätningsbrickan.

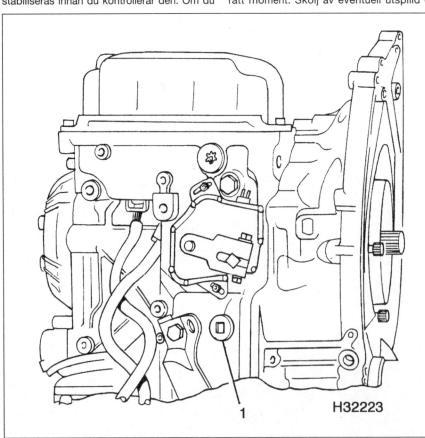

20.2 Skruva loss automatväxellådans påfyllningsplugg (1)

H32223

 Varning: Akta så att du inte bränner dig om oljan är het.

7 Om det finns tillräckligt mycket vätska i växellådan ska det rinna ut vätska ur mitten på dräneringspluggen tills det börjar droppa långsamt. **Observera:** *Om ingen vätska droppar ut eller bara några droppar visas när pluggen tas bort är vätskenivån för låg. Montera tillbaka nivåpluggen och stäng av motorn. Fyll på ytterligare 0,5 liter vätska i växellådan, sätt tillbaka påfyllningspluggen och upprepa kontrollen (se avsnitt 3 till 5).*

8 När vätskeflödet avbryts är nivån rätt. Sätt dit en ny tätningsbricka på nivåpluggen, sätt tillbaka pluggen och dra åt den till angivet moment. Slå av motorn.

21 Avgasreningssystem
– kontroll

1 Den här kontrollen som Peugeot föreskriver innefattar kontroll av motorstyrningssystemet genom att man pluggar in en elektronisk testare i systemets diagnosuttag för att söka igenom den elektronisk styrmodulens (ECU) minne efter fel (se Kapitel 4A).

2 Om fordonet dock går som det ska och motorhanteringens varningslampa på instrumentbrädan fungerar normalt behöver inte den här kontrollen utföras.

22 Kylvätska – byte

⚠ **Varning: Vänta till dess att motorn är helt kall innan arbetet påbörjas. Låt inte frostskyddsmedel komma i kontakt med huden eller lackerade ytor på bilen. Spola omedelbart bort eventuellt spill med stora mängder vatten. Lämna aldrig frostskyddsmedel stående i en öppen behållare eller i en pöl på marken eller garagegolvet. Barn och husdjur kan attraheras av den söta doften och frostskyddsmedel kan vara livsfarligt att förtära.**

Avtappning av kylsystemet

1 När motorn är helt kall tar du bort expansionskärlets påfyllningslock.

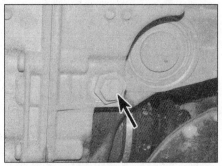

20.5 Nivåpluggen är den mindre pluggen (markerad med pil)

2 Ta bort motorns undre skyddskåpa (om en sådan finns,). Den undre skyddskåpan hålls fast med flera fästen av skruvtyp. Vrid hållarna 90 grader moturs för att ta bort dem.

3 Placera en lämplig behållare under avtappningshålet på kylarens nedre vänstra sida.

4 Lossa fästklämman och koppla från den nedre slangen från kylaren och låt kylvätskan rinna ut i behållaren **(se bild)**.

5 Du kan underlätta tömningen genom att ta bort kylsystemets luftningslock/skruv (efter tillämplighet) från värmepaketets utloppsslanganslutning på motorrummets mellanvägg och, på vissa modeller, luftningsskruven och tätningsbrickan från kylvätskehusets överdel i den vänstra änden på topplocket **(se bild)**. För att kunna förbättra åtkomsten till luftningsskruven på värmeenheten tar du bort batteriet enligt beskrivningen i kapitel 5A.

6 Om kylarvätskan tappats ur av någon annan orsak än byte kan den återanvändas, under förutsättning att den är ren och mindre än fyra år gammal, även om detta inte är att rekommendera.

7 Montera tillbaka kylarslangen och fäst den med slangklämman.

Spolning av kylsystemet

8 Om kylvätskebyte inte utförts regelbundet eller om frostskyddet spätts ut, kan kylsystemet med tiden komma att förlora i effektivitet p.g.a. att kylvätskekanalerna sätts igen av rost, kalkavlagringar och annat sediment. Kylsystemets effektivitet kan

återställas genom att systemet spolas ur.

9 För att undvika förorening ska kylsystemet spolas separat från motorn.

Spolning av kylare

10 Lossa de övre och nedre slangarna och alla andra relevanta slangar från kylaren (se Kapitel 3).

11 Stick in en trädgårdsslang i kylarens övre insug. Spola in rent vatten i kylaren och fortsätt spola till dess att rent vatten rinner ur kylarens nedre utlopp.

12 Om det efter en rimlig tid fortfarande inte kommer ut rent vatten kan kylaren spolas ur med kylarrengöringsmedel. Det är viktigt att tillverkarens anvisningar följs noga. Om kylaren är svårt förorenad, stick in slangen i nedre utloppet och spola ur kylaren baklänges.

Spolning av motor

13 Ta bort termostaten när du ska spola motorn (se Kapitel 3).

14 Lossa den nedre kylarslangen från kylaren och stick in en trädgårdsslang i kylarhuset. Spola in rent vatten i motorn och fortsätt att spola till dess att rent vatten rinner ur nedre slangen.

15 När spolningen har slutförts monterar du termostaten och återansluter slangarna (se Kapitel 3).

Påfyllning av kylsystemet

16 Kontrollera att alla slangar och slangklämmor är i gott skick och att klämmorna är väl åtdragna innan kylsystemet fylls på. Observera att frostskyddsblandning måste användas året runt för att förhindra korrosion på motorns komponenter (se följande underavsnitt).

17 Ta bort expansionskärlets påfyllningslock.

18 Ta bort kylsystemets luftningsskruvar (se avsnitt 5).

19 Peugeot rekommenderar att man använder en matartank när man fyller på kylsystemet, för att minska risken att luft blir kvar i systemet. Peugeotverkstäderna använder en särskild matartank som skruvas fast på expansionskärlet, men du kan uppnå samma effekt genom att använda en lämplig 1,0-litersflaska med en tätning mellan flaskan och expansionskärlet **(se bild)**.

22.4 Trycka ihop flikarna för att lossa slangklämman

22.5 Skruva loss luftningsskruven från värmarens utloppsslanganslutning (markerad med pil)

22.19 Använd en 1,0-liters plastflaska som matartank

20 Sätt dit matartanken på expansionskärlet och fyll systemet långsamt medan du observerar luftningshålen. Kylvätskan kommer ut ur varje luftningshål i tur och ordning med början vid värmepaketets slang. När det kommer ut kylvätska som är fri från luftbubblor från värmepaketets slangutloppet sätter du dit locket/skruven ordentligt (efter tillämplighet) och observera luftningshålet på kylvätskehuset. När det kommer ut kylvätska som är fri från luftbubblor från hålet i huset sätter du tillbaka luftningsskruven och tätningsbrickan och drar åt ordentligt.

21 Fortsätt att fylla kylsystemet tills det inte längre kommer fram några bubblor i expansionskärlet. Lufta systemet genom att flera gånger klämma på kylarens nedre slang.

22 När inga fler bubblor dyker upp ser du till att matartanken är full (minst 1,0 liter kylvätska) och startar motorn. Kör motorn på hög tomgång (överskrid inte 2000 varv/minut) tills kylfläkten aktiveras och stängs av TVÅ GÅNGER och efter det andra stoppet stänger du av motorn.

Varning: Kylvätskan är varm. Var försiktig så att du inte bränner dig.

23 Låt motorn svalna och ta bort matartanken. Skölj bort utspilld kylvätska med kallt vatten.

24 När motorn har svalnat, kontrollera kylvätskenivån enligt beskrivningen i *Veckokontroller*. Fyll på mera vätska om det behövs, och sätt tillbaka expansionskärlets lock.

Frostskyddsblandning

25 Frostskyddsvätskan måste alltid bytas med angivna mellanrum. Detta inte bara för att bibehålla de frostskyddande egenskaperna utan även för att förhindra korrosion som annars kan uppstå därför att korrosionshämmarna gradvis förlorar effektivitet.

26 Använd endast etylenglykolbaserad frostskyddsvätska som är lämpad för motorer med blandade metaller i kylsystemet.

27 Innan frostskyddsvätska hälls i, måste kylsystemet tömmas helt och helst spolas ur, och alla slangar kontrolleras vad gäller skick och fastsättning.

28 När kylaren fyllts med frostskyddsvätska bör en lapp klistras på expansionskärlet, där det står vilken typ och koncentration av frostskyddsvätska som använts och när den fyllts på. Varje efterföljande påfyllning ska göras med samma typ och koncentration av frostskyddsmedel.

29 Använd inte motorfrostskyddsvätska i vindrute- eller bakrutespolarsystemet, eftersom det kommer att skada lacken. Använd spolarvätska i den koncentration som anges på flaskan i spolarsystemet.

Vart tionde år

23 Krockkuddar och bältesförsträckare – byte

1 Peugeot rekommenderar att krockkuddarna och bältesförsträckarna byts vart tionde år oavsett skick. Se kapitel 12 för krockkuddsbyte och kapitel 11 för byte av bältesförsträckare.

Kapitel 1 Del B:
Rutinunderhåll och service – dieselmodeller

Innehåll

Svårighetsgrad

Enkelt, passar novisen med lite erfarenhet	**Ganska enkelt,** passar nybörjaren med viss erfarenhet	**Ganska svårt,** passar kompetent hemmamekaniker	**Svårt,** passar hemmamekaniker med erfarenhet	**Mycket svårt,** för professionell mekaniker

Smörjmedel och vätskor

Se *Veckokontroller* på sidan 0•18

Volymer

Motorolja (inklusive oljefilter)

1,4-liters motorer	3,75 liter
1,6-liters motorer	3,75 liter
2,0-liters motorer:	
SOHC	4,50 liter
DOHC	5,25 liter

Kylsystem

1,4-liters motorer (ungefärlig)	6,0 liter
1,6-liters motorer (ungefärlig)	6,5 liter
2,0-liters motorer (ungefärlig)	8,2 liter

Växellåda

Manuell växellåda (ungefärlig):	
MA5	2,0 liter
BE4/5	1,9 liter
ML6CL:	
Utan kylfenor på växellådskåpan	2,6 liter
Med kylfenor på växellådskåpan	1,9 liter
Automatväxellådor:	
Töm och fyll på	4,5 liter
Total kapacitet (inklusive momentomvandlare)	6,0 liter

Servostyrning (ungefärlig) . . . . 0,8 liter

Bränsletank . . . . 60 liter

Kylsystem

Frostskyddsblandning

50 % frostskyddsmedel	Skydd ner till 37°C
55 % frostskyddsmedel	Skydd ner till 45°C

Observera: *Kontakta tillverkaren av frostskyddsvätska för de senaste rekommendationerna.*

Bromsar

Minsta tjocklek på bromsklossbeläggen . . . . 2,0 mm

Däcktryck

Se slutet av *Veckokontroller* på sidan 0•18

Åtdragningsmoment

	Nm
Automatväxellåda:	
Påfyllningsplugg	24
Nivåplugg	24
Oljefilterkåpa (1,4- och 1,6-liters motor)	25
Motorsumpens dräneringsplugg	16
Manuell växellådans påfyllnings-/nivåplugg	20
Hjulbultar	90

Underhållsintervallen i denna handbok förutsätter att arbetet utförs av en hemmamekaniker och inte av en verkstad. Detta är minimiintervall för underhåll som vi rekommenderar för fordon som körs varje dag. Om bilen konstant ska hållas i toppskick bör vissa moment utföras oftare. Vi rekommenderar regelbundet underhåll

eftersom det höjer bilens effektivitet, prestanda och andrahandsvärde.

När du har slutfört någon av följande serviceåtgärder återställer du serviceintervallet enligt beskrivningen i avsnitt 8 i del 1A i det här kapitlet.

Medan bilen är ny skall underhållsservice utföras av auktoriserad verkstad så att

garantin ej förverkas. Biltillverkaren kan avslå garantianspråk om du inte kan bevisa att service har utförts på det sätt och vid de tidpunkter som har angivits, och då endast med originalutrustning eller delar som har godkänts som likvärdiga.

En gång i veckan, eller var 400 km
☐ *Se Veckokontroller*

Var 10 000 km eller 12 månader – det som inträffar först
☐ Byt motoroljan och filtret* (avsnitt 3)
☐ Tappa ur vattnet från bränslefiltret (avsnitt 4)
☐ Kontrollera alla komponenter och slangar under motorhuven vad gäller vätskeläckage (avsnitt 5)
☐ Kontrollera styrnings- och fjädringsdelarna (avsnitt 6)
☐ Kontrollera drivaxelns gummidamasker och drivknutar (Avsnitt 7)
☐ Smörj alla gångjärn och lås (avsnitt 8)

*Observera: *Peugeot rekommenderar att motorolja och filter byts var 16 000 km eller efter två år. Det är bra för motorn att byta olja och filter oftare, så vi rekommenderar att du byter olja och filter tätare, särskilt om bilen används till många kortare resor.*

Var 20 000 km
☐ Kontrollera pollenfiltret (avsnitt 9)
☐ Kontrollera skicket hos bromsbackarna, och byt den om det behövs (avsnitt 10)
☐ Kontrollera funktionen hos handbromsen (avsnitt 11)
☐ Gör ett landsvägsprov (avsnitt 12)
☐ Kontrollera skicket hos drivremmen, och byt den om det behövs (avsnitt 13)

Var 40 000 km
☐ Byt luftfiltret (avsnitt 14)
☐ Byt bränslefiltret (avsnitt 15)
☐ Kontrollera manuell växellådans oljenivå, och fyll på om det behövs (avsnitt 16)
☐ Kontrollera automatväxellådans vätskenivå, och fyll på om det behövs (avsnitt 17)

Var 60 000 km
☐ Byt kamremmen – (avsnitt 18)
Observera: *Trots att Peugeots bytesintervall för kamremmen är 160 000 km vid normal användning och 130 000 km vid svåra förhållanden rekommenderar vi starkt att kamremmens bytesintervall minskas till 60 000 km på bilar som används intensivt, dvs. huvudsakligen kortare resor eller körning med många start och stopp. Det faktiska bytesintervallet för remmen är därför upp till den enskilde ägaren, men tänk på att allvarliga motorskador blir följden om remmen går sönder.*

Var 60 000 km eller 2 år – det som inträffar först
☐ Byt bromsoljan (avsnitt 19)
Observera: *En hydraulisk koppling delar vätskebehållare med bromssystemet och kan också behöva luftas.*

Var 80 000 km
☐ Kontrollera partikelreningssystemet (om sådant finns på modeller tillverkade upp till november 2002) (avsnitt 20)

Var 120 000 km eller 5 år – det som inträffar först
☐ Kontrollera partikelreningssystemet (om sådant finns på modeller tillverkade från och med november 2002 – byggkod 9492) (avsnitt 20)
☐ Byt kylvätskan (avsnitt 21)

Var 10 år
☐ Byt krockkudden och bältesförsträckarna (avsnitt 22)

Översikt över motorrummet på en 1,4-liters modell

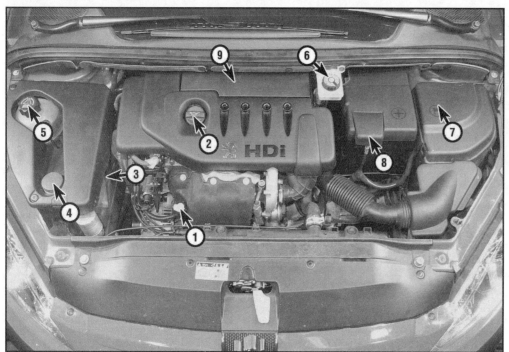

1 Mätsticka för motorolja
2 Påfyllningslock för motorolja
3 Servostyrningsbehållarens påfyllningslock
4 Spolarvätskebehållare
5 Påfyllningslock till kylvätskans expansionskärl
6 Broms/kopplingscylinder vätskebehållare
7 Motorrumets eldosa
8 Batteriets pluspolskåpa
9 Luftrenarhus

Översikt över det främre underredet

1 Motoroljans dräneringsplugg
2 Luftkonditionerings-kompressor
3 Drivaxel
4 Bromsskiva
5 Hjulupphängningens nedre länkarm
6 Parallellstag
7 Krängningshämmare

Översikt över bakre underredet (Kombimodell visas)

1 Bränsletank
2 Axelbalk
3 Handbromsvajer
4 Bromsskiva
5 Spiralfjäder
6 Verktygslåda

Underhållsrutiner

1 Allmän information

Detta kapitel är till för att hjälpa hemmamekanikern att underhålla bilen för ökad säkerhet, ekonomi, livslängd och högsta prestanda.

Kapitlet innehåller ett underhållsschema följt av avsnitt som i detalj behandlar åtgärderna i schemat. Bland annat behandlas användbara saker som kontroller, justeringar och byte av delar.. Se de tillhörande bilderna av motorrummet och bottenplattan vad gäller de olika delarnas placering.

Underhåll av bilen enligt schemat för tid/körsträcka och de följande avsnitten bör resultera i att bilen håller länge och uppträder pålitligt. Underhållsprogrammet är heltäckande, så om man väljer att bara underhålla vissa delar, men inte andra, vid angivna tidpunkter går det inte att garantera samma goda resultat.

Under arbetet med bilen kommer det att visa sig att många arbeten kan – och bör – utföras samtidigt, antingen på grund av själva åtgärden som ska utföras, eller för att två separata delar råkar finnas nära varandra. Om bilen lyfts av någon orsak kan t.ex. avgassystemet kontrolleras samtidigt som styrningen och fjädringen.

Första steget i detta underhållsprogram är att vidta förberedelser innan själva arbetet påbörjas. Läs igenom relevanta avsnitt. Gör sedan upp en lista på vad som behövs och skaffa fram verktyg och delar. Rådfråga en specialist på reservdelar eller vänd dig till återförsäljarens serviceavdelning om problem uppstår.

2 Rutinunderhåll

1 Om underhållsschemat följs noga från det att bilen är ny och om vätske- och oljenivåerna och de delar som är utsatta för stort slitage kontrolleras enligt denna handboks rekommendationer, kommer motorn att hållas i bra skick och behovet av extra arbete minimeras.

2 Ibland går motorn dåligt på grund av bristande underhåll. Risken för detta ökar om bilen är begagnad och inte fått tät och regelbunden service. I sådana fall kan extra arbeten behöva utföras, utöver det normala underhållet.

3 Om motorn misstänks vara sliten ger ett kompressionsprov (se kapitel 2C) värdefull information om de inre huvuddelarnas skick. Ett kompressionsprov kan användas för

att avgöra omfattningen på det kommande arbetet. Om provet avslöjar allvarligt inre slitage är det slöseri med tid och pengar att utföra underhåll på det sätt som beskrivs i detta kapitel, om inte motorn först renoveras.

4 Följande åtgärder är de som oftast behövs för att förbättra prestanda hos en motor som går dåligt:

I första hand

a) Rengör, undersök och testa batteriet (se "Veckokontroller").
b) Kontrollera alla motorrelaterade oljor och vätskor (se "Veckokontroller").
c) Kontrollera drivremmens skick och spänning (avsnitt 13).
d) Kontrollera luftfiltrets skick och byt vid behov (avsnitt 14).
e) Kontrollera skick på samtliga slangar och leta efter läckor (avsnitt 5).
f) Byt bränslefiltret (avsnitt 15).

5 Om ovanstående åtgärder inte har någon inverkan ska följande åtgärder utföras:

Sekundära åtgärder

Allt som anges under I första hand, plus följande:

a) Kontrollera laddningssystemet (se kapitel 5A).
b) Kontrollera förvärmningssystemet (se Kapitel 5C).
c) Kontrollera bränslesystemet (se kapitel 4B).

3.2 Skruva loss skruvarna på motorns undre skyddskåpa

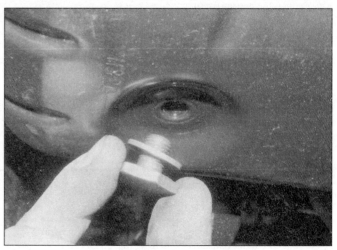

3.3 Skruva loss sumpens plugg

Var 10 000 km eller var tolfte månad

3 Motorolja och filter – byte

1 Täta byten av olja och filter är det viktigaste förebyggande underhåll en hemmamekaniker

Dra snabbt bort dräneringspluggen när den släpper från gängorna, så att oljan hamnar i kärlet och inte i tröjärmen!

kan utföra själv. När motoroljan åldras blir den utspädd och förorenad, vilket leder till förtida motorslitage.

2 Innan arbetet påbörjas, plocka fram alla verktyg och material som behövs. Se även till att ha gott om rena trasor och tidningar till hands för att torka upp eventuellt spill. Motoroljan ska helst vara varm eftersom den rinner ut lättare då och även tar med sig slam. Se dock till att inte vidröra avgassystemet eller andra heta delar vid arbete under bilen. Använd handskar för att undvika skållning och för att skydda huden mot irritationer och skadliga föroreningar i begagnad motorolja. Det är mycket lättare att komma åt bilens underrede om bilen kan lyftas på en lyft, köras upp på en ramp, eller höjas med domkraft och stöttas på pallbockar. Oavsett vilken metod som används, se till att bilen är plan eller, om den lutar, att oljeavtappningspluggen befinner sig på den lägsta punkten. Lossa skruvarna och ta bort motorns undre skyddskåpa (se bild).

3 Lossa dräneringspluggen cirka ett halvt varv, placera avtappningsbehållaren under

dräneringspluggen och ta bort pluggen helt (se bild). Om det går, försök pressa pluggen mot sumpen när den skruvas loss för hand de sista varven (se Haynes tips). Ta bort pluggens tätningsring.

4 Ge den gamla oljan tid att rinna ut, och observera att det kan bli nödvändigt att flytta behållaren när oljeflödet minskar.

5 Torka av avtappningspluggen med en ren trasa och sätt på en ny tätningsbricka när all olja tappats ur. Montera in ny tätningsbricka, rengör området kring pluggen och skruva in den. Dra åt pluggen ordentligt.

6 Om filtret också ska bytas ut, flytta behållaren till en plats under oljefiltret, som sitter på motorblockets framsida.

1,4- och 1,6-liters motorer

7 På dessa motorer sitter filtret i en filterkåpa. Använd en hylsnyckel eller skiftnyckel, lossa och ta bort filterkåpan från ovansidan (se bild). Var beredd på vätskespill, och ta loss O-ringstätningen från kåpan.

8 Dra bort filterinsatsen från filterhuset.

9 Torka bort all olja, smuts och slam från filterkåpans in- och utsida med en ren trasa.

10 Sätt dit den nya O-ringen på filterkåpan, sätt i den nya filterinsatsen i huset och se till att filtrets styrstift hamnar rätt i motsvarande hål i huset (se bilder).

11 Applicera en liten mängd ren motorolja på O-ringstätningen och montera tillbaka filtret/kåpan på huset och dra åt kåpan till angivet moment.

2,0-liters motorer

12 Lossa först filtret med ett oljefilterverktyg, om det behövs, och skruva sedan loss det för hand (se bild). Töm ut oljan från filtret i behållaren.

3.7 Motoroljefiltrets kåpa (markerad med pil)

3.10a Sätt på den nya O-ringen på kåpan

3.10b Se till att filtrets styrstift (markerad med pil) hamnar i motsvarande hål i huset (markerad med pil)

13 Torka bort all olja, smuts och slam från filtrets tätningsyta på motorn med en ren trasa. Kontrollera det gamla filtret så att ingen del av gummitätningen sitter fast på motorn. Om någon del av tätningen fastnat ska den försiktigt avlägsnas.
14 Applicera ett tunt lager ren motorolja på det nya filtrets tätningsring. Skruva sedan fast filtret på motorn. Dra åt filtret ordentligt, men endast för hand – använd inte något verktyg. Montera tillbaka stänkskyddet under motorn om det är tillämpligt.

Alla motorer

15 Avlägsna den gamla oljan och verktygen under bilen och sänk ner bilen.
16 Ta bort mätstickan och skruva loss oljepåfyllningslocket längst upp på påfyllningsröret frampå motorblocket. Fyll motorn med rätt klass och typ av olja (se Smörjmedel och vätskor). En oljekanna eller tratt kan minska spillet. Häll först i hälften av den angivna mängden olja. Vänta sedan några minuter så att oljan hinner rinna ner i sumpen. Fortsätt fylla på små mängder i taget till dess att nivån når det nedre märket på mätstickan. Om ytterligare ungefär 1,0 liter olja fylls på kommer nivån att höjas till stickans maxinivå. Montera påfyllningslocket.
17 Starta motorn och låt den gå några minuter. leta efter läckor runt oljefiltrets tätning och sumpens dräneringsplugg. Observera att det kan ta ett par sekunder innan oljetryckslampan släcks sedan motorn startats första gången efter ett oljebyte. Detta beror på att oljan cirkulerar runt i kanalerna

och det nya filtret (i förekommande fall) innan trycket byggs upp.
18 Stäng av motorn och vänta ett par minuter på att oljan ska rinna tillbaka till sumpen. När den nya oljan har cirkulerat runt motorn och fyllt filtret ska oljenivån kontrolleras igen, fyll på mer vid behov.
19 Ta hand om den använda motoroljan på ett säkert sätt och i enlighet med Allmänna reparationsanvisningar.

4 Töm vatten från bränslefiltret

1 Ta bort batteriet enligt beskrivningen i kapitel 5A på 1,4-liters modellerna. På 2,0-liters modellerna skruvar du loss muttrarna och tar bort plastkåpan från motorns ovansida.
2 En vattendräneringsplugg och ett rör sitter på bränslefilterhuset i förekommande fall (se bild). Observera: En vattendräneringsanordning finns inte på senare modeller – om det sitter en luftningsskruv ovanpå bränslefiltret finns ingen vattendräneringsanordning.
3 Placera en lämplig behållare under avtappningsröret och täck det omgivande området med trasor.
4 Öppna dräneringspluggen och låt bränslet och vattnet rinna ut tills det kommer ut bränsle utan vatten ur rörets ände. Stäng dräneringspluggen.
5 Kasta den uttömda oljan på ett säkert sätt.
6 Starta motorn. Vid svårigheter luftar du bränslesystemet (Kapitel 4B).

5 Slangar och oljeläckage – kontroll

Kylsystem

⚠️ **Varning: Se säkerhets-informationen i Säkerheten främst! och Kapitel 3 innan du flyttar några av kylsystemets komponenter.**

1 Undersök kylaren och hela kylvätskeslangarna. Byt ut alla slangar som är spruckna, svullna eller visar tecken på åldrande. Sprickor är lättare att se om slangen trycks ihop. Var extra noga med slangklämmorna som håller fast slangarna vid kylsystemets komponenter. För hårt åtdragna slangklämmor kan klämma och punktera slangarna, vilket leder till läckor i kylsystemet.
2 Undersök kylsystemets alla delar (slangar, fogytor etc.) och leta efter läckor. Om problem av den här typen upptäcks i någon del i systemet ska den delen eller packningen bytas ut enligt beskrivningen i kapitel 3.
3 Läckor i kylsystemet visar sig oftast genom vita eller rostfärgade avlagringar i området runt läckan (se Haynes tips).

Bränsle

⚠️ **Varning: Se säkerhets-informationen i Säkerheten främst! och kapitel 4B innan du flyttar några av bränslesystemets komponenter.**

4 Kontrollera alla bränsleledningar vid anslutningarna till insprutningspumpen, insprutningsventilerna och bränslefilterhuset.
5 Undersök varje bränsleslang/bränslerör längs hela längden med avseende på sprickor. Kontrollera om det läcker från anslutningsmuttrarna och undersök anslutningarna mellan metallbränsleledningarna och bränslefilterhuset. Kontrollera även området runt bränsleinsprutarna med avseende på läckor.
6 Lyft upp bilen på pallbockar för att kunna hitta läckor mellan bränsletanken och

3.12 Använd en filter demonteringsverktyg för att lossa oljefiltret

4.2a Bränslefiltrets vattendräneringsplugg (markerad med pil) – 1,4-liters motor. . .

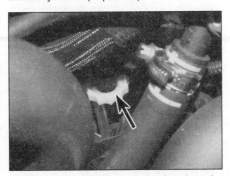

4.2b . . . och 2,0-liters motor (markerad med pil)

HAYNES TIPS

En läcka i kylsystemet syns normalt som vita eller rostfärgade avlagringar på området runt läckan

6.2 Kontrollera skicket på kuggstångens damasker

motorrummet. Undersök bränsletanken och påfyllningsröret efter hål, sprickor och andra skador. Anslutningen mellan påfyllningsröret och tanken är speciellt kritisk. Ibland läcker ett påfyllningsrör av gummi eller en slang beroende på att slangklämmorna är för löst åtdragna eller att gummit åldrats.

7 Kontrollera noggrant alla gummislangar och metallrör som leder från bränsletanken. Leta efter lösa anslutningar, åldrade slangar, veck på rör och andra skador. Var extra uppmärksam på ventilationsrör och slangar som ofta är lindade runt påfyllningsröret och kan bli igensatta eller veckade så att det blir svårt att tanka. Följ bränsletillförsel- och returledningarna till den främre delen av bilen och undersök dem noga efter tecken på skador eller rost. Byt ut skadade delar vid behov.

Motorolja

8 Undersök området kring kamaxelkåpan, topplocket, oljefiltret och sumpens fogytor. Tänk på att det med tiden är naturligt med en viss genomsippring i dessa områden. Sök efter tecken på allvarligt läckage som orsakats av fel på packningen. Motoroljan som rinner ut från kamremskåpans nederdel eller balanshjulskåpan kan tyda på att oljetätningarna i vevaxeln eller den ingående axeln har gått sönder. Om ett läckage påträffas, byt den defekta packningen eller tätningen enligt beskrivning i relevant kapitel i denna handbok.

Servostyrningsvätska

9 Undersök slangen mellan oljebehållaren och servostyrningspumpen samt returslangen från

6.3 Kontrollera om navlagren är slitna genom att ta tag i hjulet och försöka vicka på det.

kuggstången till oljebehållaren. Kontrollera även högtrycksslangen mellan pumpen och kuggstången.

10 Kontrollera i förekommande fall slangarna som leder till servovätskekylaren i motorrummets främre del. Leta efter slitage som orsakats av korrosion och efter skador som orsakats av att slangarna släpat i marken eller av stenskott.

11 Var extra noga med veckade anslutningar och området runt de slangar som är fästa med justerbara skruvklämmor.

Luftkonditioneringens kylmedel

 Varning: Se säkerhetsinformationen i Säkerheten främst! och Kapitel 3 om farorna med att flytta några av delarna i luftkonditioneringssystemet.

12 Luftkonditioneringssystemet är fyllt med flytande kylmedel som förvaras under högt tryck. Om luftkonditioneringssystemet öppnas och tryckutjämnas utan specialutrustning kommer kylmedlet omedelbart att förångas och blanda sig med luften. Om vätskan kommer i kontakt med hud kan den orsaka allvarliga förfrysningsskador. Kylvätskan innehåller dessutom ämnen som är miljöfarliga. därför får den inte släppas ut i atmosfären.

13 Misstänkt läckage på luftkonditionerings-systemet ska omedelbart överlåtas till en Peugeot-verkstad eller en specialist på luftkonditioneringssystem. Läckage yttrar sig genom att nivån på kylmedel i systemet sjunker stadigt.

14 Observera att vatten kan droppa från kondensatorns avtappningsrör under bilen omedelbart efter att luftkonditionerings-systemet har använts. Detta är normalt och behöver inte åtgärdas.

Broms- och kopplingsolja

 Varning: Se säkerhets-informationen i Säkerheten främst! och Kapitel 9 om farorna med att hantera bromsolja.

15 Undersök området runt bromsrörens anslutningar vid huvudcylindern efter tecken på läckage, enligt beskrivningen i kapitel 9. Kontrollera området runt oljebehållarens botten efter läckage som orsakats av defekta tätningar. Undersök även bromsrörens anslutningar vid den hydrauliska ABS-enheten.

16 Om oljenivån har sjunkit märkbart utan att läckage kan upptäckas i motorrummet måste bilen lyftas upp på pallbockar och bromsoken samt underredets bromsledningar kontrolleras. Oljeläckage från bromssystemet är ett allvarligt fel som kräver omedelbar åtgärd.

17 Se kapitel 6 och kontrollera om det förekommer läckor runt hydraulvätskans ledningsanslutningar till kopplingens huvudcylinder vid mellanväggen samt till

kopplingens slavcylinder, som är fastbultad på sidan av balanshjulskåpan.

18 Hydrauloljan till bromsarna/växellådan är giftig och har en vattnig konsistens. Ny hydraulolja är i det närmaste färglös, men den mörknar med tid och användning.

Oidentifierade vätskeläckage

19 Om det finns tecken på att vätska av någon sort läcker från bilen, men det inte går att avgöra vilken sorts vätska eller var den kommer ifrån, parkera bilen över natten och lägg en stor bit kartong under den. Förutsatt att kartongbiten är placerad på någorlunda rätt ställe kommer även mycket små läckor att synas på den. Detta gör det lättare både att avgöra var läckan är placerad samt att, med hjälp av vätskans färg, identifiera vätskan. Tänk på att vissa läckage bara ger ifrån sig vätska när motorn är igång!

Vakuumslangar

20 Bromssystemet är hydraulstyrt men bromsservon förstärker kraften på bromspedalen med hjälp av det vakuum som pumpen skapar (se kapitel 9). Vakuumet leds till servon genom en bred slang. Eventuella läckor i den här slangen minskar bromssystemets effektivitet.

21 Dessutom drivs många av komponenterna under motorhuven, särskilt avgasreningskomponenterna, av vakuum som levereras från vakuumpumpen via tunna slangar. En läcka i vakuumslangen innebär att luft kommer in i slangen (i stället för att pumpas ut från den), vilket gör läckan mycket svår att upptäcka. En metod är att använda en gammal vakuumslang som stetoskop – håll en ände nära (men inte i) örat och använd den andra änden för att undersöka området runt den misstänkta läckan. När slangens ände befinner sig direkt ovanför vakuumläckan hörs ett tydligt väsande ljud genom slangen. Motorn måste vara igång vid en sådan här undersökning, så var noga med att inte komma åt heta eller rörliga komponenter. Byt ut alla vakuumslangar som visar sig vara defekta.

6	Styrning och fjädring – kontroll

Framfjädring och styrning

1 Lyft upp framvagnen och ställ den på pallbockar.

2 Inspektera spindelledernas dammskydd och styrväxelns damasker. De får inte vara skavda, spruckna eller ha andra defekter (se bild). Slitage på någon av dessa delar gör att smörjmedel läcker ut och att smuts och vatten kan tränga in, vilket snabbt sliter ut spindellederna eller styrinrättningen.

3 Ta tag i hjulet längst upp och längst ner och

försök vicka på det **(se bild)**. Ett ytterst litet spel kan märkas, men om rörelsen är stor krävs en närmare undersökning för att fastställa orsaken. Fortsätt rucka på hjulet medan en medhjälpare trycker på bromspedalen. Om spelet försvinner eller minskar markant är det troligen fråga om ett defekt hjulnavlager. Om spelet finns kvar när bromsen är nedtryckt rör det sig om slitage i fjädringens leder eller fästen.

4 Greppa sedan hjulet på sidorna och försök rucka på det igen. Märkbart spel beror antingen på slitage på hjulnavlager eller styrstagets spindelleder. Om den inre eller yttre kulleden är sliten kommer den synliga rörelsen att vara tydlig.

5 Kontrollera om fjädringens fästbussningar är slitna genom att bända med en stor skruvmejsel eller en platt metallstång mellan relevant fjädringskomponent och dess fästpunkt. En viss rörelse förekommer alltid eftersom bussningarna är av gummi, men större slitage syns tydligt. Kontrollera även skicket på synliga gummibussningar, leta efter bristningar, sprickor eller föroreningar i gummit.

6 Ställ bilen på marken och låt en medhjälpare vrida ratten fram och tillbaka ungefär en åttondels varv åt vardera hållet. Det ska inte finnas något, eller bara ytterst lite, spel mellan rattens och hjulens rörelser. Om spelet är större ska kullederna och fästena som beskrivs ovan undersökas noga. Dessutom ska rattstångens kardanknutar kontrolleras efter tecken på slitage och kuggstångsstyrningens drev kontrolleras.

Fjädringsben/stötdämpare

7 Leta efter tecken på oljeläckage kring fjäderbenet/stötdämparen eller gummidamasken runt kolvstången. Om det finns spår av olja är fjäderbenet/stötdämparen defekt och ska bytas. **Observera:** *Fjäderben/stötdämpare måste alltid bytas parvis på samma axel.*

8 Fjäderbenets/stötdämparens effektivitet kan kontrolleras genom att bilen gungas i varje hörn. I normala fall ska bilen återta planläge och stanna efter en nedtryckning. Om den höjs och återvänder med en studs är troligen fjäderbenet/stötdämparen defekt. Undersök även om fjäderbenets/stötdämparens övre och nedre fästen visar tecken på slitage.

7 Drivaxeldamask och drivknut – kontroll

1 Med bilen lyft och stödd ordentligt på pallbockar, vrid ratten helt åt endera hållet och snurra sedan långsamt på hjulet. Undersök de yttre drivknutarnas damasker, och tryck på damaskerna så att vecken öppnas **(se bild)**. Leta efter tecken på sprickor, delningar och åldrat gummi som kan släppa ut fett och släppa in vatten och smuts. Kontrollera även damaskernas klamrar vad gäller åtdragning och skick. Upprepa dessa kontroller på de inre drivknutarna. Om skador eller slitage påträffas bör damaskerna bytas (se Kapitel 8).

2 Kontrollera samtidigt drivknutarnas

7.1 Kontrollera skicket på drivaxelns damasker

allmänna skick genom att hålla fast drivaxeln och samtidigt försöka vrida hjulet. Håll sedan fast innerknuten och försök vrida på drivaxeln. Varje märkbar rörelse är ett tecken på slitage i drivknutarna, slitage i drivaxelspårningen eller på lösa fästmuttrar till drivaxeln.

8 Gångjärn och lås – smörjning

1 Smörj gångjärnen på motorhuv, dörrar och baklucka med en tunn smörjolja. Smörj även alla spärrar, lås och låsgrepp – överdriv dock inte eftersom du kan att få fett på kläderna när du kliver in i bilen! Kontrollera samtidigt funktionen hos alla lås och justera dem om det behövs (se kapitel 11).

2 Smörj motorhuvslåsmekanismen och låsvajern med lämpligt fett.

Var 20 000 km

9 Pollenfilter – kontroll

1 Öppna motorhuven.

2 Bänd upp mittsprintarna, bänd ur hela plastnitarna och ta bort den ljudisolerande klädseln som täcker pollenfilterkåpan **(se bild)**.

3 Ta filterkåpan och och dra bort den från mellanväggen **(se bild)**.

4 För ut filtret **(se bild)**.

5 Kontrollera skicket på filtret, och byt vid behov.

6 Torka rent insidan av huset och sätt dit pollenfilterelementet och se till att det sitter ordentligt på plats.

9.2a Bänd upp mittsprintarna och bänd ur hela plastnitarna (markerade med pil) . . .

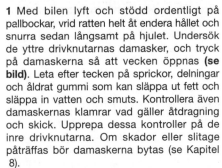

9.2b . . . och ta bort ljudisoleringsmaterialet

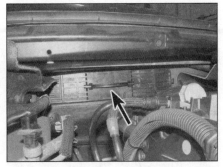

9.3 Dra loss filterkåpan (markerad med pil) från mellanväggen

9.4 Dra ut pollenfiltret

7 Montera tillbaka pollenfilterkåpan,
8 Sätt tillbaka den ljudisolerande klädseln och sätt den på plats med plastnitarna.
9 Stäng motorhuven.

10 Bromsklossar – kontroll

1 Lossa framhjulsbultarna. Dra åt handbromsen. Lyft upp framvagnen och ställ den på pallbockar (se *Lyftning och stödpunkter*). Demontera framhjulen.
2 Bromsklossen tjocklek kan snabbt kontrolleras via inspektionsöppningen på det främre bromsoket **(se Haynes tips)**. Använd en stållinjal och mät tjockleken på bromsklossarnas friktionsbelägg. Det måste vara minst så tjockt som anges i Specifikationer.
3 En fullständig kontroll innebär att klossarna demonteras och rengörs. Du kan även kontrollera bromsokets funktion och bromsskivans båda sidor. Se kapitel 9 för mer information.
4 Om belägget på någon back är slitet till eller under specificerat minimum måste alla fyra bromsbackarna bytas som en uppsättning. Se kapitel 9 för mer information.
5 Avsluta med att sätta på hjulen, ställa ner bilen och dra åt hjulbultarna till angivet moment.
6 Lossa bakhjulsbultarna. Lyft upp bakvagnen

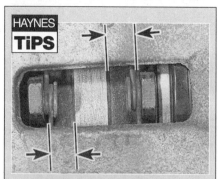

Vid en snabbkontroll kan beläggens tjocklek på varje bromskloss kontrolleras genom hålet i bromsoket.

och ställ den på pallbockar. Demontera bakhjulen. Upprepa åtgärden i avsnitt 2 till 5 på de bakre bromsklossarna.

11 Handbroms – kontroll

1 Handbromsen ska vara helt åtdragen innan 8 klick hörs från spakens spärrmekanism. Kontrollera och justera vid behov handbromsen enligt beskrivningen i Kapitel 9.

12 Landsvägsprov

Instrument och elektrisk utrustning

1 Kontrollera funktionen hos alla instrument och den elektriska utrustningen.
2 Kontrollera att instrumenten ger korrekta avläsningar och slå på all elektrisk utrustning i tur och ordning för att kontrollera att den fungerar korrekt.

Fjädring och styrning

3 Kontrollera om bilen uppför sig onormalt i styrning, fjädring, köregenskaper och vägkänsla.
4 Kör bilen och var uppmärksam på ovanliga vibrationer eller ljud.
5 Kontrollera att styrningen känns positiv, utan överdrivet fladder eller kärvningar, och lyssna efter fjädringsmissljud vid kurvtagning och gupp.

Drivaggregat

6 Kontrollera motorns, kopplingens, växellådans och drivaxlarnas funktion.
7 Lyssna efter onormala ljud från motorn, kopplingen och växellådan.
8 Kontrollera att motorn går jämnt på tomgång, och att den inte tvekar vid acceleration.
9 Kontrollera att kopplingen går mjukt, att den "tar" jämnt och att pedalen inte har för lång slaglängd. Lyssna även efter missljud när kopplingspedalen är nedtryckt.
10 Kontrollera att alla växlar kan läggas i jämnt och utan missljud, och att växelspakens rörelse inte är onormalt vag eller hackig.
11 På modeller med automatväxellåda, kontrollera att alla växlingar är ryckfria, mjuka och fria från ökning av motorvarvet mellan växlar. Kontrollera att alla lägen kan väljas när bilen står stilla. Om problem föreligger ska dessa tas om hand av en Audi/VAG-verkstad.
12 Lyssna efter metalliska klickljud från framvagnen när bilen körs långsamt i en cirkel med fullt rattutslag. Utför kontrollen åt båda hållen. Om ett klickljud hörs indikerar detta att en drivaxeled är sliten, och då måste hela drivaxeln bytas (se kapitel 8).

Bromssystem

13 Kontrollera att bilen inte drar åt ena hållet vid inbromsning, och att hjulen inte låser sig vid hård inbromsning.
14 Kontrollera att ratten inte vibrerar vid inbromsning.
15 Kontrollera att handbromsen fungerar ordentligt utan för stort spel i spaken, och att den kan hålla bilen stilla i en backe.
16 Testa bromsservon (om det är tillämpligt) enligt följande. Stäng av motorn, tryck ner bromspedalen 4 eller 5 gånger för att häva vakuumet. Håll bromspedalen nedtryckt och starta motorn. När motorn startar ska pedalen ge efter märkbart medan vakuumet byggs upp. Låt motorn gå i minst två minuter och stäng sedan av den. Om pedalen nu trycks ner ska ett väsande ljud höras från servon. Efter ungefär fyra eller fem nedtryckningar ska väsandet inte längre höras, och pedalen ska kännas betydligt fastare.

13 Drivrem – kontroll och byte

1 Alla modeller är utrustade med en poly-V-drivrem med flera ribbor. Remspänningen justeras automatiskt med en fjäderbelastad sträckare.

Kontrollera skicket

2 Lossa framhjulsbultarna på höger sida. Dra åt handbromsen. Lyft upp framvagnen och ställ den ordentligt på pallbockar (se Lyftning och stödpunkter). Demontera höger framhjul.
3 Ta bort plastnitarna (tryck i mittstiftet något och bänd ur niten) och ta bort hjulhusets foder under den främre högra skärmen för att komma åt vevaxelns remskivas bult.
4 Använd en lämplig hylsa och förlängningsstång som sätts dit på vevaxelremskivans bult och vrid vevaxeln så att drivremmen kan undersökas i hela sin längd. Undersök drivremmen och leta efter sprickor, delningar, fransningar eller skadade. Leta också efter tecken på polering (blanka fläckar) och efter delning av remlagren. Byt ut remmen om den är utsliten eller skadad.
5 På 1,6- och 2,0-liters modellerna har den automatiska sträckaren markeringar som hamnar i linje med varandra när remmen behöver bytas. På 1,6-liters modellerna passas den lilla fyrkantiga tappen in i den större fyrkantiga öppningen på sträckaren. På 2,0-liters modellerna finns ett spår som riktas in efter en markering på fästbygeln **(se bild)**.

Demontering

6 Om du inte redan har gjort det, fortsätt enligt beskrivningen i avsnitt 2 och 3.
7 Ta bort plastkåpan från ovansidan på kylvätske- och vindrutespolarbehållaren.

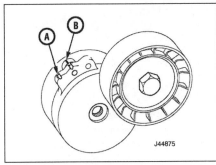

13.5 När spåret (A) ligger i linje med markeringen (B) på fästbygeln måste remmen bytas

13.7 Tryck in mittsprinten något och bänd sedan ur hela plastniten

13.8 Använd en öppen nyckel för att vrida sträckararmen medurs och lås den sedan på plats genom att sätta i en 4 mm borr i hålet i sträckaren (markerad med pil)

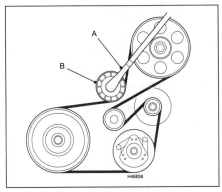

13.10a Vrid nyckeln (A) moturs för att lossa spännrullen (B) från drivremmen – tidiga 2,0-liters SOHC modeller med luftkonditionering

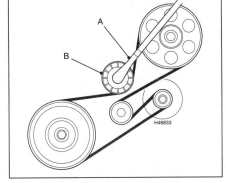

13.10b Drivremmens dragning på tidiga 2,0-liters SOHC modeller utan luftkonditionering

A Sträckare   B Spännrulle

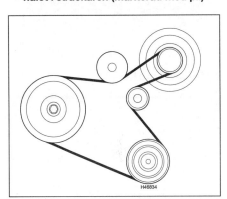

13.10c Drivremmens dragning på senare 2,0-liters SOHC modeller med luftkonditionering

Kåpan hålls fast med två plastnitar. Tryck in mittsprintarna en bit och bänd ur hela nitarna från sin plats **(se bild)**.

1,4- och 1,6-liters motorer

8 Använd en öppen nyckel, sträck dig ner och vrid sträckarens arm medurs för att släppa på remspänningen. Sätt i en 4 mm borrbit eller stav i hålet i sträckaren så att sträckararmen vilar mot den och låser den i läge **(se bild)**. Det kan vara bra att ha en liten spegel till hands för att kunna rikta in låshålen enklare i det begränsade utrymmet.

9 Ta bort remmen från remskivorna. Märk

ut åt vilket håll remmen sitter om den ska återmonteras. Remmen måste sättas tillbaka på samma sätt.

2,0-liters motorer

10 Använd en lämplig nyckel och sätt dit den på den sexkantiga bulten mitt i den automatiska spännarremskivan och dra remskivan mot bilens bakdel för att släppa spänningen på drivremmen. Observera att det kräver stor kraft för att flytta remskivan i motsatt riktning mot fjäderspänningen. Sätt i en 4 mm borrbit eller en stav för att låsa sträckaren i det här läget

(se bild). Dra av remmen från remskivorna. Märk ut åt vilket håll remmen sitter om den ska återmonteras. Remmen måste sättas tillbaka på samma sätt.

Montering och spänning

1,4- och 1,6-liters motorer

11 Sätt dit remmen runt remskivorna och se till så att ribborna på remmen hamnar i spåren på remskivorna och att drivremmen är korrekt dragen **(se bild)**. Om du ska sätta tillbaka en begagnad rem använder du märket du gjorde före borttagningen så att den hamnar i rätt rotationsriktning.

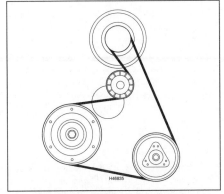

13.10d Drivremmens dragning på senare 2,0-liters DOHC modeller med luftkonditionering

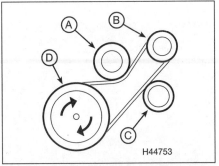

13.11a Drivremmens dragning (1,4- och 1,6-liters motorer utan luftkonditionering)

A Spännare   C Tomgångsremskiva
B Generator   D Vevaxel

13.11b Drivremmens dragning (1,4- och 1,6-liter med luftkonditionering)

A Spännare   C Kompressor
B Generator   D Vevaxel

12 Använd en öppen nyckel, håll sträckararmen så att borrbitet/staven kan tas bort och släpp trycket på nyckeln så att den automatiska sträckaren tar upp slacket i drivremmen.

13 Sätt tillbaka plastkåpan över kylvätske- och vindrutespolarbehållarna och sätt dit hjulhusets foder.

2,0-liters motorer

14 Sätt dit remmen runt remskivorna och se till så att ribborna på remmen hamnar i spåren på remskivorna och att drivremmen är korrekt dragen. Om du ska sätta tillbaka en begagnad rem använder du märket du gjorde före borttagningen så att den hamnar i rätt

rotationsriktning.

15 Använd en lämplig nyckel, håll sträckarens remskiva så att borrbitet/staven kan tas bort och släpp trycket på nyckeln så att den automatiska sträckaren tar upp slacket i drivremmen.

16 Sätt tillbaka hjulhusets foder när åtgärden är klar. Montera hjulet och sänk ner bilen.

Var 40 000 km

14 Luftfilter – byte

1,4-liters motorer

1 Ta bort plastkåpan från motorns överdel. Kåpan hålls på plats av gummigenomföringar och dras uppåt för att lossas.

2 Skruva loss de tre skruvarna på filterkåpans framsida, lyft av kåpan och ta bort filterinsatsen. Observera hur filtret sitter (se bild).

3 Placera det nya filtret i filterhuset och sätt tillbaka filterkåpan. Notera de tre tapparna längst bak på kåpan som passar in i huset. Dra åt fästskruvarna ordentligt.

4 Montera tillbaka plastkåpan ovanpå motorn.

14.2a Skruva loss de tre skruvarna (markerade med pil) på luftfiltrets kåpa och lyft av kåpan. . .

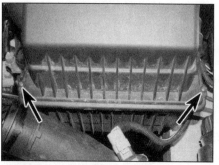

14.13a Skruva loss skruvarna (markerade med pil) på luftfiltrets kåpa och lyft av kåpan. . .

1,6-liters motorer

5 Demontera motorns övre skyddskåpa. Ta bort torkararmarna (kapitel 12), lossa klämmorna och ta bort plasttorpedplåtens klädselpanel. Klädseln hålls fast av en plastnit i varje ände. Tryck in mittsprintarna en bit och bänd ur hela nitarna från sin plats. Dra upp klädselns ändar för att lossa den från vindrutans klämmor och dra klädseln nedåt och framåt för att lossa den från vindrutans mitt. Skruva loss de två skruvar som håller fast bromsen/ kopplingens huvudcylinder och flytta den åt sidan. Lossa det ljudisolerande materialet från plasttorpedplåtens tvärbalk, skruva loss de två skruvarna och ta bort tvärbalken.

6 Ta bort den primära lufttrumman från motorrummets framdel, ta bort turbo- aggregatets inloppskanal och luftrenarens inloppskanal.

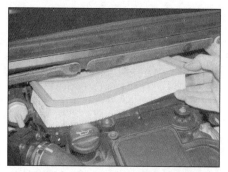

14.2b . . . och ta bort filterelement

14.13b . . . och ta bort filterelement

7 Ta bort bränsleluftningspumpen och stöd den från luftrenarens ovansida.

8 Lossa kablaget och ta bort luftflödesmätaren enligt beskrivningen i kapitel 4B.

9 Skruva loss de tre skruvarna framtill på luftrenaren, haka loss och ta bort kåpan.

10 Ta bort filterinsatsen och notera vilken sida som är vänd uppåt.

11 Sätt dit det nya filtret i luftrenarhuset, sätt dit kåpan och se till så att de bakre tapparna hamnar i läge. Dra åt fästskruvarna ordentligt.

12 Sätt dit resterande delar i omvänd ordning mot demonteringen.

2,0-liters motorer

13 Skruva loss skruvarna som håller fast ovandelen på luftfilterhuset, lyft av ovansidan, lossa tapparna längst bak på kåpan och ta bort filterinsatsen (se bild).

14 Om det behövs, lossar du klämman och lossar insugskanalen från filterhusets överdel för att ge bättre åtkomst till filterhuset.

15 Om tillämpligt, lossa eventuellt kablage eller kylvätskeslangar från fästklämmorna på luftfilterhusets överdel.

16 Torka rent huset och ovansidan.

17 Sätt dit den nya insatsen i huset. Sätt dit filterhusets överdel och fäst det med fästskruvarna.

18 Sätt dit eventuella kablar eller kylvätskeslangar (om tillämpligt) i klämmorna på luftfilterhuset, återanslut insugskanalen och dra åt fästklämman ordentligt.

15 Bränslefilter – byte

Observera: Kontakta verkstaden för att se om de har bränslefilter/hus före borttagningen. På vissa modeller är bränslefiltret/-huset en enhet.

Demontering

1,4-liters motorer

1 Ta bort batteriet enligt beskrivningen i Kapitel 5A.

2 Skruva loss de två skruvarna och flytta den övre bromsoljebehållaren åt sidan (se bild). Koppla inte från några vätskerör/slangar.

15.2 Skruvarna för broms/kopplingsvätska övre behållare (markerad med pil)

3 Skruva loss skruven, lossa fästbygeln och för bromsservons vakuumrör åt sidan **(se bild)**.

4 Placera en lämplig behållare under avtappningsskruven och täck det omgivande området med trasor. Låt inget bränsle komma in i balanshjulskåpan som sitter nedanför. Om du har en bit slang sätter du dit den över avtappningsskruven **(se bild 4.2a)**.

5 Öppna dräneringspluggen genom att vrida den moturs. Töm ut bränsle och vatten. Stäng dräneringsplugget.

6 Lossa fästklämmorna och lossa bränslematnings- och bränslereturrören från filtret **(se bild)**. Plugga rören för att hindra att det kommer in smuts och undvika bränsleförlust.

7 Skruva loss filterfästskruven och för undan filtret från fästbygeln. Lossa bränslevärmaren och vattenavkännarens anslutningskontakter (i förekommande fall) när filtret tas bort **(se bild)**.

8 Skruva loss bränslevärmaren och

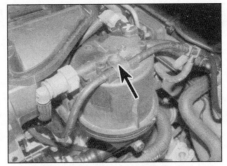

15.3 Skruva loss vakuumrörfästens skruv (markerad med pil)

15.7a Skruva loss filtrets fästskruv (markerad med pil) . . .

vattenavkännaren (i förekommande fall) från filtret. Kasta O-ringstätningarna, nya tätningar måste användas vid återmonteringen.

1,6-liters motorer

9 Ta bort batterikåpan och batteriet enligt beskrivningen i Kapitel 5A **(se bild)**.
10 Demontera motorns övre skyddskåpa.

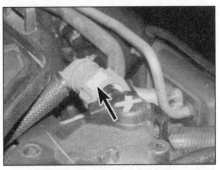

15.6 Tryck in knappen (markerad med pil) och lossa ledningarna för bränslematning- och bränsleretur

15.7b . . . och lossa sedan filtertappen från fästet

11 Ta bort den primära lufttrumman från motorrummets framdel, ta bort turboaggregatets inloppskanal och luftrenarens inloppskanal **(se bilder)**.
12 Skruva loss de två skruvarna och flytta den övre bromsoljabehållaren åt sidan **(se bild)**. Koppla inte från några vätskerör/slangar.

15.9a Ta bort batterikåpan . . .

15.9b . . . och batteriet

15.11a Ta bort den primära lufttrumman. . .

15.11b . . . turboaggregatets inloppskanal . . .

15.11c . . . och luftrenarens inloppskanal

15.12 Flytta broms-/kopplingvätskebehållaren åt ena sidan

15.14 Lossa bränsleinlopps och bränsleutloppsrören

15.15a Lossa klämman . . .

15.15b . . . och ta bort hela bränslefilterhuset

15.19 Lossa filtrets anslutningskontakt

13 Lossa kablaget från bränslevärmaren.
14 Placera trasor under filtret och lossa bränsleinlopps- och bränsleutloppsrören (se bild).
15 Lossa klämman och ta bort bränslefilterhuset från motorrummet (se bild).
16 Det nya filtret levereras som en enhet. Ta vid behov bort vattenavkännaren och bränslevärmaren från det gamla filterhuset och flytta dem till den nya enheten.

2,0-liters motorer

17 Skruva de fyra hållarna och ta bort plastkåpan från motorns överdel.
18 Placera en lämplig behållare under änden av bränslefiltrets dräneringsslang. Öppna dräneringsskruven längst ner på filterhuset och låt allt bränsle rinna ut (se bild 4.2b).
19 Om tillämpligt, lossa kontaktdonet från bränslefiltrets ovansida (se bild).
20 Koppla från bränsleledningarna ovanpå bränslefilterhuset genom att lossa snabbkopplingarna med en liten skruvmejsel.

Flytta dem åt sidan och täck ändarna på bränsleledningarna för att hindra att det kommer in smuts.
21 Skruva loss bränslefiltrets ovandel och lyft ut filtret från huset (se bild). Observera: *I teorin går det att skruva loss flänsen ovanpå filtret, men har det visat sig i praktiken att det är inte går att skruva loss filtret utan att skada huset vilket innebär att man måste byta hela filterhuset. Huset säkras på motorn med två bultar.*

Montering

1,4-liters motorer

22 Byt vattenavkännarens och bränslevärmarens O-ringstätningar, sätt tillbaka dem på det nya filtret och dra åt dem ordentligt.
23 Sätt dit filtret i läge och fäst det på plats med fästskruven.
24 Återanslut bränslematnings-/returrören och anslutningskontakterna.
25 Sätt dit fästbygeln – dra åt skruven ordentligt.
26 Stäng bränsledräneringspluggen och lufta bränslesystemet enligt beskrivningen i kapitel 4B. Resten av monteringen sker i omvänd ordningsföljd mot demonteringen.

1,6-liters motorer

27 Sätt dit det nya filtret i omvänd ordning mot demonteringen och lufta därefter bränslesystemet enligt beskrivningen i kapitel 4B.

2,0-liters motorer

28 Monteringen sker i omvänd ordningsföljd

mot demonteringen. Placera det nya filtret i huset och montera en ny tätning innan du sätter tillbaka filterhusets ovandel. Om hela enheten byts sätter du dit filtret på motorn och drar åt bultarna ordentligt.
29 Sätt dit filterhuset, stäng filtrets dräneringsskruv och lufta bränslesystemet (se kapitel 4B).

16 Manuell växellåda – oljenivåkontroll

Observera: *Det behövs en ny tätningsbricka för växellådans påfyllnings-/nivåplugg vid återmonteringen.*

1 Lossa framhjulsbultarna på vänster sida. Lyft upp bilens fram- och bakände och stöd den på pallbockar så att den står jämnt (se Lyftning och stödpunkter). Om bilen har körts nyligen, vänta minst 5 minuter efter att motorn har stängts av. Om oljenivån kontrolleras omedelbart efter körning kommer en del olja att finnas kringspridd i växellådans delar vilket ger en felaktig nivåavläsning.
2 Ta bort det vänstra framhjulet och tryck i mittstiften något, bänd ur hela plastnitarna och ta bort hjulhusets foder under skärmen för att komma åt påfyllnings-/nivåpluggen.
3 Torka rent området runt påfyllnings-/nivåpluggen. Påfyllnings-/nivåpluggen är den största bulten som håller fast ändkåpan på växellådan. Skruva loss plugget och rengöra den. kassera tätningsbrickan (se bild).

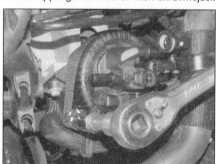

15.21a Skruva loss filtrets överdel

15.21b Tryck ner klämman för att lossa bränsleröret

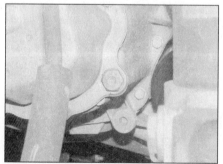

16.3 Manuell växellåda olja påfyllnings-/nivåplugg

16.4 Fyll på olja tills det börja rinna ut lite olja

4 Oljenivån ska vara precis jämte hålets nedre kant. Det samlas alltid lite olja under påfyllnings/nivåpluggen som sipprar ut när pluggen tas bort; det betyder *inte* nödvändigtvis att nivån är korrekt. Undersök detta genom att låta denna första omgång rinna ut och fyll sedan på olja efter behov till dess att den nya oljan börjar rinna ut **(se bild)**. Nivån blir korrekt när flödet upphör. använd endast olja av hög kvalitet av angiven grad.

5 Det är svårt att fylla på växellådan. framför allt måste du låta det gå tillräckligt mycket tid för att oljenivån ska hinna stabiliseras innan du kontrollerar den. Om du behövde fylla på en stor volym i växellådan och en stor volym rann ut när du kontrollerade nivån sätter du tillbaka påfyllnings-/nivåpluggen och kör en kort sträcka med bilen. När den nya oljan har fördelats i alla delar av växellådan och kontrollerar du nivån igen när den har hunnit stabiliseras.

6 Om växellådan överfyllts så att olja strömmar ut när pluggen skruvas ur, kon-trollera att bilen står horisontellt både i längs- och sidled. Låt eventuell överflödig olja rinna ut i en lämplig behållare.

7 När nivån stämmer säter du dit en ny tätningsbricka på påfyllnings-/nivåpluggen. Dra åt pluggen till angivet moment. Skölj bort eventuell utspilld olja. Sätt tillbaka hjulhusfodret och fäst det med plastnitarna. Montera tillbaka hjulet och sänk ner bilen.

8 Regelbundet behov av påfyllning indikerar en läcka som måste spåras och åtgärdas innan problemet blir allvarligare.

17 Automatväxellådans oljenivå – kontroll

Observera: *Växellådan har en vätskebytesindikator som informerar föraren om när det är dags att byta vätska (ECU tänder Sport- och snölägelamporna och låter dem blinka när det är dags att byta vätska). Varje gång växellådan fylls på ska den här givaren justeras för att kompensera för den vätska som fylls på. Detta kan dock bara göras med Peugeots diagnostestlåda. Om man fyller på vätska utan att justera givaren uppstår inga problem, men givaren kommer att visa felaktiga värden vilket får till följd att vätskepåfyllning rekommenderas tidigare än nödvändigt.*

1 Kör bilen en kort sträcka så att växellådan värms upp till normal arbetstemperatur, och parkera sedan bilen på plan mark. Dra åt handbromsen och kontrollera att växelspaken är i läge P. Lossa skruvarna och ta bort motorns undre skyddskåpa **(se bild 3.2)**.

2 Torka rent runt påfyllningspluggen som sitter ovanpå växellådan, direkt under batteriet. Skruva loss påfyllningsplugget från växellådan och ta loss tätningsbrickan **(se bild)**.

3 Fyll försiktigt på 0,5 liter av den angivna typen av vätska i växellådan via påfyllningspluggens öppning. Sätt dit en ny tätningsbricka på påfyllningspluggen, sätt tillbaka pluggen och dra åt den till angivet moment.

4 Placera en lämplig behållare under dränerings-/påfyllningspluggen längst ner på växellådan. Nivåpluggen är den mindre pluggen som sitter mitt på den större dräneringspluggen **(se bild)**.
Varning: Ta inte bort dräneringspluggen av misstag.

5 Starta motorn och låt den gå på tomgång. Låt motorn gå, låt dräneringspluggen sitta i och ta bort nivåpluggen och tätningsbrickan.

⚠ *Varning: Akta så att du inte bränner dig om oljan är het.*

6 Om det finns tillräckligt mycket vätska i växellådan ska det rinna ut vätska ur mitten på dräneringspluggen tills det börjar droppa långsamt. **Observera:** *Om ingen vätska droppar ut eller bara några droppar visas när pluggen tas bort är vätskenivån för låg. Montera tillbaka nivåpluggen och stäng av motorn. Fyll på ytterligare 0,5 liter vätska i växellådan, sätt tillbaka påfyllningspluggen och upprepa kontrollen (se avsnitt 3 till 5).*

7 När vätskeflödet avbryts är nivån rätt. Sätt dit en ny tätningsbricka på nivåpluggen, sätt tillbaka pluggen och dra åt den till angivet moment. Slå av motorn.

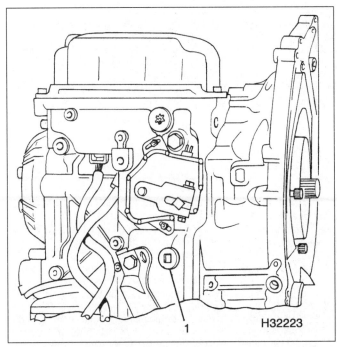

17.2 Växellådans oljepåfyllningsplugg (1) sedd från ovan

H32223

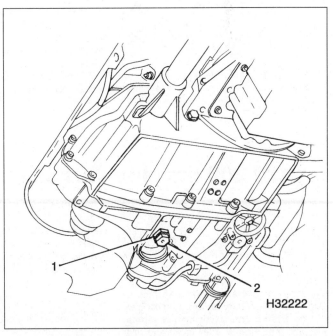

17.4 Växellådans oljedräneringsplugg (1) och oljenivåplugg (2), inuti dräneringspluggen

H32222

Var 60 000 km

18 Kamrem – byte

Observera: *Se anmärkningen i Uderhållsschemat*
Se Kapitel 2C, 2D eller 2E.

Var 60 000 km eller vart 2:e år

19 Bromsvätska – byte

⚠ *Varning: Hydraulisk bromsolja kan skada ögonen och bilens lack, så var ytterst försiktig vid hanteringen. Använd aldrig olja som stått i ett öppet kärl under någon längre tid eftersom den absorberar fukt från luften. För mycket fukt i bromsoljan kan medföra att bromseffekten minskar, vilket är livsfarligt.*
Observera: *En hydraulisk koppling delar vätskebehållare med bromssystemet och kan också behöva luftas (se kapitel 6).*
1 Arbetet liknar i stort det som beskrivs

för avluftning i kapitel 9, förutom det att bromsoljebehållaren måste tömmas genom sifonering med en ren bollspruta eller liknande innan du börjar, och du måste lämna plats för den gamla oljan som töms vid avluftning av en del av kretsen.
2 Arbeta enligt beskrivningen i kapitel 9 och öppna den första luftningsskruven i ordningen, och pumpa sedan försiktigt på bromspedalen tills nästan all gammal olja runnit ut ur huvudcylinderbehållaren.

 Gammal hydraulolja är alltid mycket mörkare än ny olja, vilket gör att det är enkelt att skilja dem åt.

3 Fyll på ny olja till MAX-markeringen och

fortsätt pumpa tills det bara finns ny olja i behållaren och ny olja kan ses rinna ut från luftningsskruven. Dra åt skruven och fyll på behållaren upp till MAX-markeringen.
4 Gå igenom de återstående luftningsskruvarna i rätt ordningsföljd tills det kommer ny olja ut ur dem. Var noga med att alltid hålla huvudcylinderbehållarens nivå över DANGER-markeringen, annars kan luft tränga in i systemet och då ökar arbetstiden.
5 Avsluta med att kontrollera att alla luftningsskruvar är ordentligt åtdragna och att deras dammskydd sitter på plats. Tvätta bort allt spill och kontrollera huvudcylinderbehållarens oljenivå en sista gång.
6 Kontrollera att bromsarna fungerar innan bilen körs igen.

Var 80 000 km

20 Partikelreningssystem kontroll

1 Ett partikelfilter monteras på vissa 1,6- och 2,0-liters modeller. Det här filtret kombineras med katalysatorn i avgasröret. En

tillsats används för att hjälpa till att rengöra filterinsatsen. Den här tillsatsen förvaras i en separat behållare bredvid bränsletanken. Byte av filter och påfyllning av behållaren bör dock överlåtas till en Peugeotverkstad eller en specialist eftersom vissa parametrar i ECU-motorstyrningen måste ominitieras och specialutrustning/specialverktyg måste användas på grund av att tillsatsen är farlig.

2 Beroende på tillverkningsdatum måste tillsatsen fyllas på efter:
80 000 km för bilar tillverkade före november 2002 – tillsats: EOLYS DPX 42.
120 000 km för bilar tillverkade från och med november 2002 (byggkod 9492) – tillsats: EOLYS 176.
Observera att dessa två produkter inte kan blandas eller bytas ut mot varandra.

Var 120 000 km eller vart 5 år

21 Kylvätska – byte

Avtappning av kylsystemet

⚠ *Varning: Vänta till dess att motorn är helt kall innan arbetet påbörjas. Låt inte frostskyddsmedel komma i kontakt med huden eller lackerade ytor på bilen. Spola omedelbart bort eventuellt spill med stora mängder vatten. Lämna*

aldrig frostskyddsmedel stående i en öppen behållare eller i en pöl på marken eller garagegolvet. Barn och husdjur kan attraheras av den söta doften och frostskyddsmedel kan vara livsfarligt att förtära.
1 Ta bort batteriet och batterilådan enligt beskrivningen i kapitel 5A.

1,4- och 1,6-liters motor

2 När motorn är helt kall skruvar du loss och tar bort expansionskärlets lock, skruvar loss skruvarna och tar bort motorns undre skyddskåpa.

3 Placera en lämplig behållare under kylarens nedre slangutlopp på vänster sida.
4 Lossa fästklämman och lossa kylarens nedre slang **(se bild)**. Var beredd på att kylvätska läcker ut.
5 När motorn är helt kall sträcker du dig under torpedplåten och skruvar loss luftningsskruven i värmeslangen på mellanväggsanslutningen **(se bild)**.
6 Töm motorn genom att dra ut klämman och ta bort pluggen i kylvätskegrenröret bakpå topplocket **(se bild)**. Pluggen sätts tillbaka med en ny klämma och O-ring.

21.4 Tryck ihop flikarna för att lossa slangens fästklämma

21.5 Skruva loss luftningsskruvens lock från värmarens utloppsslanganslutning (markerad med pil)

21.6 Bända ut fästklämman (markerad med pil) och dra ut dräneringspluggen

2,0-liters motorer

7 När motorn är helt kall, skruva loss och ta bort expansionskärlets lock.

8 Placera en lämplig behållare under kylarens nedre utloppsslang

9 Lossa luftningsskruven vid värmeslangens mellanväggsanslutning och skruven vid kylvätskeutloppshuset. På vissa motorer sitter det en tredje luftningsskruv ovanpå värmepaketets utlopp på luftrenarhusets nederdel **(se bild)**.

10 Lossa fästklämman för kylarens nedre slang och dra slangen från fästen. Var beredd på att kylvätska läcker ut.

11 När kylvätskeflödet avtar, flytta behållaren till dräneringspluggen på motorblockets bakre del.

12 Ta bort dräneringsplugget och låt kylvätskan rinna ner i behållaren.

13 Om kylarvätskan tappats ur av någon annan orsak än byte kan den återanvändas, under förutsättning att den är ren och mindre än fyra år gammal, även om detta inte är att rekommendera.

14 Sätt dit motorblockets dräneringsplugg när tömningen är slutförd.

Spolning av kylsystemet

15 Om kylvätskebyte inte utförts regelbundet eller om frostskyddet spätts ut, kan kylsystemet med tiden komma att förlora i effektivitet p.g.a. att kylvätskekanalerna sätts igen av rost, kalkavlagringar och annat.

Kylsystemets effektivitet kan återställas genom att systemet spolas ur.

16 För att undvika förorening ska kylsystemet spolas oberoende av motorn.

Spolning av kylare

17 När kylaren ska spolas måste först kylarens luftningsskruv dras åt (om tillämpligt)

18 Lossa den övre slangen och alla andra relevanta slangar från kylaren, enligt beskrivningen i Kapitel 3.

19 Stick in en trädgårdsslang i det övre kylarinloppet. Spola in rent vatten i kylaren och fortsätt spola till dess att rent vatten rinner ur kylarens nedre utlopp.

20 Om det efter en rimlig tid fortfarande inte kommer ut rent vatten kan kylaren spolas ur med kylarrengöringsmedel. Det är viktigt att tillverkarens anvisningar följs noga. Om kylaren är svårt förorenad, stick in slangen i nedre utloppet och spola ur kylaren baklänges.

Spolning av motor

21 Spola motorn genom att sätta tillbaka motorblockets dräneringsplugg och sedan dra åt kylsystemets luftningsskruvar.

22 Demontera termostaten enligt beskrivningen i kapitel 3, och sätt sedan tillfälligt tillbaka termostatkåpan.

23 Lossa de övre och nedre kylarslangarna från kylaren och stick in en trädgårdsslang i den övre kylarslangen. Spola in rent vatten i motorn och fortsätt att spola till dess att rent vatten rinner ur nedre slangen.

24 När spolningen är avslutad, montera termostaten och anslut slangarna enligt beskrivning i kapitel 3.

Påfyllning av kylsystemet

25 Kontrollera innan påfyllningen inleds att alla slangar och slangklämmor är i gott skick och att klämmorna är väl åtdragna. Observera att frostskyddsblandning måste användas året runt för att förhindra korrosion på motorns komponenter (se följande underavsnitt). Kontrollera även att kylaren och motorblockets dräneringspluggar sitter på plats och är åtdragna.

26 Ta bort expansionskärlets påfyllningslock.

27 Öppna alla kylsystemets luftningsskruvar (se avsnitt 5 och 9).

28 Vissa av kylsystemets slangar sitter högre än ovandelen på kylarens expansionskärl. Därför måste man använda en matartank när man fyller på kylsystemet, för att minska risken att luft blir kvar i systemet. Peugeotverkstäderna använder en särskild matartank som skruvas fast på expansionskärlet, men du kan uppnå samma effekt genom att använda en lämplig 1,0-litersflaska med en tätning mellan flaskan och expansionskärlet **(se Haynes Hint)**.

HAYNES TiPS

Skär bort botten på en gammal kylmedelbehållare för att tillverka en matartank som du kan använda när du fyller på kylsystemet. Tätningen vid den punkt som markeras med en pil ska vara så tät som möjligt – använd en O-ring om det finns tillgängligt eller täta fogen på något annat vis.

21.9a Kylvätskeutloppshusets luftningsskruv (markerad med pil) . . .

21.9b . . . och luftrenarens värmepakets luftningsskruv (DW10ATED)

29 Sätt dit matartanken på expansionskärlet och fyll systemet långsamt. Det kommer då att rinna ut kylvätska från luftningsskruven. Så snart som det rinner ut kylvätska fri från luftbubblor från skruven drar du åt skruven.

30 Kontrollera att matartanken är full (minst 1,0 liter kylvätska). Montera tillbaka batteriet, starta motorn och låt den gå på hög tomgång (överskrid inte 2000 varv/minut) till kylfläkten aktiveras och stängs av. Stanna motorn. **Observera:** *Var mycket försiktig så att du inte bränner dig på kylvätskan under den här åtgärden.*

31 Låt motorn svalna och ta bort matartanken.

32 När motorn har svalnat, kontrollera kylvätskenivån enligt beskrivningen i *Veckokontroller*. Fyll på mera vätska om det behövs, och sätt tillbaka expansionskärlets lock.

Frostskyddsblandning

33 Frostskyddsvätskan bör alltid bytas med angivna intervall. Detta inte bara för att bibehålla de frostskyddande egenskaperna utan även för att förhindra korrosion som annars kan uppstå därför att korrosionshämmarna gradvis förlorar effektivitet.

34 Använd endast etylenglykolbaserad frostskyddsvätska som är lämpad för motorer med blandade metaller i kylsystemet. Mängden frostskyddsmedel och olika skyddsnivåer anges i Specifikationer.

35 Innan frostskyddsvätska hälls i, måste kylsystemet tömmas helt och helst spolas ur, och alla slangar kontrolleras vad gäller skick och fastsättning.

36 När kylaren fyllts med frostskyddsvätska bör en lapp klistras på expansionskärlet, där det står vilken typ och koncentration av frostskyddsvätska som använts och när den fyllts på. Varje efterföljande påfyllning ska göras med samma typ och koncentration av frostskyddsmedel.

37 Använd inte motorfrostskyddsvätska i spolarsystemet, eftersom det kommer att skada lacken. Använd spolarvätska i den koncentration som anges på flaskan i spolarsystemet.

Var 10 år

22 Krockkuddar och säkerhetsbältförsträckare – byte

1 Peugeot rekommenderar att krockkuddarna och bältesförsträckarna byts vart tionde år oavsett skick. Se kapitel 12 för krockkuddsbyte och kapitel 11 för byte av bältesförsträckare.

Kapitel 2 Del A:
Reparationer med 1,4- och 1,6-liters bensinmotorer kvar i bilen

Innehåll

Svårighetsgrad

| Enkelt, passar novisen med lite erfarenhet | | Ganska enkelt, passar nybörjaren med viss erfarenhet | Ganska svårt, passar kompetent hemmamekaniker | Svårt, passar hemmamekaniker med erfarenhet | Mycket svårt, för professionell mekaniker |

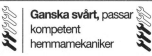

Specifikationer

Motor (allmänt)

Volym:
1,4-liters motor	1360cc
1,6-liters motor	1587cc

Beteckning:
1,4-liters SOHC motor	TU3JP
1,4-liters DOHC motor	ET3JP4
1,6-liters DOHC motor	TU5JP4

Motorkoder*:
1,4-liters SOHC motor	KFW
1,4-liters DOHC motor	KFU
1,6-liters DOHC motor	NFU

Lopp:
1,4-liters motor	75.00 mm
1,6-liters motor	78.50 mm

Kolvslag:
1,4-liters motor	77.00 mm
1,6-liters motor	82.00 mm

Vevaxelns rotationsriktning. ..... Medurs (sett från fordonets högra sida)

Plats för cylinder 1 ..... I växellådsänden

Kompressionsförhållande:
1,4-liters SOHC motor	10,2 : 1
1,4-liters DOHC motor	11,1 : 1
1,6-liters DOHC motor	10,8 : 1

Maximal utgående effekt:
1,4-liters SOHC motor	55 kW @ 5500 varv/minut
1,4-liters DOHC motor	65 kW @ 5250 varv/minut
1,6-liters DOHC motor	80 kW @ 5500 varv/minut

Maximalt vridmoment:
1,4-liters SOHC motor	120 Nm @ 3000 varv/minut
1,4-liters DOHC motor	135 Nm @ 3250 varv/minut
1,6-liters DOHC motor	150 Nm @ 4500 varv/minut

* *Motorkoden sitter framtill, till vänster på motorblocket.*

Kamaxel(axlar)

Drivning .... Kuggad rem

Ventilspel (kall motor)

1,4-liters SOHC motor:
Intag .... 0,20 mm
Avgas .... 0,40 mm
1,4- och 1,6-liters DOHC motorer .... Hydrauliska justerare

Smörjningssystem

Oljepumpstyp... Drevtyp, kejdedriven från kamaxeln
Lägsta tillåtna oljetryck vid 80 °C........................... 4 bar vid 4000 varv/minut
Kontakten till varningslampan för oljetryck aktiveras vid .... 0,8 bar

Åtdragningsmoment

	Nm
Storändens lageröverfall, bultar*:	
1,4-liters SOHC och 1,6-liters DOHC motorer..................	40
1,4-liters DOHC motor:	
Steg 1...	30
Steg 2...	Vinkeldra ytterligare 45°
Kamaxelns lagerhuset till topplocket	
(1,4- och 1,6-liters DOHC motorer)	10
Kamaxeldrevets fästbult(ar):	
1,4-liters SOHC och 1,6-liters DOHC motorer..................	45
1,4-liters DOHC motor:	
Kamaxelns stötgaffels fästbult (1,4-liters SOHC motor)	16
Vevaxeloljetätningshusets bultar	8
Vevaxelns remskiva fästbultar	25
Vevaxeldrevets fästbult*:	
Steg 1	40
Steg 2	Vinkeldra ytterligare 45°
Topplocksbultar:	
1,4-liters SOHC motor:	
Steg 1...	20
Steg 2...	Vinkeldra ytterligare 240°
1,4-liters DOHC motor:	
Steg 1...	15
Steg 2...	25
Steg 3...	Vinkeldra ytterligare 200°
1,6-liters motor:	
Steg 1...	20
Steg 2...	Vinkeldra ytterligare 260°
Ventilkåpornas skruvar/muttrar (1,4-liters SOHC motor)	8
Ventilkåpornas bultar (1,4- och 1,6-liters DOHC motorer)	10
Drivplattans bultar	67
Bultar mellan motor och växellåda:	
Modeller med manuell växellåda	40
Modeller med automatväxellåda	35
Motor/växellåda, vänster fäste:	
Fästets centrummutter..................................	65
Bultar mellan fäste och fästbygel...........................	30
Monteringskonsol-till-karossbultar..........................	19
Muttrar för fästbygel till manuell växellåda....................	25
Bultar för fästbygel till automatväxellåda.....................	45
Pinnbult/mutter (automatväxellåda)	40
Motor/växellådans bakre fäste:	
Bultar för fäste till motorblock	40
Bult för fästlänk till fäste................................	55
Bult för fästlänk till kryssrambalk	39
Motor/växellåda, höger fäste:	
Fästbygelmuttrar	45
Stödfäste:	
Fäste på topplock	45
Fäste på fästbygel	60
Fäste på motor.....................................	26
Fästbultar kaross	60
Fäste vibrationsdämpare	32

Åtdragningsmoment (forts.)

	Nm
Avgasdrevets fästbult	45
Svänghjul bultar*	70
Inloppsdrevets fästbultkåpa	40
Inloppsdrevets fästbult:	
Steg 1	20
Steg 2	60
Ramlageröverfallets fästbultar (1,6-liters motor):	
Steg 1	20
Steg 2	Vinkeldra ytterligare 49°
Ramlagrets gjutna ytor (1,4-liters motor):	
M11 bultar:	
Steg 1	20
Steg 2	Vinkeldra ytterligare 44°
M6-bultar	8
Oljefilter	25
Oljefilterhuset till motorblocket (1,6-liters motor)	10
Oljetryckkontakt:	
1,4-liters SOHC motor	30
1,4- och 1,6-liters DOHC motorer	20
Oljepumpens fästbultar	9
Kolv oljemunstycke rörbultar	10
Hjulbultar	90
Sumpens dräneringsplugg	30
Sumpens fästmuttrar och bultar	8
Bultar för kamremskåpa	8
Mutter för kamremmens spännarremskiva:	
1,4-liters motor	20
1,6-liters motor	22

* Återanvänds inte

1 Allmän information

Vad innehåller detta kapitel

1 Den här delen av kapitel 2 beskriver de reparationer som kan utföras med bensinmotorn monterad i bilen. Om motorn har tagits ur bilen och tagits isär enligt beskrivningen i del F, kan alla preliminära isärtagningsinstruktioner ignoreras.

2 Observera att även om det är möjligt att fysiskt renovera delar som kolven/vevstaken medan motorn sitter i bilen, så utförs sällan sådana åtgärder separat. Normalt måste flera ytterligare åtgärder utföras (för att inte nämna rengöring av komponenter och smörjkanaler). Av den anledningen klassas alla sådana åtgärder som större renoveringsåtgärder, och beskrivs i del F i det här kapitlet.

3 Del F beskriver demontering av motor/växellåda, samt tillvägagångssättet för de reparationer som kan utföras med motorn/växellådan demonterad.

Bensinmotor beskrivning

4 Bensinmotorerna i den här delen av kapitel 2 är från TU- och ET-serien och är beprövade motorer som har monterats på många tidigare bilar från Peugeot och Citroën. Motorer på 1,4

liter med enkel överliggande kamaxel (SOHC) och 8 ventiler eller fyrcylindriga radmotorer på 1,4 och 1,6 liter med dubbla överliggande kamaxlar (DOHC) med 16 ventiler monteras tvärställt längst fram i bilen med växellådan fäst i den vänstra änden. Motorer på 1,4 liter med enkel överliggande kamaxel och dubbla överliggande kamaxlar delar samma block som innefattar våta foder. Både 1,4- och 1,6-liters motorerna med dubbla överliggande kamaxlar har liknande topplock och reparationsmetoderna är identiska förutom för de hydrauliska ventillyftarna. På 1,6-liters modellen verkar kamaxeln direkt på ventillyftarna som sitter i topplocket under kamaxeln. På 1,4-liters modellen drivs ventilerna av vipparmar mellan kamaxeln och ventilernas ovansida – den ena änden av vipparmen kläms fast på den hydrauliska lyftaren och den andra änden vilar ovanpå ventilskaftet.

5 Vevaxel går genom fem ramlager. Tryckbrickor sitter monterade på ramlager 2 (övre halvan) för att kontrollera vevaxelns axialspel.

6 Vevstakarnas storändar roterar i horisontellt delade lager av skåltyp. Kolvarna är fästa på vevstakarna med kolvbultar som presspassade i vevstakarnas lilländsöglor. Lättmetallkolvarna är monterade med tre kolvringar – två kompressionsringar och en oljekontrollring.

7 På 1,4-liters motorer består motorblocket av aluminium och våtfoder monteras på cylinderloppen. O-ringarna sitter vid botten av varje foder för att hindra kylvätska från att komma in i sumpen.

8 På 1,6-liters motorer består motorblock av gjutjärn och cylinderloppen är en viktig del av motorblocket. På den här typen av motor sägs cylinderloppen ibland ha torra foder.

9 Insugs- och avgasventilerna stängs med spiralfjädrar och arbetar i styrningar som trycks in i topplocket. Ventilsätesringarna trycks också in i topplocket och kan bytas separat om de blir slitna.

10 På motorer med enkel överliggande kamaxel drivs kamaxeln av en tandad kamrem och drivs av åtta ventiler via vipparmar. Ventilspelen justeras med en skruv och låsmutter. Kamaxeln roterar direkt i topplocket. Kamremmen driver även kylvätskepumpen.

11 På DOHC motorer drivs kamaxlarna av en kamrem och driver de 16 ventilerna via ventillyftare med hydrauliska speljusterare. Kamaxlarna roterar direkt i topplocket och hålls fast av ett lagerhus i ett stycke. Remmen driver även kylvätskepumpen.

12 Smörjningen sköts av en oljepump som drivs (via en kedja och ett drev) vid den högra änden av vevaxeln. Den drar in olja genom en sil i sumpen och tvingar den genom ett externt monterat filter till kanaler i motorblocket/vevhuset. Därifrån fördelas oljan till vevaxeln

(ramlager) och kamaxeln. Vevstakslagren förses med olja via inre borrningar i vevaxeln, medan kamaxellagren även förses med olja under tryck. På 1,6-liters motorer finns kolvkylande oljesprutningsmunstycken som sprutar olja på undersidan av varje kolv. Kamloberna och ventilerna smörjs av oljestänk på samma sätt som övriga motorkomponenter.

Reparationer med motorn kvar i bilen

13 Följande arbeten kan utföras med motorn monterad i bilen:
a) Kompressionstryck – kontroll.
b) Ventilkåpa – demontering och montering.
c) Kamremskåpor – demontering och montering.
d) Kamrem – demontering, montering och justering.
e) Kamremmens spännare och drev – demontering och montering.
f) Kamaxelns oljetätning(ar) – byte.
g) Kamaxeln/-axlarna och vipparmarna/ ventillyftarna – demontering, kontroll och återmontering.
h) Topplock – demontering och montering.
i) Topplock och kolvar – sotning.
j) Sump – demontering och montering.
k) Oljepump – demontering, reparation och återmontering.
l) Vevaxelns oljetätningar – byte.
m) Motor-/växellådsfästen – kontroll och byte
n) Svänghjul/drivplatta – demontering, kontroll och montering.

2 Kompressionsprov – beskrivning och tolkning

1 Om motorns prestanda sjunker, eller om misständningar uppstår som inte kan hänföras till tändning eller bränslesystem, kan ett kompressionsprov ge en uppfattning om motorns skick. Om kompressionsprov tas regelbundet kan de ge förvarning om problem innan några andra symptom uppträder.
2 Motorn måste vara uppvärmd till normal arbetstemperatur och batteriet måste vara fulladdat. Dessutom behövs en medhjälpare.
3 Ta bort tändspoleenheten (se kapitel 5B) och ta bort tändstiften (se kapitel 1A).
4 Montera en kompressionsprovare vid tändstiftshålet för cylinder 1 – helst den typ av provare som skruvas fast i hålet.
5 Låt en medhjälpare hålla gaspedalen vidöppen, och dra runt motorn med startmotorn; efter ett eller två varv bör kompressionstrycket byggas upp till maxvärdet och sedan stabiliseras. Anteckna det högsta värdet.
6 Upprepa testet på återstående cylindrar och notera trycket på var och en.
7 Alla cylindrar ska producera ungefär samma tryck. en skillnad på mer än 2 bar mellan två av cylindrarna indikerar ett fel. Observera att kompressionen ska byggas upp snabbt i en fungerande motor; om kompressionen är låg i det första kolvslaget och sedan ökar gradvis under följande slag är det ett tecken på slitna kolvringar. Lågt tryck som inte höjs är ett tecken på läckande ventiler eller trasig topplockspackning (eller ett sprucket topplock). Avlagringar på undersidan av ventilhuvudena kan också orsaka dålig kompression.
8 Peugeot anger inga exakta kompressionstryck, men som tumregel kan man säga att cylindertryck under 10 bar inte är optimala. Rådfråga en Peugeot-verkstad eller specialist om du är tveksam om ett avläst tryck är godtagbart.
9 Om trycket i en cylinder är mycket lägre än i de andra, utför du följande test för att hitta orsaken. Häll i en tesked ren olja i cylindern genom tändstiftshålet och upprepa provet.
10 Om oljan tillfälligt förbättrar kompressionen indikerar detta att slitage på kolvringar eller lopp orsakar tryckfallet. Om ingen förbättring sker tyder det på läckande/brända ventiler eller trasig topplockspackning.
11 Ett lågt värde från två intilliggande cylindrar beror nästan alltid på att topplockspackningen mellan dem är sönder. om det finns kylvätska i motoroljan bekräftar detta felet.
12 Om en cylinder har omkring 20% lägre tryck än de andra och motorns tomgång är

något ojämn, kan detta orsakas av en sliten kamlob.
13 Om kompressionen är ovanligt hög är förbränningskamrarna troligen täckta med kolavlagringar. I så fall bör topplocket demonteras och sotas.
14 När testet är slutfört sätter du tillbaka tändstiften och tändspolen (se kapitel 1A och 5B).

3 Motorenhet/ventilinställningshål – allmän information och användning

Observera: Försök inte dra runt motorn när vevaxeln/kamaxeln är låsta i läge. Om motorn ska lämnas i det här läget under längre tid är det bra att placera varningsmeddelanden inuti bilen samt i motorrummet. Detta minskar risken att motorn dras runt av startmotorn av misstag vilket förmodligen skulle orsaka skador när låssprintarna sitter i.
1 På alla modeller finns borrade inställningshål i kamaxeldreven samt bakpå svänghjulet/drivplattan. Hålen används för att se till att vevaxeln och kamaxeln/-axlarna hamnar i rätt läge när motorn återmonteras (för att undvika att ventilerna kommer i kontakt med kolvarna när man sätter tillbaka topplocket) eller återmonterar kamremmen. När inställningshålen ligger i linje med åtkomsthålen i topplocket och motorblockets framdel kan man sätta i bultar/sprintar med lämplig diameter för att låsa både kamaxeln och vevaxeln i läge och hindra dem från att rotera. Gå vidare enligt följande.
2 Ta bort kamremmens övre kåpa enligt beskrivningen i avsnitt 5.

1,4-liters SOHC motorer

3 Vevaxeln måste nu vridas tills inställningshålet i kamaxeldrevet ligger i linje med motsvarande hål i topplocket. Hålen är rätt inriktade när kamaxeldrevets hål är i läget klockan 2 sett från motorns högra ände. Vevaxeln kan dras runt med en nyckel på vevaxeldrevets bult (notera att den alltid ska dras runt medurs) (sett från motorns högra ände).
4 När kamaxeldrevets hål är placerat rätt sätter du i en bult eller ett stift med 6 mm diameter och med längden 90 mm lång som svetsas fast på en svetsstav som böjs till lämplig form, genom hålet i den främre vänstra flänsen på motorblocket och in i inställningshålet bakpå svänghjulet (se bild). Det finns ett specialtillverkat Peugeot-verktyg med nr 0132-QY som kan beställas från verkstäderna. Observera att man kan behöva dra runt vevaxeln något för att passa in hålen efter varandra.
5 Placera svänghjulet i rätt läge, sätt i en bult med 10 mm diameter eller ett stift genom inställningshålet i kamaxeldrevet och in i hålet i topplocket (se bild).

3.4 Sätt i en bult/ett stift med 6 mm diameter (markerad med pil) i hålet i motorblockets fläns och in i svänghjulets hål

3.5 Lås kamaxeldrevet i läge med en bult/ ett stift med 10 mm diameter (markerad med pil) (1,4-liters SOHC motor)

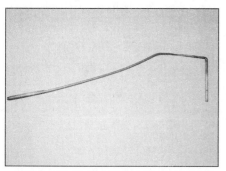

3.7a Svetsa fast en 90 mm lång stav/bult med diametern 6 mm på en bit svetsstav. . .

3.7b . . . och sätt i den i hålet i motorblockets fläns (markerad med pil)

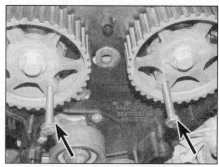

3.8a Använd lämpliga bultar/sprintar (markerade med pil) för att låsa kamaxeldrevet i läge (1,6-liters DOHC motor)

1,4- och 1,6-liters DOHC motorer

6 Dra runt vevaxeln tills hålen i kamaxeldreven ligger i linje med motsvarande hål i topplocket. Vevaxeln kan dras runt med en nyckel på vevaxeldrevets bult (notera att den alltid ska dras runt medurs) (sett från motorns högra ände).

7 När kamaxeldrevets hål är placerat rätt sätter du i en bult eller ett stift med 6 mm diameter och längden 90 mm lång som svetsas fast på en svetsstav som böjs till lämplig form, genom hålet i den främre vänstra flänsen på motorblocket och in i inställningshålet bakpå svänghjulet/ drivplattan **(se bild)**. Det finns ett specialtillverkat Peugeot-verktyg med nr 0132-QY som kan beställas från verkstäderna. Observera att man kan behöva dra runt

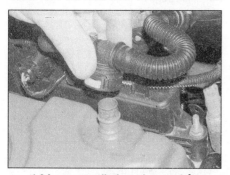

4.2 Lossa ventilationsslangen från ventilkåpans anslutning

vevaxeln något för att passa in hålen efter varandra.

8 Placera vevaxeln i rätt läge, sätt i bultar med 8 mm diameter eller stift genom inställningshålen i kamaxeldreven och in i hålen i topplocket **(se bild)**. **Observera:** *På 1,4-liters motorer har hålet i insugskamaxeldrevet 5 mm i diameter, men avgaskamaxeldrevet på alla motorer har ett hål med 8 mm diameter.*

Alla modeller

9 Vevaxeln och kamaxeln är nu låsta i läge så att onödig rotation kan undvikas.

4 Ventilkåpan – demontering och montering

1,4-liters SOHC motor

Demontering

1 Koppla loss batteriet (se kapitel 5A).
2 Tryck in klämman och koppla från ventilationsslangen från ventilkåpan **(se bild)**.
3 Ta bort tändspolarna enligt beskrivningen i kapitel 5B.
4 Skruva loss de båda fästmuttrarna och tätningsbrickorna (i förekommande fall) och lyft av hela ventilkåpan med gummitätningen. Undersök tätningen och leta efter tecken på skador och slitage. Byt den om det behövs.
5 Ta bort distansbrickorna från kåpans tappar och lyft bort oljeskvalpplåten **(se bild)**.

3.8b Lås kamaxeldreven i läge med borrbits/bultar med diametern 5 mm och 8 mm (1,4-liters DOHC motor)

Montering

6 Rengör försiktigt topplocket, täck fogytorna och ta bort alla spår av olja.
7 Sätt dit gummitätningen över kanten på ventilkåpan och se till att den sitter i rätt läge **(se bild)**.
8 Montera tillbaka oljeskvalpplåten och sätt dit mellanläggen på kåpans tappar.
9 Sätt försiktigt tillbaka ventilkåpan på motorn och var försiktig så att du inte flyttar gummitätningen.
10 Sätt dit tätningsbrickorna (i förekommande fall), täck fästmuttrarna och dra åt dem till angivet moment.
11 Sätt dit tändspolen (se kapitel 5B) och återanslut ventilationsslangen på ventilkåpan. Återanslut batteriet när du är klar.

4.5a Ta bort mellanläggen (markerad med pilar) från pinnbultarna . . .

4.5b . . . och lyft bort skvalpskottet

4.7 Kontrollera att gummitätningen sitter rätt på ventilkåpan

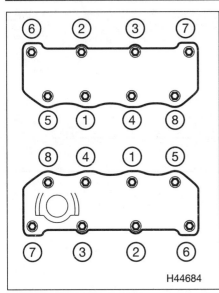

4.16a Ordningsföljd för åtdragning av
ventilkåpans bultar

1,4- och 1,6-liters DOHC motorer

Demontering

12 Koppla från batteriet (se kapitel 5A) och ta bort tändspolen enligt beskrivningen i kapitel 5B.
13 Arbeta i spiralmönster och lossa ventilkåpans bultar successivt och jämnt och ta bort kåporna. Ta loss packningarna.

Montering

14 Rengör försiktigt topplocket, täck fogytorna och ta bort alla spår av olja.
15 Kontrollera skicket hos kåpans kompositpackning och återanvänd den om den är oskadad. Om den är skadad kan den repareras med silikontätningsmedel.
16 Montera tillbaka kåpan(-orna) och dra åt bultarna i ordningsföljd **(se bild)**.
17 Montera tillbaka tändspolarna (Kapitel 5B).
18 Återanslut batteriet.

5.1a Skruva loss fästbultarna
(markerade med pil) . . .

5.3a Skruva loss bultarna (markerade med pil) som håller fast fästet och fästbygeln. . .

5 Kamremskåpor –
demontering och montering

Toppkåpan – demontering

1,4-liters motorer

1 Lossa och ta bort de båda fästbultarna (en fram och en bak) och ta bort den övre kamremskåpan från topplocket **(se bild)**.

1,6-liters motorer

2 Placera en verkstadsdomkraft under motorsumpen, med en träkloss på

5.1b . . . och ta bort kamremmen toppkåpa
– SOHC motor visas

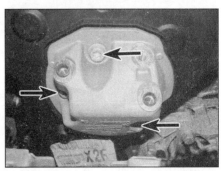

5.3b . . . och bultarna (markerade med pil)
som håller fast fästet på motorn

domkraftshuvudet för att skydda sumpen. Höj domkraften tills den stöder motorns vikt.
3 Lossa de högra motorfästbultarna och ta bort fästet och fästbyglarna från motorns ände **(se bild)**.
4 Lossa de två nedre bultarna, lossa därefter de fem övre bultarna och ta bort den övre kamremskåpan **(se bild)**.

Nedre kåpan – demontering

5 Ta bort den övre kåpan enligt beskrivningen ovan
6 Demontera drivremmen enligt beskrivningen i kapitel 1A.
7 Skruva loss de tre fästbultarna från vevaxelns remskiva, ta bort remskivan och notera åt vilket håll den är monterad **(se bild)**.

5.4 Skruva loss skruvarna (markerade med pil) och ta bort den
övre kamremskåpan

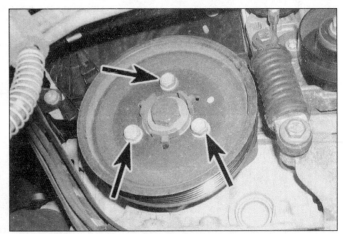

5.7a Skruva loss fästbultarna (markerade med pil) . . .

5.7b . . . och ta bort vevaxelns remskiva

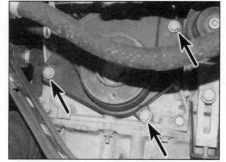

5.8 Skruva loss bultarna (markerade med pil) och ta bort den nedre kamremskåpan

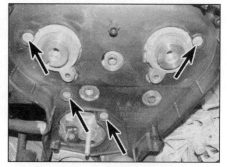

5.10 Skruva loss bultarna (markerade med pil) och ta bort innerkåpan (1,6-liters DOHC motor)

8 Skruva loss fästbultarna den nedre kåpan från motorn **(se bild)**.

Inre kåpan – demontering

9 Ta bort kamaxeldreven och spännhjulet enligt beskrivningen i avsnitt 7.
10 Skruva loss bultarna och ta bort den inre kåpan **(se bild)**.

Montering

Övre kåpan
11 Montera i omvänd ordningsföljd mot demonteringen.

Nedre kåpan
12 Placera den nedre kåpan över kamremmens drev och dra åt dess fästbultar.
13 Sätt dit remskivan på vevaxelns ände, se till att den är vänd åt rätt håll och dra åt dess bultar till angivet moment.
14 Montera tillbaka den övre kåpan enligt beskrivningen ovan.
15 Montera tillbaka drivremmen och spänn den enligt beskrivningen i kapitel 1B.

Inre kåpan
16 Monteringen sker i omvänd ordningsföljd mot demonteringen.

---

6 Kamrem –
allmän information,
demontering och montering

Observera: På tidiga 1,4-liters motorer (upp till motornummer 3666765) föreskriver Peugeot att man använder ett särskilt elektroniskt verktyg (SEEM C.TRONIC typ 105.5 mätverktyg för rempänning) och vipparmens kontaktplatta (0132-AE) för att ställa in kamremmens spänning rätt. Om du inte har tillgång till den här utrustningen kan du åstadkomma en ungefärlig inställning med nedanstående metod. Om du använder den här metoden måste du kontrollera spänningen med det särskilda elektroniska verktyget så snart som möjligt. Kör inte bilen längre sträckor eller på högre hastigheter innan du vet att remspänningen är korrekt. Rådfråga en Peugeot-verkstad
Observera: Kamremmar, sträckare och drev kan inte bytas mellan tidiga (upp till motornummer 3666765) och sena 1,4-liters motorer.

Allmän information

1 Kamremmen driver kamaxeln/kamaxlarna och kylvätskepumpen med ett tandat drev framtill på vevaxeln. Om remmen brister eller slirar kan kolvarna slå i ventilhuvudena, vilket orsakar omfattande (och dyra) skador.
2 Byt kamremmen vid angivna intervall (se kapitel 1A) eller tidigare om den har smutsats ner med olja eller om den bullrar (ett skrapande ljud på grund av ojämnt slitage).
3 Om kamremmen tas bort är det bra att kontrollera skicket hos kylvätskepumpen samtidigt (kontrollera om det finns spår av kylvätskeläckage). Detta gör att man kan undvika att ta bort kamremmen igen senare om kylvätskepumpen skulle sluta gå.

Demontering

4 Koppla loss batteriet (se kapitel 5A).
5 Pass in motorns/ventilernas inställningshål efter varandra enligt beskrivningen i avsnitt 3 och lås både kamaxeldrevet/-dreven och svänghjulet/drivplattan i läge.
Varning: Försök inte dra runt motorn när låsverktygen sitter på plats.
6 Ta bort kamremmens nedre kåpa enligt beskrivningen i avsnitt 5.

1,4-liters SOHC motorer
7 Lossa kamrem spännhjulets fästmutter **(se bild)**. Vrid remskivan cirka 60° medurs med en nyckel i hålet i remskivans nav och dra åt fästmuttern igen. På tidiga motorer (upp till motornummer 3666765) måste man använd en 8 mm fyrkantsnyckel och en sexkantsnyckel på senare motorer.

6.7 Lossa muttern och vrid spännarremskivan medurs för att minska kamremsspänningen

1,4- och 1,6-liters DOHC motorer
8 Lossa kamremmens spännarremskivas fästmutter och använd en sexkantsnyckel för att dra runt remskivan medurs tills inställningsarmen är i läget för lägsta spänning **(se bild)**. Dra tillfälligt åt spännarremskivans mutter i det här läget.

Alla modeller
9 Om kamremmen ska återanvändas använder du vit färg eller liknande för att markera remmens rotationsriktning (om det inte redan finns markeringar). Dra av belten från dreven.
10 Kontrollera kamremmen noga efter tecken på ojämnt slitage, fransning eller nedoljning. Var extra uppmärksam på tändernas "rötter". Byt remmen om det råder minsta tveksamhet om dess skick. Om motorn renoveras och har gått mer än 60 000 km med den befintliga remmen monterad, ska remmen bytas ut oavsett skick. Kostnaden för en ny rem är försumbar i jämförelse med kostnaderna för de motorreparationer som skulle behövas om remmen gick av under drift. Vid tecken på nedsmutsning med olja ska källan till oljeläckaget spåras och åtgärdas. Tvätta rent området kring kamremmen och

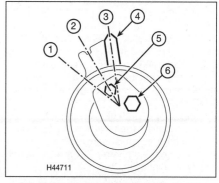

H44711

6.8 Kamremmens sträckare (1,4- och 1,6-liters DOHC motorer)

1 Läge för lägsta spänning
2 Läge för normal spänning
3 Läge för maximal spänning
4 Inställningsarm
5 Hål för sexkantsnyckel
6 Spännarremskivans bult

tillhörande delar fullständigt, så att varje spår av olja avlägsnas.

11 Före ditsättningen rengör du kamremmens drev noggrant. Kontrollera att spännarremskivan går runt utan att kärva. Om det behövs, byt spännhjulet enligt beskrivningen i avsnitt 7. Kontrollera att låsverktygen sitter kvar enligt beskrivningen i avsnitt 3.

Återmontering – tidig 1,4-liters SOHC motor*

* Upp till motornummer 3666765

12 För kamremmen i läge och se till att pilarna på remmen pekar i rotationsriktningen (medurs, sett från motorns högra ände).

13 Undvik att vrida kamremmen kraftigt när du sätter tillbaka den. Sätt dit remmen över vevaxel- och kamaxeldreven. Kontrollera att remmens främre del är spänd – dvs. se till att det inte finns något slack på spännarremskivans sida av remmen. Montera remmen på kylvätskepumpens drev och spännhjul. Se till att remmens ribbor är centrerade i dreven.

14 Lossa spännhjulets fästmutter. Vrid remskivan moturs för att avlägsna allt spel från kamremmen och dra åt muttern (se bild 6.7). Spänn kamremmen enligt beskrivningen i aktuellt avsnitt.

Spänna utan det elektroniska verktyget

Observera: Om du använder den här metoden ser du till att remspänningen kontrolleras av en Peugeotverkstad så snart som möjligt.

15 Om du inte har tillgång till specialverktyget kan du göra en ungefärlig inställning genom att vrida spännarremskivan moturs tills det går att vrida kamremmen 90° med fingret och tummen (utan att använda mycket kraft) mitt emellan vevaxel- och kamaxeldrevet. Remmens avböjning vid mittpunkten mellan dreven ska vara runt 6 mm.

16 Ta bort låsverktygen från kamaxeldrevet och svänghjulet.

17 Använd en lämplig hylsa och förlängningsstång på vevaxeldrevets bult, vrid vevaxeln fyra varv medurs (sett från motorns högra ände). Montera tillbaka svänghjulets låsverktyg och kontrollera att kamaxelns inställningshål är rätt inpassat efter hålet i topplocket.

Varning: Vrid aldrig vevaxeln moturs.

18 Lossa spännarremskivans mutter, spänn om remmen enligt beskrivningen i avsnitt 15 och dra åt spännarremskivans mutter till angivet moment.

19 Ta bort svänghjulets låsverktyg och vrid vevaxeln ytterligare två varv medurs.

20 Kontrollera att både kamaxeldrevets och svänghjulets inställningshål fortfarande är rätt inpassade.

21 Om allt är OK, montera kamremskåporna enligt beskrivningen i avsnitt 5.

22 Kläm tillbaka kabelhärvan i rätt läge och återanslut batteriet.

Spänna med det elektroniska verktyget

23 Sätt dit den särskilda mätutrustningen för remspänningen på kamremmens främre del, ungefär mitt emellan kamaxel- och vevaxeldrevet. Placera spännarremskivan så att remmen spänns till 44 SEEM-enheter och dra åt fästmuttern igen.

24 Ta bort låsverktyget från kamaxeldrevet och svänghjulet, och ta bort mätredskapet från remmen.

25 Använd en lämplig hylsa och förlängningsstång på vevaxeldrevets bult och vrid vevaxeln fyra varv medurs (sett från motorns högra ände). Montera tillbaka svänghjulets låsverktyg och kontrollera att kamaxelns inställningshål är rätt inpassat efter hålet i topplocket.

Varning: Vrid aldrig vevaxeln moturs.

26 För att se till att man får ett exakt värde måste man ta bort ventilfjäderbelastningen från kamaxeln genom att montera vipparmsplattan (0132-AE). Ta bort topplockskåpan (se avsnitt 4) och ta bort vipparmens kontaktbultar på plattan (0132-AE). Sätt dit plattan på ventilkåpans pinnbultar och se till att den sitter rätt runt om och fäst den i läge med ventilkåpans muttrar. Dra åt kontaktbultarna på vipparmarna tills alla armar har lyfts från kamloberna. Om du inte har tillgång till vipparmsplattan skapar du spel mellan vipparmarna och kamaxeln genom att lossa låsmuttern och skruva loss justeringsskruvarna på alla nödvändiga vipparmar. Du kommer att upptäcka att två av vipparmarna fortfarande har kontakt när alla justeringsskruvar har tagits loss helt. För att hålla undan de här armarna från kamaxeln måste man använda en anordning som på bilden **(se Verktygstips)**.

Varning: Dra inte åt kontaktbultarna mer än nödvändigt för att få lite spel mellan vipparmens rulle och kamaxelnocken. Om bultarna dras åt för hårt finns det risk för att ventilerna tvingas i kontakt med kolvarna, vilket leder till allvarliga motorskador.

27 Montera tillbaka mätutrustningen för remspänningen på remmens främre del.

28 Lossa spännhjulets fästmutter samtidigt

Håll undan armarna från kamaxeln, sätt dit en stadig metallstång på topplockets kåpbultar med muttrarna och lyft armarna med kortare längder av metallstänger som vrids på stora hylsor.

som du håller fast hjulet. Lossa gradvis spännarremskivan tills ett spänningsvärde mellan 29 och 33 SEEM-enheter visas på mätutrustningen. När remmen är korrekt spänd håller du remskivan stilla och drar åt fästmuttern till angivet moment.

29 Ta bort mätredskapet från remmen, skruva sedan loss muttrarna och ta bort vipparmens kontaktplatta (eller ditt egna verktyg) från topplocket.

30 Ta bort svänghjulets låsverktyg och vrid vevaxeln fyra varv till medurs. Montera tillbaka svänghjulets låsverktyg och kontrollera att kamaxelns inställningshål är rätt inpassat efter hålet i topplocket.

31 Om allt är OK, montera kamremskåporna och ventilkåporna enligt beskrivningen i avsnitt 4 och 5. **Observera:** *Om vipparmens justeringsskruvar har flyttats justerar du ventilspelen innan du sätter tillbaka ventilkåpan.*

Återmontering – senare SOHC 1,4-liters motor*

* Från motornummer 3666766

32 De här motorerna är utrustade med en fjäderbelastad sträckare så du behöver inte komma åt remspänningsmätaren.

33 För kamremmen i läge och se till att pilarna på remmen pekar i rotationsriktningen (medurs, sett från motorns högra ände).

34 Undvik att vrida kamremmen kraftigt när du sätter tillbaka den. Sätt dit remmen över vevaxel- och kamaxeldreven. Kontrollera att remmens främre del är spänd – dvs. se till att det inte finns något slack på spännarremskivans sida av remmen. Montera remmen på kylvätskepumpens drev och spännhjul. Se till att remmens ribbor är centrerade i dreven.

35 Ta bort vevaxelns och kamaxelns låsverktyg, lossa spännarremskivans mutter och använd en sexkantsnyckel för att vrida remskivan moturs tills inställningsarmen är i läget frö maximal spänning **(se bild)**. Dra åt remskivans fästmutter.

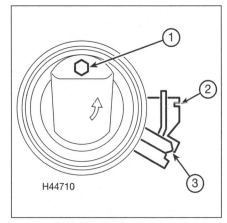

H44710

6.35 Kamremssträckaren (senare 1,4-liters motor)

1 Hål för sexkantsnyckel
2 Läge för normal spänning
3 Läge för maximal spänning

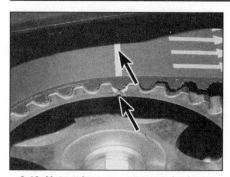

6.42 Notera kamremmens markeringar som motsvarar kamaxeldrevet och vevaxeldrevet

36 Använd en hylsa på vevaxelns remskiva, vrid vevaxeln 10 hela varv medurs och montera tillbaka vevaxelns låsverktyg enligt beskrivningen i avsnitt 3.

37 Kontrollera att tidsinställningen stämmer genom att sätta i kamaxeldrevets låsverktyg (avsnitt 3). Om det inte går att sätta i verktyget lossar du sträckaren, tar bort remmen, monterar tillbaka låsverktygen och börjar om igen från avsnitt 33.

38 Ta bort vevaxelns och kamaxelns låsverktyg.

39 Håll sexkantsnyckeln i spännarremskivan för att bibehålla spänningen, lossa remskivans mutter och vrid sträckaren för att föra inställningsarmen till läget för normal spänning **(se bild 6.35)**. Dra åt remskivan till angivet moment.

40 Vrid vevaxeln två varv och kontrollera att det fortfarande går att sätta i vevaxelns och kamaxelns låsverktyg.

41 Resten av monteringen sker i omvänd ordningsföljd mot demonteringen.

Återmontering – 1,4- och 1,6-liters DOHC motorer

42 För kamremmen i läge och se till att pilarna på remmen pekar i rotationsriktningen (medurs, sett från motorns högra ände). Observera att det fins tre markeringar på en ny rem som motsvarar markeringar på vevaxel- och kamaxeldrevet **(se bild)**.

43 Undvik att vrida kamremmen kraftigt när du sätter tillbaka den. Sätt dit remmen över vevaxel- och kamaxeldrevet och passa in markeringarna på remmen efter markeringarna på vevaxel- och kamaxeldrevet. Kontrollera att remmens främre del är spänd – dvs. se till att det inte finns något slack på spännarremskivans sida av remmen. Montera remmen på kylvätskepumpens drev och spännhjul. Se till att remmens ribbor är centrerade i dreven.

44 Sätt i sexkantsnyckeln i spännarremskivan, lossa remskivans mutter och vrid nyckeln för att föra inställningsarmen till läget för maximal spänning (se bild 6.8). Dra åt spännrullens mutter ordentligt.

45 Ta bort kamaxelns och vevaxelns

låsverktyg och vrid vevaxeln 4 varv medurs och montera tillbaka vevaxelns låsverktyg.

46 Sätt i sexkantsnyckeln i sträckaren, lossa muttern och vrid sträckaren med nyckeln tills inställningsarmen är i normalt spänningsläge (se bild 6.8). Dra åt sträckaren till angivet moment.

47 Ta bort vevaxelns låsverktyg, och vrid vevaxeln två hela varv medurs. Kontrollera läget hos sträckarens inställningsarm – den ska inte var mer än 2,0 mm från normalt spänningsläge. Om inte upprepar du remmonteringsåtgärden från avsnitt 42.

48 Resten av monteringen sker i omvänd ordningsföljd mot demonteringen.

7 Kamremsspännare och drev – demontering, kontroll och montering

Demontering

Kamaxeldrev – 1,4-liters SOHC motor

1 Demontera kamremmen enligt beskrivningen i avsnitt 6.

2 Ta bort vevaxelns och kamaxelns låsverktyg och använd en skiftnyckel eller hylsnyckel på vevaxelns remskivas bult för att vrida vevaxeln bakåt (moturs) 90°. Detta är för att hindra oavsiktlig kontakt mellan kolvarna och ventilerna.

3 Lossa kamaxeldrevets fästbult och ta bort den med brickan. Du behöver ett drevfasthållningsverktyg för att hindra att kamaxeln roterar när bulten lossas. Om du inte Peugeots specialverktyg tillgängligt kan du tillverka ett eget verktyg så här. Använd två plattjärn (ett långt och ett kort) och tre muttrar och bultar. en mutter och bult utgör svängtappen i gaffelverktyget och de övriga två muttrarna och bultarna i ändarna är gaffelben som hakar i drevets ekrar **(se Verktygstips)**.
Varning: Försök inte att använda drevets låssprint för att hindra drevet från att rotera när bulten lossas.

4 Ta bort fästbulten och för drevet från kamaxelns ände. Om drevets styrsprint sitter löst tar du bort den för säker förvaring. Undersök kamaxelns packbox med avseende på oljeläckage och byt den vid behov enligt beskrivningen i avsnitt 8.

Kamaxeldrev – 1,4- och 1,6-liters DOHC motorer

5 Demontera ventilkåporna enligt beskrivning i avsnitt 4.

6 Demontera kamremmen enligt beskrivningen i avsnitt 6.

7 Ta bort vevaxelns och kamaxelns låsverktyg och använd en skiftnyckel eller hylsnyckel på vevaxelns remskivas bult för att vrida vevaxeln bakåt (moturs) 90°. Detta är för att hindra oavsiktlig kontakt mellan kolvarna och ventilerna.

Använd ett egentillverkat verktyg för att hålla kamaxeldrevet stilla när du drar åt bulten (visas med borttaget topplock).

8 Använd en öppen nyckel på det fyrkantiga avsnittet för att hålla emot kamaxeln, skruva loss drevets fästbult **(se bild)**.
Varning: Försök inte att använda drevets låssprint för att hindra drevet från att rotera när bulten lossas.

9 Med fästbulten borttagen, för drevet från kamaxelns ände. Observera att nyckeln är inbyggd i drevet. Undersök kamaxelns packboxar med avseende på oljeläckage och byt dem vid behov enligt beskrivningen i avsnitt 8.

Vevaxeldrev

10 Demontera kamremmen enligt beskrivningen i avsnitt 6.

11 Lossa vevaxeldrevets bulten. På modeller med manuell växellåda, för att förhindra att vevaxeln roterar genom att välja högsta växeln och låta en medhjälpare trycka hårt på bromspedalen. Om motorn har demonterats från bilen eller om bilen har automatväxellåda måste du låsa svänghjulet/drivplattan (se avsnitt 15).
Varning: Använd inte svänghjulets/ drivplattans låssprint för att hindra vevaxeln från att rotera. ta tillfälligt bort låssprinten innan du lossar remskivans bult och sätt sedan tillbaka den när bulten har lossats.

12 Skruva loss fästbulten och brickan,

7.8 Använd en öppen nyckel för att hålla emot kamaxeln medan du lossar bulten

7.12a Ta bort fästbulten och brickan. . .

7.12b . . . och dra bort vevaxeldrevet

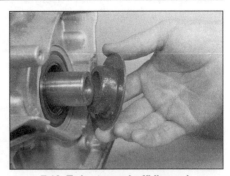

7.13 Ta bort woodruffkilen och distansbrickan med fläns (i förekommande fall) från vevaxeln

för sedan drevet från vevaxelns ände **(se bilder)**.

13 Om woodruff-kil sitter löst i vevaxlen, ta bort den och spara den tillsammans med drevet. Vid behov skjuter du även av distansbrickan med fläns (i förekommande fall) från vevaxelns ände **(se bild)**. Undersök vevaxelns packbox med avseende på oljeläckage och byt den vid behov enligt beskrivningen i avsnitt 14.

Spännhjulet

14 Ta bort den nedre kamremskåpan (se avsnitt 5).

15 Lås kamaxeln och vevaxeln vid övre dödläge på cylinder 1 enligt beskrivningen i avsnitt 3.

16 Lossa och ta bort kamremmens spännarremskivas fästmutter och dra av remskivan från pinnbulten. Undersök fästet och leta efter tecken på skador och slitage. Byt den om det behövs.

Kontroll

17 Rengör dreven ordentligt och byt drev som visar tecken på slitage, skador eller sprickor.

18 Rengör sträckaren, men använd inte några starka lösningsmedel som kan komma in i remskivans lager. Kontrollera att remskivan roterar fritt runt navet utan tecken på styvhet eller spel. Byt spännarremskivan om du är osäker på dess skick eller om det finns tydliga tecken på slitage eller skador.

19 Undersök kamremmen (se avsnitt 6). Byt remmen om det råder minsta tveksamhet om dess skick.

Montering

Kamaxeldrev

20 Sätt dit styrsprinten (om den har tagits bort) och placera drevet på kamaxelns ände. Se till att styrsprinten hamnar rätt i drevet och utskärningen i kamaxeländen. Observera att avgasdrevet på 1,6-liters motorer är märkt E och insugsdrevet märkt A **(se bild)**.

21 Montera tillbaka drevets fästbult och bricka. Dra åt bulten till angivet moment medan du håller i drevet/kamaxeln med den metod som användes vid demonteringen.

22 Passa in inställningshålet i kamaxeldrevet (se avsnitt 3) med motsvarande hål i topplocket och montera tillbaka låsskruven.

23 Vrid vevaxeln 90° i den normala rotationsriktningen (medurs) tills vevaxelns låssprint kan sättas i.

24 Montera tillbaka kamremmen enligt beskrivningen i avsnitt 6. Montera tillbaka ventilkåporna enligt beskrivning i avsnitt 4.

Vevaxeldrev

25 Placera woodruffkilen i vevaxeländen och skjut dit distansbrickan med fläns (i förekommande fall) och passa in dess urtag efter woodruffkilen.

26 Passa in vevaxeldrevets urtag efter woodruffkilen och skjut dit den på vevaxeländen.

27 Ta tillfälligt bort låssprinten från svänghjulets/drivplattans bakdel och montera tillbaka vevaxeldrevets fästbult och bricka. Dra åt bulten till angivet moment med samma metod som användes vid demonteringen för att hindra vridning. Montera tillbaka låssprinten

på svänghjulets/drivplattans bakdel.

28 Montera tillbaka kamremmen enligt beskrivningen i avsnitt 6.

Spännhjulet

29 Montera tillbaka spännarremskivan på pinnbulten och se till att utskärningen passar in efter stiftet **(se bild)** och montera fästmuttern.

30 Kontrollera att remmens främre del är spänd – dvs. se till att det inte finns något slack på remskivans sida av remmen. Kontrollera att remmen är centrerad på alla drev. Vrid remskivan moturs för att avlägsna allt spel från kamremmen och dra åt remskivans fästmutter ordentligt.

31 Spänna kamremmen enligt beskrivningen i avsnitt 6.

32 När remmen är korrekt spänd sätter du dit kamremskåpan enligt beskrivningen i avsnitt 5.

8 Kamaxelns oljetätning(ar) – byte

Observera: *Om kamaxelns oljetätning har läckt kontrollerar du om kamremmen har tecken på oljeföroreningar. remmen måste bytas om det finns tecken på oljeföroreningar. Se till att alla spår av olja tas bort från dreven och det omgivande området innan du sätter dit den nya remmen.*

1 Demontera kamaxeldrevet enligt beskrivningen i avsnitt 7.

2 Stansa eller borra två hål på var sin sida av oljetätningen. Skruva i självgängande skruvar i hålen och dra i skruvarna med tänger för att

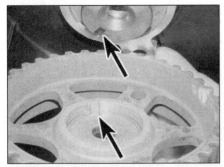

7.20a Styrstiftet ska passa in i urtaget (markerad med pil)

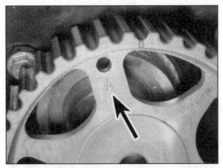

7.20b På 1,6-liters motorer är inloppsdrevet markerat med A (pil) och avgasdrevet med E

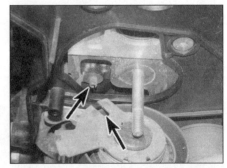

7.29 Utskärningen passar in styrstiftet (markerad med pil)

få ut tätningen. Du kan även försiktigt bända ur tätningen med en flatbladig skruvmejsel **(se bild)**.

3 Rengör tätningshuset och vevaxeln. Putsa av alla grader eller vassa kanter som kan ha skadat tätningen.

4 Smörj läpparna på den nya tätningen med ren motorolja och driv i den i läge tills den ligger emot ansatsen. Använd en rörformig dorn, t.ex. en hylsa, som endast vilar på tätningens hårda yttre kant. Var noga med att inte skada tätningsläpparna under monteringen. Observera att tätningens kanter måste vara riktade inåt.

5 Montera kamaxeldrevet enligt beskrivningen i avsnitt 7.

8.2 Bänd försiktigt ur kamaxelns oljetätning med en flatbladig skruvmejsel

9.5 Kontrollera ventilspelen med bladmått

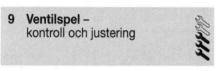

9 Ventilspel – kontroll och justering

Observera: *Ventilspelen får bara kontrolleras och justeras när motorn är kall.*

Observera: *Den här metoden gäller endast 1,4-liters 8V SOHC motorer – ventilspelen på DOHC motorer hålls av hydrauliska kompensatorer som är inbyggda i ventillyftarna.*

1 Det är mycket viktigt att ventilspelen justeras korrekt eftersom de har stor inverkan på motorns kapacitet. Om spelen är för stora bullrar motorn (typiska skallrande eller knackande ljud) och motorns kapacitet minskar eftersom ventilerna öppnas för sent och öppnas för tidigt. Ett allvarligare problem uppstår dock om spelen är för små. Om så är fallet kan det hända att ventilerna inte stängs helt när motorn är varm, vilket leder till allvarliga skador på motorn (t.ex. brända ventilsäten och/eller böjning/sprickbildning på topplocket). Spelen kontrolleras och justeras enligt följande.

2 Demontera ventilkåpan enligt beskrivning i avsnitt 4.

3 Motorn kan nu dras runt med en lämplig hylsa och förlängningsstång som sätts dit på vevaxeldrevets bult.

4 Det är viktigt att spelet för varje ventil bara kontrolleras och justeras när ventilen är helt stängd, med vipparmen vilande på kammens nederdel (mitt emot nocken). Detta kan man se till genom att utföra justeringarna i följande ordnings. observera att cylinder 1 sitter i motorns växellådsände. De korrekta ventilspelen ges i Specifikationer i början av det här kapitlet. Ventillägena kan avgöras utifrån grenrörens placering.

Ventilen helt öppen	Justera ventilerna
Nr 1 avgas	Nr 3 intag / Nr 4 avgas
Nr 3 avgas	Nr 4 intag / Nr 2 avgas
Nr 4 avgas	Nr 2 intag / Nr 1 avgas
Nr 2 avgas	Nr 1 intag / Nr 3 avgas

5 När den aktuella ventilen är helt öppen kontrollerar du spelen för de två angivna ventilerna. Spelen kontrolleras genom att man sätter i ett bladmått med korrekt tjocklek mellan

ventilskaftet och vipparmens justeringsskruv. Bladmåttet ska vara glida lätt. Om du behöver justera lossar du justeringsskruvens låsmutter och vrider skruven efter behov **(se bild)**. När du har uppnått rät spel håller du justeringsskruven och drar åt låsmuttern ordentligt. När låsmuttern har dragits åt kontrollerar du ventilspelet och justerar igen om det behövs.

6 Dra runt vevaxeln tills nästa ventil i ordningsföljden är helt öppen och kontrollera spelen för nästa två specificerade ventiler.

7 Upprepa åtgärden tills alla åtta ventilspel har kontrollerats (och om det behövs, justerats) och sätt tillbaka ventilkåpan enligt beskrivningen i avsnitt 4.

10 Kamaxeln/-axlarna och vipparmarna/ventillyftarna – demontering, kontroll och montering

Allmän information

1 Ventilerna styrs av ventillyftare med hydrauliska kompensatorenheter mellan kamaxlarna och ventilernas ovansida på DOHC motorer. På SOHC motorer styrs ventilerna av vipparmar mellan kamaxeln och ventilernas ovansida. Vipparmsenheten hålls fast i topplockets överdel med topplocksbultarna. Trots att det i teorin går att lossa bultarna och ta bort vipparmsenheten utan att ta bort topplocket rekommenderas detta inte. När bultarna har tagits bort kommer topplockspackningen att störas och packningen

10.4 Ta bort låsringen och dra bort komponenterna från vipparmsaxeln

kommer att läcka eller gå sönder efter återmonteringen. Därför kan man inte ta bort vipparmsenheten utan att ta bort topplocket och byta topplockspackningen.

2 På DOHC motorer kan kamaxlarna tas bort uppåt från topplocket. På SOHC motorer skjuts kamaxeln ut från topplockets högra ände och den kan därför inte tas bort utan att först ta bort topplocket på grund av saknat spel.

Demontering

Vipparmar – SOHC motor

3 Demontera topplocket enligt beskrivningen i avsnitt 11.

4 Ta bort vipparmsenheten genom att försiktigt bänd bort låsringen från vipparmens högra ände. behåll vipparmsfästet för att hindra att den hoppar av från änden av axeln. Dra bort de olika komponenterna från änden av axeln och håll alla komponenter i korrekt monteringsordning **(se bild)**. Notera varje komponents korrekta placering under demonteringen så att de kan återmonteras korrekt. Observera: *Undvik att röra vipparmsrullens lagerytor med fingrarna.*

5 För att skilja det vänstra fästet och axeln måste du först skruva loss ventilkåpans fästbult från fästets ovansida. detta kan uppnås genom att man använder en bultutdragare eller två muttrar som låsts ihop **(se bild)**. När bulten är borttagen skruvar du loss låsskruven ovanpå fästet och tar bort vipparmsaxeln.

10.5 Lås ihop de båda muttrarna för att se till att bulten lossas från det vänstra fästet

10.9 Skruva loss bulten och dra bort kamaxelns stötgaffeln (markerad med pil)

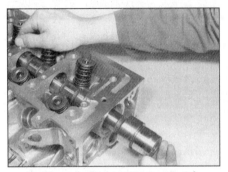

10.10b . . . och dra ut kamaxeln från topplocket

Kamaxel – SOHC motor

6 Demontera topplocket enligt beskrivningen i avsnitt 11.

7 Placera topplocket på en bänk, ta bort låssprinten och ta bort kamaxeldrevet enligt beskrivningen i stycke 5 och 6 i avsnitt 7.

8 Skruva loss kylvätskehuset från den vänstra sidan av topplocket.

9 Skruva loss fästbulten och dra ut kamaxelns stötgaffel (se bild).

10 Använd en stor flatbladig skruvmejsel och bänd försiktigt ut oljetätningen ur den högra änden av topplocket och dra sedan ut kamaxeln (se bild).

Kamaxlar/ventillyftare – DOHC motor

11 Demontera kamaxeldreven enligt beskrivningen i avsnitt 7. Skruva loss skruvarna som håller fast den inre kamremskåpan på topplocket.

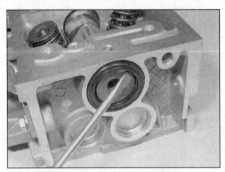

10.10a Bänd ut oljetätningen . . .

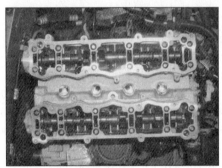

10.12 Lossa kamaxelhusets fästbultar gradvis och jämnt

12 Börja utifrån, arbeta i ett spiralmönster och lossa stegvis och jämnt fästbultarna på kamaxelns lagerhus och lyft bort huset från topplocket (se bild).

13 Kontrollera varje kamaxels läge – insugskamaxeln sitter bak och avgaskamaxeln sitter fram i topplocket. Observera även varje kamaxels ÖD-läge för korrekt återmontering.

14 Ta bort kamaxlarna genom att trycka på växellådsändarna för att lossa de motsatta ändarna från lagren. Ta bort kamaxlarna från topplocket och för oljetätningarna från ändarna.

15 Ta 16 små, rena plastbehållare och numrera dem insug 1 till 8 och avgas 1 till 8. du kan även dela in en stor behållare i 16 avdelningar och numrera varje del enligt ovan. På 1,6-liters motorer använder du gummipipett för att ta bort varje ventillyftare i tur och ordning och placera den i respektive

behållare. På 1,4-liters motorer tar du bort hela vipparmarna med hydraullyftarna och placerar dem i respektive behållare (se bilder). Förväxla inte ventillyftarna eftersom det ökar slitaget avsevärt.

Kontroll

Vipparmsenhet

16 Undersök vipparmarnas ytor som kommer i kontakt med kamloberna och leta efter tecken på slitage och repor. Byt alla vipparmar som har rullar som visar tecken på skador. Om en vipparm har en rulle med kraftigt repad yta ska man även undersöka om motsvarande lob på kamaxeln är sliten eftersom båda förmodligen är slitna. Byt ut slitna komponenter. Vipparmsenheten kan demonteras enligt beskrivningen i stycke 4 och 5.

17 Undersök ändarna på (ventilspel) justeringsskruvarna med avseende på tecken på slitage eller skador och byt dem vid behov.

18 När vipparmsenheten har tagits isär, sök efter kanter och repor på vipparmarna och skaftens lagerytor. Om det finns synliga tecken på slitage måste vipparmarna och/eller skaften bytas.

Kamaxel(axlar)

19 Undersök kamaxellagrets yta och kamloberna efter tecken på slitage och repor. Byt kamaxeln om några fel hittas. Undersök lagerytornas skick, både på kamaxeltapparna och i topplocket/lagerhuset. Om ytorna i topplocket är mycket slitna, måste topplocket bytas. Om du har tillgång till den nödvändiga mätutrustningen kan du kontrollera slitaget på kamaxellagertapparna med direkta mätningar och observera att tapp 1 befinner sig vid topplockets växellådsände.

20 På SOHC motorer undersöker du stötgaffeln med avseende på slitage eller repor och byter den vid behov.

21 På DOHC motorer undersöker du hydrauliska lyftarnas ytor som kommer i kontakt med kamloberna med avseende på slitna spår och repor. Byt eventuella lyftare som uppvisar dessa fel. Om lagerytan på en lyftare är kraftigt repad undersöker du även om motsvarande lob på kamaxeln är sliten eftersom det är troligt att båda är slitna (se bild). Byt alla delar som behöver bytas.

10.15a Ta bort hela vipparmarna med de hydrauliska lyftarna. . .

10.15b . . . och förvara dem i en ren behållare

10.21 Kontrollera rullytan (markerad med pil) på vipparmen

10.32 Placera insugskamaxelns låsskåra i läget klockan 7 och avgaskamaxeln i läget klockan 8 (markerad med pil)

Montering

Vipparmar – 1,4-liters SOHC motor

22 Om du har tagit bort vipparmen sätter du dit vipparmsaxeln på det vänstra fästet och passar in dess inriktningshål efter fästets gängade hål. Sätt tillbaka låsskruven och dra åt den ordentligt. När låsskruven sitter på plats sätter du dit ventilkåpans fästbult på fästet och drar åt den ordentligt. Stryk på ren motorolja på axeln och skjut dit alla borttagna komponenter på plats och se till så att de alla är korrekt monterade i ursprungsläget. **Observera:** *Undvik att röra vipparmsrullens lagerytor med fingrarna.* Bär alla komponenter sitter på plats på axeln trycker du ihop det högra fästet och sätter tillbaka låsringen. Se till att låsringen sitter rätt i sitt spår på axeln.

23 Montera tillbaka topplocket och vipparmen enligt beskrivningen i avsnitt 11.

Kamaxel – 1,4-liters SOHC motor

24 Se till att topplocket och kamaxelns lagerytor är ren och smörj sedan in kamaxelns lager och lober. Skjut tillbaka kamaxeln i läge i topplocket.

25 Sätt dit stötgaffeln i kamaxelns vänstra ände. Sätt dit gaffelns fästbult och dra åt den till angivet moment.

26 Se till att kylvätskehusets och topplockets fogytor är rena och torra och lägg på lite tätningsmedel på husets fogyta. Sätt dit huset i topplockets vänstra ände och dra åt dess fästbultar ordentligt.

27 Smörj läpparna på den nya tätningen med ren motorolja och driv i den i läge

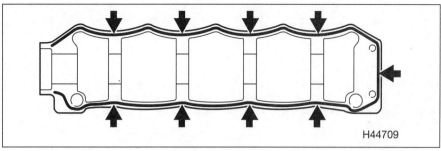

10.33 Lägg på en sträng silikontätning på topplockets fogyta (markerad med pil)

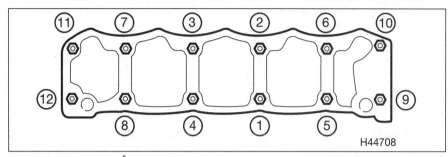

10.34 Åtdragningsordning för kamaxelns lagerhusbultar

tills den ligger emot ansatsen. Använd en rörformig dorn, t.ex. en hylsa, som endast vilar på tätningens hårda yttre kant. Var noga med att inte skada tätningsläpparna under monteringen. Observera att tätningens kanter måste vara riktade inåt.

28 Montera tillbaka kamaxeldrevet enligt beskrivningen i stycke 20 till 24 i avsnitt 7.

29 Montera tillbaka topplocket enligt beskrivningen i avsnitt 11.

Kamaxlar/lyftare – 1,4- och 1,6-liters DOHC motorer

30 Innan du påbörjar återmonteringen, tar du bort alla spår av olja från lagerhusets fästbultshål i topplocket och använder en ren trasa. Kontrollera även att både topplocket och lagerhusets fogytor är rena och fria från olja.

31 Olja in topplockets hydrauliska lyftares lopp och själva lyftarna med mycket olja. Sätt försiktigt tillbaka lyftarna på topplocket och se till att varje lyftare sätts tillbaka i det ursprungliga loppet. Det krävs lite lirkande för att lyckas passa in ventillyftarna rätt i

sina lopp. Kontrollera att varje lyftare roterar fritt. På 1,4-liters motorerna kontrollerar du att vipparmarna kläms fast ordentligt på hydraullyftarna **(se bilder)**.

32 Olja in kamaxellagren i topplocket och kamloberna med mycket olja och sätt dit kamaxlarna på topplocket i de tidigare noterade lägena. Styrspåret i den högra änden av kamaxlarna ska placeras i läget klockan 7 på insugskamaxeln och i läget klockan 8 på avgaskamaxeln **(se bild)**.

33 Lägg på en sträng silikonbaserad fogmassa runt kanten på fogytorna och runt fästbultarnas hål **(se bild)**.

34 Sätt dit lagerhuset och dra åt bultarna stegvis, i ordningsföljd, till angivet moment **(se bild)**.

35 Montera nya oljetätningar enligt beskrivningen i avsnitt 8.

36 Se till att den nedre kanten på den inre kamremskåpan hamnar i läge tillsammans med den övre kanten på vevaxelns packboxhus **(se bild)**.

37 Montera tillbaka kamaxeldreven enligt beskrivningen i avsnitt 7.

10.31a Montera tillbaka vipparmen och hydrauliska lyftaren. . .

10.31b . . . och kontrollera att den hydrauliska lyftaren kläms fast ordentligt på vipparmen

10.36 Se till att den nedre kanten på den inre kamremskåpan hamnar i rätt läge (markerad med pil)

11.11 Lossa och ta bort topplocksskruvarna

11.13 Lyft av vipparmenheten

11.14 Använd två stadiga skruvmejslar för att gunga loss topplocket från blocket

11 Topplock – demontering och montering

Observera: *Se till att motorn är kall innan du tar bort topplocket.*

Demontering

1 Koppla loss batteriet (se kapitel 5A).
2 Dränera kylsystemet enligt beskrivningen i kapitel 1A.
3 Ta bort tändspoleenheten (se kapitel 5B) och ta bort tändstiften (se kapitel 1A).
4 Demontera ventilkåpan enligt beskrivning i avsnitt 4.
5 Passa in motorns/ventilernas inställningshål efter varandra enligt beskrivningen i avsnitt 3 och lås både kamaxeldrevet/-dreven och svänghjulet/drivplattan i läge.
Varning: Försök inte dra runt motorn när verktygen sitter på plats.
6 Observera att följande text förutsätter att topplocket tas bort med både insugs- och avgasgrenröret kvar. det går lättare på det sättet, men enheten blir klumpig och tung att hantera. Om du först vill ta bort grenrören, följ anvisningarna i Kapitel 4A.
7 Utför följande åtgärder enligt beskrivningen i kapitel 4A:
   a) Koppla från avgassystemets främre rör från grenröret. Koppla från eller lossa lambdasondens kablar.
   b) Ta bort luftrenarhuset och intagskanalen.
   c) Koppla från bränslematningen och returslangarna från bränslefördelarskenan (plugga alla öppningar för att hindra bränsleförlust och att smuts kommer in i bränslesystemet).
   d) Observera deras monterade lägen, lossa de aktuella elanslutningarna och vakuum-/ventilationsslangarna från insugsgrenröret.
   e) Skruva loss stödfästbygeln från insugsgrenröret vid behov.
   f) Lossa gasvajern (om en sådan finns,).
8 Ta bort kamremmens inre kåpa enligt beskrivningen i avsnitt 5.
9 Skruva loss fästbulten och ta bort den övre delen av oljemätstickans styrhylsa. Observera hur de är monterade, lossa fästklämmorna

och lossa kylvätskeslangarna från topplocket. Observera dessutom hur de är dragna och koppla sedan bort alla elanslutningar från topplocket.
10 På DOHC motorer tar du bort kamaxlarna enligt beskrivningen i avsnitt 10.
11 Arbeta i omvänd ordning mot åtdragningen **(se bild 11.30a eller 11.30b)** och lossa stegvis topplocksbultarna ett halvt varv i taget tills alla bultar kan lossas för hand **(se bild)**.
12 På DOHC motorer lyfter du bort topplocket. Be om hjälp vid behov eftersom det är en tung enhet, särskilt om det ska tas bort komplett med grenrören.
13 På SOHC motorer tar du bort alla topplocksbultar och lyfter av vipparmensenheten från topplocket **(se bild)**. **Observera:** *Undvik att röra vipparmsrullens lagerytor med fingrarna.* Observera styrsprintarna som sitter längst ner på varje vipparmsfäste. Om någon styrsprint sitter löst i topplocket eller fästet tar du bort den för säker förvaring.
14 På 1,4-liters motorer, fogen mellan topplocket och motorblocket måste nu brytas utan att de våta fodren påverkas. Bryt fogen med två skruvmejslar som passar in i topplockets bulthål. Gunga försiktigt loss topplocket mot bilens framände **(se bild)**. Försök inte vrida topplocket på motorblocket/vevhuset. det hålls på plats med stift samt med fodrens överdelar. **Observera:** *Om du inte är försiktig och fodren flyttas finns det en risk att de nedre tätningarna påverkas vilket kan leda till läckage när topplocket har monterats.* När fogen är bruten lyfter du bort topplocket. Be om hjälp vid behov eftersom det är en tung enhet, särskilt om det ska tas bort komplett med grenrören.
15 På alla modeller, lyft av packningen från blockets översida, lägg märke till styrstiften. Om dessa sitter löst, dra ut dem och förvara dem tillsammans med topplocket. Kasta inte packningen – på vissa modeller behövs den för identifiering (se stycke 20 och 21). Åtgärder som kräver att vevaxeln dras runt (t.ex. att rengöra kolvkronorna) får bara utföras på 1,4-liter motorer när cylinderfodren har klämts fast i läge **(se bild)**. Om du inte har tillgång till de särskilda Peugeot-foderklämmorna kan

fodren klämmas fast i läge med stora flata brickor under bultar av lämplig längd. Annars kan de ursprungliga bultarna sättas tillbaka tillfälligt med lämpliga mellanlägg.
Varning: På 1,4-liters motorer får man inte försöka att vrida runt vevaxeln med borttaget topplock eftersom det kan leda till att de våta fodren flyttar sig.
16 Om topplocket ska tas isär för renovering, se del F i detta kapitel.

Förberedelser för montering

17 Fogytorna mellan motorblock och topplock måste vara noggrant rengjorda innan topplocket monteras. Ta bort alla packningsrester och allt sot med en plast-eller treskrapa; och rengör även kolvkronorna. **Observera:** *På 1,4-liters motorer klämmer du fast fodren i läge innan du drar runt vevaxeln (se avsnitt 15).* Var mycket försiktig vid rengöringen, eftersom aluminiumlegeringen lätt kan skadas. Se även till att det inte kommer in i olje- och vattenkanalerna – detta är särskilt viktigt när det gäller smörjningen eftersom sotpartiklar kan täppa igen oljekanaler och blockera oljematningen till motordelarna. Använd tejp och papper till att försegla vatten-och oljekanaler och bulthål i motorblocket/vevhuset. Lägg lite fett i gapet mellan kolvarna och loppen för att hindra sot från att tränga in. När en kolv är rengjord ska alla spår av fett och sot borstas bort från dess öppning med en liten borste och sedan ska öppningen

11.15 På 1,4-liters motorer klämmer du fast cylinderfodren i läge innan du drar runt vevaxeln (klämmorna markerade med pil)

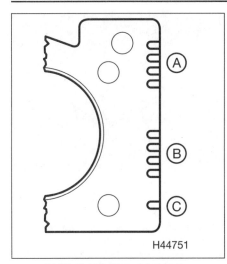

H44751

11.21 Topplockspackningens identifieringsmarkeringar

A Placering av indentifieringsutskärningar för motortyp
B Placering av packningstillverkarens identifieringutskärningar
C Placering av identifieringutskärningar för packningstjocklek

torkas med en ren trasa. Rengör alla kolvarna på samma sätt.

18 Undersök fogytorna på motorblocket/vevhuset och topplocket och se om det finns hack, djupa repor och andra skador. Om de är små kan de försiktigt filas bort, men om de är stora är slipning eller byte den enda lösningen.

19 Kontrollera topplockspackningens yta med en stållinjal om den misstänks vara skev. Se del F i detta kapitel om det behövs.

20 När du köper en ny topplockspackning är det viktigt att du köper rätt tjocklek. På vissa modeller finns bara en tjocklek, så då utgör det inget problem. På andra modeller finns två olika tjocklekar – standardpackningen och en något tjockare reparationspackning (+ 0,2 mm). Packningarna kan identifieras enligt beskrivningen i följande avsnitt med hjälp av utskärningarna på packningens vänstra sida.

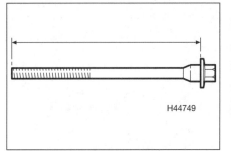

11.22 Mät bultens längd från undersidan av bulthuvudet till änden av bulten

21 Sätt dit packningen med rätt sida uppåt på motorblocket. Det finns en enkel eller dubbel utskärning längst bak på vänster sida av packningen som anger motortypen (t.ex. TU3JP). Mitt på packningen finns troligtvis en annan uppsättning med 0 till 4 utskärningar som anger packningens tillverkare samt om den innehåller asbest (dessa utskärningar är inte så viktiga). Den viktigaste platsen sitter längst fram på packningen. på standardpackningen finns ingen utskärning här medan det på den tjockare reparationspackningen finns en enda utskärning **(se bild)**. Identifiera packningstypen och se till att den nya packningen har rätt tjocklek. Om du är osäker på vilken packning som är monterad tar du den gamla packningen med dig till din Peugeotverkstad och låter dem bekräfta packningstypen.

22 Kontrollera alltid skicket på topplocksbultarna, särskilt gängorna, när de demonteras. Tvätta bultarna med lämpligt lösningsmedel och torka dem torra. Kontrollera varje bult efter tecken på synligt slitage eller skador, byt ut bultar om det behövs. Mät längden på varje bult från undersidan av skallen till änden för att se om de har sträckts ut **(se bild)**. Bultarna på 1,4-liters SOHC motorn är 175,5 mm långa när de är nya. Om någon bult har dragits ut till en längd på över 176,5 mm byter du alla topplocksbultar som en sats. På 1,4-liters DOHC motorer är den maximala längden på bultarna 118,6 mm och de kan bara återanvändas 2 gånger. På 1,6-liters DOHC motorer är den maximala

11.24 Se till att styrstiften (markerade med pil) sitter i läge och sätt sedan dit den nya topplockspackningen

längden på bultarna 122,6 mm. Peugeot anger inte att bultarna måste bytas, men vi rekommenderar att bultarna byts som en sats, oavsett skick, när de har dragits ut.

23 Innan du sätter tillbaka topplocket på 1,4-liters motorer kontrollerar du att cylinderfodret sticker ut enligt beskrivningen i kapitel 2F, avsnitt 11.

Montering

24 Rengör topplockets och motorblockets/vevhusets fogytor. Kontrollera att de två sitter i läge i varje ände av motorblockets/vevhusets yta och ta vid behov bort cylinderfodrets klämmor **(se bild)**.

25 Sätt dit en ny packning på motorblockets/vevhusets yta och se till att dess identifieringsutskärningar är i den vänstra änden av packningen och att sidan som är märkt TOP är överst.

26 Kontrollera att svänghjulet/drivplattan och kamaxeldrevet/-dreven fortfarande är låsta i läge med respektive verktyg och ta sedan hjälp av en medhjälpare och sätt försiktigt tillbaka topplocket på blocket och passa in det efter styrstiften. På DOHC motorer måste du se till att den inre kamremskåpans nedre kant hamnar rätt i förhållande till den övre kanten på vevaxelns packboxhus.

27 På SOHC motorer måste du se till att styrsprintarna hamnar i läge i botten på varje vipparmsfäste och därefter sätta tillbaka vipparmsenheten på topplocket.

28 På alla motorer smörjer du gängorna och undersidan av skallarna på topplocksbultarna lätt med ren motorolja.

29 Skruva försiktigt in alla bultar i respektive hål (låt dem inte falla in) och skruva in dem för hand så mycket du kan med bara fingrarna.

30 Arbeta stegvis i visad ordningsföljd och dra åt topplocksbultarna till momentet för steg 1 med momentnyckel och passande hylsa **(se bilder)**.

31 När alla bultar dragits till steg 1 ska de vinkeldras till angiven vinkel för steg 2 med en hylsa och ett förlängningsskaft. Använd samma ordningsföljd som tidigare. En vinkelmätare rekommenderas till steg 2 för exakthet. Om du inte har någon mätare, gör inställningsmarkeringar med vit färg mellan bultskallen och topplocket innan du drar åt.

11.30a Ordningsföljd för åtdragning av topplocksbultar (SOHC motor)

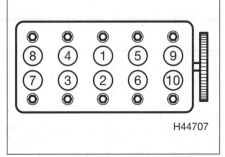

11.30b Ordningsföljd för åtdragning av topplocksbultar (DOHC motor)

markeringarna kan sedan användas för att kontrollera att bulten har vridits till rätt vinkel vid åtdragningen.

32 Montera tillbaka kamremmens inre kåpa enligt beskrivningen i avsnitt 5. Återanslut alla anslutningskontakter till topplocket och grenröret.

33 På DOHC motorer sätter du dit kamaxlarna enligt beskrivningen i avsnitt 10.

34 Utför följande åtgärder enligt beskrivningen i kapitel 4A:

a) Montera tillbaka alla omflyttade kablar, slangar och styrkablar på insugsgrenröret och bränslesystemets komponenter.

b) Återanslut och justera gasvajern (om en sådan finns,).

c) Återanslut avgassystemets framrör till grenröret och återanslut lambdasondens kabelkontakt.

d) Montera tillbaka luftrenaren och intagskanalen.

35 På SOHC motorer kontrollerar du och, om det behövs, justerar ventilspelen enligt beskrivningen in avsnitt 9.

36 Montera tillbaka ventilkåpan enligt beskrivning i avsnitt 4.

37 Montera tillbaka tändstiften och installera tändspolen (se kapitel 1A och 5B).

38 När du är klar återansluter du batteriet (kapitel 5A) och fyller på kylsystemet enligt beskrivningen i kapitel 1A.

12 Sump –
demontering och montering

Demontering

1 Dra åt handbromsen. Lyft upp framvagnen och ställ den på pallbockar (se *Lyftning och stödpunkter*). Skruva loss skruvarna och ta bort motorns undre skyddskåpa.

2 Tappa av motoroljan, rengör sedan avtappningspluggen och sätt tillbaka den, dra åt till angivet moment. Om motorn närmar sig sitt serviceintervall, då oljan och filtret ska bytas ut, rekommenderas att även filtret tas bort och byts ut mot ett nytt. Efter återmontering kan motorn fyllas med ny olja. Se kapitel 1A för ytterligare information.

3 Ta bort avgassystemets främre avgasröret enligt beskrivningen i kapitel 4C.

4 Lossa gradvis och ta bort sumpens alla muttrar och bultar/muttrar och placerar kabelhärvans ledning på avstånd från sumpen **(se bild)**.

5 Lossa sumpen genom att slå på den med handflatan och dra den sedan nedåt och ta bort den under bilen. På 1,6-liters motorer tar du loss packningen

6 Passa på att kontrollera oljepumpens oljeupptagare/sil efter tecken på igensättning eller sprickor medan sumpen är borttagen. Om det behövs tar du bort pumpen enligt beskrivningen i avsnitt 13 och rengör eller byter silen.

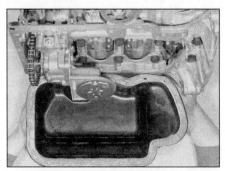

12.4a Skruva loss muttrarna och bultarna och ta bort sumpen från motorn (1,4-liters motor)

Montering

7 Ta bort alla spår av tätningsmedel från motorblockets/vevhusets och sumpens fogytor, rengör sedan sumpen och motorn invändigt med en ren trasa.

8 Se till att sumpens och motorblockets/vevhusets fogytor är rena och torra. På 1,4-liters motorer stryker du därefter på ett lager lämpligt tätningsmedel på sumpens fogyta. Om packningen är oskadad på 1,6-liters motorer sätter du tillbaka den på sumpen. Annars sätter du dit en ny packning.

9 Passa in sumpen och placera den på pinnbultarna. Sätt tillbaka kabelstyrningen på plats och montera tillbaka sumpens fästmuttrar och bultar. Dra åt muttrarna och bultarna jämnt och stegvis till angivet moment.

10 Montera tillbaka det främre avgasröret enligt beskrivningen i kapitel 4A och montera tillbaka motorns undre skyddskåpa.

11 Fyll på motorolja (se kapitel 1A).

13 Oljepump –
demontering, kontroll och återmontering

Demontering

1 Demontera sumpen (se avsnitt 12).

2 Lossa och ta bort de tre bultarna som håller fast oljepumpen i läge **(se bild)**. Lossa pumpens drev från kedjan och ta bort oljepumpen. Om pumpens styrstift sitter löst tar du bort det och förvarar det tillsammans med bultarna.

Kontroll

3 Undersök oljepumpsdrevet med avseende på skador och slitage som trasiga eller saknade kuggar. Om drevet är slitet måste du byta pumpenheten eftersom drevet inte är tillgängligt separat. Vi rekommenderar även att kedjan och drevet på vevaxeln byts samtidigt. På 1,4-liters motorer är bytet av kedja och drev en avancerad åtgärd som kräver att man tar bort ramlagret och därför måste motorn först tas bort från bilen innan. På 1,6-liters motorer kan man ta bort oljepumpens drev och kedja med motorn på plats när vevaxeldrevet har demonterats och vevaxelns packboxhus har skruvats loss.

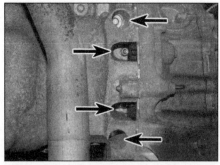

12.4b Du kommer åt sumpens ändbultar/muttrar genom hålen i kåpan (markerade med pil) (1,6-liters motor)

4 Lossa och ta bort bultarna som håller fast silens kåpa på pumphuset och lyft sedan bort silens kåpa. Ta bort utjämningsventilens kolv och fjäder (och styrstift – endast 1,6-liters motorer) och notera åt vilket håll de är monterade.

5 Undersök pumprotorerna och huset med avseende på slitspår och repor. Om pumpen är defekt måste den bytas som en enhet.

6 Undersök utjämningsventilens kolv efter tecken på slitage eller skador och byt den om det behövs. Skicket på utjämningsventilens kolv kan bara mätas genom att man jämför den med en ny kolv. om det råder minsta tvekan om en komponents skick ska den bytas. Både kolven och fjädern kan beställas separat.

7 Rengör oljepumpens sil noggrant med lämpligt lösningsmedel och kontrollera om den har tecken på igensättning eller delningar. Om silen har skadats måste silen och kåpan bytas.

8 Sätt dit utjämningsventilens fjäder, kolv och (i förekommande fall) styrsprint i silens kåpa och montera tillbaka kåpan på pumphuset. Passa in utjämningsventilens kolv med loppet i pumpen. Montera tillbaka kåpans fästbultar och dra åt dem ordentligt.

Montering

9 Se till att styrstiftet sitter på plats och passa in pumpdrevet med dess drivkedja. Sätt dit pumpen på stiftet och montera tillbaka pumpens fästbultar och dra åt dem till angivet moment.

10 Montera sumpen enligt beskrivningen i avsnitt 12.

13.2 Skruva loss de tre bultarna som håller fast oljepumpen i läge

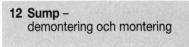

14 Vevaxelns oljetätningar – byte

Höger oljetätning

1 Ta bort vevaxeldrevet och flänsens distansbricka (om en sådan finns) enligt beskrivningen i avsnitt 7.

2 Notera tätningens monteringsdjup i huset och stansa eller borra försiktigt två små hål mii emot varandra i tätningen. Skruva i självgängande skruvar i hålen och dra i skruvarna med tänger för att få ut tätningen. Du kan även bända ut tätningen ur läge med en lämplig flatbladig skruvmejsel, men du måste vara försiktig så att du inte skadar vevaxelns/oljepumpens drevansats eller tätningshus **(se bild)**.

3 Rengör tätningshuset och vevaxeln. Putsa av alla grader eller vassa kanter som kan ha skadat tätningen.

4 Smörj läpparna på den nya tätningen med ren motorolja och sätt försiktigt dit tätningen i änden av vevaxeln. Observera att tätningens kanter måste vara riktade inåt. Var noga med att inte skada tätningsläpparna under monteringen.

5 Använd ett lämpligt ihåligt dorn (t.ex. en hylsa) som endast trycker på tätningens yttre kanter, driv tätningen på plats, till samma djup som originaltätningen var monterad från början. Tätningens inneryta måste ligga emot vevhusets innervägg.

6 Tvätta bort alla spår av olja och montera sedan vevaxeldrevet enligt beskrivningen i avsnitt 7.

Vänster oljetätning

7 Ta bort svänghjulet/drivplattan (se avsnitt 15).

8 Anteckna hur djupt tätningen sitter i huset. Stansa eller borra två små hål mitt emot varandra i tätningen. Skruva i självgängande skruvar i hålen och dra i skruvarna med tänger för att få ut tätningen.

9 Rengör tätningshuset och vevaxeln. Putsa av alla grader eller vassa kanter som kan ha skadat tätningen.

10 Smörj läpparna på den nya tätningen med ren motorolja och sätt försiktigt dit tätningen i änden av vevaxeln.

11 Använd ett lämpligt ihåligt dorn som endast trycker på tätningens yttre kanter, driv tätningen på plats, till samma djup som originaltätningen var monterad från början.

12 Tvätta bort alla spår av olja och montera sedan svänghjulet/drivplattan enligt beskrivningen i avsnitt 15.

15 Svänghjul/drivplatta – demontering, kontroll och återmontering

Svänghjul

Demontering

1 Ta bort växellådan enligt beskrivningen i kapitel 7A. Ta sedan bort kopplingen enligt beskrivningen i kapitel 6.

2 Hindra svänghjulet från att vridas genom att låsa krondrevets kuggar **(se bild)**. Alternativt, skruva fast en remsa mellan svänghjulet och motorblocket/vevhuset.

Varning: Försök inte låsa svänghjulet i läge med låssprinten som beskrivs i avsnitt 3.

3 Lossa och ta bort svänghjulets fästbultar.

4 Ta bort svänghjulet. Tappa det inte, det är mycket tungt! Om styrstiftet sitter löst i vevaxlens ände, ta bort den och spara den tillsammans med svänghjulet.

Kontroll

5 Om svänghjulets anliggningsyta mot kopplingen har djupa repor, sprickor eller andra skador måste svänghjulet i regel bytas. Men det kan eventuellt gå att slipa ytan. ta hjälp av en Peugeot-verkstad eller en specialist på motorrenoveringar.

6 Om kuggkransen är mycket sliten eller saknar kuggar måste den bytas. Det är bäst att låta en Peugeotverkstad en specialist på motorrenoveringar utföra arbetet. Temperaturen som den nya krondrevet måste värmas upp till före monteringen är kritisk, eftersom kuggarnas hårdhet förstörs om den inte är korrekt.

Montering

7 Rengör svänghjulets och vevaxelns fogytor.

8 Om de nya svänghjulsbultarna inte levererats med redan belagda gängor ska en lämplig gänglåsmassa läggas på varje bults gängor.

9 Se till att styrstiftet är korrekt placerad. Passa in svänghjulet, placera det på styrstiftet och sätt dit fästbultarna.

10 Lås svänghjulet som vid demonteringen och dra åt fästbultarna gradvis och jämt till angivet moment och vinkel.

11 Montera tillbaka kopplingen i kapitel 6. Avlägsna låsredskapet och montera växellådan enligt beskrivning i kapitel 7A.

Drivplatta

Demontering

12 Ta bort växellådan enligt beskrivningen i kapitel 7B.

13 Hindra drivplattan från att rotera genom att låsa krondrevets kuggar med en liknande anordning som den för svänghjulet **(se bild 15.2)**. Alternativt, skruva fast en remsa mellan drivplattan och motorblocket/vevhuset.

Varning: Försök inte låsa drivplattan i läge med låssprinten som beskrivs i avsnitt 3.

14 Lossa och ta bort drivplattans fästbultar och ta bort den yttre distansbrickan och momentomvandlarens fästplatta.

15 Ta bort drivplattan och den inre distansbrickan från vevaxeländen. Om styrstiftet sitter löst i vevaxlens ände, ta bort den och spara den tillsammans med drivplattan. **Observera:** *De inre och yttre distansbrickorna skiljer sig åt och kan inte ersätta varandra.*

Kontroll

16 Undersök om drivplattan och momentomvandlarens fästplatta har tecken på slitage eller skador. Om det förekommer skador måste den slitna delen bytas (det går inte att byta drivplattans krondrev separat).

Montering

17 Se till att alla fogytor är rena och torra.

18 Ta bort eventuella spår av fästmassa från gängorna på drivplattans bultar och lägg på en liten mängd fästmassa (Peugeot rekommenderar Loctite Frenbloc) på bultgängorna.

19 Se till att styrstiftet sitter i läge och sätt tillbaka den inre distansbrickan, drivplattan, momentomvandlarens fästplatta och den yttre distansbrickan. Se till att alla komponenter sitter rätt på stiftet och sätt sedan dit fästbultarna.

20 Lås drivplattan som vid demonteringen och dra åt fästbultarna gradvis och jämt till angivet moment och vinkel.

21 Montera tillbaka växellådan enligt beskrivningen i kapitel 7B.

14.2 Bänd ut vevaxelns oljetätning på höger sida med en skruvmejsel

15.2 Använd ett verktyg för att låsa svänghjulets krondrev och hindra rotation

16 Motorns-/växellådans fästen
– kontroll och byte

Kontroll

1 *Hissa upp framvagnen och ställ den på pallbockar om du behöver mer utrymme för att komma åt (se Lyftning och stödpunkter).*

2 Kontrollera om gummifästena är spruckna, förhårdnade eller skilda från metallen på något ställe. byt fästet om du ser tecken på sådana skador.

3 Kontrollera att fästenas hållare är hårt åtdragna; använd en momentnyckel om möjligt.

4 Undersök om fästet är slitet genom att försiktigt bända det med en stor skruvmejsel eller en kofot och se om det föreligger något fritt spel. Där detta inte är möjligt, låt en medhjälpare vicka på motorn/växellådan framåt/bakåt och i sidled, medan du studerar fästet. Visst spel finns även hos nya komponenter, men kraftigt slitage märks tydligt. Om för stort spel förekommer, kontrollera först att hållarna är ordentligt åtdragna, och byt sedan slitna komponenter enligt beskrivningen nedan.

Byte

Höger fäste

5 Placera en domkraft under motorn, med en träkloss på domkraftshuvudet. Lyft domkraften tills den tar upp motorns vikt.

6 Lossa och ta bort bultarna som håller fast fästet på karossen och fästbygeln på fästet som är fastskruvat på topplocket **(se bilder)**.

7 Om det behövs lossar du de tre bultarna och tar bort fästbygeln från topplocket **(se bild)**.

8 Undersök alla komponenter efter tecken på skador eller åldrande och byt dem om de behövs.

9 Vid hopsättningen sätter du dit fästbygeln på topplocket och drar åt skruvarna/muttrarna till angivet moment.

10 Montera fästet och fästbygeln och dra åt dess fästbultar till angivet moment.

11 Ta bort domkraften underifrån motorn.

Vänster fäste

12 Ta bort batteriet och batterilådan enligt beskrivningen i kapitel 5A.

13 Placera en domkraft under växellådan, med en träkloss på domkraftshuvudet. Lyft domkraften tills den tar upp växellådans vikt.

14 Lossa och ta bort fästgummits centrummutter och två fästbultar och ta bort fästet från motorrummet **(se bild)**.

15 Om det behövs, skruva loss fästbultarna och ta bort fästbygeln från karossen **(se bild)**.

16 Leta noga efter tecken på slitage eller skada på alla delar, och byt dem om det behövs.

16.6a Höger motorfäste och fästbultar (markerade med pil) (1,4-liters motor)

17 Montera fästbygeln på karossen och dra åt fästbultarna till angivet moment.

18 Sätt dit fästgummit på fästbygeln och dra åt dess fästbultar till angivet moment. Montera tillbaka fästets centrummutter och dra åt den till angivet moment.

19 Ta bort domkraften under växellådan och sätt dit batteriet enligt beskrivningen i kapitel 5A.

Bakre fäste:

20 Om du inte redan har gjort det, dra åt handbromsen, hissar upp bakvagnen och stöder den på pallbockar (se *Lyftning och stödpunkter*).

21 Skruva loss och ta bort bulten som håller fast det bakre fästets länk till fästet bakpå motorblocket **(se bild)**.

22 Ta bort bulten som håller fast den bakre

16.7 Bultar mellan motorns fästbygel och topplocket (markerade med pil) (1,6-liters motor)

16.15 Skruva loss muttern/bultar (markerad med pil) och ta bort fästet

16.6b Höger motorfäste och fästbultar (markerade med pil) (1,6-liters motor)

fästlänken på kryssrambalken och ta bort fästlänken.

23 För att kunna ta bort fästet måste du först ta bort den högra drivaxeln enligt beskrivningen i kapitel 8.

24 När du har tagit bort drivaxeln skruvar du loss fästbultarna och tar bort fästet från motorblockets bakdel.

25 Leta noga efter tecken på slitage eller skada på alla delar, och byt dem om det behövs.

26 Vid hopsättningen sätter du dit det bakre fästet på motorblockets bakdel och drar åt dess fästbultar till angivet moment. Montera tillbaka drivaxeln enligt beskrivningen i kapitel 8.

27 Montera tillbaka den bakre fästlänken dra åt dess båda bultar till angivet moment.

28 Sänk ner bilen.

16.14 Skruva loss det vänstra fästets centrummutter och två fästmuttrar (markerade med pil)

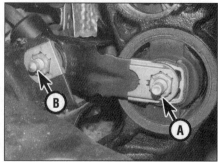

16.21 Skruva loss fästbulten mellan länken och motorblocket (A) och bulten mellan länken och kryssrambalken (B)

Kapitel 2 Del B:
Reparationer av 2,0-liters bensinmotorer med motorn kvar i bilen

Innehåll

Svårighetsgrad

Enkelt, passar novisen med lite erfarenhet	**Ganska enkelt,** passar nybörjaren med viss erfarenhet	**Ganska svårt,** passar kompetent hemmamekaniker	**Svårt,** passar hemmamekaniker med erfarenhet	**Mycket svårt,** för professionell mekaniker

Specifikationer

Motor (allmänt)

Typ	2,0 liter (1997cc) DOHC 16V
Beteckning	EW10J4 och EW10A
Motorkoder*:	
EW10J4	RFN
EW10A	RFJ
Lopp	85,00 mm
Slaglängd	88,00 mm
Vevaxelns rotationsriktning.	Medurs (sett från fordonets högra sida)
Plats för cylinder 1	I växellådsänden
Kompressionsförhållande:	
EW10J4	10,8 : 1
EW10A	11,0 : 1
Maximal utgående effekt:	
EW10J4	100 kW @ 6000 varv/minut
EW10A	103 kW @ 6000 varv/minut
Maximalt vridmoment:	
EW10J4	190 Nm @ 4100 varv/minut
EW10A	200 Nm @ 4000 varv/minut

* Motorkoden är stämplad på en platta som är fäst i den främre högra änden av motorblocket, under den högra delen av avgasgrenröret. Koden är de 3 första siffrorna på den första ledningen och det är den kod som oftast används av Peugeot.

Kamaxlar

Drivning	Kuggad rem
Antal lager	5

Smörjningssystem

Oljepumptyp..	Crescent-typ, direktdriven via vevaxeln
Minimum oljetryck at 80°C:	
1000 varv/minut..................................	1,5 bar
3000 varv/minut..................................	5,0 bar
Kontakten till varningslampan för oljetryck aktiveras vid...........	0,5 bar

Åtdragningsmoment

	Nm
Storändens lageröverfall, bultar*:	
Steg 1	10
Steg 2	Lossa varje bult 180°
Steg 3	25
Steg 4	Vinkeldra ytterligare 46° ± 5°
Kamaxelns lagerhus:	
Steg 1	5
Steg 2	10
Fästbultar mellan kamaxeldrevet/navet och kamaxeln	75
Ändplatta mellan vevaxelns remskiva och drevet	21
Vevaxeldrevets mittenbult (med guldbricka):	
Steg 1	40
Steg 2	Vinkeldra ytterligare 53°
Vevaxeldrevets mittenbult (med metallbricka):	
Steg 1	40
Steg 2	Vinkeldra ytterligare 40°
Topplocksbultar:	
Steg 1	15
Steg 2	50
Steg 3	Lossa helt
Steg 4	20
Steg 5	Vinkeldra ytterligare 285° (maximalt två steg)
Ventilkåpans bultar.................................	11
Fästbultar mellan motorn och växellådan	45
Svänghjulet/drivplattans fästbultar*:	
Steg 1	25
Steg 2	Lossa helt
Steg 3	20
Steg 4	Vinkeldra ytterligare 22°
Vänster motor/växellåda fäste:	
Monteringskonsol-till-karossbultar.........................	22
Pinnbult till växellådsfäste	50
Gummifästets centrummutter............................	65
Muttrar mellan gummifästet och fästbygeln...................	30
Ramlageröverfallets hus:	
Steg 1 – 11,0 mm diameter bultar	10
Steg 2 – 6,0 mm diameter bultar	5
Steg 3 – 11,0 mm diameter bultar	Lossa helt
Steg 4 – 11,0 mm diameter bultar	20
Steg 5 – 11,0 mm diameter bultar	Vinkeldra ytterligare 70° ± 5°
Steg 6 – 6,0 mm diameter bultar	10
Oljetrycksbrytare	30
Bultar mellan oljepumpen och motorn.......................	9
Bakre motor/växellåda fäste:	
Bultar mellan anslutningslänken och fästbygeln	40
Bult mellan anslutningslänken och kryssrambalken..............	55
Bultar mellan fästbygeln och motorblocket	45
Höger motor/växellåda fäste:	
Bultar mellan fästbygeln och stödfästbygeln..................	60
Gummifäste till kaross	60
Stödfäste på motorn..................................	45
Hjul	90
Sumpens fästbultar	8
Bultar för sumpens skvalpskott	20
Sumpens dräneringsplugg..............................	30
Bult på kamremmens spännarremskiva......................	21
Bult för kamremmens tomgångsöverföring:	
Steg 1	15
Steg 2	27

* Återanvänds inte

1 Allmän information

Vad innehåller detta kapitel

Den här delen av kapitel 2 beskriver de reparationer som kan utföras med motorn monterad i bilen. Om motorn har tagits ur bilen och tagits isär enligt beskrivningen i del F, kan alla preliminära isärtagningsinstruktioner ignoreras.

Observera att även om det är möjligt att fysiskt renovera delar som kolven/vevstaken medan motorn sitter i bilen, så utförs sällan sådana åtgärder separat. Normalt måste flera ytterligare åtgärder utföras (för att inte nämna rengöring av komponenter och smörjkanaler). Av den anledningen klassas alla sådana åtgärder som större renoveringsåtgärder, och beskrivs i del D i det här kapitlet.

Del F beskriver demontering av motor/växellåda, samt tillvägagångssättet för de reparationer som kan utföras med motorn/växellådan demonterad.

EW serien motor

Rak fyrcylindrig motor med dubbla överliggande kamaxlar, med 16 ventiler, monterad tvärställd i bilens framände. Kopplingen och växellåda sitter på vänster sida.

Motorn är av konventionell med torra foder och motorblocket är gjutet av aluminium.

Vevaxel går genom fem ramlager. Tryckbrickor sitter monterade på ramlager 2 för att kontrollera vevaxelns axialspel.

Vevstakarnas storändar roterar i horisontellt delade lager av skåltyp. Kolvarna är fästa på vevstakarna med kolvbultar. Kolvbultarna är presspassade i vevstakens lilländsögla. Lättmetallkolvarna är monterade med tre kolvringar – två kompressionsringar och en oljekontrollring.

Kamaxlarna drivs av en tandad kamrem och driver sexton ventiler med ventillyftare under varje kamaxelnock. Ventilspelen självjusteras med hjälp av hydrauliska ventillyftare som sitter på kamlyftarna. Kamaxeln går i lageröverfallets hus som är fastskruvade ovanpå topplocket. Insugs- och avgasventilerna stängs med spiralfjädrar och arbetar i styrningar som trycks in i topplocket. Både ventilsätena och styrningarna kan bytas separat om de är slitna.

Kylvätskepumpen drivs av kamremmen och sitter i motorblockets högra ände.

Smörjningen sker genom en oljepump som drivs av vevaxelns högra ände. Den drar in olja genom en sil i sumpen och tvingar den genom ett externt monterar filter till kanaler i motorblocket/vevhuset. Därifrån fördelas oljan till vevaxeln (ramlager) och kamaxeln. Vevstakslagren förses med olja via inre borrningar i vevaxeln; medan kamaxellagren även förses med olja under tryck. Kamloberna och ventilerna smörjs av oljestänk på samma sätt som övriga motorkomponenter.

I den här handboken är det ofta nödvändigt att inte bara identifiera motorerna genom cylindervolymen utan även med motorkod. Motorkoden består av tre tecken (t.ex. RFN). Koden är instansad i en plåt som är fäst på den främre vänstra sidan av motorblocket, eller instansas direkt på motorblockets framsida, på den bearbetade ytan strax till vänster om oljefiltret (bredvid vevhusets ventilationsslanganslutning).

Reparationer med motorn kvar i bilen

Följande arbeten kan utföras med motorn monterad i bilen:

a) Kompressionstryck – kontroll.
b) Ventilkåpor – demontering och montering.
c) Vevaxelns remskiva – demontering och montering.
d) Kamremskåpor – demontering och montering.
e) Kamrem – demontering, montering och justering.
f) Kamremmens spännare och drev – demontering och montering.
g) Kamaxelns oljetätningar – byte.
h) Kamaxlar) och hydrauliska ventillyftar – demontering, kontroll och återmontering.
i) Topplock – demontering och montering.
j) Topplock och kolvar – sotning.
k) Sump – demontering och montering.
l) Oljepump – demontering, reparation och återmontering.
m) Vevaxelns oljetätningar – byte.
n) Motor-/växellådsfästen – kontroll och byte
o) Svänghjul/drivplatta – demontering, kontroll och montering.

2 Kompressionsprov – beskrivning och tolkning

Se kapitel 2A, avsnitt 2.

3 Motorenhet/ ventilinställningshål – allmän information och användning

Fordon innan RPO 9653

Observera: *Försök inte dra runt motorn när vevaxeln/kamaxeln är låsta i läge. Om motorn ska lämnas i det här läget under* *längre tid är det bra att placera varningsmeddelanden inuti bilen samt i motorrummet. Detta minskar risken att motorn dras runt av startmotorn av misstag vilket förmodligen skulle orsaka skador när låssprintarna sitter i.*

1 Inställningshålen är borrade i vevaxeldrevets ändplatta och i de båda kamaxeldreven. Hålen används för att se till att vevaxeln och kamaxlarna hamnar i rätt läge när motorn återmonteras (för att undvika att ventilerna kommer i kontakt med kolvarna när man sätter tillbaka topplocket) eller återmonterar kamremmen. När inställningshålen ligger i linje med motsvarande hål i topplocket och oljepumphuset kan man sätta i bultar eller sprintar med lämplig diameter för att låsa båda kamaxlarna och vevaxeln i läge och hindra dem från att rotera. Så här ställer du in motorn i tidsinställningsläge.

2 Demontera vevaxelns remskiva enligt beskrivningen i avsnitt 5.

3 Ta bort kamremmens övre (yttre) och nedre kåpor enligt beskrivningen i avsnitt 6.

4 Använd en hylsa och förlängningsstång som monteras på vevaxeldrevets mittbult, vrid vevaxeln i normal rotationsriktning (medurs) tills inställningshålen i båda kamaxeldreven är inpassade efter motsvarande hål i topplocket. Hålen är rätt inriktade när hålet i insugskamaxelns drev är i läget klockan 5 och hålet i avgaskamaxeldrevet är i läget klockan 7, sett från motorns högra ända. Använd en liten spegel så att du kan se hålens placering.

5 När kamaxeldrevets hål är i rätt läge sätter du i en borrbit eller en bult med diametern 8,0 mm genom inställningshålet i vevaxeldrevets ändplatta och placerar den i motsvarande hål i oljepumpens hus **(se bild)**. Observera: *Det kan hända att en borr på 8,0 mm är för stor och då kan man använda en borr på 5/16 tum istället.*

6 Kamaxeldrevet kan nu låsas i läge med Peugeots kamaxeinställningsstavar eller lämpliga egentillverkade alternativ **(se**

3.5 Sätt i en 8,0 mm borrbit eller bult genom hålen i vevaxeldrevets ändplatta och in i motsvarande hål i oljepumphuset

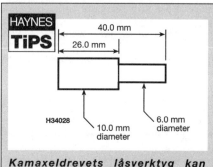

HAYNES TiPS

40.0 mm
26.0 mm
H34028
10.0 mm diameter
6.0 mm diameter

Kamaxeldrevets låsverktyg kan tillverkas av en stålstav med 10,0 mm diameter som tillverkas med de visade måtten.

Verktygstips). När vevaxeln är låst i läge sätter du i Peugeots specialverktyg eller ett alternativ genom inställningshålet i varje kamaxeldrev och placerar det i motsvarande hål i topplocket (**se bild**).

7 Vevaxeln och kamaxlarna är nu låsta i läge så att rotation kan undvikas. I det här läget placerar du vevaxeln vid 90° BTDC och alla kolvar placeras halvvägs ner i cylinderloppen.

Fordon från RPO 9653

Observera: *Försök inte dra runt motorn när vevaxeln/kamaxlarna är låsta i läge. Om motorn ska lämnas i det här läget under längre tid är det bra att placera varningsmeddelanden inuti bilen samt i motorrummet. Detta minskar*

4.1a Lossa vevhusets luftningsslang från ventilkåpans bakre anslutning

4.1c ... skruva sedan loss bulten och ta bort givaren från den bakre ventilkåpan

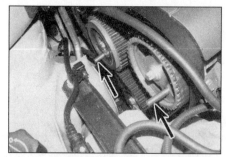

3.6 Kamaxeldrevets låsverktyg (markerad med pil) sätts i genom inställningshålet i varje drev

risken att motorn dras runt av startmotorn av misstag vilket förmodligen skulle orsaka skador när låsstavarna/verktyget sitter i.

8 Inställningshålen är borrade i svänghjulet/motorblocket och i de båda kamaxeldreven. Hålen används för att se till att vevaxeln och kamaxlarna hamnar i rätt läge när motorn återmonteras (för att undvika att ventilerna kommer i kontakt med kolvarna när man sätter tillbaka topplocket) eller återmonterar kamremmen. När inställningshålen ligger i linje med motsvarande hål i topplocket och svänghjulet kan man sätta i bultar eller sprintar med lämplig diameter för att låsa båda kamaxlarna och vevaxeln i läge och hindra dem från att rotera. Så här ställer du in motorn i tidsinställningsläge.

9 Skruva loss bultarna och ta bort kamremmens toppkåpa (se avsnitt 6).

10 Använd en hylsa och förlängningsstång

4.1b Lossa kamaxellägesgivarens kontaktdon ...

4.3a Skruva loss fästbultarna och ta bort fronten ...

som monteras på vevaxeldrevets mittbult, vrid vevaxeln i normal rotationsriktning tills inställningshålen i båda kamaxeldreven är inpassade efter motsvarande hål i topplocket. Hålen är rätt inriktade när hålet i insugskamaxelns drev är i läget klockan 5 och hålet i avgaskamaxeldrevet är i läget klockan 7, sett från motorns högra ända. Använd en liten spegel så att du kan se hålens placering.

11 När kamaxeldrevets hål är i rätt läge sätter du i Peugeots verktyg (-).0189.R eller en egentillverkad motsvarighet genom inställningshålet för motorblocket växellådsfläns och placerar det i motsvarande hål i svänghjulet.

12 Kamaxeldrevet kan nu låsas i läge med Peugeots kamaxeinställningsstavar eller lämpliga egentillverkade alternativ (**se Verktygstips i det här avsnittet**). När vevaxeln är låst i läge sätter du i Peugeots specialverktyg eller ett alternativ genom inställningshålet i varje kamaxeldrev och placerar det i motsvarande hål i topplocket.

13 Vevaxeln och kamaxlarna är nu låsta i läge så att rotation kan undvikas. I det här läget placerar du vevaxeln vid 90° BTDC och alla kolvar placeras halvvägs ner i cylinderloppen.

4 Ventilkåporna – demontering och montering

Demontering

1 Skruva loss de sex skruvarna och ta bort plastkåpan från motorns överdel. Ta bort vevhusets ventilationsslang och kamaxelgivaren från den bakre ventilkåpan (**se bild**).

2 Skruva gradvis loss bultarna som håller fast ventilkåporna på topplocket. Bultarna måste skruvas loss i spiralform med början utifrån.

3 Ta bort ventilkåporna och packningar (**se bild**). Försök inte att ta bort gummipackningarna från kåporna om de inte har tydliga skador.

Montering

4 Rengör ytorna på kåporna och topplocket noggrant.

4.3b ... och de bakre ventilkåporna

4.5 Sätt dit ventilkåpans tätning i spåret och se till att det sitter på plats i hela sin längd

4.6 Ordningsföljd för åtdragning av ventilkåpans bultar

5 Om det behövs sätter du dit nya tätningar och sätter dit kåporna på topplocket **(se bild)**. Sätt i fästbultarna och fingerdra dem.
6 Drag åt bultarna stegvis i ordningsföljd **(se bild)**.
7 Kontrollera skicket hos O-ringstätningen på kamaxelgivaren och byt tätningen om den verkar vara defekt.
8 Montera tillbaka kamaxelgivaren och fäst den med fästbulten. Återanslut givarens kontaktdon.
9 Återanslut ventilationsslangen till den bakre kåpan.
10 Resten av monteringen sker i omvänd ordningsföljd mot demonteringen.

5.3a Lossa vevaxelns remskivas fyra fästbultar . . .

5.3b . . . och ta bort remskivan från vevaxelns ändplatta

---

5 Vevaxelns remskiva – demontering och montering

Demontering

1 Ta bort drivremmen (Kapitel 1A).
2 Hindra att vevaxeln roterar medan remskivans fästbult lossas på modeller med manuell växellåda och välj 5:ans växel och ta hjälp av en medhjälpare som får bromsa kraftigt. På modeller med automatväxellåda måste man ta bort startmotorn (kapitel 5A) och lås drivplattan med ett lämpligt verktyg. Om motorn har demonterats från bilen låser du svänghjulets krondrev enligt beskrivningen i avsnitt 8. Försök *inte* låsa remskivan genom att sätta i en bult/borr genom inställningshålet. Om låssprinten är i läge tar du bort det tillfälligt innan du lossar remskivan och monterar tillbaka den när du har lossat bulten.

Fordon innan RPO 9653

3 Skruva loss vevaxelns remskivas fyra fästbultar och ta bort remskivan från vevaxeldrevets ändplatta **(se bild)**.

Fordon från RPO 9653

4 På dessa motorer måste man skruva loss vevaxeldrevets bult innan man kan ta bort remskivan. Det går bara att ta bort den här

bulten när kamaxlarna och vevaxeln är låsta i referensläge enligt beskrivningen i avsnitt 3. Borttagningen av remskivan beskrivs därför under borttagningsmetoden för kamremmen (se avsnitt 7).

Montering
Fordon innan RPO 9653

5 Placera remskivan på vevaxeldrevets ändplatta, sätt dit de fyra kvarvarande bultarna och dra åt dem till angivet moment
6 Montera tillbaka drivremmen och spänn den enligt beskrivningen i kapitel 1A

---

6 Kamremskåpor – demontering och montering

Demontering
Övre (yttersta) kåpa – demontering

1 Lossa skruvarna och ta bort motorns undre skyddskåpa (om en sådan finns).
2 Placera en verkstadsdomkraft under motorsumpen, med en träkloss på domkraftshuvudet. Avlägsna vikten från motorn, skruva loss bultarna/muttrarna och ta bort det högra motorfästet och fästbygeln (se avsnitt 16).
3 Skruva loss bulten som håller fast

servostyrningens rörfäste bredvid kylvätskepumpen. För rören åt sidan för att göra det lättare att komma åt.
4 Ta bort plastkåpan över kylvätske- och spolarbehållarna. Kåpan hålls fast med plastnitar. Tryck in mittsprintarna något och bänd därefter ut hela nitarna och lossa sidoklämman. Lossa sidofästklämman.
5 Skruva loss de övre och nedre fästbultar som håller fast den yttre kåpan vid den inre **(se bild)**. För kåpans fästklämma uppåt för att lossa den från sina fästen.

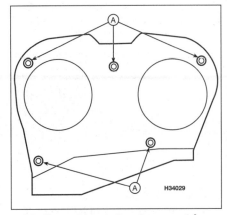

6.5 Skruva loss de övre kamremskåpa fästbultar (A) . . .

6.6 . . . och ta bort kåpan från topplocket

6 Skjut försiktigt ytterkåpan uppåt bort från motorn och lossa den från sina nedre fästen **(se bild)**.

Nedre kåpan

7 Ta bort vevaxelns remskiva enligt beskrivningen i avsnitt 5 eller 7.
8 Ta bort den övre (yttre) kåpan enligt beskrivningen ovan.
9 Skruva loss fästbultarna den nedre kamremskåpan från motorn **(se bild)**. Observera att man på vissa modeller måste skruva loss drivremmens sträckare och ta bort den från motorn för att kunna ta bort kåpan.

Övre (inre) kåpa

10 Demontera kamremmen enligt beskrivningen i avsnitt 7.
11 Demontera båda kamaxeldreven enligt beskrivningen i avsnitt 8.
12 Ta bort bultarna som håller fast kåpan på topplockets sida och ta bort kåpan från motorn **(se bild)**.

Montering

13 Återmonteringen sker i omvänd ordning mot demonteringen. Se till att varje kåpdel sitter rätt och att kåpan fästmuttrar och/eller bultar är ordentligt åtdragna. Lägg på gänglåsningsmedel på fästbultarna när du sätter tillbaka den övre (inre) kåpan.

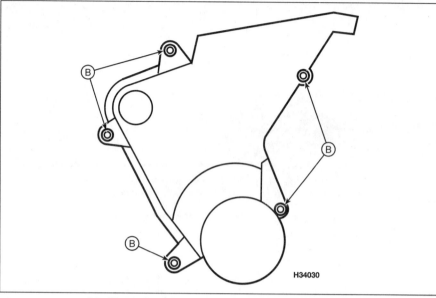

6.9 Skruva loss de nedre kamremskåpa fästbultar (B)

7 Kamrem –
allmän information, demontering och montering

Allmän information

1 Kamremmen driver kamaxlarna och kylvätskepumpen med ett tandat drev på vevaxelns ände. Om remmen brister eller slirar kan kolvarna slå i ventilhuvudena, vilket orsakar omfattande (och dyra) skador.
2 Byt kamremmen vid angivna intervall (se kapitel 1A) eller tidigare om den har smutsats ner med olja eller om den bullrar (ett skrapande ljud på grund av ojämnt slitage).
3 Om kamremmen tas bort är det bra att kontrollera skicket hos kylvätskepumpen samtidigt (kontrollera om det finns spår av kylvätskeläckage). Detta gör att man kan

undvika att ta bort kamremmen igen senare om kylvätskepumpen skulle sluta gå.
4 På bilar före RPO 9653 är vevaxeldrevet en tvådelad enhet som består av det tandade drevet och en yttre ändplatta. Ändplattan låses fast på vevaxeln med en vanlig Woodruff-kil. När drevets fästbult lossas kan drevet rotera fritt på vevaxeln inom de gränser som möjliggörs av ett extra kilspår i ändplattan. När drevets fästbult dras åt låses hela enheten på vevaxeln. Genom den här anordningen kan kamremmen spännas korrekt vid återmonteringen så länge åtgärderna i det här avsnittet följs noggrant.
5 På bilar från RPO 9653 är vevaxeldrevet en enhet med en inbyggd fläns. När remskivans fästbult lossas kan drevet rotera fritt på vevaxeln. Genom den här anordningen kan kamremmen spännas korrekt vid återmonteringen så länge åtgärderna i det här avsnittet följs noggrant.

Demontering

6 På bilar före RPO 9653 skruvar du loss de 4 bultarna och lossar drivremmens remskiva från vevaxeldrevet enligt beskrivningen i avsnitt 5.
7 Passa in motorns/ventilernas inställningshål efter varandra enligt beskrivningen i avsnitt 3 och lås vevaxeldrevet och kamaxeldreven i läge. Försök *inte* dra runt motorn när låsverktygen sitter på plats.
8 På bilar från RPO 9653 lossar du och tar bort vevaxelns remskivas bult.
9 Skruva loss bultarna och ta bort kamremmens nedre kåpa.

Fordon innan RPO 9653

10 Lossa kamremmens spännhjul fästbult. Sätt i en insexnyckel in hålet på remskivans framsida och vrid remskivan medurs för att lätta spänningen från kamremmen **(se bild)**.

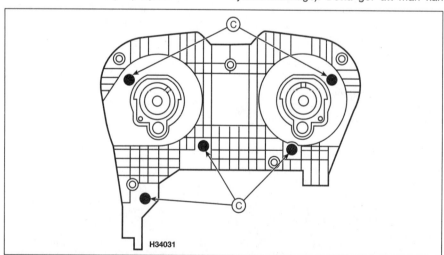

6.12 Övre (inre) kamremskåpans fästbultar (C)

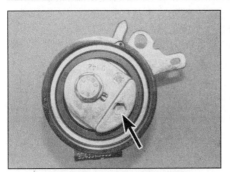

7.10 Sätt i en insexnyckel i hålet (markerad med pil) på sträckarens remskiva och dra runt den medurs för att släppa på remmens spänning

7.16 Placera kamremmen på vevaxeldrevet med pilarna på remmen i rotationsriktningen

7.17a Håll kvar remmen på vevaxeldrevet och mata den över tomgångsremskivan. . .

7.17b . . . insugskamaxelns drev . . .

7.17c . . . avgaskamaxelns drev . . .

7.17d . . . Kylvätskepumpens drev och spännarremskivan

Dra åt spännarremskivans fästbult igen för att fästa den i lossat läge.

Fordon från RPO 9653

11 Lossa kamremmens spännhjul fästbult. Vrid sträckarrullen medurs.

Samtliga fordon

12 Om kamremmen ska återanvändas använder du vit färg eller krita för att markera rotationsriktningen på remmen (om det inte redan finns markeringar) och för av remmen från dreven och remskivorna. Observera att vevaxeln inte får dras runt när remmen är borttagen.

13 Kontrollera kamremmen noga efter tecken på ojämnt slitage, fransning eller nedoljning. Var extra uppmärksam på tändernas "rötter". Byt remmen om det råder minsta tveksamhet om dess skick. Om motorn undergår renovering bör man byta remmen oavsett dess skick. Kostnaden för en ny rem är försumbar i jämförelse med kostnaderna för de motorreparationer som skulle behövas om remmen gick av under drift. Vid tecken på nedsmutsning med olja ska källan till oljeläckaget spåras och åtgärdas. Tvätta rent området kring kamremmen och tillhörande delar fullständigt, så att varje spår av olja avlägsnas.

Montering

14 Före ditsättningen rengör du kamremmens drev noggrant. Kontrollera att spännar- och tomgångsremskivan går runt utan att kärva. Om det behövs, byt spännhjulet enligt beskrivningen i avsnitt 8.

15 Se till att vevaxeln och kamaxeldrevets låsverktyg sitter på plats.

16 Placera kamremmen på vevaxeldrevet och se till att eventuella pilar på remmen pekar i rotationsriktningen (medurs sett från motorns högra ände) **(se bild)**.

17 Sätt dit kamremmen på vevaxeldrevet, håll den spänd och mata remmen över resterande drev och remskivor i följande ordning och se till att remmen ligger så nära ytterkanterna på dreven/rullarna som möjligt **(se bild)**:

a) Tomgångsremskiva.
b) Insugskamaxel.
c) Avgaskamaxel.
d) Kylvätskepump.
e) Spännarremskiva.

Observera att det finns ett särskilt Peugeot-verktyg (-).0189.K som kläms dit över remmen och håller fast den på vevaxeldrevet. Det här verktyget behöver man inte använda.

18 Ta bort låsverktyget från avgaskamaxel-

drevet och (om tillämpligt) klämman som håller fast kamremmen på vevaxeldrevet.

Fordon innan RPO 9653

19 Lossa sträckarens fästbult och använd en 8 mm insexnyckel för att vrida remskivans nav moturs tills sträckarens markering hamnar 10° under skåran i stödplattan **(se bilder)**. Observera att om markeringen inte hamnar minst 10° förbi skåran måste spännarremskivan eller både spännarremskivan och remmen bytas.

20 Vrid sedan navet medurs tills markeringen ligger i linje med mitten på skåran i stödplattan (se bild 7.19b). Om markeringen får passera skåran upprepar du spännandet.

7.19a Använd en insexnyckel, vrid spännarremskivan moturs . . .

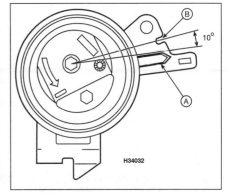

7.19b . . . tills den övre kanten av markeringen (A) är placerad cirka 10° förbi skåran (B) i stödplåten

7.27a Hålla fast vevaxeldrevets ändplatta med fasthållningsverktyget och dra åt fästbulten till angivet moment . . .

7.27b . . . och sedan till den angivna vinkeln

21 Dra åt spännrullens fästbult till angivet moment utan att låta rullnavet rotera. När remmen är spänd och fästbulten åtdragen ska insexnyckelns urtag befinna sig rakt under topplockspackningen. Om inte byter du sträckaren eller både sträckaren och remmen.

22 Ta bort kamaxeln och vevaxelns låsverktyg och vrid vevaxeln 10 varv medurs (sett från motorns högra ände). Ställ in motorns hål/ventilinställningshålen och sätt tillbaka insugskamaxeldrevets låsverktyg.

23 Kontrollera att spännarremskivans markering fortfarande ligger i linje med skåran i stödplåten. Om inte, upprepar du åtdragningen från stycke 19.

24 När insugskamaxeldrevets låsverktyg sitter på plats ska det gå att sätta dit vevaxeldrevets låsverktyg. Om så är fallet fortsätter du med återmonteringen från stycke 30 och framåt. Om vevaxeldrevets låsverktyget inte hamnar i läge måste du flytta vevaxeldrevets ändplatta enligt följande.

25 Lossa vevaxeldrevets fästbult medan du håller i drevets ändplatta stilla med Peugeots *specialverktyg* 6310-T eller ett lämpligt egentillverkat alternativ **(se Verktygstips)**. Försök att inte bara använda drevets låsverktyget i motorns hål/ventilinställningshålen för att hindra rotation medan bulten lossas.

26 När drevets fästbult lossas vrider du ändplattan tills drevets låsverktyg kan sättas i helt i ändplattan och in i hålet i oljepumphuset.

27 Håll ändplattan med fasthållningsverktyget och dra åt drevets fästbult till angivet moment och angiven vinkel **(se bilder)**.

28 Ta bort kamaxelns och vevaxelns låsverktyg, sätt dit den nedre och övre (yttre) kamremskåpa och dra åt fästbultarna till angivet moment.

29 Montera vevaxelns remskiva enligt beskrivningen i avsnitt 5.

Fordon från RPO 9653

30 Montera tillbaka den nedre kamremskåpan, och dra åt fästbultarna till angivet moment.

31 Använd en insexnyckel och vrid remsträckarens nav moturs tills sträckarens markering befinner sig minst 10° under skåran

i stödplattan **(se bild 7.19b)**. Observera att om markeringen inte hamnar minst 10° förbi skåran måste spännarremskivan eller både spännarremskivan och remmen bytas.

32 Vrid sedan sträckarens nav medurs tills markeringen ligger i linje med skåran i stödplattan **(se bild 7.19b)**. Om markeringen får passera skåran upprepar du spännandet.

33 Dra åt spännrullens fästbult till angivet moment utan att låta rullnavet rotera. När remmen är spänd och fästbulten åtdragen ska insexnyckelns urtag befinna sig cirka 15° under topplockspackningen. Om inte byter du sträckaren eller både sträckaren och remmen.

34 Montera tillbaka vevaxelns remskiva, och dra åt fästbulten till angivet moment.

35 Ta bort kamaxeln och vevaxelns låsverktyg och vrid vevaxeln 10 varv medurs (sett från motorns högra ände). Ställ in motorns hål/

Tillverka ett fasthållningsverktyget av två stycken stålband ungefär 6 mm tjocka och 30 mm breda eller liknande, det ena 600 mm långt, det andra 200 mm långt (alla mått är ungefärliga). Skruva ihop de två banden så att de formar en gaffel utan att dra åt bulten, så att det kortare bandet kan vridas runt. I den andra änden av varje spets på gaffeln borrar du ett lämpligt hål och sätter dit en mutter och bult som hakar i hålen i drevet. Samma verktyg kan användas för att hålla fast insugskamaxelns drev och vevaxelns drev.

ventilinställningshålen och sätt tillbaka insugskamaxeldrevets låsverktyg.

36 Kontrollera att spännarremskivans markering fortfarande ligger i linje med skåran i stödplåten. Om inte, upprepar du åtdragningen från stycke 31.

37 Ta bort intagsvevaxelns drevets låsverktyg, montera sedan tillbaka den övre kamremskåpan, och drivremmen (se Kapitel 1A).

8 Kamremsträckare, drev och remskivor – demontering, kontroll och montering

Observera: *Under följande åtgärder används vissa specialverktyg från Peugeot. Om du inte har tillgång till Peugeots verktyg beskriver texten hur du kan tillverka lämpliga alternativ.*

Borttagning av kamaxeldrevet

1 Demontera kamremmen enligt beskrivningen i avsnitt 7.

2 Kamaxlarna måste nu hindras från att rotera så att man kan lossa drevets fästbultar. Vid arbete på avgaskamaxeldrevet måste man ta bort den bakre ventilkåpan (se avsnitt 4) så att man kan använda en nyckel på kamaxelns kantiga del. Detta är för att drevet har en vibrationsdämpare av gummi som ingår i drevets nav. Om själva drevet hålls fast när bulten lossas skadas gumminavet. Insugskamaxeldrevet är av normal typ och kan hållas fast med Peugeots verktyg 6016-T eller ett egentillverkat ersättningsverktyg **(se verktygstips)**. *Du kan även ta bort den främre ventilkåpan och hålla kamaxeln med en nyckel enligt beskrivningen för avgaskamaxeln.* Försök inte använda låsverktygen för motorns hål/ventilinställningshålen för att hindra dreven från att rotera när bultarna lossas.

3 Ta bort låsverktyget för motorns hål/ventilinställningshålen från det aktuella drevet och lossa sedan fästbulten i mitten. Om du använder en nyckel för att hindra att kamaxeln roterar ska nyckeln hållas fast på kamaxelns fyrkantiga vid kamaxelnock nr 8 **(se bild)**.

8.3 Kamaxlarna kan hållas fast med en nyckel på den fyrkantiga delen vid kamaxelnock 8

8.4a Ta bort fästbulten och brickan . . .

8.4b . . . och dra bort drevet från kamaxelns ände

8.6 Håll fast vevaxeldrevets ändplatta med det egentillverkade verktyget medan du lossar på fästbulten

4 Ta bort det tidigare lossade drevets fästbult och bricka och ta bort det aktuella drevet från kamaxelns ände **(se bilder)**.

Vevaxeldrev – demontering

5 Demontera kamremmen enligt beskrivningen i avsnitt 7.

Fordon innan RPO 9653

6 Ta bort vevaxeldrevets låsverktyg och lossa vevaxeldrevets fästbult. Hindra vevaxeln från att rotera medan bulten lossas med Peugeots specialverktyg 6310-T eller ett lämpligt egentillverkat alternativ, som det som beskrivs i det tidigare delavsnittet, som fästs med bultar på drevets ändplatta **(se bild)**. Försök att inte bara använda drevets låsverktyget i motorns hål/ventilinställningshålen för att hindra rotation medan bulten lossas.

7 Skruva loss fästbulten och för av drevets ändplatta och drevet från vevaxeländen. Om

den är lös tar du Woodruffkilen från vevaxen och förvarar den tillsammans med drevets komponenter för säker förvaring **(se bild)**.

8 Undersök vevaxelns oljetätningen med avseende på oljeläckage och byt den vid behov enligt beskrivningen i avsnitt 14.

Fordon från RPO 9653

9 För drevet från vevaxeln.

10 Undersök vevaxelns oljetätningen med avseende på oljeläckage och byt den vid behov enligt beskrivningen i avsnitt 14.

Sträckare och överföringsstyrningarna – borttagning

11 Demontera kamremmen enligt beskrivningen i avsnitt 7.

12 Skruva loss sträckaren och överföringsstyrningens fästbultar och ta bort den aktuella remskivan från motorn **(se bild)**.

Kontroll

13 Rengör kamaxelns/vevaxelns drev ordentligt och byt drev som visar tecken på slitage, skador eller sprickor. Kontrollera skicket hos gummivibrationsdämparen i avgaskamaxeldrevet och byt drevet om gummit visar tecken på slitage.

14 Rengör sträckaren/ överförings-styrningarna, men använd inte några starka lösningsmedel som kan komma in i remskivans lager. Kontrollera att remskivorna roterar fritt utan tecken på kärvning eller fritt spel. Byt dem om du är osäker på deras skick eller om det finns tydliga tecken på slitage eller skador.

Kamaxeldrev – montering

15 Sätt dit det aktuella drevet i kamaxelns ände och passa in tappen i drevets nav i spåret i kamaxelns ände.

16 Montera tillbaka drevets fästbult och bricka, och dra åt den till angivet moment. Hindra drevet från att rotera när bulten dras åt genom att använda den metod som användes vid borttagningen.

17 Passa in hålet i kamaxeldrevet efter motsvarande hål i topplocket och sätt dit låsverktyget. Kontrollera att vevaxelremskivans låsverktyg fortfarande sitter på plats.

18 Om du har tagit bort ventilkåpan/-kåporna monterar du tillbaka dem enligt beskrivningen i avsnitt 4.

19 Montera och spänn kamremmen enligt beskrivningen i avsnitt 7.

8.7a Ta bort vevaxeldrevets ändplatta . . .

8.7b . . . och drevet

8.7c Ta bort woodruffkilen från vevaxelns ände

8.12 Ta bort kamremmens spännarremskiva . . .

8.12b . . . och tomgångsöverföringen

8.27 Se till att skåran (markerad med pil) på spännarremskivan hamnar i läge med ribborna på motorblocket vid återmonteringen

Vevaxeldrev – montering

Fordon innan RPO 9653

20 Sätt tillbaka Woodruffkilen (om den har tagits bort) i spåret i vevaxeländen.
21 Sätt dit vevaxeldrevet och drevets ändplatta och sätt tillbaka fästbulten.
22 Håll ändplattan med fasthållningsverktyget och dra åt drevets fästbult till angivet moment och angiven vinkel.
23 Passa in hålet i drevets ändplatta efter motsvarande hål i oljepumpens hus och sätt dit låsverktyget. Kontrollera att kamaxeldrevets låsverktyg fortfarande sitter på plats.
24 Montera och spänn kamremmen enligt beskrivningen i avsnitt 7.

Fordon från RPO 9653

25 För drevet på vevaxeln.
26 Montera tillbaka kamremmen enligt beskrivningen i avsnitt 7.

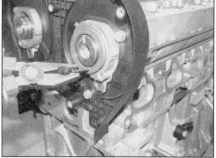

9.3 Använd en tång och en självdragande skruv för att dra ut kamaxelns oljetätning

10.7 Lossa fästbulten stegvis och ta bort den och lyft sedan bort kamaxellageröverfallets hus

Sträckare och överföringsstyrningarna – montering

27 Sätt dit sträckaren och överföringsstyrningarna och se till att spåret på spännarremskivan passar ihop med ribborna på motorblocket (se bild).
28 Fäst remskivorna med fästbultarna och dra åt dem till angivet moment.
29 Montera och spänn kamremmen enligt beskrivningen i avsnitt 7.

9 Kamaxelns oljetätningar – byte

1 Demontera kamaxeldreven enligt beskrivningen i avsnitt 8.
2 Notera hur djupt oljetätningarna är monterade som en vägledning inför ditsättningen av de nya oljetätningarna.
3 Stansa eller borra två hål på var sin sida av oljetätningen. Skruva i självgängande skruvar i hålen och dra i skruvarna med tänger för att få ut tätningen (se bild).
4 Rengör tätningshuset och vevaxeln. Putsa av alla grader eller vassa kanter som kan ha skadat tätningen.
5 Smörj läpparna på den nya tätningen med ren motorolja och driv i den i läge tills den ligger emot ansatsen (se bild). Använd en rörformig dorn, t.ex. en hylsa, som endast vilar på tätningens hårda yttre kant. Använd Peugeots verktyg nr 0189-D1/D2 om du har tillgång till det. Var noga med att inte

9.5 Sätt dit den nya tätningen i läge med kanter riktade inåt

10.9 Lyft försiktigt ut kamaxlarna ur deras lägen

skada tätningsläpparna under monteringen. Observera att tätningens kanter måste vara riktade inåt.
6 Montera tillbaka kamaxeldreven enligt beskrivningen i avsnitt 8.

10 Kamaxlar och ventillyftare – demontering, kontroll och återmontering

Demontering

1 Demontera kamremmen enligt beskrivningen i avsnitt 7.
2 Skruva gradvis loss bultarna som håller fast ventilkåporna på topplocket. Bultarna måste skruvas loss i spiralordning med början utifrån (se avsnitt 4).
3 Ta bort ventilkåporna och packningar.
4 Se avsnitt 8 och ta bort båda kamaxeldreven.
5 Skruva loss och ta bort den inre kamremskåpan från topplocket. På det här stadiet noterar du hur djupt packboxarna är monterade som hjälp inför ditsättningen av de nya packboxarna.
6 Lossa kamaxelns lagerhusbultar jämnt och gradvis, ett varv i taget i spiralordning med början utifrån. Detta släpper ventilfjäderns tryck på lagerhuset gradvis och jämnt. När trycket har släppts kan du skruva loss bultarna helt tillsammans med brickorna.
7 Lyft kamaxelns lagerhus från topplocket och observera att husen sitter på stift (se bild).
8 Kontrollera varje kamaxels läge – avgaskamaxeln sitter bak och insugskamaxeln sitter fram i topplocket. Observera även varje kamaxels ÖD-läge för korrekt återmontering.
9 Ta bort kamaxlarna genom att trycka på växellådsändarna för att lossa de motsatta ändarna från lagren. Ta bort kamaxlarna från topplocket och dra av packboxarna från ändarna (se bild).
10 Ta 16 små, rena plastbehållare och numrera dem insug 1 till 8 och avgas 1 till 8. Du kan även dela in en större behållare i 16 avdelningar och numrera varje del enligt ovan. Använd en gummipipett, ta bort varje hydraulisk ventillyftaren i tur och ordning och placera den i respektive behållare (se bild). Kasta inte om ventillyftarna eftersom det ökar slitaget mycket.

10.10 Använd en gummipipett för att ta ut de hydrauliska ventillyftarna

10.14a Smörj de hydrauliska lyftarens lopp och själva lyftarna med mycket olja . . .

10.14b . . . och sätt därefter tillbaka lyftarna och var uppmärksam så att de hamnar i sina ursprungliga lopp

10.15 Smörj kamaxellagren och nockarna ordentligt och placera kamaxeln i topplocket

Kontroll

11 Undersök kamaxellagrets yta och kamloberna efter tecken på slitage och repor. Byt kamaxeln om några fel hittas. Undersök lagerytornas skick, både på kamaxeltapparna och i topplocket och lagerhuset. Om ytorna i topplocket är mycket slitna, måste topplocket bytas. Om du har tillgång till lämplig mätutrustning kan du kontrollera slitaget på kamaxellagertapparna med direkta mätningar och observera att tapp 1 befinner sig vid topplockets växellådsände.

12 Undersök den hydrauliska ventillyftarens lagerytor som kommer i kontakt med kamloberna och leta efter tecken på slitage och repor. Byt eventuella ventillyftare som uppvisar dessa fel. Om en ventillyftares lageryta är kraftigt repad ska man även undersöka om motsvarande lob på kamaxeln är sliten eftersom båda förmodligen är slitna. Byt ut slitna komponenter.

Montering

13 Innan du påbörjar återmonteringen, tar du bort alla spår av olja från lagerhusets fästbultshål i topplocket med en ren trasa. Kontrollera även att både topplocket och lagerhusets fogytor är rena och fria från olja.

14 Olja in topplockets hydrauliska lyftares lopp och själva lyftarna med mycket olja. Sätt försiktigt tillbaka ventillyftarna i topplocket och se till att varje ventillyftare sätts tillbaka i ursprungsloppet **(se bilder)**. Det krävs lite

lirkande för att lyckas passa in ventillyftarna rätt i sina lopp. Kontrollera att varje ventillyftare roterar fritt i loppet.

15 Olja in kamaxellagren i topplocket och kamloberna med mycket olja och sätt dit kamaxlarna på topplocket i de tidigare noterade lägena **(se bild)**. Observera att avgaskamaxeln har en givarring i den vänstra änden och måste monteras i topplockets bakände.

16 Se till att de fyra styrstiften sitter i läge, ett i varje hörn av topplocket.

17 Lägg på en sträng silikonbaserad fogmassa (Peugeot E10 fogpasta) runt kanten på fogytorna och runt fästbultarnas hål **(se bild)**.

18 Smörj in kamaxellagren med mycket olja och sätt försiktigt dit lagerhusen över kamaxlarna. Sätt tillbaka fästbultarna och se till att de alla har brickor under skallarna **(se bild)**. Observera att lagerhuset med givarhålet sitter över avgaskamaxeln. Börja med att fingerdra bultarna.

19 Dra åt lagerhusets fästbultar gradvis till angivet moment, i den ordning som anges i avsnitt 4. Vi rekommenderar att man först drar åt bultarna till 5 Nm och sedan drar åt dem till det slutgiltiga vridmomentet.

20 Montera tillbaka den inre kamremskåpan på topplocket och dra åt fästbultarna ordentligt.

21 Rengör fogmassan från packboxarnas säten i topplocket och kamaxelhuset.

22 Montera nya oljetätningar enligt beskrivningen i avsnitt 9.

23 Montera tillbaka dreven på kamaxelarna enligt beskrivningen i avsnitt 8.

24 Montera tillbaka ventilkåporna tillsammans med nya packningar, enligt beskrivningen i avsnitt 4.

25 Montera tillbaka kamremmen enligt beskrivningen i avsnitt 7.

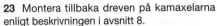

11 Topplock – demontering och montering

Demontering

1 Koppla loss batteriet (se kapitel 5A).

2 Dra åt handbromsen. Lyft upp framvagnen och ställ den på pallbockar (se *Lyftning och stödpunkter*). Skruva loss skruvarna och ta bort motorns undre skyddskåpa. För att komma åt bättre, ta bort motorhuven enligt beskrivningen i kapitel 11.

3 Dränera kylsystemet enligt beskrivningen i kapitel 1A.

4 Skruva loss avgasröret från avgasgrenröret bakpå motorn enligt beskrivningen i kapitel 4A.

5 Skruva loss de 6 hållarna och ta bort plastkåpan från motorn.

6 Släpp ut bränsletrycket från bränslesystemet genom att placera trasor runt och över Shrader-ventilen på bränslefördelarskenan och tryck ner ventilkärnan.

7 Lossa bränslematningsröret från bränslefördelarskenan.

8 Demontera kamremmen enligt beskrivningen i avsnitt 7.

9 Ta bort kamrem spännarrullen enligt beskrivningen i avsnitt 8.

10 Ta bort luftrenaren och intagsröret enligt beskrivningen i kapitel 4A.

11 Ta bort motorns oljemätsticka från röret och ta bort själva röret från blocket.

12 Koppla ifrån vevhusventilatorns slang från kamaxelkåpan.

13 Observera de monterade lägena och dragningen och koppla sedan från alla kylvätskeslangar och kontaktdon/slingor från topplocket.

14 Ta bort kamaxelgivare från avgaskamaxelkåpans vänstra ände

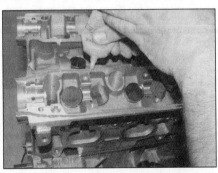

10.17 Applicera en sträng tätningsmedel runt kanten på topplockets kontaktytor

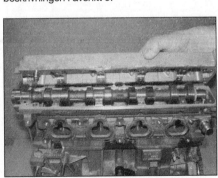

10.18 Sätt försiktigt dit lageröverfallets hus över kamaxlarna

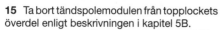

11.20 Ta bort topplocket från motorblocket

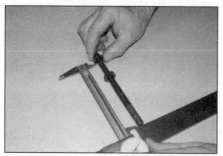

11.25 Mät längden på topplockets bultar från undersidan av topplocket till bultens ände

15 Ta bort tändspolemodulen från topplockets överdel enligt beskrivningen i kapitel 5B.

16 Skruva loss bultarna/muttrarna som håller fast insugningsröret på topplockets framdel och stötta upp grenröret på avstånd från topplocket.

17 Ta bort båda ventilkåporna och packningar enligt beskrivningen i avsnitt 4.

18 Sätt tillbaka det högra motorfästets stödfäste på topplocket.

19 Använd en torxnyckelhylsa och arbeta i *omvänd* ordning mot åtdragningen (se avsnitt 33) och lossa gradvis de tio topplocksbultarna ett halvt varv åt gången tills alla bultar kan skruvas loss för hand. Ta loss brickorna om en sådan finns,.

20 När alla topplocksbultar är borttagna måste du bryta fogen mellan topplocket och packningen och motorblocket/vevhuset. Bryt fogen med två L-formade metallstänger som passar i topplockets bulthål och gunga försiktigt loss topplocket mot bilens framände. Försök *inte* vrida topplocket på motorblocket/vevhuset. det hålls på plats med stift. När fogen är bruten lyfter du bort topplocket. Använd en lyft eller be om hjälp eftersom det är en tung enhet **(se bild)**. Lyft av packningen från blockets översida, lägg märke till styrstiften. Om dessa sitter löst, dra ut dem och förvara dem tillsammans med topplocket. Kasta inte packningen. den kommer att behövas för identifiering. Under borttagningen kontrollerar du att kamaxelns backventil för oljematningen (sitter under topplocket på kamremssidan)

inte ramlar ut. den är lätt att tappa bort om det skulle hända.

21 Om topplocket ska demonteras för renovering tar du bort kamaxlarna enligt beskrivningen i avsnitt 10, se del F i det här kapitlet. Ta även bort röret från utloppshuset.

Förberedelser för montering

22 Fogytorna mellan motorblock och topplock måste vara noggrant rengjorda innan topplocket monteras. Använd en avskrapare av hårdplast eller trä för att avlägsna alla spår av packningen och sotrester och rengör kolvkronorna. Se till att sot inte kommer in i olje- och vattenkanalerna – detta är särskilt viktigt när det gäller smörjningen eftersom sotpartiklar kan täppa igen oljekanaler och blockera oljematningen till motordelarna. Använd tejp och papper till att försegla vatten- och oljekanaler och bulthål i motorblocket/vevhuset. Lägg lite fett i gapet mellan kolvarna och loppen för att hindra sot från att tränga in. När en kolv är rengjord ska alla spår av fett och sot borstas bort från dess öppning med en liten borste och sedan ska öppningen torkas med en ren trasa. Rengör alla kolvarna på samma sätt.

23 Undersök fogytorna på motorblocket/vevhuset och topplocket och se om det finns hack, djupa repor och andra skador. Om de är små kan de försiktigt filas bort, men om de är stora är slipning eller byte den enda lösningen. Kontrollera topplockspackningens yta med en stållinjal om den misstänks vara skev. Se del F i detta kapitel om det behövs.

24 Sätt dit en ny topplockspackning innan du påbörjar ditsättningen. I skrivande stund finns det två tillgängliga tjocklekar – standardpackningen som monteras på fabriken och en lite tjockare packning (+0,3 mm) som används när topplockspackningens yta har bearbetats. Om topplocket har bearbetats ska det märkas "–0,3" i det övre hörnet, på insugningsrörssidan, vid kamremssidan. Observera att topplockspackningens material, typ och tillverkare ständigt ändras. kontakta en Peugeotverkstad för att få de senaste rekommendationerna.

25 Kontrollera alltid skicket på topplocksbultarna, särskilt gängorna, när de demonteras. Tvätta bultarna med lämpligt lösningsmedel och torka dem torra. Kontrollera varje bult efter tecken på synligt slitage eller skador, byt ut bultar om det behövs. Mät längden på varje bult från undersidan av skallen till bultens ände **(se bild)**. Bultarna kan återanvändas om de inte är längre än:

a) *147,0 mm för motorkod RFN innan RPO 09653.*

b) *143,0 mm för motorkod RFN från RPO 09653.*

c) *130,0 mm för motorkod RFJ.*

Om någon bult är längre än den angivna längden måste *alla* bultar bytas som en sats. Med tanke på den belastning som topplocksbultarna utsätts för rekommenderas att de byts, oavsett skick. Kontrollera att tjockleken på huvudbultbrickorna är 4,00 ± 0,2 mm.

Montering

26 Om du har tagit bort kamaxlarna sätter du tillbaka dem och röret på topplockets utloppshus.

27 Rengör topplockets och motorblockets/vevhusets fogytor. Kontrollera att de två styrstiften sitter på plats i ändarna av motorblockets/vevhusets yta. Peugeot rekommenderar att man byter kamaxelns backventil för oljematning i matningsloppet på topplockets kamremssida **(se bilder)**.

28 Sätt dit en ny packning på motorblockets/vevhusets yta och se till att markeringen TOP är överst och längst fram på blocket **(se bild)**.

11.27a Kontrollera topplockets styrstift (markerad med pil) är på plats . . .

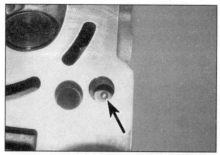

11.27b . . . och kamaxelns oljematningsbackventil (markerad med pil) sitter på plats i topplocket

11.28 Placera topplockspackningen med markeringen TOP uppåt och riktad mot oljefiltersidan av motorblocket

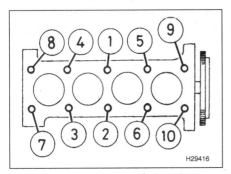

11.33 Ordningsföljd för åtdragning av topplocksbultar

29 Kontrollera att vevaxelns remskiva och kamaxeldreven fortfarande är i låst läge (se avsnitt 3).
30 Ta hjälp av en medhjälpare och sänk försiktigt ner topplocksenheten på blocket och passa in den på styrstiften.
31 Applicera lite fett på topplocksbultarnas gängor och på undersidan av bultskallarna. Peugeot rekommenderar att man använder Molykote G Rapid Plus (tillgängligt från din Peugeotverkstad). om du inte har det rekommenderade fettet kan du använda valfritt fett med bra kvalitet och hög smältpunkt.
32 Skruva försiktigt in alla bultar och brickor i respektive hål (låt dem inte falla in) och skruva in dem för hand så mycket du kan med bara fingrarna.
33 Arbeta stegvis och i den ordningsföljd som visas (se bild), och dra först åt alla topplocksbultar till angivet moment för steg 1.
34 När alla bultar har dragits åt till momentläget steg 1 fortsätter du att dra åt dem i de återstående stegen enligt Specifikationer. När du utför steg 3 lossar du varje bult 1 steg i omvänd ordning mot åtdragningen. Vi rekommenderar att du använder en vinkelmätare vid vinkeldragningen. Om du inte har en mätare kan du använda vit färg för att göra inriktningsmärken mellan bultskallen och topplocket fram till åtdragningen. Därefter kan du använda markeringarna för att kontrollera att bulten har roterat tillräckligt. Där det anges maximalt 2 steg för vinkeldragning måste varje steg utföras i en enda rörelse utan att stanna.

12.4 Skruva loss de övre och nedre fästbultar och ta bort mätstickans styrhylsa

35 Resten av återmonteringen sker i omvänd ordningsföljd mot demonteringen. Se aktuella kapitel eller avsnitt. Avsluta med att fylla på kylsystemet enligt beskrivningen i kapitel 1A. Initiera ECU-motorstyrningen enligt följande. Starta motorn och låt den gå till normal temperatur. Provkör och utför följande åtgärd under tiden. Lägg i treans växel och håll motorn på 1000 varv/minut. Accelerera därefter fullt till 3500 varv/minut.

12 Sump –
demontering och montering

Demontering

1 Dra åt handbromsen. Lyft upp framvagnen och ställ den på pallbockar (se *Lyftning och stödpunkter*). Lossa skruvarna och ta bort motorns undre skyddskåpa (om en sådan finns).
2 Tappa av motoroljan, rengör sedan avtappningspluggen och sätt tillbaka den, dra åt ordentligt. Om motorn närmar sig sitt serviceintervall, då oljan och filtret ska bytas ut, rekommenderas att även filtret tas bort och byts ut mot ett nytt. Efter återmontering kan motorn fyllas med ny olja. Se kapitel 1A för ytterligare information.
3 Ta bort oljemätstickan från styrhylsan.

4 Skruva loss bulten som håller fast den övre änden av mätstickans styrhylsa på hjälpaggregatens fästbygel. Skruva loss bulten som håller fast styrhylsans nederdel på sumpen och ta bort styrhylsan (se bild). Ta bort de två O-ringarna från styrhylsans bas och notera att det krävs nya O-ringar för återmonteringen.
5 Flytta servostyrningsrörets fästen från sumpen om tillämpligt. Koppla även från kablarna från oljetemperaturgivarenheten.
6 Skruva gradvis loss och ta bort sumpens samtliga fästbultar. Eftersom det finns 19 bultar på 25 mm och sju bultar på 110 mm tar du bort varje bult i tur och ordning och förvarar den i monteringsordning genom att trycka i den genom en tydligt märkt kartongmall. Genom detta kan man undvika att installera bultarna på fel plats vid återmonteringen.
7 Lossa sumpen genom att slå på den med handflatan. Dra den sedan nedåt och ta bort den under bilen. Passa på att kontrollera oljepumpens oljeupptagare/sil efter tecken på igensättning eller sprickor medan sumpen är borttagen. Om det behövs tar du bort pumpen enligt beskrivningen i avsnitt 13 och rengör eller byter silen. Skruva även loss oljeskvalpplåten från ramlagrets underdel och notera åt vilket håll den är monterad (se bilder). Observera att sumpen sitter på ett styrstift.

Montering

8 Om du har tagit bort skvalpskottet sätter du tillbaka det på ramlagret och drar åt bultarna ordentligt.
9 Sätt tillbaka oljepumpen och oljeupptagaren/ silen enligt beskrivningen i avsnitt 13.
10 Ta bort alla spår av tätningsmedel/ packning från ramlagrets och sumpens fogytor, rengör sedan sumpen och motorn invändigt med en ren trasa.
11 Se till att sumpens fogytor är rena och torra och lägg på ett tunt lager av lämpligt tätningsmedel på sumpens fogytor (se bild).
12 Kontrollera att låshylsan sitter på plats och sätt sedan tillbaka sumpen på ramlagret och sätt i bultarna och fingerdra dem på det här stadiet så att det fortfarande går att flytta

12.7a Oljepumpens upptagarrörs fästmuttrar och fästbultplaceringar (markerade med pil)

12.7b Placering av vevhusets skvalpskotts fästbultar (markerade med pil)

12.11 Applicera en tunn sträng RTV-tätningsmedel på sumpens fogyta

12.12a Fyra av de långa fästbultarna på sumpen sitter i växellådsänden ...

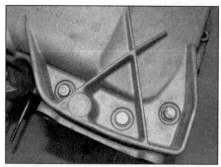

12.12b ... och tre sitter i kamremsänden på oljefiltersidan

12.13 Använd en stållinjal för att se till att de bakre ytorna på motorblocket och sumpen ligger i linje

sumpen. Se till att bultarna sätts tillbaka på rätt plats **(se bild)**.

13 Använd en stållinjal, passa in sumpens svänghjulsände efter ramlagret och motorblocket och dra stegvis åt sumpens bultar till angivet moment **(se bild)**.

14 Kontrollera att oljedräneringspluggen dras åt ordentligt och sätt sedan dit motorns undre skyddskåpa (i förekommande fall) och sänk ner bilen till marken.

15 Fyll motorn med olja enligt beskrivningen i kapitel 1A.

13 Oljepump – demontering, kontroll och återmontering

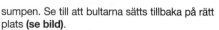

Demontering

1 Ta bort kamremsdrevet och vevaxeldrevet

enligt beskrivningen i avsnitt 7 och 8.

2 Demontera sumpen och oljepumpens oljeupptagare/sil enligt beskrivningen i avsnitt 12.

3 Skruva loss de nio bultarna som håller fast oljepumpen vid ramlagret och motorblocket och ta sedan bort oljepumpen över vevaxelns spets **(se bild)**. Observera att den sitter på stift och att den kan behöva bändas loss försiktigt för att lossna.

4 Dra av oljepumpens drivhylsa från vevaxeländen och ta bort O-ringen bakom hylsan **(se bilder)**.

5 Ta bort oljepumpen, notera hur djupt vevaxelns oljetätning är monterad och driv sedan ut den ur oljepumphuset. En ny oljetätning behövs vid monteringen.

Kontroll

6 I skrivande stund finns inga kontroll-

specifikationer för oljepumpen. Däremot ska oljepumpens interna drev rengöras om de ska återanvändas. Gör detta genom att skruva loss kåpan, markera drevens placeringar och ta bort dem **(se bilder)**. Rengör dreven och inspektera dem med avseende på skador och onormalt slitage.

7 Smörj dreven med olja och sätt tillbaka dem på de platser de hade under demonteringen. Montera kåpan och dra åt bultarna ordentligt.

8 Rengör oljepumpens sil noggrant med lämpligt lösningsmedel och kontrollera om den har tecken på igensättning eller delningar. Om silen har skadats måste silen och kåpan bytas.

Montering

9 Rengör oljepumpens och ramlagrets/ motorblockets fogytor. Kontrollera att styrstiften sitter på plats på pumpflänsen

13.3 Oljepumphusets fästbultplaceringar (markerade med pil)

13.4a Dra av oljepumpens drivhylsa från vevaxeln ...

13.4b ... och ta bort O-ringen bakom hylsan

13.6a Skruva loss de fem skruvarna och lyft av oljepumpens bakre hölje

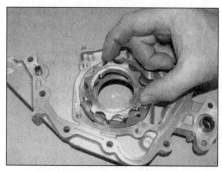

13.6b Ta bort den inre rotorn ...

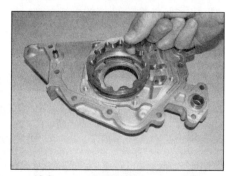

13.6c ... och den yttre rotorn från pumphuset

13.9 Sätt dit en ny O-ring över oljepumpens utloppsanslutning

13.10 Applicera en tunn sträng RTV-tätningsmedel på oljepumpens fogyta

13.13 Sätt dit en ny drivhylsa-O-ring för oljepumpen i vevaxeländen

13.14a Smörj kanter på den nya vevaxelns högra oljetätning . . .

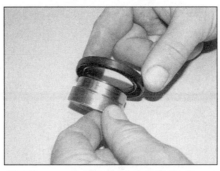

13.14b . . . och sätt försiktigt dit tätningen över oljepumpens drivhylsa

13.15 Tryck dit drivhylsan över vevaxeln och koppla ihop den med oljepumpens inre rotor.

och sätt dit en ny O-ring över oljepumpens utloppsanslutning **(se bild)**.

10 Lägg på ett tunt lager av lämpligt tätningsmedel på oljepumphusets fogyta **(se bild)**.

11 Luft oljepumpen genom att spruta in ren motorolja i utloppsanslutningen och placera pumpen i läge på motorblocket så att styrstiften hamnar i läge.

12 Applicera gänglåsning på gängorna på oljepumpens nio fästbultar och sätt sedan i bultarna och dra åt dem till angivet moment.

13 Sätt dit en ny drivhylsa-O-ring för oljepumpen i vevaxeländen **(se bild)**.

14 Smörj tätningsläpparna på den nya vevaxelns högra oljetätning och sätt försiktigt dit tätningen över oljepumpens drivhylsa **(se bilder)**. Observera att tätningens öppna del måste vändas mot drivhylsans ansats.

15 Tryck dit drivhylsan över vevaxelns ände och koppla ihop den med oljepumpens inre rotor **(se bild)**. När flänsen hamnar i läge på pumpens inre rotor, trycker du dit oljetätningen på plats i oljepumpens hus. Knacka dit tätningen på plats med en lämplig dorn.

16 Sätt dit oljeupptagaren/silen och sumpen enligt beskrivningen i avsnitt 12 och vevaxeldrevet och kamremmen enligt beskrivningen i avsnitt 7 och 8.

17 Innan du startar motorn luftar du oljepumpen enligt följande. Lossa bränsleinsprutarens kontaktdon och dra runt motorn med startmotorn tills oljetryckslampan slocknar. Återanslut insprutningsventilernas kablar när du är klar.

14 Vevaxelns oljetätningar – byte

Höger oljetätning

1 Ta bort vevaxeldrevet och (om en sådan finns,) distansbrickan, se avsnitt 8. Fäst kamremmen tillräckligt långt från arbetsområdet så att den inte kan förorenas av olja. Anteckna hur djupt tätningen sitter i huset.

2 Stansa eller borra två små hål mitt emot varandra i tätningen. Skruva i självgängande skruvar i hålen och dra i skruvarna med tänger för att få ut tätningen. Annars kan tätningen bändas ur läge. Använd en flatbladig skruvmejsel och var försiktig så att du inte skadar vevaxelns ansats eller tätningshuset.

3 Rengör tätningshuset och vevaxeln. Putsa av alla grader eller vassa kanter som kan ha skadat tätningen.

4 Smörj läpparna på den nya tätningen med ren motorolja och sätt försiktigt dit tätningen i änden av vevaxeln. Observera att tätningens kant måste vara riktade inåt. Var noga med att inte skada tätningsläpparna under monteringen.

5 Montera den nya tätningen med en rörformig dorn, t.ex. en hylsa, som endast vilar på tätningens hårda yttre kant användas för att knacka tätningen på plats. Knacka tätningen i läge, till samma djup i huset som den ursprungliga tätningen hade **(se bild)**.

6 Tvätta bort alla spår av olja och montera sedan vevaxeldrevet enligt beskrivningen i avsnitt 8.

Vänster oljetätning

7 Demontera svänghjulet/drivplattan enligt beskrivningen i avsnitt 15. Anteckna hur djupt tätningen sitter i huset.

8 Stansa eller borra två små hål mitt emot varandra i tätningen. Skruva i självgängande skruvar i hålen och dra i skruvarna med tänger för att få ut tätningen.

9 Rengör tätningshuset och vevaxeln. Putsa av alla grader eller vassa kanter som kan ha skadat tätningen.

10 Smörj läpparna på den nya tätningen med ren motorolja och sätt försiktigt dit tätningen i änden av vevaxeln. Den nya tätningen levereras normalt med en plasthylsa som skyddar tätningsläpparna när tätningen monteras. Om

14.5 Knacka dit vevaxelns högra oljetätning i läge med en lämplig dorn

14.10 Smörj monteringshylsan på vevaxelns vänstra oljetätning och sätt dit den över vevaxelns ände

14.11 Sätt dit oljetätningen över monteringshylsan och över vevaxelns ände

så är fallet smörjer du monteringshylsan och sätter dit den över vevaxelns ände **(se bild)**.

11 Smörj den nya tätningens läppar med ren motorolja och sätt försiktigt dit tätningen över monteringshylsan och på vevaxelns ände **(se bild)**. Driv i tätningen i läge, till samma djup i huset som den ursprungliga tätningen hade före borttagningen.

12 Tvätta bort alla spår av olja och montera sedan svänghjulet/drivplattan enligt beskrivningen i avsnitt 15.

15 Svänghjul/drivplatta – demontering, kontroll och montering

Demontering

Svänghjul

1 Ta bort växellådan enligt beskrivningen i kapitel 7A. Ta sedan bort kopplingen enligt beskrivningen i kapitel 6.

2 Hindra vevaxeln från att rotera genom att låsa svänghjulet med en bredbladig skruvmejsel mellan krondrevets kuggar och växellådshuset. Alternativt, skruva fast en remsa mellan svänghjulet och motorblocket/vevhuset. Försök *inte* låsa svänghjulet i läge med vevaxelns remskivas låssprint som beskrivs i avsnitt 3.

3 Lossa svänghjulets fästbultar och ta bort dem och ta bort svänghjulet från vevaxeländen. Tappa den inte; den är tung. Om svänghjulets styrstift sitter löst i vevaxelns ände, ta bort den och spara den tillsammans med svänghjulet. Kassera svänghjulsbultar; du måste sätta dit nya vid monteringen.

Drivplatta

4 Ta bort växellådan enligt beskrivningen i kapitel 7B. Lås drivplattan enligt beskrivningen i stycke 2. Markera förhållandet mellan momentomvandlarplattan och drivplattan och lossa drivplattans alla fästbultar.

5 Ta bort fästbultarna tillsammans med momentomvandlarplattan och (i förekommande fall) de två mellanläggen (ett på varje sida av momentomvandlarplattan). Observera att mellanläggen har olika tjocklek. Det tjockare sitter på utsidan av momentomvandlarplattan.

Kassera drivplattans fästbultar; du måste sätta dit nya vid monteringen.

6 Ta bort drivplattan från vevaxelns ände. Om styrstiftet sitter löst i vevaxlens ände, ta bort den och spara den tillsammans med drivplattan.

Kontroll

7 På modeller med manuell växellåda undersöker du svänghjulet efter repor på kopplingsytan och slitage eller skador på krondrevets kuggar. Om kopplingsytan är repig kan svänghjulets yta slipas, men det är bättre att byta ut svänghjulet. Fråga en Peugeotverkstad eller en specialist på motorrenoveringar för att se om det går att slipa. Om krondrevet är slitet eller skadat måste svänghjulet bytas eftersom det inte går att byta krondrevet separat.

8 På modeller med automatväxellåda, kontrollera momentomvandlarens drivplatta noggrant efter tecken på skevhet. Leta efter hårfina sprickor runt bulthålen eller utåt från mitten, och undersök krondrevets kuggar efter tecken på slitage eller skador. Om tecken på slitage eller skada påträffas, måste drivplattan bytas.

Montering

Svänghjul

9 Rengör svänghjulets och vevaxelns fogytor. Ta bort alla rester av fästmassa från vevaxelhålens gängor, helst med en gängtapp av rätt dimension, om en sådan finns tillgänglig.

> **HAYNES TiPS** *Om en lämplig gängtapp inte finns tillgänglig, skär två skåror i gängorna på en av de gamla svänghjulsbultarna och använd bulten till att ta bort fästmassan från gängorna.*

10 Om de nya svänghjulsbultarna inte levererats med redan belagda gängor ska en lämplig gänglåsmassa läggas på varje bults gängor.

11 Se till att styrstiftet är korrekt placerad. Passa in svänghjulet, placera det på styrstiftet och sätt dit de nya fästbultarna.

12 Lås svänghjulet som vid demonteringen och dra svänghjulsbultarna till angivet moment och vinkel.

13 Montera tillbaka kopplingen enligt beskrivningen i kapitel 6. Avlägsna svänghjulets låsredskap och montera växellådan enligt beskrivning i kapitel 7A.

Drivplatta

14 Utför åtgärderna i stycke 9 och 10 ovan och byt alla syftningar på "drivplattan" mot "svänghjulet".

15 Placera drivplattan på styrstiftet.

16 Passa in momentomvandlarplattan med det tunnare mellanlägget bakom plattan och det tjockare mellanlägget på utsidan och rikta in markeringarna som du gjorde före borttagningen efter varandra.

17 Sätt dit de nya fästbultarna och lås drivplattan med samma metod som användes vid isärtagningen. Dra åt fästbultarna till angivet moment och vinkel.

18 Ta bort drivplattans låsverktyg, och montera tillbaka växellådan enligt beskrivningen i kapitel 7B.

16 Motorns-/växellådans fästen – kontroll och byte

Kontroll

1 Om bättre åtkomlighet behövs, lyft framvagnen och ställ den på pallbockar.

2 Kontrollera om gummifästena är spruckna, förhårdnade eller skilda från metallen på något ställe. byt fästet om du ser tecken på sådana skador.

3 Kontrollera att fästenas hållare är hårt åtdragna; använd en momentnyckel om möjligt

4 Undersök om fästet är slitet genom att försiktigt bända det med en stor skruvmejsel eller en kofot och se om det föreligger något fritt spel. Där detta inte är möjligt, låt en medhjälpare vicka på motorn/växellådan framåt/bakåt och i sidled, medan du studerar fästet. Visst spel finns även hos nya komponenter, men kraftigt slitage märks tydligt. Om för stort spel förekommer, kontrollera först att hållarna är ordentligt åtdragna, och byt sedan slitna komponenter enligt beskrivningen nedan.

Byte

Höger fäste

5 Lossa alla aktuella slangar och kablar från sina fästklämmor. Placera slangarna/kablaget på avstånd från fästet så att demonteringen inte hindras.

6 Skruva loss skruvarna och ta bort motorns undre skyddskåpa (i förekommande fall) och placera en domkraft under motorn med en träbit på domkraftens lyftsadel. Lyft domkraften tills den tar upp motorns vikt.

7 Skruva loss bultarna som håller fast motorfästet på karossen och stödfästet.
8 Om det behövs skruvar du loss bultarna/ muttrarna som håller fast stödfästbygeln på topplocket/motorblocket.
9 Undersök alla komponenter efter tecken på skador eller åldrande och byt dem om de behövs.
10 Om du har tagit bort stödfästbygeln sätter du tillbaka den på topplocket och drar åt bultarna ordentligt.
11 Sätt dit fästet på karossen och stödfästbygeln och dra åt bultarna till angivet moment.
12 Ta bort domkraften från motorns undersida och montera tillbaka motorns undre skyddskåpa (om tillämpligt).

Vänster fäste

13 Ta bort batteriet och batterilådan (se kapitel 5A).
14 Skruva loss skruvarna och ta bort motorns undre skyddskåpa (i förekommande fall) och placera en domkraft under växellådan med en träbit på domkraftens lyftsadel. Lyft domkraften tills den tar upp växellådans vikt.
15 Lossa och ta bort mittmuttern och brickan från det vänstra fästet, lossa muttrarna som håller fästet i läge och ta bort det från motorrummet. Om det behövs, skruva loss muttern/bultarna och ta bort fästplattan **(se bild)**.
16 Vid behov drar du av distansbrickan (i förekommande fall) från fästbulten, skruvar loss bulten från växellådshusets överdel och tar bort den tillsammans med brickan **(se bild)**. Om fästbulten sitter hårt kan du använda en universalbultavdragare för att skruva loss den.
17 Undersök alla komponenter efter tecken på skador eller åldrande och byt dem om de behövs.
18 Rengör fästbultens gängor och applicera ett lager gänglåsningsmedel på gängorna. Sätt dit bulten och brickan ovanpå växellådan och dra åt den ordentligt.
19 Skjut dit mellanlägget (i förekommande fall) på fästbulten och montera tillbaka gummifästet. Dra åt både bultarna mellan fästet och karossen och fästmittbulten till angivet moment och ta bort domkraften under

16.15a Lossa centrummuttern (markerad med pil), skruva sedan loss fästmuttrarna (markerade med pil)

16.16 Skruva loss pinnbulten från fästet

16.15b Skruva loss muttern/bultar (markerad med pil) och ta bort fästplattan

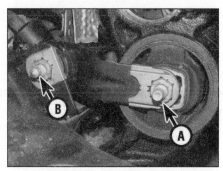

16.22 Skruva loss fästbulten mellan länken och motorblocket (A) och bulten mellan länken och kryssrambalken (B)

växellådan. Montera tillbaka motorns undre skyddskåpa.
20 Montera tillbaka batteriet och batterilådan enligt beskrivningen i kapitel 5A.

Nedre motormomentbegränsare

21 Om du inte redan har gjort det, klossar du framhjulen, hissar upp bakvagnen och stöder den på pallbockar (se *Lyftning och stödpunkter*). Lossa skruvarna och ta bort motorns undre skyddskåpa (om en sådan finns).
22 Skruva loss och ta bort bulten som håller fast rörelsebegränsningslänken på drivaxelns mellanlagerhus **(se bild)**.
23 Ta bort bulten som håller fast länken vid kryssrambalken. Dra upp länken.
24 För att kunna ta bort mellanlagerhuset

måste du först ta bort den högra drivaxeln enligt beskrivningen i kapitel 8.
25 När du har tagit bort drivaxeln skruvar du loss fästbultarna och tar bort lagerhuset från motorblockets bakdel.
26 Leta noga efter tecken på slitage eller skada på alla delar, och byt dem om det behövs. Gummibussningen på lagerhuset finns som en separat del (i skrivande stund) och kan tryckas ut och tillbaka på plats.
27 Vid hopsättningen sätter du dit lagerhuset på motorblockets bakdel och drar åt dess fästbultar ordentligt. Montera tillbaka drivaxeln enligt beskrivningen i kapitel 8.
28 Montera tillbaka momentbegränsarens länk och dra åt dess båda bultar till angivet moment. Montera tillbaka motorns undre skyddskåpa (om tillämpligt).
29 Sänk ner bilen.

Anteckningar

Kapitel 2 Del C:
Reparationer med 1,4- och 2,0-liters SOHC dieselmotor kvar i bilen

Innehåll

Svårighetsgrad

Enkelt, passar novisen med lite erfarenhet 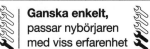	Ganska enkelt, passar nybörjaren med viss erfarenhet	Ganska svårt, passar kompetent hemmamekaniker 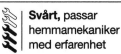	Svårt, passar hemmamekaniker med erfarenhet 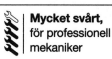	Mycket svårt, för professionell mekaniker

Specifikationer

Allmänt

Beteckning:
1,4 liter (1398cc motor)...................................	DV4TD
2,0 liter (1997cc motor)...................................	DW10TD
2,0 liter (1997cc motor)...................................	DW10ATED

Motorkoder*:
1,4-liters motor.......................................	8HZ
2.0-liters motor:	
DW10TD	RHY
DW10ATED (utan partikelfilter)	RHZ
DW10ATED (med partikelfilter)	RHS

Lopp:
1,4-liters motor.......................................	73.70 mm
2,0-liters motor.......................................	85.00 mm

Kolvslag:
1,4-liters motor.......................................	82.00 mm
2,0-liters motor.......................................	88.00 mm

Vevaxelns rotationsriktning.............................	Medurs (sett från fordonets högra sida)
Plats för cylinder 1...................................	I växellådsänden

Maximal utgående effekt:
1,4-liters motor.......................................	50 kW @ 4000 varv/minut
2.0-liters motor:	
Kod RHY..	66 kW @ 4000 varv/minut
Kod RHZ..	81 kW @ 4000 varv/minut
Kod RHS..	80 kW @ 4000 varv/minut

Maximalt vridmoment:
1,4-liters motor.......................................	160 Nm @ 2000 varv/minut
2.0-liters motor:	
Kod RHY..	205 Nm @ 1900 varv/minut
Kod RHZ och RHS	250 Nm @ 1750 varv/minut

Kompressionsförhållande:
1,4-liters motor.......................................	18,0 : 1
2.0-liters motor:	
Kod RHZ..	17,6 : 1
Kod RHS..	18,0 : 1

* Motorkoden är instansad på en platta som är fäst på motorblockets framände, bredvid oljefiltret

Kompressionstryck (varm motor, vid vevhastighet)

Normalt.	25 till 30 bar (363 till 435 psi)
Min..	18 bar (261 psi)
Maximal skillnad mellan två cylindrar.	5 bar (73 psi)

Kamrem

Spänningsinställning (se text – Avsnitt 7):	**Endast 2,0-liters motor**
Grundinställning	98 ± 2 SEEM-enheter
Slutlig inställning.	54 ± 3 SEEM-enheter

Kamaxel

Drivning	Kuggad rem

Smörjningssystem

Oljepumpstyp:

1,4-liters motor.	Drevtyp, drivs direkt av vevaxelns högra ände, av två flata delar som är bearbetade längs vevaxeltappen
2,0 liter motor	Drevtyp, kejdedriven via vevaxelns högra ände

Minimalt oljetryck:

1,4-liters motor.	3,5 bar @ 4000 varv/minut, 2,3 bar @ 2000 varv/minut (110°C)
2,0-liters motor.	4,0 bar @ 4000 varv/minut, 2,0 bar @ 2000 varv/minut (80°C)
Kontakten till varningslampan för oljetryck aktiveras vid	0,8 bar

Åtdragningsmoment

Nm

1,4-liters motor

Drivremsspännare	20
Storändens lageröverfall, bultar*:	
Steg 1	10
Steg 2	Lossa 180°
Steg 3	10
Steg 4	Vinkeldra ytterligare 100°
Kamaxel lagerhus.	10
Kamaxelns lägesgivares bult	5
Kamaxeldrevets bult.	45
Kylvätskeutloppets husbultar.	10
Vevaxelläge/hastighetsgivare bult	5
Vevaxelns remskiva/drevaxelbult:	
Steg 1	30
Steg 2	Vinkeldra ytterligare 180°
Topplocksbultar:	
Steg 1	20
Steg 2	40
Steg 3	Vinkeldra ytterligare 260°
Ventilkåpans bultar.	10
Fästbultar mellan motorn och växellåda	45
Svänghjul bultar*:	
Steg 1	15
Steg 2	Vinkeldra ytterligare 75°
Bränslepump drevmutter	50
Vänster motor/växellåda fäste:	
Monteringskonsol-till-karossbultar.	20
Pinnbult till växellåda bultar	20
Fastsättning på fästbygel	30
Gummifästets centrummutter.	60
Ramlagrets fästbultar:	
Steg 1	5
Steg 2	10
Ramlager till motorblock*:	
Steg 1	10
Steg 2	Lossa 180°
Steg 3	22
Steg 4	Vinkeldra ytterligare 140°
Kolv oljemunstycke rörbult.	20
Oljepump till motorblock	10
Bakre motor/växellåda fäste:	
Anslutningslänk till fästenhet	55
Mutter/bult mellan anslutningslänken och kryssrambalken	40
Fäste till motor	45

Åtdragningsmoment (forts.)

Nm

1,4-liters motor (forts.)

Höger motorfäste:
Fäste till kaross.	60
Fäste på fästbygel	60
Stödfäste på motorn.	55

Sumpbultar/muttrar	10
Sumpplugg.	16
Kamremmens tomgångsöverföring	35
Kamremmens spännarremskiva.	25

2,0-liters motor

Storändens lageröverfall, bultar*:
Steg 1	20
Steg 2	Vinkeldra ytterligare 70°

Kamaxellagrets husbultar.	10
Bult mellan kamaxeldrevets nav och kamaxeln	43
Bultar mellan kamaxeldrevet och navet	20
Kopplingshusets stängningsplatta.	18

Kylvätskeutloppets grenrör:
Steg 1 – pinnbultar	25
Steg 2 – pinnmuttrar.	20
Steg 3 – 3 bultar.	20

Bult på vevaxelns remskiva
Tidigare motor (se avsnitt 7)
Steg 1.	50
Steg 2.	Vinkeldra ytterligare 62°

Senare motor (se avsnitt 7)
Steg 1.	70
Steg 2.	Vinkeldra ytterligare 60°

Vevaxeloljetätningshusets högra bultar	14

Topplocksbultar:
Steg 1	22
Steg 2	60
Steg 3	Vinkeldra ytterligare 220° ± 5°

Ventilkåpans bultar.	10
Fästbultar mellan motorn och växellådan	45
Svänghjulet/drivplattans bultar*	50
Bränslepump drevmutter	50

Vänster motor/växellåda fäste:
Monteringskonsol-till-karossbultar.	20
Pinnbult till växellåda bultar	20
Fastsättning på fästbygel.	30
Gummifästets centrummutter.	60

Ramlageröverfallets bultar:
Steg 1	25
Steg 2	Vinkeldra ytterligare 60°

Oljepumpens fästbultar	18
Kolv oljemunstycke rörbult.	10

Bakre motor/växellåda fäste:
Anslutningslänk till fästenhet	55
Mutter/bult mellan anslutningslänken och kryssrambalken	40
Fäste till motor	45

Höger motorfäste:
Fäste till kaross.	60
Fäste på fästbygel	60
Stödfäste på motorn.	55

Sumpens bultar	16
Sumpplugg.	16
Bult på kamremmens tomgångsrulle	25
Kamremsspännare.	23

* Återanvänds inte

1 Allmän information

Vad innehåller detta kapitel

Den här delen av kapitel 2 beskriver de reparationer som kan utföras med motorn monterad i bilen. Om motorn har tagits ur bilen och tagits isär enligt beskrivningen i del F, kan alla preliminära isärtagningsinstruktioner ignoreras.

Observera att även om det är möjligt att fysiskt renovera delar som kolven/vevstaken medan motorn sitter i bilen, så utförs sällan sådana åtgärder separat. Normalt måste flera ytterligare åtgärder utföras (för att inte nämna rengöring av komponenter och smörjkanaler); av den anledningen klassas alla sådana åtgärder som större renoveringsåtgärder, och beskrivs i del F i det här kapitlet.

Del F beskriver demontering av motor/växellåda, samt tillvägagångssättet för de reparationer som kan utföras med motorn/växellådan demonterad.

DW och DV serie motorer

DW-seriens motor bygger på den välbeprövade XUD-seriemotorn som finns i många Peugeot- och Citroën-fordon. Framförallt är motorblockets delar mycket lika delarna på XUD, men resten av motorn har ändrats helt. DV-seriemotorn på 1,4 liter är ett resultat av utvecklingssamarbete mellan Peugeot/Citroën och Ford.

Båda motorerna har enkel överliggande kamaxel och 8 ventiler. De fyrcylindriga turbomotorerna monteras tvärställt med växellådan monterad på vänster sida.

En ribbad kamrem driver kamaxeln, högtrycksbränslepumpen och kylvätskepumpen. Kamaxeln driver insugs- och avgasventilerna via vipparmar som stöds i vippändarna av hydrauliska självjusterande lyftare. Kamaxeln stöds av lager som är bearbetade direkt i topplocket och kamaxelns lagerhus.

Högtrycksbränslepumpen levererar bränsle till bränslefördelarskenan och därefter till de elektroniskt styrda insprutningsventilerna som sprutar in bränsle direkt i förbränningskamrarna. Den här utformningen skiljer sig från den tidigare typen där en insprutningspump matar bränsle med högt tryck till varje insprutare. Den tidigare, konventionella typen av insprutningspump krävde finkalibrering och tidsinställning och dess funktioner sköts nu av högtryckspumpen, de elektroniska insprutningsventilerna och ECU-motorstyrningen.

Vevaxeln löper i fem ramlager av den vanliga skåltypen. Axialspelet styrs av tryckbrickor på sidorna om ramlager 2.

Kolvarna har matchande vikt och innehåller

helt flytande kolvbultar som hålls av låsringar.

På 2,0-liters motorn drivs oljepumpen med en kedja från den högra änden av vevaxeln medan drevpumpen på 1,4-liters motorn monteras över änden av vevaxeln och drivs av maskinbearbetade flata delar på vevaxeln och pumpdrevet.

I den här handboken är det ofta nödvändigt att inte bara identifiera motorerna genom cylindervolymen utan även med motorkod. Motorkoden består av tre tecken (t.ex. RHZ). Koden är instansad på en platta som är fäst framtill på motorblocket.

Föreskrifter

Motorn är en komplex enhet med flera tillbehör och extra komponenter. Motorrummets är utformat så att all tillgänglig yta utnyttjas vilket gör det svårt att komma åt de flesta motorkomponenter. I många fall måste extradelar tas bort eller föras åt sidan och kablar, rör och slangar måste lossas eller tas bort från kabelklämmor och stödfästen.

När du arbetar på den här motorn, läs först igenom hela åtgärden, titta på bilen och motorn samtidigt och ta reda på om du har nödvändiga verktyg, utrustning, kunskaper och tålamod att fortsätta. Avsätt gott om tid för varje åtgärd och var beredd på det oväntade. Stora arbeten på de här motorerna är inget för lättskrämda personer!

På grund av den begränsade åtkomsten har många foton i det här kapitlet tagits när motorn tagits bort från bilen.

 Varning: Det är viktigt att följa föreskrifterna noggrant vid arbete på komponenterna i motorns bränslesystem, särskilt systemets högtryckssida. Innan du utför några motoråtgärder som innefattar arbete på, eller nära delar av bränslesystemet, se den särskilda informationen i kapitel 4B, avsnitt 2.

Reparationer med motorn kvar i bilen

a) *Kompressionstryck – kontroll.*
b) *Ventilkåpa(or) – demontering och montering.*
c) *Vevaxelns remskiva – demontering och montering.*
d) *Kamremskåpor – demontering och montering.*
e) *Kamrem – demontering, montering och justering.*
f) *Kamremmens spännare och drev – demontering och montering.*
g) *Kamaxelns oljetätning – byte.*
h) *Kamaxel, hydrauliska ventillyftare och vipparmar – demontering, kontroll och montering.*
i) *Sump – demontering och montering.*
j) *Oljepump – demontering och montering.*

k) *Vevaxelns oljetätningar – byte.*
l) *Motor-/växellådsfästen – kontroll och byte.*
m) *Svänghjul/drivplatta – demontering, kontroll och montering.*

2 Kompressionsprov och tryckförlusttest – beskrivning och tolkning

Kompressionsprov

Observera: *För detta prov måste en kompressionsprovare speciellt avsedd för dieselmotorer användas.*

1 Om motorns prestanda sjunker, eller om misständningar uppstår som inte kan hänföras till bränslesystemet, kan ett kompressionsprov ge en uppfattning om motorns skick. Om kompressionsprov tas regelbundet kan de ge förvarning om problem innan några andra symptom uppträder.

2 En kompressionsprovare speciellt avsedd för dieselmotorer måste användas eftersom trycket är högre. Provaren är ansluten till en adapter som är inskruvad i glödstifts- eller insprutningshålet. På dessa motorer krävs en adapter som passar glödstiftshålen så att du inte stör bränslesystemets delar. Det är inte troligt att det är ekonomiskt försvarbart att köpa en sådan provare för sporadiskt bruk, men det kan gå att låna eller hyra en. Om detta inte är möjligt, låt en verkstad utföra kompressionsprovet.

3 Såvida inte specifika instruktioner som medföljer provaren anger annat ska följande iakttagas:

a) *Batteriet ska vara väl laddat, luftfiltret måste vara rent och motorn ska hålla normal arbetstemperatur.*
b) *Alla glödstift ska tas bort enligt beskrivningen i kapitel 5C innan provet påbörjas.*
c) *Kabelkontaktdonet på motorstyrningssystemets ECU (sitter i plastlådan bakom batteriet) måste lossas.*

4 De uppmätta kompressionstrycken är inte så viktiga som balansen mellan cylindrarna. Varden anges i Specifikationer.

5 Orsaken till dålig kompression är svårare att fastställa på en dieselmotor än en bensinmotor. Effekten av att införa olja i cylindrarna (våttestning) är inte helt tillförlitlig, eftersom det finns risk att oljan fastnar i virvelkammaren eller i skåran i kolvkronan istället för att passera till ringarna. Följande kan dock användas som en grov diagnos.

6 Alla cylindrar ska producera ungefär samma tryck. skillnader som är större än vad som angivits tyder på ett fel. Observera att kompressionen ska byggas upp snabbt i en fungerande motor; om kompressionen är låg i det första kolvslaget och sedan ökar gradvis under följande slag är det ett tecken på slitna kolvringar. Lågt tryck som inte höjs är ett tecken på läckande ventiler eller trasig topplockspackning (eller ett sprucket topplock). Avlagringar på undersidan av ventilhuvudena kan också orsaka dålig kompression.

7 Ett lågt värde från två intilliggande cylindrar beror nästan alltid på att topplockspackningen mellan dem är sönder. om det finns kylvätska i motoroljan bekräftar detta felet.

8 Om kompressionsvärdet är ovanligt högt är antagligen topplockets ytor, ventiler och kolvar täckta med sotavlagringar. I så fall bör topplocket demonteras och sotas (se del F).

Tryckförlusttest

9 Ett tryckförlusttest mäter hur snabbt trycket sjunker på tryckluft som förs in i cylindern. Det är ett alternativ till kompressionsprov som på många sätt är överlägset, eftersom den utströmmande luften anger var tryckfallet uppstår (kolvringar, ventiler eller topplockspackning).

10 Den utrustning som krävs för tryckförlusttest är som regel inte tillgänglig för hemmamekaniker. Om dålig kompression misstänks måste detta prov därför utföras av en verkstad med lämplig utrustning.

3 Motorenhet/ ventilinställningshål – allmän information och användning

Observera: Försök inte dra runt motorn när vevaxeln och kamaxeln är låsta i läge. Om motorn ska lämnas i det här läget under längre tid är det bra att placera varningsmeddelanden inuti bilen samt i motorrummet. Detta minskar risken att motorn dras runt av startmotorn av misstag vilket förmodligen skulle orsaka skador när låssprintarna sitter i.

1 Inställningshål eller spår sitter bara i svänghjulet/drivplattan (2,0 liter) eller vevaxelns remskivas fläns (1,4 liter) och kamaxeldrevets nav. Hålen/skårorna används för att passa in vevaxeln och kamaxeln i ÖD-läge för nr 1 och 4 på 2,0-liters modeller eller placera kolvarna halvvägs upp i cylinderloppen på 1,4-liters modellerna. Detta ser till att ventilinställningen bibehålls under drift som kräver demontering och montering av kamremmen. När hålen/spåren ligger i linje med motsvarande hål i motorblocket och topplocket kan man sätta i bultar eller sprintar med lämplig diameter för att låsa vevaxeln och kamaxeln i läge och hindra dem från att rotera. Observera: När inställningshålen är riktade på 2,0-liters modeller är kolv 4 i ÖD-läge vid kompressionstakten.

2 Observera att bränslesystemet av HDi-typ som används på dessa motorer inte har en konventionell dieselinsprutningspump utan istället använder en högtrycksbränslepump.

3.7a Använd en spegel för att observera kamaxeldrevets navinställningsspår

På 2,0-liters motorer är inriktningen av bränslepumpens drev (och därigenom själva bränslepumpen) i förhållande till vevaxelns och kamaxelns läge, irrelevant. Däremot anger Peugeot detta för senare 1,4-liters motorer med Bosch högtrycksbränslepump. Observera: På Bosch-pumpen är drevet fastkilat på axeln. Notera även på dessa 1,4-liters motorer att hålet i bränslepumpens drev bara hamnar rätt i läge i förhållande till hålet i fästkonsolen var 12:e vevaxelvarv (eller var 6:e varv hos kamaxeldrevet).

3 Så här passar du in motorns/ventilens inställningshål.

4 Dra åt handbromsen. Lyft sedan upp framvagnen och ställ den på pallbockar (se Lyftning och stödpunkter). Demontera höger framhjul.

5 För att komma åt vevaxelns remskiva så att motorn kan dras runt måste du ta bort hjulhusets plastfoder. Hjulhusfodret hålls fast av flera expanderande plastnitar. Ta bort nitarna genom att tryck in mittsprintarna en bit och bänd sedan ur klämmorna från sin plats. Ta bort fodret under den vänstra skärmen. Vid behov lossar du kylvätskeslangarna under skärmen för att förbättra åtkomsten ytterligare. Vevaxeln kan sedan dras runt med en lämplig hylsa och förlängningsstång som sätts dit på remskivans bult.

6 Ta bort kamremmens övre och nedre kåpor enligt beskrivningen i avsnitt 6.

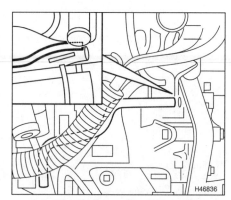

3.8 Nödvändigt verktyg för att låsa svänghjulet vid ÖD-läge (2,0-liters motor)

3.7b Kamaxeldrevets navinställningsspår (A) riktas in efter topplockets inställningshål

7 Vevaxeln måste nu vridas tills inställningshålet i kamaxeldrevet ligger i linje med motsvarande hål i topplocket. Observera att vevaxeln alltid måste roteras medurs (sett från bilens högra sida). Använd en spegel så att du kan kontrollera drevnavets inställningsspår (se bild). När spåret linjerar med motsvarande hål i topplocket står kamaxeln rätt. Observera: På 2,0-liters motorer kontrollerar du att spårets mittdel ligger i linje med hålet i topplocket eftersom man kan passa in området på varje sida av spåret fel.

2,0-liters motorer

8 Sätt i en bult, stång eller borr med 8 mm i diameter genom hålet i den vänstra flänsen på motorblocket vid startmotorn. Om det behövs drar du försiktigt runt vevaxeln åt något av hållen tills stången går in i inställningshålet i svänghjulet/drivplattan. Observera att det begränsade utrymmet har gjort att Peugeots mekaniker använder ett specialverktyg som på bilden (se bild) som du kan tillverka själv av en stång med rätt diameter.

9 Sätt i en 8 mm bult, stång eller borr genom hålet i kamaxeldrevet så att den får kontakt med topplocket (se bild).

1,4-liters motorer

10 Ta bort vevaxelns remskiva enligt beskrivningen i avsnitt 5.

11 Sätt i en bult, stång eller borr med 5 mm

3.9 Sätt i en 8 mm bult (markerad med pil) genom drevets inställningsspår och in i topplocket för at låsa kamaxeln (2,0-liters motor)

3.11 Sätt i en 5 mm borr genom hålet i vevaxeldrevets fläns och in i motsvarande hål i oljepumpen

3.12 Sätt i en 8 mm borr genom hålet i kamaxeldrevet och in i motsvarande hål i topplocket

i diameter i hålet i vevaxeldrevets fläns och in i motsvarande hål i oljepumpen **(se bild)** och om det behövs drar du försiktigt runt vevaxeln åt något av hållen tills stången går in i inställningshålet i blocket.

12 Sätt i en 8 mm bult, stång eller borr genom hålet i kamaxeldrevet så att den får kontakt med topplocket **(se bild)**.

13 Om du använder den här metoden under återmonteringen av kamremmen på senare 1,4-liters motorer med Bosch högtrycksbränslepump, sätt i en bult, stång eller bult med 5 mm i diameter genom hålet i bränslepumpens drev och i motsvarande hål i topplocket. Notera kommentaren i stycke 2 – om hålen i bränslepumpens drev inte är inpassade efter demonteringen av kamremmen spelar det ingen roll, men det är dock viktigt att passa in hålen under återmonteringen. Om endast transmissionsinställningen kontrolleras

behöver du inte kontrollera inställningen av pumpdrevet.

4 Ventilkåpa – demontering och montering

Demontering

1 Ta bort plastkåpan från motorns överdel. På 1,4-liters motorer drar man bara upp höljet på plats. På 2,0-liters modeller hålls höljet fast av fyra fästen som man kan skruva loss **(se bild)**.
2 Utför följande åtgärder för att ta bort torpedplåtens klädselpanel och tvärbalk **(se bild)**:
a) Ta bort torkarblad (se kapitel 12).
b) Tryck in stiften i mitten och bänd ut de två plastnitarna i varje ände av klädselpanelen.

c) Dra upp panelens ytterändar och dra sedan panelens mitt nedåt och framåt för att lossa den från vindrutan.
d) Skruva loss de två skruvarna som håller fast huvudcylinderns övre vätskebehållare. Koppla inte loss vätskerören.
e) Lossa klämmorna som håller fast det ljudisolerande materialet, skruva loss de två bultarna och ta bort torpedplåtens tvärbalk.
3 Ta bort kamremmens övre kåpa enligt beskrivningen i avsnitt 6.

2,0-liters motorer

4 Vid behov lossar du eller tar bort klämmorna som håller fast vevhusets ventilationsslangar på cylinderkåpan och lossa slangarna.
5 Skruva loss bultarna och flytta undan motorkåpan och kabelstyrningens stödfäste från den högra änden av ventilkåpan.
6 Lossa kamaxellägesgivarens kontaktdon.
7 Lossa kablaget från klämman på ventilkåpan och för kablaget åt ena sidan.
8 Skruva stegvis loss bultarna som håller fast ventilkåpan på kamaxelns hållare eller insugsgrenröret (efter tillämplighet) och samla ihop brickorna. Lyft försiktigt av kåpan och var försiktig så att du inte skadar kamaxelns lägesgivare när kåpan tas bort. Ta loss tätningen från kåpan.

1,4-liters motorer

9 Ventilkåpan sitter ihop med insugsgrenröret och oljeavskiljaren. Lossa massluftflödesmätarens anslutningskontakt **(se bild)**.

4.1 Vrid de fyra fästena (markerade med pil) 90° moturs och dra upp plastkåpan

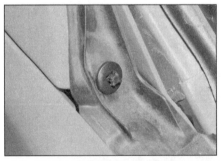

4.2a Tryck in mittstiftet och bänd ur hela niten

4.2b Skruva loss skruvarna från den övre huvudcylinderns vätskebehållare (markerade med pil)

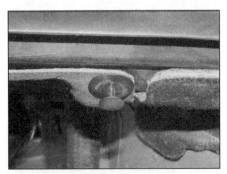

4.2c Bänd upp mittstiftet och bänd ur hela den expanderande niten av plast

4.2d Lossa bulten i varje ände och ta bort torpedplåtens tvärbalk

4.9 Koppla från luftflödesmätarens anslutningskontakt

4.10 Lossa fästklämmorna och turboutloppsslangen

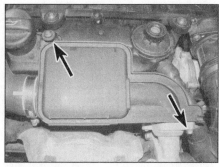

4.11a Skruva loss bultarna (markerade med pil) och lyft upp den högra änden. . .

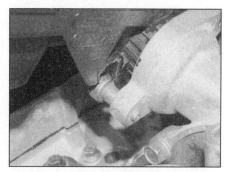

4.11b . . . för att lossa resonatorn från turboaggregatet

4.13 Skruva loss de två bultarna (markerade med pil) och dra upp luftfilterhuset från som plats

4.17 Tryck in låsknapparna (markerade med pil) och lossa bränslematnings- och returslangen

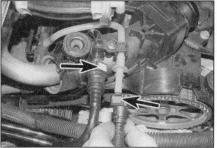

4.19 Skruva loss bulten som håller fast EGR-röret bakpå blocket (markerad med pil)

10 Lossa fästklämman och ta bort turboaggregatets utloppskrök (se bild).
11 Lossa fästbultarna, lyft upp den högra änden och ta bort resonatorn (se bild). Ta loss O-ringstätningen.
12 Lossa fästklämmorna och ta bort luftintagskanalerna och turboaggregatets insugsslang. Skjut upp plastklädseln i det främre vänstra hörnet av motorrummet, tryck in mittstiftet en bit, bänd ut niten och ta bort insugskanalen från motorhuvens slampanel.
13 Skruva loss luftfilterhusets bultar och filterhöljets bultar och ta bort höljet och filterelementet – se kapitel 4B (se bild). Lossa dieselluftningspumpens kolv från fästbyglarna i den högra änden av topplocket och ta bort luftfilterhuset. Lossa anslutningskontakterna

efterhand som huset tas bort efter att ha noterat var de satt.
14 Ta bort dieselbränslefiltret enligt beskrivningen i kapitel 1B och lossa de 3 bultarna som håller fast dieselfiltrets fästbygel.
15 Lossa anslutningskontakterna från ovansidan på varje insprutningsventil och kontrollera sedan att alla kablar är fria från eventuella fästklämmor på ventilkåpan/insugningsröret. Lossa eventuella vakuumrör efter behov efter att först ha noterat deras placering.
16 Bända ut fästklämmorna och lossa bränslereturrören från insprutningsventilerna. Täpp igen öppningen för att förhindra att det kommer in smuts.
17 Lossa rören för bränslematning och bränsleretur i den högra änden av ventilkåpan.

Skruva loss torxskruven som håller fast bränslerörets fäste (se bild).
18 Knäpp loss bränsletemperaturgivaren från fästet och flytta röret/luftningskolven bakåt.
19 Lossa de två skruvarna som håller fast EGR-röret på ventilkåpan och bulten som håller fast röret på topplockets baksida (se bild).
20 Lossa de två bultarna som håller fast EGR-ventilen i den vänstra änden av topplocket, lossa vakuumslangen och ta bort ventilen tillsammans med EGR-röret. Ta loss O-ringstätningen från röret.
21 Skruva loss de åtta bultarna som håller fast ventilkåpan och insugningsröret och de två fästbultarna längs kåpans bakkant. Lyft bort enheten (se bild). Ta loss grenrörets gummitätningar.

4.21a Skruva loss de 8 bultarna (markerade med pil) längst fram. . .

4.21b . . . och de två bultarna (markerade med pil) längst bak

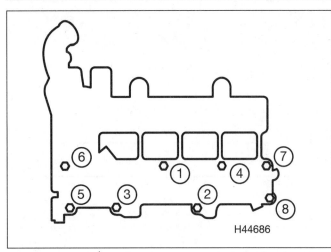

4.22 Ordningsföljd för åtdragning av topplockets kåpa (1,4-liters motor)

5.1a Sätt i en borr eller ett stift för att lås drivremsspännaren i läge (2,0-liters motor) . . .

Montering

22 Monteringen sker i omvänd ordningsföljd. Tänk på följande:

a) *Undersök tätningen och leta efter tecken på skador och slitage. Byt den om det behövs. På 1,4-liters motorer stryker du på lite ren motorolja på grenrörstätningarna.*

b) *Dra åt topplocksbultarna till angivet moment. På 1,4-liters motorer i nedanstående ordning (se bild).*

c) *Före återmonteringen av kamremmens övre kåpa på 2,0-liters motorer justerar du kamaxelns lägesgivares luftspel enligt beskrivningen i kapitel 4B, avsnitt 13.*

5.1b . . . och 1,4-liters motor

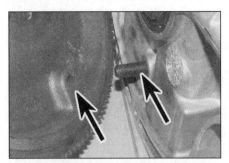

5.3 Låsstiftet/bulten (markerad med pil) måste hamna i läge i svänghjulet (markerad med pil) för att hindra rotation

5 Vevaxelns remskiva – demontering och montering

Demontering

1 Ta bort drivremmen enligt beskrivningen i kapitel 1B. Vrid sträckaren moturs och sätt i ett stift eller en borr för att hålla undan den från drivremmen **(se bild)**.

2,0-liters motorer

2 För att undvika att vevaxeln roterar när du lossar fästbulten kan du låsa svänghjulets/

5.2 Använd ett egentillverkat verktyg som liknar detta för att låsa svänghjulets krondrev och hindra vevaxeln från att rotera

5.4 Skruva loss vevaxelns remskiva fästbult

drivplattans krondrev med ett lämpligt verktyg som tillverkas av vinklat stål **(se bild)**. Ta bort täckplattan från den undre delen av växellådans balanshjulskåpa och fäst verktyget på kåpans fläns med bultar så att det hamnar i läge i krondrevets kuggar. Försök *inte* låsa remskivan genom att sätta i en bult/borr genom inställningshålet. Om det sitter kvar en bult/borr i inställningshålet efter en tidigare åtgärd tar du tillfälligt bort den innan du lossar remskivans bult och sätter sedan tillbaka den när bulten har lossats. **Observera:** *På senare 2,0-liters motorer (se avsnitt 7) är det viktigt att vevaxelns och kamaxelns inställningsstift sitter på plats enligt beskrivningen i avsnitt 3. Det beror på att vevaxeldrevet på de här motorerna har bredare kilspår för att det ska kunna rotera lite, oberoende av vevaxeln. Om du inte låser vevaxeln och kamaxeln kan det leda till att inställningen tappas.*

1,4-liters motorer

3 Lås vevaxeln från motorns undersida genom att sätta i Peugeot verktyg Nr 0194-C i hålet på höger sida av motorblockets hölje över den nedre delen av svänghjulet. Dra runt vevaxeln tills verktyget går in i motsvarande hål i svänghjulet. Om du inte har tillgång till Peugeotverktyget säter du i en stång på 12 mm eller en borr i hålet **(se bild)**. **Observera:** *Hålet i kåpan och hålet i svänghjulet finns för att låsa vevaxeln medan remskivans bult lossas. Det placerar inte vevaxeln vid ÖD-läge.*

Alla motorer

4 Använd en lämplig hylsa och förlängningsstång, skruva loss fästbulten, ta bort brickan och dra av remskivan från vevaxelns ände **(se bild)**. Om remskivan sitter fast ordentligt kan du dra av den från vevaxeln med en lämplig avdragare. Om du använder avdragare, montera tillbaka remskivans fästbult utan brickan för att undvika att skada vevaxeln när avdragaren dras åt.

Varning: På 1,4-liters motorer får du

5.6 På 1,4-liters motorer måste urtaget i remskivan (markerad med pil) hamna i linje med nyckeln i drevet (markerad med pil)

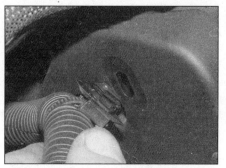

6.2 Lossa kablaget och bränslerören från kamremmens övre kåpa

6.3 Skruva loss de 5 skruvarna (markerade med pil) och ta bort den övre kamremskåpan

inte vidröra den yttre magnetsensorns ring på drevet med fingrarna eller låta metallpartiklar komma i kontakt med den.
5 Om remskivans placeringsnyckel sitter löst på 2,0-liters motorer tar du bort den och förvarar den med remskivan för säker förvaring.

Montering

6 Se till att nyckeln sitter rätt i vevaxelspåret (endast 2,0-liters motorer) och montera tillbaka remskivan i vevaxelns ände **(se bild)**.
7 Rengör gängorna på remskivans fästbult ordentligt och applicera ett lager låsmedel på bultens gängor. Peugeot rekommenderar att man använder Loctite (tillgängligt från din Peugeotverkstad). om du inte har tillgång till det kan du använda valfri låsningsmassa av bra kvalitet.
8 Montera tillbaka vevaxelns remskiva fästbult och bricka. Dra åt bulten till angivet moment och angiven vinkel för att hindra vevaxel från att rotera med den metod som du använde vid demonteringen.
9 Montera tillbaka drivremmen och spänn den enligt beskrivningen i kapitel 1B

6 Kamremskåpor – demontering och montering

> ⚠ **Varning: Se försiktighetsåtgärderna i avsnitt 1 innan du fortsätter.**

6.7 Lossa bränslematnings- och returslangens snabbanslutningar

Toppkåpan – demontering

1,4-liters motorer

1 Ta bort plastkåporna från motorns överdel. Motorkåpan går att dra upp direkt medan kåpan över spolarvätskebehållaren hålls fast med två plastnitar. Tryck in mittsprintarna en bit och bänd ur hela nitarna från sin plats
2 Lossa kablaget och bränslerören från den övre kåpan **(se bild)**.
3 Skruva loss de 5 skruvarna och ta bort kamremmens övre kåpan **(se bild)**.

2,0-liters motorer

4 Ta bort plastkåporna från motorns överdel, skruva sedan loss skruvarna och ta bort motorns undre skyddskåpa. Kåpan över motorn lossas genom att man vrider de fyra fästena moturs och försiktigt drar upp kåpan. Tryck in mittstiften och bänd ut de två expanderande nitarna, lossa sidoklämman och ta bort kåpan över kylvätske-/spolarbehållarna.
5 Placera en verkstadsdomkraft under motorn med en träkloss på domkraftshuvudet för att bära upp motorns vikt.
6 Skruva loss bultarna och ta bort den högra motorfäste och stödfästbygel – se avsnitt 17.
7 Vid anslutningarna över bränslepumpen lossar du bränsletillförsel- och returslangens snabbanslutningar med en liten skruvmejsel som trycks ner och lossar låsklämman **(se bild)**. Täck de öppna anslutningarna för att hindra att det kommer in smuts och använd små platspåsar eller avklippta fingrar från rena gummihandskar.
8 Lossa de två slangarna från fästklämmorna

6.8 Lossa de två bränsleslangarna från fästklämmorna på den övre kamremskåpan

på den övre kamremskåpan och flytta dem åt sidan **(se bild)**.
9 Lossa EGR magnetventilens vakuumslang från klämman på toppkåpan.
10 Skruva loss bulten som håller fast toppkåpan på topplocket **(se bild)**.
11 Skruva loss den övre bulten på kåpan närmast mellanväggen i motorrummet.
12 Lossa den nedre bulten/muttern på mellanväggsidan av kåpan vid fogen mellan de övre och nedre kåporna. Observera att den här bulten/tappen även håller fast kylvätskepumpen. Om en bult används kan du undvika kylvätskeläckage efter att den övre kåpan har tagits bort genom att sätta tillbaka bulten försedd med ett mellanlägg på 17,0 mm och dra åt det ordentligt.
13 Lossa den kvarvarande bulten mitt på kåpan. Lossa de nedre bultarna så att den över kåpan går att lossa – den övre kåpan och mellankåpan delar den nedre kåpans fästbultar och har hål med spår så att de kan tas bort uppåt.
14 Lossa den nedre kåpan från mellankåpan och manövrera loss den övre kåpan från sin plats.

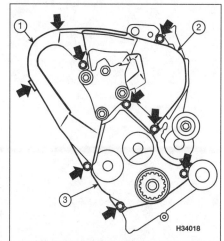

6.10 Kamremskåpans fästbultplaceringar (markerade med pil)

1 *Övre kåpa*
2 *Mellankåpa*
3 *Nedre kåpan*

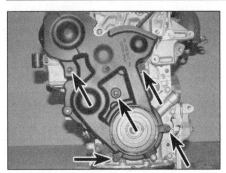

6.20 Nedre kåpans fästbultar (markerade med pil)

Demontering av mellankåpan

2,0-liters motorer

15 Ta bort den övre kåpan enligt beskrivningen ovan

16 Skruva loss den övre bulten på mellankåpans överkant.

17 Skruva loss de två resterande bultarna vid fogen mellan mellankåpan och den nedre kåpan och för sedan undan mellankåpan.

Nedre kåpan – demontering

1,4-liters motorer

18 Ta bort den övre kåpan enligt den tidigare beskrivningen.

19 Ta bort vevaxelns remskiva enligt beskrivningen i avsnitt 5.

20 Skruva loss de 5 bultarna och ta bort den nedre kåpan (se bild).

7.8 Skruva loss bulten som håller fast kamaxellägesgivare (markerad med pil)

7.13 Sätt i en insexnyckel i hålet (markerat med pil), lossa remskivans bult och låt sträckaren rotera

2,0-liters motorer

21 Demontera de övre och mittre kåporna enligt den tidigare beskrivningen.

22 Ta bort vevaxelns remskiva enligt beskrivningen i avsnitt 5.

23 Skruva loss de två resterande bultarna på kåpans kant, en på varje sida av vevaxelns remskiva.

24 Lyft av kåpan från motorns framdel.

Montering

25 Återmonteringen av alla kåporna sker i omvänd ordning mot demonteringen. Se till att varje kåpdel sitter rätt och att kåpans bultar är ordentligt åtdragna. Se till att alla flyttade slangar återansluts och hålls fast med aktuella klämmor.

---

7 Kamrem – demontering, kontroll, återmontering och spänning

Observera: *På 2,0-liters motorer rekommenderar Peugeot att man använder ett elektroniskt kontrollverktyg för remspänningen (SEEM CTG 105.M) för att ställa in kamremsspänningen rätt. Följande metod bygger på att man har tillgång till den här utrustningen (eller lämplig alternativ utrustning som har kalibrerats att visa spänningen i SEEM-enheter). Det är viktigt att spänna kamremmen rätt och om du inte har tillgång till elektronisk utrustning rekommenderar vi att du låter en*

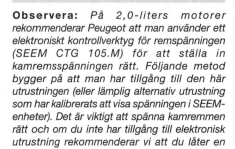

7.9 Kamremmens skyddsfästes bult (markerad med pil)

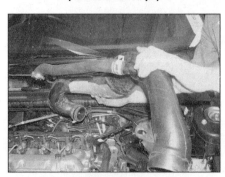

7.15 Ta bort turboaggregatets luftinloppsrör

Peugeot-verkstad eller annan lämpligt utrustad verkstad får göra arbetet.

Observera: *Tidigare modeller har tre bultar som håller fast kamaxeldrevet på navel. På senare motorer hålls kamaxeldrevet fast med en mittbult.*

Allmänt

1 Kamremmen driver kamaxelns/-axlarnas högtrycksbränslepump och kylvätskepumpen från ett tandat drev i änden av vevaxeln. Om remmen brister eller slirar kan kolvarna slå i ventilhuvudena, vilket orsakar omfattande (och dyra) skador.

2 Byt kamremmen vid angivna intervall eller tidigare om den har smutsats ner med olja eller om den bullrar (ett skrapande ljud på grund av ojämnt slitage).

3 Om kamremmen tas bort är det bra att kontrollera skicket hos kylvätskepumpen samtidigt (kontrollera om det finns spår av kylvätskeläckage). Detta gör att man kan undvika att ta bort kamremmen igen senare om kylvätskepumpen skulle sluta gå.

Demontering

4 Dra åt handbromsen. Lyft sedan upp framvagnen och ställ den på pallbockar (se *Lyftning och stödpunkter*). Ta bort det högra framhjulet, hjulhusfodret (för att frilägga vevaxelns remskiva) och motorns undre skyddskåpa. Hjulhusfodret hålls fast av flera expanderande plastnitar. Tryck in mittsprintarna en bit och bänd ur hela nitarna från sin plats Den undre skyddskåpan hålls fast med flera fästen av skruvtyp. Vrid hållarna 90 grader moturs för att ta bort dem.

5 Se kapitel 4B och ta bort hela avgassystemet.

Varning: Om du inte tar bort avgassystemet skadas det främre rörets flexibla del när det högra motorfästet lossas.

6 Ta bort drivremmen enligt beskrivningen i kapitel 1B.

1,4-liters motorer

7 Ta bort kamremmens övre och nedre kåpor enligt beskrivningen i avsnitt 6.

8 Lossa skruven och ta bort vevaxelns lägesgivare intill vevaxeldrevets fläns och flytta den åt sidan (se bild).

9 Skruva loss fästskruven och ta bort kamremmens skyddsfäste som sitter intill vevaxeldrevets fläns (se bild).

10 Lås vevaxeln och kamaxeln i rätt läge enligt beskrivningen i avsnitt 3. Vid behov sätter du tillfälligt dit vevaxelns remskivas bult för att vevaxeln ska kunna roteras.

11 Placera en verkstadsdomkraft under motorn med en träkloss på domkraftshuvudet för att bära upp motorns vikt.

12 Skruva loss bultarna och ta bort den högra motorfäste och stödfästbygel – se avsnitt 17.

13 Sätt i en sexkantsnyckel mitt i remspännarens remskiva, lossa remskivans bult och låt spännaren rotera så att

7.18a Skruva loss vevaxelns remskiva bult . . .

7.18b . . . ta sedan bort remskivan

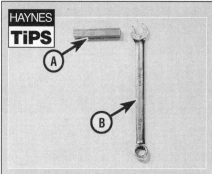

Ett verktyg med fyrkantigt tvärsnitt som passar kamremmens sträckarremskiva kan tillverkas av en bit standarddörrhandtagsstång på 8 mm (A) som kan köpas i en byggvarubutik, som kapas till rätt längd. När stången har satts dit på sträckaren kan kamremmen spännas genom att man drar runt stången med en 8 mm nyckel (B).

remspänningen lossas **(se bild)**. Dra tillfälligt åt remskivans bult när remmen har lossats.

14 Notera dragningen och ta sedan bort kamremmen från dreven.

2,0-liters motorer

15 Ta bort turboaggregatets luftinsugningsrör **(se bild)**.

16 Skruva loss stängningsplattan från kopplingshusets undersida

17 Använd ett lämpligt verktyg, lås svänghjulet/drivplattan och lossa därefter vevaxelns remskivas bult. Peugeots mekaniker använder ett verktyg som griper in i startmotorns krondrevskuggar och är fäst med bultar på kopplingshuset. Du kan tillverka ett liknande verktyg av en bit vinkeljärn som böjs för att gripa i kuggarna eller så kan du ta hjälp av en medhjälpare som håller fast startmotorns krondrev med en bredbladig skruvmejsel.

18 Skruva loss och ta bort vevaxelns remskiva bult, ta sedan bort remskivan från vevaxeln **(se bild)**. Om dt är trång monterar du tillbaka bulten utan bricka så att det finns tillräckligt utrymme för att lossa remskivan. Använd en avdragare och ta bort remskivan från vevaxelns framdel.

19 Skruva loss det bakre motorfästets länkstycke – se avsnitt 17.

20 Nu behövs ett låsstift med 8,0 mm i diameter för svänghjulet/drivplatta. Du kan beställa stiftet från en Peugeotverkstad eller en billtillbehörsbutik.

21 Sätt tillfälligt tillbaka vevaxelns remskivas bult och dra runt motorn tills hålet för ÖD-läge i svänghjulet/drivplattan ligger i linje med hålet i den främre motorflänsen (bredvid växellådans balanshjulskåpa – se avsnitt 3). Sätt i låsstiftet för att låsa motorn.

22 Ta bort kamremmens övre, mellersta och nedre kåpor enligt beskrivningen i föregående avsnitt.

23 Skydda kylaren mot skador genom att placera ett kort eller en bit kartong över den på motorsidan.

24 Sätt i en lämplig borr eller ett metallstift genom hålet för ÖD-läge i kamaxeldrevets fläns och in i topplocket (se avsnitt 3).

25 Lossa bulten på spännrullen och dra runt sträckaren medurs för att släppa kamremmens spänning. Om du har en 8 mm fyrkantig

drivförlängning sätter du i den i hålet och drar runt sträckarfästet mot fjäderspänningen **(se Verktygstips)**. Dra åt bulten tillräckligt för att hålla sträckaren i lossat läge. dra inte åt bulten helt i det här läget.

26 Märk kamremmen med en pil för att markera rotationsriktningen om den ska återanvändas. Ta bort remmen från dreven.

Kontroll

27 Byt alltid remmen oavsett skick. Kostnaden för en ny rem är försumbar i jämförelse med kostnaderna för de motorreparationer som skulle behövas om remmen gick av under drift. Vid tecken på nedsmutsning med olja ska källan till oljeläckaget spåras och åtgärdas. Tvätta rent området kring kamremmen och tillhörande delar fullständigt, så att varje spår av olja avlägsnas. Kontrollera att sträckaren och överföringsstyrningarna roterar fritt utan

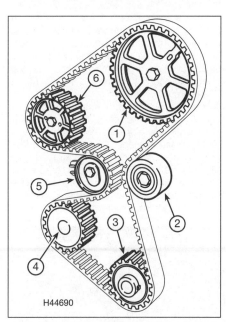

H44690

7.29 Kamremsdragning (1,4-liters motor)

1 *Kamaxeldrev*
2 *Tomgångs-överföring*
3 *Vevaxeldrev*
4 *Kylvätske-pumpens drev*
5 *Spännhjul*
6 *Högtrycks-bränslepumpens remskiva*

tecken på att kärva och kontrollera även att kylvätskepumpens remskiva roterar fritt. Om det behövs upprepar du åtgärderna. **Observera:** *Peugeot rekommenderar att sträckaren och överföringsstyrningarna inte ska återvinnas, oavsett skick.*

Montering och spänning

28 Börja återmonteringen genom att se till att vevaxelns och kamaxelns inställningsstift sitter på rätt plats.

1,4-liters motorer

29 Sätt dit kamremmen på vevaxeldrevet, håll den spänd, dra den runt tomgångsdrevet, kamaxeldrevet, högtryckspumpens drev, kylvätskepumpens drev och sträckarrullen **(se bild)**.

30 Montera tillbaka kamremmens skyddsfäste och dra åt fästbulten ordentligt.

31 Lossa spännarremskivans bult och använd en sexkantsnyckel för att dra runt sträckaren moturs så att inställningsarmen rör sig medurs tills armen är inställd **(se bild)**.

32 Ta bort kamaxeln och vevaxelns inställningsstift, använd en hylsa på vevaxelns remskivas bult och dra runt motorn medurs 10 hela varv. Montera tillbaka vevaxelns och kamaxelns låssprint.

7.31 Passa i inställningsarmen (A) efter styrstiftet (B)

7.35 Lossa de tre fästbultarna mellan kamaxeldrevet och drevets nav

7.37a Håll kvar kamremmen på vevaxeldrevet och mata den runt tomgångsrullens . . .

7.37b . . . högtrycksbränslepumpdrev. . .

7.37c . . . kamaxeldrev . . .

7.37d . . . kylvätskepump och spännarremskivan

33 Kontrollera att sträckarens inställningsarm fortfarande är inställd mellan områdets kanter (se bild 7.31). Om den inte är det tar du bort den och remmen och börjar om ditsättningen från avsnitt 29 igen.
34 Resten av monteringen sker i omvänd ordningsföljd mot demonteringen. Dra åt alla hållare till angivet moment (där sådant angetts).

Tidigare 2,0-liters motorer:

35 Tidigare modeller har tre bultar som håller fast kamaxeldrevet på navet. Lossa de tre bultarna som håller fast kamaxeldrevet på kamaxeln, så att drevet kan rotera på navet **(se bild)**. Gör detta antingen med ett verktyg som du sätter i hålen i drevet eller håll fast drevet med en gammal kamrem.

36 Fingerdra drevets bultar och lossa därefter varje bult ett sjättedels varv. Dra runt drevet medurs till spårens ände.
37 Leta rätt på kamremmen på vevaxelns remskivas spår och håll den spänd och dra den runt tomgångsremskivan och på högtryckspumpens remskiva **(se bild)**. Peugeots mekaniker använder en plastklämma för att hålla remmen på vevaxelns remskiva; Använd vid behov ett buntband av plast för att hålla remmen.
38 Placera remmen på kamaxeln remskivas spår. Om kuggarna inte griper in ordentligt vrider du kamaxeldrevet något medurs tills remmen hamnar i läge. **Observera:** *Dra inte runt remskivan moturs mer än en kugg.*
39 Fortsätt att placera remmen på sträckarens remskiva och kylvätskepumpens spår och lossa sedan bulten och dra runt spännaren *moturs* för att spänna remmen mellanhårt.

Fördra bulten till 1,0 Nm och ta sedan bort fästklämman eller buntbandet.
40 Det behövs ett särskilt spänningsverktyg för kamremmen för att få rätt spänning. Ett verktyg som kontrollerar SEEM-enheter behövs och ska sättas dit på rembanan mellan kamaxeldrevet och högtryckspumpens drev.
41 Lossa bulten och vrid sträckaren *moturs* tills du kan läsa av 98,0 ± 2,0 SEEM-enheter på verktyget **(se bild)**. Dra därefter åt sträckarens bult till angivet moment.
42 Ta tillfälligt bort en av de ter bultar som håller fast drevet på kamaxeln och kontrollera att bultarna inte befinner sig vid spårens slut medurs. Upprepa återmonteringsproceduren om det är fallet.
43 Dra åt kamaxeldrevets bultar till angivet moment.
44 Ta bort vevaxelns och kamaxelns ÖD låssprintar. Ta även bort spännverktyget.
45 Dra runt motorn medurs 8 varv. Dra inte runt motorn medurs under den här åtgärden.
46 Montera tillbaka vevaxelns och kamaxelns ÖD-låssprintar.
47 Lossa kamaxeldrevets bultar igen, fingerdra dem och lossa dem ett sjättedels varv.
48 Montera tillbaka sträckverktyget mitt emellan kamaxeln och högtryckspumpens drev.
49 Lossa sträckarens bult och vrid sträckaren *moturs* tills du kan läsa av 54,0 ± 2,0 SEEM-enheter på verktyget Håll fast sträckaren i det här läget, och dra åt bulten till angivet moment. Det är viktigt att applicera rätt spänning på kamremmen, annars kan remmen börja bullra vid drift, eller till och med gå sönder.
50 Dra åt kamaxeldrevets bultar till angivet moment.
51 Ta bort sträckarverktyget för att släppa dess interna spänningar, montera tillbaka det och kontrollera att remspänningen ligger mellan 51,0 och 57,0 SEEM-enheter. Upprepa spänningsproceduren om det behövs.
52 Ta bort spännverktyget och ÖD-inställningsstiften.
53 Dra runt motorn medurs 2 varv. Dra inte runt motorn medurs under den här åtgärden.
54 Montera tillbaka vevaxelns och kamaxelns ÖD låssprintar.

7.41a Rotera sträckarens remskiva moturs och dra åt fästbulten . . .

7.41b . . . när det angivna spänningsvärdet visas på mätutrustningen

55 Gör en visuell kontroll av att avståndet mellan kamaxelnavets hål och motsvarande inställningshål inte överskrider 1,0 mm.

56 Ta bort inställnings-/låsstiften för ÖD-läge.

57 Resten av monteringen sker i omvänd ordningsföljd mot demonteringen. Dra åt alla hållare till angivet moment (där sådant angetts).

Senare 2,0-liters motorer:

58 På senare motorer hålls kamaxeldrevet fast med en mittbult.

59 Ställ in vevaxeldrevet genom att sätta i en stång med 2 mm i diameter till vänster om Woodruff-kilen **(se bild)**. Kontrollera att svänghjulets och kamaxelns inställningsssstift fortfarande sitter på plats.

60 Sätt dit kamremmen på kamaxeldrevets spår, håll den spänd, dra den runt högtryckspumpens remskiva, tomgångsdrevet, vevaxeldrevet, kylvätskepumpens drev och sträckarremskivan Peugeots mekaniker använder en plastklämma för att hålla remmen på kamaxeldrevet. Använd vid behov ett buntband av plast för att hålla remmen.

61 Lossa bulten och vrid sträckaren *moturs* för att spänna remmen. Fördra bulten till 1,0 Nm och ta sedan bort fästklämman eller buntbandet. Ta bort 2 mm-stången bredvid vevaxeldrevets kil.

62 Det behövs ett särskilt spänningsverktyg för kamremmen för att få rätt spänning. Ett verktyg som kontrollerar SEEM-enheter behövs och ska sättas dit på rembanan mellan kamaxeldrevet och högtryckspumpens drev.

63 Lossa bulten och vrid sträckaren *moturs* tills du kan läsa av 98,0 ± 2,0 SEEM-enheter på verktyget **(se bild 7.41a och 7.41b)**. Dra därefter åt sträckarens bult till angivet moment.

64 Spärra svänghjulet enligt beskrivningen i avsnitt 17, montera tillbaka vevaxelns hjälpremskiva och dra åt fästbulten till 70 Nm.

65 Ta bort vevaxelns och kamaxelns inställningsstift samt svänghjulets låsverktyg.

66 Dra runt motorn medurs 8 varv. Dra inte runt motorn medurs under den här åtgärden.

Du kan tillverka ett drevhållverktyg av två stålremsor som sammanfogas med bultar för att bilda en gaffelformad ände. Böj remsans ände 90° för att bilda gaffelspetsarna.

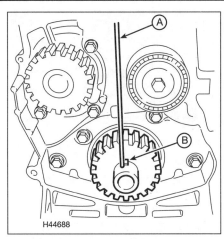

7.59 Sätt i en 2 mm stång (A) på den vänstra sidan av Woodruff-kilen(B)

67 Montera tillbaka vevaxelns och kamaxelns ÖD-inställningsstift och lås svänghjulet enligt beskrivningen i avsnitt 17.

68 Skruva loss bulten och ta bort drivremskivan.

69 Montera tillbaka sträckverktyget mitt emellan kamaxeln och högtryckspumpens drev.

70 Lossa sträckarens bult och vrid sträckaren moturs tills du kan läsa av 54,0 ± 2,0 SEEM-enheter på verktyget. Håll fast sträckaren i det här läget, och dra åt bulten till angivet moment. Det är viktigt att applicera rätt spänning på kamremmen, annars kan remmen börja bullra vid drift, eller till och med gå sönder.

71 Ta bort sträckarverktyget för att släppa dess interna spänningar, montera tillbaka det och kontrollera att remspänningen ligger mellan 51,0 och 57,0 SEEM-enheter. Upprepa spänningsproceduren om det behövs.

72 Ta bort vevaxelns och kamaxelns inställningsstift samt svänghjulets låsverktyg.

73 Resten av återmonteringen sker i omvänd ordning mot demonteringen. Tänk på följande:

a) Se till att kamremskåporna hakar i varandra på rätt sätt.

b) När du sätter tillbaka vevaxelns

8.3 Skruva loss fästbulten och ta bort kamaxeldrevet (1,4-liters motor)

hjälpremskiva applicerar du några droppar gänglåsningsmedel på remskivans bult.

c) Dra åt alla hållare till angivet moment (där sådant angetts).

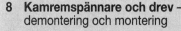

8 Kamremspännare och drev – demontering och montering

Kamaxeldrev

Demontering

1 Demontera kamremmen enligt beskrivningen i avsnitt 7.

2 Ta bort låsverktygen från kamaxeldrevet/ nav Lossa drevnavets fästbult och de tre fästbultarna mellan drevet och navet (i förekommande fall). Du behöver ett drevfasthållningsverktyg för att hindra att kamaxeln roterar när bulten lossas. Om du inte Peugeots specialverktyg tillgängligt kan du tillverka ett eget verktyg **(se Verktygstips 1)**. Försök inte använda låsverktygen för motorns hål/ventilinställningshålen för att hindra dreven från att rotera när bultarna lossas.

3 Ta bort drevnavets fästbult och bricka (i förekommande fall) och dra av drevet och navet från kamaxelns ände **(se bild)**. Om Woodruff-kilen sitter löst i kamaxeln på 2,0-liters motorer tar du bort den för säker förvaring. Undersök kamaxelns oljetätning med avseende på oljeläckage och byt den vid behov enligt beskrivningen i avsnitt 14.

4 På tidiga 2,0-liters motorer kan man vid behov lossa drevet från navet efter att ha tagit bort de tre fästbultarna.

5 Rengör kamaxelns drev ordentligt och byt drev som visar tecken på slitage, skador eller sprickor.

Montering

6 Om du har tagit bort drevet på en tidig 2,0-liters motor sätter du tillbaka det på navet och fäster med de tre fästbultarna som bara dras åt med fingrarna i det här stadiet.

7 I förekommande fall sätter du dit Woodruff-kilen i änden av kamaxeln och sätter därefter tillbaka kamaxeldrevet och navet **(se bild)**.

8 Montera tillbaka drevets fästbult och bricka. Dra åt bulten till angivet moment och hindra att kamaxeln roterar som vid demonteringen.

8.7 På 1,4-liters motorer passar du in drevs tapp i spåret i kamaxeländen (markerad med pil)

8.13a Dra av vevaxeldrevet från vevaxelns ände . . .

8.13b . . . och ta bort Woodruff-kilen (2,0-liters motor)

8.19 På 1,4-liters motorer sätter du i en lämplig borr genom drevet och in i hålet i bakplattan

9 Passa in motorns/ventilens inställningshål i kamaxeldrevets nav efter hålet i topplocket och sätt tillbaka inställningsstiftet för att låsa kamaxeln i läge.
10 Sätt dit kamremmen runt pumpdrevet och kamaxeldrevet och spänn kamremmen enligt beskrivningen i avsnitt 7.

Vevaxeldrev

Demontering

11 Demontera kamremmen enligt beskrivningen i avsnitt 7.
12 Kontrollera att motorns/ventilernas inställningshål fortfarande är rätt inriktade enligt beskrivningen i avsnitt 3 och att kamaxeldrevet/navet och svänghjulet/drivplattan är låsta i läge.
13 Dra av navet från vevaxelns ände och ta bort Woodruff-kilen (se bild).
14 Undersök vevaxelns oljetätning med avseende på oljeläckage och byt den vid behov enligt beskrivningen i avsnitt 14.
15 Rengör vevaxeldrevet ordentligt och byt drev som visar tecken på slitage, skador eller sprickor. Ta loss vevaxelns inställningsnyckel.

Montering

16 Sätt dit nyckeln i vevaxelns ände och montera tillbaka vevaxeldrevet (med flänsen

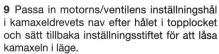
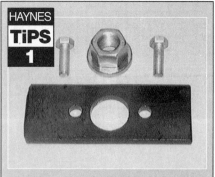

HAYNES
TiPS
1

Tillverka ett drevlossningsverktyg av en kort stålremsa. Borra två hål i remsan som motsvarar de två hålen i drevet. Borra ett tredje hål som är lagom stort att rymma de flata delarna av drevets fästmutter.

närmast motorblocket på 2,0-liters motorer och mot vevaxelns remskiva på 1,4-liters motorer).
17 Sätt dit kamremmen runt vevaxeldrevet och spänn kamremmen enligt beskrivningen i avsnitt 7.

Bränslepumpdrev

Demontering

18 Demontera kamremmen enligt beskrivningen i avsnitt 7.
19 Använd en lämplig hylsa, skruva loss pumpdrevets fästmutter. Du kan hålla drevet stilla genom att sätta i ett låsstift, en borr eller en stång av lämplig storlek genom hålet i drevet och in i motsvarande hål i stödplattan (se bild), eller genom att använda ett lämpligt gaffelverktyg som sätts i hålen i drevet (se verktygstips 1 på föregående sida).
20 Pumpdrevet är konmonterat på pumpaxeln och man måste tillverka ett annat verktyg för att lossa det från konen (se Verktygstips 2).
21 Skruva delvis loss drevets fästmutter, sätt dit det egentillverkade verktyget och fäst det på drevet med två lämpliga bultar. Hindra drevet från att rotera som tidigare och skruva loss drevets fästmutter (se bild). Muttern kommer att ligga emot verktyget när den lossas så att drevet tvingas av axelns koniska form. När konformen har lossnat tar du bort verktyget, skruvar loss muttern hel och tar bort drevet från pumpaxeln.
22 Rengör drevet ordentligt och byt drev som visar tecken på slitage, skador eller sprickor.

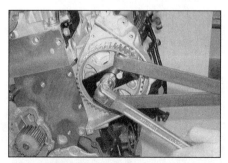

8.21 Använd de egentillverkade verktygen för att ta bort bränslepumpdrevet (2,0-liters motor)

Montering

23 Montera tillbaka pumpdrevet och fästmuttern, och dra åt muttern till angivet moment. Hindra drevet från att rotera när muttern dras åt med drevs hållverktyg.
24 Sätt dit kamremmen runt pumpdrevet och spänn kamremmen enligt beskrivningen i avsnitt 7.

Kylvätskepumpdrev

25 Drevet är inbyggd i pumpen och kan inte tas bort separat. Kylvätskepumpens demontering beskrivs i kapitel 3.

Spännhjulet

Demontering

26 Demontera kamremmen enligt beskrivningen i avsnitt 7.
27 Ta bort spännarremskivans fästbult, och dra av remskivan från pinnbulten.
28 Rengör spännarremskivan, men använd inte några starka lösningsmedel som kan komma in i remskivans lager. Kontrollera att remskivorna roterar fritt utan tecken på kärvning eller fritt spel. Byt remskivan om du är osäker på dess skick eller om det finns tydliga tecken på slitage eller skador.
29 Undersök remskivans pinnbult och leta efter tecken på skador och slitage. Byt den om det behövs.

Montering

30 Montera tillbaka spännarremskivan på pinnbulten, och sätt i fästbulten.
31 Montera tillbaka kamremmen enligt beskrivningen i avsnitt 7.

Tomgångsremskiva

Demontering

32 Demontera kamremmen enligt beskrivningen i avsnitt 7.
33 Skruva loss fästbulten/muttern och ta bort tomgångsremskivan från motorn.
34 Rengör tomgångsremskivan, men använd inte några starka lösningsmedel som kan komma in i remskivans lager. Kontrollera att remskivorna roterar fritt utan tecken på kärvning eller fritt spel. Byt tomgångsremskivan om du är osäker på dess skick eller om det finns tydliga tecken på slitage eller skador.

Montering

35 Placera tomgångsremskivan på motorn, och sätt i fästbulten. Dra åt bulten/muttern till angivet moment.
36 Montera tillbaka kamremmen enligt beskrivningen i avsnitt 7.

9 Kamaxel, hydrauliska ventillyftare och vipparmar – demontering, kontroll och montering

9.4 Skruva loss vakuumpumpens bultar (markerade med pil)

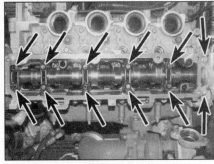

9.6 Övre kamaxelns lagerhusbultar (markerade med pil)

Demontering

1 Demontera ventilkåpan enligt beskrivning i avsnitt 4.
2 Demontera kamaxeldrevet enligt beskrivningen i avsnitt 8.

1,4-liters motorer

3 Montera tillbaka det högra motorfästet, men dra inte åt bultarna hårt. detta gör att motorn stöds när kamaxeln tas bort.
4 Skruva loss bultarna och ta bort vakuumpumpen. Ta loss pumpens O-ringstätningar **(se bild)**.
5 Lossa anslutningskontakten, skruva loss fästbulten, och ta bort kamaxelgivaren från topplocket.
6 Arbete i ett spiralmönster och skruva loss kamaxelns övre lagerhusbultar stegvis och jämnt **(se bild)**. Lyft försiktigt bort huset.
7 Observera kamaxelns riktning, lyft sedan upp den från huset, dra bort oljetätningen och släng den.
8 Om du ska ta bort vipparmarna och de hydrauliska ventillyftarna lossar du de 13 bultarna och tar bort den nedre halvan av kamaxelns lagerhus.
9 Ta 8 små, rena plastbehållare och numrera dem 1 till 8. Du kan även dela in en större behållare i 8 avdelningar.
10 Lyft ut varje vipparm. Placera vipparmarna i sina respektive lägen i lådan eller behållarna **(se bild)**.
11 En behållare med flera fack som fylls med motorolja krävs nu för att förvara de hydrauliska ventillyftarna när de har tagits bort från topplocket. Ta bort varje hydraulisk lyftare och placera den i behållaren och förvara dem för korrekt återmontering. Ventillyftarna måste sänkas ned helt i oljan för att hindra dem från att hindra att det kommer in luft i dem.
12 Ta loss 5 O-ringstätningarna mellan huset och topplocket.

2,0-liters motorer

13 Lossa fästklämmorna och koppla från luftinsugningsslangen från topplockets vänstra ände. På motorn DW10ATED tar du bort laddluftkylarens luftkanal från den vänstra änden av topplocket.
14 Montera tillbaka det högra motorfästet, men dra inte åt bultarna hårt. detta gör att motorn stöds när kamaxeln tas bort.

9.10 Ta bort vipparmarna

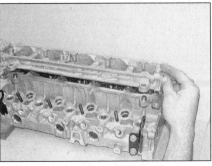

9.18 Ta bort lageröverfallshuset från topplocket. . .

15 Lossa vakuumröret från bromsvakuumpumpen på topplockets vänstra ände.
16 Ta bort vakuumpumpen från topplocket enligt beskrivningen i kapitel 9.
17 Arbeta i spiral utifrån och in och lossa stegvis kamaxellageröverfallets husbultar tills de kan tas bort.
18 Ta bort lageröverfallshuset från topplocket. Huset är antagligen trögt att lossa till en början eftersom det sitter fast med två styrstift på topplockets framsida. Om det behövs bänder du försiktigt upp huset med en skruvmejsel i tappspåret bredvid varje stift. När lagerhuset är löst lyfter du upp det från topplocket **(se bild)**. Kamaxeln stiger lite under trycket från ventilfjädrarna – var försiktig så att den

inte tippar och fastnar i topplocket eller lagerhusdelen.
19 Lyft försiktigt kamaxeln från sin plats och ta bort oljetätningen **(se bild)**. Kasta tätningen, eftersom en ny måste användas vid återmonteringen.
20 Ta 8 små, rena plastbehållare och numrera dem 1 till 8. Du kan även dela in en större behållare i 8 avdelningar.
21 Lyft ut varje vipparm och lossa den från fjäderklämman på lyftaren. Placera vipparmarna i sina respektive lägen i lådan eller behållarna **(se bild)**.
22 En behållare med flera fack som fylls med motorolja krävs nu för att förvara de hydrauliska ventillyftarna när de har tagits bort från topplocket. Använd en gummipipett och ta bort varje hydraulisk lyftare och placera

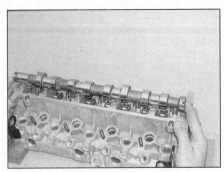

9.19 . . . lyft sedan ut kamaxeln

9.21 Lyft ut vipparmarna . . .

9.22a ... följt av de hydrauliska ventillyftarna ...

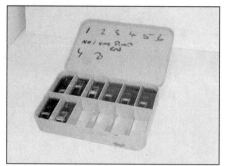

9.22b ... och placera alla komponenter i respektive läge i en låda

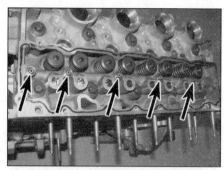

9.33 Lägg på en sträng tätningsmedel, och montera de nya O-ringarna (markerade med pil)

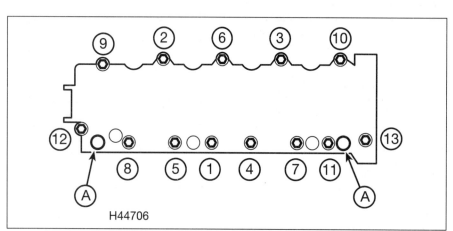

9.34 Sätt i styrstift/stänger i styrhålen(A), sätt dit huset och dra åt bultarna i ordningsföljd

den i behållaren och förvara dem för korrekt återmontering (se bild). Ventillyftarna måste sänkas ned helt i oljan för att hindra dem från att hindra att det kommer in luft i dem.

Kontroll

23 Undersök kamloberna och kamaxellagertapparna och leta efter repor eller andra synliga tecken på slitage. När kamlobernas hårda yta väl har slitits bort, kommer slitaget att gå snabbare. **Observera:** *Om dessa symptom syns på kamlobernas spetsar, kontrollera då motsvarande vipparmen eftersom de då troligtvis också är slitna.*

9.37 Placera kamaxeln i läge och lägg på en sträng tätningsmedel på husets kontaktyta

24 Undersök skicket på lagerytorna i topplocket och kamaxelns lagerhus. Om det finns tydliga tecken på slitage måste du byta både topplocket och lagerhuset eftersom de fungerar som en enhet.
25 Undersök vipparmarna och lyftarna med avseende på skavning, sprickbildning eller andra skador och byt eventuella delar som behöver bytas. Kontrollera även skicket hos lyftarnas lopp i topplocket. Precis som på kamaxlarna medför slitage i det här området byte av topplocket.

Montering

26 Rengör noga tätningsmedel från fogytan på topplocket och kamaxelns lagerhus. Använd en lämplig lösningsvätska för flytande packningar tillsammans med en mjuk spackelkniv; använd inte en metallskrapa, då skadas ytorna. Eftersom ingen konventionell packning används, är det av yttersta vikt att fogytorna är helt rena.
27 Ta bort all olja, smuts och fett från båda delarna och torka av dem med en ren, luddfri trasa. Se till att alla smörjkanaler är helt rena.
28 På 2,0-liters motorer hindrar du att ventilerna kommer i kontakt med kolvarna när du sätter tillbaka kamaxeln genom att ta bort låsstiftet/borren från svänghjulet/drivplattan/vevaxeldrevet och drar runt vevaxeln ett

kvarts varv i *motsatt* riktning mot den normala rotationsriktningen (dvs. moturs) för att placera alla kolvar mitt i takten. På 1,4-liters motorer med inställningsmarkeringarna i linje enligt beskrivningen i avsnitt 3 är kolvarna redan placerade halvvägs ner i cylinderloppen.
29 Smörj de hydrauliska lyftarnas lopp i topplocket med mycket motorolja.
30 Sätt i de hydrauliska ventillyftarna i sina ursprungliga lopp i topplocket om de inte har bytts ut.
31 Smörj vipparmarna och placera dem över sina respektive lyftare och ventilskaft. På 2,0-liters motorer ser du till att vipparmarnas ändar hamnar i fjäderklämmorna på lyftarna.
32 På 2,0-liters motorer smörjer du kamaxellagertapparna i topplocket med lite olja och är försiktig så att oljan inte rinner över till kamaxelns lagerhus kontaktytor.

1,4-liters motorer

33 Lägg på en liten sträng silikontätningsmedel på kontaktytan på det nedre lagerhuset mellan topplocket och kamaxeln och sätt dit de 5 nya O-ringstätningarna (se bild).
34 Sätt i två 12 mm-stänger eller borrbits i styrhålen i topplocket för att styra lagerhuset i rätt läge. Lämpliga styrstänger, nr 194-N, är tillgängliga från Peugeot-verkstäder. Montera tillbaka det nedre lagerhuset över verktygen, sätt i bultarna och dra åt dem för hand i ordning (se bild).
35 Ta bort styrstiften/stängerna och dra åt husbultarna i tidigare angiven ordningsföljd till angivet moment.
36 Smörj kamaxellagertapparna med ren motorolja, och skjut kamaxeln på plats.
37 Lägg på en tunn sträng silikontätningsmedel på kontaktytan på kamaxelns nedre lagerhus (se bild).
38 Sätt i två 12 mm-stänger eller borrbits i styrhålen i kamaxelns nedre lagerhus för att styra det övre lagerhuset i rätt läge. Lämpliga styrstänger, nr 194-N, är tillgängliga från Peugeot-verkstäder.
39 Sänk det övre huset över styrstiften/stängerna och fingerdra bultarna gradvis och jämnt i ordning tills huset har stadig kontakt med det nedre huset (se bild).
40 Ta bort styrstiften/stängerna och dra åt huset till angivet moment i samma ordningsföljd.

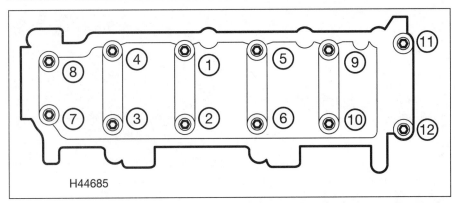

9.39 Åtdragningsordning för övre kamaxelns husbultar

9.43 När du sätter dit en begagnad givare ska avståndet mellan givaränden och givarringens ribbor vara 1,2 mm

41 Montera en ny kamaxel oljetätning enligt beskrivningen i avsnitt 14.

42 Se till att nyckeln sitter fast på kamaxeln och montera tillbaka kamaxeldrevet på kamaxeln och dra åt bulten till angivet moment.

43 Montera tillbaka kamaxelns lägesgivare på kamaxelhuset och placera givaren så att avståndet mellan drevet och givaränden är 1,2 mm för en använd givare. Om du sätter dit en ny givare ska givarens lilla spets precis vidröra en av de tre ribborna på signalringen **(se bild)**. Dra åt bulten till angivet moment.

44 Dra runt kamaxeldrevet till det läge där inställningsverktyget kan sättas i och sätt sedan tillbaka kamremmen enligt beskrivningen i avsnitt 7.

45 Resten av monteringen sker i omvänd ordningsföljd mot demonteringen.

2,0-liters motorer

46 Lägg kamaxeln i topplocket. på tidigare motormodeller placerar du kamaxeln så att motorns/ventilernas inställningsspår i drevets nav är inriktat efter inställningshålet i topplocket.

47 Se till att fogytorna på topplocket och kamaxelns lagerhus är rena och fria från olja eller fett.

48 Lägg på en tunn sträng silikontätningsmedel på kontaktytan på kamaxellagrets hus och var försiktig så att produkten inte förorenar kamaxellagertapparna **(se bild)**.

49 Sätt dit lagerhuset över kamaxeln och i läge på topplocket.

50 Sätt i lagerhusets fästbultar och dra åt dem *stegvis* till angivet moment **(se bild)**.

51 Montera en ny kamaxel oljetätning enligt beskrivningen i avsnitt 14.

52 Montera tillbaka kamaxelnavet och/eller drevet enligt beskrivningen i avsnitt 8.

53 Dra runt vevaxeln medurs tills du kan sätta tillbaka inställningstången genom hålet i blocket och in i svänghjulet/drivplattan

54 Montera tillbaka kamremmen enligt beskrivningen i avsnitt 7.

55 Resten av monteringen sker i omvänd ordningsföljd mot demonteringen.

9.48 Lägg på en sträng silikontätningsmedel på kontaktytan på kamaxelns lagerhus

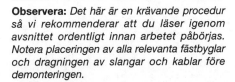

10 Topplock – demontering och montering

Observera: *Det här är en krävande procedur så vi rekommenderar att du läser igenom avsnittet ordentligt innan arbetet påbörjas. Notera placeringen av alla relevanta fästbyglar och dragningen av slangar och kablar före demonteringen.*

Demontering

1 Dra åt handbromsen. Lyft upp framvagnen och ställ den på pallbockar (se *Lyftning och stödpunkter*). Ta bort höger framhjul, motorns undre skyddskåpa, och hjulhusfodret. Den under skyddskåpan hålls på plats av flera skruvar och hjulhusfodret hålls på plats av flera expanderande plastnitar. Tryck in mittsprintarna en bit och bänd ur hela nitarna från sin plats

2 Ta bort batteriet (se kapitel 5A).

3 Töm kylsystemet enligt beskrivningen i kapitel 1B. För att komma åt bättre, ta bort motorhuven enligt beskrivningen i kapitel 11.

1,4-liters motorer

4 Demontera ventilkåpan enligt beskrivning i avsnitt 4.

5 Demontera kamremmen enligt beskrivningen i avsnitt 7.

6 Ta loss det främre avgasröret från grenröret, enligt beskrivningen i kapitel 4B. **Observera:** *Lägg inte någon belastning på den flexibla delen av avgasröret eftersom det kan orsaka skador.*

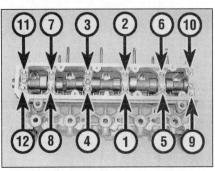

9.50 Åtdragningsordning för kamaxelns lagerhusbultar

7 Ta bort glödstiften enligt beskrivningen i kapitel 5C.

8 Skruva loss de tre bultarna och ta bort drivremmens sträckare från motorns framdel **(se bild)**.

9 Ta bort katalysatorn enligt beskrivningen i avsnitt 19 av kapitel 4B.

10 Ta bort generatorn (se kapitel 5A) och fästbygeln.

11 Lossa anslutningsbultarna och ta bort oljematningsröret från motorblocket och turboaggregatet. Ta bort fogens tätningsbrickor.

12 Lossa fästklämman och koppla från turboaggregatets oljereturslang från motorblocket.

13 Lossa och ta bort bultarna från högtrycksbränslepumpens bakre fäste och den över bulten från det främre fästet **(se bild)**.

14 Ta bort insprutningsventilerna enligt beskrivningen i kapitel 4B.

10.8 Drivremsträckarens bultar (markerade med pil)

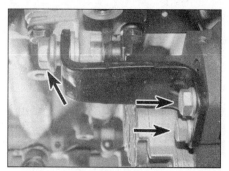

10.13a Fästbultar på bränslepumpens bakre fäste (markerade med pil) . . .

10.13b . . . och främre fästets övre bult

10.15 Kylvätskehuset bultar (markerade med pil)

15 Lossa bultarna från kylvätskans utloppshus (i vänstra änden av topplocket), lossa de två bultarna som håller fast husets fäste ovanpå växellådans balanshjulskåpa och flytta undan utloppshuset en liten bit från topplocket **(se bild)**. Du behöver inte lossa slangarna.
16 Lossa anslutningskontakten, skruva loss bulten, och ta bort kamaxelgivaren från topplocket.
17 Skruva loss de 13 bultarna och ta bort kamaxelns lagerhus från topplocket tillsammans med kamaxeln. Ta loss de 5 små O-ringstätningarna mellan huset och topplocket.
18 Ta 8 små, rena plastbehållare och numrera dem 1 till 8. Du kan även dela in i en större behållare i 8 avdelningar.
19 Lyft ut varje vipparm. Placera vipparmarna i sina respektive lägen i lådan eller behållarna **(se bild 9.10)**.

20 En behållare med flera fack som fylls med motorolja krävs nu för att förvara de hydrauliska ventillyftarna när de har tagits bort från topplocket. Ta bort varje hydraulisk lyftare och placera den i behållaren och förvara dem för korrekt återmontering. Ventillyftarna måste sänkas ned helt i oljan för att hindra dem från att det kommer in luft i dem.
21 Arbeta i omvänd ordning mot åtdragningen **(se bild 10.54)** och lossa topplocksbultarna.

2,0-liters motorer
22 Ta bort luftrenarenheten, luftflödesmätaren och insugsluftkanalerna, bränsleinsprutningsventilerna, bränslefördelarskenan och turboaggregatet enligt beskrivningen i kapitel 4B.
23 Demontera avgasåterföringsventilen enligt beskrivningen i kapitel 4C.

24 Demontera kamremmen enligt beskrivningen i avsnitt 7.
25 Sätt tillfälligt tillbaka det högra motorfästet för att stöda motorn när du tar bort topplocket.
26 Observera de monterade lägena och dragningen och koppla sedan från alla kylvätskeslangar och vakuumslangar från topplocket.
27 Skruva loss bultarna som håller fast oljemätstickans rör vid topplocket.
28 Skruva loss muttrarna på de två pinnbultarna som håller fast kylvätskeutloppet på den vänstra änden av topplocket och skruva sedan loss och ta bort pinnbultarna. Använd en bultavdragare eller dra åt två muttrar tillsammans på bulten innan du skruvar loss den. Observera fästenas placering på bultarna för korrekt återmontering **(se bild)**.
29 Utan att lossa slangarna skruvar du loss fästbultarna och flyttar kylvätskeutloppet från den vänstra änden av topplocket **(se bild)**. Bind fast det åt ena hållet vid behov. Ta loss tätningen. **Observera:** *I skrivande stund fanns inte kylvätskeutloppets tätning som separat reservdel. Om utloppsgrenröret är skadat måste hela röret bytas. Kontakta en Peugeot verkstad.*
30 Lossa kablaget från kamaxelns lägesgivare, skruva loss skruven och ta bort givaren **(se bild)**. Kontrollera att alla relevanta kablar har kopplats från givarna på topplocket och för sedan kablaget åt sidan.
31 Demontera ventilkåpan enligt beskrivning i avsnitt 4

10.28a Skruva loss muttrarna . . .

10.28b . . . och ta bort pinnbultarna från kylvätskeutloppets grenrör

10.29a Skruva loss bultarna . . .

10.29b . . . och ta bort kylätskeutloppets grenrör från topplocket

10.30 Ta bort kamaxelgivaren

32 Lossa topplocksbultarna stegvis i omvänd ordning mot vad som anges för åtdragningen **(se bild 10.62)**. En Torxhylsa krävs för detta.
33 När alla bultar är lösa skruvar du loss dem helt och ta bort dem från topplocket.

Alla motorer

34 Lossa topplocket från motorblocket och styrtapparna genom att vagga det fram och tillbaka. Peugeot-verktyget för detta består av två metallstänger med ändar som är vinklade 90 grader **(se bild)**. Bänd inte mellan kontaktytorna på topplocket och blocket eftersom det kan skada packningsytorna.
35 Lyft topplocket från blocket, och ta loss packningen.
36 Om det behövs tar du bort grenrören (om du inte redan har gjort det) enligt beskrivningen i kapitel 4B.

Förberedelser för montering

37 Topplockets och motorblockets fogytor måste vara helt rena innan topplocket sätts tillbaka. Peugeot rekommenderar att man använder skurmedel till detta, men man kan uppnå godtagbara resultat genom att använda en hård skrapa av plast eller trä för att ta bort alla spår av packning och sot. Samma metod kan användas för att rengöra kolvkronorna. Var extra noggrann med att undvika att repa eller göra gropar i topplockets/motorblockets fogytor under rengöringen eftersom det är lätt att skada aluminiumlegeringar. Se till att sot inte kommer in i olje- och vattenkanalerna – detta är särskilt viktigt när det gäller smörjningen eftersom sotpartiklar kan täppa igen oljekanaler och blockera oljematningen till motordelarna. Försegla vattenkanaler, oljekanaler och bulthål i motorblocket med tejp och papper. Lägg lite fett i gapet mellan kolvarna och loppen för att hindra sot från att tränga in. När en kolv är rengjord ska alla spår av fett och sot borstas bort från dess öppning med en liten borste och sedan ska öppningen torkas med en ren trasa.
38 Kontrollera motorblockets och topplockets fogytor efter hack, djupa repor och andra skador. Om de är små kan de försiktigt filas bort, men om de är stora är slipning eller byte den enda lösningen. Kontrollera topplockspackningens yta med en stållinjal

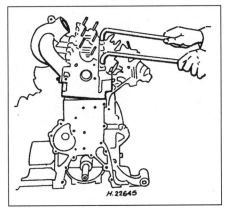

10.34 Frigör topplocket med vinklade stänger

om den misstänks vara skev. Se del D i detta kapitel om det behövs.
39 Rengör noggrant gängorna på topplockets bulthål i motorblocket. Se till att bultarna går fritt i gängorna och att alla spår av olja och vatten har avlägsnats från varje bulthål.

Val av packningar

40 Ta bort vevaxelns inställningsstift och dra runt vevaxeln tills kolvarna 1 och 4 befinner sig vid ÖD-läge (övre dödläge). Placera en mätklocka på motorblocket nära bakdelen av kolv nr 1 och nollställ den på blockets yta. Flytta sonden till kronan på kolv nr 1 (10,0 mm in från bakkanten) och dra långsamt vevaxeln fram och tillbaka förbi ÖD-läget och notera det högsta värdet på mätaren. Notera det här värdet som utsprång A.
41 Upprepa kontrollen i avsnitt 40, den här gången 10,0 mm in från framkanten på kolvkronan på kolv 1. Notera det här värdet som utsprång B.
42 Lägg ihop utsprång A och utsprång B och dividera sedan resultatet med 2 för att få ett genomsnittligt värde för kolv 1.
43 Upprepa proceduren som beskrivs i avsnitt 40 till 42 på kolv 4 och dra runt vevaxeln 180° och utför åtgärden på kolv 2 och kolv 3 **(se bild)**. Kontrollera att det finns en maximal skillnad på 0,07 mm utsprång mellan två kolvar.
44 Om du inte har en mätklocka kan kolvens

10.43 Mät kolvens utbuktning med en DTI klocka

utsprång mätas med en stållinjal och bladmått eller skjutmått. Detta är dock mindre exakt och kan därför inte rekommenderas.
45 Notera det största kolvutsprångsvärdet och använd det för att hitta rätt topplockspackning i följande tabell. Spåren/hålen på sidan av packningen används för tjockleksidentifiering **(se bild)**.

1,4-liters motorer

Kolvutsprång	Packningsidentifiering
0,618 till 0,725 mm	2 hack
0,726 till 0,775 mm	3 hack
0,776 till 0,825 mm	1 hack
0,826 till 0,875 mm	4 hack
0,876 till 0,983 mm	5 hack

2,0-liters motorer

Kolvutsprång	Packningsidentifiering
0,470 till 0,604 mm	1 hack
0,605 till 0,654 mm	2 hack
0,655 till 0,704 mm	3 hack
0,705 till 0,754 mm	4 hack
0,755 till 0,830 mm	5 hack

Undersökning av topplocksbultarna

46 Undersök försiktigt topplockets bultar efter tecken på skador på gängorna eller topplocket samt efter spår av korrosion. Om bultarnas skick är godtagbart mäter du längden på varje bult från undersidan av skallen till änden av bulten. Du kan återanvända bultarna om den uppmätta längden inte överskrider 149,0 mm på 1,4-liters motorn och 133,3 på 2,0-liters motorn **(se bild)**.

10.45a Topplockspackningens tjockleks identifieringsspår (markerade med pil) (1,4-liters motor) . . .

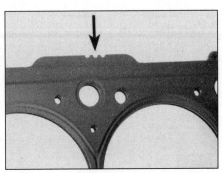

10.45b . . . och 2,0-liters motor (markerad med pil)

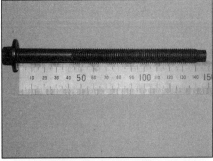

10.46 Mät bultens längd från undersidan av bulthuvudet till änden av bulten (1,4-liters motor)

10.49 Se till att packningen passar korrekt över styrstiften

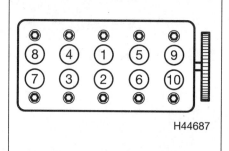

10.54 Ordningsföljd för åtdragning av topplockets bultar (1,4-liters motor)

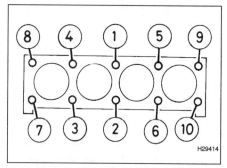

10.62 Ordningsföljd för åtdragning av topplockets bultar (2,0-liters motor)

Observera: *Med tanke på den belastning som topplocksbultarna utsätts för rekommenderas att de byts, oavsett skick.*

Montering

47 Dra runt vevaxeln och placera kolv nr 1 och 4 vid ÖD-läget och dra runt vevaxeln ett kvarts varv (90°) moturs.
48 Rengör ytorna på blocket och topplocket noggrant.
49 Kontrollera att styrstiften sitter på plats och sätt dit rätt packning vänd åt rätt håll på motorblocket **(se bild)**.

1,4-liters motorer

50 Om det behövs, montera tillbaka avgasgrenröret på topplocket enligt beskrivningen i kapitel 4B.
51 Sänk försiktigt ner topplocket på packningen och blocket och kontrollera att det hamnar i rätt läge på stiften.
52 Applicera lite fett på topplocksbultarnas gängor och på undersidan av bultskallarna. Peugeot rekommenderar att man använder Molykote G Rapid Plus (tillgängligt från din Peugeotverkstad). om du inte har det rekommenderade fettet kan du använda valfritt fett med bra kvalitet och hög smältpunkt.
53 Sätt försiktigt i topplockets bultar i sina hål (*släpp inte i dem*) och börja med att fingerdra dem.
54 Arbeta stegvis i visad ordningsföljd och dra åt topplocksbultarna till momentet för steg 1 med momentnyckel och passande hylsa **(se bild)**.
55 När alla bultar har dragits åt till momentet i steg 1 arbetar du återigen i angiven ordningstöljd och drar åt varje bult till den angivna inställningen i steg 2. Avsluta med att vinkeldra bultarna genom den angivna vinkeln för steg 3. En vinkelmätare rekommenderas till steg 3 för exakthet. **Observera:** *Topplocksskruvarna behöver inte dras åt.*
56 Montera tillbaka de hydrauliska ventillyftarna, vipparmarna, och kamaxelhuset (med kamaxel) enligt beskrivningen i avsnitt 9.
57 Montera tillbaka kamremmen enligt beskrivningen i avsnitt 7.

2,0-liters motorer

58 Om det behövs, montera insugnings- och avgasgrenrören enligt beskrivningen i kapitel 4B.

59 Kontrollera att kamaxelns inställningsstift för ÖD-läge sitter på plats och sänk sedan försiktigt ner topplocket på packningen och blocket och kontrollera att det hamnar i rätt läge på stiften.
60 Applicera lite fett på topplocksbultarnas gängor och på undersidan av bultskallarna. Peugeot rekommenderar att man använder Molykote G Rapid Plus (tillgängligt från din Peugeotverkstad). om du inte har det rekommenderade fettet kan du använda valfritt fett med bra kvalitet och hög smältpunkt.
61 Sätt försiktigt i topplockets bultar i sina hål (*släpp inte i dem*) och börja med att fingerdra dem.
62 Arbeta stegvis i visad ordningsföljd och dra åt topplocksbultarna till momentet för steg 1 med momentnyckel och passande hylsa (se bild).
63 När alla bultar har dragits åt till momentet i steg 1 arbetar du återigen i angiven ordningsföljd och drar åt varje bult till den angivna inställningen i steg 2. Avsluta med att vinkeldra bultarna genom den angivna vinkeln för steg 3. En vinkelmätare rekommenderas till steg 3 för exakthet. **Observera:** *Topplocksskruvarna behöver inte dras åt.*
64 Montera ventilkåpan enligt beskrivning i avsnitt 4.
65 Montera tillbaka kamremmen enligt beskrivningen i avsnitt 7.

Alla modeller

66 Resten av återmonteringen sker i omvänd ordning mot demonteringen. Tänk på följande:

11.2 Skruva loss skruvarna på motorns undre skyddskåpa

a) *Använd en ny tätning när man sätter tillbaka kylvätskeutloppets hus.*
b) *När du sätter tillbaka topplocket är det en standardåtgärd att byta termostaten.*
c) *Montera tillbaka kamaxelns lägesgivare och ställ i luftavståndet enligt beskrivningen i kapitel 4B.*
d) *Dra åt alla hållare till angivet moment (där sådant angetts).*
e) *Fyll på kylsystemet enligt beskrivningen i kapitel 1B.*
f) *Motorn kan gå ojämnt några kilometer tills motorhanteringens ECM lär in de lagrade värdena.*

11 Sump
– demontering och montering

Demontering

1 Tappa av motoroljan, rengör sedan avtappningspluggen och sätt tillbaka den, dra åt ordentligt. Om motorn närmar sig sitt serviceintervall, då oljan och filtret ska bytas ut, rekommenderas att även filtret tas bort och byts ut mot ett nytt. Efter återmontering kan motorn fyllas med ny olja. Ytterligare information finns i kapitel 1B.
2 Dra åt handbromsen. Lyft upp framvagnen och ställ den på pallbockar (se *Lyftning och stödpunkter*). Lossa skruvarna och ta bort motorns undre skyddskåpa (se bild).
3 På 1,4-liters modeller kan du underlätta åtkomsten genom att ta bort det främre avgasröret enligt beskrivningen i kapitel 4B.
4 På 2,0-liters modeller med luftkonditionering där kompressorn är monterad på sidan av sumpen tar du bort drivremmen enligt beskrivningen i kapitel 1B. Skruva loss kompressorn och placera den på avstånd från sumpen. Stöd upp kompressorns vikt genom att binda fast den i bilen för att förhindra att alltför mycket kraft läggs på kompressorledningarna. Koppla *inte* från kylvätskeledningarna från kompressorn (se varningarna i kapitel 3).

5 Vid behov lossar du kablagekontakten från oljetemperatursändaren, som är fastskruvad på sumpen.

6 Skruva gradvis loss och ta bort sumpens samtliga fästbultar/muttrar. Eftersom sumpens bultar har olika längd tar du bort varje bult i tur och ordning och förvarar den i monterad genom att trycka den genom an tydligt märkt kartongmall. Genom detta kan man undvika att installera bultarna på fel plats vid återmonteringen.

7 Lossa sumpen genom att slå på den med handflatan och dra den sedan nedåt och ta bort den under bilen. Om sumpen kärvar (vilket är ganska troligt) använder du en spackelkniv eller liknande redskap som sätts i mellan sumpen och blocket. Dra kniven längs fogen tills sumpen lossnar. Passa på att kontrollera oljepumpens oljeupptagare/sil efter tecken på igensättning eller sprickor medan sumpen är borttagen. Om det behövs tar du bort pumpen enligt beskrivningen i avsnitt 12 och rengör eller byter silen. Observera att oljemätstickans rör på 2,0-liters motorer går ner till botten av sumpen för att oljan ska kunna sugas ut ur röret med specialutrustning **(se bild)**.

Montering

8 Ta bort alla spår av tätningsmedel från motorblockets/vevhusets och sumpens fogytor, rengör sedan sumpen och motorn invändigt med en ren trasa.

9 På motorer där sumpen monteras utan packning ser du till att sumpens fogytor är rena och torra och lägger sedan på ett tunt lager av lämpligt tätningsmedel på sumpen eller vevhusets fogyta **(se bild)**.

10 Placera sumpen i motorblocket. Sätt tillbaka dess fästbultar/muttrar och se till att varje bult skruvas dit i sitt ursprungsläge. Dra åt bultarna jämnt och stegvis till angivet moment. På 2,0-liters motorer noterar du de dolda bultarna i ena änden av sumpen **(se bilder)**.

11 Vid behov passar du in luftkonditionerings-kompressorn efter dess fästen på sumpen och sätter i fästbultarna. Dra åt kompressorns fästbultar ordentligt och montera tillbaka drivremmen enligt beskrivningen i kapitel 1B.

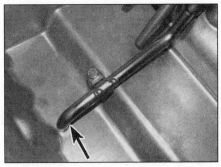

11.7 På senare 2,0-liters modeller sträcker sig mätstickans rör till sumpens botten

11.10a Montera tillbaka sumpen och dra åt bultarna (1,4-liters motor)

12 Återanslut kablagekontakten till oljetemperaturgivaren (i förekommande fall).

13 Sänk ner bilen och fyll motorn med olja enligt beskrivningen i kapitel 1B.

12 Oljepump – demontering, kontroll och montering

Demontering

1 Demontera sumpen enligt beskrivningen i avsnitt 11.

1,4-liters motorer

2 Demontera vevaxeldrevet enligt beskrivningen i avsnitt 8. Ta bort inställningsnyckeln från vevaxeln.

11.9 Applicera en sträng tätningsmedel på vevhusets fogyta

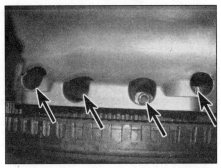

11.10b Dolda bultar (markerade med pil) i ena änden av sumpen (2,0-liters motor)

3 Lossa anslutningskontakten, skruva loss bultarna och ta bort vevaxelns lägesgivare som sitter i den högra änden av motorblocket.

4 Skruva loss de tre sexkantsbultarna och ta bort oljepumpens upptagarrör från pumpen/blocket tillsammans med mätstickans styrrör **(se bild)**. Kasta packningen, eftersom en ny en måste användas.

5 Skruva loss de 8 bultarna, och ta bort oljepumpen **(se bild)**.

2,0-liters motorer

6 Skruva loss och ta bort bultarna som håller fast oljepumpen på motorblockets/vevhusets bas.

7 Lossa pumpens drev från kedjan och ta bort oljepumpen **(se bild)**. Vid behov tar du även bort distansbrickan bakom oljepumpen.

12.4 Lossa de tre sexkantsbultarna (markerade med pil) och ta bort oljeupptagarröret

12.5 Skruva loss de 8 bultarna (markerade med pil) och ta bort oljepumpen

12.7 Lossa kedjan och ta bort oljepumpen

12.8 Skruva loss torxskruvarna och ta bort pumpkåpan

12.9a Ta bort låsringen . . .

12.9b . . . kåpa . . .

12.9c . . . fjäder . . .

12.9d . . . och kolv

Kontroll

1,4-liters motor

8 Skruva loss och ta bort torxskruvarna som håller fast kåpan på oljepumpen **(se bild)**. Undersök pumprotorerna och huset om de är slitna eller skadade. Om pumpen är defekt måste den bytas som en enhet.

9 Ta bort låsringen och ta bort locket, ventilkolven och fjädern och notera åt vilket håll de är monterade **(se bilder)**. Skicket på utjämningsventilens kolv kan bara mätas genom att man jämför den med en ny kolv. om det råder minsta tvekan om en komponents skick ska den bytas.

10 Montera tillbaka utjämningsventilens kolv och fjäder och håll dem på plats med låsringen.

11 Montera kåpan på oljepumpen och dra åt torxskruvarna ordentligt.

2,0-liters motorer

12 Undersök oljepumpsdrevet med avseende på skador och slitage som trasiga eller saknade kuggar. Om drevet är slitet måste du byta pumpenheten eftersom drevet inte är tillgängligt separat. Vi rekommenderar även att kedjan och drevet på vevaxeln byts samtidigt. Om du vill byta kedjan och drevet tar du först bort vevaxelns kamremsdrev och skruvar loss oljetätningens hållare från motorblocket. Drevet, distansbrickan (i förekommande fall) och kedjan kan sedan dras loss från vevaxelns ände.

13 Skruva loss och ta bort bultarna (tillsammans med skvalpskottet, om det har monterats) som håller fast silens kåpa på pumphuset. Lyft av silens kåpa och ta bort utjämningsventilens kolv och fjäder och notera åt vilket håll de är monterade **(se bilder)**.

14 Undersök pumprotorerna och huset med avseende på slitspår och repor. Om pumpen är defekt måste den bytas som en enhet.

15 Undersök utjämningsventilens kolv efter tecken på slitage eller skador och byt den om det behövs. Skicket på utjämningsventilens kolv kan bara mätas genom att man jämför den med en ny kolv. om det råder minsta tvekan om en komponents skick ska den bytas. Både kolven och fjädern kan beställas separat.

16 Rengör oljepumpens sil noggrant med lämpligt lösningsmedel och kontrollera om den har tecken på igensättning eller delningar. Om silen har skadats måste silen och kåpan bytas.

17 Sätt dit utjämningsventilens fjäder och kolven i silens kåpa. Montera tillbaka kåpan på pumphuset och passa in utjämningsventilens kolv med loppet i pumpen. Montera tillbaka skvalpskottet (om det har monterats) och kåpans fästbultar och dra åt dem ordentligt.

18 Lufta pumpen genom att fylla den med ren motorolja före återmonteringen.

Montering

1,4-liters motorer

19 Ta bort alla spår av tätningsmedel och rengör noggrant fogytorna på oljepumpen och motorblocket.

20 Lägg på en 4 mm bred sträng av silikontätningsmedel på motorblockets kontaktyta **(se bild)**. Se till att inget tätningsmedel kommer in i hålen i blocket.

12.13a Ta bort oljepumpskåpans bultar . . .

12.13b . . . lyft av kåpan och ta bort fjädern . . .

12.13c . . . och utjämningsventilens kolv och notera åt vilket håll den är monterad

21 När en ny oljetätning sitter på plats monterar du tillbaka oljepumpen över vevaxelns ände och passar in de flata områdena på pumpens drev efter de flata bearbetade områdena på vevaxeln **(se bilder)**. Observera nya oljepumpar levereras med monterad oljetätning och en tätningsskyddshylsa. Hylsan sitter över vevaxeländen för att skydda tätningen när pumpen monteras.

22 Sätt i pumpens fästbultar och dra åt dem till angivet moment.

23 Montera tillbaka oljeupptagarröret på pumpen/motorblocket med en ny O-ringstätning. Se till att oljemätstickans styrrör monteras tillbaka korrekt.

24 Montera tillbaka Woodruff-kilen på vevaxeln och skjut dit vevaxeldrevet på plats.

25 Resten av monteringen sker i omvänd ordningsföljd mot demonteringen.

2,0-liters motorer

26 Passa in distansbrickan (i förekommande fall) och koppla ihop pumpdrevet med drivkedjan och sätt dit pumpen på motorblockets/vevhusets bas. Sätt i pumpens fästbultar och dra åt dem till angivet moment.

27 Montera tillbaka sumpen enligt beskrivningen i avsnitt 11.

13 Oljekylare – demontering och montering

Demontering

1 Dra åt handbromsen. Lyft upp framvagnen och ställ den på pallbockar (se *Lyftning och stödpunkter*). Skruva loss skruvarna och ta bort motorns undre skyddskåpa.

1,4-liters motor

2 Oljekylaren sitter på framsidan av oljefilterhuset. Tappa ur kylvätskan enligt beskrivningen i kapitel 1B.

3 Tappa ur motoroljan enligt beskrivningen i kapitel 1B eller var beredd på

4 Skruva loss bultarna och ta bort oljekylaren. Ta loss O-ringstätningarna **(se bilder)**.

2,0-liters motorer

5 Töm kylsystemet enligt beskrivningen

12.20 Applicera en sträng tätningsmedel på motorblockets fogyta

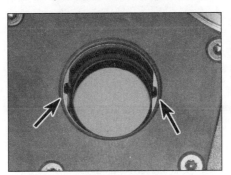

12.21b ... passa in pumpdrevets flata områden (markerade med pil) ...

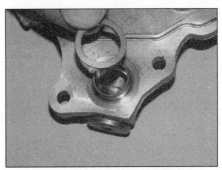

12.21a Montera en ny oljetätning...

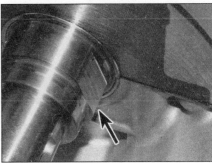

12.21c ... efter motsvarande områden på vevaxeln (markerad med pil)

i kapitel 1B. Du kan även klämma fast oljekylarens kylvätskeslangar direkt över kylaren och var beredd på kylvätskeförlusten när slangarna lossas.

6 Placera en lämplig behållare under oljefiltret på motorns framsida. Skruva loss filtret med ett filterdemonteringsverktyg om det behövs och tappa ur oljan i behållaren. Om oljefiltret skadas eller förvrids under demonteringen måste det bytas. Med tanke på den låga kostnaden för ett nytt oljefilter i förhållande till kostnaden för att reparera de skador som kan uppstå om ett återanvänt filter läcker, är det förmodligen en bra idé att byta filtret.

7 Lossa slangklämmorna och lossa kylvätskeslangarna från oljekylaren.

8 Skruva loss oljekylarens/oljefiltrets fästbult från motorblocket och ta bort kylaren. Notera styrspåret på kylarens fläns som passar in över

tappen på motorblocket **(se bild)**. Kassera oljekylarens tätningsring; du måste sätta dit en ny vid monteringen.

Montering

1,4-liters motor

9 Sätt dit de nya O-ringstätningarna i urtagen i oljefilterhuset och montera tillbaka kylaren. Dra åt bultarna ordentligt.

2,0-liters motorer

10 Sätt dit en ny tätningsring i urtaget i kylarens bakdel och sätt dit kylaren på motorblocket.

11 Se till att styrurtaget i kylarflänsen passar ihop med tappen på motorblocket. Applicera låsvätska på fästbultens gängor och sätt i den genom oljekylaren och dra åt ordentligt.

12 Sätt dit oljefiltret och sänk ner bilen.

13.4a Skruva loss bultarna (markerade med pil), ta bort oljekylaren ...

13.4b ... och ta loss O-ringstätningar

13.8 Oljekylarens/oljefiltrets fästbult (A) och styrspår (B)

14.3 Borra ett hål och använd sedan en självgängande skruv och tång för att dra ut oljetätningen

14.14 Den nya oljetätningen har en skyddshylsa (markerad med pil) som sätts dit över vevaxelns ände

14.20 Placera den nya tätningen i topplocket

Alla motorer

13 Fyll på kylsystemet och motoroljan enligt beskrivningen i kapitel 1B eller *Veckokontroller (efter tillämplighet)*. Starta motorn och kontrollera om oljekylaren läcker.

14 Oljetätningar
– byte

Vevaxelns högra oljetätning

1 Demontera vevaxeldrevet enligt beskrivningen i avsnitt 8.
2 Observera hur djupt oljetätningen sitter.
3 Dra bort oljetätningen från huset med ett verktyg med krok. Du kan även borra ett litet hål i oljetätningen och använda en självgängande skruv och en tång för att ta bort den **(se bild 14.3)**.
4 Rengör oljetätningshuset och vevaxeln.
5 På 2,0-liters motorer doppar du den nya oljetätningen i ren motorolja och trycker i den i huset (öppna änden först) till det tidigare noterade djupet med ett lämpligt rör eller hylsa.

> **HAYNES TiPS** *Det är bra att dra en bit tunn plast eller tejp runt vevaxelns främre del för att undvika skador på packboxen när den monteras.*

6 På 1,4-liters motorer, har tätningen en teflonläpp och får inte oljas eller markeras. Den nya tätningen ska förses med en skyddshylsa som placeras över vevaxelns ände för at hindra skador på tätningsläppen. När hylsan sitter på plats trycker du i tätningen (öppna änden först) i pumpen till det tidigare noterade djupet med ett lämpligt rör eller en hylsa.
7 I förekommande fall tar du bort plasten eller tejpen från vevaxelns ände.
8 Montera tillbaka kamremmens vevaxeldrevet enligt beskrivningen i avsnitt 8.

Vevaxelns vänstra oljetätning

9 Demontera svänghjulet/drivplattan enligt beskrivningen i avsnitt 16.
10 Observera hur djupt oljetätningen sitter.
11 Dra bort packboxen från huset med ett verktyg med krok. Du kan även borra ett litet hål i oljetätningen och använda en självgängande skruv och en tång för att ta bort den **(se bild 14.3)**.
12 Rengör oljetätningshuset och vevaxeln.
13 På 2,0-liters motorer doppar du den nya oljetätningen i ren motorolja och trycker i den i huset (öppna änden först) till det tidigare noterade djupet med ett lämpligt rör eller hylsa. Det är bra att dra en bit tunn plast eller tejp runt vevaxeländen för att undvika skador på packboxen när den monteras.
14 På 1,4-liters motorer, har tätningen en teflonläpp och får inte oljas eller markeras. Den nya tätningen ska förses med en skyddshylsa som placeras över vevaxelns ände för at hindra skador på tätningsläppen **(se bild)**. När hylsan sitter på plats trycker du

14.22 Den nya oljetätningen har en skyddshylsa (markerad med pil) som sätts dit över kamaxelns ände

i tätningen (öppna änden först) i huset till det tidigare noterade djupet med ett lämpligt rör eller en hylsa.
15 I förekommande fall tar du bort plasten eller tejpen från vevaxelns ände.
16 Montera tillbaka svänghjulet/drivplattan enligt beskrivningen i avsnitt 16.

Kamaxelns högra oljetätning

17 Ta bort kamaxeldrevet (och nav, om tillämpligt) enligt beskrivningen i avsnitt 8. I princip behöver man inte ta bort kamremmen helt, men kom ihåg att om remmen har förorenats så måste den bytas.
18 Dra bort oljetätningen från huset med ett verktyg med krok. Du kan även borra ett litet hål i packboxen och använda en självgängande skruv och en tång för att ta bort den **(se bild 14.3)**.
19 Rengör oljetätningshusets och kamaxelns lageryta.

2,0-liters motorer

20 Smörj den nya oljetätningen med ren motorolja och sätt dit den över kamaxelns ände med den öppna änden först **(se bild)**. Det är bra att dra en bit tunn plast eller tejp runt kamaxelns främre del för att undvika skador på oljetätningen när den monteras.
21 Tryck i tätningen i huset tills den är i nivå med topplockets ändyta. Använd en M10-bult (skruvas i kamaxelns ände), brickor och ett lämpligt rör eller hylsa som bara ligger an mot tätningens ytterkant för att trycka den i läge **(se bild)**.

1,4-liters motorer

22 Tätningen har en teflonläpp och får inte oljas eller markeras. Den nya tätningen ska förses med en skyddshylsa som placeras över kamaxelns ände för att hindra skador på tätningsläppen **(se bild)**. Sätt dit hylsan, tryck i tätningen (öppna änden först) i huset till det tidigare noterade djupet med hjälp av ett lämpligt rör eller en hylsa som bara ligger an mot tätningens ytterkant.

Alla motorer

23 Montera tillbaka kamaxeldrevet (och nav, om tillämpligt) enligt beskrivningen i avsnitt 8.
24 Vid behov, montera en ny kamrem enligt beskrivningen i avsnitt 7.

14.21 Använd ett rör eller en hylsa för att trycka dit tätningen på plats

Kamaxelns vänstra oljetätning

2,0-liters motorer

25 Ingen oljetätning monteras i kamaxelns vänstra ände. Tätningen sköts av en O-ring på ändplattans fläns. O-ringen kan bytas efter att plattan har lossats från topplocket.

15 Oljetryckbrytare och nivågivare – demontering och montering

Demontering

Oljetryckkontakt

1 Oljetryckbrytaren sitter längst fram på motorblocket, intill oljemätstickans styrrör (1,4-liters motor) eller över oljefilterfästet (2,0-liters motorer). På vissa modeller kan det vara lättare att komma åt brytaren om man lyfter upp bilen och stöder den på pallbockar,lossar skruvarna och tar bort motorns undre skyddskåpa så att man kommer åt brytaren från undersidan (se *Lyftning och stödpunkter*).
2 Ta bort skyddshylsan från anslutningskontakten (om tillämpligt), lossa sedan kablaget från brytaren.
3 Skruva loss brytaren från motorblocket, och ta loss tätningsbrickan **(se bilder)**. Var beredd på oljespill och om brytaren ska tas bort från motorn under längre tid, pluggar du igen hålet i motorblocket.

Oljenivågivare

4 Oljenivågivaren sitter placerad på motorblockets baksida. Hissa upp bilens framvagn och ställ den på pallbockar (se *Lyftning och stödpunkter*). Skruva loss skruvarna och ta bort motorns undre skyddskåpa.
5 Sträck dig mellan drivaxeln och motorblocket och lossa givarens kabelkontakt **(se bild)**.
6 Använd en öppen nyckel, skruva loss givaren och ta bort den från läget. På 2,0-liters motorer kasserar du tätningsbrickan och sätter dit en ny.

Montering

Oljetryckkontakt

7 Undersök tätningsbrickan efter tecken på skada eller åldrande, och byt ut om det behövs.
8 Montera kontakten och dess bricka och dra åt ordentligt.
9 Montera tillbaka motorns undre skyddskåpa, och sänk ner bilen.

Oljenivågivare

10 Stryk på lite silikontätningsmedel på gängorna och montera tillbaka givaren på motorblocket och dra åt den ordentligt. På 2,0-liters modeller byter du tätningsbrickan innan du sätter tillbaka givaren.

15.3a På 1,4-liters motorer sitter oljetryckbrytaren på motorblockets främre yta

11 Återanslut givarens anslutningskontakt.
12 Montera tillbaka motorns undre skyddskåpa, och sänk ner bilen.

16 Svänghjul/drivplatta – demontering, kontroll och montering

Svänghjul – demontering

1 Ta bort växellådan enligt beskrivningen i kapitel 7A. Ta sedan bort kopplingen enligt beskrivningen i kapitel 6.
2 Hindra svänghjulet från att vridas genom att låsa krondrevets kuggar **(se bild 5.2)**. Alternativt, skruva fast en remsa mellan svänghjulet och motorblocket/vevhuset. Försök *inte* låsa svänghjulet i läge med vevaxelns remskivas låsverktyg som beskrivs i avsnitt 3. På 1,4-liters motorer sätter du i en stång eller en borr med 12 mm i diameter genom hålet i svänghjulets kåpa och in i uttaget i svänghjulet **(se bild 5.3)**
3 Gör inriktningsmarkeringar mellan svänghjulet och vevaxeln för att underlätta ditsättningen. Lossa svänghjulets fästbultar och ta bort dem och ta bort svänghjulet från vevaxeländen. Tappa den inte; den är tung. Om svänghjulets styrstift (om en sådan finns),sitter löst i vevaxelns ände, ta bort den och spara den tillsammans med svänghjulet. Kassera svänghjulsbultar; du måste sätta dit nya vid monteringen.

Drivplatta – demontering

4 Ta bort växellådan enligt beskrivningen i

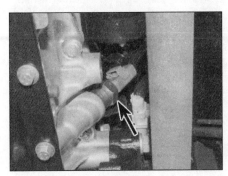

15.5 Oljenivågivare (markerad med pil)

15.3b Oljetryckskontakt (2,0-liters motor)

kapitel 7B. Lås drivplattan enligt beskrivningen i stycke 2 i det här avsnittet. Markera förhållandet mellan momentomvandlarplattan och drivplattan och lossa drivplattans alla fästbultar.
5 Ta bort fästbultarna tillsammans med momentomvandlarplattan och de två mellanläggen (ett på varje sida av momentomvandlarplattan). Observera att mellanläggen har olika tjocklek. Det tjockare sitter på utsidan av momentomvandlarplattan. Kassera drivplattans fästbultar; du måste sätta dit nya vid monteringen.
6 Ta bort drivplattan från vevaxelns ände. Om styrstiftet sitter löst i vevaxlens ände, ta bort den och spara den tillsammans med drivplattan.

Kontroll

7 På modeller med manuell växellåda undersöker du svänghjulet efter repor på kopplingsytan och slitage eller skador på krondrevets kuggar. Om kopplingsytan är repig kan svänghjulets yta slipas, men det är bättre att byta ut svänghjulet. Fråga en Peugeotverkstad eller en specialist på motorrenoveringar för att se om det går att slipa. Om krondrevet är slitet eller skadat måste svänghjulet bytas eftersom det inte går att byta krondrevet separat.
8 På modeller med automatväxellåda, kontrollera momentomvandlarens drivplatta noggrant efter tecken på skevhet. Leta efter hårfina sprickor runt bulthålen eller utåt från mitten, och undersök krondrevets kuggar efter tecken på slitage eller skador. Om tecken på slitage eller skada påträffas, måste drivplattan bytas.

Svänghjul – montering

9 Rengör svänghjulets och vevaxelns fogytor. Ta bort alla rester av fästmassa från vevaxelhålens gängor, helst med en gängtapp av rätt dimension, om en sådan finns tillgänglig.

HAYNES TiPS *Om en lämplig gängtapp inte finns tillgänglig, skär två skåror i gängorna på en av de gamla svänghjulsbultarna och använd bulten till att ta bort fästmassan från gängorna.*

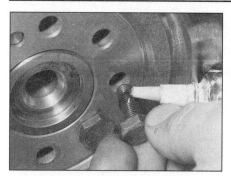

16.10 Om de nya bultarna inte levereras med bestrukna gängor applicerar du gänglåsningsmedel på dem . . .

10 Om de nya svänghjulsbultarna inte levererats med redan belagda gängor ska en lämplig gänglåsmassa läggas på varje bults gängor **(se bild)**.

DW10ATED med tvåmassesvänghjul

11 Tvåmassesvänghjulet är utformat för att minska kärvning och vibrationer i motorn, kopplingen och växellådan. Med den här typen av svänghjul behövs två svänghjulscentraliseringsverktyg (0216-L – tillgängliga från Peugeot-verkstäder De skruvas fast i två motsatta svänghjulsbulthål i vevaxeln. När verktygen skruvas fast centraliserar deras koniska form svänghjulet i förhållande till vevaxeln.

12 När svänghjulet är centraliserat sätter du dit nya bultar i de resterande svänghjulshålen och låser svänghjulet med samma metod som användes vid isärtagningen och drar åt bultarna till angivet moment.

13 Ta bort de två centraliseringsverktygen, sätt dit de nya bultarna och dra åt dem till angivet moment.

Alla övriga motorer

14 Se till att styrstiftet är korrekt placerad. Passa in svänghjulet, placera det på styrstiftet (om en sådan finns) och sätt dit de nya fästbultarna. Om det inte finns något styrstift passar du in de tidigare gjorda markeringarna efter varandra för att se till att svänghjulet monteras tillbaka i ursprungsläget.

15 Lås svänghjulet som vid demonteringen och dra svänghjulsbultarna till angivet moment och vinkel **(se bild)**.

17.7 Skruva loss bultarna (markerade med pil) och ta bort motorfästet

16.15 . . . montera sedan tillbaka svänghjulet och dra åt bultarna till angivet moment

Alla motorer

16 Montera tillbaka kopplingen enligt beskrivningen i kapitel 6. Avlägsna svänghjulets låsredskap och montera växellådan enligt beskrivning i kapitel 7A.

Drivplatta – montering

17 Utför åtgärderna i stycke 9 och 10 ovan och byt alla syftningar på "drivplattan" mot "svänghjulet".

18 Placera drivplattan på styrstiftet.

19 Passa in momentomvandlarplattan med det tunnare mellanlägget bakom plattan och det tjockare mellanlägget på utsidan och rikta in markeringarna som du gjorde före borttagningen efter varandra.

20 Sätt dit de nya fästbultarna och lås drivplattan med samma metod som användes vid isärtagningen. Dra åt fästbultarna till angivet moment.

21 Ta bort drivplattas låsverktyg och montera växellådan (se kapitel 7B).

17 Motorns-/växellådans fästen – kontroll och byte

Kontroll

1 För att komma åt bättre, dra åt handbromsen och lyft sedan upp framvagnen och ställ den på pallbockar (se *Lyftning och stödpunkter*).

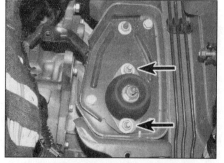

17.15a Skruva loss centrummuttern och sedan de två monteringsmuttrarna (markerade med pil)

Skruva loss skruvarna och ta bort motorns undre skyddskåpa.

2 Kontrollera om gummifästena är spruckna, förhårdnade eller skilda från metallen på något ställe. Byt fästet om du ser tecken på sådana skador.

3 Kontrollera att fästenas hållare är hårt åtdragna. använd en momentnyckel om möjligt.

4 Undersök om fästet är slitet genom att försiktigt bända det med en stor skruvmejsel eller en kofot och se om det föreligger något fritt spel. Där detta inte är möjligt, låt en medhjälpare vicka på motorn/ växellådan framåt/bakåt och i sidled, medan du studerar fästet. Visst spel finns även hos nya komponenter, men kraftigt slitage märks tydligt. Om för stort spel förekommer, kontrollera först att hållarna är ordentligt åtdragna, och byt sedan slitna komponenter enligt beskrivningen nedan.

Byte

Höger fäste

5 Lossa alla aktuella slangar och kablar från sina fästklämmor. Placera slangarna/ kablaget på avstånd från fästet så att demonteringen inte hindras. Skruva loss skruvarna och ta bort motorns undre skyddskåpa.

6 Placera en domkraft under motorn, med en träkloss på domkraftshuvudet. Lyft domkraften tills den tar upp motorns vikt.

7 Skruva loss bultarna som håller fast motorfästet på karossen och stödfästet **(se bild)**.

8 Om det behövs skruvar du loss bultarna/ muttrarna som håller fast stödfästbygeln på topplocket/motorblocket.

9 Undersök alla komponenter efter tecken på skador eller åldrande och byt dem om de behövs.

10 Om du har tagit bort stödfästbygeln sätter du tillbaka den på topplocket och drar åt bultarna ordentligt.

11 Sätt dit fästet på karossen och stödfästbygeln och dra åt bultarna till angivet moment.

12 Ta bort domkraften underifrån motorn.

Vänster fäste

13 Ta bort batteriet och batterilådan (se kapitel 5A). Skruva loss skruvarna och ta bort motorns undre skyddskåpa.

14 Placera en domkraft under växellådan, med en träkloss på domkraftshuvudet. Lyft domkraften tills den tar upp växellådans vikt.

15 Lossa och ta bort mittmuttern och brickan från det vänstra fästet, lossa muttrarna som håller fästet i läge och ta bort det från motorrummet. Om det behövs, skruva loss bultarna/muttrarna och ta bort stödfästbygeln **(se bilder)**.

16 Vid behov drar du av distansbrickan (i förekommande fall) från fästbulten, skruvar loss bulten från växellådshusets överdel och tar bort den tillsammans med brickan **(se bild)**. Om fästbulten sitter hårt kan du använda en universalbultavdragare för att skruva loss den.

17.15b Skruva loss muttern/bultarna (markerade med pil) och ta bort fästet

17.16 Skruva loss pinnbulten och ta loss brickan

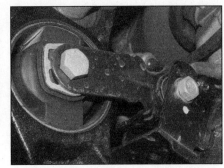

17.22 Nedre motormomentbegränsare

17 Undersök alla komponenter efter tecken på skador eller åldrande och byt dem om de behövs.

18 Rengör fästbultens gängor och applicera ett lager gänglåsningsmedel på gängorna. Sätt dit bulten och brickan ovanpå växellådan och dra åt den ordentligt.

19 Skjut dit mellanlägget (i förekommande fall) på fästbulten och montera tillbaka gummifästet. Dra åt både bultarna mellan fästet och karossen och fästmittbulten till angivet moment och ta bort domkraften under växellådan.

20 Montera tillbaka batteriet och batterilådan enligt beskrivningen i kapitel 5A.

Nedre motormomentbegränsare

21 Om du inte redan har gjort det, klossar du framhjulen, hissar upp bakvagnen och stöder den på pallbockar (se *Lyftning och stödpunkter*). Skruva loss skruvarna och ta bort motorns undre skyddskåpa.

22 Skruva loss och ta bort bulten som håller fast rörelsebegränsningslänken på drivaxelns mellanlagerhus **(se bild)**.

23 Ta bort bulten som håller fast länken vid kryssrambalken. Dra upp länken.

24 För att kunna ta bort mellanlagerhuset måste du först ta bort den högra drivaxeln enligt beskrivningen i kapitel 8.

25 När du har tagit bort drivaxeln skruvar du loss fästbultarna och tar bort lagerhuset från motorblockets bakdel.

26 Leta noga efter tecken på slitage eller skada på alla delar, och byt dem om det behövs. Gummibussningen på lagerhuset finns som en separat del (i skrivande stund) och kan tryckas ut och tillbaka på plats.

27 Vid hopsättningen sätter du dit lagerhuset på motorblockets bakdel och drar åt dess fästbultar ordentligt. Montera tillbaka drivaxeln enligt beskrivningen i kapitel 8.

28 Montera tillbaka momentbegränsarens länk och dra åt dess båda bultar till angivet moment. Montera tillbaka motorns undre skyddskåpa.

29 Sänk ner bilen.

Anteckningar

Kapitel 2 Del D:
Reparationer med 1,6-liters DOHC dieselmotor kvar i bilen

Innehåll

Svårighetsgrad

Enkelt, passar novisen med lite erfarenhet	Ganska enkelt, passar nybörjaren med viss erfarenhet	Ganska svårt, passar kompetent hemmamekaniker	Svårt, passar hemmamekaniker med erfarenhet	Mycket svårt, för professionell mekaniker

Specifikationer

Allmänt

Beteckning:	
Utan laddluftkylaren	DV6TED4
Med laddluftkylaren	DV6ATED4
Motorkoder*:	
DV6ATED4	9HX
DV6TED4:	
Utan partikelfilter	9HY
Med partikelfilter	9HY
Effekt	1560 cc
Lopp	75,0 mm
Slaglängd	88,3 mm
Vevaxelns rotationsriktning	Medurs (sett från fordonets högra sida)
Plats för cylinder 1	I växellådsänden
Maximal utgående effekt	80 kW vid 4000 varv/minut
Maximal utgående moment	245 Nm vid 2000 varv/minut
Kompressionsförhållande	18,0 : 1

* Motorkoden är instansad på en platta som är fäst på motorblockets framände, bredvid oljefiltret

Kompressionstryck (varm motor, vid vevhastighet)

Normal	20 ± 5 bar
Minimum	15 bar
Maximal skillnad mellan två cylindrar	5 bar

Kamaxel

Drivning:

Insugskamaxel	Tandad rem från vevaxeln
Avgaskamaxel	Kedjedrivning från insugskamaxeln
Antal kuggar	19

Längd:

Insugskamaxel	401,0 ± 0,15 mm
Avgaskamaxel	389,0 ± 0,5 mm
Axialspel	0,195 till 0,300 mm

Smörjningssystem

Oljepumptyp	Drevtyp, drivs direkt av vevaxelns högra ände, av två flata delar som är bearbetade längs vevaxeltappen

Minimum oljetryck at 80°C:

1000 varv/minut	1,3 bar
4000 varv/minut	3,5 bar

Åtdragningsmoment

	Nm
Drivremsspännare	20
Storändens lageröverfall, bultar*:	
Steg 1	10
Steg 2	Lossa 180°
Steg 3	30
Steg 4	Vinkeldra ytterligare 140°
Kamaxellageröverfall	10
Kamaxelkåpa/lagerfäste:	
Pinnbultar	10
Bultar	10
Kamaxelns lägesgivares bult	5
Kamaxeldrev	
Steg 1	20
Steg 2	Vinkeldra ytterligare 50°
Kylvätskeutloppets husbultar	7
Vevaxelläge/hastighetsgivare bult	5
Vevaxelns remskiva/drevaxelbult*:	
Steg 1	35
Steg 2	Vinkeldra ytterligare 190°
Topplocksbultar:	
Steg 1	20
Steg 2	40
Steg 3	Vinkeldra ytterligare 230°
Topplockets kåpa/grenrör	10
Avgasåterföringsventilen	10
Fästbultar mellan motorn och växellådan	60
Svänghjul bult*:	
Tvåmassesvänghjul:	
Steg 1	25
Steg 2	Lossa helt
Steg 3	8
Steg 4	22
Steg 5	Vinkeldra ytterligare 90°
Normalt svänghjul:	
Steg 1	25
Steg 2	Lossa helt
Steg 3	8
Steg 4	17
Steg 5	Vinkeldra ytterligare 75°
Bränslepump drev	50
Vänster motor/växellåda fäste:	
Växellådsfästet	55
Fastsättning på fästbygel	60
Ramlagrets yttre fästbultar:	
Steg 1	5
Steg 2	10
Ramlager till motorblock:	
Steg 1	10
Steg 2	Lossa 180°
Steg 3	22
Steg 4	Vinkeldra ytterligare 140°

Åtdragningsmoment (forts.)

	Nm
Kolv oljemunstycke rörbult	20
Oljefilterkåpa	25
Oljeupptagarrör	10
Oljetrycksbrytare	32
Oljepump till motorblock	10
Bakre motor/växellåda fäste:	
Anslutningslänk till fästenhet	60
Mutter/bult mellan anslutningslänken och kryssrambalken	60
Fäste till motor	60
Höger motorfäste:	
Fäste till kaross	60
Fäste på fästbygel	60
Stödfäste på motorn	55
Sumpens dräneringsplugg	25
Sumpbultar/muttrar	12
Kamremmens tomgångsöverföring	35
Kamremmens spännarremskiva	25
Kamkedja sträckare	10
Vakuumpump:	
Steg 1	18
Steg 2	Vinkeldra ytterligare 5°

* Återanvänds inte

1 Allmän information

Vad innehåller detta kapitel

Den här delen av kapitel 2 beskriver de reparationer som kan utföras med motorn monterad i bilen. Om motorn har tagits ur bilen och tagits isär enligt beskrivningen i del F, kan alla preliminära isärtagningsinstruktioner ignoreras.

Observera att även om det är möjligt att fysiskt renovera delar som kolven/vevstaken medan motorn sitter i bilen, så utförs sällan sådana åtgärder separat. Normalt måste flera ytterligare åtgärder utföras (för att inte nämna rengöring av komponenter och smörjkanaler); av den anledningen klassas alla sådana åtgärder som större renoveringsåtgärder, och beskrivs i del F i det här kapitlet.

Del F beskriver demontering av motor/växellåda, samt tillvägagångssättet för de reparationer som kan utföras med motor/växellådan demonterad.

DV serie motorer

DV-seriemotorn på 1,6 liter är ett resultat av utvecklingssamarbete mellan Peugeot/Citroën och Ford. Motorn har dubbla överliggande kamaxlar (DOHC) och 16 ventiler. Den direktinsprutade fyrcylindriga motorn med turbo är monterad tvärställd med växellådan på vänster sida.

En ribbad kamrem driver insugskamaxeln, högtrycksbränslepumpen och kylvätskepumpen. Insugskamaxeln driver avgaskamaxeln via en kedja. Kamaxlarna driver insugs- och avgasventilerna via vipparmar som stöds i vippändarna av hydrauliska självjusterande lyftare. Kamaxlarna stöds av lager som är bearbetade direkt i topplocket och kamaxelns lagerhus.

Högtrycksbränslepumpen levererar bränsle till bränslefördelarskenan och därefter till de elektroniskt styrda insprutningsventilerna som sprutar in bränsle direkt i förbränningskamrarna. Den här utformningen skiljer sig från den tidigare typen där en insprutningspump matar bränsle med högt tryck till varje insprutare. Den tidigare, konventionella typen av insprutningspump krävde finkalibrering och tidsinställning och dess funktioner sköts nu av högtryckspumpen, de elektroniska insprutningsventilerna och ECM-motorstyrningen.

Vevaxeln löper i fem ramlager av den vanliga skåltypen. Axialspelet styrs av tryckbrickor på sidorna om ramlager 2.

Kolvarna har matchande vikt och innehåller helt flytande kolvbultar som hålls av låsringar.

Försiktighetsåtgärder vid reparationer

Motorn är en komplex enhet med flera tillbehör och extra komponenter. Motorrummets är utformat så att all tillgänglig yta utnyttjas vilket gör det svårt att komma åt de flesta motorkomponenter. I många fall måste extradelar tas bort eller föras åt sidan och kablar, rör och slangar måste lossas eller tas bort från kabelklämmor och stödfästen.

När du arbetar på den här motorn, läs först igenom hela åtgärden, titta på bilen och motorn samtidigt och ta reda på om du har nödvändiga verktyg, utrustning, kunskaper och tålamod att fortsätta. Avsätt gott om tid för varje åtgärd och var beredd på det oväntade.

På grund av den begränsade åtkomsten har många foton i det här kapitlet tagits när motorn tagits bort från bilen.

 Varning: Det är viktigt att följa föreskrifterna noggrant vid arbete på komponenterna i motorns bränslesystem, särskilt systemets högtryckssida. Innan du utför några motoråtgärder som innefattar arbete på, eller nära delar av bränslesystemet, se den särskilda informationen i kapitel 4B.

Reparationer med motorn kvar i bilen

a) Kompressionstryck – kontroll.
b) Ventilkåpa – demontering och montering.
c) Vevaxelns remskiva – demontering och montering.
d) Kamremskåpor – demontering och montering.
e) Kamrem – demontering, montering och justering.
f) Kamremmens spännare och drev – demontering och montering.
g) Kamaxelns oljetätning – byte.
h) Kamaxel, hydrauliska ventillyftare och vipparmar – demontering, kontroll och montering.
i) Sump – demontering och montering
j) Oljepump – demontering och montering.
k) Vevaxelns oljetätningar – byte.
l) Motor-/växellådsfästen – kontroll och byte.
m) Svänghjul – demontering, kontroll och montering.

2 Kompressionsprov och tryckförlusttest – beskrivning och tolkning

Kompressionsprov

Observera: *För detta prov måste en kompressionsprovare speciellt avsedd för dieselmotorer användas.*

1 Om motorns prestanda sjunker, eller om misständningar uppstår som inte kan hänföras till bränslesystemet, kan ett kompressionsprov ge en uppfattning om motorns skick. Om kompressionsprov tas regelbundet kan de ge förvarning om problem innan några andra symptom uppträder.

2 En kompressionsprovare speciellt avsedd för dieselmotorer måste användas eftersom trycket är högre. Provaren är ansluten till en adapter som är inskruvad i glödstifts- eller insprutningshålet. På den här motorn krävs en adapter som passar glödstiftshålen så att du inte stör bränslesystemets delar. Det är inte troligt att det är ekonomiskt försvarbart att köpa en sådan provare för sporadiskt bruk, men det kan gå att låna eller hyra en. Om detta inte är möjligt, låt en verkstad utföra kompressionsprovet.

3 Såvida inte specifika instruktioner som medföljer provaren anger annat ska följande iakttagas:

a) *Batteriet ska vara väl laddat, luftfiltret måste vara rent och motorn ska hålla normal arbetstemperatur.*

b) *Alla glödstift ska tas bort enligt beskrivningen i kapitel 5A innan provet påbörjas.*

c) *Kabelkontaktdonen på motorstyrningssystemets ECM (sitter i plastlådan bakom batteriet) måste lossas.*

4 De uppmätta kompressionstrycken är inte så viktiga som balansen mellan cylindrarna. Värden anges i Specifikationer.

5 Orsaken till dålig kompression är svårare att fastställa på en dieselmotor än en bensinmotor. Effekten av att införa olja i cylindrarna (våttestning) är inte helt tillförlitlig, eftersom det finns risk att oljan fastnar i virvelkammaren eller i skåran i kolvkronan istället för att passera till ringarna. Följande kan dock användas som en grov diagnos.

6 Alla cylindrar ska producera ungefär samma tryck. skillnader som är större än vad som angivits tyder på ett fel. Observera att kompressionen ska byggas upp snabbt i en fungerande motor; om kompressionen är låg i det första kolvslaget och sedan ökar gradvis under följande slag är det ett tecken på slitna kolvringar. Lågt tryck som inte höjs är ett tecken på läckande ventiler eller trasig topplockspackning (eller ett sprucket topplock). Avlagringar på undersidan av ventilhuvudena kan också orsaka dålig kompression.

7 Ett lågt värde från två intilliggande cylindrar beror nästan alltid på att topplockspackningen mellan dem är sönder. om det finns kylvätska i motoroljan bekräftar detta felet.

8 Om kompressionsvärdet är ovanligt högt är antagligen topplockets ytor, ventiler och kolvar täckta med sotavlagringar. I så fall bör topplocket demonteras och sotas (se del F).

Tryckförlusttest

9 Ett tryckförlusttest mäter hur snabbt trycket sjunker på tryckluft som förs in i cylindern. Det är ett alternativ till kompressionsprov som på många sätt är överlägset, eftersom den utströmmande luften anger var tryckfallet uppstår (kolvringar, ventiler eller topplockspackning).

10 Den utrustning som krävs för tryckförlusttest är som regel inte tillgänglig för hemmamekaniker. Om dålig kompression misstänks måste detta prov därför utföras av en verkstad med lämplig utrustning.

3 Motorenhet/ventilinställningshål – allmän information och användning

Observera: *Försök inte dra runt motorn när vevaxeln och kamaxeln är låsta i läge. Om motorn ska lämnas i det här läget under längre tid är det bra att placera varningsmeddelanden inuti bilen samt i motorrummet. Detta minskar risken att motorn dras runt av startmotorn av misstag vilket förmodligen skulle orsaka skador när låssprintarna sitter i.*

1 Inställningshål eller uttag sitter bara i vevaxelns remskivas fläns och kamaxeldrevets nav. Hålen/uttagen används för att placera kolvarna halvvägs upp i cylinderloppen. Detta ser till att ventilinställningen bibehålls under drift som kräver demontering och montering av kamremmen. När hålen/spåren ligger i linje med motsvarande hål i motorblocket och topplocket kan man sätta i bultar eller sprintar med lämplig diameter för att låsa vevaxeln och kamaxeln i läge och hindra dem från att rotera.

2 Observera att bränslesystemet av HDi-typ som används på dessa motorer inte har en konventionell dieselinsprutningspump utan istället använder en högtrycksbränslepump. Trots att man kan hävda att bränslepumpens inställning är irrelevant eftersom den bara trycksätter bränslet i bränslefördelarskenan har Peugeot med den här metoden för motorer med högtrycksbränslepump från Bosch och använder samma inställningsstång/stift som användes till inställningen av vevaxeldrevet. **Observera:** *På Bosch-pumpen är drevet fastkilat på axeln.* Notera även att hålet i bränslepumpens drev bara hamnar rätt i läge i förhållande till hålet i fästkonsolen var 12:e vevaxelvarv (eller var 6:e varv hos kamaxeldrevet).

3 Så här passar du in motorns/ventilens inställningshål.

4 Klossa bakhjulen, lyft upp framvagnen och ställ den på pallbockar (se *Lyftning och stödpunkter*). Demontera höger framhjul.

5 För att komma åt vevaxelns remskiva så att motorn kan dras runt måste du ta bort hjulhusets plastfoder. Hjulhusfodret hålls fast av flera expanderande plastnitar/muttrar/skruvar. Ta bort nitarna genom att tryck in mittsprintarna en bit och bänd sedan ur klämmorna från sin plats. Ta bort fodret under den vänstra skärmen. Vevaxeln kan sedan dras runt med en lämplig hylsa och förlängningsstång som sätts dit på remskivans bult.

6 Ta bort kamremmens övre och nedre kåpor enligt beskrivningen i avsnitt 6.

7 Sätt tillfälligt tillbaka vevaxelns remskivas bult, ta bort vevaxelns låsverktyg och dra runt vevaxeln tills inställningshålet i kamaxeldrevets nav ligger i linje med motsvarande hål i topplocket. Observera att vevaxeln alltid måste roteras medurs (sett från bilens högra sida). Använd en spegel så att du kan kontrollera drevnavets inställningsspår. När hålet är inriktat efter motsvarande hål i topplocket är kamaxeln korrekt placerad.

8 Ta bort vevaxelns remskiva enligt beskrivningen i avsnitt 5.

9 Sätt i en bult, stång eller borr med 5 mm i diameter i hålet i vevaxeldrevets fläns och in i motsvarande hål i oljepumpen **(se bild)** och om det behövs drar du försiktigt runt vevaxeln åt något av hållen tills stången går in i inställningshålet i blocket.

10 Sätt i en 8 mm bult, stång eller borr genom hålet i kamaxeldrevet så att den får kontakt med topplocket. Observera att ett modifierat 3-delat kamaxeldrev monteras på senare modeller **(se bilder)**.

11 Om du använder den här metoden under återmonteringen av kamremmen, sätt i en bult, stång eller borr med 5 mm i diameter genom hålet i bränslepumpens drev och

3.9 Sätt i en borr/bult på 5,0 mm genom det runda hålet i drevflänsen i hålet i oljepumphuset (nedre kamremskåpan tas bort så att man ser bättre)

3.10a Sätt i en borr/bult på 8,0 mm genom hålet i kamaxeldrevet in i motsvarande hål i topplocket

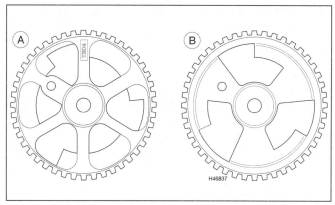

3.10b Tidigt (A) och sent (B) kamaxeldrev

3.11 Sätt i en borr/bult på 5,0 mm genom det runda hålet i bränslepumpdrevet och in i topplocket

4.2 Lossa klämman (markerad med pil) och lossa massluftflödesmätarens anslutningskontakt

in i motsvarande hål i topplocket **(se bild)**. **Observera:** *på vissa motorer finns ett hål i läget klockan 5 som bara används för låsning. Inställningshålet sitter i läget klockan 12.* Notera kommentaren i avsnitt 2 – om hålen i bränslepumpens drev inte är inpassade efter demonteringen av kamremmen spelar det ingen roll, men det är dock viktigt att passa in hålen under återmonteringen. Om endast transmissionsinställningen *kontrolleras* behöver du inte kontrollera inställningen av pumpdrevet.

12 Vevaxeln och kamaxeln är nu låsta i läge så att onödig rotation kan undvikas.

4 Ventilkåpa/grenrör – demontering och montering

Demontering

1 Dra plastkåpan uppåt från motorns överdel. Utför följande åtgärder för att ta bort torpedplåtens klädselpanel och tvärbalk:

a) *Ta bort torkararmen (se kapitel 12).*
b) *Tryck in stiften i mitten och bänd ut de två plastnitarna i varje ände av klädselpanelen.*

c) *Dra upp panelens ytterändar och dra sedan panelens mitt nedåt och framåt för att lossa den från vindrutan.*
d) *Skruva loss de två skruvarna som håller fast huvudcylinderns övre vätskebehållare. Koppla inte loss vätskerören.*
e) *Lossa klämmorna som håller fast det ljudisolerande materialet, skruva loss de två bultarna och ta bort torpedplåtens tvärbalk.*

2 Lossa massluftflödesmätarens anslutningskontakt **(se bild)**.

3 Ta bort inlopps- och utloppsluftkanalen från luftfilterhuset **(se bilder)**.

4.3a Skruva loss skruven (markerad med pil) och ta bort inloppskanalen

4.3b Lossa slangen till turboaggregatet . . .

4.3c . . . lossa klämman (markerad med pil) och lossa ventilationsslangen . . .

4.4a . . . sedan skruva loss kåpans skruvar (markerade med pil) . . .

4.4b . . . och ta bort kanalen/kåpan

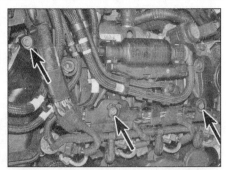

4.5 Lossa bultarna (markerade med pil) och flytta kablaget/styrningen åt sidan

4 Skruva loss luftfilterhusets bultar och ta bort höljet och filterelementet – se kapitel 4B **(se bilder)**. Dra loss luftfilterhuset från sina fästen.

5 Lossa anslutningskontakterna från ovansidan på varje insprutningsventil, lossa styrbultarna och kontrollera sedan att alla kablar är fria från eventuella fästklämmor på

4.7a Tryck in lossningsknappen (markerad med pil) och lossa bränslematning- och returslangen

4.7b Lossa bränsletemperaturgivarens anslutningskontakt (markerad med pil) . . .

ventilkåpan/insugningsröret **(se bild)**. Lossa eventuella vakuumrör efter behov efter att först ha noterat deras placering.

6 Ta bort EGR kylaren enligt beskrivningen i kapitel 4C.

7 Tryck in frigöringsknapparna och lossa bränslematnings- och returslangarna i topplockets högra ände och lossa bränsletemperaturgivarens kabelkontakt och flytta röret/luftningskolven bakåt **(se bilder)**.

8 Lossa klämmorna, skruva loss bultarna och ta bort inloppskanalen mellan turboaggregatet och insugsgrenröret. Notera var de är monterade och koppla därefter bort de olika anslutningskontakterna när enheten tas bort **(se bilder)**.

9 Skruva loss fästbultarna och ta bort oljeavskiljaren från topplockets överdel **(se bild)**. Ta loss gummitätningen.

10 Bänd ur fästklämmorna och lossa

4.7c . . . och lossa bränsleluftningskolven/ rören (markerade med pil)

4.8a Lossa den vänstra bulten på turboaggregatets utlopp och skruva loss den högra bulten (markerad med pil) . . .

4.8b . . . lossa sedan slangklämman (markerad med pil), lossa anslutningskontakterna . . .

4.8c . . . lossa bulten i änden (markerad med pil) . . .

4.8d . . . och de 2 främre (markerade med pil) och ta bort enheten

4.9 Skruva loss bultarna och ta bort oljeseparatorn (markerad med pil)

4.10a Bänd ut klämman och dra loss returslangen från ovansidan av varje insprutningsventil

4.10b Använd en andra nyckel för att hålla insprutningsventilens port medan du lossar bränslerörets anslutningar

4.11 Lossa de 2 resterande bultarna (markerade med pil) och dra kåpan/ grenröret uppåt

bränslereturrören från insprutningsventilerna och lossa sedan anslutningarna och ta bort högtrycksbränslerören från insprutningsventilerna och bränslefördelarskenan bakpå topplocket – håll emot anslutningarna med en andra nyckel **(se bilder)**. Täpp igen öppningen för att förhindra att det kommer in smuts.

11 Skruva loss de 2 bultar som håller fast topplocket/insugningsrör. Lyft bort enheten **(se bild)**. Ta loss grenrörets gummitätningar.

Montering

12 Monteringen sker i omvänd ordningsföljd. Tänk på följande:

a) *Undersök tätningen och leta efter tecken på skador och slitage. Byt den om det behövs. Stryk på lite ren motorolja på grenrörstätningarna.*

b) *Byt bränsleinsprutningsventilens högtrycksrör – se kapitel 4B.*

5 Vevaxelns remskiva – demontering och montering

Demontering

1 Ta bort drivremmen enligt beskrivningen i kapitel 1B.

2 Lås vevaxeln från motorns undersida genom att sätta i Peugeot verktyg Nr 0194-C i hålet på höger sida av motorblockets hölje över den nedre delen av svänghjulet. Dra runt vevaxeln tills verktyget går in i motsvarande hål i svänghjulet. Om du inte har tillgång till Peugeotverktyget säter du i en stång på 12 mm eller en borr i hålet **(se bild)**. **Observera:** *Hålet i kåpan och hålet i svänghjulet finns för att låsa vevaxeln medan remskivans bult lossas. Det placerar <u>inte</u> vevaxeln vid ÖD-läge.*

3 Använd en lämplig hylsa och förlängningsstång, skruva loss fästbulten, ta bort brickan och dra av remskivan från vevaxelns ände **(se bild)**. Om remskivan sitter fast ordentligt kan du dra av den från vevaxeln med en lämplig avdragare. Om du använder avdragare, montera tillbaka remskivans fästbult utan brickan för att undvika att skada vevaxeln när avdragaren dras åt.

Varning: Rör inte den yttre magnetsensorns ring på drevet med fingrarna och låt inte metallpartiklar komma i kontakt med den.

Montering

4 Montera tillbaka remskivan till vevaxelns ände.

5 Rengör gängorna på remskivans fästbult ordentligt och applicera ett lager låsmedel

på bultens gängor. Peugeot rekommenderar att man använder Loctite (tillgängligt från din Peugeotverkstad). om du inte har tillgång till det kan du använda valfri låsningsmassa av bra kvalitet.

6 Montera tillbaka vevaxelns remskiva fästbult och bricka. Dra åt bulten till angivet moment och angiven vinkel för att hindra vevaxeln från att rotera med den metod som du använde vid demonteringen.

7 Montera tillbaka drivremmen och spänn den enligt beskrivningen i kapitel 1B

6 Kamremskåpor – demontering och montering

⚠ *Varning: Se försiktighetsåtgärderna i avsnitt 1 innan du fortsätter.*

Demontering

Övre kåpan

1 Ta bort plastkåpan från motorns överdel. Utför följande åtgärder för att ta bort torpedplåtens klädselpanel och tvärbalk:

a) *Ta bort torkarblad (se kapitel 12).*

b) *Tryck in stiften i mitten och bänd ut*

5.2 Låsstiftet/bulten (markerad med pil) måste hamna i läge i svänghjulet (markerad med pil) för att hindra rotation

5.3 Lossa vevaxelremskivans fästbult (markerad med pil)

6.2a Lossa bränslerören (markerade med pil) . . .

6.2b . . . och kablaget (markerad med pil) från den övre kamremskåpan

6.3 Övre kamremskåpans skruvar (markerade med pil)

de två plastnitarna i varje ände av klädselpanelen.

c) Dra upp panelens ytterändar och dra sedan panelens mitt nedåt och framåt för att lossa den från vindrutan.

d) Skruva loss de två skruvarna som håller fast huvudcylinderns övre vätskebehållare. Koppla inte loss vätskerören.

e) Lossa klämmorna som håller fast det ljudisolerande materialet, skruva loss de två bultarna och ta bort torpedplåtens tvärbalk.

2 Lossa kablaget och bränslerören från den övre kåpan **(se bilder)**.

3 Skruva loss de 5 skruvarna och ta bort kamremmens övre kåpan **(se bild)**.

Nedre kåpan

4 Ta bort den övre kåpan enligt beskrivningen ovan

5 Demontera vevaxelns remskiva enligt beskrivningen i avsnitt 5.

6 Ta bort drivremsspännarens låsverktyg (i förekommande fall) och lossa de fem bultarna och ta bort den nedre kåpan **(se bild)**.

Montering

7 Återmonteringen av alla kåporna sker i omvänd ordning mot demonteringen. Se till att varje kåpdel sitter rätt och att kåpans bultar är ordentligt åtdragna. Se till att alla flyttade slangar återansluts och hålls fast med aktuella klämmor.

---

7 Kamrem – demontering, kontroll, återmontering och spänning

Allmänt

1 Kamremmen driver insugskamaxeln, högtrycksbränslepumpen och kylvätskepumpen från ett tandat drev i änden av vevaxeln. Om remmen brister eller slirar kan kolvarna slå i ventilhuvudena, vilket orsakar omfattande (och dyra) skador.

2 Byt kamremmen vid angivna intervall eller tidigare om den har smutsats ner med olja eller om den bullrar (ett skrapande ljud på grund av ojämnt slitage).

3 Om kamremmen tas bort är det bra att kontrollera skicket hos kylvätskepumpen samtidigt (kontrollera om det finns spår av kylvätskeläckage). Detta gör att man kan undvika att ta bort kamremmen igen senare om kylvätskepumpen skulle sluta gå.

Demontering

4 Klossa bakhjulen, lyft upp framvagnen och ställ den på pallbockar (se *Lyftning och stödpunkter*). Ta bort det högra framhjulet, hjulhusfodret (för att frilägga vevaxelns remskiva) och motorns undre skyddskåpa. Hjulhusfodret hålls på plats

av flera expanderande plastnitar/muttrar/plastklämmor. Tryck in mittsprintarna en bit och bänd ur hela nitarna från sin plats Den undre skyddskåpan hålls fast med flera fästen av skruvtyp.

5 Ta bort drivremmen enligt beskrivningen i kapitel 1B.

6 Ta bort kamremmens övre och nedre kåpor enligt beskrivningen i avsnitt 6.

7 Se kapitel 4B och lossa det främre avgasröret vid den flexibla delen.

8 Placera en verkstadsdomkraft under motorn med en träkloss på domkraftshuvudet för att bära upp motorns vikt.

9 Skruva loss bultarna/skruvarna och ta bort den högra motorfäste och stödfästbygel – se avsnitt 17.

10 Lossa skruven och ta bort vevaxelns lägesgivare intill vevaxeldrevets fläns och flytta den åt sidan **(se bild)**.

11 Skruva loss fästskruven och ta bort kamremmens skyddsfäste som sitter intill vevaxeldrevets fläns **(se bild)**.

12 Lås vevaxeln och kamaxeln i rätt läge enligt beskrivningen i avsnitt 3. Vid behov sätter du tillfälligt dit vevaxelns remskivas bult för att vevaxeln ska kunna roteras. På det här stadiet spelar det ingen roll om bränslepumpdrevet hamnar i linje med hålet i pumpens fäste.

13 Sätt i en sexkantsnyckel mitt i remspännarens remskiva, lossa remskivans bult och låt spännaren rotera så att

---

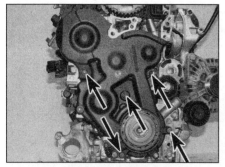

6.6 Nedre kamremskåpans bultar (markerade med pil)

7.10 Skruva loss bulten (markerad med pil) och ta bort vevaxelns lägesgivare

7.11 Ta bort kamremmens skyddsfäste

7.13 Lossa bulten och låt sträckaren rotera så att remmens spänning släpps

7.17 Kamremsdragning

7.19 Inställningsarmen måste passas in efter tappen (markerad med pil)

remspänningen lossas **(se bild)**. Dra tillfälligt åt remskivans bult när remmen har lossats.
14 Notera dragningen och ta sedan bort kamremmen från dreven.

Kontroll

15 Byt alltid remmen oavsett skick. Kostnaden för en ny rem är försumbar i jämförelse med kostnaderna för de motorreparationer som skulle behövas om remmen gick av under drift. Vid tecken på nedsmutsning med olja ska källan till oljeläckaget spåras och åtgärdas. Tvätta rent området kring kamremmen och tillhörande delar fullständigt, så att varje spår av olja avlägsnas. Kontrollera att sträckaren och överföringsstyrningarna roterar fritt utan tecken på att kärva och kontrollera även att kylvätskepumpens remskiva roterar fritt. Om det behövs upprepar du åtgärderna.

Montering och spänning

16 Börja återmonteringen genom att se till att vevaxelns och kamaxelns inställningsstift sitter på rätt plats. Om du använder en högtrycksbränslepump från Bosch sätter du dit och låser bränslepumpdrevet i rätt läge enligt beskrivningen i avsnitt 3.
17 Sätt dit kamremmen på vevaxeldrevet, håll den spänd, dra den runt tomgångsdrevet, kamaxeldrevet, högtryckspumpens drev, kylvätskepumpens drev och sträckarremskivan **(se bild)**. Om kamremmen har riktningspilar ser du till att de pekar i motorns normal rotationsriktning.
18 Montera tillbaka kamremmens skyddsfäste och dra åt fästbulten ordentligt.
19 Lossa spännarremskivans bult och använd en sexkantsnyckel för att dra runt sträckaren moturs så att inställningsarmen rör sig medurs tills armen är inställd enligt bilden **(se bild)**.
20 Ta bort kamaxeln, vevaxelns och bränslepumpens inställningsstift, använd en hylsa på vevaxelns remskivas bult och dra runt vevaxeln medurs 10 hela varv. Passa in kamaxelns och vevaxelns inställningshål efter varandra och kontrollera att det går att sätta i inställningsstiften och ta sedan bort dem. Man behöver inte kontrollera inriktningen av

bränslepumpens drev eftersom det tar 12 hela varv innan det är inriktat.
21 Kontrollera att sträckarens inställningsarm fortfarande är inställd mellan det visade områdets kanter **(se bild 7.19)**. Om den inte är det tar du bort den och remmen och börjar om ditsättningen från stycke 19 igen.
22 Resten av monteringen sker i omvänd ordningsföljd mot demonteringen. Dra åt alla hållare till angivet moment (där sådant angetts).

8 Kamremspännare och drev – demontering och montering

Kamaxeldrev

Demontering

1 Demontera kamremmen enligt beskrivningen i avsnitt 7.
2 Ta bort låsverktygen från kamaxeldrevet/nav Lossa drevnavets fästbult. Du behöver ett drevfasthållningsverktyg för att hindra att kamaxeln roterar när bulten lossas. Om du inte Peugeots specialverktyg tillgängligt kan du

Du kan tillverka ett drevhållverktyg av två stålremsor som sammanfogas med bultar för att bilda en gaffelformad ände. Borra hål och sätt i bultar i gaffelns ändar så att de griper in i drevets ekrar.

tillverka ett eget verktyg **(se Verktygstips 1)**. *Försök inte* använda låsverktygen för motorns hål/ventilinställningshålen för att hindra dreven från att rotera när bultarna lossas.
3 Ta bort drevnavets fästbult och dra av drevet och navet från kamaxelns ände.
4 Rengör kamaxelns drev ordentligt och byt drev som visar tecken på slitage, skador eller sprickor.

Montering

5 Montera tillbaka kamaxeldrevet till kamaxeln **(se bild)**.
6 Montera tillbaka drevnavets fästbult. Dra åt bulten till angivet moment och hindra att kamaxeln roterar som vid demonteringen.
7 Passa in motorns/ventilens inställningshål i kamaxeldrevets nav efter hålet i topplocket och sätt tillbaka inställningsstiftet för att låsa kamaxeln i läge.
8 Sätt dit kamremmen runt pumpdrevet och kamaxeldrevet och spänn kamremmen enligt beskrivningen i avsnitt 7.

Vevaxeldrev

Demontering

9 Demontera kamremmen enligt beskrivningen i avsnitt 7.
10 Kontrollera att motorns/ventilernas inställningshål fortfarande är rätt inriktade enligt beskrivningen i avsnitt 3 och att kamaxeldrevet och svänghjulet är låsta i läge.

8.5 Se till att tappen på drevnavet hamnar i läge i spåret i änden av kamaxeln (markerad med pil)

8.11a För drevet från vevaxeln . . .

8.11b . . . och ta loss Woodruff-kilen

8.17 Sätt i en lämplig borr genom drevet och in i hålet i stödplattan

11 Dra av navet från vevaxelns ände och ta bort Woodruff-kilen **(se bilder)**.

12 Undersök vevaxelns oljetätning med avseende på oljeläckage och byt den vid behov enligt beskrivningen i avsnitt 14.

13 Rengör vevaxeldrevet ordentligt och byt drev som visar tecken på slitage, skador eller sprickor. Ta loss vevaxelns inställningsnyckel.

Montering

14 Montera tillbaka nyckeln i änden av vevaxeln och sätt sedan dit vevaxeldrevet (med flänsen riktad mot vevaxelns remskiva).

15 Sätt dit kamremmen runt vevaxeldrevet och spänn kamremmen enligt beskrivningen i avsnitt 7.

Bränslepumpdrev

Demontering

16 Demontera kamremmen enligt beskrivningen i avsnitt 7.

17 Använd en lämplig hylsa, skruva loss pumpdrevets fästmutter. Du kan hålla drevet stilla genom att sätta i ett låsstift, en borr eller en stång av lämplig storlek genom hålet i drevet och in i motsvarande hål i stödplattan **(se bild)**, eller genom att använda ett lämpligt gaffelverktyg som sätts i hålen i drevet **(se Verktygstips 1)**. Observera: *På vissa motorer*

Tillverka ett drevlossningsverktyg av en kort stålremsa. Borra två hål i remsan som motsvarar de två hålen i drevet. Borra ett tredje hål som är lagom stort att rymma de flata delarna av drevets fästmutter.

finns ett hål i läget klockan 5 som bara används för låsning. Inställningshålet sitter i läget klockan 12.

18 Pumpdrevet är konmonterat på pumpaxeln och man måste tillverka ett annat verktyg för att lossa det från konen **(se Verktygstips 2)**.

19 På senare modeller där drevet är fastkilat på axeln skruvar du loss fästmuttern, tar bort drevet och tar bort Woodruff-kilen. På tidigare modeller där drevet **inte** är fastkilat på axeln skruvar du delvis loss drevets fästmutter och sätter dit det egentillverkade verktyget och fäster det på drevet med två lämpliga bultar. Hindra drevet från att rotera som tidigare och skruva loss drevets fästmutter Muttern kommer att ligga emot verktyget när den lossas så att drevet tvingas av axelns koniska form. När konformen har lossnat tar du bort verktyget, skruvar loss muttern hel och tar bort drevet från pumpaxeln.

20 Rengör drevet ordentligt och byt drev som visar tecken på slitage, skador eller sprickor.

Montering

21 Montera tillbaka Woodruff-kilen (endast senare modeller) och montera tillbaka pumpdrevet och fästmuttern och dra åt muttern till angivet moment. Hindra drevet från att rotera när muttern dras åt med drevs hållverktyg.

22 Sätt dit kamremmen runt pumpdrevet och spänn kamremmen enligt beskrivningen i avsnitt 7.

8.31 Kamrem tomgångsremskiva fästmutter (markerad med pil)

Kylvätskepumpdrev

23 Drevet är inbyggd i pumpen och kan inte tas bort separat. Kylvätskepumpens demontering beskrivs i kapitel 3.

Spännhjulet

Demontering

24 Demontera kamremmen enligt beskrivningen i avsnitt 7.

25 Ta bort spännarremskivans fästbult, och dra av remskivan från pinnbulten.

26 Rengör spännarremskivan, men använd inte några starka lösningsmedel som kan komma in i remskivans lager. Kontrollera att remskivorna roterar fritt utan tecken på kärvning eller fritt spel. Byt remskivan om du är osäker på dess skick eller om det finns tydliga tecken på slitage eller skador.

27 Undersök remskivans pinnbult och leta efter tecken på skador och slitage. Byt den om det behövs.

Montering

28 Montera tillbaka spännarremskivan på pinnbulten, och sätt i fästbulten.

29 Montera tillbaka kamremmen enligt beskrivningen i avsnitt 7.

Tomgångsremskiva

Demontering

30 Demontera kamremmen enligt beskrivningen i avsnitt 7.

31 Skruva loss fästbulten/muttern och ta bort tomgångsremskivan från motorn **(se bild)**.

32 Rengör tomgångsremskivan, men använd inte några starka lösningsmedel som kan komma in i remskivans lager. Kontrollera att remskivorna roterar fritt utan tecken på kärvning eller fritt spel. Byt tomgångsremskivan om du är osäker på dess skick eller om det finns tydliga tecken på slitage eller skador.

Montering

33 Placera tomgångsremskivan på motorn, och sätt i fästbulten. Dra åt bulten/muttern till angivet moment.

34 Montera tillbaka kamremmen (se avsnitt 7).

9.5 Vakuumpump bultar (markerad med pil)

9.7 Bultar på kamremmens inre, övre kåpa (markerade med pil)

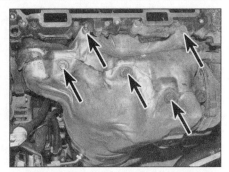

9.9a Skruva loss bultarna (markerade med pil) och ta bort värmeskyddets bakre del

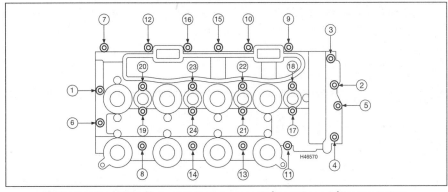

9.9b Ordningsföljd för lossande av kamaxelkåpans/lagerhållarens bultar

9.10 Kamaxellageröverfallen är numrerade 1 till 4 från svänghjulets ände – A för insug och E för avgas (markerade med pil)

9 Kamaxlar, vipparmar och hydrauliska ventillyftare – demontering, kontroll och återmontering

Demontering

1 Demontera ventilkåpan/grenröret enligt beskrivning i avsnitt 4.
2 Ta bort insprutningsventilerna enligt beskrivningen i kapitel 4B.
3 Demontera kamaxeldrevet enligt beskrivningen i avsnitt 8.
4 Montera tillbaka det högra motorfästet, men dra inte åt bultarna hårt. detta gör att motorn stöds när kamaxeln tas bort.
5 Skruva loss bultarna och ta bort vakuumpumpen. Ta loss pumpens O-ringstätningar **(se bild)**.
6 Ta bort bränslefiltret (se kapitel 1B) och lossa bultarna och ta bort bränslefiltrets fäste.
7 Lossa kabelklämmorna och lossa de 3 bultarna och ta bort kamremmens inre, övre kåpa **(se bild)**.
8 Lossa anslutningskontakten, skruva loss fästbulten, och ta bort kamaxelns lägesgivare från kamaxelkåpan/lagerhållaren.
9 Lossa de 5 bultarna och ta bort den övre, bakre delen av turboaggregatets värmeskydd och arbeta därefter gradvis och jämnt, lossa och ta bort bultarna som håller fast kamaxelkåpan/lagerhållaren på topplocket

i ordningsföljd **(se bild)**. Lyft kåpan/hållaren från läget tillsammans med kamaxlarna.
10 Skruva loss fästbultarna och ta bort lageröverfall. Notera var de är monterade eftersom de måste återmonteras i de ursprungliga lägena **(se bild)**. Observera att lageröverfallen är märkta med A för inlopp och E för avgas samt 1 till 4 från svänghjulsänden av topplocket.
11 Skruva loss bultarna som håller fast kedjesträckaren på kamaxelkåpan/lagerhållaren och lyft sedan kamaxlarna, kedjan och sträckaren från sina platser **(se bild)**. Kassera kamaxelns oljetätning.
12 Ta 16 små, rena plastbehållare och numrera dem insug 1 till 8 och avgas 1 till 8; du kan även dela in en större behållare i 16 avdelningar.
13 Lyft ut varje vipparm. Placera vipparmarna

i sina respektive lägen i lådan eller behållarna.
14 En behållare med flera fack som fylls med motorolja krävs nu för att förvara de hydrauliska ventillyftarna när de har tagits bort från topplocket. Ta bort varje hydraulisk lyftare och placera den i behållaren och förvara dem för korrekt återmontering. Ventillyftarna måste sänkas ned helt i oljan för att hindra dem från att hindra att det kommer in luft i dem.

Kontroll

15 Undersök kamloberna och kamaxellagertapparna och leta efter repor eller andra synliga tecken på slitage. När kamlobernas hårda yta väl har slitits bort, kommer slitaget att gå snabbare. **Observera:** *Om dessa symptom syns på kamlobernas spetsar, kontrollera då motsvarande vipparmen eftersom de då troligtvis också är slitna.*

9.11a Lossa sträckarens bultar (markerade med pil) . . .

9.11b . . . och lyft sedan av kamaxlarna, kedjan och sträckaren

9.21 Montera tillbaka de hydrauliska ventillyftarna . . .

9.22 . . . och vipparmarna till sina ursprungliga lägen

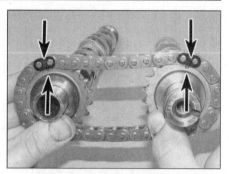

9.23 Passa in markeringarna på dreven efter mitten på de svartfärgade kedjelänkarna (markerade med pil). Det ska vara 12 länkstift mellan drevmarkeringarna

9.24a Sätt dit kedjesträckaren mellan kedjans övre och nedre del . . .

9.24b . . . och sänk kamaxlarna, kedjan och sträckaren till läge

16 Undersök skicket på lagerytorna i topplocket och kamaxelns lagerhuset. Om det finns tydliga tecken på slitage måste du byta både topplocket och lagerhuset eftersom de fungerar som en enhet.

17 Undersök vipparmarna och lyftarna med avseende på skavning, sprickbildning eller andra skador och byt eventuella delar som behöver bytas. Kontrollera även skicket hos lyftarnas lopp i topplocket. Precis som på kamaxlarna medför slitage i det här området byte av topplocket.

Montering

18 Rengör noga tätningsmedel från fogytan på topplocket och kamaxelns lagerhus. Använd en lämplig lösningsvätska för flytande packningar tillsammans med en mjuk spackelkniv; använd inte en metallskrapa, då skadas

ytorna. Eftersom ingen konventionell packning används, är det av yttersta vikt att fogytorna är helt rena. Bänd ur oljeinsprutarens oljetätningar från kamaxelns lagerhus.

19 Ta bort all olja, smuts och fett från båda delarna och torka av dem med en ren, luddfri trasa. Se till att alla smörjkanaler är helt rena.

20 Smörj de hydrauliska lyftarnas lopp i topplocket med mycket motorolja.

21 Sätt i de hydrauliska ventillyftarna i sina ursprungliga lopp i topplocket om de inte har bytts ut (se bild).

22 Smörj vipparmarna och placera dem över sina respektive lyftare och ventilskaft (se bild).

23 Placera kamkedjan i läge runt kamaxeldreven och passa in de svarta länkarna efter de märkta kuggarna på kamaxeldreven (se bild). Om den svarta färgen har försvunnit måste det

var 12 kedjelänktappar mellan markeringarna på dreven.

24 Sätt dit kedjesträckaren mellan kedjans övre och nedre del, smörj lagerytorna med ren motorolja och sätt dit kamaxlarna i läge på undersidan av kamaxelkåpan/lagerhållaren. Montera tillbaka lageröverfallen i deras ursprungliga lägen och dra åt fästbultarna till angivet moment (se bilder). Dra åt sträckarens fästbultar till angivet moment.

25 Applicera en tunn sträng tätningsmedel på fogytan på kamaxelkåpan/lagerhållaren enligt bilden. Peugeot rekommenderar att man använder Autojoint Noir (se bild). Låt inte tätningsmedlet sätta igen oljekanalerna för den hydrauliska kedjesträckaren.

26 Kontrollera att de svarta länkarna på kedjan fortfarande ligger i linje med markeringarna på kamaxeldreven och montera tillbaka kamaxelkåpan/lagerhållaren och dra åt fästbultarna gradvis och jämnt tills kåpan/hållaren kommer i kontakt med topplocket och dra sedan åt bultarna till angivet moment i ordningsföljd (se bild). Observera: Se till att kåpan/hållaren sitter rätt genom att kontrollera vakuumpumpens lopp och kamaxelns packbox i varje ände av kåpan/hållaren.

27 Montera en ny kamaxel oljetätning enligt beskrivningen i avsnitt 14.

28 Montera tillbaka kamaxeldrevet och dra åt fästbulten fingerhårt.

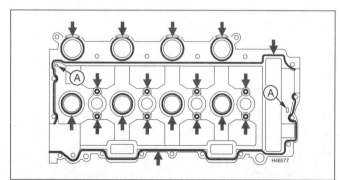

9.25 Applicera tätningsmedel på kamaxelkåpan/lagerhållaren efter de tjocka svarta linjerna. Se till att tätningsmedlet inte kommer in i sträckarens oljehål – märkta A

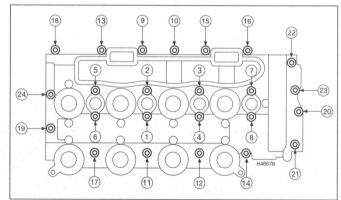

9.26 Ordningsföljd för åtdragning av kamaxelkåpans/ lagerhållarens bultar

29 Använd en nyckel på kamaxeldrevets bult och dra runt kamaxlarna cirka 40 hela varv medurs. Kontrollera att de svarta länkarna på kedjan fortfarande ligger i linje med markeringarna på kamaxeldreven.

30 Om markeringarna fortfarande ligger i linje med varandra monterar du tillbaka kamaxeldrevet enligt beskrivningen i avsnitt 8.

31 Montera tillbaka och justera kamaxelgivare enligt beskrivningen i kapitel 4B.

32 Tryck i de nya oljetätningarna i lagerhuset med ett rör/en hylsa med cirka 20 mm ytterdiameter och se till att tätningens innerläpp passar runt insprutningsventilens styrrör **(se bilder)**. Montera tillbaka insprutningsventilerna enligt beskrivningen i kapitel 4B.

33 Montera tillbaka ventilkåpan/grenröret enligt beskrivning i avsnitt 4.

10 Topplock –
demontering och montering

Demontering

1 Klossa bakhjulen, lyft upp framvagnen och ställ den på pallbockar (se *Lyftning och stödpunkter*). Ta bort höger framhjul, motorns undre skyddskåpa, och hjulhusfodret. Den undre skyddskåpan hålls fast med flera skruvar och hjulhusfodret hålls fast med flera expanderande nitar av plast/muttrar/plastklämmor. Tryck in mittsprintarna en bit och bänd ur hela nitarna från sin plats

9.32a Sätt dit den nya tätningen runt en hylsa med ytterdiametern 20 mm . . .

2 Koppla loss och ta bort batteriets jordledning enligt beskrivningen i kapitel 5A.

3 Töm kylsystemet enligt beskrivningen i kapitel 1B.

4 Ta bort kamaxlarna, vipparmen och hydrauliska ventillyftarna enligt beskrivningen i avsnitt 9.

5 Ta bort turboaggregatet enligt beskrivningen i kapitel 4B.

6 Ta bort glödstiften enligt beskrivningen i kapitel 5C.

7 i förekommande fall lossar du de 3 fästbultarna och flyttar servostyrningspumpen åt sidan (du behöver inte koppla från slangarna).

8 Lossa de övre fästbultarna och fäll undan generatorn från motorn, lossa bulten från oljemätstickans styrrör och lossa bultarna som håller fast generatorns/servostyrningspumpens fästbygel på topplocket/blocket **(se bild)**.

9.32b . . . och tryck dit den på plats

9 Lossa bultarna från kylvätskans utloppshus (i vänstra änden av topplocket), lossa de två bultarna som håller fast husets fäste ovanpå växellådans balanshjulskåpa och flytta undan utloppshuset en liten bit från topplocket **(se bild)**. Du behöver inte lossa slangarna.

10 Lossa högtrycksbränsleröret från common rail-systemet till pumpen och lossa bränslematnings- och returslangarna. Ta bort fästet bakpå pumpen, skruva loss bulten/muttern och ta bort pumpen och fästet som en enhet **(se bilder)**. Observera att du måste sätts dit ett nytt högtrycksrör – se kapitel 4B.

11 Arbeta i **omvänd** ordning mot den visade ordningen **(se bild 10.32)** och lossa topplocksbultarna.

12 Lossa topplocket från motorblocket och styrtapparna genom att vagga det fram och tillbaka. Peugeot-verktyget för detta består av två metallstänger med ändar som är vinklade 90 grader **(se bild)**. Bänd inte mellan

10.8 Motorns oljemätsticka hålls fast på generatorfästet med en torxbult (markerad med pil)

10.9 Lossa bultarna (markerade med pil) och dra loss kylvätskeutloppets hus från den vänstra änden av topplocket

10.10a Ta bort högtrycksröret (markerad med pil) . . .

10.10b . . . och fästbygeln (markerad med pil)

10.10c Pumpfästets övre mutter och nedre fästbult (markerade med pil)

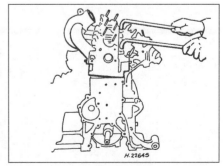

10.12 Lossa topplocket med vinklade stänger

10.17a Dra bort backventilen från topplocket . . .

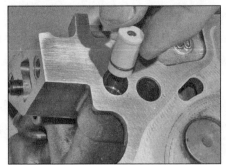

10.17b . . . och tryck dit en ny på plats

10.21 Mät kolvens utbuktning med en DTI klocka

kontaktytorna på topplocket och blocket eftersom det kan skada packningsytorna.

13 Lyft topplocket från blocket, och ta loss packningen.

14 Om det behövs, ta bort avgasgrenröret enligt beskrivningen i kapitel 4B.

Förberedelser för montering

15 Topplockets och motorblockets fogytor måste vara helt rena innan topplocket sätts tillbaka. Peugeot rekommenderar att man använder skurmedel till detta, men man kan uppnå godtagbara resultat genom att använda en hård skrapa av plast eller trä för att ta bort alla spår av packning och sot. Samma metod kan användas för att rengöra kolvkronorna. Var extra noggrann med att undvika att repa eller göra gropar i topplockets/motorblockets fogytor under rengöringen eftersom det är lätt att skada aluminiumlegeringar. Se till att sot inte kommer in i olje- och vattenkanalerna – detta är särskilt viktigt när det gäller smörjningen eftersom sotpartiklar kan täppa igen oljekanaler och blockera oljematningen till motordelarna. Försegla vattenkanaler, oljekanaler och bulthål i motorblocket med tejp och papper. Lägg lite fett i gapet mellan kolvarna och loppen för att hindra sot från att tränga in. När en kolv är rengjord ska alla spår av sot och sot borstas bort från dess öppning med en liten borste och sedan ska öppningen torkas med en ren trasa.

16 Kontrollera motorblockets och topplockets fogytor efter hack, djupa repor och andra skador. Om de är små kan de försiktigt filas bort, men om de är stora är slipning eller byte den enda lösningen. Kontrollera topplockspackningens yta med en ställinjal om den misstänks vara skev. Se del F i detta kapitel om det behövs.

17 Rengör noggrant gängorna på topplockets bulthål i motorblocket. Se till att bultarna går fritt i gängorna och att alla spår av olja och vatten har avlägsnats från varje bulthål. Vid behov drar du loss oljematningens backventil från topplocket och kontrollerar att kulan rör sig fritt. Tryck dit en ny ventil på plats om det behövs **(se bild)**.

Val av packningar

18 Ta bort vevaxelns inställningsstift och dra runt vevaxeln tills kolvarna 1 och 4 befinner sig vid ÖD-läge (övre dödläge). Placera en mätklocka på motorblocket nära bakdelen av kolv nr 1 och nollställ den på blockets yta. Flytta sonden till kronan på kolv nr 1 (10,0 mm in från bakkanten) och dra långsamt vevaxeln fram och tillbaka förbi ÖD-läget och notera det högsta värdet på mätaren. Notera det här värdet som utsprång A.

19 Upprepa kontrollen i avsnitt 18, den här gången 10,0 mm in från framkanten på kolvkronan på kolv 1. Notera det här värdet som utsprång B.

20 Lägg ihop utsprång A och utsprång B och dividera sedan resultatet med 2 för att få ett genomsnittligt värde för kolv 1.

21 Upprepa proceduren som beskrivs i avsnitt 18 till 20 på kolv 4 och dra runt vevaxeln 180° och utför åtgärden på kolv 2 och 3 **(se bild)**.

Kontrollera att det finns en maximal skillnad på 0,07 mm utsprång mellan två kolvar.

22 Om du inte har en mätklocka kan kolvens utsprång mätas med en ställinjal och bladmått eller skjutmått. Detta är dock mindre exakt och kan därför inte rekommenderas.

23 Notera det största kolvutsprångsvärdet och använd det för att hitta rätt topplockspackning i följande tabell. Spåren/hålen på sidan av packningen används för tjockleksidentifiering **(se bild)**.

Kolvutsprång	Packningsidentifiering
0,6115 till 0,720 mm	*2 hack*
0,721 till 0,770 mm	*3 hack*
0,771 till 0,820 mm	*1 hack*
0,821 till 0,870 mm	*4 hack*
0,871 till 0,977 mm	*5 hack*

Undersökning av topplocksbultarna

24 Undersök försiktigt topplockets bultar efter tecken på skador på gängorna eller topplocket samt efter spår av korrosion. Om bultarnas skick är godtagbart mäter du längden på varje bult från undersidan av skallen till änden av bulten. Du kan återanvända bultarna om den uppmätta längden inte överskrider 149,0 mm **(se bild)**. **Observera:** *Med tanke på den belastning som topplocksbultarna utsätts för rekommenderas att de byts, oavsett skick.*

Montering

25 Dra runt vevaxeln och placera kolv nr 1 och 4 vid ÖD-läget och dra runt vevaxeln ett kvarts varv (90°) moturs.

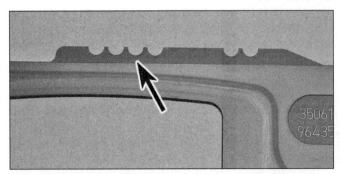

10.23 Topplockspackningens tjockleksidentifieringsspår (markerade med pil)

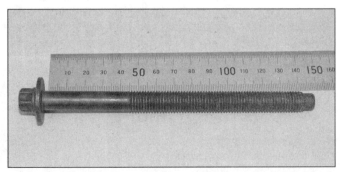

10.24 Mät längden från undersidan av bultens skalle till dess ände

10.27 Se till att packningen hamnar över tapparna (markerade med pil)

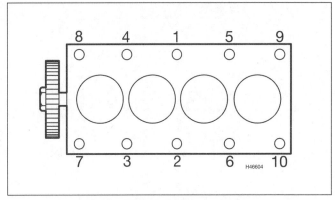

10.32 Ordningsföljd för åtdragning av topplocksbultar

26 Rengör ytorna på blocket och topplocket noggrant.
27 Kontrollera att styrstiften sitter på plats och sätt dit rätt packning vänd åt rätt håll på motorblocket **(se bild)**.
28 Om det behövs, montera tillbaka avgasgrenröret på topplocket enligt beskrivningen i kapitel 4B.
29 Sänk försiktigt ner topplocket på packningen och blocket och kontrollera att det hamnar i rätt läge på stiften.
30 Applicera lite fett på topplocksbultarnas gängor och på undersidan av bultskallarna. Peugeot rekommenderar att man använder Molykote G Rapid Plus (tillgängligt från din Peugeotverkstad). om du inte har det rekommenderade fettet kan du använda valfritt fett med bra kvalitet och hög smältpunkt.
31 Sätt försiktigt i topplockets bultar i sina hål (*släpp inte i dem*) och börja med att fingerdra dem.
32 Arbeta stegvis i visad ordningsföljd och dra åt topplocksbultarna till momentet för steg 1 med momentnyckel och passande hylsa **(se bild)**.
33 När alla bultar har dragits åt till momentet i steg 1 arbetar du återigen i angiven ordningsföljd och drar åt varje bult till den angivna inställningen i steg 2. Avsluta med att vinkeldra bultarna genom den angivna vinkeln för steg 3. En vinkelmätare rekommenderas

till steg 3 för exakthet. **Observera:** *Topplocksskruvarna behöver inte dras åt.*
34 Montera tillbaka de hydrauliska ventillyftarna, vipparmarna, och kamaxelhuset (med kamaxel) enligt beskrivningen i avsnitt 9.
35 Montera tillbaka kamremmen enligt beskrivningen i avsnitt 7.
36 Resten av återmonteringen sker i omvänd ordning mot demonteringen. Tänk på följande:
a) Använd en ny tätning när man sätter tillbaka kylvätskeutloppets hus.
b) När du sätter tillbaka topplocket är det en standardåtgärd att byta termostaten.
c) Montera tillbaka kamaxelns lägesgivare och ställ i luftavståndet enligt beskrivningen i kapitel 4B.
d) Dra åt alla hållare till angivet moment (där sådant angetts).
e) Fyll på kylsystemet enligt beskrivningen i kapitel 1B.
f) Motorn kan gå ojämnt några kilometer tills motorhanteringens ECM lär in de lagrade värdena.

11 Sump – demontering och montering

Demontering

1 Tappa av motoroljan, rengör sedan avtappningspluggen och sätt tillbaka den, dra åt ordentligt. Om motorn närmar sig sitt serviceintervall, då oljan och filtret ska bytas

ut, rekommenderas att även filtret tas bort och byts ut mot ett nytt. Efter återmontering kan motorn fyllas med ny olja. Ytterligare information finns i kapitel 1B.
2 Klossa bakhjulen, lyft upp framvagnen och ställ den på pallbockar (se *Lyftning och stödpunkter*). Skruva loss skruvarna och ta bort motorns undre skyddskåpa.
3 Ta bort avgassystemets främre avgasrör enligt beskrivningen i kapitel 4B.
4 Vid behov lossar du kablagekontakten från oljetemperatursändaren, som är fastskruvad på sumpen.
5 Skruva gradvis loss och ta bort sumpens samtliga fästbultar/muttrar. Eftersom sumpens bultar har olika längd tar du bort varje bult i tur och ordning och förvarar den i monterad genom att trycka den genom an tydligt märkt kartongmall. Genom detta kan man undvika att installera bultarna på fel plats vid återmonteringen.
6 Lossa sumpen genom att slå på den med handflatan och dra den sedan nedåt och ta bort den under bilen. Om sumpen kärvar (vilket är ganska troligt) använder du en spackelkniv eller liknande redskap som sätts i mellan sumpen och blocket. Dra kniven längs fogen tills sumpen lossnar. Passa på att kontrollera oljepumpens oljeupptagare/sil efter tecken på igensättning eller sprickor medan sumpen är borttagen. Om det behövs tar du bort pumpen enligt beskrivningen i avsnitt 12 och rengör eller byter silen.

Montering

7 Ta bort alla spår av tätningsmedel från motorblockets/vevhusets och sumpens fogytor, rengör sedan sumpen och motorn invändigt med en ren trasa.
8 På motorer där sumpen monteras utan packning ser du till att sumpens fogytor är rena och torra och lägger sedan på ett tunt lager av lämpligt tätningsmedel på sumpen eller vevhusets fogyta **(se bild)**.
9 Placera sumpen i motorblocket. Sätt tillbaka dess fästbultar/muttrar och se till att varje bult skruvas dit i sitt ursprungsläge. Dra åt bultarna jämnt och stegvis till angivet moment **(se bild)**.

11.8 Applicera en sträng tätningsmedel på sumpen eller vevhusets fogyta Se till att det finns tätningsmedel på insidan av fästbultshålen

11.9 Montera tillbaka sumpen och dra åt bultarna

12.4 Oljeupptagarrörets insexskruvar (markerade med pil)

12.5 Oljepumpens fästbultar (markerade med pil)

10 Vid behov passar du in luftkonditioneringskompressorn efter dess fästen på sumpen och sätter i fästbultarna. Dra åt kompressorns fästbultar ordentligt och montera tillbaka drivremmen enligt beskrivningen i kapitel 1B.
11 Återanslut kablagekontakten till oljetemperaturgivaren (i förekommande fall).
12 Sänk ner bilen och fyll motorn med olja enligt beskrivningen i kapitel 1B.

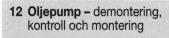

12 Oljepump – demontering, kontroll och montering

Demontering

1 Demontera sumpen enligt beskrivningen i avsnitt 11.
2 Demontera vevaxeldrevet enligt beskrivningen i avsnitt 8. Ta bort inställningsnyckeln från vevaxeln.
3 Lossa anslutningskontakten, skruva loss bultarna och ta bort vevaxelns lägesgivare som sitter i den högra änden av motorblocket.
4 Lossa de tre sexkantsskruvarna och ta bort oljepumpens upptagarrör från pumpen/blocket **(se bild)**. Kasta packningen, eftersom en ny en måste användas.

5 Skruva loss de 8 bultarna, och ta bort oljepumpen **(se bild)**.

Kontroll

6 Skruva loss och ta bort torxbultarna som håller fast kåpan på oljepumpen **(se bild)**. Undersök pumprotorerna och huset om de är slitna eller skadade. Om pumpen är defekt måste den bytas som en enhet.
7 Ta bort låsringen och ta bort locket, ventilkolven och fjädern och notera åt vilket håll de är monterade **(se bild)**. Skicket på utjämningsventilens kolv kan bara mätas genom att man jämför den med en ny kolv.

Om det råder minsta tvekan om en komponents skick ska den bytas.
8 Montera tillbaka utjämningsventilens kolv och fjäder och håll dem på plats med låsringen.
9 Montera kåpan på oljepumpen och dra åt torxbultarna ordentligt.

Montering

10 Ta bort alla spår av tätningsmedel och rengör noggrant fogytorna på oljepumpen och motorblocket.
11 Lägg på en 4 mm bred sträng av silikontätningsmedel på motorblockets

12.6 Skruva loss torxbulten och ta bort pumpkåpan

12.7a Ta bort låsringen . . .

12.7b . . . kåpa . . .

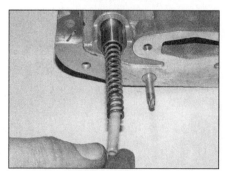

12.7c . . . fjäder . . .

12.7d . . . och kolv

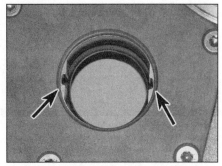

12.11 Applicera en sträng tätningsmedel på motorblockets fogyta

12.12a Sätt dit en ny tätning . . .

12.12b . . . passa in pumpdrevets flata områden (markerade med pil) . . .

kontaktyta **(se bild)**. Se till att inget tätningsmedel kommer in i hålen i blocket.

12 När en ny oljetätning sitter på plats monterar du tillbaka oljepumpen över vevaxelns ände och passar in de flata områdena på pumpdrevet efter de flata bearbetade områdena på vevaxeln **(se bilder)**. Observera nya oljepumpar levereras med monterad oljetätning och en tätningsskyddshylsa. Hylsan sitter över vevaxeländen för att skydda tätningen när pumpen monteras.

13 Sätt i pumpens fästbultar och dra åt dem till angivet moment.

14 Montera tillbaka oljeupptagarröret på pumpen/motorblocket med en ny O-ringstätning. Se till att oljemätstickans styrrör monteras tillbaka korrekt.

15 Montera tillbaka Woodruff-kilen på vevaxeln och skjut dit vevaxeldrevet på plats.

16 Resten av monteringen sker i omvänd ordningsföljd mot demonteringen.

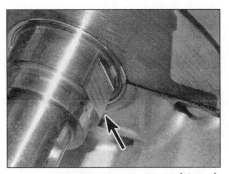

12.12c . . . efter motsvarande områden på vevaxeln (markerad med pil)

2 Oljekylaren sitter på framsidan av oljefilterhuset. Tappa ur kylvätskan enligt beskrivningen i kapitel 1B.

3 Tappa ur motoroljan enligt beskrivningen i kapitel 1B eller var beredd på

4 Skruva loss de 5 bultarna och ta bort oljekylaren. Ta loss O-ringstätningarna **(se bilder)**.

Montering

5 Sätt dit de nya O-ringstätningarna i urtagen i oljefilterhuset och montera tillbaka kylaren. Dra åt bultarna ordentligt.

6 Fyll på kylsystemet och motoroljan enligt beskrivningen i kapitel 1B eller *Veckokontroller* (efter tillämplighet). Starta motorn och kontrollera om oljekylaren läcker.

13.4a Lossa oljekylarens bultar (markerade med pil)

14 Oljetätningar – byte

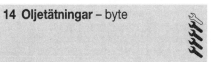

Vevaxel

Höger oljetätning

1 Demontera vevaxeldrevet och Woodruff-kilen enligt beskrivningen i avsnitt 8.

2 Observera hur djupt oljetätningen sitter.

3 Dra bort oljetätningen från huset med en skruvmejsel. Du kan även borra ett litet hål i oljetätningen och använda en självgängande skruv och en tång för att ta bort den **(se bild)**.

13 Oljekylare –
demontering och montering

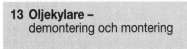

Demontering

1 Klossa bakhjulen, lyft upp framvagnen och ställ den på pallbockar (se *Lyftning och stödpunkter*). Skruva loss skruvarna och ta bort motorns undre skyddskåpa.

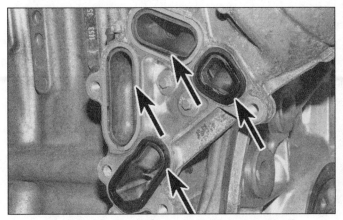

13.4b Byt O-ringstätningarna (markerade med pil)

14.3 Var försiktig så att du inte repar vevaxeln när du bänder ut oljetätningen

14.5a Dra av tätningen och skyddshylsan från vevaxelns ände . . .

14.5b . . . och tryck dit tätningen på plats

14.12 Dra av tätningen och skyddshylsan från vevaxelns vänstra ände

4 Rengör oljetätningshuset och vevaxeln.
5 Tätningen har en teflonläpp och får inte oljas eller markeras. Den nya tätningen ska förses med en skyddshylsa som placeras över vevaxelns ände för at hindra skador på tätningsläppen. När hylsan sitter på plats trycker du i tätningen (öppna änden först) i pumpen till det tidigare noterade djupet med ett lämpligt rör eller en hylsa **(se bilder)**.
6 I förekommande fall tar du bort plasthylsan eller tejpen från vevaxelns ände.
7 Montera tillbaka kamremmens vevaxeldrev enligt beskrivningen i avsnitt 8.

Vänster oljetätning

8 Demontera svänghjulet enligt beskrivningen i avsnitt 16.
9 Observera hur djupt oljetätningen sitter.
10 Dra bort oljetätningen från huset med en skruvmejsel. Du kan även borra ett litet hål i oljetätningen och använda en självgängande skruv och en tång för att ta bort den **(se bild 14.3)**.
11 Rengör oljetätningshuset och vevaxeln.
12 Tätningen har en teflonläpp och får inte oljas eller markeras. Den nya tätningen ska förses med en skyddshylsa som placeras över vevaxelns ände för at hindra skador på tätningsläppen **(se bild)**. När hylsan sitter på plats trycker du i tätningen (öppna änden först) i huset till det tidigare noterade djupet med ett lämpligt rör eller en hylsa.

13 I förekommande fall tar du bort plasthylsan eller tejpen från vevaxelns ände.
14 Montera tillbaka svänghjulet enligt beskrivningen i avsnitt 16.

Kamaxel

15 Demontera kamaxeldrevet enligt beskrivningen i avsnitt 8. I princip behöver man inte ta bort kamremmen helt, men kom ihåg att om remmen har förorenats så måste den bytas.
16 Dra bort oljetätningen från huset med ett verktyg med krok. Du kan även borra ett litet hål i oljetätningen och använda en självgängande skruv och en tång för att ta bort den **(se bild)**.
17 Rengör oljetätningshusets och kamaxelns lageryta.
18 Tätningen har en teflonläpp och får inte oljas eller markeras. Den nya tätningen ska förses med en skyddshylsa som placeras över kamaxelns ände för att hindra skador på tätningsläppen **(se bild)**. Sätt dit hylsan, tryck i tätningen (öppna änden först) i huset med hjälp av ett lämpligt rör eller en hylsa som bara ligger an mot tätningens ytterkant.
19 Montera kamaxeldrevet enligt beskrivningen i avsnitt 8.
20 Vid behov, montera en ny kamrem enligt beskrivningen i avsnitt 7.

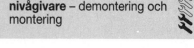

15 Oljetryckbrytare och nivågivare – demontering och montering

Demontering

Oljetryckkontakt

1 Oljetryckskontakten sitter på motorblockets front, alldeles intill oljemätstickans styrhylsa. På vissa modeller kan det vara lättare att komma åt brytaren om man lyfter upp bilen och stöder den på pallbockar, lossar skruvarna och tar bort motorns undre skyddskåpa så att man kommer åt brytaren från undersidan (se *Lyftning och stödpunkter*).
2 Ta bort skyddshylsan från anslutningskontakten (om tillämpligt), lossa sedan kablaget från brytaren.
3 Skruva loss brytaren från motorblocket, och ta loss tätningsbrickan **(se bild)**. Var beredd på oljespill och om brytaren ska tas bort från motorn under längre tid, pluggar du igen hålet i motorblocket.

Oljenivågivare

4 Oljenivågivaren sitter placerad på motorblockets baksida. Hissa upp bilens framvagn och ställ den på pallbockar (se *Lyftning och stödpunkter*). Skruva loss skruvarna och ta bort motorns undre skyddskåpa.

14.16 Borra ett hål, sätt i en självgängande skruv och dra bort tätningen med en tång

14.18 Sätt dit skyddshylsan och tätningen över kamaxelns ände

15.3 Oljetryckskontakten sitter på motorblockets framsida (markerad med pil)

15.5 Oljenivågivaren sitter på motorblockets baksida (markerad med pil)

16.8 Svänghjulets fästtorxbultar

5 Sträck dig mellan drivaxeln och motorblocket och lossa givarens kabelkontakt **(se bild)**.
6 Använd en öppen nyckel, skruva loss givaren och ta bort den från läget.

Montering

Oljetryckkontakt

7 Undersök tätningsbrickan efter tecken på skada eller åldrande, och byt ut om det behövs.
8 Montera kontakten och dess bricka. Dra åt till angivet moment.
9 Montera tillbaka motorns undre skyddskåpa, och sänk ner bilen.

Oljenivågivare

10 Stryk på lite silikontätningsmedel på gängorna och montera tillbaka givaren på motorblocket och dra åt den ordentligt.
11 Återanslut givarens anslutningskontakt.
12 Montera tillbaka motorns undre skyddskåpa, och sänk ner bilen.

16 Svänghjul– demontering, kontroll och återmontering

Demontering

1 Ta bort växellådan enligt beskrivningen i kapitel 7A. Ta sedan bort kopplingen enligt beskrivningen i kapitel 6.
2 Hindra svänghjulet från att vridas genom att låsa krondrevets kuggar **(se bild 5.2)**. Alternativt, skruva fast en remsa mellan svänghjulet och motorblocket/vevhuset. *Försök inte* låsa svänghjulet i läge med vevaxelns remskivas låsverktyg som beskrivs i avsnitt 3. Sätt i en stång eller en borr med 12 mm i diameter genom hålet i svänghjulets kåpa och in i uttaget i svänghjulet
3 Gör inriktningsmarkeringar mellan svänghjulet och vevaxeln för att underlätta ditsättningen. Lossa svänghjulets fästbultar och ta bort dem och ta bort svänghjulet från vevaxeländen. Tappa den inte; den är tung. Om svänghjulets styrstift (om en sådan finns),sitter löst i vevaxelns ände, ta bort den

och spara den tillsammans med svänghjulet. Kassera svänghjulsbultar; du måste sätta dit nya vid monteringen.

Kontroll

4 Undersök svänghjulet efter repor på kopplingsytan och slitage eller skador på krondrevets kuggar. Om kopplingsytan är repig kan svänghjulets yta slipas, men det är bättre att byta ut svänghjulet. Fråga en Peugeotverkstad eller en specialist på motorrenoveringar för att se om det går att slipa. Om krondrevet är slitet eller skadat måste svänghjulet bytas eftersom det inte går att byta krondrevet separat.

Montering

5 Rengör svänghjulets och vevaxelns fogytor. Ta bort alla rester av fästmassa från vevaxelhålens gängor, helst med en gängtapp av rätt dimension, om en sådan finns tillgänglig.
6 Om de nya svänghjulsbultarna inte levererats med redan belagda gängor ska en lämplig gänglåsmassa läggas på varje bults gängor.

> **HAYNES TiPS** *Om en lämplig gängtapp inte finns tillgänglig, skär två skåror i gängorna på en av de gamla svänghjulsbultarna och använd bulten till att ta bort fästmassan från gängorna.*

Alla modeller utom motorer med tvåmassesvänghjul

7 Se till att styrstiftet är korrekt placerad. Passa in svänghjulet, placera det på styrstiftet (om en sådan finns) och sätt dit de nya fästbultarna. Om det inte finns något styrstift passar du in de tidigare gjorda markeringarna efter varandra för att se till att svänghjulet monteras tillbaka i ursprungsläget.
8 Lås svänghjulet som vid demonteringen och dra svänghjulsbultarna till angivet moment och vinkel **(se bild)**.

Motorer med tvåmassesvänghjul

9 Tvåmassesvänghjulet är utformat för

att minska kärvning och vibrationer i motorn, kopplingen och växellådan. Med den här typen av svänghjul behövs två svänghjulscentraliseringsverktyg (tillgängliga från Peugeot-verkstäder) De skruvas fast i två motsatta svänghjulsbulthål i vevaxeln. När verktygen skruvas fast centraliserar deras koniska form svänghjulet i förhållande till vevaxeln.
10 När svänghjulet är centraliserat sätter du dit nya bultar i de resterande svänghjulshålen och låser svänghjulet med samma metod som användes vid isärtagningen och drar åt bultarna till angivet moment.
11 Ta bort de två centraliseringsverktygen, sätt dit de nya bultarna och dra åt dem till angivet moment.

Alla modeller

12 Montera tillbaka kopplingen enligt beskrivningen i kapitel 6. Avlägsna svänghjulets låsredskap och montera växellådan enligt beskrivning i kapitel 7A.

17 Motorns-/växellådans fästen – kontroll och byte

Kontroll

1 För att komma åt bättre, klossa bakhjulen och lyft sedan upp framvagnen och ställ den på pallbockar (se *Lyftning och stödpunkter*). Skruva loss skruvarna och ta bort motorns undre skyddskåpa.
2 Kontrollera om gummifästena är spruckna, förhårdnade eller skilda från metallen på något ställe. byt fästet om du ser tecken på sådana skador.
3 Kontrollera att fästenas hållare är hårt åtdragna. använd en momentnyckel om möjligt
4 Undersök om fästet är slitet genom att försiktigt bända det med en stor skruvmejsel eller en kofot och se om det föreligger något fritt spel. Där detta inte är möjligt, låt en medhjälpare vicka på motorn/växellådan framåt/bakåt och i sidled, medan du studerar fästet. Visst spel finns även hos nya komponenter, men kraftigt slitage märks tydligt. Om för stort spel förekommer, kontrollera först att hållarna är ordentligt åtdragna, och byt sedan slitna komponenter enligt beskrivningen nedan.

Byte

Höger fäste

5 Lossa alla aktuella slangar och kablar från sina fästklämmor. Placera slangarna/ kablaget på avstånd från fästet så att demonteringen inte hindras. Skruva loss skruvarna och ta bort motorns undre skyddskåpa.
6 Placera en domkraft under motorn, med en träkloss på domkraftshuvudet. Lyft domkraften tills den tar upp motorns vikt.
7 Skruva loss bultarna/muttern som håller

17.7 Lossa de högra motorfästbultarna/
muttern (markerade med pil)

17.15 Motorns/växellådans vänstra
fästbultar (markerade med pil)

17.20 Momentstagets nedre fäste

fast motorfästet på karossen och stödfästet **(se bild)**.

8 Om det behövs skruvar du loss bultarna/muttrarna som håller fast stödfästbygeln på topplocket/motorblocket.

9 Undersök alla komponenter efter tecken på skador eller åldrande och byt dem om de behövs.

10 Om du har tagit bort stödfästbygeln sätter du tillbaka den på topplocket och drar åt bultarna ordentligt.

11 Sätt dit fästet på karossen och stödfästbygeln och dra åt bultarna till angivet moment.

12 Ta bort domkraften underifrån motorn.

Vänster fäste

13 Ta bort motorhanteringens ECM och modulboxen enligt beskrivningen i kapitel 4B.

14 Skruva loss skruvarna och ta bort motorns undre skyddskåpa och placera en domkraft under växellådan med en träbit på

domkraftens lyftsadel. Lyft domkraften tills den tar upp växellådans vikt.

15 Lossa och ta bort bultarna som håller fast fästet på stödfästet och karossen. Om det behövs, skruva loss bultarna/muttrarna och ta bort stödfästbygeln **(se bild)**.

16 Undersök alla komponenter efter tecken på skador eller åldrande och byt dem om de behövs.

17 Montera tillbaka fästet, dra åt bultarna till angivet moment och ta bort domkraften under växellådan.

18 Montera tillbaka modullådan och ECM enligt beskrivningen i kapitel 4B.

Nedre motor momentstag

19 Om du inte redan har gjort det, klossar du framhjulen, hissar upp bakvagnen och stöder den på pallbockar (se *Lyftning och stödpunkter*). Skruva loss skruvarna och ta bort motorns undre skyddskåpa.

20 Skruva loss och ta bort bulten som håller

fast rörelsebegränsningslänken på drivaxelns mellanlagerhus **(se bild)**.

21 Ta bort bulten som håller fast länken vid kryssrambalken. Dra upp länken.

22 För att kunna ta bort mellanlagerhuset måste du först ta bort den högra drivaxeln enligt beskrivningen i kapitel 8.

23 När du har tagit bort drivaxeln skruvar du loss fästbultarna och tar bort lagerhuset från motorblockets bakdel.

24 Leta noga efter tecken på slitage eller skada på alla delar, och byt dem om det behövs. Gummibussningen på lagerhuset finns som en separat del (i skrivande stund) och kan tryckas ut och tillbaka på plats.

25 Vid hopsättningen sätter du dit lagerhuset på motorblockets bakdel och drar åt dess fästbultar ordentligt. Montera tillbaka drivaxeln enligt beskrivningen i kapitel 8.

26 Montera tillbaka momentbegränsarens länk och dra åt dess båda bultar till angivet moment. Montera tillbaka motorns undre skyddskåpa.

27 Sänk ner bilen.

Kapitel 2 Del E:
Reparationer med 2,0-liters DOHC dieselmotor kvar i bilen

Innehåll

Svårighetsgrad

Enkelt, passar novisen med lite erfarenhet	Ganska enkelt, passar nybörjaren med viss erfarenhet	Ganska svårt, passar kompetent hemmamekaniker	Svårt, passar hemmamekaniker med erfarenhet	Mycket svårt, för professionell mekaniker

Specifikationer

Allmänt

Beteckning	DW10BTED4
Motorkod*	RHR
Lopp	85,00 mm
Slaglängd	88,00 mm
Vevaxelns rotationsriktning	Medurs (sett från fordonets högra sida)
Plats för cylinder 1	I växellådsänden
Maximal utgående effekt	100 kW vid 4000 varv/minut
Maximal utgående moment	320 Nm vid 2000 varv/minut
Kompressionsförhållande	18.0 : 1

* Motorkoden är instansad på en platta som är fäst på motorblockets framände, bredvid oljefiltret

Kompressionstryck (varm motor, vid vevhastighet)

Normal	20 ± 5 bar
Maximal skillnad mellan två cylindrar	5 bar

Kamaxel

Drivning	Kuggad rem

Smörjningssystem

Oljepumptyp	Drevtyp, kejdedriven via vevaxelns högra ände
Minimum oljetryck @ 80°C:	
1000 varv/minut	1,9 bar
4000 varv/minut	4,0 bar
Kontakten till varningslampan för oljetryck aktiveras vid	0,8 bar

Åtdragningsmoment

	Nm
Storändens lageröverfall, bultar*:	
Steg 1	20
Steg 2	Vinkeldra ytterligare 70°
Kamaxellagrets husbultar	10
Kamaxelns lägesgivares bult	6
Kamaxeldrevets bult	
Steg 1	20
Steg 2	Vinkeldra ytterligare 60°
Kopplingshusets stängningsplatta	18
Kylvätskeutloppets husbultar	18
Bult på vevaxelns remskiva	
Steg 1	70
Steg 2	Vinkeldra ytterligare 60°
Vevaxeloljetätningshusets högra bultar	14
Vevaxelgivarens bult	7
Topplocksbultar:	
Steg 1	15
Steg 2	60
Steg 3	Vinkeldra ytterligare 220° ± 5°
Ventilkåpans bultar	10
Drivplattans bultar*:	
Steg 1	20
Steg 2	66
Fästbultar mellan motorn och växellådan	60
Avgasgrenrörets muttrar	25
Svänghjulets bultar*	50
Högtrycksbränslepumpens bultar	20
Vänster motor/växellåda fäste:	
Bultar för fästet till växellåda	45
Muttrar för fästet till växellåda	55
Fastsättning på kaross/fäste	27
Ramlageröverfallets bultar:	
Steg 1	25
Steg 2	Vinkeldra ytterligare 60°
Oljefilterhus	25
Oljetrycksbrytare	20
Oljepumpens fästbultar	16
Kolv oljemunstycke rörbult	10
Bakre motorfäste/momentstag:	
Momentstag till fästenhet	50
Mutter/bult mellan momentstag och kryssrambalk	50
Fäste till motor	60
Höger motorfäste:	
Anslutningslänk till kaross	50
Anslutningslänk till fäste	50
Muttrar för fästbygel	45
Torxbultar mellan fästbygeln och motorfästet	60
Motorfäste till motor	56
Sumpens bultar	16
Sumpens dräneringsplugg	30
Bult på kamremmens tomgångsrulle	56
Kamremsspännare	21
Kamkedjesträckarens bultar	6

* Återanvänds inte

1 Allmän information

Vad innehåller detta kapitel

Den här delen av kapitel 2 beskriver de reparationer som kan utföras med motorn monterad i bilen. Om motorn har tagits ur bilen och tagits isär enligt beskrivningen i del F, kan alla preliminära isärtagningsinstruktioner ignoreras.

Observera att även om det är möjligt att fysiskt renovera delar som kolven/vevstaken medan motorn sitter i bilen, så utförs sällan sådana åtgärder separat. Normalt måste flera ytterligare åtgärder utföras (för att inte nämna rengöring av komponenter och smörjkanaler); av den anledningen klassas alla sådana åtgärder som större renoveringsåtgärder, och beskrivs i del F i det här kapitlet.

Del F beskriver demontering av motor/växellåda, samt tillvägagångssättet för de reparationer som kan utföras med motorn/växellådan demonterad.

DW10BTED4 motorer

Den här motorn bygger på den direktinsprutade motorn DW10 SOHC med enkel överliggande kamaxel som beskrivs i kapitel 2C och som har använts i många bilar från Peugeot och Citroën. Framförallt är motorblockets delar mycket lika, men resten av motorn har ändrats helt. Motorn har dubbla överliggande kamaxlar (DOHC) och 16 ventiler. Den fyrcylindriga motorn med turbo är monterad tvärställd med växellådan på vänster sida.

En tandad kamrem driver avgaskamaxeln och kylvätskepumpen. Avgaskamaxeln driver insugskamaxeln via en kedja på kamremssidan. Kamaxlarna driver insugs- och avgasventilerna via vipparmar som stöds i vippändarna av hydrauliska självjusterande lyftare. Kamaxlarna stöds av lager som är bearbetade direkt i topplocket och kamaxelns lagerhus.

Högtrycksbränslepumpen drivs från den vänstra änden av avgaskamaxeln. Högtrycksbränslepumpen levererar bränsle till bränslefördelarskenan och därefter till de elektroniskt styrda insprutningsventilerna som sprutar in bränsle direkt i förbränningskamrarna. Den här utformningen skiljer sig från den tidigare typen där en insprutningspump matar bränsle med högt tryck till varje insprutare. Den tidigare, konventionella typen av insprutningspump krävde finkalibrering och tidsinställning och dess funktioner sköts nu av högtryckspumpen, de elektroniska insprutningsventilerna och ECM-motorstyrningen.

Vevaxeln löper i fem ramlager av den vanliga skåltypen. Axialspelet styrs av tryckbrickor på sidorna om ramlager 2.

Kolvarna har matchande vikt och innehåller helt flytande kolvbultar som hålls av låsringar.

Oljepumpen drivs av en kedja från vevaxelns högra ände.

I den här handboken är det ofta nödvändigt att inte bara identifiera motorerna genom cylindervolymen utan även med motorkod. Motorkoden består av tre tecken (t.ex. RHR). Koden är instansad på en platta som är fäst framtill på motorblocket.

Försiktighetsåtgärder vid reparationer

Motorn är en komplex enhet med flera tillbehör och extra komponenter. Motorrummets är utformat så att all tillgänglig yta utnyttjas vilket gör det svårt att komma åt de flesta motorkomponenter. I många fall måste extradelar tas bort eller föras åt sidan och kablar, rör och slangar måste lossas eller tas bort från kabelklämmor och stödfästen.

När du arbetar på den här motorn, läs först igenom hela åtgärden, titta på bilen och motorn samtidigt och ta reda på om du har nödvändiga verktyg, utrustning, kunskaper och tålamod att fortsätta. Avsätt gott om tid för varje åtgärd och var beredd på det oväntade. Stora arbeten på de här motorerna är inget för lättskrämda personer!

På grund av den begränsade åtkomsten har många foton i det här kapitlet tagits när motorn tagits bort från bilen.

 Varning: Det är viktigt att följa föreskrifterna noggrant vid arbete på komponenterna i motorns bränslesystemet, särskilt systemets högtryckssida. Innan du utför några motoråtgärder som innefattar arbete på, eller nära delar av bränslesystemet, se den särskilda informationen i kapitel 4B, avsnitt 2.

Reparationer med motorn kvar i bilen

a) Kompressionstryck – kontroll.
b) Ventilkåpa(or) – demontering och montering.
c) Vevaxelns remskiva – demontering och montering.
d) Kamremskåpor – demontering och montering.
e) Kamrem/kedja – demontering, montering och justering.
f) Kamremmens spännare och drev – demontering och montering.
g) Kamaxelns oljetätning – byte.
h) Kamaxlar, hydrauliska ventillyftare och vipparmar – demontering, kontroll och montering
i) Sump – demontering och montering.
j) Oljepump – demontering och montering.
k) Vevaxelns oljetätningar – byte.
l) Motor-/växellådsfästen – kontroll och byte
m) Svänghjul/drivplatta – demontering, kontroll och montering.

2 Kompressionsprov och tryckförlusttest – beskrivning och tolkning

Kompressionsprov

Observera: *För detta prov måste en kompressionsprovare speciellt avsedd för dieselmotorer användas.*

1 Om motorns prestanda sjunker, eller om misständningar uppstår som inte kan hänföras till bränslesystemet, kan ett kompressionsprov ge en uppfattning om motorns skick. Om kompressionsprov tas regelbundet kan de ge förvarning om problem innan några andra symptom uppträder.

2 En kompressionsprovare speciellt avsedd för dieselmotorer måste användas eftersom trycket är högre. Provaren är ansluten till en adapter som är inskruvad i glödstifts- eller insprutningshålet. På dessa motorer krävs en adapter som passar glödstiftshålen så att du inte stör bränslesystemets delar. Det är inte troligt att det är ekonomiskt försvarbart att köpa en sådan provare för sporadiskt bruk, men det kan gå att låna eller hyra en. Om detta inte är möjligt, låt en verkstad utföra kompressionsprovet.

3 Såvida inte specifika instruktioner som medföljer provaren anger annat ska följande iakttagas:

 a) *Batteriet ska vara väl laddat, luftfiltret måste vara rent och motorn ska hålla normal arbetstemperatur.*
 b) *Alla glödstift ska tas bort enligt beskrivningen i kapitel 5C innan provet påbörjas.*
 c) *Kablagekontakten på motorstyrningssystemets ECU (se kapitel 4B) måste kopplas från.*

4 De uppmätta kompressionstrycken är inte så viktiga som balansen mellan cylindrarna. Värden anges i Specifikationer.

5 Orsaken till dålig kompression är svårare att fastställa på en dieselmotor än en bensinmotor. Effekten av att införa olja i cylindrarna (våttestning) är inte helt tillförlitlig, eftersom det finns risk att oljan fastnar i virvelkammaren eller i skåran i kolvkronan istället för att passera ringarna. Följande kan dock användas som en grov diagnos.

6 Alla cylindrar ska producera ungefär samma tryck. skillnader som är större än vad som angivits tyder på ett fel. Observera att kompressionen ska byggas upp snabbt i en fungerande motor; om kompressionen är låg i det första kolvslaget och sedan ökar gradvis under följande slag är det ett tecken på slitna kolvringar. Lågt tryck som inte höjs är ett tecken på läckande ventiler eller trasig topplockspackning (eller ett spruckret topplock). Avlagringar på undersidan av ventilhuvudena kan också orsaka dålig kompression.

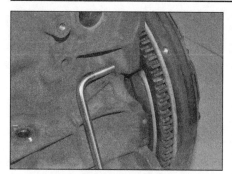

3.7a Verktyget passar genom hålet i motorblockets fläns . . .

3.7b . . . och i hålet i svänghjulets baksida

3.8 Sätt dit verktyget genom hålet i avgaskamaxeldrevet och in i inställningshålet i topplocket

7 Ett lågt värde från två intilliggande cylindrar beror nästan alltid på att topplockspackningen mellan dem är sönder. om det finns kylvätska i motoroljan bekräftar detta felet.

8 Om kompressionsvärdet är ovanligt högt är antagligen topplockets ytor, ventiler och kolvar täckta med sotavlagringar. I så fall bör topplocket demonteras och sotas (se del F).

Tryckförlusttest

9 Ett tryckförlusttest mäter hur snabbt trycket sjunker på tryckluft som förs in i cylindern. Det är ett alternativ till kompressionsprov som på många sätt är överlägset, eftersom den utströmmande luften anger var tryckfallet uppstår (kolvringar, ventiler eller topplockspackning).

10 Den utrustning som krävs för tryckförlusttest är som regel inte tillgänglig för hemmamekaniker. Om dålig kompression misstänks måste detta prov därför utföras av en verkstad med lämplig utrustning.

---

3 Motorenhet/ ventilinställningshål – allmän information och användning

Observera: *Försök inte dra runt motorn när vevaxeln och kamaxeln är låsta i läge. Om motorn ska lämnas i det här läget under längre tid är det bra att placera varningsmeddelanden Inuti bilen samt I motorrummet. Detta minskar risken att motorn dras runt av startmotorn av misstag vilket förmodligen skulle orsaka skador när låssprintarna sitter i.*

1 Inställningshål eller uttag sitter bara i svänghjulets/drivplattans och kamaxeldrevets nav. Hålen/uttagen används för att linjera vevaxeln och kamaxeln vid ÖD för cylinder nr 1 och 4. Detta ser till att ventilinställningen bibehålls under drift som kräver demontering och montering av kamremmen. När hålen/ spåren ligger i linje med motsvarande hål i motorblocket och topplocket kan man sätta i bultar eller sprintar med lämplig

diameter för att låsa vevaxeln och kamaxeln i läge och hindra dem från att rotera. När inställningshålen är riktade är kolv 4 i ÖD-läge vid kompressionstakten.

2 Så här passar du in motorns/ventilens inställningshål.

3 Dra åt handbromsen. Lyft upp framvagnen och ställ den på pallbockar (se *Lyftning och stödpunkter*). Demontera höger framhjul.

4 För att komma åt vevaxelns remskiva så att motorn kan dras runt måste du ta bort hjulhusets plastfoder. Hjulhusfodret hålls fast av flera expanderande plastnitar. Ta bort nitarna genom att tryck in mittsprintarna en bit och bänd sedan ur klämmorna från sin plats. Ta bort fodret under den vänstra skärmen. Vid behov lossar du kylvätskeslangarna under skärmen för att förbättra åtkomsten ytterligare. Vevaxeln kan sedan dras runt med en lämplig hylsa och förlängningsstång som sätts dit på remskivans bult.

5 Ta bort kamremmens övre kåpa enligt beskrivningen i avsnitt 6.

6 Vevaxeln måste nu vridas tills inställningshålet i kamaxeldrevet ligger i linje med motsvarande hål i topplocket. Observera att vevaxeln alltid måste roteras medurs (sett från bilens högra sida). Använd en spegel så att du kan kontrollera drevets inställningsspår När hålet är inriktat efter motsvarande hål i topplocket är kamaxeln korrekt placerad.

7 Sätt i Peugeots verktyg nr (-).0188.X eller en bult med 8 mm diameter, en stång eller en borr genom hålet i den vänstra flänsen på motorblocket vid startmotorn. Om det behövs drar du försiktigt runt vevaxeln åt något av hållen tills stången går in i inställningshålet i svänghjulet/drivplattan **(se bilder)**. Observera att om du använder en 8,0 mm Bult/stång/ borr så måste den vara flat (inte konisk alla) i änden. Om det behövs mer utrymme för att komma åt kan startmotorn tas bort enligt beskrivningen i kapitel 5A.

8 Sätt i en 8 mm bult, stång eller borr genom hålet i kamaxeldrev så att den får kontakt med topplocket **(se bild)**.

9 Vevaxeln och kamaxeln är nu låsta i läge så att onödig rotation kan undvikas.

---

4 Ventilkåpan – demontering och montering

Demontering

1 Ta bort plastkåpan från motorns överdel. Höljet kan dras upp från sina gummifästen. Utför följande åtgärder för att ta bort torpedplåtens klädselpanel och tvärbalk:

a) *Ta bort torkararmen (se kapitel 12).*

b) *Tryck in stiften i mitten och bänd ut de två plastnitarna i varje ände av klädselpanelen.*

c) *Dra upp panelens ytterändar och dra sedan panelens mitt nedåt och framåt för att lossa den från vindrutan.*

d) *Skruva loss de två skruvarna som håller fast huvudcylinderns övre vätskebehållare. Koppla inte loss vätskerören.*

e) *Lossa klämmorna som håller fast det ljudisolerande materialet, skruva loss de två bultarna och ta bort torpedplåtens tvärbalk.*

2 Insugsgrenröret är inbyggt i ventilkåpan. Börja genom att lossa kablaget från kamremmens övre kåpa.

3 Koppla från kabelkontakten och skruva loss kamaxelns lägesgivare från höljet **(se bild)**.

4 Skruva loss bultarna som håller fast den övre kamremskåpan på topplocket/ insugsgrenröret.

4.3 Skruva loss bulten och ta bort kamaxelgivaren (markerad med pil)

4.5 Lossa klämmorna (markerade med pil) och ta bort insprutningsventilens kabelkanal

4.6a Lossa klämmorna och koppla från ventilationsslangen (markerad med pil) från ventilkåpan . . .

4.6b . . . EGR röret från insugsgrenröret . . .

5 Lossa insprutningsventilernas anslutningskontakter och lossa sedan kabelkanalen från insugsgrenröret/kåpan och för den åt sidan **(se bild)**.
6 Lossa vevhusventilationsslangarna från insugsgrenröret/kåpan, lossa klämman och koppla från EGR-röret från insugsgrenröret **(se bilder)**.
7 Lossa glödstiftens kablage från de 2 klämmorna på höljet.
8 Lossa klämmorna och koppla från insugsslangarna från grenröret.
9 Lossa bränsletemperaturgivaren från grenrörets undersida.
10 Lossa grenrörets/kåpans fästbultar i **omvänd ordning** mot ordningsföljden i bild 4.12. Kasta packningen och använd nya vid återmonteringen.

Montering

11 Rengör tätningsytorna på grenröret/kåpan och topplocket.
12 Sätt dit de nya tätningarna på insugsgrenröret/kåpan och sätt dit dem på topplocket. Använd lite vaselin på grenrörets O-ringar för att underlätta hopsättningen. Dra

åt bultarna till angivet moment i ordningsföljd **(se bild)**.
13 Resten av återmonteringen sker i omvänd ordning mot demonteringen. Tänk på följande:
a) Dra åt alla hållare till angivet moment.
b) Före återmonteringen av kamremmens justerar du kamaxelns lägesgivares luftspel enligt beskrivningen i kapitel 4B, avsnitt 13.

5 Vevaxelns remskiva – demontering och montering

Demontering

1 Ta bort drivremmen enligt beskrivningen i kapitel 1B.
2 Placera kamaxeln och vevaxeln i ÖD-läge för cylinder 1 enligt beskrivningen i avsnitt 3. **Observera:** *Det är viktigt att vevaxelns och kamaxelns inställningsstift sitter på plats enligt beskrivningen i avsnitt 3. Det beror på att vevaxeldrevet på de här motorerna*

4.6c . . . och skjut ut låsklämman och lossa ventilationsslangen från ventilkåpans bakdel

har bredare kilspår för att det ska kunna rotera lite, oberoende av vevaxeln under remspänningsproceduren. Om du inte låser vevaxeln och kamaxeln kan det leda till att inställningen tappas.
3 För att hindra att vevaxeln roterar medan du lossar remskivans fästbult kan svänghjulets/drivplattans krondrev låsas med (Peugeot-verkyg nr (-).0188.F) eller ett lämpligt verktyg som tillverkas av vinklat stål. Ta bort startmotorn enligt beskrivningen kapitel 5A och fäst verktyget med bultar på balanshjulkåpans fläns så att det griper in i krondrevets kuggar **(se bild)**. *Försök inte* låsa remskivan genom att sätta i en bult/borr genom inställningshålet.
4 Använd en lämplig hylsa och förlängningsstång, skruva loss fästbulten,

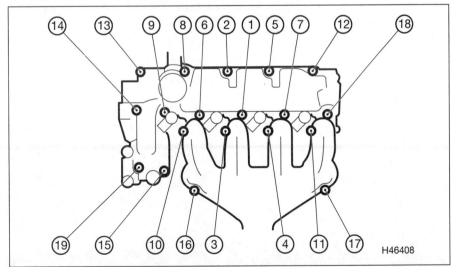

4.12 Insugsgrenrörets/ventilkåpans bultåtdragningsordning
Observera att bulten på 55 mm monteras i läge 14 och 70 mm-bultarna monteras i läge 16 och 17

5.3 Använd ett egentillverkat verktyg som liknar detta för att låsa svänghjulets krondrev och hindra vevaxeln från att rotera

5.4 Skruva loss bulten och ta bort vevaxelns remskiva

6.4 Tryck in klämmorna och lossa bränslerören (markerade med pil)

6.6 Övre kamremskåpans fästen (markerade med pil)

ta bort brickan och dra av remskivan från vevaxelns ände **(se bild)**. Om remskivan sitter fast ordentligt kan du dra av den från vevaxeln med en lämplig avdragare. Om du använder avdragare, montera tillbaka remskivans fästbult utan brickan för att undvika att skada vevaxeln när avdragaren dras åt.

Montering

5 Se till att kamaxeln och vevaxeln placeras i ÖD-läge enligt tidigare och att svänghjulets/drivplattans krondrev låses i läge enligt beskrivningen i avsnitt 3.
6 Rengör gängorna på remskivans fästbult ordentligt och applicera ett lager låsmedel på bultens gängor. Peugeot rekommenderar att man använder Loctite (tillgängligt från din Peugeotverkstad). om du inte har tillgång till det kan du använda valfri låsningsmassa av bra kvalitet.
7 Montera tillbaka vevaxelns remskiva fästbult och bricka. Dra åt bulten till angivet moment och sedan till angiven vinkel.
8 Ta bort vevaxeln, kamaxeln och svänghjulet/drivplattans låsverktyg.
9 Montera tillbaka drivremmen och spänn den enligt beskrivningen i kapitel 1B

6 Kamremskåpor – demontering och montering

⚠️ **Varning:** Se **försiktighetsåtgärderna i avsnitt 1 innan du fortsätter.**

Demontering

Övre kåpan

1 Ta bort plastkåporna från motorns överdel, skruva sedan loss skruvarna och ta bort motorns undre skyddskåpa. Utför följande åtgärder för att ta bort torpedplåtens klädselpanel och tvärbalk:
a) Ta bort torkararmen (se kapitel 12).
b) Tryck in stiften i mitten och bänd ut de två plastnitarna i varje ände av klädselpanelen.
c) Dra upp panelens ytterändar och dra sedan panelens mitt nedåt och framåt för att lossa den från vindrutan.
d) Skruva loss de två skruvarna som håller

fast huvudcylinderns övre vätskebehållare. Koppla inte loss vätskerören.
e) Lossa klämmorna som håller fast det ljudisolerande materialet, skruva loss de två bultarna och ta bort torpedplåtens tvärbalk.
2 Placera en verkstadsdomkraft under motorn med en träkloss på domkraftshuvudet för att bära upp motorns vikt.
3 Skruva loss bultarna och ta bort den högra motorfäste och stödfästbygel – se avsnitt 17.
4 Vid anslutningarna i topplockets högra ände lossar du bränsletillförsel- och returslangens snabbanslutningar med en liten skruvmejsel som trycks ner och lossar låsklämman **(se bild)**. Täck de öppna anslutningarna för att hindra att det kommer in smuts och använd små platspåsar eller avklippta fingrar från rena gummihandskar.
5 Lossa de båda bränsleslangarna från fästklämmorna i topplockets högra ände.
6 Flytta elkablaget åt sidan, lossa skruvarna/muttrarna och ta bort den övre kamremskåpan **(se bild)**.

Nedre kåpan

7 Ta bort den övre kåpan enligt beskrivningen ovan
8 Ta bort vevaxelns remskiva enligt beskrivningen i avsnitt 5.
9 Lossa bulten och flytta vevaxelgivaren åt sidan **(se bild)**.
10 Dra försiktigt loss vevaxelgivarens signalskiva från vevaxeln **(se bild)**. Om det är svårt att flytta skivan skruvar du i två 6,0 mm bultar i de gängade hålen i skivan och tvingar den från sin plats.

11 Skruva loss bultarna och ta bort kamremmens nedre kåpa.

Montering

12 Återmonteringen av alla kåporna sker i omvänd ordning mot demonteringen. Se till att varje kåpdel sitter rätt och att kåpans bultar är ordentligt åtdragna. Se till att alla flyttade slangar återansluts och hålls fast med aktuella klämmor.

7 Kamrem – demontering, kontroll, återmontering och spänning

Allmänt

1 Kamremmen driver kamaxlarna och kylvätskepumpen med ett tandat drev på vevaxelns ände. Om remmen brister eller slirar kan kolvarna slå i ventilhuvudena, vilket orsakar omfattande (och dyra) skador.
2 Byt kamremmen vid angivna intervall eller tidigare om den har smutsats ner med olja eller om den bullrar (ett skrapande ljud på grund av ojämnt slitage).
3 Om kamremmen tas bort är det bra att kontrollera skicket hos kylvätskepumpen samtidigt (kontrollera om det finns spår av kylvätskeläckage). Detta gör att man kan undvika att ta bort kamremmen igen senare om kylvätskepumpen skulle sluta gå.

Demontering

4 Dra åt handbromsen. Lyft sedan upp framvagnen och ställ den på pallbockar (se

6.9 Vevaxelns lägesgivares bult (markerad med pil)

6.10 Givarens signalskiva

Lyftning och stödpunkter). Ta bort det högra framhjulet, hjulhusfodret (för att frilägga vevaxelns remskiva) och motorns undre skyddskåpa. Hjulhusfodret hålls på plats av flera expanderande nitar av plast eller klämmor som trycks in. Tryck in mittsprintarna en bit och bänd ur hela nitarna från sin plats Den undre skyddskåpan hålls fast med flera fästen av skruvtyp. Vrid hållarna 90 grader moturs för att ta bort dem.

5 Ta bort vevaxelns remskiva enligt beskrivningen i avsnitt 5 och använd sedan 6,0 mm bultar för att dra ut sensorhjulet från vevaxelns ände **(se bild 6.10)**.

6 Ta bort kamremmens övre och nedre kåpor enligt beskrivningen i det föregående avsnittet.

7 Se till att motorn är i ÖD-läge enligt beskrivningen i avsnitt 3, med kamaxelns och vevaxelns låsverktyg på plats.

8 Lossa bulten på spännrullen och dra runt sträckaren medurs för att släppa kamremmens spänning. Använd en insexnyckel i det avsedda hålet för att dra sträckarens fäste mot fjäderspänningen. Dra åt bulten tillräckligt för att hålla sträckaren i lossat läge. dra inte åt bulten helt i det här läget.

9 Märk kamremmen med en pil för att markera rotationsriktningen om den ska återanvändas. Ta bort remmen från dreven.

Kontroll

10 Byt alltid remmen oavsett skick. Kostnaden för en ny rem är försumbar i jämförelse med kostnaderna för de motorreparationer som skulle behövas om remmen gick av under drift. Vid tecken på nedsmutsning med olja ska källan till oljeläckaget spåras och åtgärdas. Tvätta rent området kring kamremmen och tillhörande delar fullständigt, så att varje spår av olja avlägsnas. Kontrollera att sträckaren och överföringsstyrningarna roterar fritt utan tecken på att kärva och kontrollera även att kylvätskepumpens remskiva roterar fritt. Om det behövs upprepar du åtgärderna.

Montering och spänning

11 Börja återmonteringen genom att se till att ÖD-inställningsstiften sitter på rätt plats.

12 Centrera vevaxeldrevet genom att sätta i Peugeot-verktyget (-).0188.AH på varje sida av vevaxelns kil och in i kilspåret i drevet. Om

7.12 Placera vevaxeldrevet så att det blir lika stora avstånd på varje sida om kilen (markerad med pil)

du inte har tillgång till verktyget centrerar du drevet och ser till att det finns ett avstånd på sidorna om kilen **(se bild)**.

13 Sätt dit kamremmen på kamaxeldrevet. Peugeots mekaniker använder en plastklämma för att hålla remmen på drevet. Använd vid behov ett buntband av plast för att hålla remmen.

14 Fortsätt att sätta dit drevet i följande ordning och håll remmen spänd när du sätter dit den runt tomgångsrullen och vevaxeldrevet **(se bild)**:
  a) *Tomgångsrulle.*
  b) *Vevaxeldrev.*
  c) *Kylvätskepumpens drev.*
  d) *Sträckarrulle.*

15 Ta bort verktyget/buntbandet som håller fast remmen på kamaxeldrevet och vevaxeldrevets centreringsverktyg.

16 Lossa sträckarrullens fästbult och dra därefter runt sträckaren moturs med en sträckarrulle tills markeringen ligger i linje med den nedre, yttre kanten på referensplattan **(se bilder)**. Dra åt sträckarrullens fästbult till angivet moment.

17 Se till att vevaxelns/svänghjulets krondrevs låsverktyg fortfarande sitter på plats, montera tillbaka den nedre kamremskåpan, sensorhjulet och vevaxelns remskiva och dra åt fästbulten till 70 Nm.

18 Ta bort kamaxeldrevet och vevaxelns lås/tidsinställningsverktyg.

19 Dra runt vevaxeln 10 gånger i den vanliga rotationsriktningen och montera

7.14 Kamremsdragning

tillbaka kamaxeldrevet och vevaxelns lås-/inställningsverktyg.

20 Lås svänghjulets krondrev och lossa vevaxelns remskivas bult.

21 Lossa kamremmenssträckarens fästbult och använd en insexnyckel för att dra runt sträckaren medurs tills markeringen ligger i linje med spåret i referensplattan **(se bild)**. Dra åt sträckarrullens bult till angivet moment.

22 Dra åt vevaxelns remskivas bult till 70 Nm.

23 Ta bort kamaxeldrevet och vevaxelns/svänghjulets krondrevs lås-/riktningsverktyg och dra runt vevaxeln 2 hela varv i den normala rotationsriktningen (medurs).

24 Kontrollera att kamaxeldrevet och vevaxelns/svänghjulets riktningsverktyg fortfarande kan sättas i och att sträckarens markering fortfarande är inriktad efter spåret i referensplattan. Om det behövs upprepar du spänningen tills markeringen och spåret ligger i linje.

25 Lås svänghjulets krondrev med det tidigare beskrivna verktyget och lossa vevaxelns remskivas bult.

26 Montera tillbaka vevaxelgivaren. Dra åt fästbulten ordentligt.

27 Applicera lite gänglåsningsmedel på gängorna och dra åt vevaxelns remskivas fästbult till angivet moment och vinkel.

28 Ta bort kamaxeldrevet, och vevaxeln/svänghjulets krondrev lås/linjeringsverktyg.

29 Resten av monteringen sker i omvänd ordningsföljd mot demonteringen.

7.16a Använd en insexnyckel i sträckaren (markerad med pil)

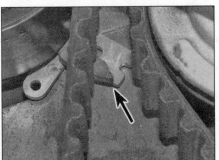

7.16b Dra runt sträckaren moturs tills markeringen ligger i linje med den nedre kanten på referensplattan (markerad med pil)

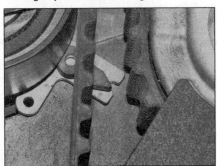

7.21 Passa in markeringen efter spåret i referensplattan

Tillverka ett fasthållningsverktyget av två stycken stålband ungefär 6.0 mm tjocka och 30 mm breda eller liknande, det ena 600 mm långt, det andra 200 mm långt (alla mått är ungefärliga). Skruva ihop de två banden så att de formar en gaffel utan att dra åt bulten, så att det kortare bandet kan vridas runt. I den andra änden av varje spets på gaffeln borrar du ett lämpligt hål och sätter dit en mutter och bult som hakar i hålen i drevet. Det kan hända att kanterna måste slipas ner för att få plats i hålen

8.10a Dra av vevaxelns remskiva . . .

8.10b . . . och ta loss Woodruff-kilen

8 Kamrem drev och sträckare – demontering och montering

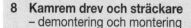

Kamaxeldrev

Demontering

1 Demontera kamremmen enligt beskrivningen i avsnitt 7.
2 Ta bort låsverktyget från kamaxeldrevet, och lossa sedan drevets fästbult. För att hindra att kamaxeln roterar när bulten lossas använder Peugeots mekaniker verktyg nr 6016-T. Om det här verktyget saknas kan du tillverka en ersättning enligt beskrivningen (se verktygstips). *Försök inte att använda kamaxeldrevets låsverktyg för att hindra drevet från att rotera när bulten lossas.* **Observera:** *Var försiktig så att du inte skadar givarens signalskiva som sitter ihop med drevet.*
3 Ta bort bulten och dra bort drevet från kamaxeln. Om Woodruff-kilen sitter löst i kamaxeln tar du bort den för säker förvaring. Undersök kamaxelns packbox med avseende på oljeläckage och byt den vid behov enligt beskrivningen i avsnitt 14.
4 Rengör kamaxelns drev ordentligt och byt drev som visar tecken på slitage, skador eller sprickor.

Montering

5 I förekommande fall sätter du dit Woodruff-kilen i änden av kamaxeln och sätter därefter tillbaka kamaxeldrevet och navet
6 Montera tillbaka drevets fästbult och bricka. Dra åt bulten till angivet moment

och hindra att kamaxeln roterar som vid demonteringen.
7 Passa in inställningsspåret i kamaxeldrevet efter hålet i topplocket och montera tillbaka verktyget för att låsa kamaxeln i läge.
8 Montera tillbaka kamremmen enligt beskrivningen i avsnitt 7.

Vevaxeldrev

Demontering

9 Demontera kamremmen enligt beskrivningen i avsnitt 7.
10 Dra av navet från vevaxelns ände och ta bort Woodruff-kilen **(se bilder)**.
11 Undersök vevaxelns packbox med avseende på oljeläckage och byt den vid behov enligt beskrivningen i avsnitt 14.
12 Rengör vevaxeldrevet ordentligt och byt drev som visar tecken på slitage, skador eller sprickor.

Montering

13 Montera Woodruff-kilen i änden av vevaxeln och sätt sedan dit vevaxeldrevet (med flänsen närmast topplocket).
14 Montera tillbaka kamremmen enligt beskrivningen i avsnitt 7.

Kylvätskepumpdrev

15 Drevet är inbyggd i pumpen och kan inte tas bort separat.

Spännhjulet

Demontering

16 Demontera kamremmen enligt beskrivningen i avsnitt 7.
17 Ta bort spännarremskivans fästbult, och dra av remskivan från pinnbulten.
18 Rengör spännarremskivan, men använd inte några starka lösningsmedel som kan komma in i remskivans lager. Kontrollera att remskivorna roterar fritt utan tecken på kärvning eller fritt spel. Byt remskivan om du är osäker på dess skick eller om det finns tydliga tecken på slitage eller skador.

Montering

19 Montera tillbaka sträckarens remskiva och sätt i fästbulten.

20 Montera tillbaka kamremmen enligt beskrivningen i avsnitt 7.

Tomgångsrulle

Demontering

21 Demontera kamremmen enligt beskrivningen i avsnitt 7.
22 Skruva loss fästbulten och ta bort tomgångsrullen från motorn.
23 Rengör tomgångsrullen, men använd inte några starka lösningsmedel som kan komma in i remskivans lager. Kontrollera att rullen roterar fritt utan tecken på kärvning eller fritt spel. Byt tomgångsrullen om du är osäker på dess skick eller om det finns tydliga tecken på slitage eller skador.

Montering

24 Placera tomgångsrullen på motorn, och sätt i fästbulten. Dra åt bulten till angivet moment.
25 Sätt dit kamremmen runt tomgångsrullen och spänn kamremmen enligt beskrivningen i avsnitt 7.

9 Kamaxlar, vipparmar och hydrauliska ventillyftare – demontering, kontroll och återmontering

Demontering

1 Demontera ventilkåpan enligt beskrivning i avsnitt 4.
2 Demontera kamaxeldrevet enligt beskrivningen i avsnitt 8.
3 Lossa fästklämmorna och koppla från luftinsugningsslangen från topplockets vänstra ände. Ta bort laddluftkylarens luftkanal från den vänstra änden av topplocket.
4 Ta bort luftrenarenheten, högtrycksbränslepumpen och bränsleinsprutningsventilerna enligt beskrivningen i kapitel 4B.
5 Montera tillbaka det högra motorfästet, men dra inte åt bultarna hårt. detta gör att motorn stöds när kamaxeln tas bort.
6 Lossa vakuumröret från bromsvakuumpumpen på topplockets vänstra ände
7 Ta bort vakuumpumpen från topplocket enligt beskrivningen i kapitel 9.
8 Tryck ihop kamkedjesträckaren och sätt i en

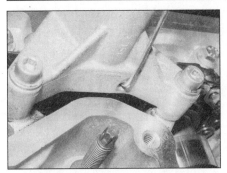

9.8 Lyft upp den övre kedjestyrningens skena och sätt i en stång/borr med 2,0 mm diameter i hålet i sträckarens kaross

9.9 Skruva loss sträckarens fästbultar (markerade med pil)

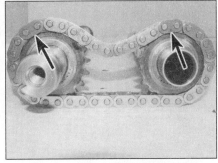

9.12a De färgade länkarna på kedjan (markerade med pil) ska ligga i linje med markeringarna på kamaxeldreven . . .

2,0 mm borr i sträckarhuset för att låsa kolven i hoptryckt läge **(se bild)**.

9 Skruva loss bultarna och ta bort kamkedjans sträckare **(se bild)**.

10 Arbeta i spiral utifrån och in och lossa stegvis kamaxellageröverfallets husbultar tills de kan tas bort.

11 Ta bort lageröverfallshuset från topplocket. Huset är antagligen trögt att lossa till en början eftersom det sitter fast med två styrstift på topplockets framsida. Om det behövs bänder du försiktigt upp huset med en skruvmejsel i tappspåret bredvid varje stift. När lagerhuset är löst lyfter du upp det från topplocket. Kamaxeln stiger lite under trycket från ventilfjädrarna – var försiktig så att den inte tippar och fastnar i topplocket eller lagerhusdelen.

12 Kontrollera at kamaxlarna och kedjan är märkta i förhållande till varandra – kedjan ska ha två svarta eller kopparfärgade länkar som passar in efter markeringarna på kuggarna. Om det behövs märker du kedjan och kuggarna med färgklickar. Markeringarna på kuggarna är viktigast eftersom de avgör ventilinställningen. Dock kan kedjelänkarna märkas eftersom de sitter med 7 länkars avstånd **(se bilder)**.

13 Lyft samtidigt kamaxlarna och kedjan från topplocket. Lossa kamaxlarna från kedjan.

14 Ta 16 små, rena plastbehållare och numrera dem 1 till 16; du kan även dela in en större behållare i 16 avdelningar.

15 Lyft ut varje vipparm och lossa den från

fjäderklämman på lyftaren **(se bild)**. Placera vipparmarna i sina respektive lägen i lådan eller behållarna.

16 En behållare med flera fack som fylls med motorolja krävs nu för att förvara de hydrauliska ventillyftarna när de har tagits bort från topplocket. Använd en gummipipett och ta bort varje hydraulisk lyftare och placera den i behållaren och förvara dem för korrekt återmontering. Ventillyftarna måste sänkas ned helt i oljan för att hindra dem från att hindra att det kommer in luft i dem.

Kontroll

17 Undersök kamloberna och kamaxellagertapparna och leta efter repor eller andra synliga tecken på slitage. När kamlobernas hårda yta väl har slitits bort, kommer slitaget att gå snabbare. **Observera:** *Om dessa symptom syns på kamlobernas spetsar, kontrollera då motsvarande vipparmen eftersom de då troligtvis också är slitna.*

18 Undersök skicket på lagerytorna i topplocket och kamaxelns lagerhuset. Om det finns tydliga tecken på slitage måste du byta både topplocket och lagerhuset eftersom de fungerar som en enhet.

19 Undersök vipparmarna och lyftarna med avseende på skavning, sprickbildning eller andra skador och byt eventuella delar som behöver bytas. Kontrollera även skicket hos lyftarnas lopp i topplocket. Precis som på kamaxlarna medför slitage i det här området byte av topplocket.

Montering

20 Rengör noga tätningsmedel från fogytan på topplocket och kamaxelns lagerhus. Använd en lämplig lösningsvätska för flytande packningar tillsammans med en mjuk spackelkniv; använd inte en metallskrapa, då skadas ytorna. Eftersom ingen konventionell packning används, är det av yttersta vikt att fogytorna är helt rena.

21 Ta bort all olja, smuts och fett från båda delarna och torka av dem med en ren, luddfri trasa. Se till att alla smörjkanaler är helt rena.

22 För att hindra att ventilerna kommer i kontakt med kolvarna när du sätter tillbaka kamaxeln tar du bort låsstiftet/borren från svänghjulet/drivplattan/vevaxeldrevet och drar runt vevaxeln ett kvarts varv i *motsatt* riktning mot den normala rotationsriktningen (dvs. moturs) för att placera alla kolvar mitt i takten.

23 Smörj de hydrauliska lyftarnas lopp i topplocket med mycket motorolja.

24 Sätt i de hydrauliska ventillyftarna i sina ursprungliga lopp i topplocket om de inte har bytts ut **(se bild)**.

25 Smörj vipparmarna och placera dem över sina respektive lyftare och ventilskaft. Se till att vipparmarnas ändar griper in i fjäderklämmorna på lyftarna.

26 Smörj kamaxellagertapparna i topplocket med lite olja och är försiktig så att oljan inte rinner över till kamaxelns lagerhus kontaktytor.

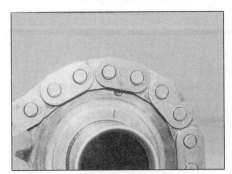

9.12b . . . markeringen på dreven är en prick och ett streck

9.15 Lyft ut vipparmarna med de hydrauliska ventillyftarna

9.24 Sätt i tapparna och vipparmarna på ursprungsplatserna

9.27 Placera kamaxlarna så att markeringen på insugskamaxeln (markerad med pil) är i läget klockan 12

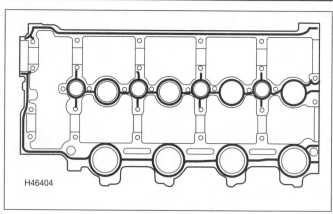

9.32a Applicera en tunn sträng tätningsmedel efter den tjocka svart linjen

9.32b Vi satte i en konisk stång (markerad med pil) i sträckarens oljematningshål för att hindra tätningsmedlet från att komma in

27 Koppla ihop kamaxlarna med kedjan och se till att de färgade länkarna passas in efter de markerade kuggarna, sätt dit sträckaren mellan kedjevalsarna och sänk dem sedan på plats. Den längre avgaskamaxeln måste placeras mot topplockets bakände. Dra runt kamaxeln så att markeringen på insugskamaxeln hamnar i läget klockan 12 (se bild).

28 Montera en ny kamaxel packbox enligt beskrivningen i avsnitt 14.

29 Montera tillbaka kamaxeldrevet, dra åt fästbulten något, och montera sedan kamaxeldrevet låsverktyg.

30 Kontrollera att markeringarna på kamaxeldreven fortfarande ligger i linje med de färgade länkarna på kedjan.

31 Se till att fogytorna på topplocket och kamaxelns lagerhus är rena och fria från olja eller fett.

32 Lägg på en tunn sträng lämpligt tätningsmedel (Loctite 518) på kontaktytan på kamaxelns lagerhus och var försiktig så att du inte låter produkten förorena kamaxellagertapparna (se bilder).

33 Sänk huset på plats, sätt i och dra åt kamaxellagrets husbultar till angivet moment i angiven ordningsföljd (se bild).

34 Montera tillbaka kedjesträckaren, dra åt fästbultarna till angivet moment, dra sedan ut låsstiftet och låt sträckaren verka på kedjan.

35 Resten av monteringen sker i omvänd ordningsföljd mot demonteringen.

10 Topplock – demontering och montering

Observera: *Det här är en krävande procedur så vi rekommenderar att du läser igenom avsnittet ordentligt innan arbetet påbörjas. Notera placeringen av alla relevanta fästbyglar och dragningen av slangar och kablar före demonteringen.*

Demontering

1 Dra åt handbromsen. Lyft sedan upp framvagnen och ställ den på pallbockar (se *Lyftning och stödpunkter*). Ta bort höger framhjul, motorns undre skyddskåpa, och hjulhusfodret. Den under skyddskåpan hålls på plats av flera skruvar och hjulhusfodret hålls på plats av flera expanderande plastnitar. Tryck in mittsprintarna en bit och bänd ur hela nitarna från sin plats

2 Ta bort batteriet (se kapitel 5A).

3 Töm kylsystemet enligt beskrivningen i kapitel 1B.

4 Ta bort kamaxlarna, vipparmen och hydrauliska ventillyftarna enligt beskrivningen i avsnitt 9.

5 Ta bort kamkedjans skydd på den högra sidan av topplocket (se bild).

6 Ta bort bränslefiltret och fästet.

7 Ta bort bränslefördelarskenan enligt beskrivningen i kapitel 4B.

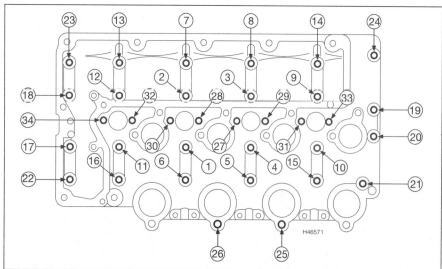

9.33 Åtdragningsordning för kamaxelns lagerhusbultar

10.5 Ta bort kamkedjans skydd från topplocket

10.8 Skruva loss fästbygelns övre bult (markerad med pil)

10.10 Lossa muttrarna (markerade med pil) och ta bort kylvätskeutloppets hus

10.19 Nollställ DTI på packningsytan

8 Ta bort de övre bulten som håller fast motorfästets stödfäste till höger om topplocket (se bild) och sätt sedan tillfälligt tillbaka fästet för att ge stöd åt motorn medan du tar bort topplocket.

9 Observera de monterade lägena och dragningen och koppla sedan från alla kylvätskeslangar och vakuumslangar från topplocket.

10 Lossa bultarna som håller fast kylvätskeutloppets hus på den vänstra sidan av topplocket. Dra bort huset från topplocket (se bild).

11 Ta bort turboaggregatet och avgasgrenröret enligt beskrivningen i kapitel 4B.

12 Lossa topplocksbultarna stegvis i **omvänd ordning** mot vad som anges för åtdragningen (se bild 10.33). En Torxhylsa krävs för detta.

13 När alla bultar är lösa skruvar du loss dem helt och ta bort dem från topplocket.

14 Lossa topplocket från motorblocket och styrtapparna genom att vagga det fram och tillbaka. Peugeot-verktyget för detta består av två metallstänger med ändar som är vinklade 90 grader Bänd inte mellan kontaktytorna på topplocket och blocket eftersom det kan skada packningsytorna.

15 Lyft topplocket från blocket, och ta loss packningen.

Förberedelser för montering

16 Topplockets och motorblockets fogytor måste vara helt rena innan topplocket sätts tillbaka. Peugeot rekommenderar att man använder skurmedel till detta, men man kan uppnå godtagbara resultat genom att använda en hård skrapa av plast eller trä för att ta bort alla spår av packning och sot. Samma metod kan användas för att rengöra kolvkronorna. Var extra noggrann med att undvika att repa eller göra gropar i topplockets/motorblockets fogytor under rengöringen eftersom det är lätt att skada aluminiumlegeringar. Se till att sot inte kommer in i olje- och vattenkanalerna – detta är särskilt viktigt när det gäller smörjningen eftersom sotpartiklar kan täppa igen oljekanaler och blockera oljematningen till motordelarna. Försegla vattenkanaler, oljekanaler och bulthål i motorblocket med tejp och papper. Lägg lite fett i gapet mellan kolvarna och loppen för att hindra sot från att tränga in. När en kolv är rengjord ska alla spår av fett och sot borstas bort från dess öppning med en liten borste och sedan ska öppningen torkas med en ren trasa.

17 Kontrollera motorblockets och topplockets fogytor efter hack, djupa repor och andra skador. Om de är små kan de försiktigt filas bort, men om de är stora är slipning eller byte den enda lösningen. Kontrollera topplockspackningens yta med en ställinjal om den misstänks vara skev. Se del F i detta kapitel om det behövs.

18 Rengör noggrant gängorna på topplockets bulthål i motorblocket. Se till att bultarna går fritt i gängorna och att alla spår av olja och vatten har avlägsnats från varje bulthål. Om det är möjligt använder du en M12 x 150 tapp för att rengöra gängorna.

Val av packningar

19 Dra runt vevaxeln tills kolvarna 1 och 4 befinner sig vid ÖD-läge (övre dödläge). Placera en mätklocka på motorblocket nära bakdelen av kolv nr 1 och nollställ den på blockets yta (se bild). Flytta sonden till kronan på kolv nr 1 (10,0 mm in från bakkanten) och dra långsamt vevaxeln fram och tillbaka förbi ÖD-läget och notera det högsta värdet på mätaren. Notera det här värdet som utsprång A.

20 Upprepa kontrollen i avsnitt 19, den här gången 10,0 mm in från framkanten på kolvkronan på kolv 1. Notera det här värdet som utsprång B.

21 Lägg ihop utsprång A och utsprång B och dividera sedan resultatet med 2 för att få ett genomsnittligt värde för kolv 1.

22 Upprepa proceduren som beskrivs i avsnitt 19 till 21 på kolv 4 och dra runt vevaxeln 180° och utför åtgärden på kolv 2 och 3 (se bild). Kontrollera att det finns en maximal skillnad på 0,07 mm utsprång mellan två kolvar.

23 Om du inte har en mätklocka kan kolvens utsprång mätas med en ställinjal och bladmått eller skjutmått. Detta är dock mindre exakt och kan därför inte rekommenderas.

24 Notera det största kolvutsprångsvärdet och använd det för att hitta rätt topplockspackning i följande tabell. Hålen på framsidan av packningen används för tjockleksidentifiering

Kolvutsprång	Packningsidentifiering
0,55 till 0,60 mm	1 hål
0,61 till 0,65 mm	2 hål
0,66 till 0,70 mm	3 hål
0,71 till 0,75 mm	4 hål

Undersökning av topplocksbultarna

25 Undersök försiktigt topplockets bultar efter tecken på skador på gängorna eller topplocket samt efter spår av korrosion. Om bultarnas skick är godtagbart mäter du längden på varje bult från undersidan av skallen till änden av bulten. Bilen kan ha två olika typer av bultar. Den äldre typen har inte inbyggda fasta brickor. på dessa bultar kan de återanvändas om den uppmätta längden från undersidan av huvudet till änden av bulten inte överskrider 129,0 mm ± 0,5 mm **(se bild)**. På den senare bulttypen finns en bricka som sitter fast under bultskallen. på dessa bultar kan de återanvändas om den uppmätta längden från undersidan av huvudet (inte brickan) till änden av bulten inte överskrider 134,5 mm ± 0,05 mm **Observera:** Med tanke på den belastning som topplocksbultarna utsätts för rekommenderas att de byts, oavsett skick.

Montering

26 Dra runt vevaxeln och placera kolv nr 1 och 4 vid ÖD-läget och dra runt vevaxeln ett kvarts varv (90°) moturs.

10.25 Mät längden på topplockets bultar under bulthuvudet, inte brickan

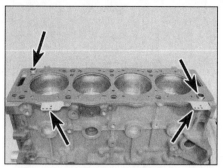

10.28 Sätt dit den nya packningen över styrstiften, med tjockleksidentifieringshålen framåt (markerade med pil)

27 Rengör ytorna på blocket och topplocket noggrant.
28 Kontrollera att styrstiften sitter på plats och sätt dit rätt packning vänd åt rätt håll på motorblocket **(se bild)**.
29 Om det behövs, montera tillbaka avgasgrenröret enligt beskrivningen i kapitel 4B.
30 Sänk försiktigt ner topplocket på packningen och blocket och kontrollera att det hamnar i rätt läge på stiften.
31 Applicera lite fett på de nya topplocksbultarnas gängor och på undersidan av bultskallarna. Peugeot rekommenderar att man använder Molykote G Rapid Plus (tillgängligt från din Peugeotverkstad). om du inte har det rekommenderade fettet kan du använda valfritt fett med bra kvalitet och hög smältpunkt.

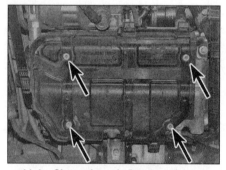

11.4a Skruva loss de fyra torxskruvar (markerad med pil) . . .

11.5 Ta bort laddluftröret (markerad med pil)

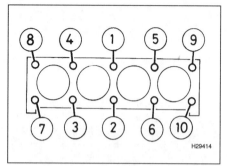

10.33 Ordningsföljd för åtdragning av topplocksbultar

32 Sätt försiktigt i topplockets bultar i sina hål (*släpp inte i dem*) och börja med att fingerdra dem.
33 Arbeta stegvis i visad ordningsföljd och dra åt topplocksbultarna till momentet för steg 1 med momentnyckel och passande hylsa **(se bild)**.
34 När alla bultar har dragits åt till momentet i steg 1 arbetar du återigen i angiven ordningsföljd och drar åt varje bult till den angivna inställningen i steg 2. Avsluta med att vinkeldra bultarna genom den angivna vinkeln för steg 3. En vinkelmätare rekommenderas till steg 3 för exakthet. **Observera:** *Topplocksskruvarna behöver inte dras åt.*
35 Resten av återmonteringen sker i omvänd ordning mot demonteringen. Tänk på följande:
a) *Använd en ny tätning när man sätter tillbaka kylvätskeutloppets hus.*

11.4b . . . lossa klämmorna runt kanten och ta bort sumpens sköld

11.7a Skruva loss de 2 bultarna som håller fast sumpen på växellådan (markerade med pil) . . .

b) *Montera tillbaka kamaxelns lägesgivare och ställ i luftavståndet enligt beskrivningen i kapitel 4B.*
c) *Dra åt alla hållare till angivet moment (där sådant angetts).*
d) *Fyll på kylsystemet enligt beskrivningen i kapitel 1B.*
e) *Motorn kan gå ojämnt några kilometer tills motorhanteringens ECM lär in de lagrade värdena.*

11 Sump – demontering och montering

Demontering

1 Tappa av motoroljan, rengör sedan avtappningspluggen och sätt tillbaka den, dra åt ordentligt. Om motorn närmar sig sitt intervall, då oljan och filtret ska bytas ut, rekommenderas att även filtret tas bort och byts ut mot ett nytt. Efter återmontering kan motorn fyllas med ny olja. Ytterligare information finns i kapitel 1B.
2 Dra åt handbromsen. Lyft upp framvagnen och ställ den på pallbockar (se *Lyftning och stödpunkter*). Skruva loss skruvarna och ta bort motorns undre skyddskåpa.
3 På modeller med luftkonditionering där kompressorn är monterad på sidan av sumpen tar du bort drivremmen enligt beskrivningen i kapitel 1B. Skruva loss kompressorn och placera den på avstånd från sumpen. Stöd upp kompressorns vikt genom att binda fast den i bilen för att förhindra att alltför mycket kraft läggs på kompressorledningarna. Koppla inte från kylvätskeledningarna från kompressorn (se varningarna i kapitel 3).
4 Lossa de 4 torxskruvarna och lossa fästklämmorna och ta bort sumpens sköld (i förekommande fall) **(se bilder)**.
5 Lossa klämmorna, skruva loss bultarna och ta bort laddluftröret under sumpen **(se bild)**.
6 Vid behov lossar du kablagekontakten från oljetemperatursändaren, som är fastskruvad på sumpen.
7 Skruva gradvis loss och ta bort sumpens samtliga fästbultar **(se bilder)**. Eftersom sumpens bultar har olika längd tar du bort varje bult i tur och ordning och förvarar den

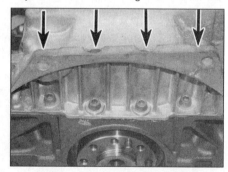

11.7b . . . du kommer åt sumpens ändbultar genom hålen (markerade med pil)

i monterad genom att trycka den genom an tydligt märkt kartongmall. Genom detta kan man undvika att installera bultarna på fel plats vid återmonteringen.

8 Lossa sumpen genom att slå på den med handflatan och dra den sedan nedåt och ta bort den under bilen. Om sumpen kärvar (vilket är ganska troligt) använder du en spackelkniv eller liknande redskap som sätts i mellan sumpen och blocket. Dra kniven längs fogen tills sumpen lossnar. Passa på att kontrollera oljepumpens oljeupptagare/sil efter tecken på igensättning eller sprickor medan sumpen är borttagen. Om det behövs tar du bort pumpen enligt beskrivningen i avsnitt 12 och rengör eller byter silen.

Montering

9 Ta bort alla spår av tätningsmedel från motorblockets/vev.h sumpens fogytor, rengör sedan sumpen och motorn invändigt med en ren trasa.

10 Se till att sumpens fogytor är rena och torra och applicera ett tunt lager lämpligt tätningsmedel (E10 – tillgängligt från Peugeot-verkstäder) på sumpen eller vevhusets fogyta **(se bild)**.

11 Placera sumpen i motorblocket. Sätt tillbaka dess fästbultar och se till att varje bult skruvas dit i sitt ursprungsläge. Dra åt bultarna jämnt och stegvis till angivet moment.

12 Resten av återmonteringen sker i omvänd ordningsföljd mot demonteringen. Kom ihåg att fylla på motorn med olja enligt beskrivningen i kapitel 1B.

12 Oljepump – demontering, kontroll och montering

Demontering

1 Ta bort kamremmen enligt beskrivningen i avsnitt 7 och dra sedan av vevaxeldrevet. Ta loss Woodruff-kilen från vevaxelns ände.

2 Demontera sumpen enligt beskrivningen i avsnitt 11.

3 Lossa fästbultarna och ta bort den främre kåpan och vevaxeltätningen. Notera höljesskruvarnas ursprungsplaceringar – de har olika längd.

4 Skruva loss bulten som håller fast oljenivåröret **(se bild)**.

5 Dra ut kilen från vevaxeldrevets ände, lossa pumpens fästbultar, skjut pumpen, kedjan och vevaxeldrevet från motorns ände **(se bilder)**. Ta bort O-ringen mellan drevet och vevaxeln.

Kontroll

6 Undersök oljepumpsdrevet med avseende på skador och slitage som trasiga eller saknade kuggar. Om drevet är slitet måste du byta pumpenheten eftersom drevet inte är tillgängligt separat. Vi rekommenderar även att kedjan och drevet på vevaxeln byts samtidigt.

7 Skruva loss fästskruvarna och ta bort kåpan

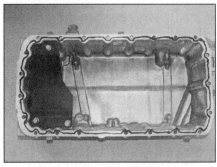

11.10 Applicera en sträng tätningsmedel runt insidan på bulthålen

från oljepumpen **(se bild)**. Notera placeringen av eventuella identifieringsmarkeringar på den inre och yttre rotorn för återmonteringen.

8 Skruva loss pluggen och ta bort tryckutjämningsventilen, fjädern och kolven, rengör och kontrollera skicket på komponenterna **(se bild)**.

9 Undersök pumprotorerna och huset med avseende på slitspår och repor. Om pumpen är defekt måste den bytas som en enhet.

10 Undersök utjämningsventilens kolv efter tecken på slitage eller skador och byt den om det behövs. Skicket på utjämningsventilens kolv kan bara mätas genom att man jämför den med en ny kolv. om det råder minsta tvekan om en komponents skick ska den bytas. Både kolven och fjädern kan beställas separat.

11 Rengör oljepumpens sil noggrant med

12.4 Oljenivårörets fästbult (markerad med pil)

12.5a Ta bort drevkilen . . .

12.5b . . . lossa pumpens fästbultar (markerade med pil), skjut enheten från vevaxeln . . .

12.5c . . . och ta bort O-ringen mellan drevet och vevaxeln (markerad med pil)

12.7 Oljepumpskåpa skruvar

12.8 Oljeövertrycksventil

12.15 Montera O-ringen till vevaxelns ände.

lämpligt lösningsmedel och kontrollera om den har tecken på igensättning eller delningar. Om silen har skadats måste silen och kåpan bytas.

12 Sätt dit utjämningsventilens fjäder och kolven i silens kåpa. Montera tillbaka kåpan på pumphuset och passa in utjämningsventilens kolv med loppet i pumpen. Montera tillbaka skvalpskottet (om det har monterats) och kåpans fästbultar och dra åt dem ordentligt.

13 Lufta pumpen genom att fylla den med ren motorolja före återmonteringen.

Montering

14 Innan du sätter tillbaka oljepumpen ser du till att kontaktytorna på pumpen och motorblocket är helt rena.

13.2 Oljekylarens fästbultar (markerade med pil)

15 Montera O-ringen till vevaxelns ände **(se bild)**.
16 Koppla in drivkedjan på oljepumpens och vevaxelns drev och skjut vevaxeldrevet på plats (passa in uttaget i drevet efter kilspåret i vevaxeln) när pumpen sätts tillbaka. Montera tillbaka vevaxelkilen.
17 Montera tillbaka fästbultarna och dra åt till angivet moment. Observera att den främre vänstra bulten är något längre än de andra.
18 Applicera en 3 mm bred sträng av tätningsmedel på packboxens hållarfläns. Montera tillbaka hållaren och dra åt bultarna till angivet moment.
19 Montera en ny packbox på hållaren enligt beskrivningen i avsnitt 14.
20 Montera tillbaka bulten som håller fast oljenivåröret.

21 Resten av monteringen sker i omvänd ordningsföljd mot demonteringen.

13 Oljekylare – demontering och montering

Observera: *Du behöver nya tätningsringar vid återmonteringen – kontrollera tillgängligheten innan du påbörjar arbetet.*

Demontering

1 Kylaren sitter på oljefilterhuset framtill på motorblocket. Du kommer åt delarna från bilens undersida. Skruva loss hållarna och ta bort motorns undre skyddskåpa. Du kan få bättre åtkomst genom att skruva loss fästbultarna och flytta luftkonditioneringskompressorn åt sidan. Häng upp kompressorn med tråd eller remmar. Du behöver inte lossa kylmedelrören.
2 Skruva loss de 4 fästbultarna och lossa kylaren från huset **(se bild)**. Ta bort tätningsringarna och var beredd på kylvätske-/oljespill.

Montering

3 Monteringen sker i omvänd ordningsföljd. Tänk på följande:
a) Använd alltid nya tätningsringen.
b) Dra åt kylarens fästbultar ordentligt.
c) När du är klar sänker du ner bilen till marken. Kontrollera nivån och fyll vid behov på olja och kylvätska, starta motorn och kontrollera om det finns tecken på olje- eller kylvätskeläckage.

14 Oljetätningar – byte

Vevaxel

Höger oljetätning

1 Demontera vevaxeldrevet enligt beskrivningen i avsnitt 8.
2 Observera hur djupt oljetätningen sitter.
3 Dra bort oljetätningen från huset med ett verktyg med krok. Du kan även borra ett litet hål i oljetätningen och använda en självgängande skruv och en tång för att ta bort den **(se bild)**.
4 Rengör oljetätningshuset och vevaxeln.
5 Tryck i den nya tätningen i huset (öppna änden först) till det tidigare noterade djupet med ett lämpligt rör eller en hylsa. Det är bra att dra en bit tunn plast eller tejp runt vevaxelns främre del för att undvika skador på packboxen när den monteras. Observera att det kan finnas specialverktyg från Peugeot för att få dit tätningen på vevaxeln och driva den på plats **(se bild)**.
6 I förekommande fall tar du bort plasten eller tejpen från vevaxelns ände.

14.3a Borra ett litet hål i tätningen ...

14.3b ... sätt i en självgängande skruv och dra loss tätningen

14.5a Sätt dit den nya tätningen och styrningen över vevaxelns ände ...

14.5b ... och driv i tätningen tills den ligger i nivå med hållaren

14.10a Borra ett hål i tätningen . . .

14.10b . . . sätt sedan in en självgängande skruv och dra loss tätningen

14.19a Använd en hylsa eller liknande för att driva i tätningen på plats . . .

7 Montera tillbaka vevaxeldrevet enligt beskrivningen i avsnitt 8.

Vänster oljetätning

8 Demontera svänghjulet/drivplattan enligt beskrivningen i avsnitt 16.
9 Observera hur djupt oljetätningen sitter.
10 Dra bort oljetätningen från huset med ett verktyg med krok. Du kan även borra ett litet hål i oljetätningen och använda en självgängande skruv och en tång för att ta bort den **(se bilder)**.
11 Rengör oljetätningshuset och vevaxeln.
12 Tryck i den nya tätningen i huset (öppna änden först) till det tidigare noterade djupet med ett lämpligt rör eller en hylsa. Det är bra att dra en bit tunn plast eller tejp runt vevaxeländen för att undvika skador på packboxen när den monteras.
13 I förekommande fall tar du bort plasten eller tejpen från vevaxelns ände.
14 Montera tillbaka svänghjulet/drivplattan, enligt beskrivningen i avsnitt 16.

Kamaxel

Höger oljetätning

15 Demontera kamaxeldrevet enligt beskrivningen i avsnitt 8. I princip behöver man inte ta bort kamremmen helt, men kom ihåg att om remmen har förorenats så måste den bytas.
16 Dra bort oljetätningen från huset med ett verktyg med krok. Du kan även borra

ett litet hål i oljetätningen och använda en självgängande skruv och en tång för att ta bort den **(se bild 14.3b)**.
17 Rengör oljetätningshusets och kamaxelns lageryta.
18 Sätt dit den över kamaxeländen med den öppna änden först. Observera att tätningen inte får oljas in före ditsättning. Det är bra att dra en bit tunn plast eller tejp runt kamaxelns främre del för att undvika skador på packboxen när den monteras.
19 Tryck i tätningen i huset tills den är i nivå med topplockets ändyta. Använd en M10-bult (skruvas i kamaxelns ände), brickor och ett lämpligt rör eller hylsa som bara ligger an mot tätningens ytterkant för att trycka den i läge **(se bilder)**.
20 Montera kamaxeldrevet enligt beskrivningen i avsnitt 8.
21 Vid behov, montera en ny kamrem enligt beskrivningen i avsnitt 7.

15 Oljetryckskontakt – demontering och montering

Demontering

1 Brytaren är fastskruvad på oljefilterhuset **(se bild)**. Du kommer åt delarna från bilens undersida. Skruva loss hållarna och ta bort motorns undre skyddskåpa. Du kan få bättre

åtkomst genom att skruva loss fästbultarna och flytta luftkonditioneringskompressorn åt sidan. Häng upp kompressorn på kylarens tvärbalk med trådar eller remmar. Du behöver inte lossa kylmedelrören.
2 Ta bort skyddshylsan från anslutningskontakten (om tillämpligt), lossa sedan kablaget från brytaren.
3 Skruva loss brytaren från motorblocket, och ta loss tätningsbrickan. Var beredd på oljespill och om brytaren ska tas bort från motorn under längre tid pluggar du igen hålet i motorblocket.

Montering

4 Undersök tätningsbrickan efter tecken på skada eller åldrande, och byt ut om det behövs.
5 Montera kontakten och dess bricka. Dra åt till angivet moment.
6 Montera tillbaka alla komponenter som du tog bort för att komma åt brytaren.
7 Kontrollera motoroljenivån och fyll på vid behov (se *Veckokontroller*).
8 Kontrollera om varningslampan fungerar som den ska samt om det finns tecken på oljeläckage när motorn har startat och värmts upp till normal drifttemperatur.

16 Svänghjul/drivplatta – demontering, kontroll och montering

Demontering

Svänghjul

1 Ta bort växellådan enligt beskrivningen i kapitel 7A. Ta sedan bort kopplingen enligt beskrivningen i kapitel 6.
2 Hindra svänghjulet från att vridas genom att låsa krondrevets kuggar **(se bild 5.3)**. Alternativt, skruva fast en remsa mellan svänghjulet och motorblocket/vevhuset. *Försök inte* låsa svänghjulet i läge med vevaxelns remskivas låsverktyg som beskrivs i avsnitt 3.
3 Lossa svänghjulets fästbultar och ta bort dem och ta bort svänghjulet från vevaxeländen

14.19b . . . tills den ligger i linje med höljets yta

15.1 Varningslampan för oljetryck, kontakt (markerad med pil)

16.3 Svänghjulets fästbultar

16.11 Notera styrstiftet och motsvarande hål (markerad med pil)

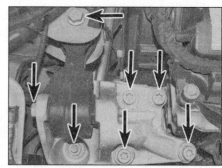

17.7 Högra fästbultarna/muttrarna (markerade med pil)

(se bild). Tappa den inte; den är tung. Om svänghjulets styrstift sitter löst i vevaxelns ände, ta bort den och spara den tillsammans med svänghjulet. Kassera svänghjulsbultar; du måste sätta dit nya vid monteringen.

Drivplatta

4 Ta bort växellådan enligt beskrivningen i kapitel 7B. Lås drivplattan enligt beskrivningen i avsnitt 2 i det här avsnittet. Markera förhållandet mellan momentomvandlarplattan och drivplattan och lossa drivplattans alla fästbultar.
5 Ta bort fästbultarna tillsammans med momentomvandlarplattan och de två mellanläggen (ett på varje sida av momentomvandlarplattan). Observera att mellanläggen har olika tjocklek. Det tjockare sitter på utsidan av momentomvandlarplattan. Kassera drivplattans fästbultar; du måste sätta dit nya vid monteringen.
6 Ta bort drivplattan från vevaxelns ände. Om styrstiftet sitter löst i vevaxlens ände, ta bort den och spara den tillsammans med drivplattan.

Kontroll

7 På modeller med manuell växellåda undersöker du svänghjulet efter repor på kopplingsytan och slitage eller skador på krondrevets kuggar. Om kopplingsytan är repig kan svänghjulets yta slipas, men det är bättre att byta ut svänghjulet. Fråga en Peugeotverkstad eller en specialist på motorrenoveringar för att se om det går att slipa. Om krondrevet är slitet eller skadat måste svänghjulet bytas eftersom det inte går att byta krondrevet separat.
8 På modeller med automatväxellåda, kontrollera momentomvandlarens drivplatta noggrant efter tecken på skevhet. Leta efter hårfina sprickor runt bulthålen eller utåt från mitten, och undersök krondrevets kuggar efter tecken på slitage eller skador. Om tecken på slitage eller skada påträffas, måste drivplattan bytas.

Montering

Svänghjul

9 Rengör svänghjulets och vevaxelns fogytor. Ta bort alla rester av fästmassa från vevaxelhålens gängor, helst med en gängtapp av rätt dimension, om en sådan finns tillgänglig.

HAYNES TiPS *Om en lämplig gängtapp inte finns tillgänglig, skär två skåror i gängorna på en av de gamla svänghjulsbultarna och använd bulten till att ta bort fästmassan från gängorna.*

10 Om de nya svänghjulsbultarna inte levererats med redan belagda gängor ska en lämplig gänglåsmassa läggas på varje bults gängor.
11 Se till att styrstiftet är korrekt placerad. Passa in svänghjulet, placera det på styrstiftet och sätt dit de nya fästbultarna **(se bild)**.
12 Lås svänghjulet som vid demonteringen och dra svänghjulsbultarna till angivet moment och vinkel.
13 Montera tillbaka kopplingen enligt beskrivningen i kapitel 6. Avlägsna svänghjulets låsredskap och montera växellådan enligt beskrivning i kapitel 7A.

Drivplatta

14 Utför åtgärderna i stycke 9 och 10 ovan och byt alla syftningar på "drivplattan" mot "svänghjulet".
15 Placera drivplattan på styrstiftet.
16 Passa in momentomvandlarplattan med det tunnare mellanlägget bakom plattan och det tjockare mellanlägget på utsidan och rikta in markeringarna som du gjorde före borttagningen efter varandra.
17 Sätt dit de nya fästbultarna och lås drivplattan med samma metod som användes vid isärtagningen. Dra åt fästbultarna till angivet moment.
18 Ta bort drivplattas låsverktyg och montera växellådan (se kapitel 7B).

17 Motorns-/växellådans fästen – kontroll och byte

Kontroll

1 För att komma åt bättre, dra åt handbromsen och lyft sedan upp framvagnen och ställ den

på pallbockar (se *Lyftning och stödpunkter*). Skruva loss skruvarna och ta bort motorns undre skyddskåpa.
2 Kontrollera om gummifästena är spruckna, förhårdnade eller skilda från metallen på något ställe. byt fästet om du ser tecken på sådana skador.
3 Kontrollera att fästenas hållare är hårt åtdragna. använd en momentnyckel om möjligt
4 Undersök om fästet är slitet genom att försiktigt bända det med en stor skruvmejsel eller en kofot och se om det föreligger något fritt spel. Där detta inte är möjligt, låt en medhjälpare vicka på motorn/växellådan framåt/bakåt och i sidled, medan du studerar fästet. Visst spel finns även hos nya komponenter, men kraftigt slitage märks tydligt. Om för stort spel förekommer, kontrollera först att hållarna är ordentligt åtdragna, och byt sedan slitna komponenter enligt beskrivningen nedan.

Byte

Höger fäste

5 Lossa alla aktuella slangar och kablar från sina fästklämmor. Placera slangarna/ kablaget på avstånd från fästet så att demonteringen inte hindras. Skruva loss skruvarna och ta bort motorns undre skyddskåpa.
6 Placera en domkraft under motorn, med en träkloss på domkraftshuvudet. Lyft domkraften tills den tar upp motorns vikt.
7 Skruva loss bultarna/muttrarna som håller fast motorfästet på karossen och fästet **(se bild)**.
8 Om det behövs skruvar du loss bultarna/ muttrarna som håller fast stödfästbygeln på topplocket/motorblocket.
9 Undersök alla komponenter efter tecken på skador eller åldrande och byt dem om de behövs.
10 Om du har tagit bort stödfästbygeln sätter du tillbaka den på topplocket och drar åt bultarna ordentligt.
11 Sätt dit fästet på karossen och stödfästbygeln och dra åt bultarna till angivet moment.
12 Ta bort domkraften underifrån motorn.

Vänster fäste

13 Ta bort batteriet (se kapitel 5A). Skruva

loss skruvarna och ta bort motorns undre skyddskåpa.

14 Ta bort dieselmotorhanteringens ECM och modulboxen enligt beskrivningen i kapitel 4B.

15 Placera en domkraft under växellådan, med en träkloss på domkraftshuvudet. Lyft domkraften tills den tar upp växellådans vikt.

16 Skruva loss muttrarna som håller fästet i läge och ta bort det från motorrummet. Om det behövs, skruva loss bultarna/muttrarna och ta bort stödfästbygeln **(se bild)**.

17 Undersök alla komponenter efter tecken på skador eller åldrande och byt dem om de behövs.

18 Rengör fästbultens gängor (i förekommande fall) och applicera ett lager gänglåsningsmedel på gängorna.

19 Montera stödfästet och fästbygeln och dra åt bultarna/muttrarna till angivet moment.

20 Resten av monteringen sker i omvänd ordningsföljd mot demonteringen.

Bakre motor momentstag

21 Om du inte redan har gjort det, klossar du framhjulen, hissar upp bakvagnen och stöder den på pallbockar (se *Lyftning och stödpunkter*). Skruva loss skruvarna och ta bort motorns undre skyddskåpa.

22 Skruva loss och ta bort bulten som

17.16 Vänster motor-/växellådsfäste

håller fast momentstaget på drivaxelns mellanlagerhus **(se bild)**.

23 Ta bort bulten som håller fast momentstaget vid kryssrambalken. Dra ut momentstaget.

24 För att kunna ta bort mellanlagerhuset måste du först ta bort den högra drivaxeln enligt beskrivningen i kapitel 8.

25 När du har tagit bort drivaxeln skruvar du loss fästbultarna och tar bort lagerhuset från motorblockets bakdel.

26 Leta noga efter tecken på slitage eller

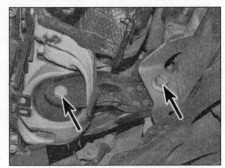

17.22 Bakre motormomentstagets fästbultar (markerade med pil)

skada på alla delar, och byt dem om det behövs. Gummibussningen på lagerhuset finns som en separat del (i skrivande stund) och kan tryckas ut och tillbaka på plats.

27 Vid hopsättningen sätter du dit lagerhuset på motorblockets bakdel och drar åt dess fästbultar ordentligt. Montera tillbaka drivaxeln enligt beskrivningen i kapitel 8.

28 Montera tillbaka momentstaget, dra åt dess båda bultar till angivet moment. Montera tillbaka motorns undre skyddskåpa.

29 Sänk ner bilen.

Anteckningar

Kapitel 2 Del F:
Motor – demontering och reparationer

Innehåll

Svårighetsgrad

| Enkelt, passar novisen med lite erfarenhet | 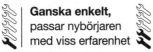 | Ganska enkelt, passar nybörjaren med viss erfarenhet | Ganska svårt, passar kompetent hemmamekaniker | | Svårt, passar hemmamekaniker med erfarenhet |  | Mycket svårt, för professionell mekaniker | |

Specifikationer

Motoridentifiering

Bensinmotorer — Beteckning — Motorkod
Bensinmotorer	Beteckning	Motorkod
1,4 liter	TU3JP	KFW
1,4 liter	ET3JP4	KFU
1,6 liter	TU5JP4	NFU
2,0 liter	EW10J4 IFL5	RFN
2,0 liter	EW10A	RFJ

Dieselmotorer
Dieselmotorer		
1,4 liter	DV4TD	8HZ
1,6 liter	DV6ATED4	9HX
1,6 liter	DV6TED4	9HY och 9HZ
2,0 liter	DW10TD	RHY
2,0 liter	DW10ATED	RHZ och RHS
2,0 liter	DW10BTED4	RHR

Motorblock
Cylinderloppens diameter:
Bensinmotorer:
1,4 liter . . . 75,00 mm (nominellt)
1,6 liter . . . 78,50 mm (nominellt)
2,0 liter . . . 85,00 mm (nominellt)
Dieselmotorer:
1,4 liter . . . 73,70 mm (nominellt)
1,6 liter (omborrning inte möjlig). . . 75,00 mm (nominellt)
2,0 liter . . . 85,00 mm (nominellt)
Foderutsprång – 1,4-liters bensinmotor:
Standard. . . 0,03 till 0,10 mm
Maximal skillnad mellan två foder . . . 0,05 mm

Topplock

Maximal skevhet för packningsyta.............................	0,05 mm

Ny topplockshöjd:
Bensinmotorer:

1,4 liter	111,20 mm
1,6 liter	Uppgift saknas

2,0 liter:

EW10J4 innan RPO 09653	138,0 mm
EW10J4 från RPO 09653	137,0 mm
EW10A	137,0 mm

Dieselmotorer:

1,4 liter	88,0 mm
1.6 liter	124,0 ± 0,05 mm
2,0 liter	133,0 mm

Minimal topplockhöjd efter bearbetning:
Bensinmotorer:

1,4 liter	111,0 mm
1,6 liter	Uppgift saknas

2,0 liter:

EW10J4 innan RPO 09653	137,7 mm
EW10J4 från RPO 09653	136,7 mm
EW10A	136,7 mm

Dieselmotorer:

1,4 liter	87,60 mm
1,6 liter	Uppgift saknas

2,0 liter:

Utom DW10BTED4.................................	132,80 mm
DW10BTED4.......................................	132,60 mm

Ventilhuvud-till-topplocksmått – dieselmotorer:

1,4 liter	1,25 mm maximum
1,6 liter	Uppgift saknas
2,0 liter	0,20 mm maximum

Ventiler

	Insugning	Avgas
Ventilhuvuddiameter:		
Bensinmotorer:		
1,4 liter	36,7 mm	29,4 mm
1,6 liter	Uppgift saknas	Uppgift saknas
2,0 liter	33,3 mm	29,0 mm
Dieselmotorer:		
1,4 liter	32,8 mm	30,3 mm
1,6 liter	Uppgift saknas	Uppgift saknas
2,0 liter	35,6 mm	33,8 mm
Ventilskaft, diameter:		
Bensinmotorer:		
1,4 liter	6,965 till 6,980 mm	6,945 till 6,960 mm
1,6 liter	Uppgift saknas	Uppgift saknas
2,0 liter	5,985 till 5,970 mm	5,975 till 5,960 mm
Dieselmotorer:		
1,4 liter	Uppgift saknas	Uppgift saknas
1,6 liter	5,485 +0,0, -0,015 mm	5,475 +0,0, -0,015 mm
2,0 liter	5,978 ± 0,05 mm	5,973 ± 0,05 mm

Kolvar

Kolvdiameter:
Bensinmotorer:

1,4 liter	74,950 mm (nominal)
1,6 liter	78,455 mm (nominal)
2,0 liter	84,948 mm (nominal)

Dieselmotorer:

1,4 liter	73,520 mm (nominal)
2,0 liter	84,210 mm (nominal)

Kontrollera kolvförstorning med en Peugeotverkstad eller en motorspecialist

Kolvringar

Ringgap:

Bensinmotorer:

Övre kompressionsring. . . . .   0,20 till 0,45 mm
Andra kompressionsring. . . . .   0,30 till 0,50 mm
Oljekontrollring . . . .   0,30 till 0,50 mm

Dieselmotorer:

1,4 liter:

Övre kompressionsring. . . . .   0,20 till 0,35 mm
Andra kompressionsring. . . . .   0,20 till 0,40 mm
Oljekontrollring . . . .   0,80 till 1,00 mm

1,6 liter:. . . . .

Övre kompressionsring. . . . .   0,15 till 0,25 mm
Andra kompressionsring. . . . .   0,30 till 0,50 mm
Oljekontrollring . . . .   0,35 till 0,55 mm

2,0 liter:

Övre kompressionsring. . . . .   0,20 till 0,35 mm
Andra kompressionsring. . . . .   0,80 till 1,00 mm
Oljekontrollring . . . .   0,25 till 0,50 mm

Vevaxel

Axialspel:

Bensinmotorer:

1,4 liter . . . .   0,07 till 0,27 mm
1,6 liter . . . .   0,07 till 0,27 mm
2,0 liter . . . .   0,07 till 0,32 mm

Dieselmotorer:

1,4 liter . . . .   0,10 till 0,30 mm
1,6 liter . . . .   0,10 till 0,30 mm (tryckbrickans tjocklek 2,40 ± 0,05 mm)
2,0 liter . . . .   0,07 till 0,32 mm

Ramlagertappens diameter:

Bensinmotorer:

1.4 liter . . . .   49,965 till 49,981 mm
1,6 liter . . . .   49,965 till 49,981 mm
2,0 liter . . . .   60,00 mm (nominal)

Dieselmotorer:

1,4 och 1,6 liter. . . . .   49,962 till 49,981 mm
2,0 liter . . . .   59,977 till 60,000 mm

Vevstakslagertapp, diameter:

Bensinmotorer:

1,4 liter . . . .   44,975 till 44,991 mm
1,6 liter . . . .   44,975 till 44,991 mm
2,0 liter . . . .   60,00 mm (nominal)

Dieselmotorer:

1,4 liter . . . .   44,975 till 44,991 mm
1,6 liter . . . .   46,975 till 46,991 mm
2,0 liter . . . .   49,980 till 50,000 mm

Maximal ovalitet hos lagertapparna (alla modeller) . . . .   0,007 mm

Åtdragningsmoment

1,4- och 1,6-liters bensinmotorer

Se Specifikationer i kapitel 2A

2,0-liters bensinmotorer

Se Specifikationer i kapitel 2B

2,0-liters SOHC dieselmotorer

Se Specifikationer i kapitel 2C

1,6-liters DOHC dieselmotorer

Se Specifikationer i kapitel 2D

2,0-liters DOHC dieselmotorer

Se Specifikationer i kapitel 2E

1 Allmän information

I den här delen av kapitel 2 beskrivs hur man tar bort motorn/växellådan från bilen och hur man renoverar topplocket, motorblocket/vevhuset och andra delar i motorn.

Informationen omfattar allt från råd om hur man förbereder en renovering och hur man köper ersättningsdelar, till detaljerade steg för steg-procedurer som behandlar demontering, inspektion, renovering och montering av motorns inre komponenter.

Från och med avsnitt 5 bygger alla instruktioner på antagandet att motorn har tagits ut ur bilen. Information om hur man reparerar motorn när den sitter kvar i bilen, och även hur man demonterar och monterar de externa delar som krävs för översynen, finns i del A, B, C, D eller E i detta kapitel, och i avsnitt 5. Hoppa över de isärtagningsinstruktioner som är överflödiga när motorn demonterats från bilen.

Förutom åtdragningsmomenten, som anges i början av del A, B, C, D och E finns alla specifikationer för motoröversynen i början av den här delen av kapitel 2.

2 Motorrenovering – allmän information

1 Det är inte alltid lätt att avgöra när, eller om, en motor ska genomgå en fullständig renovering, eftersom ett flertal faktorer måste beaktas.

2 En lång körsträcka är inte nödvändigtvis ett tecken på att en renovering behövs, lika lite som att en kort körsträcka garanterar att det inte behövs någon renovering. Förmodligen är servicefrekvensen den viktigaste faktorn. En motor som är föremål för regelbundna och täta olje- och filterbyten, liksom annat nödvändigt underhåll, ska kunna köras driftsäkert i många tusen kilometer. En vanskött motor kan däremot behöva en översyn redan på ett tidigt stadium.

3 Överdriven oljekonsumtion är ett symtom på att kolvringar, ventiltätningar och/eller ventilstyrningar kräver åtgärder. Kontrollera att oljeåtgången inte beror på oljeläckage innan du drar slutsatsen att ringarna och/eller styrningarna är slitna. Utför ett kompressionstest, enligt beskrivningen i del A, B, C, D eller E i det här kapitlet (efter tillämplighet), för att avgöra vad som är den troliga orsaken till problemet.

4 Kontrollera oljetrycket med en mätare som sätts in istället för oljetryckskontakten, och jämför trycket med det som anges. Om trycket är mycket lågt är troligen ram- och vevstakslagren och/eller oljepumpen utslitna.

5 Förlust av motorstyrka, hackig körning, knackningar eller metalliska motorljud, kraftigt ventilregleringsljud och hög bensinkonsumtion kan också vara tecken på att en renovering kan behövas, särskilt om alla dessa symptom visar sig samtidigt. Om en grundlig service inte hjälper, kan en större mekanisk genomgång vara den enda lösningen.

6 En motorrenovering innebär att alla interna delar återställs till de specifikationer som gäller en ny motor. Under en renovering byts alla kolvar och kolvringar ut. Nya ram- och vevlagerändar sätts in; om det behövs kan vevaxeln slipas för att kompensera för slitaget i tapparna. Även ventilerna måste gås igenom, eftersom de vid det här laget sällan är i perfekt kondition. Medan motorn får en översyn kan man också passa på att göra en översyn på andra delar, t.ex. startmotorn och generatorn. Var alltid mycket uppmärksam på oljepumpens skick när du renoverar motorn och byt den om du tvivlar på dess skick. Slutresultatet bör bli en motor som nästan är i nyskick och som kan gå många problemfria mil.

7 Viktiga kylsystemsdelar, t.ex. slangar, termostat och vattenpump, ska också gås igenom i samband med att motorn renoveras. Kylaren ska kontrolleras noggrant så att den inte är tilltäppt eller läcker. Det är dessutom lämpligt att byta ut oljepumpen när motorn renoveras.

8 Innan renoveringen av motorn påbörjas bör hela beskrivningen läsas igenom för att man ska bli bekant med omfattningen och förutsättningarna för arbetet. Det är inte svårt att renovera en motor, förutsatt att alla instruktioner följs noggrant, man har tillgång till de verktyg och den utrustning som behövs, samt att alla specifikationer iakttas noggrant. Däremot kan arbetet ta tid. Räkna med att bilen inte kommer att kunna köras under minst två veckor, särskilt om delar måste tas till en verkstad för reparation eller renovering. Kontrollera att det finns reservdelar tillgängliga och att alla nödvändiga specialverktyg och utrustning kan erhållas i förväg. Större delen av arbetet kan utföras med vanliga handverktyg, även om ett antal precisionsmätverktyg krävs för att avgöra om delar måste bytas ut. Ofta kan en verkstad ta sig att ansvara för kontrollen av delar och ge råd om renovering eller utbyte.

9 Vänta alltid tills motorn helt demonterats, och tills alla delar (speciellt motorblocket och vevaxeln) har inspekterats, innan du fattar beslut om vilka service- och reparationsåtgärder som måste vidtas av en verkstad. Skicket på dessa komponenter är avgörande för beslutet att renovera den gamla motorn eller att köpa en färdigrenoverad motor. Köp därför inga delar och utför inte heller något renoveringsarbete på andra delar, förrän dessa delar noggrant har kontrollerats. Generellt sett är tiden den största utgiften vid en renovering, så det lönar sig inte att betala för att sätta in slitna eller undermåliga delar.

10 Slutligen måste alla delar sättas samman med omsorg och i en skinande ren arbetsmiljö för att den renoverade motorn ska få maximal livslängd och ställa till med minsta möjliga problem.

3 Motor – demontering – metoder och rekommendationer

1 Om du bestämt dig för att motorn måste lyftas ut för renovering eller större reparation måste flera förberedande steg vidtas.

2 Det är mycket viktigt att man har ett lämpligt ställe att arbeta på. Tillräckligt med arbetsutrymme behövs, samt plats för att förvara bilen. Det är mycket svårt att ta bort motorn/växellådan på de här bilarna. Om bilen inte kan placeras på en ramp eller lyftas och stödas på pallbockar över en verkstadsgrop är det mycket svårt att utföra det aktuella arbetet.

3 Rengöring av motorrummet och motorn/växellådan före borttagningen hjälper till att hålla verktygen rena och organiserade.

4 En motorlyft eller en A-ram behövs också. Kontrollera att utrustningen har högre kapacitet än motorns vikt. Säkerheten är av största vikt. Arbetet med att lyfta ut motorn ur bilen innehåller flera farliga moment.

5 Det är mycket viktigt att ha en medhjälpare. Förutom av rent säkerhetsmässiga skäl finns det många fall där en person inte kan utföra alla åtgärder samtidigt vid borttagning av motorn/växellådan.

6 Planera arbetet i förväg. Skaffa alla verktyg och all utrustning som behövs innan arbetet påbörjas. En del av den utrustning som behövs för att demontera och montera motorn/växellådan på ett säkert och förhållandevis enkelt sätt är (tillsammans med en motorhiss) följande: en kraftig garagedomkraft, kompletta uppsättningar skruvnycklar och hylsnycklar (se *Verktyg och arbetsutrymmen*), träblock och många trasor och rengöringslösningsmedel för att samla upp spilld olja, kylvätska och bränsle. Se till att vara ute i god tid om motorhissen måste hyras, och utför alla arbeten som går att göra utan den i förväg. Det sparar både pengar och tid.

7 Räkna med att bilen inte kan användas under en längre tid. En verkstad eller motorrenoveringsspecialist behövs för att utföra delar av arbetet som kräver specialutrustning. Verkstäder är ofta fullbokade, så det är lämpligt att fråga hur lång tid som kommer att behövas för att renovera eller reparera de komponenter som ska åtgärdas redan innan motorn demonteras.

8 Under borttagningen av motorn/växellådan är det bra att anteckna placeringen av alla fästbyglar, buntband, jordpunkter, etc., samt hur kablar, slangar och elektriska anslutningar är fästa och dragna runt motorn och motorrummet. Ett effektivt sätt att göra detta är att ta en rad foton av de olika komponenterna inan de kopplas från eller tas bort. de resulterande fotona kan visa sig vara mycket användbara när motorn/växellådan sätts tillbaka.

9 På alla modeller måste motorn tas bort helt med växellådan som en enhet. Det finns inte tillräckligt mycket utrymme i motorrummet för att ta bort motorn och lämna kvar växellådan. Enheten tas bort genom att man höjer bilens front och sänker enheten från motorrummet.

10 Var alltid mycket försiktig när du tar bort och återmonterar motorn/växellådan. Oförsiktighet kan leda till allvarliga skador. Planera i förväg och låt arbetet få ta den tid som behövs, då kan även omfattande arbeten utföras framgångsrikt.

Observera: *Kraftenheterna i de här bilarna är så avancerade och det finns så många variationer beroende på modell och tillvalsutrustning att följande bör ses som en vägledning till arbetet och inte en steg för steg-beskrivning. I de fall där du stöter på avvikelser eller om du behöver koppla från eller ta bort ytterligare komponenter antecknar du vad du gör för att underlätta återmonteringen.*

4 Motor – demontering och montering

Observera: *Kraftenheterna i de här bilarna är så avancerade och det finns så många variationer beroende på modell och tillvalsutrustning att följande bör ses som en vägledning till arbetet och inte en steg för steg-beskrivning. I de fall där du stöter på avvikelser eller om du behöver koppla från eller ta bort ytterligare komponenter antecknar du vad du gör för att underlätta återmonteringen.*

Demontering

1 Ta bort batteriet och batterilådan (se kapitel 5A).

2 Dra åt handbromsen. Lyft upp framvagnen och ställ den på pallbockar (se *Lyftning och stödpunkter*). Demontera båda framhjulen. Skruva loss skruvarna och ta bort motorns undre skyddskåpa.

3 Om en sådan finns, ta bort plastkåporna från motorns överdel. På 1,4- och 1,6-liters dieselmotorer kan man dra upp kåpan direkt. Andra kåpor hålls fast av antingen plastmuttrar eller expanderande plastnitar. Vrid muttrarna 90° moturs eller tryck in mittstiften en bit och bänd ur hela nitarna

4 Skruva loss bromsvätsketanken och för den åt sidan **(se bild)**.

5 För att komma åt bättre, ta bort motorhuven enligt beskrivningen i kapitel 11.

6 Ta bort torkararmarna (kapitel 12), plasttorpedplåtens klädselpanel och tvärbalken. Klädseln hålls på plats av en expanderande plastnit i varje ände. Dra upp klädselns ändar och skjut klädseln nedåt och av från den nedre kanten av vindrutan. Tvärbalken hålls fast av en skruv i varje ände och expanderande plastnitar som

4.4 Skruva loss bultarna (markerade med pil) och flytta huvudcylinderns övre behållare åt sidan

håller fast den på ljudisoleringsmaterialet **(se bilder)**.

7 Tappa ur kylsystemet enligt beskrivningen i kapitel 1A eller 1B.

8 Tappa ur växellådsolja/vätska enligt beskrivningen i kapitel 7A eller 7B. Montera tillbaka nivå och påfyllningspluggen och dra åt dem till angivet moment.

9 Om motorn ska demonteras tömmer du ur motoroljan och tar bort oljefiltret enligt beskrivningen i kapitel 1A eller 1B. Rengör och montera avtappningspluggen och dra åt den ordentligt.

10 Tryck in mittstiften en bit, bänd ut hela de expanderande plastbitarna och ta bort de främre hjulhusfodren från båda sidor.

11 Se kapitel 8 och ta bort båda främre drivaxlar.

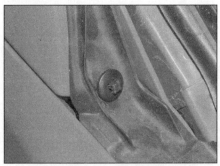

4.6a Torpedplåtens klädsel hålls fast av en plastnit i varje ände.

4.6c ... och i ljudisoleringen med plastexpandernitar

12 Ta bort den främre stötfångaren och stötfångarbalk enligt beskrivningen i kapitel 11. Ta även bort strålkastarna (se kapitel 12).

13 Se kapitel 1A eller 1B och ta bort drivremmen.

14 Ta bort kylfläkten och frontpanelen enligt beskrivningen i kapitel 3. På modeller med luftkonditionering binder du upp kondensorn åt sidan. **Koppla inte** loss kylmedierören.

15 Lossa de fyra muttrarna (två på varje sida) och ta bort frontpanelens nedre tvärbalk **(se bild)**.

16 På 1,6-liters dieselmotorer tar du bort hjälpremmen (se kapitel 1B) och tar sedan bort luftslangarna från laddluftkylaren till turboaggregatet på höger sida av kylaren samt till insugsgrenröret.

17 På 2,0-liters dieselmotorer med laddluftkylare, tar du bort luftkanalen från turboaggregatet till laddluftkylaren.

18 Ta bort luftrenarhuset och kanalen, ta sedan bort avgassystemet enligt beskrivningen i kapitel 4A eller 4B.

19 Notera deras monterade lägen och kablagets dragning och koppla från alla anslutningskontakter från växellådan. Om det behövs märker du kontaktdonen när du lossar dem. På dieselmodeller lossar du muttern och tar bort värmarens styrenhet (fortfarande ansluten) från den främre delen av elcentralen av plast i motorrummets främre vänstra hörn.

20 Koppla från motorkablagets kontakter vid säkringsdosan eller ECM beroende på modell

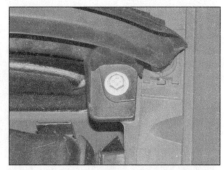

4.6b Ventiltvärbalken är fäst med bultar i var ände ...

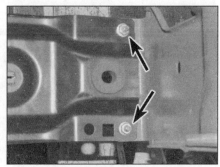

4.15 Den främre panelens nedre tvärbalksmuttrar (markerade med pil)

(se bild). Lossa kablaget från fästklämmorna på transmissionskåpan i motorns högra ände (i förekommande fall).

21 Koppla från slangen från vakuumpumpen i den vänstra änden av topplocket (dieselmodeller) eller bromsservoenhetens vakuumrör

22 Lossa gasvajern (om en sådan finns) enligt beskrivningen i kapitel 4A eller 4B.

23 Koppla loss bränslematnings- och returslangarna. Plugga slangarnas ändar för att hindra att det kommer in smuts.

24 Lossa växelvajern(vajrar) från växellådan enligt beskrivningen i kapitel 7A eller 7B.

25 På modeller med manuell växellåda skruvar du loss kopplingens slavcylinder och binder fast den åt ena sidan utan att lossa bränsleröret (se kapitel 6). Använd ett elastiskt band runt cylindern för att hindra kolven från att komma ut.

26 Från undersidan av bilen lossar du och tar bort muttrarna och bultarna som håller fast det bakre motorfästets anslutningslänk till fästenheten och kryssrambalken och tar bort anslutningslänken. Se kapitel 2A, 2B, 2C, 2D eller 2E.

27 På 2,0-liters dieselmodeller tar du bort momentreaktionslänken under mitten av motorn/växellådan.

28 På modeller med luftkonditionering, se kapitel 3 och skruva loss kompressorn från motorn. **Koppla inte** loss kylmedieslangarna. Stöd eller bind fast kompressorn åt ena sidan.

29 Använd en lyft som du binder fast på lyftöglorna på topplocket så att vikten lyfts bort från motorn och växellådan.

30 Ta bort det högra och vänstra motorfästet och stödfästena enligt beskrivningen i kapitel 2A, 2B, 2C, 2D eller 2E.

31 Dra ut kabelns fästklämmor helt och koppla från värmarslangarna vid motorrummets mellanvägg.

32 Gör en slutlig kontroll för att se till att alla kablar, slangar och fästen som kan hindra demonteringen har avlägsnats.

33 Flytta motorn/växellådan framåt och ut från bilens framände. Ta hjälp av en medhjälpare under den här åtgärden eftersom det kan vara nödvändigt att tippa och vrida enheten något för att kunna rengöra karosspanelerna och intilliggande komponenter. Flytta undan enheten från bilen och sänk den till marken

Isärtagning

34 När du har tagit bort motor-/växellådsenheten stöder du den på lämpliga träbitar på en arbetsbänk (om du inte har tillgång till en bänk placerar du enheten på en ren plats på verkstadsgolvet).

35 Skruva loss fästbultarna, och ta bort svänghjulets nedre täckplatta (om en sådan finns,) från växellådan.

36 Lossa och ta bort fästbultarna, och ta bort startmotorn från växellådan.

37 Koppla från eventuella resterande kontaktdon på växellådan och flytta motorns huvudkablage åt sidan.

38 På modeller med automatväxellåda letar du rätt på åtkomsthålet på motorblockets nedre bakre del och drar runt vevaxeln med en hylsa på vevaxelns remskivas bult tills en av momentomvandlarens tre fästmuttrar går att komma åt genom åtkomsthålet. Lossa den momentomvandlarbult du kommer åt, dra runt vevaxeln efter behov och lossa de två resterande bultarna.

39 Se till att både motorn och växellådan har tillräckligt stöd och lossa därefter och ta bort de resterande bultarna som håller fast växellådshuset på motorn. Notera de korrekta monteringslägena för varje bult (och de relevanta fästena) när du tar bort dem så att du vet var de ska sitta vid återmonteringen. På 1,4 och 1,6-liters dieselmodeller måste man ta bort katalysatorns vänstra fästbult för att komma åt den främre bulten mellan växellådan och motorn **(se bild).**

40 Ta försiktigt bort växellådan från motorn och se till att växellådans vikt inte hänger på den ingående axeln medan den griper in i kopplingsskivan (modeller med manuell växellåda) eller att momentomvandlaren inte glider av den ingående axeln (modeller med automatväxellåda).

41 Om de är lösa tar du bort styrstiften från motorn eller växellådan och förvarar dem på en säker plats.

Montering

42 Om motorn och växellådan inte har separerats utför du nedanstående åtgärder från avsnitt 49 och framåt.

43 Applicera fett med hög smältpunkt (Peugeot rekommenderar Molykote BR2 plus – finns hos din Peugeot-verkstad) på spåren på växellådans ingående axel. Använd inte för mycket fett eftersom det finns risk att fettet förorenar kopplingsskivan. **Observera:** *På senare modeller rekommenderar Peugeot att* **inget** *fett appliceras.*

44 På modeller med automatväxellåda måste man före återmonteringen tillverka ett enkelt verktyg för att passa in momentomvandlaren efter drivplattan när växellådan sätts tillbaka. Så här tillverkar du verktyget:

a) Ta en bult med samma storlek som momentomvandlarens fästbultar, men som är lång nog att nå genom åtkomsthålet i motorblocket när växellådan sätts tillbaka.

b) Kapa bultens skalle och skär ett spår (så att den kan lossas) i änden. Kontrollera att verktyget glider lätt genom momentomvandlarens fästbulthål i drivplattan.

c) Dra runt motorns vevaxel så att ett av momentomvandlarens fästbulthål i drivplattan ligger i linje med åtkomsthålet i motorblocket. Skruva dit riktningsverktyget (fingerdra bara) i ett av fästbulthålen i momentomvandlaren.

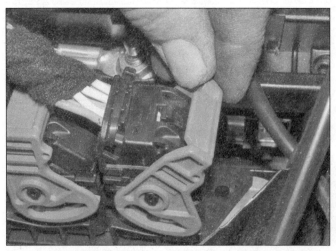

4.20 Lossa ECM anslutningskontakterna

4.39 På 1,4-liters och 1,6-liters dieselmodeller måste pinnbulten tas bort för att du ska komma åt den främre bulten mellan växellådan och motorn

Dra runt momentomvandlaren så att riktningsverktyget hamnar i rätt läge i förhållande till motorblockets åtkomsthål. När du sätter tillbaka växellådan passerar riktningsverktyget genom fästbulthålet i drivplattan och genom åtkomsthålet. Det kan sedan skruvas loss med en skruvmejsel och momentomvandlarens första fästbult kan sättas dit istället.

d) Kontrollera att momentomvandlarens bussning mitt på vevaxeln är i gott skick och sitter på plats.

45 Se till att styrstiften sitter rätt i motorn eller växellådan och flytta försiktigt växellådan till motorn tills styrstiften hamnar i läge. På modeller med manuell växellåda ser du till att växellådans vikt inte hänger på den ingående axeln när den är hopkopplad med kopplingsskivan. På modeller med automatväxellåda ser du till att momentomvandlarens pinnbultar hamnar i läge i motsvarande hål i drivplattan.

46 Montera tillbaka bultarna mellan växellådshuset och motorn och se till att alla nödvändiga fästen sitter i läge och dra åt dem ordentligt.

47 Montera tillbaka startmotorn, och dra åt fästbultarna ordentligt.

48 Montera tillbaka den nedre svänghjul täckplattan (om en sådan finns) till växellådan, och dra åt bultarna ordentligt.

49 Återanslut lyften och taljan till motorns lyftfästbygel. Ta hjälp av en medhjälpare och lyft upp enheten i motorrummet och var försiktig så att du inte skadar intilliggande komponenter.

50 Montera tillbaka det högra motorfästet och stödfästet, men låt bultarna vara fingerhårt dragna i det här stadiet.

51 Arbete på det vänstra fästet, montera tillbaka gummifästet på karossen över bulten och dra åt bultarna och montera därefter tillbaka mittmuttern och brickan och fingerdra.

52 Ta bort lyften.

53 Utgå från bilens undersida, montera tillbaka det bakre fästets anslutningslänk och fingerdra bultarna.

54 Gunga motorn så att den hamnar i läge på fästena och gå sedan runt och dra åt alla fästmuttrar och bultar till de angivna momentinställningarna.

55 Återstoden av återmonteringen sker i omvänd ordningsföljd mot demonteringen enligt beskrivningen i relevanta kapitel och notera följande:

a) Se till att kablarna är dragna rätt och att de hålls på plats av alla de relevanta fästklämmorna; alla kontaktdon ska återanslutas korrekt och säkert.

b) Före återmonteringen av drivaxlarna på växellådan byter du drivaxelns packboxar enligt beskrivningen i kapitel 7A eller 7B.

c) Se till att alla kylvätskeslangar återansluts rätt och hålls fast med sina fästklämmor.

d) Fyll på rätt mängd och rätt typ av smörjmedel i motorn och växellådan enligt

beskrivningen i kapitel 1A eller 1B och 7A eller 7B.

e) Fylla på kylsystemet enligt beskrivningen i kapitel 1A eller 1B.

f) Initiera ECU-motorstyrningen enligt följande. Starta motorn och låt den gå till normal temperatur. Provkör och utför följande åtgärd under tiden. Lägg i treans växel och håll motorn på 1000 varv/minut. Accelerera därefter fullt till 3500 varv/minut.

5 Motoröversyn – ordningsföljd vid isärtagning

1 Det är mycket enklare att ta isär och arbeta med motorn om den sitter fäst i ett portabelt motorställ. Sådana ställ kan oftast hyras från en verkstad. Innan motorn monteras i stället ska svänghjulet/drivplattan demonteras så att ställets bultar kan dras ända in i motorblocket/vevhuset.

2 Om ett ställ inte finns tillgängligt går det att ta isär motorn på en stabil arbetsbänk eller på golvet. Var noga med att inte välta eller tappa motorn om du jobbar utan ställ.

3 Om en renoverad motor ska införskaffas måste alla hjälpaggregat först demonteras, så att de kan flyttas över till utbytesmotorn (precis som när den befintliga motorn genomgår renovering). Detta inkluderar följande komponenter:

a) Extraenhetens fästen (oljefilter, startmotor, generator, servopump (i förekommande fall), etc)

b) Termostat och huset (kapitel 3).

c) Mätstickans rör/givare.

d) Alla elektriska brytare och givare.

e) Insugnings- och avgasgrenrör – om tillämpligt (kapitel 4A eller 4B).

f) Tändspolarna och tändstiften – efter tillämplighet (kapitel 5B och 1A).

g) Svänghjul/drivplatta (Del A, B, C, D eller E i detta kapitel).

Observera: *Vid demonteringen av yttre komponenter från motorn, var mycket uppmärksam på detaljer som kan underlätta eller vara viktiga vid hopsättningen. Anteckna hur packningar, tätningar, distanser, stift, brickor, bultar och andra smådelar sitter placerade.*

4 Om du får en "kort" motor (som består av motor, motorblock/vevhus, vevaxel, kolvar och vevstakar som är monterade) så måste topplock, sump, oljepump och kamrem också tas bort.

5 Om du planerar en renovering kan motorn demonteras och de inre komponenterna tas bort, i nedanstående ordning. Se Del A, B, C, D eller E i det här kapitlet om inget annat anges.

a) Insugnings- och avgasgrenrör – om tillämpligt (kapitel 4A eller 4B).

b) Kamremmar, drev och sträckare(n).

c) Topplock.

d) Svänghjul/drivplatta.

e) Sump.

f) Oljepump.

g) Kolvar/vevstakar (avsnitt 9). **Observera:** På 1,4- och 1,6-liters dieselmotorer tar du bort vevaxeln före kolvarna.

h) Vevaxel (avsnitt 10).

6 Innan isärtagningen och översynen påbörjas, se till att alla verktyg som krävs finns tillgängliga. Se *Verktyg och arbetsutrymmen* för ytterligare information.

6 Topplock – isärtagning

Observera: *Nya och renoverade topplock finns att köpa hos tillverkaren, och från specialister på motorrenoveringar. Kom ihåg att vissa specialverktyg är nödvändiga för isärtagning och kontroller, och att nya komponenter kanske måste beställas i förväg. Det kan därför vara mer praktiskt och ekonomiskt för en hemmamekaniker att köpa ett färdigrenoverat topplock än att ta isär och renovera det ursprungliga topplocket.*

1 Ta bort topplocket enligt beskrivningen i Del A, B, C, D eller E i detta kapitel (efter tillämplighet).

2 Om du inte redan har gjort det tar du bort insugsröret och avgasgrenröret enligt beskrivningen i kapitel 4A eller 4B. Ta bort eventuella resterande fästen eller hus efter behov.

3 Ta bort kamaxlarna, de hydrauliska ventillyftarna och vipparmarna (efter tillämplighet) enligt beskrivningen i Del A, B, C, D eller E i det här kapitlet. På 2,0-liters DOHC dieselmotorer tar du bort kamaxelns drivkedjestyrning från topplocket.

4 Om du inte redan har gjort det (bensinmodeller), ta bort tändstiften enligt beskrivningen i kapitel 1A.

5 Om du inte redan har gjort det (dieselmodeller), ta bort glödstift enligt beskrivningen i kapitel 5C.

6 På alla modeller, tryck ihop varje ventilfjäder i tur och ordning med en ventilfjäderkompressor tills de delade insatshylsorna kan tas bort. Lossa kompressorn och lyft av fjäderhållaren, fjädern och fjädersätet i förekommande fall. Använd en tång och dra försiktigt bort ventilskaftets tätning från den övre delen av styrningen. På motorer med 16 ventiler utgör ventilskaftets tätning även fjädersätet och är djupt infällt i topplocket. Den sitter även tätt inpå ventilstyrningen, vilket gör det svårt att ta bort det med en tång eller ett vanlig borttagningsverktyg för ventilskaftstätningar. Den kan även tas bort med en självlåsande mutter med lämplig diameter som skruvas fast på bultänden och låses med en annan mutter. Tryck ner muttern ovanpå tätningen. den låsande delens mutter griper tag i tätningen så att den kan dras ut från ventilstyrningens ovansida. Det är svårt att komma åt ventilerna,

6.6a Komprimera ventilfjädern med ett lämpligt verktyg . . .

6.6b . . . och ta sedan bort hylsorna och lossa fjäderkompressorn

6.6c Ta bort fjäderhållaren . . .

6.6d . . . följt av ventilfjädern . . .

6.6e . . . och fjädersätet (inte alla modeller)

6.6f Ta bort ventilskaftets tätning med fjäderklämmorna. På 1,4-liters och 1,6-liters dieselmodeller och 2,0-liters bensinmodeller ingår fjädersätet i tätningen

så man kan behöva tillverka en adapter av metallrör – skär ut en öppning så att du kan ta bort ventilhylsorna **(se bilder)**.

7 Om fjäderhållaren vägrar lossna så att man åt knastren när ventilfjäderkompressorn är nedskruvad kan man knacka försiktigt på verktygets överdel, direkt ovanför hållaren, med en lätt hammare. Då lossnar hållaren.

8 Ta bort ventilen från förbränningskammaren.

9 Det är viktigt att alla ventiler lagras tillsammans med respektive insatshylsor, hållare, fjädrar och fjädersäten. Ventilerna bör även förvaras i samma ordning som de är placerade, om de inte är i så dåligt skick att de måste bytas ut. Om ventilerna ska återanvändas, förvara ventilkomponenterna i märkta plastpåsar eller liknande behållare **(se bild)**. Observera att ventil 1 är närmast växellådsänden (svänghjulet/drivplattan) på motorn.

6.9 Placera varje ventil och dess tillhörande komponenter i en märkt påse

7 Topplock och ventiler– rengöring och kontroll

1 Om topplock och ventilkomponenter rengörs noga och sedan kontrolleras, går det att avgöra hur mycket arbete som måste läggas ner på ventilerna under motoröversynen. **Observera:** *Om motorn har blivit mycket överhettad har topplocket troligen blivit skevt – kontrollera noggrant om så är fallet.*

Rengöring

2 Skrapa bort alla spår av gamla packningsrester från topplocket.

3 Skrapa bort allt sot från förbränningskammare och portar och tvätta

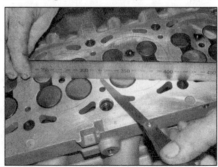

7.5 Kontrollera att topplockspackningens yta inte är förvriden

sedan topplocket noggrant med fotogen eller ett lämpligt lösningsmedel.

4 Skrapa bort alla tjocka sotavlagringar som kan ha bildats på ventilerna, och ta sedan bort alla avlagringar från ventilhuvudena och skaften med en motordriven stålborste.

Kontroll

Observera: *Var noga med att utföra hela granskningsproceduren nedan innan beslut fattas om en verkstad behöver anlitas för någon åtgärd. Gör en lista med alla komponenter som behöver åtgärdas.*

Topplock

5 Undersök topplocket mycket noga och leta efter sprickor, tecken på kylvätskeläckage och andra skador. Förekommer sprickor måste topplocket bytas ut. Kontrollera att topplockets packningsyta inte är skev med en stållinjal och ett bladmått **(se bild)**. Om den är skev kan man bearbeta den om inte topplockets höjd påverkas för mycket.

6 Undersök ventilsätena i förbränningskamrarna. Om de är mycket gropiga, spruckna eller brända måste de bytas ut eller skäras om av en specialist på motorrenoveringar. Om de bara är lätt gropiga kan detta tas bort genom att ventilhuvudena och sätena slipas in med fint slipmedel enligt beskrivningen nedan. Om du är osäker låter du en motorrenoveringspecialist kontrollera motorn.

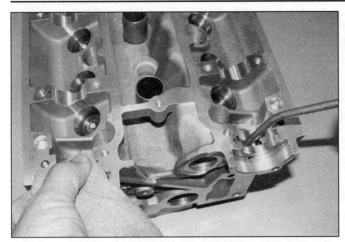

7.9a Använd tryckluft i oljematningsloppet på insugskamaxeln, täta loppet i avgaskamaxeln med en trasa . . .

7.9b . . . och kamaxelns backventil för oljematning skjuts ut från topplockets undersida

7 Kontrollera ventilstyrningarna efter slitage genom att montera en ventil i taget och undersöka om de rör sig i sidled. En mycket liten rörelse kan accepteras. Om rörelsen är stor ska ventilen demonteras. Mät ventilskaftets diameter (se nedan), och byt ut ventilen om den är sliten. Om ventilskaftet inte är slitet måste slitaget sitta i ventilstyrningen, i så fall måste styrningen bytas ut. Bytet av ventilstyrningarna bör överlåtas åt en Peugeot-verkstad eller en motorrenoveringsspecialist som har tillgång till de nödvändiga verktygen. Om ingen ventilskaftsdiameter anges kontaktar du en Peugeot-verkstad för att få råd.

8 Om du ska byta ventilstyrningarna ska ventilsätena slipas om först *efter* att styrningarna har monterats.

9 I förekommande fall undersöker du kamaxelns backventil för oljematning i oljematningsloppet på topplockets kamremssida. Kontrollera att ventilen inte är lös i topplocket och att kulan kan röra sig fritt i ventilhuset. Om ventilen sitter löst i loppet eller om du tvivlar på dess skick ska den bytas. Du kan ta bort backventilen (om den inte sitter löst) med hjälp av tryckluft, t.ex. från en fotpump för däck. Placera pumpmunstycket över oljematningsloppet på

kamaxelns lagertappar och täta motsvarande oljematningslopp med en trasa. Applicera tryckluft för att tvinga ut ventilen från sin plats på undersidan av topplocket **(se bilder)**. Sätt dit den nya backventilen i loppet på undersidan av topplocket och se till att den monteras på rätt sätt. Oljan ska kunna passera uppåt genom ventilen till kamaxlarna, men kulan i ventilen ska hindra oljan från att gå tillbaka till motorblocket. Använd en tunn hylsa eller liknande för at tryck ventilen på plats.

Ventiler

10 Undersök alla ventilhuvuden efter gropar, brännskador, sprickor och slitage. Kontrollera om ventilskaftet blivit spårigt eller slitet. Vrid ventilen och kontrollera om den verkar böjd. Leta efter gropar eller onormalt slitage på spetsen av varje ventilskaft. Byt ut alla ventiler som visar tecken på slitage eller skador.

11 Om ventilen verkar vara i gott skick så här långt, mät ventilskaftets diameter på flera ställen med hjälp av en mikrometer **(se bild)**. Stora skillnader mellan de avlästa värdena indikerar att ventilskaftet är slitet. I båda dessa fall måste ventilen/ventilerna bytas ut.

12 Om ventilerna är i någorlunda gott skick ska de poleras i sina säten för att garantera en smidig och gastät tätning. Om sätet endast är lätt anfrätt, eller om det har gängats om,

ska *endast* fin slipningsmassa användas för att få fram den nödvändiga ytan. Grov ventilslipmassa ska *inte* användas, om inte ett säte är svårt bränt eller har djupa gropar; Om så är fallet ska topplocket och ventilerna undersökas av en expert som avgör om ventilsätena ska skäras om eller om ventilen eller sätesinsatsen måste bytas ut.

13 Ventilslipning går till på följande sätt. Placera topplocket upp och ner på en bänk.

14 Smörj en aning ventilslipningsmassa (av lämplig grad) på sätesytan och tryck fast ett sugslipningsverktyg över ventilhuvudet **(se bild)**. Slipa ventilhuvudet med en roterande rörelse ner till sätet. Lyft ventilen ibland för att omfördela slipmassan. Om en lätt fjäder placeras under ventilen går det lättare.

15 Om grov slipmassa används, arbeta tills en matt, jämn yta bildas på både ventilsätet och ventilen. Torka sedan bort den använda slipmassan och upprepa proceduren med fin slipmassa. När en mjuk, obruten ring med ljusgrå matt yta uppstått på både ventilen och sätet är inslipningen färdig. *Slipa inte in ventilerna längre än vad som är absolut nödvändigt, då kan sätet sjunka in i topplocket för tidigt.*

16 Tvätta noga bort *alla* spår av slipmassa med fotogen eller lämpligt lösningsmedel när alla ventiler har slipats in. Sätt sedan ihop topplocket.

Ventilkomponenter

17 Undersök ventilfjädrarna med avseende på skador och missfärgning. Peugeot anger inget minimalt spel, så det enda sättet att bedöma slitaget av ventilfjädern är genom att jämföra med en ny komponent.

18 Ställ varje fjäder på en plan yta och kontrollera att den står rakt upp. Om någon fjäder är skadad, skev eller har förlorat spänsten, skaffa en hel uppsättning med nya fjädrar. Det är normalt att byta ventilfjädrarna som en standardåtgärd om man gör en större motorrenovering.

19 Byt ut ventilskaftens oljetätningar, oavsett deras aktuella kondition.

7.11 Mät ventilskaftens diameter med en mikrometer

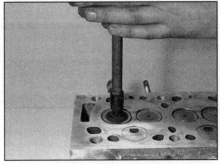

7.14 Slipa in en ventil

8.1a Placera ventilskaftets oljetätning på ventilstyrningen . . .

8.1b . . . och tryck fast tätningen på styrningen med hjälp av en lämplig hylsa

8.1c På 1,4-liters och 1,6-liters dieselmotorer och 2,0-liters bensinmodeller ingår ventilskaftets oljetätning i fjädersätet

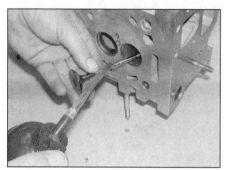

8.2 Smörj in ventilskaftet och sätt in det i styrningen

8 Topplock – hopsättningen

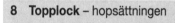

1 Arbeta på den första ventilenheten, montera tillbaka fjädersätet och sänk sedan ner det nya ventilskaftets tätning i ny motorolja. Sätt dit tätningen på ventilstyrningen och tryck i tätningen stadigt på styrningen med en lämplig hylsa **(se bilder)**. Observera att det inte finns något nedre fjädersäte på 2,0-liters dieselmotorer medan tätningen på 1,4- och 1,6-liters dieselmotorer och 2,0-liters bensinmotorer är inbyggd i det nedre fjädersätet.
2 Smörj skaftet på den första ventilen och sätt i den i styrningen **(se bild)**.

3 Sätt dit ventilfjädern ovanpå sätet och sätt tillbaka fjäderhållaren. Observera att fjäderns ände med störst diameter ska riktas mot topplocket på 2,0-liters bensinmotorer.
4 Tryck ihop ventilfjädern och sätt de delade insatshylsorna i fördjupningarna i ventilskaftet. Lossa kompressorn och upprepa proceduren på resten av ventilerna. Se till att varje ventil sätts dit på ursprungsplaceringen. Om nya ventiler monteras ska de sättas på de platser där de slipats in.
5 När alla ventiler sitter på plats stöder du topplocket och använder en hammare och en träbit för att knacka på varje ventilskaft för att få dit komponenterna på plats.
6 Montera tillbaka kamaxlarna, de hydrauliska ventillyftarna och vipparmarna (efter tillämplighet) enligt beskrivningen i Del A, B, C, D eller E i det här kapitlet.
7 Montera tillbaka eventuella resterande komponenter i omvänd ordning mot demonteringen och använd nya tätningar eller packningar efter behov.
8 Topplocket kan monteras tillbaka enligt beskrivningen i Del A, B, C, D eller E i det här kapitlet.

9 Kolv/vevstake – demontering

1 Ta bort topplocket, sumpen och oljepumpen

enligt beskrivningen i Del A, B, C, D eller E i detta kapitel.
2 Om cylinderloppens övre delar har tydliga slitagespår ska de tas bort med skrapa eller skavstål innan kolvarna demonteras eftersom spåren kan skada kolvringarna. Ett sådant spår är ett tecken på överdrivet slitage på cylinderloppet.
3 Använd snabbtorkande färg och varje vevstake och lageröverfall i storänden med respektive cylindernummer på den flata bearbetade ytan. om motorn har demonterats tidigare noterar du noggrant eventuella identifieringsmarkeringar som har gjorts tidigare **(se bild)**. Observera att cylinder nr 1 sitter på motorns växellådssida (svänghjulet).
4 Vrid vevaxeln för att ställa cylindrarna 1 och 4 i nedre dödläge. På 1,4- och 1,6-liters dieselmotorer tar du bort ramlagerhållaren enligt beskrivningen i avsnitt 10 i det här kapitlet.
5 Skruva loss bultarna eller muttrarna, efter tillämplighet, från vevstakslageröverfallet till kolv nr 1. Ta bort lageröverfallet och den nedre halvan av lagerskålen **(se bild)**. Om lagerskålarna ska återanvändas, tejpa ihop överfallet och skålen med varandra.
6 För att förhindra skador på vevaxelns lagertappar tejpar du över vevstakens tappgängor **(se bild)**.
7 Använd ett hammarskaft för att skjuta upp kolven genom loppet och ta bort den från motorblocket. Ta loss lagerskålen och tejpa

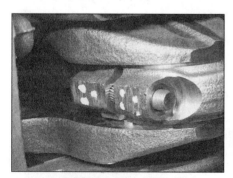

9.3 Vevstaken och vevstakslageröverfallets identifieringsmarkeringar (nr 3 visas)

9.5 Ta bort vevlagerskålen och överfallet

9.6 För att skydda vevaxeltapparna tejpar du över vevstakens pinnbultsgängor

fast den på vevstaken så den inte kommer bort.

8 Montera vevlageröverfallet löst på vevstaken och fäst det med bultar eller muttrar, efter tillämplighet, – då blir det lättare att hålla komponenterna i rätt ordning.

9 Ta bort kolv nr 4 på samma sätt.

10 Vrid vevaxeln 180° för att ställa cylindrarna 2 och 3 i nedre dödläge och demontera dem på samma sätt.

10 Vevaxel – demontering

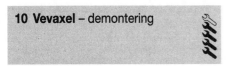

1 Ta bort vevaxeldrevet och oljepumpen enligt beskrivningen i Del A, B, C, D eller E i det här kapitlet (efter tillämplighet).

2 Ta bort kolvarna och vevstakarna enligt beskrivningen i avsnitt 9. Om inget arbete ska utföras på kolvarna eller vevstakarna är det ingen idé att ta bort topplocket eller trycka ut kolvarna ur cylinderloppen. Kolvarna ska bara tryckas in så långt i loppen att de inte är i vägen för vevaxeltapparna. **Observera:** *På 1,4- och 1,6-liters dieselmotorer måste du ta bort ramlagerhållaren före kolven/vevstakarna.*

3 Kontrollera vevaxelns axialspel enligt beskrivningen i avsnitt 13. Fortsätt sedan enligt följande.

1,4-liters bensinmotor

4 Arbeta runt utsidan av motorblocket och skruva loss alla de små (M6) bultarna som håller fast ramlagerhållaren på motorblockets bas. Notera det korrekta monteringsdjupet för både den vänstra och högra vevaxeltätningen i motorblocket/ramlagerhållaren.

5 Arbeta diagonalt och lossa ramlagerhållarens tio stora (M11) fästbultar ett varv i taget jämnt och stegvis. När alla bultar har lossnat tar du bort dem från hållaren.

6 När du har tagit bort alla fästbultar lyfter du försiktigt bort ramlagerhållarens kåpa från motorblockets bas. Ta bort de nedre ramlagerskålarna och tejpa fast dem på sina respektive placeringar i kåpan. Om dessa sitter löst, dra ut dem och förvara dem tillsammans med topplocket.

7 Lyft ur vevaxeln och kassera båda oljetätningarna. Ta bort oljepumpens drivkedja från vevaxeländen. Vid behov drar du av drevet och tar bort Woodruff-kilen.

8 Ta bort de övre lagerskålarna och förvara dem tillsammans med den aktuella nedre lagerskålen. Ta även bort de två tryckbrickorna (en på varje sida om ramlager nr 2) från motorblocket.

1,6-liters bensinmotor

9 Skruva loss och ta bort vevaxelns vänstra och högra tätninghus från varje ände av motorblocket och notera styrstiftens rätta lägen. Om dessa sitter löst, dra ut dem och förvara dem tillsammans med topplocket.

10 Ta bort oljepumpens drivkedja och dra bort drevet från vevaxelns ände. Ta bort Woodruff-kilen och förvara den tillsammans med drevet för säker förvaring.

11 Ramlageröverfallen ska vara numrerade 1 till 5 från växellådsänden (svänghjulet/drivplattan) på motorn. Om inte märke du dem med en stans eller färg.

12 Skruva loss ramlageröverfallets fästbultar och lyft av överfallen. Ta loss de nedre ramlagerskålarna och tejpa fast dem på deras kåporna så de inte kommer bort.

13 Lyft försiktigt ut vevaxeln, var noga med att inte förflytta den övre lagerskålen.

14 Ta loss de övre lagerskålarna från motorblocket och tejpa fast dem med respektive överfall för säkert förvar. Ta bort tryckbrickans halvor från sidan av ramlager nr 2 och förvara dem med lagerskålen.

2,0-liters bensinmotor

15 Arbeta runt utsidan av motorblocket och skruva loss alla de små bultarna som håller fast ramlagerhållaren på motorblockets bas. Notera det korrekta monteringsdjupet för den vänstra vevaxeltätningen i motorblocket/ramlagerhållaren.

16 Arbeta diagonalt och lossa ramlagerhållarens stora fästbultar ett varv i taget jämnt och stegvis. När alla bultar har lossnat tar du bort dem från hållaren.

17 När du har tagit bort alla fästbultar lyfter du försiktigt bort ramlagerhållarens kåpa från motorblockets bas. Ta bort de nedre ramlagerskålarna och tejpa fast dem på sina respektive placeringar i kåpan. Om dessa sitter löst, dra ut dem och förvara dem tillsammans med topplocket.

18 Lyft ur vevaxeln och kassera båda packboxarna.

19 Ta bort de övre lagerskålarna och förvara dem tillsammans med den aktuella nedre lagerskålen. Ta även bort de två tryckbrickorna (en på varje sida om ramlager nr 2) från motorblocket.

1,4- och 1,6-liters dieselmotor

20 Arbeta runt utsidan av motorblocket och skruva loss alla de små bultarna som håller fast ramlagerhållaren på motorblockets bas. Notera det korrekta monteringsdjupet för den vänstra vevaxeltätningen i motorblocket/ramlagerhållaren.

21 Arbeta diagonalt och lossa ramlagerhållarens stora fästbultar ett varv i taget jämnt och stegvis. När alla bultar har lossnat tar du bort dem från hållaren. **Observera:** *Bänd upp de båda överfallen på hållarens svänghjulsände för att få fram de båda ramlageröverfallsbultarna (se bild).*

22 När du har tagit bort alla fästbultar lyfter du försiktigt bort ramlagerhållarens kåpa från motorblockets bas. Ta bort de nedre ramlagerskålarna och tejpa fast dem på sina respektive placeringar i kåpan. Om dessa sitter löst, dra ut dem och förvara dem tillsammans

10.21 På 1,4-liters och 1,6-liters dieselmotorer bänder du upp de båda överfallen för att frilägga ramlagerbultarna på svänghjulsänden

med topplocket. Ta bort storändens bultar och kolv-/vevstakeenheten enligt beskrivningen i avsnitt 9.

23 Lyft ur vevaxeln och kassera båda oljetätningarna.

24 Ta bort de övre lagerskålarna och förvara dem tillsammans med den aktuella nedre lagerskålen. Ta även bort de två tryckbrickorna (en på varje sida om ramlager nr 2) från motorblocket.

2,0-liters dieselmotor

25 Skruva loss fästbultarna och ta bort tätninghuset från höger (kamrems)ände av motorblocket **(se bild)**.

26 Ta bort oljepumpens drivkedja och dra bort drevet och mellanläggsbrickan (i förekommande fall) från vevaxeln. Ta bort Woodruffkilen från vevaxeln och förvara den säkert tillsammans med drevets komponenter. Ta sedan bort tätningsringen (i förekommande fall) mot vevaxeln.

27 Ramlageröverfallen ska vara numrerade 1 till 5 från växellådsänden (svänghjulet) på motorn. Om inte märke du dem med en stans. Notera även hur djupt vevaxelns oljetätning är monterad i lageröverfallen.

28 Skruva loss ramlageröverfallets fästbultar och lyft av överfallen. Ta loss de nedre ramlagerskålarna och tejpa fast dem på deras kåporna så de inte kommer bort. Ta även hand om de nedre tryckbrickshalvorna

10.25 Ta bort tätninghuset från motorblockets högra sida

10.28 Observera tryckbrickorna (markerade med pil) som sitter på lageröverfall nr 2

från sidan av ramlageröverfall nr 2 **(se bild)**. Ta bort tätningsremsorna från sidan av ramlageröverfall nr 1 och kasta bort dem.

29 Lyft ut vevaxeln och kasta vänster oljetätning (svänghjulsänden).

30 Ta loss de övre lagerskålarna från motorblocket och tejpa fast dem med respektive överfall för säkert förvar. Ta bort den övre tryckbrickans halvor från sidan av ramlager nr 2, och förvara dem med de nedre halvorna.

11 Motorblock/vevhus – rengöring och kontroll

Rengöring

1 Ta bort alla yttre komponenter och elektriska brytare/givare från motorblocket. För en fullständig rengöring ska hylspluggen helst tas bort **(se bild)**. Borra ett litet hål i pluggarna, och skruva sedan i en självgängande skruv. Dra ut pluggen genom att dra i skruven med en tång eller använd draghammare.

2 På bensinmotorer med motorblock i aluminium som har våtfoder (1,4 liter) ska fodren tas bort – se avsnitt 18.

3 I förekommande fall lossar du fästbultarna och tar bort kolvens oljemunstyckesrör (ett för varje kolv) från motorblockets insida **(se bild)**.

4 Skrapa bort alla rester av packningen från motorblocket/vevhuset och från ramlagerstommen/överfallen (efter tillämplighet). Var försiktig så att du inte skadar packnings-/tätningsytan.

5 Ta bort alla pluggar från oljeledningarna (i förekommande fall). Pluggarna sitter ofta mycket hårt och kan behöva borras ut så att hålen måste gängas om. Använd nya pluggar när motorn monteras ihop.

6 Om någon av gjutningarna är extremt nedsmutsad bör alla ångtvättas.

7 När gjutningarna ångtvättats, rengör alla oljehål och oljegallerier en gång till. Spola alla interna passager med varmt vatten till dess att rent vatten rinner ut. Torka noga och lägg på en tunn oljefilm på alla fogytor för att förhindra rost. På motorer med gjutjärnsmotorblock ska även cylinderloppen oljas. Använd tryckluft om det finns tillgängligt, för att skynda på torkningen och blås ur alla oljehål och ledningar.

⚠ **Varning: Bär skyddsglasögon vid arbete med tryckluft.**

8 Om gjutningarna inte är för smutsiga går det att tvätta tillräckligt rent med hett vatten och en hård borste. Var noggrann vid rengöringen. Oavsett vilken rengöringsmetod som används så är det viktigt att alla hål och ledningar rengörs mycket noggrant och att alla komponenter torkas ordentligt. På motorer med gjutjärnsmotorblock, skydda alla fogytor och cylinderloppen för att förhindra rost.

9 Alla gängade hål måste vara rena för att garantera korrekta åtdragningsmoment vid återmonteringen. Rengör gängorna med en gängtapp i korrekt storlek införd i hålen, ett efter ett, för att avlägsna rost, korrosion, gänglås och slam. Det återställer även eventuella skadade gängor **(se bild)**. Använd om möjligt tryckluft för att rengöra hålen från det avfall som uppstår vid detta arbete.

10 Applicera lämpligt tätningsmedel till de nya oljeledningspluggarna, och sätt i dem i hålen i motorblocket. Dra åt ordentligt. Applicera även lämpligt tätningsmedel på nya hylspluggar och driv in dem i blocket med hjälp av ett rör eller en hylsa.

11 I förekommande fall rengör du gängorna på fästbultarna till kolvens oljemunstycke och applicerar en droppe gänglåsningsmedel (Peugeot rekommenderar Loctite Frenetanch) på båda bultarnas gängor. Montera tillbaka kolvens oljemunstyckesrör på motorblocket och momentdra fästbultarna till angivet moment.

12 Täck motorn med en stor plastsäck om den inte ska monteras ihop på en gång, för att hålla den ren och förebygga rost; skydda alla fogytor och cylinderloppen för att förhindra rost (enlight beskrivningen ovan)

Kontroll

Motorblock i gjutjärn

13 Kontrollera gjutningarna och leta efter sprickor, rost och korrosion. Leta efter skadade gängor i hålen. Om det har förekommit internt vattenläckage kan det vara värt besväret att låta en renoveringsspecialist kontrollera motorblocket/vevhuset med specialutrustning. Om defekter upptäcks ska de repareras om möjligt, annars ska enheten bytas ut.

14 Kontrollera alla cylinderlopp och leta efter repor. Kontrollera om det finns slitspår ovanpå cylindern. Det är i så fall ett tecken på att loppet är överdrivet slitet.

15 Om du har tillgång till den mätutrustning som krävs, mät loppdiametern högst upp (precis under slitagespåret), i mitten och längst ner i cylinderloppet, parallellt med vevaxeln.

16 Mät sedan loppdiametern på samma tre platser, vinkelrätt mot vevaxeln. Jämför mätvärdena med värdena i Specifikationer. Om du är osäker på cylinderloppens skick, kontakta en Peugeot-verkstad eller annan lämplig motorrenoveringsspecialist för råd.

17 I skrivande stund var det oklart om kolvar i överstorlekar var tillgängliga för alla modeller. Rådfråga din Peugeot-verkstad eller motorspecialist för den senaste informationen om tillgängliga kolvar. Om kolvar i överstorlekar är tillgängliga kan det vara möjligt att låta borra om cylinderloppen och montera de större kolvarna. Om kolvar i överstorlekar inte är tillgängliga, och loppen är slitna, är byte av blocket troligen den enda lösningen.

Motorblock i aluminium

18 Ta bort foderklämmorna (i förekommande fall). Använd sedan en dorn i hårdträ för att knacka ut fodren från motorblockets insida. När alla foder har lossats, vänd motorblocket på sidan och ta ut varje foder från topplockets sida. När respektive foder tas bort fäster du maskeringstejp på deras vänstra sida (transmissionsida) och skriver upp cylindernumret på tejpen. Cylinder nr 1 sitter på motorns växellådssida (svänghjul/

11.1 Motorblockets hylspluggar (markerade med pil)

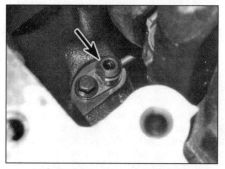

11.3 Kolvens oljemunstyckesrör (markerad med pil) i motorblocket

11.9 Använd en lämplig gängtapp för att rengöra motorblockets gänghål

11.18a På motorer med aluminiummotorblock tar du bort varje foder...

11.18b ... och ta loss den nedre O-ringstätningen (markerad med pil)

12.2 Ta bort kolvringarna med hjälp av bladmått

drivplatta). Ta bort tätningsringen från varje foders nedre del och kasta bort den (se bilder).

19 Kontrollera alla cylinderfoder och leta efter repor. Kontrollera om det finns slitspår ovanpå fodret. Det är i så fall ett tecken på att loppet är överdrivet slitet.

20 Lämna in fodren till en Peugeot-verkstad eller motorrenoveringsspecialist och mät loppen för att bedöma om de måste bytas. Om så är fallet kan verkstaden eller specialisten ge dig råd om tillgängligheten på kolvar/foder.

21 Innan du monterar fodren ska du kontrollera deras utstick enligt följande. Rengör fogytorna på fodret och motorblocket noggrant. Sätt in fodren i blocket, utan en tätningsring, och se till att var och en blir rätt placerad. Om originalfodren ska återmonteras, se till att de sätts tillbaka på sina ursprungliga platser När alla fyra foder är rätt monterade använder du en mätklocka (eller en ställinjal och ett bladmått) för att kontrollera att varje foders utstick ovanför motorblockets övre yta ligger inom de gränser som anges i Specifikationer. Den maximala skillnaden mellan två foder får inte överskridas. **Observera:** *Om du monterar nya foder kan du byta plats på dem sinsemellan för att hålla skillnaden i utstick inom gränsvärdena. Kom ihåg att para ihop rätt kolv med respektive foder.* Om fodrens utstick inte ligger inom gränsvärdena, kontakta en Peugeot-verkstad eller motorrenoveringsspecialist innan du går vidare med motorrenoveringen.

22 När utsticken har kontrollerats tar du bort fodren från blocket och monterar försiktigt en ny tätningsring på respektive foders nedre del. Smörj varje foders nedre del med olja för att underlätta monteringen.

23 Sätt i varje foder i motorblocket, var försiktig så att du inte skadar O-ringen, och tryck in dem så långt det går för hand. Knacka lätt men bestämt med en hammare och en träkloss på varje foders klack. Om de ursprungliga fodren återanvänds, gå efter märkena från borttagningen och se till att varje foder sätts tillbaka på samma sätt i sitt ursprungliga lopp.

24 Torka rent och olja sedan lätt in alla exponerade foderytor för att förhindra rost. Fäst fodren på plats där det behövs.

12 Kolv/vevstake – kontroll

1 Innan kontrollen kan fortsätta måste kolvarna/vevstakarna rengöras, och de ursprungliga kolvringarna tas bort från kolvarna.

2 Bänd försiktigt ut de gamla ringarna och dra upp dem över kolvarna. Använd två eller tre gamla bladmått för att hindra att ringarna ramlar ner i tomma spår (se bild). Var noga med att inte repa kolven med ringkanterna. Ringarna är sköra och går sönder om de töjs för mycket. De är också mycket vassa – skydda händer och fingrar. Observera att den tredje ringen har en förlängare. Ta alltid bort ringarna från kolvens överdel. Förvara uppsättningarna med ringar tillsammans med respektive kolv om de gamla ringarna ska återanvändas.

3 Skrapa bort allt sot från kolvens ovansida. En handhållen stålborste (eller finkornig smärgelduk) kan användas när de flesta avlagringar skrapats bort.

4 Ta bort sotet från ringspåren i kolven med hjälp av en gammal ring. Bryt ringen i två delar (var försiktig så du inte skär dig – kolvringar är vassa). Var noga med att bara ta bort sotavlagringarna – ta inte bort någon metall och gör inga hack eller repor i sidorna på ringspåren.

5 När avlagringarna har tagits bort, rengör kolven/vevstaken med fotogen eller annat lämpligt lösningsmedel, och torka ordentligt. Kontrollera att oljereturhålen i ringspåren är rena.

6 Om kolvarna och cylinderloppen inte är skadade eller överdrivet slitna, och om motorblocket inte behöver borras om (efter tillämplighet), kan originalkolvarna monteras tillbaka. Normalt kolvslitage visar sig som jämnt vertikalt slitage på kolvens stötytor, och som att den översta ringen sitter något löst i sitt spår. Nya kolvringar ska alltid användas när motorn sätts ihop igen.

7 Gör en noggrann granskning av varje kolv beträffande sprickor kring manteln, runt kolvtappens hål och på ytorna mellan ringspåren.

8 Leta efter repor och skav på kolvmanteln

och i hålen i kolvkronan, och efter brända områden runt kolvkronans kant. Om manteln är repad eller skavd kan motorn ha varit utsatt för överhettning och/eller onormal förbränning vilket orsakade höga arbetstemperaturer. I dessa fall bör kylnings- och smörjningssystemen kontrolleras noggrant. Brännmärken på kolvsidorna visar att genomblåsning har ägt rum. Ett hål i kolvkronan eller brända områden i kolvkronans kant är tecken på att onormal förbränning (förtändning, tändningsknack eller detonation) har förekommit. Vid något av ovanstående problem måste orsakerna undersökas och åtgärdas, annars kommer skadan att uppstå igen. Orsakerna kan vara felaktig synkronisering mellan tändningen/insprutningspumpen, eller en felaktig insprutningsventil (efter tillämplighet).

9 Korrosion på kolven i form av punktkorrosion är tecken på att kylvätska har läckt in i förbränningskammaren och/eller vevhuset. Även här måste den bakomliggande orsaken åtgärdas, annars kan problemet bestå i den ombyggda motorn.

10 På motorer med aluminiummotorblock och våtfoder kan man inte byta kolvarna separat. kolvarna levereras endast med kolvringar och ett foder, som en del av ett set. Till motorer med järnmotorblock kan kolvar köpas från en Peugeot-verkstad eller motorrenoveringsspecialist.

11 Undersök varje vevstake noggrant efter tecken på skador, som t.ex. sprickor runt vevlager och lilländslager. Kontrollera att vevstaken inte är böjd eller skev. Skador på vevstaken inträffar mycket sällan, om inte motorn har skurit ihop eller överhettats allvarligt. Detaljerad kontroll av vevstaksenheten kan endast utföras av en Peugeot-verkstad eller annan motorverkstad med nödvändig utrustning.

12 Bultarna/muttrarna på vevstakslageröverfallen måste bytas om de har rörts. Även om Peugeot inte anger att även bultarna måste bytas, rekommenderar vi att muttrar och bultar byts tillsammans.

Bensinmotorer

13 På bensinmotorer är kolvbultarna presspassade i vevstakens lilländsbussnings-

12.15a Bända ut låsringen . . .

12.15b . . . och ta bort kolvbulten

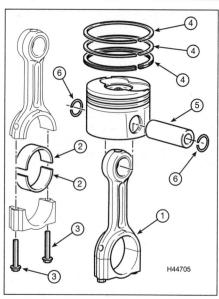

12.19 Kolv och vevstak – 1,4- och 1,6-liters dieselmotor

1 Vevstake	4 Kolvringar
2 Storändeslager	5 Kolvtapp
3 Storändesbult	6 Låsringar

lager. Därför ska byte av kolv och/eller vevstake utföras av en Peugeot-verkstad eller motorrenoveringsspecialist, som har tillgång till de verktyg som krävs för att ta bort och montera kolvbultarna.

Dieselmotorer

14 På dieselmotorer, kolvtapparna är av flottörtyp och hålls på plats med två låsringar. På dessa motorer kan kolvarna och vevstakarna separeras enligt beskrivningen i följande punkter.

15 Använd en liten, flatbladig skruvmejsel, bänd bort låsringarna och tryck ut kolvbulten **(se bilder)**. Det ska räcka med handkraft för att få ut kolvbulten. Märk kolven och vevstaken för att garantera korrekt ihopsättning. Kasta låsringarna – nya *måste* användas vid monteringen.

16 Undersök kolvbulten och vevstakens lilländslager efter tecken på slitage och skador. Slitage kan åtgärdas genom att kolvbulten och bussningen (om möjligt) eller vevstaken byts. Bussningsbyte måste dock utföras av en specialist – det krävs tryck för att göra det, och den nya bussningen måste inpassas ordentligt.

17 Vevstakarna själva ska inte behöva bytas ut om inte motorn skurit ihop eller om något annat större mekaniskt fel har uppstått. Undersök vevstakarnas inställning. Om vevstakarna inte är raka ska de överlåtas till en specialist på motorrenoveringar för en mer detaljerad kontroll.

18 Undersök alla komponenter och skaffa alla nya delar som behövs från en Peugeot-verkstad. Nya kolvar levereras komplett med

kolvbultar och låsringar. Låsringar kan även köpas separat.

19 På 1,4- och 1,6-liters dieselmotorer placeras kolven enligt bilden **(se bild)**.

20 På 2,0-liters dieselmotorer placeras kolven så att ventilspåren på kolvkronan är på motsatt sida mot vevstakslagrets utskärningar.

21 Kontrollera att kolven och vevstaken är korrekt placerade och applicera sedan ett lager ren motorolja på kolvtappen. Tryck in den i kolven, genom vevstakens lillände. Kontrollera att kolven svänger fritt på vevstaken, fäst sedan kolvbulten i sitt läge med två nya låsringar. Se till att alla låsringar placeras i rätt kolvspår.

13 Vevaxel – kontroll

Kontrollera vevaxelns axialspel

1 Om vevaxelns axialspel skall kontrolleras, måste vevaxeln fortfarande vara monterad i motorblocket, men den skall kunna röra sig fritt (se avsnitt 10).

2 Kontrollera axialspelet med hjälp av en mätklocka med kontakt med vevaxelns ände. Tryck vevaxeln helt åt ena hållet och nollställ mätklockan. Tryck vevaxeln helt åt andra hållet och kontrollera axialspelet. Resultatet kan jämföras med angiven mängd och ger en indikation på om det krävs ny tryckbricka **(se bild)**.

3 Om ingen mätklocka finns tillgänglig kan ett bladmått användas. Tryck först vevaxeln

helt mot motorns svänghjulssida och stick in bladmåttet för att mäta avståndet mellan skuldran på vevtapp 2 och tryckbrickshalvorna **(se bild)**.

Kontroll

4 Rengör vevaxeln med fotogen eller lämpligt lösningsmedel och torka den, helst med tryckluft om det är möjligt. Var noga med att rengöra oljehålen med piprensare eller någon liknande sond för att se till att de inte är igentäppta.

> ⚠️ **Varning: Bär skyddsglasögon vid arbete med tryckluft.**

5 Kontrollera ramlagrets och vevstakslagrets axeltappar efter ojämnt slitage, repor, punktkorrosion och sprickbildning.

6 Slitage på vevstakslagret följs av tydliga metalliska knackningar när motorn körs (märks särskilt när motorn drar från låg fart) och viss minskning av oljetrycket.

7 Slitage på ramlagret följs av tydliga motorskakningar och mullrande ljud – som ökar stegvis med hastigheten – och av minskat oljetryck.

8 Kontrollera lagertapparna efter ojämnheter genom att dra ett finger löst över lagerytan. Förekommer ojämnheter (tillsammans med tydligt lagerslitage) är det ett tecken på att vevaxeln måste slipas om (om det är möjligt) eller bytas ut.

9 Kontrollera att oljetätningens fogytor i båda ändar av vevaxeln inte är slitna eller skadade. Om oljetätningen har slitit ner ett djupt spår på ytan av vevaxeln rådfrågar du en motorrenoveringspecialist. Reparation kan vara möjlig men annars krävs det en ny vevaxel.

13.2 Vevaxelns axialspel kan kontrolleras med en mätklocka . . .

13.3 . . . eller med bladmått

10 Lämna in vevaxeln till en Peugeot-verkstad eller motorrenoveringsspecialist för att mäta slitaget. Om det finns tydliga tecken på för stort slitage kan de ge dig råd angående omslipning av vevaxeln och tillhandahålla nya lagerskålar.

11 Om vevaxeln har borrats om, kontrollera om det finns borrskägg runt vevaxelns oljehål (hålen är oftast fasade, så borrskägg bör inte vara något problem om inte omborrningen skötts slarvigt). Ta bort eventuella borrskägg med en fin fil eller skrapa och rengör oljehålen noga enligt beskrivningen ovan.

12 I skrivande stund stod det inte klart om Peugeot tillverkar lagerskålar i understorlek för alla dessa motorer. Om vevaxeltapparna inte redan har borrats om, är det på vissa motorer möjligt att renovera vevaxeln och att montera skålar i understorlek. Om inga skålar i understorlek är tillgängliga och vevaxelns nötning överstiger den tillåtna gränsen måste den bytas ut. Rådfråga din Peugeot-verkstad eller motorspecialist för att för mer information om tillgängliga delar.

14 Ram- och vevlager–kontroll

1 Även om ram- och vevlagren ska bytas vid motoröversynen, bör de gamla lagren behållas och undersökas noga, eftersom de kan ge värdefull information om motorns skick. Lagerskålarna klassas efter tjocklek, som anges med hjälp av färgmarkeringar.

2 Lagerhaveri kan uppstå på grund av otillräcklig smörjning, förekomst av smuts eller andra främmande partiklar, överbelastning av motorn eller korrosion **(se bild)**. Oavsett vilken orsaken är måste den åtgärdas (om det går)

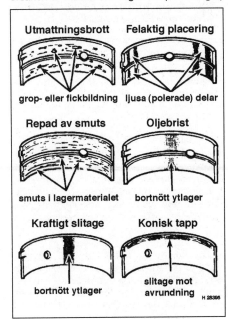

Utmattningsbrott   Felaktig placering

grop- eller fickbildning   ljusa (polerade) delar

Repad av smuts   Oljebrist

smuts i lagermaterialet   bortnött ytlager

Kraftigt slitage   Konisk tapp

bortnött ytlager   slitage mot avrundning   H 28395

14.2 Typiska lagerhaverier

innan motorn sätts ihop, för att förhindra att lagerhaveriet inträffar igen.

3 När lagerskålarna undersöks ska de tas ut ur blocket/vevhuset, liksom ramlagerkåporna, vevstakarna och vevstakslageröverfall. Lägg ut dem på en ren yta i samma positioner som de har i motorn. Därigenom kan man se vilken vevaxeltapp som orsakat lagerproblemen. *Vidrör inte* någon skåls inre lageryta med fingrarna vid kontrollen eftersom den ömtåliga ytan kan repas.

4 Smuts och andra partiklar kan komma in i motorn på flera olika sätt. Smuts kan t.ex. finnas kvar i motorn från ihopsättningen, eller komma in genom filter eller vevhusventilationssystemet. Det kan hamna i oljan, och därmed tränga in i lagren. Metallspån från slipning och normalt slitage förekommer ofta. Slipmedel finns ibland kvar i motorn efter en renovering, speciellt om delarna inte rengjorts noga på rätt sätt. Oavsett var de kommer ifrån hamnar dessa främmande föremål ofta som inbäddningar i lagermaterialet och är där lätta att känna igen. Större partiklar bäddas inte in i lagret och orsakar repor på lager och axeltappar. Det bästa sättet att förebygga den här orsaken till lagerhaveri är att rengöra alla delar noggrant och att hålla allting skinande rent vid återmonteringen av motorn. Täta och regelbundna oljebyten är också att rekommendera.

5 Oljebrist har ett antal relaterade orsaker. Överhettning (som tunnar ut oljan), överbelastning (som tränger undan olja från lagerytan) och oljeläckage (på grund av för stora lagerspel, sliten oljepump eller höga motorvarv) kan orsaka problemet. Igentäppta oljepassager, som oftast resulterar ur felinställda oljehål i en lagerskål, leder också till oljebrist, med uttorkade och förstörda lager som följd. Om ett lagerhaveri beror på oljebrist, slits eller pressas lagermaterialet bort från lagrets stålstödplatta. Temperaturen kan stiga så mycket att stålplattan blir blå av överhettning.

6 Körsättet kan påverka lagrens livslängd betydligt. Körning med gasen i botten vid låga varvtal belastar lagren mycket hårt så att oljelagret riskerar att klämmas ut. Dessa belastningar kan få lagren att vika sig, vilket leder till fina sprickor i lagerytorna (utmattningsfel). Till sist kommer lagermaterialet att gå i bitar och slitas bort från stålplattan.

7 Kortdistanskörning leder till korrosion i lagren på grund av att den värme som bildas i motorn inte hinner bli tillräckligt hög för att bort det kondenserade vattnet och de korrosionsframkallande ångorna. Dessa produkter samlas istället i motoroljan och bildar syra och slam. När oljan sedan leds till motorlagren angriper syran lagermaterialet.

8 Felaktig lagerinställning vid ihopmonteringen av motorn kommer också att leda till lagerhaveri. Tättsittande lager lämnar för lite lagerspel och resulterar i oljebrist. Smuts eller främmande partiklar som fastnat bakom

en lagerskål kan resultera i högre punkter på lagret, som i sin tur leder till haveri.

9 *Vidrör inte* skålens lageryta med fingrarna. det finns risk att du repar den känsliga ytan, eller lämnar smutspartiklar på den.

10 Som nämndes i början av detta avsnitt ska lagerskålarna bytas som rutinåtgärd vid motorrenovering. att inte göra det är detsamma som dålig ekonomi.

15 Översynsdata för motorn – ordningsföljd vid ihopsättning

1 Innan återmonteringen påbörjas, se till att alla nya delar och nödvändiga verktyg finns tillgängliga. Läs igenom hela arbetsbeskrivningen och kontrollera att allt som behövs verkligen finns tillgängligt. Förutom alla vanliga verktyg och delar kommer även fästmassa för gängor att behövas. En lämplig sorts tätningsmedel krävs också till de fogytor som inte har några packningar. Vi rekommenderar att du använder Peugeots egna produkter, som är speciellt framtagna för detta syfte. de aktuella produktnamnen anges i respektive avsnitt där de krävs.

2 För att spara tid och undvika problem går det att utföra ihopsättningen av motorn i följande ordning, enligt beskrivningen i del A, B, C D, eller E i detta kapitel, om inget annat anges:

a) *Vevaxel (se avsnitt 17). **Observera:** På 1,4-liters dieselmotorer måste kolv-/ vevstakeenheten monteras före vevaxeln.*
b) *Kolvar/vevstakar (se avsnitt 18).*
c) *Oljepump.*
d) *Sump.*
e) *Svänghjul/drivplatta.*
f) *Topplock.*
g) *Insprutningspump och fästbygel – dieselmotor (Kapitel 4B).*
h) *Kamremsspännarens remskiva/remskivor och drev samt kamremmen.*
i) *Motorns externa komponenter.*

3 På det här stadiet ska alla motorns komponenter vara helt rena och torra och alla fel reparerade. Komponenterna ska läggas ut (eller finnas i individuella behållare) på en fullständigt ren arbetsyta.

16 Kolvringar – montering

1 Innan nya kolvringar monteras måste ringarnas ändavstånd kontrolleras enligt följande.

2 Lägg ut kolv-/vevstaksenheterna och de nya kolvringsuppsättningarna så att ringuppsättningarna paras i hop med samma kolv och cylinder vid mätningen av ändgapen samt under efterföljande ihopsättning av motorn.

3 Stoppa in den övre ringen i den första cylindern och tryck ner den i loppet med hjälp

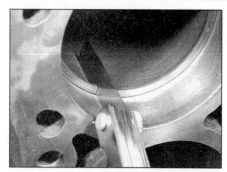

16.5 Mät kolvringarnas ringgap med hjälp av bladmått

av kolvens överdel. Då hålls ringen garanterat vinkelrätt mot cylinderns väggar. Placera ringen nära cylinderloppets botten, vid den nedre gränsen för ringrörelsen. Observera att den övre ringen skiljer sig från den andra ringen. Den andra ringen kan identifieras med hjälp av konen. på bensinmotorer har den även ett steg på den nedre ytan. På 1,4-liters och 1,6-liters dieselmotorer har den övre ringen en fas på sin övre/yttre kant.

4 Mät ändgapet med ett bladmått.

5 Upprepa proceduren med ringen längst upp i cylinderloppet, vid övre gränsen för dess rörelse **(se bild)**, och jämför värdena med dem i Specifikationer. Om ändgapen ändå är inkorrekta, kontrollera att det är rätt sorts ringar för motorn och den aktuella cylinderloppsstorleken.

6 Upprepa kontrollen av alla ringar i cylinder nr 1 och sedan av ringarna i de återstående cylindrarna. Kom ihåg att hålla ihop de ringar, kolvar och cylindrar som hör ihop.

7 När ringöppningarna har kontrollerats, och eventuellt justerats, kan de monteras på kolvarna.

8 Montera oljeskrapringens expander (i förekommande fall) och montera sedan ringen. Ringavståndet ska vara 180° från expandergapet.

9 Den andra och den översta ringen är olika och kan identifieras med hjälp av sina tvärsnittsprofiler; den övre ringen är symmetrisk medan den andra ringen har sned kant. Montera den andra ringen, se till att dess märkning (TOP) är vänd uppåt och montera sedan den övre ringen **(se bilder)**. Placera den

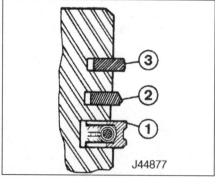

16.9a Monteringsdiagram för kolvringar (normal)

1 Oljekontrollring
2 Sekundär kompressionsring
3 Övre kompressionsring

andra ringens och den övre ringens ändgap så att de båda är placerade med 120° mellanrum. **Observera:** *Följ alltid instruktionerna som medföljer de nya uppsättningarna med kolvringar – olika tillverkare kan ange olika tillvägagångssätt. Blanda inte ihop den övre och den andra kompressionsringen. De har olika tvärsnittsprofiler.*

17 Vevaxel – återmontering

Val av lagerskålar

1 Låt en motorspecialist eller Peugeot-verkstad mäta och kontrollera vevaxeln. De kan utföra eventuell omslipning/reparationsarbete och tillhandahålla lämpliga ram- och vevlagerskålar.

Vevaxel – återmontering

Observera: *Du måste använda nya ramlageröverfall/nedre vevhusbultar när du återmonterar vevaxeln.*

2 Se i förekommande fall till att oljespraymunstyckena monteras på lagersätena i motorblocket.

1,4-liters bensinmotor

3 Använd lite fett och passa in de övre tryckbrickorna på var sida om ramlager nr

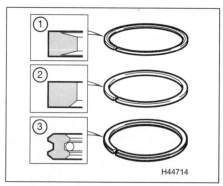

16.9b Kolvringar (1,4- och 1,6-liters dieselmotor)

1 Övre kompressionsring
2 Sekundär kompressionsring
3 Oljekontrollring

2:s övre plats. Se till att smörjkanalens spår på alla tryckbrickor är vända utåt (bort från blocket).

4 Rengör lagerskålarnas baksidor och lagersätena i både motorblocket/vevhuset och ramlagerhållaren/lageröverfall

5 Tryck in lagerskålarna på sina platser och se till att skålarnas flikar hakar i hacken på motorblocket/vevhuset eller ramlagerhållaren/kåpan. Var noga med att inte vidröra skålarnas lagerytor med fingrarna. Observera att de spårade lagerskålarna, både de övre och de nedre, är monterade på ramlager nr 2 och 4 **(se bild)**.

6 Smörj lagerskålarna på motorblocket/i vevhuset rikligt med ren motorolja.

7 Montera tillbaka Woodruff-kilen och skjut oljepumpens drev på plats, och passa in drivkedjan på drevet **(se bild)**. Sänk ner vevaxeln på plats så att cylindervevtapparna 2 och 3 är i det övre dödpunktsläget. Cylindervevtapparna 1 och 4 är i den nedre dödpunkten, redo för att passas in på kolv nr 1. Kontrollera vevaxelns axialspel enligt beskrivningen i avsnitt 13.

8 Avfetta noggrant fogytorna på cylinderblocket/vevhuset och ramlagerstommen. Applicera ett tunt lager lämpligt tätningsmedel på motorblockets fogyta på ramlagerstommens gjutgods, och smörj ut det till ett jämnt lager **(se bild)**.

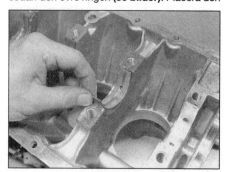

17.5 Montera de räfflade lagerskålarna på ramlager nr 2 och 4

17.7 Montera oljepumpens drivkedja och drev

17.8 Applicera en sträng tätningsmedel på motorblockets fogyta

17.10a Dra åt de 10 ramlageröverfallets bultar till angivet moment .

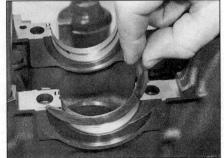

17.17 Montera tryckbrickorna på var sida om ramlager nr 2, med smörjkanalerna vända utåt

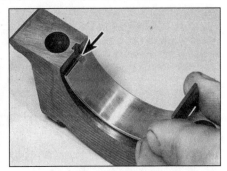

17.18 Se till att fliken (markerad med pil) är placerad i utskärningen när du monterar lagerskålarna

9 Se till att styrstiften är på plats och smörj sedan in de nedre lagerskålarna med ren motorolja. Montera tillbaka ramlagerstommen på motorblocket, se till att de nedre lagren förblir rätt placerade.

10 Sätt dit ramlagerstommens fästbultar och dra endast åt dem för hand. Arbeta från de mittersta bultarna och utåt i en spiral. Dra åt bultarna jämnt och stegvis till det moment som anges i Steg 1. När alla bultar dragits till steg 1 ska de vinkeldras till angiven vinkel för steg 2 med en hylsa och ett förlängningsskaft. Använd samma ordningsföljd som tidigare. En vinkelmätare bör användas i det här momentet av åtdragningen för att garantera att bultarna dras åt korrekt **(se bild)**. Om du inte har någon mätare, gör inställningsmarkeringar med vit färg mellan bulten och gjutgodset innan du drar åt; markeringarna kan sedan användas för att kontrollera att bulten har roterats till rätt vinkel vid åtdragningen.

11 Sätt tillbaka alla de mindre bultarna som fäster ramlagerstommen på motorblockets nedre del och dra åt dem till angivet moment. Kontrollera att vevaxeln kan rotera fritt.

12 Sätt tillbaka kolvar och vevstakar till vevaxeln enligt beskrivningen i avsnitt 18.

13 Se till att drivkedjan är rätt placerad på drevet, sätt tillbaka oljepumpen och sumpen enligt beskrivningen i del A av detta kapitel.

14 Montera två nya vevaxel oljetätningar enligt beskrivningen i del A.

15 Montera tillbaka svänghjulet/drivplattan enligt beskrivningen i del A i detta kapitel.

16 Montera tillbaka topplocket (om det har tagits bort) enligt beskrivningen i del A. Montera även tillbaka vevaxeldrevet och kamremmen (se del A).

1,6-liters bensinmotor

17 Använd lite fett och passa in de övre tryckbrickorna på var sida om ramlager nr 2:s övre plats. Se till att smörjkanalspåren på alla tryckbrickor är vända utåt (bort från motorblocket) **(se bild)**.

18 Placera lagerskålarna i sina respektive lägen enligt beskrivningen i avsnitt 4 och 5 **(se bild)**. Om nya lagerskålar används, kontrollera att alla spår av skyddsfett avlägsnats med fotogen. Torka skålarna och vevstakarna

med en luddfri trasa. Smörj lagerskålarna på motorblocket/i vevhuset och överfallet rikligt med ren motorolja.

19 Sänk ner vevaxeln på plats så att cylindervevtapparna 2 och 3 är i det övre dödpunktsläget. Cylindervevtapparna 1 och 4 är i den nedre dödpunkten, redo för att passas in på kolv nr 1. Kontrollera vevaxelns axialspel enligt beskrivningen i avsnitt 13.

20 Smörj de nedre lagerskålarna i ramlageröverfallen med ren motorolja. Se till att styrtapparna på skålarna hakar i spåren i överfallen.

21 Montera ramlageröverfallen på sina rätta platser och se till att de sitter åt rätt håll (spåren i motorblocket och överfallen för lagerskålarnas styrtappar måste vara på samma sida).

22 Smörj in gängorna och undersidan av ramlageröverfallets fästbultar med lite motorolja. Sätt sedan tillbaka bultarna. Arbeta från de mittersta bultarna och utåt i en spiral. Dra åt ramlageröverfallets fästbultar jämnt och stegvis till det moment som anges i Steg 1. När alla bultar dragits till steg 1 ska de vinkeldras till angiven vinkel för steg 2 med en hylsa och ett förlängningsskaft. Använd samma ordningsföljd som tidigare. En vinkelmätare rekommenderas till steg 3 för exakthet. Om du inte har någon mätare, gör inställningsmarkeringar med vit färg mellan bulten och gjutgodset innan du drar åt; markeringarna kan sedan användas för att kontrollera att bulten har roterats till rätt vinkel vid åtdragningen.

23 Kontrollera att vevaxeln kan rotera fritt.

24 Sätt tillbaka kolvar och vevstakar till vevaxeln enligt beskrivningen i avsnitt 18.

25 Montera tillbaka Woodruff-kilen på vevaxelspåret och skjut dit oljepumpens drev på plats. Placera drivkedjan på drevet.

26 Se till att fogytorna på höger packboxhus (kamremssidan) och motorblocket är rena och torra. Notera korrekt monteringsdjup för tätningen. Bänd sedan loss tätningen från huset med en stor spårskruvmejsel.

27 Applicera ett lager lämpligt tätningsmedel på tätninghusets fogyta och se till att styrstiften sitter på plats. Skjut på huset över vevaxelns ände och på plats på motorblocket. Dra åt husets fästbultar ordentligt.

28 Upprepa åtgärderna i punkt 26 och 27 och montera vänster tätninghus (svänghjul/drivplattesidan).

29 Montera nya vevaxel oljetätningar enligt beskrivningen i del A i detta kapitel.

30 Se till att kedjan är rätt placerad på drevet, sätt tillbaka oljepumpen och sumpen enligt beskrivningen i del A av detta kapitel.

31 Montera tillbaka svänghjulet/drivplattan enligt beskrivningen i del A i detta kapitel.

32 Montera tillbaka topplocket (om det har tagits bort) och montera vevaxeldrevet och kamremmen enligt beskrivningen i de aktuella punkterna under del A.

2,0-liters bensinmotor

33 Rengör lagerskålarnas baksidor i både cylinderblocket/vevhuset och ramlagerstommen. Om nya lagerskålar används, kontrollera att alla spår av skyddsfett avlägsnats med fotogen. Torka skålarna med en luddfri trasa.

34 Tryck in lagerskålarna på sina platser och se till att skålarnas flikar hakar i hacken på motorblocket/vevhuset eller ramlagerhållaren. Var noga med att inte vidröra skålarnas lagerytor med fingrarna. Observera att alla de övre lagerskålarna har en räfflad yta, medan de nedre skålarna har en slät lageryta.

35 Smörj lagerskålarna på motorblocket/i vevhuset rikligt med ren motorolja och sänk sedan ner vevaxeln på plats.

36 Flytta elkablaget åt sidan, lossa skruvarna/ muttrarna och ta bort den övre kamremskåpan **(se bild)**. se till att smörjkanalens spår på alla tryckbrickor är vända utåt (bort från blocket).

17.36 Sätt dit tryckbrickorna på var sida om ramlager nr 2:s övre plats

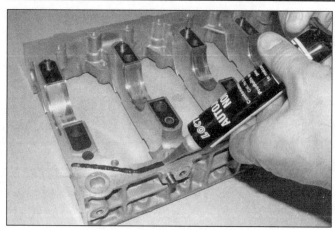

17.37 Applicera en tunn sträng RTV-tätningsmedel på lageröverfallets husets fogyta

17.40 Ordningsföljd för åtdragning av ramlagerhållarens fästbultar (2,0-liters bensinmotor)

37 Avfetta noggrant fogytorna på cylinderblocket och vevaxellagrets hus/ramlagerstommen. Applicera en tunn sträng RTV-tätningsmedel på lageröverfallshusets fogyta **(se bild)**. Peugeot rekommenderar att man använder Loctite Autojoint Noir.

38 Smörj in de nedre lagerskålarna med ren motorolja. Sätt sedan dit lageröverfallshuset, se till att lagren inte förflyttas och att styrstiften hakar i ordentligt.

39 Sätt i de stora och små fästbultarna till vevaxellagrens hus/stomme. Skruva sedan åt dem tills de precis tar i huset.

40 Arbeta i den ordningsföljd som visas och dra först åt alla M11 bultar till angivet moment som anges i Specifikationer **(se bild)**. Dra nu åt alla M6 bultar till steg 2 vridmoment (dra åt med bara fingrarna).

41 Lossa sedan alla M11-bultar (Steg 3) och dra åt dem till det åtdragningsmoment som anges i Steg 4, i rätt ordningsföljd.

42 Dra slutligen åt alla M11-bultar, i rätt ordning, till den vinkel som anges i Steg 5, använd en vinkelmätare.

43 M6-bultarna kan nu dras åt till åtdragningsmomentet som anges i Steg 6.

44 Med lageröverfallshuset på plats kontrollerar du att vevaxeln roterar fritt.

45 Sätt tillbaka kolvar och vevstakar till vevaxeln enligt beskrivningen i avsnitt 18.

46 Montera tillbaka oljepumpen och sumpen enligt beskrivningen i del B.

47 Montera en ny oljetätning i vevaxelns vänstra ände, och montera sedan tillbaka svänghjulet enligt del B.

48 Montera tillbaka topplocket, vevaxeldrevet

och kamremmen om du har tagit bort dem, enligt beskrivningen i del B.

1,4-liters dieselmotor-

49 Rengör lagerskålarnas baksidor i både cylinderblocket/vevhuset och ramlagerstommen. Om nya lagerskålar används, kontrollera att alla spår av skyddsfett avlägsnats med fotogen. Torka skålarna med en luddfri trasa.

50 Tryck in lagerskålarna på sina platser och se till att skålarnas flikar hakar i hacken på motorblocket/vevhuset eller ramlagerhållaren. Var noga med att inte vidröra skålarnas lagerytor med fingrarna. Observera att alla de övre lagerskålarna har en räfflad yta, medan de nedre skålarna har en slät lageryta. Det är mycket viktigt att de nedre lagerskålshalvorna är placerade i mitten av stommen. För att säkerställa detta använder du Peugeot-verktyget Nr 0194-Q på stommen, och sätter in lagerskålarna genom verktygets spår **(se bild)**.

51 Smörj lagerskålarna på motorblocket/i vevhuset rikligt med ren motorolja och sänk sedan ner vevaxeln på plats.

52 Sätt i tryckbrickorna på var sida om ramlager nr 2:s övre plats och tryck dem runt lagertappen tills deras kanter är horisontella. se till att smörjkanalens spår på alla tryckbrickor är vända utåt (bort från blocket). Montera nu kolvarna och vevstakarna enligt beskrivningen i avsnitt 18.

53 Avfetta noggrant fogytorna på cylinderblocket och vevaxellagrets hus/ramlagerstommen. Applicera en tunn sträng RTV-tätningsmedel på lageröverfallets husets fogyta. Peugeot rekommenderar att man använder Loctite Autojoint Noir. Använd två linjeringsstift (kan beställas från Peugeot) som förs in i ramlagerstommen för att säkerställa att enheten får rätt placering.

54 Smörj in de nedre lagerskålarna med ren motorolja. Sätt sedan dit lageröverfallshuset, se till att lagren inte förflyttas och att styrstiften hakar i ordentligt. Ta bort linjeringsstiften från lagerramen.

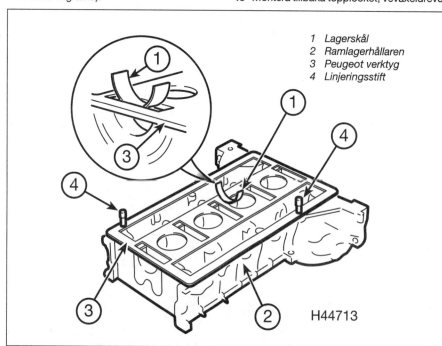

1 Lagerskål
2 Ramlagerhållaren
3 Peugeot verktyg
4 Linjeringsstift

H44713

17.50 Återmontering av ramlagerskål (1,4- och 1,6-liters dieselmotor)

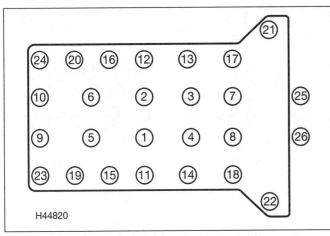

17.56 Ordningsföljd för åtdragning av ramlagerhållarens bultar (1,4- och 1,6-liters dieselmotor)

17.65 Placera tryckbrickorna på var sida om lager nr 2:s övre plats

55 Sätt i de stora och små fästbultarna till vevaxellagrens hus/stomme. Skruva sedan åt dem tills de precis tar i huset. Observera att du måste använda nya stora bultar (M11).
56 Dra åt alla ramlagerhållare bultar enligt anvisningen i steg 1 **(se bild)**.
57 Lossa (Steg 2) lagerramens bultar med större diameter ett halvt varv (180°). Momentdra dem sedan i ordning till det moment som anges i Steg 3. Vinkeldra dem sedan enligt värdena i Steg 4. Applicera tätningsmedel på de två nya lagerramsbultkåporna och knacka dem på plats över de båda svänghjulsändarnas bultar.
58 Dra slutligen åt lagerramens mindre bultar till de moment som anges i Steg 2.
59 Med lageröverfallshuset på plats kontrollerar du att vevaxeln roterar fritt.
60 Montera tillbaka oljepumpen och sumpen enligt beskrivningen i del C.
61 Montera en ny oljetätning i vevaxelns vänstra ände, och montera sedan tillbaka svänghjulet enligt del C.
62 Montera tillbaka topplocket, vevaxeldrevet och kamremmen om du har tagit bort dem, enligt beskrivningen i del C.

1,6-liters dieselmotor-

63 Sätt lagerskålarna på plats. Om nya lagerskålar används, kontrollera att alla spår av skyddsfett avlägsnats med fotogen. Torka skålarna med en luddfri trasa. På 1,6-liters dieselmotorer har alla de övre lagerskålarna en räfflad yta, medan de nedre skålarna har en slät lageryta. På dessa motorer är det mycket viktigt att de nedre lagerskålarna är placerade mitt på lageröverfallshuset/ramlagerstommen. För att säkerställa detta använder du Peugeot-verktyget Nr 0194-QZ placerat över huset/stommen och sätter in lagerskålarna genom verktygets spår **(se bild 17.50).**
64 Smörj lagerskålarna på motorblocket/i vevhuset rikligt med ren motorolja och sänk sedan ner vevaxeln på plats.
65 Sätt i tryckbrickorna på var sida om

ramlager nr 2:s övre plats och tryck dem runt lagertappen tills deras kanter är horisontella **(se bild)**. Se till att smörjkanalernas spår på alla tryckbrickor är vända utåt (bort från lagertappen).
66 Avfetta noggrant fogytorna på cylinderblocket och vevaxellagrets hus. Applicera en tunn sträng RTV-tätningsmedel på lageröverfallshusets fogyta **(se bild 17.37)**. Peugeot rekommenderar att man använder Loctite Autojoint Noir.
67 Smörj in de nedre lagerskålarna med ren motorolja. Sätt sedan dit lageröverfallshuset, se till att lagren inte förflyttas och att styrstiften hakar i ordentligt.
68 Installera de 10 stora och 16 små fästbultarna till vevaxellagerhuset. Skruva sedan åt dem tills de precis tar i huset.
69 Arbeta i den ordningsföljd som visas och dra först åt alla bultar till angivet moment som anges i Specifikationer **(se bild 17.56)**.
70 Med lageröverfallshuset på plats kontrollerar du att vevaxeln roterar fritt.
71 Sätt tillbaka kolvar och vevstakar till vevaxeln enligt beskrivningen i avsnitt 18.
72 Montera tillbaka oljepumpen och sumpen.
73 Montera en ny oljetätning i vevaxelns vänstra ände, och montera sedan tillbaka svänghjulet

74 Montera tillbaka topplocket, vevaxeldrevet och kamremmen om du har tagit bort dem.

2,0-liters dieselmotor

75 Använd lite fett och passa in tryckbrickorna på var sida om ramlager nr 2:s övre plats och lageröverfall **(se bild 17.65)**. se till att smörjkanalens spår på alla tryckbrickor är vända utåt (bort från blocket).
76 Lägg lagerskålen tillbaka på rätt plats **(se bilder)**. Om nya lagerskålar används, kontrollera att alla spår av skyddsfett avlägsnats med fotogen. Torka skålarna och vevstakarna med en luddfri trasa. Smörj lagerskålarna på motorblocket/i vevhuset och överfallet rikligt med ren motorolja.
77 Sänk ner vevaxeln på plats så att cylindervevtapparna 2 och 3 är i det övre dödpunktsläget. Cylindervevtapparna 1 och 4 är i den nedre dödpunkten, redo för att passas in på kolv nr 1. Kontrollera vevaxelns axialspel enligt beskrivningen i avsnitt 13.
78 Smörj de nedre lagerskålarna i ramlageröverfallen med ren motorolja. Se till att styrtapparna på skålarna hakar i spåren i överfallen.
79 Montera ramlageröverfallen nr. 2 till 5 på sina rätta platser och se till att de sitter åt rätt håll (spåren i motorblock och överfallen

17.76a Se till att de räfflade ramlagerskålarna monteras på motorblocket . . .

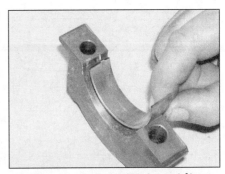

17.76b . . . och att de släta lagerskålarna monteras på lageröverfallen

17.79 Sätt dit lageröverfall 2 till 5 och montera lageröverfallsbultarna

17.80 Applicera tätningsmedel på ramlageröverfall nr 1:s fogyta på motorblocket, runt tätningsremsehålen och i hörnen

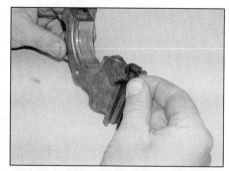

17.81a Montera tätningsremsorna på var sida om ramlageröverfall nr 1, se till att de hakar i stiften ordentligt

för lagerskålarnas styrtappar måste vara på samma sida) **(se bild)**. Se till att tryckbrickorna sitter rätt på lageröverfall nr 2 och sätt sedan tillbaka lageröverfallets bultar, men dra endast åt dem lite lätt i detta skede.

80 Applicera en liten mängd tätningsmedel på ramlageröverfall nr 1:s fogyta på motorblocket, runt tätningsremsornas hål **(se bild)**.

81 Passa in varje tätningsremsas flik över stiften på lageröverfall nr 1:s nedre del och tryck in remsorna i lageröverfallets spår. Nu måste du använda två tunna metallremsor, max. 0,25 mm tjocka, för att förhindra att remsorna rör sig när överfallet monteras. Peugeot-verkstäder använder verktyget på bilden, som fungerar som en klämma. Metallremsor (t.ex. gamla bladmått) kan användas, förutsatt att alla grader som kan skada tätningsremsorna tas bort först **(se bilder)**.

82 I förekommande fall oljar du in metallremsornas båda sidor och håller dem på tätningsremsorna. Montera ramlageröverfall nr 1, sätt in bultarna löst och dra sedan försiktigt ut metallremsorna horisontellt med hjälp av en tång **(se bild)**.

83 Arbeta i den ordningsföljd som visas **(se bild)**, ramlageröverfallets fästbultar jämnt och stegvis till det moment som anges i Steg 1. När alla bultar dragits till steg 1 ska de vinkeldras till angiven vinkel för steg 2 med en hylsa och ett förlängningsskaft.

Använd samma ordningsföljd som tidigare. En vinkelmätare rekommenderas till steg 3 för exakthet. Om du inte har någon mätare, gör inställningsmarkeringar med vit färg mellan bulten och gjutgodset innan du drar åt; markeringarna kan sedan användas för att kontrollera att bulten har roterats till rätt vinkel vid åtdragningen.

84 Kontrollera att tätningsremsorna sticker ut lite ovanför motorblockets/vevhusets fogyta, cirka 1 mm. Om så inte är fallet tar du bort lageröverfallet igen och monterar om det. tätningarna levereras i rätt längd och ska inte kapas. Kontrollera även att vevaxeln kan rotera fritt.

85 Montera en ny oljetätning i vevaxelns vänstra ände (svänghjulsänden) enligt beskrivningen i Del C eller E.

86 Sätt tillbaka kolvar och vevstakar till vevaxeln enligt beskrivningen i avsnitt 18.

87 Montera en ny tätningsring (i förekommande fall) på vevaxeln, och sätt sedan tillbaka woodruff-kilen och skjut på oljepumpens drev och distansbricka. Placera drivkedjan på drevet.

88 Se till att fogytorna på höger tätninghus (kamremssidan) och motorblocket är rena och torra. Notera korrekt monteringsdjup för tätningen. Bänd sedan loss den gamla tätningen från huset med en stor spårskruvmejsel.

89 Applicera en tunn sträng tätningsmedel på oljetätningshusets fogyta. Se till att styrstiften

sitter på plats och skjut sedan på huset över vevaxelns ände och på plats på motorblocket. Dra åt husets fästbultar till angivet moment.

90 Montera en ny oljetätning i vevaxelns högra ände (kamremssida) enligt beskrivningen i Del C eller E.

91 Se till att kedjan är rätt placerad på drevet, sätt tillbaka oljepumpen och sumpen enligt beskrivningen i del C eller E.

92 Montera tillbaka svänghjulet enligt beskrivningen i Del C eller E i detta kapitel.

93 Montera tillbaka topplocket (om du har tagit bort den) enligt beskrivningen i Del C eller E. Montera även tillbaka vevaxeldrevet och kamremmen (se Del C eller E).

18 Kolv/vevstake – återmontering

Observera: *Du måste använda nya muttrar/ bultar till vevstakslageröverfallen vid återmonteringen.*

1 Observera att följande arbeten förutsätter att cylinderfodren (bensinmotorer med aluminiummotorblock) sitter på plats i cylinderblock/vevhus enligt beskrivningen i avsnitt 11, och att vevaxeln och ramlagerstommen/överfallen också är på plats – med undantag för 1,4-liters dieselmotor där vevaxeln monteras efter kolvarna (se avsnitt 17).

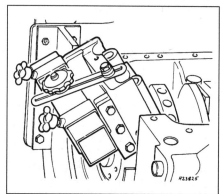

17.81b Använd Peugeot specialverktyg för att montera ramlageröverfall nr. 1

17.82 Montera ramlageröverfall nr 1 med hjälp av metallremsor för att hålla tätningsremsorna på plats

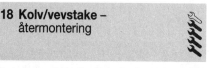

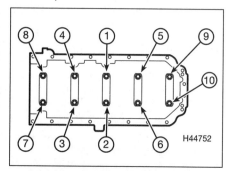

17.83 Ordningsföljd för åtdragning av ramlageröverfallets bultar (2,0-liters dieselmotorer)

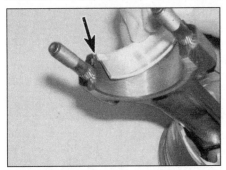

18.3 Se till att lagerskålens flik (markerad med pil) hamnar rätt i utskärningen

18.7 Knacka ner kolven i loppet med ett hammarskaft

18.8 Montera vevstakslageröverfallet, se till att det är rättvänt, och skruva i de nya muttrarna

2 Rengör lagerskålarnas baksidor och lagersätena i både vevstaken och överfallet.

Alla motorer utom 1,4- och 1,6-liters diesel

3 Tryck in lagerskålarna på sina platser och se till att skålarnas flikar hakar i hacken på vevstaken och överfallet. Var noga med att inte vidröra skålarnas lagerytor med fingrarna **(se bild)**.

Alla motorer

4 Smörj in cylinderloppen, kolvarna och kolvringarna. Lägg sedan ut varje kolv/vevstakeenhet på deras respektive plats.
5 Börja med enhet nr. 1. Se till att kolvringarnas ändavstånd fortfarande stämmer med beskrivningen i avsnitt 16. Kläm sedan fast dem med en kolvringskompressor.
6 Sätt i kolv-/vevstakeenheten ovanpå cylinder/foder nr 1, se till att kolven är korrekt placerad på följande sätt.
a) *På bensinmotorer kontrollerar du att pilen på kolvkronan pekar mot motorns kamremssida.*
a) *På 1,4-liters och 1,6-liters dieselmotorer kontrollerar du att DIST-märkningen eller pilen på kolvkronan pekar mot motorns kamremssida.*

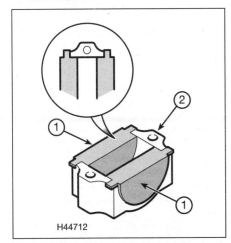

18.12 Placering av vevlagerskålarna
1 *Peugeot verktyg Nr 0194-P*
2 *Lagerskål*

c) *På 2,0-liters dieselmotorer kontrollerar du att ventilspåren på kolvkronan är vända mot motorblockets bakre del.*
7 När kolven är i rätt läge, använd en träkloss eller ett hammarskaft på kolvkronan och knacka ner kolven i cylindern/fodern tills kolvkronan är i jämnhöjd med cylinderns överkant **(se bild)**.

Alla motorer utom 1,4- och 1,6-liters diesel

8 Se till att lagerkåpan fortfarande sitter korrekt. Smörj vevstakstappen och de båda lagerskålarna med rikligt med ren motorolja. Var noga med att inte repa cylinder-/foderloppen och knacka ner kolv-/vevstaksenheten i loppet och på vevtappen. Montera tillbaka vevstakslageröverfallet och sätt dit nya muttrar, dra först åt dem för hand **(se bild)**. Observera att ytorna med identifikationsmarkeringar måste passa ihop (vilket betyder att lagerskålarnas styrflikar hakar i varandra).
9 På bensinmotorer drar du åt lageröverfallets fästmuttrar jämnt och stegvis till angivet moment.
10 På 2,0-liters bensinmotorer drar du åt lageröverfallets fästmuttrar jämnt och stegvis till angivet moment i Steg 1. När båda muttrar dragits till steg 1 ska de vinkeldras till angiven vinkel för steg 2 med en hylsa och ett förlängningsskaft. Använd samma ordningsföljd som tidigare. En vinkelmätare rekommenderas till steg 3 för exakthet. Om du inte har någon mätare, gör inställningsmarkeringar med vit färg mellan bulten och lageröverfall innan du drar åt; markeringarna kan sedan användas för att kontrollera att muttern har roterats till rätt vinkel vid åtdragningen.

1,4- och 1,6-liters dieselmotor

11 På dessa motorer är vevstaken gjord i ett stycke, och vevstakslageröverfallet "bryts" bort. På så sätt säkerställs att överfallet endast passar på vevstaken i ett läge, och med maximal styvhet. Följaktligen finns det inga inpassningshack som lagerskålarna ska passas in i.
12 För att säkerställa att vevlagerskålarna är

placerade mitt på vevstaken och överfallet finns det två specialverktyg från Peugeot. Dessa halvmåneformade verktyg trycks från var sida av staget/överfallet så att skålen hamnar precis i mitten **(se bild)**. Montera skålarna i vevstakarna och vevstakslageröverfallen och smörj in dem med en stor mängd ren motorolja.
13 Dra ner vevstakarna och kolvarna längs med loppen och på vevaxeltapparna. Montera vevstakslageröverfallen – de passar endast på ett sätt (se punkt 11) – och sätt in de nya bultarna.
14 Dra åt bultarna till det moment som anges i Steg 1 och lossa dem sedan 180° (Steg 2). Dra åt bultarna till det moment som anges i Steg 3, följt av åtdragningsmomenten för steg 4.
15 Fortsätt att montera tillbaka ramlagerskålarna och ramlagerstommen enligt beskrivningen i avsnitt 17.

Alla motorer

16 När lageröverfallens fästmuttrar har dragits åt som de ska roterar du vevaxeln. Kontrollera att den snurrar fritt. lite stelhet är normalt med nya delar, men den ska inte kärva eller ta i.
17 Montera tillbaka topplocket och oljepumpen enligt beskrivningen i Del A, B, C, D eller E i det här kapitlet (efter tillämplighet).

19 Motor – första start efter översyn

1 Med motorn återmonterad i bilen, kontrollera motorolje- och kylvätskenivån igen. Kontrollera en sista gång att allt har återanslutits och att det inte ligger några verktyg eller trasor kvar i motorrummet.

Bensinmotormodeller

2 Ta bort tändstiften och avaktivera bränslesystemet genom att koppla loss kontaktdonen från bränsleinsprutarna, se kapitel 4A för mer information.
3 Vrid runt motorn med startmotorn tills

oljetryckslampan slocknar. Montera tillbaka tändstiften, och återanslut kablarna.

Dieselmotormodeller

4 På de modeller som ingår i den här handboken är varningslampan för oljetryck kopplad till varningslampan STOP, och tänds inte när tändningen först slås på. Därför är det inte möjligt att kontrollera varningslampan för oljetryck när startmotorn körs.

5 Flöda bränslesystemet (se kapitel 4B).

6 Tryck ner gaspedalen, vrid tändningsnyckeln till läge M och vänta tills varningslampan för förvärmning slocknar.

Alla modeller

7 Starta motorn. Observera att det kan ta lite längre tid än vanligt eftersom bränslesystemets komponenter måste fyllas.

8 Låt motorn gå på tomgång och undersök om det förekommer läckage av bränsle, vatten eller olja. Bli inte orolig om det luktar konstigt eller ryker från delar som blir varma och bränner bort oljeavlagringar.

9 Under förutsättning att allt är OK, låt motorn gå på tomgång till dess att man kan känna att varmvatten cirkulerar genom övre kylarslangen, slå sedan av motorn.

10 Stanna motorn efter några minuter, kontrollera oljans och kylvätskans nivåer enligt beskrivningen i *Veckokontroller*, och fyll på om det behövs.

11 Du måste inte dra åt topplocksbultarna igen när motorn har startats efter ihopsättningen.

12 Om nya kolvar, kolvringar eller vevaxellager monterats ska motorn behandlas som en ny och köras in de första 1000 kilometerna. Kör inte på fullgas, och låt inte motorn arbeta hårt på låga varvtal på någon växel. Vi rekommenderar att oljan och oljefiltret byts efter denna period.

Kapitel 3
Kyl-, värme- och ventilationssystem

Innehåll

Svårighetsgrad

Enkelt, passar novisen med lite erfarenhet	**Ganska enkelt,** passar nybörjaren med viss erfarenhet	**Ganska svårt,** passar kompetent hemmamekaniker	**Svårt,** passar hemmamekaniker med erfarenhet	**Mycket svårt,** för professionell mekaniker 

Specifikationer

Allmänt

Maximal systemtryck	1,4 bar

Resistans i motorns temperaturgivare för kylvätska (cirka):

Alla bensinmotorer:
20°C	6100 Ω
80°C	620 Ω

1,4- och 1,6-liters dieselmotorer:
60°C	1266 Ω
80°C	642 Ω

2,0-liters SOHC dieselmotor:
20°C	6200 Ω
30°C	1920 Ω

2,0-liters DOHC dieselmotor:
20°C	6200 Ω

Termostat

Start för öppningstemperatur:
Bensinmodeller.	89°C
1,4-liters dieselmodeller	88°C
1,6- och 2,0-liters dieselmodeller	83°C

Luftkonditioneringskompressor olje

Kvantitet:
Alla utom 2,0-liters dieselmotor	135 cc
2,0-liters dieselmotor	265 cc

Typ:
Alla utom 2,0-liters dieselmotor	SP10
2,0-liters dieselmotor	Planet Elf 488

Kylmedel

Mängd	585 ± 25 g
Typ	R134a

Åtdragningsmoment

	Nm
Luftkonditioneringskompressorns fästbultar:	
2,0-liters bensinmotor	45
1,4-och 1,6-liters dieselmotor	25
2,0-liters dieselmotor	40
Kylvätskeutloppets husbultar	10
Kylvätskepump:	
Bensinmotorer	14
1,4- och 1,6-liters dieselmotor	10
2,0-liters dieselmotor	16

1 Allmän information och föreskrifter

Allmän information

1 Kylsystemet är trycksatt och innehåller en kylvätskepump som drivs av kamremmen, en aluminiumkylare, ett expansionskärl, en elektrisk kylfläkt, en termostat, ett värmepaket och alla tillhörande slangar och brytare.

2 Systemet fungerar på följande sätt. Kall kylvätska från kylaren passerar genom bottenslangen till kylvätskepumpen, och därifrån pumpas kylvätskan runt i motorblocket och motorns huvudutrymmen. När cylinderloppen, förbränningsytorna och ventilsätena kylts når kylvätskan undersidan av termostaten, som är stängd. Kylvätskan passerar genom värmaren och återvänder, via motorblocket till kylvätskepumpen.

3 När motorn är kall cirkulerar kylvätskan endast genom motorblocket, topplocket och värmaren. När kylvätskan uppnår en angiven temperatur öppnas termostaten och kylarvätskan passerar genom den övre slangen till kylaren. När kylvätskan cirkulerar genom kylaren kyls den ner av den luft som strömmer in i motorn när bilen rör sig framåt. Luftflödet förstärks med den elektriska kylfläkten, om det behövs. När kylvätskan nått botten av kylaren är den nedkyld, och processen börjar om.

4 På modeller med automatväxellåda återcirkuleras en del av kylvätskan genom växellådsoljans kylare, som sitter på växellådan. På modeller med motoroljekylare passerar oljan även genom oljekylaren.

5 Den elektriska kylfläkten/kylfläktarna styrs av motorstyrenheten.

6 På 2,0-liters dieselmodeller upp till RPO 10261 med motorn DW10BTED4 utförs extra kylning vid behov av en avgasmagnetventil på kylarens vänstra sida, som möjliggör cirkulation från termostathuset till expansionskärlet. Dessa modeller har också en flödesmagnetventil för kylvätskan på termostathuset, som öppnar motorns förbikopplingskrets vid behov. Båda dessa magnetventiler läggs till en konventionell vaxtermostat i huset. Men från och med RPO 10262 monterades inte lägre avgasmagnetventilen.

Föreskrifter

⚠ *Varning: Försök inte ta bort expansionskärlets påfyllningslock eller på annat sätt göra ingrepp i kylsystemet medan motorn är varm. Risken för allvarliga brännskador är mycket stor. Om expansionskärlets påfyllningslock måste tas bort innan motorn och kylaren har svalnat helt (även om detta inte rekommenderas), måste övertrycket i kylsystemet först släppas ut. Täck locket med ett tjockt lager tyg för att undvika brännskador. Skruva sedan långsamt bort locket tills ett pysande ljud hörs. När pysandet har upphört, vilket tyder på att trycket minskat, fortsätt att långsamt skruva loss locket tills det kan tas loss helt. hörs fler pysljud väntar du tills de slutat innan du lyfter bort locket. Stå alltid så långt ifrån öppningen som möjligt och skydda dina händer.*

⚠ *Varning: Låt inte frostskyddsmedel komma i kontakt med huden eller lackerade ytor på bilen. Spola omedelbart bort eventuellt spill med stora mängder vatten. Lämna aldrig frostskyddsmedel stående i en öppen behållare eller i en pöl på marken eller garagegolvet. Barn och husdjur kan attraheras av den söta doften och frostskyddsmedel kan vara livsfarligt att förtära.*

⚠ *Varning: Om motorn är varm kan den elektriska kylfläkten/ kylfläktarna börja rotera även om motorn inte är igång. Var noga med att hålla undan händer, hår och löst sittande kläder från fläkten vid arbete i motorrummet.*

⚠ *Varning: Se även föreskrifterna för arbete på modeller med luftkonditionering i avsnitt 11.*

2 Kylsystemets slangar – ifrånkoppling och byte

Observera: *Se föreskrifterna i avsnitt 1 i detta kapitel innan arbetet påbörjas. För att undvika brännskador ska slangarna kopplas loss först när motorn har svalnat.*

1 Om de kontroller som beskrivs i avsnittet om *Slang- och läckagekontroller* i kapitel 1A eller 1B avslöjar en felaktig slang måste denna bytas ut enligt följande.

2 Tappa först ur kylsystemet (se kapitel 1A eller 1B); Om det inte är dags att byta kylvätska kan den återanvändas förutsatt att den samlas upp i en ren behållare.

3 När du ska koppla loss en slang utför du följande arbete enligt den aktuella typen av slanganslutning.

Vanliga anslutningar

4 På vanliga anslutningar kan de klämmor som används för att fästa slangarna på plats antingen vara vanliga slangklämmor, fjäderklämmor eller veckade engångsklämmor. De veckade klämmorna är inte avsedda att användas igen och ska bytas mot en vanlig slangklämma vid ihopsättningen.

5 En slang kopplas bort på följande sätt: Lossa fasthållningsklämmorna och flytta dem längsmed slangen, bort från det aktuella insuget/utsläppet. Lossa slangen försiktigt. Det är relativt enkelt att ta bort slangarna när de är nya, men på en äldre bil kan de ha fastnat **(se bild)**.

6 Om en slang är svår att få bort kan det hjälpa att vrida dess ändar för att lossa den innan den tas bort. Bänd försiktigt bort slangänden med ett trubbigt verktyg (t.ex. en bredbladig skruvmejsel), men ta inte i för hårt och var noga med att inte skada röranslutningar eller slangar. Observera särskilt att kylarens inloppsrörstosar är ömtåliga; använd inte onödigt mycket kraft när du ska ta bort slangen. Skär upp slangen med en vass kniv om ingenting annat hjälper. Slitsa den sedan så att den kan skalas av i två delar. Detta kan verka dyrbart om slangen i övrigt är felfri, men det är mycket billigare än att tvingas köpa en ny kylare. Kontrollera dock först att det finns en ny slang tillgänglig.

7 När en slang monteras, trä först på slangklämmorna på slangen och sätt sedan slangen på plats. Om det från början har

2.5 Lossa fästklämman och flytta den längs med slangen

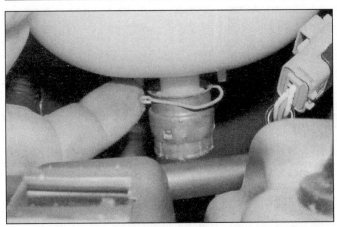

2.12 Där click-fit-anslutningar används, bänd ut låsringen och koppla sedan loss slangen

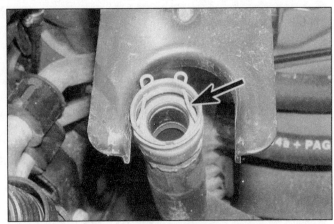

2.13 Se till att tätningsringen och låsringen (markerad med pil) är korrekt monterade på slanganslutningen

använts veckade klämmor, använd vanliga slangklämmor när du sätter tillbaka slangen.
8 För slangen på plats, kontrollera att den är korrekt dragen och dra vardera klämman utmed slangen till dess att den passerar över flänsen på relevant inlopps-/utloppsanslutning

> **HAYNES TiPS** *Om slangen är stel kan lite tvålvatten användas som smörjmedel, eller så kan slangen mjukas upp med ett bad i varmvatten. Använd inte olja eller smörjfett, det kan angripa gummit.*

innan slangen säkras på plats med slangklämmorna.
9 Fyll på kylsystemet (se kapitel 1A eller 1B).
10 Kontrollera alltid kylsystemet noga efter läckor så snart som möjligt efter att någon del av systemet rubbats.

Click-fit-anslutningar

Observera: *En ny tätningsring ska användas när slangen återansluts.*
11 På vissa modeller är vissa kylsystem fästa med click-fit-anslutningar, där slangen hålls på plats av en stor låsring.
12 När du ska koppla ifrån den här typen av slangbeslag, bänd försiktigt loss låsringen från dess plats och koppla sedan loss

slanganslutningen **(se bild).** När slangen har kopplats loss sätter du tillbaka låsringen på slanganslutningen. Undersök slangarnas tätningsring för efter tecken på skador eller åldrande och byt ut dem om det behövs.
13 Vid återmonteringen är det viktigt att tätningsringen sitter på plats och att låsringen är korrekt placerad i spåret på anslutningen **(se bild).** Smörj tätningsringen med såpvatten för att underlätta installationen. Tryck sedan in slangen i anslutningen tills du hör ett klickljud.
14 Se till att slangen hålls fast ordentligt av slangklämman när du fyller på kylsystemet enligt beskrivningen i kapitel 1A eller 1B.
15 Kontrollera alltid kylsystemet noga efter läckor så snart som möjligt efter att någon del av systemet rubbats.

3 Kylarens expansionstank – demontering och montering

Demontering

1 Se kapitel 1A eller 1B och tappa av kylsystemet tillräckligt för att tömma ut expansionskärlets innehåll. Tappa inte av mer kylvätska än vad som behövs.
2 Ta bort plastkåpan över kylvätske- och spolarbehållarna. Kåpan hålls fast med två plastnitar. Tryck in mittsprintarna en bit och

bänd ur hela nitarna från sin plats.
3 Skjut ut fästklämmorna, eller tryck ihop kragarna, och dra sedan plastslangarna från expansionskärlet. På vissa modeller kan slangarna vara fästa med expanderklämmor **(se bilder).**
4 Lossa nivåsensorns anslutningskontakt – om en sådan finns, **(se bild).**
5 Skruva loss fästbulten och lossa tanken från dess fäste. Var försiktig så att du inte lossar gummifästet.
6 Lossa klämman och koppla loss den återstående slangen när expansionskärlet tas bort.

Montering

7 Återmonteringen sker i omvänd ordningsföljd mot demonteringen. Se till att slangarna är ordentligt återanslutna. Avsluta med att fyll på kylvätska enligt beskrivningen i *Veckokontroller.*

4 Kylare – demontering, kontroll och montering

Observera: *Om orsaken till att kylaren demonteras är läckage, tänk på att mindre läckor ofta kan tätas med kylartätningsmedel med kylaren monterad.*

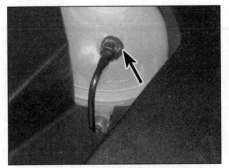

3.3a Skjut upp fästklämman (markerad med pil) och dra ut slangen

3.3b Vissa slangar är fästa med expanderande klämmor

3.4 Koppla loss nivåsensorns anslutningskontakt.

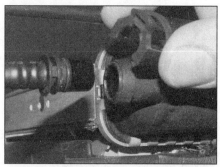

4.2a Skjut upp expansionskärlets slangklämma och dra ut slangen

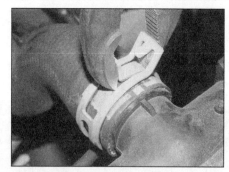

4.2b Lossa de övre och nedre slangfästklämmorna

4.4a Skruva loss fästskruvarna (markerade med pil) . . .

4.4b . . . och ta bort kylarens övre fästbyglar

4.5 Ta loss kylarens gummifäste

Demontering

1 Tappa ur kylsystemet (se kapitel 1A eller 1B).
2 Lossa fästklämmorna och koppla loss expansionskärlets slang och de övre och nedre kylvätskeslangarna från kylaren. Expansionskärlets slangklämma glider bort från sin plats. När den har kopplats loss sätter du tillbaka klämman på slangändens beslag **(se bilder)**.
3 Demontera den främre stötfångaren enligt beskrivningen i kapitel 11.
4 Skruva loss fästskruvarna som fäster kylarens övre fästbygel på den främre panelen. Lossa båda byglarna från panelen och ta bort dem från kylaren **(se bilder)**.
5 Lyft försiktigt upp kylaren och var noga med att inte skada kylflänsarna. Ta loss kylarens nedre gummifästen **(se bild)**.

Kontroll

6 Om kylaren har demonterats på grund av misstänkt stopp, ska den backspolas enligt beskrivningen i kapitel 1A eller 1B. Rensa bort smuts och skräp från kylflänsarna med hjälp av tryckluft (bär skyddsglasögon i så fall) eller en mjuk borste. Var försiktig! Flänsarna är vassa och kan lätt skadas.
7 Om det behövs, kan en kylarspecialist utföra ett flödestest på kylaren för att ta reda på om den är blockerad.
8 En kylare som läcker måste lämnas in till en specialist för totalreparation. Försök inte

att svetsa eller löda ihop en läckande kylare, eftersom plastdelarna lätt kan skadas.
9 Undersök skicket på kylarens fästgummin, och byt dem om det behövs.

Montering

10 Monteringen sker i omvänd ordningsföljd. Tänk på följande:
 a) Se till att de nedre tapparna på kylaren hakar i gummifästena på karosspanelen som de ska.
 b) Återanslut slangarna enligt beskrivningen i avsnitt 2, och använd nya tätningsringar om det är tillämpligt.
 c) Avsluta med att fylla på kylsystemet enligt beskrivningen i kapitel 1A eller 1B.

5 Termostat –
demontering, kontroll och montering

Demontering

1 Tappa ur kylsystemet (se kapitel 1A eller 1B).
2 Termostaten sitter på kylvätskeutloppets hus, på topplockets vänstra ände. På vissa motorer kräver borttagningen av motorn endast att man tar bort det utgående kylvätskeröret. Men på andra är termostaten inbyggd i huset vilket kräver att huset tas bort. Följande alternativ finns:

Bensinmotorer
1,4-liter TU3JP upp till RPO 10249
 Kylvätskeutloppets rör
1,4-liter TU3JP från RPO 10250
 Kylvätskeutloppets hus
1,4-liter ET3JP4 upp till RPO 10436
 Kylvätskeutloppets rör
1,4-liter ET3JP4 från RPO 10437
 Kylvätskeutloppets hus
1,6-liter TU5JP4 upp till RPO 10436
 Kylvätskeutloppets rör
1,6-liter TU5JP4 från RPO 10437
 Kylvätskeutloppets hus
2,0 liter
 Kylvätskeutloppets rör
Dieselmotorer
1,4 liter och 1,6 liter
 Kylvätskeutloppets hus
2,0-liter DW10TD och DW10ATED
 Separat (utbytbar) termostat som sitter under kylvätskeutloppsrör.
2,0-liter DW10BTED4 upp till RPO 10261
 Utgående kylvätskerör plus elstyrd kylvätskeflödesmagnetventil gasmagnetventil i det utgående kylvätskehuset.
2,0-liter DW10BTED4 från RPO 10262
 Utgående kylvätskehus plus elstyrd kylvätskeflödesmagnetventil

3 Demontera motorns övre skyddskåpa. Ta bort batteriet och batterilådan enligt beskrivningen i kapitel 5A, och ta sedan bort luftrenaren och luftkanaler enligt beskrivningen in kapitel 4A eller 4B. Notera i följande punkter att vissa av slangarna kopplas loss efter det att den vita lossningsknappen har tryckts ner **(se bild)**.

5.3 Tryck ner lossningsknappen och koppla loss slangen

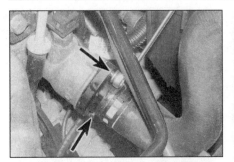

5.4 Skruva loss fästbultarna (markerade med pil) och lossa utloppsanslutningen från kylvätskehuset

4 På motorer där termostaten är inbyggd i kylvätskeutloppet, koppla loss kylvätskeslangen och skruva sedan loss de båda bultarna och ta bort utloppet **(se bild)**. Ta vara på tätningen.

5 På motorer där termostaten sitter under kylvätskeutloppet, ta bort kylvätskeutloppet och lyft bort termostaten från huset, notera hur den är monterad. Ta loss tätningsringen **(se bilder)**.

6 På motorer där termostaten är inbyggd i kylvätskehuset, koppla loss kablaget från temperaturgivaren och magnetventilen (i förekommande fall). Koppla sedan loss alla slangar efter att ha antecknat hur de sitter. Skruva loss fästbultar och ta bort huset **(se bild)**. Ta loss packningen.

Kontroll

7 Kontrollera termostaten genom att binda ett snöre i den och sänka ner den i en gryta

5.5a Lyft bort termostaten från dess hus . . .

vatten. Koka upp vattnet – termostaten måste ha öppnats när vattnet börjar koka. Om inte, måste termostaten bytas ut.

8 En mer exakt metod är att med hjälp av en termometer ta reda på termostatens exakta öppningstemperatur; och jämföra med värdena i Specifikationer.. Öppningstemperaturen ska även finnas angiven på termostaten.

9 En termostat som inte stängs när vattnet svalnar måste också bytas.

Montering

10 Montering sker i omvänd ordningsföljd, men tänk på följande:
  a) Byt kylvätskehusets packning om den har tagits bort.
  b) Undersök tätningsringen och leta efter tecken på skador och slitage. Byt den om det behövs.
  c) Om en separat termostat har monterats, se till att den återmonteras rättvänd.

5.5b . . . och ta bort tätningsringen

5.6 Skruva loss kylvätskeutloppets fästbultar (markerade med pil)

  d) Avsluta med att fylla på kylsystemet enligt beskrivningen i kapitel 1A eller 1B.

6 Elektrisk kylfläkt – demontering och montering

Demontering

1 Kylfläkten kan tas bort separat eller tillsammans med den främre panelenheten. Följ sedan beskrivningen under tillämplig underrubrik.

Kylfläkt

2 Demontera den främre stötfångaren enligt beskrivningen i kapitel 11.

3 Skruva loss de fyra bultarna och brickorna som fäster kylfläkten på den främre panelen. Ta bort kragen från baksidan av varje gummifäste **(se bild)**.

4 Lossa fästklämmorna och ta bort panelen från fläktens högra sida. Lyft sedan upp fästklämman och koppla loss kontaktdonet. Lägg fläktenheten åt sidan **(se bilder)**.

Kylfläkt och frampanel

5 Demontera kylaren enligt beskrivningen i avsnitt 4. På modeller med luftkonditionering flyttar du kondensorn och avfuktaren lite bakåt – du behöver inte koppla loss kylmedierören.

6 Skruva loss de båda bultarna som fäster huvlåset på den främre panelen. Ta sedan bort fästklämmorna och lossa huvens låsvajer från den främre panelen **(se bild)**.

6.3c Skruva bort kylfläktens 4 fästskruvarna (markerade med pil)

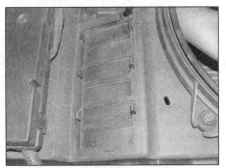

6.4a Lossa fästklämmorna och ta bort panelen . . .

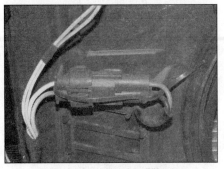

6.4b . . . lossa sedan fläktens anslutningskontakt

6.6 Skruva loss motorhuvens låsbultar och lossa vajern från dess fästklämmor (markerade med pil)

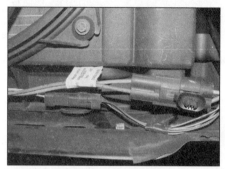

6.7 Lossa anslutningskontakterna i kylfläktpanelens vänstra hörn

6.8a Skruva loss skruven på höger . . .

6.8b . . . och vänster sida

6.12 Kylfläkt reläer

6.15 Kylfläkt resistor

7 Lossa anslutningskontakterna på panelens nedre vänstra kant **(se bild)**.
8 Lossa och ta bort de två fästskruvarna som håller fast den främre klädselpanelen. Ta försiktigt bort panelen från bilen **(se bilder)**.

7.1a Temperaturgivare för kylvätska (markerad med pil) (1,6-liters bensinmotor, 1,4-liters liknande) . . .

Montering
9 Monteringen sker i omvänd ordning.

Kylfläktsreläer
10 Reläerna sitter på den främre panelen, bakom kåpan på kylfläktens högra sida.
11 För att komma åt reläerna, ta bort stötfångaren enligt beskrivningen i kapitel 11.
12 Lossa klämmorna och ta bort kåpan från frampanelen. Reläerna kan därefter tas bort **(se bild)**.

Kylfläkt resistor
Modeller med luftkonditionering
13 Kylfläktens motstånd sitter på den främre panelen, även den på kylfläktens högra sida.
14 För att komma åt resistorn, ta bort stötfångaren enligt beskrivningen i kapitel 11.
15 Lossa kontaktdonet skruva sedan loss fästskruven och ta bort resistorn från frampanelen **(se bild)**.

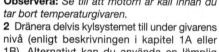

> **7 Kylsystemets elektriska givare** – allmän information, demontering och montering

Allmän information
1 De flesta modeller har endast en temperaturgivare för kylvätska, som sitter på kylvätskans utloppshus på topplockets vänstra sida **(se bilder)**. Temperaturgivaren för kylvätska och kylfläkten styrs båda av motorstyrningens elektroniska styrmodul via signaler från denna givare. Men på vissa 1,4-liters och 1,6-liters bensinmodeller finns det två givare. Den som sitter på utloppshuset hör till temperaturmätaren och den som är fäst på topplockets vänstra del (med skruvar) hör till motorstyrningens elektroniska styrmodul.

Demontering
Observera: Se till att motorn är kall innan du tar bort temperaturgivaren.
2 Dränera delvis kylsystemet till under givarens nivå (enligt beskrivningen i kapitel 1A eller 1B). Alternativt kan du använda en lämplig propp för att täppa till givaröppningen när givaren är borttagen. Om en plugg används, var noga med att inte skada brytaröppningen och använd inte något som låter främmande föremål komma in i kylsystemet. För att komma åt bättre på dieselmodeller tar du bort batteriet enligt beskrivningen i kapitel 5A.
3 Koppla loss kontaktdonet från givaren.
4 På vissa motorer är givaren fäst med klämmor. Bänd ut givarens fästlåsring och ta sedan bort givaren och tätningsringen från

7.1c . . . 2,0-liters dieselmotor . . .

7.1d . . . och 1,4-liters dieselmotor

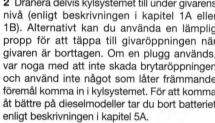

7.1b . . . 2,0-liters bensinmotor . . .

7.4 Bända ut fästklämman (markerad med pil) och dra ut givaren

huset **(se bild)**. Om systemet inte har tömts ska du plugga igen givaröppningen för att förhindra ytterligare kylvätskeförlust.

5 På alla andra motorer skruvar du loss givaren och tar bort tätningsbrickan (i förekommande fall). Om systemet inte har tömts ska du plugga igen givaröppningen för att förhindra ytterligare kylvätskeförlust.

Montering

6 På den plats där givaren var fastsatt monterar du en ny tätningsring på givaren. Tryck in givaren i huset och fäst den på plats med låsringen, se till att den är korrekt placerad i husets spår.

7 På alla andra motorer, om givaren ursprungligen var monterad med tätnings-

medel, rengör du givargängorna noggrant och applicerar ett lager nytt tätningsmedel på dem. Om givaren ursprungligen monterades med en tätningsbricka använder du en ny sådan. Montera givaren och dra åt ordentligt.

8 Återanslut kontaktdonet och sätt sedan tillbaka komponenterna som togs bort för åtkomst. Om batteriet har tagits bort ska det återmonteras.

9 Fyll på kylvätska enligt beskrivningen i *Veckokontroller*.

8 Kylvätskepump – demontering och montering

Demontering

1 Tappa ur kylsystemet (se kapitel 1A eller 1B).

2 Ta bort kamremmen enligt beskrivningen i kapitel 2A, 2B, 2C, 2D eller 2E efter tillämplighet.

Alla utom 2,0-liters SOHC bensinmotor

3 Lossa och ta bort fästbultarna och ta bort pumpen från motorn. Ta loss pumpens tätningsring/packning (efter tillämplighet) och kassera den; en ny måste användas vid återmonteringen **(se bilder)**. Observera att på vissa motorer kan inte tätningsringen separeras från pumpen – fråga din Peugeot-

handlare.

2,0-liters SOHC bensinmotor

4 Ta bort värmeskyddet från pumpen, lossa sedan bultarna som fäster pumpen på motorblocket **(se bild)**. Skruva inte loss bultarna som håller ihop pumpens båda halvor. Ta bort pumpen.

Montering

5 Se till att pumpens och motorblockets/husets fogytor är rena och torra.

6 Montera den nya tätningsringen/packningen (efter tillämplighet) på pumpen. Återmontera sedan pumpenheten och dra åt dess fästbultar ordentligt.

7 Montera tillbaka kamremmen enligt beskrivningen i kapitel 2A, 2B, 2C, 2D eller 2E (efter tillämplighet).

8 Fyll på kylsystemet enligt beskrivningen i kapitel 1A eller 1B (efter tillämplighet).

9 Värme- och ventilationssystem – allmän information

Observera: *Se avsnitt 11 för information om luftkonditioneringens del av systemet.*

Manuellt styrt system

1 Systemet för värme och ventilation består av en fläkt med fyra hastigheter

8.3a Ta bort kylvätskepumpen . . .

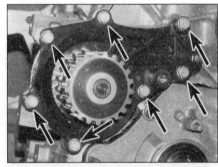

8.3b . . . och ta loss tätningsringen (1,4-liters bensinmotor)

8.3c Skruva loss kylvätskepumpens bultar (markerad med pil) (1,4-liters dieselmotor)

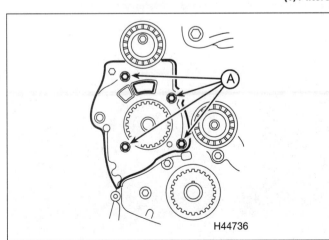

8.3d Kylvätskepumpens bultar (A) (2,0-liters dieselmotor)

H44736

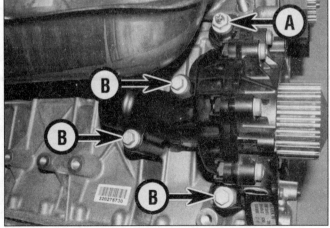

8.4 Kylvätskepumpens fästmutter (A) och bultar (B)

(bak instrumentbrädan), luftmunstycken i ansiktshöjd, mitt på och på vardera änden av instrumentbrädan samt lufttrummor till främre fotbrunnan.

2 Styrenheten sitter i instrumentbrädan, och kontrollerna styr klaffventiler som riktar och blandar luften som strömmar igenom de olika delarna av värme/ventilationssystemet. Klaffarna är placerade i luftfördelningshuset som fungerar som central fördelningsenhet och leder luften till de olika kanalerna och munstyckena.

3 Det kommer in kall luft i systemet via gallret i ventilpanelen. Om det behövs förstärks luftflödet av kompressorn och flödar sedan genom de olika lufttrummorna i enlighet med kontrollernas inställningar. Gammal luft pressas ut genom trummor placerade baktill i bilen. Om varm luft krävs, leds den kalla luften över värmepaketet, som värms upp av motorns kylvätska.

4 Man kan stänga av friskluftsintaget med en återcirkulationsspak, samtidigt som luften i bilen återcirkuleras. Den här möjligheten är bra för att förhindra otrevlig lukt att tränga in i bilen utifrån, men den bör endast användas under kortare perioder eftersom den återcirkulerade luften i bilen snart blir dålig.

5 På vissa dieselmodeller sitter det en elektrisk värmeenhet i värmarhuset. När kylvätsketemperaturen är låg värmer värmeenheten upp luften innan den kommer in i värmepaketet. På så sätt stiger värmepaketets temperatur vid kallstarter,

vilket gör att varm luft kan värma upp kupén snart efter start.

Automatisk klimatanläggning

6 Till vissa modeller erbjöds tillvalet med ett helt automatiskt elektroniskt klimatkontrollsystem. Systemets huvudkomponenter är precis desamma som de som beskrivs för det manuella systemet. Den enda större skillnaden är att temperatur- och fördelningsklaffarna styrs av elmotorer istället för vajrar.

7 Systemets drift styrs av elektroniska styrmoduler (inbyggda i fläktmotorenheten) tillsammans med följande givare.

a) *Givaren i passagerarutrymmet – informerar styrmodulen om lufttemperaturen i passagerarutrymmet.*

b) *Förångarens temperaturgivare – informerar styrmodulen om förångartemperaturen.*

c) *Värmepaketets temperaturgivare – informerar styrmodulen om värmepaketets temperatur.*

8 Med hjälp av informationen från de ovannämnda givarna bestämmer styrmodulen lämpliga inställningar för värme-/ventilationssystemhusets klaffar för att den önskade inställningen på kontrollpanelen ska behållas i passagerarutrymmet.

9 Om det uppstår ett fel i systemet ska bilen lämnas in till en Peugeot-verkstad. Då kan ett fullständigt test av systemet utföras med hjälp av en speciell elektronisk diagnostiktestenhet som enkelt kopplas till systemets diagnosuttag (sitter bredvid säkringsdosan).

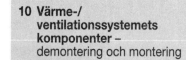

10 Värme-/ ventilationssystemets komponenter – demontering och montering

Kontrollpanel
Demontering

1 Ta bort audio-enheten (se Kapitel 12).

2 Tryck ner fästklämman och ta bort askkoppen från mittkonsolen.

3 Skruva loss de båda skruvarna under kontrollpanelen och ta bort förvaringsutrymmets gummilist **(se bild)**.

4 På modeller med manuell växellåda lossar du växelspakens damask från mittkonsolen. På modeller med automatväxellåda lossar du försiktigt klämmorna från växelväljarens sarg **(se bilder)**.

5 Börja uppifrån och lossa försiktigt klädselpanelen runt värmereglagen och för växelspakens damask/växelväljarspaken genom panelen **(se bild)**.

6 Skruva loss de fyra fästskruvarna, lossa de båda fästklämmorna och luta kontrollpanelen framåt. Ta sedan bort den från konsolen **(se bilder)**.

7 På modeller med en manuell kontrollpanel kopplar du loss kontaktdonen från kontrollpanelens baksida. Notera var varje styrvajer är monterad (ändbeslagen är färgkodade) och lossa sedan vajerfästklämmorna. Lossa vajrarna och ta bort kontrollpanelen från bilen.

10.3 Skruva loss de två skruvarna (markerad med pil) under kontrollpanelen

10.4a Lossa växelspakdamasken . . .

10.4b . . . eller lossa växelväljarens sarg

10.5 Börja uppifrån och lossa klädselpanelen

10.6a Skruva loss de fyra fästskruvarna från värmereglagepanelen (markerade med pil) . . .

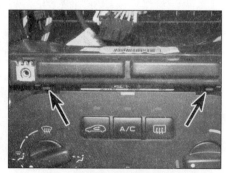

10.6b . . . och lossa fästklämmorna (markerade med pil)

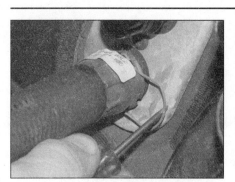

10.15 Bänd ut kabelfästklämman och koppla loss värmeslangen

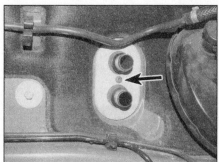

10.16 Skruva loss skruven till värmeenhetens rörspännbricka (markerad med pil)

10.18a Skruva loss skruvarna som håller fast rören vid huset (markerad med pil) . . .

8 På modeller med automatisk klimatanläggning kopplar du loss kontaktdonen och tar bort kontrollpanelen från bilen.

Montering

9 Återmonteringen sker i omvänd ordning mot demonteringen. På modeller med en manuell kontrollpanel är det viktigt att du kontrollerar att styrvajrarna är korrekt återanslutna och fästa med fästklämmorna. Kontrollera att vridreglagen fungerar som de ska innan du fäster kontrollpanelen på instrumentbrädan.

Kontrollkablar

Demontering

10 Ta bort instrumentbrädan (se kapitel 11).
11 Lossa fästklämman och koppla loss den berörda vajern från kontrollpanelens baksida och värme-/ventilationshuset. Ta bort vajern och notera hur den är dragen.

Montering

12 Monteringen utförs i omvänd ordningsföljd mot demonteringen, se till att vajern hålls fast ordentligt av klämmorna. Kontrollera att kontrollpanelen och vajrarna fungerar som de ska innan du återmonterar instrumentbrädan

Värmeväxlare

Demontering

13 För att förbättra åtkomsten till värmepaketets anslutningar på mellanväggen,

ta bort batteriet och batterihyllan enligt beskrivningen i kapitel 5A. Ta bort luftrenarhusets insugskanal efter tillämplighet (se kapitel 4A eller 4B).
14 Tappa ur kylsystemet (se kapitel 1A eller 1B). Alternativt kan du klämma av värmepaketets kylvätskeslangar för att minimera kylvätskeförlusten.
15 Lossa fästklämmorna och koppla kylvätskeslangarna från motorrummets mellanvägg **(se bild)**.
16 Lossa och ta bort skruven som håller fast värmepaketets rör till mellanväggen och ta bort spännbrickan och tätningen **(se bild)**.
17 Placera en behållare under värmepaketets röranslutning på värme-/ventilationshusets vänstra sida för att fånga upp eventuell utspilld kylvätska.
18 Skruva loss skruvarna som fäster värmepaketets rör på huset och lossa klämmorna som fäster rören på värmepaketet **(se bild)**.
19 Lossa rören från värmepaketet, fånga upp kylvätskan i behållaren, och lossa dem sedan från mellanväggen och ta bort dem från bilen. Ta loss tätningsringarna på röranslutningarna och kasta bort dem. du måste sätta dit nya vid monteringen. Var noga med att inte tappa bort mellanväggens tätning eller spännbrickan från rören.
20 Lossa fästklämmorna och skjut sedan ut värmepaketet från huset. Håll värmepaketets anslutningar uppåt när värmepaketet tas bort för att förhindra att det rinner ut kylvätska (se bild).

Montering

21 Skjut försiktigt in värmepaketet i huset och fäst det på plats med hjälp av klämmor.
22 Se till att mellanväggens tätning och spännbricka monteras korrekt på värmepaketets rör och montera en ny tätningsring på varje röranslutning. Passa in rörenheten och fäst den på värmepaketet.
23 Arbeta i motorrummet, sätt tillbaka tätningen och spännbrickan på värmepaketets rör och dra åt fästskruven ordentligt. Ta bort klämmorna (i förekommande fall). Återanslut sedan kylvätskeslangarna, fäst dem på plats med fästklämmorna.
24 Montera tillbaka batteriet (se kapitel 5A).
25 Fyll på kylsystemet (se kapitel 1A eller 1B).

Värmefläktens motor

Demontering

26 Fläktmotorn monteras ovanpå värme-/ventilationshuset, på vänster sida.
27 På högerstyrda modeller tar du bort handskfacket (se avsnitt 27 i kapitel 11). Då kommer du åt motorn via handskfacksöppningen.
28 På vänsterstyrda modeller tar du bort rattstången enligt beskrivningen i kapitel 10 för att komma åt motorn.
29 Om det behövs lossar du och tar bort fästskruven som fäster motorn på huset (den här skruven kanske saknas).

10.18b . . . och värmepaketet (markerad med pil) . . .

10.18c . . . lossa sedan fästklämmorna

10.20 Skjut bort värmepaketet från huset

10.31a Vrid motorkåpan medurs . . .

10.31b . . . och ta bort fläktmotor

10.34 Sträck in händerna genom fläktmotoröppningen och vrid på motståndet (markerad med pil) för att ta bort det

30 Lossa kontaktdonet från fläktmotorn.
31 Rotera motorn medurs för att lossa den från huset och ta sedan bort den från sin plats **(se bilder)**.

Montering

32 Montera i omvänd ordningsföljd mot demonteringen. Om motorn inte sitter säkert i huset ska den fästas med en självgängande skruv i det därför avsedda hålet.

Värmefläktmotorns resistor

Demontering

33 Ta bort värmefläktmotorn enligt tidigare beskrivning.
34 Sträck in handen genom fläktmotoröppningen och vrid motståndet för att lossa det. Dra sedan ner det i kanalen. Lossa kontaktdonet och ta bort resistorn från huset **(se bild)**.

Montering

35 Passa in motståndet på plats och anslut det till kontaktdonet. När kontaktdonet sitter säkert passar du in motståndet i kanalen och fäster det på plats. Montera tillbaka de komponenter som du eventuellt har tagit bort för att komma åt.

Husenhet

Modeller utan luftkonditionering – demontering

36 För att förbättra åtkomsten till värmepaketets anslutningar på mellanväggen, ta bort batteriet och batterihyllan enligt beskrivningen i kapitel 5A. Ta bort luftrenarhusets insugskanal efter tillämplighet (se kapitel 4A eller 4B).
37 Tappa ur kylsystemet (se kapitel 1A eller 1B). Alternativt kan du arbeta i motorrummet och klämma av värmepaketets kylvätskeslangar för att minimera kylvätskeförlusten.
38 Lossa fästklämmorna och koppla kylvätskeslangarna från motorrummets mellanvägg **(se bild 10.15)**.
39 Lossa och ta bort skruven som håller fast värmepaketets rör till mellanväggen och ta bort spännbrickan och tätningen **(se bild 10.16)**.
40 Skruva loss bulten som fäster värme-/ventilationshuset på mellanväggen **(se bild)**.

41 Demontera hela instrumentbrädan enligt beskrivningen i kapitel 11.
42 Lossa kontaktdonen från värme-/ventilationshusets komponenter. Ta sedan bort huset och kontrollpanelenheten från bilen. Håll värmepaketets röranslutningar uppåt när enheten tas bort för att förhindra att det rinner ut kylvätska.
43 Ta loss tätningen och spännbrickan från värmepaketets rör och tätningen från husets fäste. Byt ut tätningarna om de visar tecken på skador eller åldrande.

Modeller utan luftkonditionering – återmontering

44 Monteringen utförs i omvänd ordningsföljd mot demonteringen, se till att tätningarna är på plats på rören och husfästet. Avsluta med att fylla på kylsystemet (se kapitel 1A eller 1B).

Modeller med luftkonditionering – demontering

⚠️ *Varning: Se även föreskrifterna för arbete på modeller med luftkonditionering i avsnitt 11. Försök inte att utföra följande om systemet inte först har tömts av en fackman.*
45 Låt en luftkonditioneringsspecialist tömma systemet. Införskaffa pluggar som du använder för att täppa till luftkonditioneringsrörens anslutningar när systemet är frånkopplat.
46 Utför de åtgärder som beskrivs i punkt 36 till 39.
47 Skruva loss de två muttrarna som håller fast luftkonditioneringsröret vid mellanväggen **(se bild)**. Separera rören från

10.40 Värme/ventilationshusets fästbult (markerad med pil)

förångaren och täpp snabbt till röret och förångaranslutningarna för att förhindra att det kommer in fukt i kylmediekretsen. Kasta tätningsringarna, eftersom nya måste användas vid återmonteringen.

⚠️ *Varning: Om du inte stänger till kylmedierörens anslutningar skadas avfuktarbehållaren och då måste den bytas.*
48 Ta bort värme-/ventilationshuset enligt punkt 40 till 43 och ta bort tätningen från förångaren.

Modeller med luftkonditionering – återmontering

49 Se till att mellanväggens tätningar sitter rätt placerade på förångaren, värmepaketets rör och husfästet. Sätt huset på plats, passa in dräneringsslangen i hålet i golvet.
50 Sätt löst tillbaka husets fästbult. Sätt sedan tillbaka spännbrickan på värmepaketets rör och sätt tillbaka fästskruven löst.
51 Smörj förångarens nya anslutningstätningsringar med kompressorolja. Ta bort pluggarna och sätt dit tätningsringarna. Sätt sedan snabbt tillbaka kylmedieröranslutningen på förångaren. Se till att kylmedierören och förångaren kopplas ihop på rätt sätt. Sätt sedan tillbaka fästmuttrarna och dra åt dem ordentligt.
52 Dra åt fästskruven på värmepaketets rör ordentligt. Dra åt husets fästbult ordentligt.
53 Ytterligare återmontering sker i omvänd ordningsföljd. Avsluta med att fylla på kylsystemet (se kapitel 1A eller 1B).

10.47 Skruva loss de båda muttrarna som fäster luftkonditioneringsrören på motorrummets mellanvägg

10.55 Lossa passagerarutrymmets lufttemperaturgivare från ljudanläggningens öppning (markerad med pil)

Temperaturgivare för kupéluft

54 Ta bort ljudanläggningen enligt beskrivningen i kapitel 12.
55 Lossa givaren från öppningen och koppla loss anslutningskontakten **(se bild)**.
56 Monteringen sker i omvänd ordningsföljd mot demonteringen.

Extra värmare – dieselmodeller

Demontering

57 På högerstyrda modeller tar du bort handskfacket och passagerarsidans mittersta undre kåpa enligt beskrivningen i kapitel 11.
58 På vänsterstyrda modeller tar du bort klädselpanelen ovanför pedalerna, lossar de båda fästena och tar bort klädselpanelen på mittkonsolen, bredvid pedalerna.
59 Skruva loss bulten som fäster värmeenhetens jordanslutning.
60 Lossa värmeenhetens anslutningskontakt. Skruva sedan loss skruven, lossa fästklämman längst ner på enheten och skjut bort värmeenheten från huset **(se bild)**.

Montering

61 Montera i omvänd ordningsföljd mot demonteringen.

Luftåtercirkulationsmotor

62 På högerstyrda modeller tar du bort instrumentbrädans nedre klädselpanel. Skruva sedan loss de båda fästena och ta bort mittkonsolens sidopanel framtill (alldeles intill pedalerna).
63 Lossa motorns anslutningskontakt, skruva loss bultarna och ta bort motorn **(se bild)**.
64 Monteringen sker i omvänd ordningsföljd mot demonteringen.

Yttertemperaturgivare

65 Givaren för omgivningstemperatur sitter på undersidan av passagerarsidans yttre backspegel. Ta bort givaren genom att ta bort spegelkåpan enligt beskrivningen i kapitel 11.
66 Lossa givaren från spegelkåpan. När du ska koppla loss anslutningskontakten måste du ta bort dörrens klädselpanel enligt beskrivningen i kapitel 11.

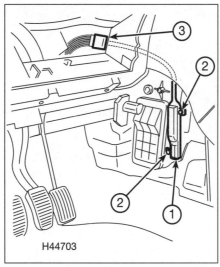

H44703

10.60 Extra värmeenhet på dieselmodeller (vänsterstyrd)

1 Anslutningskontakt   *3 Värmare*
2 Skruv och klämma

---

11 Luftkonditioneringssystem – allmän information och föreskrifter

Allmän information

1 Vissa modeller är utrustade med luftkonditioneringssystem. Det kan sänka den inkommande luftens temperatur, och även avfukta luften, vilket ger snabbare imborttagning och ökad komfort.
2 Kyldelen av systemet fungerar på samma sätt som i ett vanligt kylskåp. Kylmedia i gasform sugs in i en remdriven kompressor och passerar en kondenserare som är monterad framför kylaren, där värmen avges och gasen övergår till flytande form. Vätskan passerar genom en expansionsventil till en förångare där den omvandlas från vätska under högt tryck till gas under lågt tryck. Denna förändring åtföljs av ett temperaturfall som kyler ner förångaren. Kylgasen återvänder till kompressorn och cykeln börjar om.
3 Luft strömmar genom förångaren till värme-/ventilationshuset där den blandas med varmluft som passerat värmepaketet så att önskvärd kupétemperatur uppnås.
4 Värmedelen av systemet fungerar precis som i modeller utan luftkonditionering (se avsnitt 9).
5 Systemets drift sköts elektroniskt av styrmodulen som är inbyggd i kontrollpanelen. Vid problem med systemet ska man kontakta en Peugeot-verkstad, eller annan lämplig specialist.

Föreskrifter

6 Om ett luftkonditioneringssystem är installerat, måste särskilda säkerhetsåtgärder följas när man arbetar med systemet eller dess

---

10.63 Luftåtercirkuleringsmotor

associerade komponenter. Kylmedlet kan vara farligt och får hanteras endast av kvalificerade personer. Okontrollerat utsläpp av kylmediet är farligt och skadligt för miljön av följande skäl:

a) *Om det stänker på huden kan det orsaka köldskador.*
b) *Kylmediet är tyngre än luft och förflyttar därför syre. I ett begränsat utrymme med dålig ventilation kan detta innebära risk för kvävning. Gasen är lukt- och färglös så man får ingen förvarning om att den läckt ut i luften.*
c) *Även om det inte är giftigt bildar kylmediet tillsammans med en låga (eller en cigarett) en skadlig gas som orsakar huvudvärk, illamående etc.*

 Varning: Försök aldrig att öppna ett luftkonditioneringssystems kylmedierör/slanganslutning utan att först ha låtit en luftkonditioneringsspecialist tömma systemet helt. Avsluta arbetet med att låta fylla på systemet igen med rätt sorts oanvänt kylmedium.

Varning: Täpp alltid till frånkopplade kylmedierör/ slanganslutningar så snart de har kopplats loss. Om någon anslutning saknar en lufttät förslutning skadar detta avfuktarens behållare, och då måste den bytas. Byt också alla tätningsringar som har rörts.

Varning: • *Använd inte luftkonditionerings- systemet om det innehåller för lite kylmedel eftersom det kan skada kompressorn.*

12 Luftkonditionerings- systemets komponenter – demontering och montering

 Varning: Se föreskrifterna i avsnitt 11 och låt en specialist tömma luftkonditioneringssystemet innan du utför något arbete på det

Kompressor

Demontering

1 Låt en specialist tömma luftkonditioneringssystemet helt.

12.4 Skruva loss fästmuttrarna från kylmedierörens spännbrickor

12.5 Ta bort kompressorns fästbultar (markerad med pil)

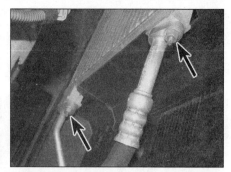

12.14 Skruva loss muttrarna (markerad med pil) som håller fast kylmedierören till kondensatorn

2 Ta bort drivremmen enligt beskrivningen i kapitel 1A eller 1B (efter tillämplighet).
3 Koppla loss kompressorns kontaktdon från motorns kabelnät.
4 Skruva loss muttrarna som håller fast kylmedierörens spännbrickor till kompressorn **(se bild)**. Separera rören från kompressorn och täpp snabbt till röret och kompressoranslutningarna för att förhindra att det kommer in fukt i kylmediekretsen. Kasta tätningsringarna, eftersom nya måste användas vid återmonteringen.

 Varning: Om du inte stänger till kylmedierörens anslutningar skadas avfuktarbehållaren och då måste den bytas.

5 Skruva loss kompressorns fästbultar och muttrar. Lossa sedan kompressorn från dess fästbyglar och ta bort den från motorn **(se bild)**. Var försiktig så att du inte lossar distansbrickorna från kompressorns bakre fästen (i förekommande fall).
6 Om kompressorn ska bytas tömmer du ut kylmedieoljan från den gamla kompressorn. Specialisten som fyller på kylmediesystemet måste fylla på samma mängd olja i systemet.

Montering

7 Om en ny kompressor ska monteras, töm ut kylmediet.

8 Se till att distansbrickorna monteras korrekt på de bakre fästena. Passa sedan in kompressorn och sätt dit fästbultarna och muttrarna. Dra först åt kompressorns främre fästbultar (sidan med drivremmens remskiva) till angivet moment. Dra sedan åt de bakre bultarna.
9 Smörj kylmedierörens nya tätningsringar med kompressorolja. Ta bort pluggarna och montera tätningsringarna. Sätt sedan snabbt dit kylmedierören på kompressorn. Se till att kylmedierören kopplas ihop på rätt sätt. Sätt sedan tillbaka fästbulten och dra åt den ordentligt.
10 Återanslut kontaktdonet ordentligt och montera sedan tillbaka drivremmen
11 Låt en specialist fylla på luftkonditioneringssystemet med rätt typ och rätt mängd kylmedium innan du använder systemet. Kom ihåg att informera specialisten om vilka delar som har bytts så att han/hon kan fylla på rätt mängd olja.

Kondensor

Demontering

12 Låt en specialist tömma luftkonditioneringssystemet helt.
13 Demontera kylaren enligt beskrivningen i avsnitt 4.

14 Skruva loss fästmuttrarna och koppla loss kylmedierören från kondensorns högra sida. Ta loss O-ringstätningarna **(se bild)**.

 Varning: Om du inte stänger till kylmedierörens anslutningar skadas avfuktarbehållaren och då måste den bytas.

15 Flytta kondensorns övre del bakåt och ta bort den.

Montering

16 Monteringen sker i omvänd ordningsföljd mot demonteringen. Observera följande:
a) Se till att de övre och nedre gummifästena monteras korrekt. Passa sedan in kondensorn i den främre panelen **(se bild)**.
b) Smörj tätningsringarna med kompressorolja. Ta bort pluggarna och montera tätningsringarna. Sätt sedan snabbt dit kylmedierören på kondensorn. Dra åt avfuktarens röranslutningsmutter ordentligt och se till att kompressorröret är korrekt anslutet.
c) Låt en specialist fylla på luftkonditioneringssystemet med rätt typ och rätt mängd kylmedium innan du använder systemet.

12.16a Se till att kondensorns övre (markerad med pil) . . .

12.16b . . . och nedre (markerad med pil) fästen är korrekt monterade

12.19a Skruva loss skruven och ta bort klämman (markerad med pil) . . .

12.19b . . . skruva sedan loss behållar-/avfuktarkassetten

12.19c Byt kassettens tätning

Mottagare/torkare

Demontering

17 Mottagaren/torkaren är placerat på vänstra sidan av kondensatorn. Låt en specialist tömma luftkonditioneringssystemet helt.
18 Demontera kylaren enligt beskrivningen i avsnitt 4.
19 Skruva loss skruven och ta bort klämman högst upp. Dra sedan kondensorns övre del lite bakåt och skruva loss behållar-/avfuktarkassetten med ett T70 torxbit. Var noga med att inte dra kondensorn för långt, det kan skada kylmedierören **(se bild).**

 Varning: Innan du lossar klämman ska avfuktaren rengöras och torkas torr för att undvika att det kommer in fukt/smuts i luftkonditioneringskretsen

Montering

20 Montering sker i omvänd ordningsföljd. Observera följande:
a) *Smörj in kassettens tätningar med kompressorolja.*
b) *Låt en specialist fylla på luftkonditioneringssystemet med rätt typ och rätt mängd kylmedium innan du använder systemet.*

Förångare

Demontering

21 Låt en specialist tömma luftkonditioneringssystemet helt.
22 Ta bort värme-/ventilationshuset enligt beskrivningen i avsnitt 10.
24 Notera hur anslutningskontakterna och

kablaget sitter monterade och koppla loss dem från huset.
25 Lossa fästklämmorna, skruva loss skruvarna och dela på värmeenhetens hus båda halvor **(se bilder).**

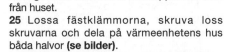

12.25a Skruva loss de olika skruvarna och klämmorna runt huset (markerad med pil) . . .

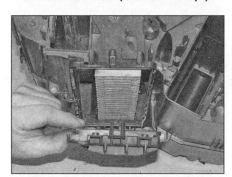

12.25c . . . ta bort den nedre kåpan . . .

26 När husets båda halvor är separerade skruvar du loss de två skruvarna, tar bort rörkåpan och skjuter sedan bort förångaren från huset **(se bilder).**

12.25b . . . inklusive de som är dolda på sidorna (markerade med pil) . . .

12.25d . . . och separera husets 2 halvor

12.26a Skruva loss skruvarna (markerade med pil), ta bort rörkåpan . . .

12.26b . . . skjut sedan ut förångaren ur huset

12.26c Se till att mutterplattan sitter på plats när du återmonterar förångaren

12.31a Skruva loss de 2 pinnbultarna (markerad med pil) med hjälp av en torxhylsa

12.31b Byt expansionsventilstätningarna på rören

Montering

27 Monteringen utförs i omvänd ordningsföljd mot demonteringen. Låt en specialist fylla på luftkonditioneringssystemet med rätt sorts och rätt mängd kylmedium innan du använder systemet.

Expansionsventil

Demontering

28 Låt en specialist tömma luftkonditioneringssystemet helt.

29 Ta bort det ljudisolerande materialet/ värmeskölden från motorrummets mellanvägg (i förekommande fall).

30 Skruva loss muttrarna som fäster kylmedierören till anslutningen på motorrummets mellanvägg. Täpp igen öppningarna så att inte smuts/fukt kommer in. Kasta O-ringstätningarna – nya tätningar måste användas vid återmonteringen.

 Varning: Om du inte stänger till kylmedierörens anslutningar skadas behållaren/avfuktaren och måste då bytas

31 Dra loss tätningen runt röranslutningen på mellanväggen. Skruva sedan loss de båda pinnbultarna med en torxnyckel och ta bort expansionsventilen **(se bilder)**. Kasta O-ringstätningarna – nya tätningar måste användas vid återmonteringen.

Montering

32 Monteringen utförs i omvänd ordningsföljd mot demonteringen. Låt en specialist fylla på luftkonditioneringssystemet med rätt sorts och rätt mängd kylmedium innan du använder systemet.

Kapitel 4 Del A:
Bränsle- och avgassystem – bensinmodeller

Innehåll

Svårighetsgrad

Enkelt, passar novisen med lite erfarenhet	Ganska enkelt, passar nybörjaren med viss erfarenhet	Ganska svårt, passar kompetent hemmamekaniker	Svårt, passar hemmamekaniker med erfarenhet	Mycket svårt, för professionell mekaniker

Specifikationer

Motoridentifiering

	Beteckning	Motorkod
1,4 liter	TU3JP	KFW
1,4 liter	ET3JP4	KFU
1,6 liter	TU5JP4	NFU
2,0 liter	EW10J4 IFL5	RFN
2,0 liter	EW10A	RFJ

Systemtyp

1,4-liters modeller:
TU3 . . . . Sagem S2000
ET3 . . . . Marelli 6LP
1,6-liters modeller. . . . . Bosch Motronic ME7.4.4
2,0-liters modeller. . . . . Magneti Marelli 4.8P, 4.8P2, 4MP2, 6LP1 eller 6LPB

Bränslesystemdata

Bränslepump typ . . . . Elektrisk, nedsänkt i bränsletanken
Bränslepumpens styrda konstanttryck. 3,5 ± 0,2 bar
Angivet tomgångsvarvtal . . . . 850 ± 100 varv/minut (ej justerbart – styrs av ECU)
Tomgångsblandningens CO-halt . . . . Mindre än 1,0 % (ej justerbart – styrs av ECU)

Rekommenderat bränsle

Min. oktantal . . . . 95 oktan blyfritt

Åtdragningsmoment

	Nm
Avgasgrenrör till katalysator	15
Avgasgrenrör till topplock muttrar	20
Insugsrör muttrar:	
M6	10
M8	20
Hjulbultar	90

2.1 Lossa fästklämmorna och ta bort luftintagskanalen

1 Allmän information och föreskrifter

1 Bränslematningssystemet består av en bränsletank (som sitter under bilens bakre del och där en elektrisk bränslepump är nedsänkt), ett bränslefilter och bränslematnings- och returledningar. Bränslepumpen tillför bränsle till bränslefördelarskenan som fungerar som en behållare för de fyra bränsleinsprutarna som sprutar in bränsle i insugssystemet. Bränslefiltret som är inbyggt i matningsledningen från pumpen till bränslefördelarskenan ser till att bränslet som kommer till insprutningsventilerna är rent.

2 Se avsnitt 6 för mer information om hur man hanterar motorstyrningssystemet, och avsnitt 16 för information om avgassystemet.

⚠ *Varning: Många av rutinerna i detta kapitel kräver att bränsleslangar och anslutningar kopplas loss, vilket kan resultera i bränslespill. Innan arbetet på bränslesystemet påbörjas, se föreskrifterna i "Säkerheten främst!" i början av denna handbok och följ dem till punkt och pricka. Bensin är en ytterst brandfarlig vätska och säkerhetsföreskrifterna för hantering kan inte nog betonas.*

Observera: *Övertrycket kommer att vara kvar i bränsleledningarna långt efter att bilen senast kördes. Innan du kopplar från några bränsleledningar måste du tryckutjämna*

3.1 Ta bort fjäderklämman (markerad med pil) från vajerhöljet

2.2 Tryck ner fästklämman (markerad med pil) och lyft bort luftrenarhuset från dess fästbygel

bränslesystemet enligt beskrivningen i avsnitt 7.

2 Luftrenare och luftkanaler – demontering och montering

Demontering

1 Lossa fästklämmorna och frigör sedan kanalen från grenröret och luftrenarhuset, och ta bort den från motorrummet **(se bild)**.

2 Tryck ner fästklämman på sidan. Lyft sedan bort luftrenarhuset från dess fästbygel och ta bort det från motorrummet. Ta loss gummifästet som sitter på husets nedre styrstift och tätningsringen från husets inloppskanal **(se bild)**.

3 För att ta bort insugskanalen, klossa bakhjulen och dra åt handbromsen. Lyft sedan upp framvagnen och ställ den på pallbockar (se *Lyftning och stödpunkter*). Tryck mittsprintarna något, bänd sedan ur hela plastnitarna och ta bort det vänstra hjulhusfodret. Ta bort fästbultarna och ta bort kanalenheten från bilen (på 1,6- och 2,0-liters motorer är en resonatorkammare inbyggd i kanalen för att minska insugsljudet).

Montering

4 Monteringen utförs i omvänd ordningsföljd mot demonteringen. Se till att alla slangar och kanaler är rätt återanslutna och placerade och, där det behövs, att de hålls fast av fästklämmorna.

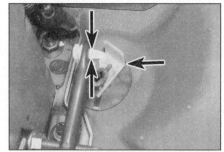

3.4 Tryck ihop flikarna (markerade med pil), lossa den inre vajern från gaspedalen och dra sedan ut genomföringsklämman (markerad med pil)

3 Gasvajer – demontering, återmontering och justering

Demontering

1 Arbeta i motorrummet, lossa gaspedalens inre vajer från gasspjällshusets kam och dra sedan loss vajerhöljet från dess fästbygels gummigenomföring. Ta loss fjäderklämman från den yttre vajern **(se bild)**.

2 Arbeta längs kabeln, observera hur den är dragen och ta loss den från alla fästklamrar och fästena.

3 Arbeta inuti bilen, bänd upp centrumsprintarna lite, bänd sedan ut hela plastnitarna och ta bort panelen ovanför förarens pedaler.

4 Sträck in handen bakom instrumentbrädan och tryck ihop fästklämmans sidor. Lossa sedan den inre vajern från gaspedalens ovansida och dra ut klämman som fäster torpedväggens genomföring **(se bild)**.

5 Bind en bit snöre runt vajeränden.

6 Återgå till motorrummet, lossa vajergenomföringen från mellanväggen och dra bort vajern. När du ser vajeränden knyter du upp du snöret och lämnar kvar det – det kan användas för att dra tillbaka vajern på plats vid återmonteringen.

Montering

7 Bind fast snöret på vajeränden och använd sedan snöret för att dra vajern på plats genom mellanväggen. När du ser vajeränden knyter du upp snöret och fäster sedan den inre vajern på pedaländen.

8 Montera tillbaka torpedväggens genomföringsklämma.

9 Arbeta inifrån motorrummet och se till att vajerhöljet är korrekt placerat i torpedväggens genomföring. Arbeta sedan längs med vajern, fäst den på plats med fästklämmorna och snörena och se till att vajerdragningen är rätt.

10 Dra vajerhöljet genom dess fästbygelgenomföring och återanslut den inre vajern på gasspjällskammen. Justera vajern enligt beskrivningen nedan.

Justering

11 Ta bort fjäderklämman från gaspedalens yttre vajer **(se bild 3.1)**. Se till att gasspjällskammen ligger helt mot sitt stopp och dra försiktigt ut vajern från genomföringen tills allt slack har försvunnit från den inre vajern.

12 Med vajeränden i detta läge sätter du tillbaka fjäderklämman på det sista exponerade vajerhöljesspåret framför gummigenomföringen. När klämman sätts tillbaka och vajerhöljet lossas ska det endast finnas kvar ytterst lite slack i den inre vajern.

13 Be en medhjälpare att trycka ner gaspedalen och kontrollera att gasspjällskammen öppnas helt och smidigt återgår till stoppet.

4 Gaspedal – demontering och montering

Demontering

Modeller med gasvajer

1 Lossa gasvajern från pedalen enligt beskrivningen i föregående avsnitt.

2 På högerstyrda modeller tar du bort fästklämman och skjuter sedan ut bussningen och tar bort gaspedalen från pedalens svängtapp **(se bild)**.

3 På vänsterstyrda modeller tar du bort fästklämman och skjuter sedan bort pedalen från dess svängtapp. Svängtappen är fäst med skruv i karossen.

Modeller utan gasvajer

4 Lossa fästena och ta bort klädselpanelen ovanför pedalerna

5 Koppla loss anslutningskontakten till gaspedalens lägesgivare från pedalens ovansida.

6 Skruva loss de tre muttrarna och ta bort pedalen **(se bild)**.

Montering

7 Montera i omvänd ordningsföljd mot demonteringen. På modeller med vajer applicerar du lite flerfunktionsfett på pedalens tappspets och justerar gasvajern enligt beskrivningen i avsnitt 3.

5 Blyfri bensin – allmän information och användning

Observera: *Informationen i detta kapitel är korrekt i skrivande stund. Om du behöver uppdaterad information, kontakta en Peugeot-verkstad. Om du ska resa utomlands, hör efter med en motororganisation eller liknande vilken sorts bränsle som finns tillgängligt.*

1 Det bränsle som Peugeot rekommenderar anges i avsnittet Specifikationer i detta kapitel.

2 Samtliga modeller är avsedda att köras på bränsle med lägsta oktantal på 95. Samtliga modeller har en katalysator som endast får köras på blyfritt bränsle.

3 Super blyfri bensin (98 oktan) kan också användas i alla modeller, men det ger inga fördelar.

6 Motorstyrningssystem – allmän information

Observera: *Bränsleinsprutningens ECU är av den "självlärande" typen, vilket innebär att den medan den är igång också övervakar och sparar inställningar som ger optimala motorprestanda*

4.2 Ta bort klämman (markerad med pil) och skjut ut bussningen

under alla driftförhållanden. När kablaget kopplas loss raderas alla de lagrade värdena, och den elektroniska styrenheten blir återställd. Vid en nystart kan detta leda till att motorns gång/tomgång blir lite ojämn en kort stund, tills ECU:n har lärt sig de bästa inställningarna. Denna process utförs lättast genom att man kör bilen på ett landsvägsprov (i cirka 15 minuter), där man testar alla motorhastigheter och belastningar, med huvudkoncentrationen på området mellan 2 500 och 3 500 varv/minut.

På alla motorer har bränsleinsprutningen och tändningsfunktionerna kombinerats till ett enda motorstyrningssystem. Systemen är tillverkade av Bosch, Magneti Marelli och Sagem, och är mycket lika varandra i de flesta avseenden. De enda större skillnaderna ligger i programvaran i ECU:n och den exakta komponentplaceringen beroende på motortyp. Varje system har en katalysator med sluten slinga och ett avdunstningsregleringssystem, och uppfyller de senaste standarderna för avgasrening. Se kapitel 5B för information om tändningen i respektive system. Bränsledelen av systemet fungerar enligt följande.

Bränslepumpen matar bränsle från tanken till bränslefördelarskenan via en utbytbar filterpatron på bränsletankens sida. Själva pumpen sitter inuti tanken, med pumpmotorn permanent nedsänkt i bränsle för att hålla den sval. Bränslefördelarskenan sitter precis ovanför bränsleinsprutarna och fungerar som bränslebehållare.

Bränslefördelarskenans matningstryck styrs av tryckregulatorn, som också sitter

4.6 Gaspedalens monteringsmuttrar (markerade med pil)

i bränsletanken. Regulatorn innehåller en fjäderbelastad ventil som lyfts upp för att överblivet bränsle ska kunna återcirkulera inom tanken när bränslesystemets optimala arbetstryck överskrids (t.ex. vid låg fart, körning med låg belastning etc.).

Bränsleinsprutarna är elektromagnetiska nålventiler som sprejar finfördelat bränsle in i insugsgrenrörens kanaler, och styrs av motorstyrningssystemets ECU. Det finns fyra insprutningsventiler, en per cylinder, som är fästa i insugsgrenröret nära topplocket. Varje insprutningsventil är fäst i en vinkel som gör att den kan spruta in bränsle rakt på insugsventilens/ventilernas baksida. ECU:n styr mängden bränsle som sprutas in genom att variera den tid som varje insprutningsventil hålls öppen. Bränsleinsprutningssystemet är normalt sekventiellt, där varje insprutningsventil fungerar separat i en cylindersekvens.

Det elektriska styrsystemet består av ECU:n tillsammans med följande givare:

a) *Gasspjällspotentiometer – informerar ECU:n om gasspjällets läge och spjällets öppnings-/stängningstakt (inte på alla modeller)*.*

b) *Motorns temperaturgivare för kylvätska informerar den elektroniska styrenheten om motorns temperatur.*

c) *Temperaturgivare för insugsluft – informerar ECU:n om temperaturen på luften som går genom gasspjällshuset.*

d) *Lambdasonder – informerar ECU:n om syrehalten i avgaserna (förklaras närmare i del C i detta kapitel).*

e) *Grenrörstryckgivare – informerar ECU:n om motorbelastningen (uttrycks som insugsgrenrörets vakuum).*

f) *Vevaxelns lägesgivare – informerar ECU:n om motorvarvtalet och vevaxelns vinkelläge.*

g) *Hastighetsgivare – informerar ECU:n om bilens hastighet (inte på alla modeller).*

h) *Knackgivare – informerar ECU:n om förtändning (detonation) i cylindrarna*

i) *Kamaxelgivare – informerar ECU:n om vilken cylinder som är i förbränningstakten på system med sekventiell insprutning*

j) *Gaspedalens lägesgivare – informerar ECU:n om pedalens läge och förändringstakten*

k) *Gasspjällets justeringsmotor – gör det möjligt för ECU:n att styra gasspjällsläget*

l) *Motoroljetemperaturgivare – informerar ECU:n om motoroljans temperatur*

m)*Kopplings- och bromspedallägesgivare – informerar ECU:n om pedalernas lägen*

* 2,0-liters bensinmotorer kan ha ett manuellt gasspjällshus med en gasvajer, eller ett motorstyrt gasspjällshus utan vajer.

Signaler från var och en av givarna jämförs av ECU:n som, baserat på informationen, väljer lämpligt svar på dessa värden, och styr bränsleinsprutarna (varierar pulsbredden – den tid insprutningsventilerna hålls öppna – för att ge en fetare eller magrare luft-/bränsleblandning, efter behov). ECU:n

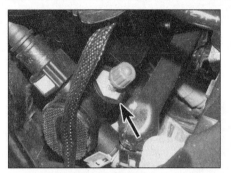

7.2 Bränsletrycksavlastningsventil (markerad med pil)

varierar hela tiden luft-/bränsleblandningen för att skapa bästa möjliga inställningar för igångdragning av motor, start (antingen med varm eller kall motor) och uppvärmning av motorn, tomgång, körning på låg hastighet och accelerationer.

ECU:n har också full kontroll över motorns tomgångsvarvtal via en stegmotor som sitter på gasspjällshuset. Stegmotorn styr antingen den luftmängd som passerar genom en förbikopplingsöppning i gasspjällets sida eller själva gasspjällets läge, beroende på modell. På vissa modeller informerar en givare ECU:n om gaspedalens läge och förändringstakt. ECU:n styr sedan gasspjället med hjälp av en gasspjällsställmotor som är inbyggd i gasspjällshuset – det finns ingen gasvajer. På 1,6-liters modeller är gasvajern ansluten till en givare i motorrummets främre vänstra hörn. Givaren informerar ECU:n om gaspedalens läge. ECU:n utför också "finjusteringar" av tomgångsvarvtalet genom att variera tändningsinställningen för att öka eller minska motorns vridmoment på tomgång. På så sätt stabiliseras tomgångsvarvtalet när elektriska eller mekaniska belastningar (t.ex. strålkastare, luftkonditionering etc.) slås på och av.

Gasspjällshuset har också ett elektriskt värmeelement. Värmeenheten strömmatas av ECU:n, vilket värmer upp gasspjällshuset vid kallstarter för att förhindra att det bildas is på gasspjället.

Avgas-ochavdunstningsregleringssystemen beskrivs närmare i kapitel 4C.

Om något av de avlästa värdena från temperaturgivaren för kylvätska, temperaturgivaren för insugsluft eller lambdasonden är onormala, övergår ECU:n till sitt "beredskapsläge". Om detta inträffar åsidosätts den felaktiga givarsignalen, och ECU:n antar ett förprogrammerat "beredskapsvärde", där motorn kan fortsätta att gå, dock med minskad effekt. Om styrmodulens säkerhetsläge aktiveras tänds varningslampan på instrumentbrädan och relevant felkod lagras i styrmodulens minne.

Om varningslampan tänds ska bilen köras till en Peugeot-verkstad eller en specialist så snart som möjligt. Där kan ett fullständigt test av motorstyrningssystemet utföras med hjälp av en speciell elektronisk felsökningsenhet. Enheten ansluts till systemets diagnosuttag, som sitter bakom klädselpanelen till höger om rattstången.

7 Bränslesystem – tryckutjämning och trycksättning

Observera: Läs varningen i avsnitt 1 innan du fortsätter.

Tryckutjämning

⚠ **Varning: Följande moment kommer endast att minska trycket i bränslesystemet – kom ihåg att det fortfarande kommer att finnas bränsle i systemkomponenterna, och vidta lämpliga säkerhetsåtgärder innan du kopplar bort någon av dem.**

1 Det bränslesystem som avses i det här avsnittet definieras som en bränslepump fäst på tanken, ett bränslefilter, bränsleinsprutare, bränslefördelarskenan, samt de rör som är kopplade mellan dessa komponenter. Alla komponenter innehåller bränsle som är under tryck när motorn är igång och/eller när tändningen är påslagen. Trycket ligger kvar en tid efter det att tändningen slagits av. Systemet måste tryckutjämnas innan något arbete utförs på någon av dessa komponenter.

2 Vissa modeller har en tryckutjämningsventil på bränslefördelarskenan **(se bild)**. På dessa modeller lossar du hatten från ventilen och

placerar en behållare under ventilen. Håll en trasa över ventilen och släpp ut trycket i systemet genom att trycka ner ventilkärnan med en lämplig skruvmejsel. Var beredd på att det sprutar ut bränsle när ventilkärnan trycks ner, och fånga upp det med trasan. Håll ner ventilkärnan tills det inte kommer ut mer bränsle från ventilen. När trycket har försvunnit sätter du tillbaka ventilhatten ordentligt.

3 Om bränslefördelarskenan inte har någon ventil måste du släppa ut trycket när du tar bort bränsleröret. Placera en behållare under anslutningen och en stor trasa runt anslutningen för att fånga upp eventuellt bränslespill som kan sprutas ut. Lossa och koppla långsamt ifrån bränsleröret och fånga upp eventuellt bränslespill i behållaren. Plugga igen röret/anslutningen för att minimera bränsleförlusten och förhindra att det kommer in smuts i bränslesystemet.

Trycksättning

4 Efter arbeten i bränslesystemet måste systemet trycksättas på följande sätt.

5 Tryck ner gaspedalen helt och slå sedan på tändningen. Håll pedalen nedtryckt i cirka en sekund och släpp den sedan. ECU:n ska då aktivera bränslepumpen i mellan 20 och 30 sekunder för att fylla på bränslesystemet igen. När bränslepumpen stannar kan tändningen slås av.

8 Bränslepump – demontering och montering

Demontering

1 För att komma åt bränslepumpen lutar eller tar du bort höger baksätes sittdyna

2 Använd en skruvmejsel och lossa försiktigt de tre plaståtkomstluckornas fästklämmor på de platser som markeras med små pilar. Ta bort luckan från golvet för att få fram bränslepumpen/givarenheten **(se bild)**.

3 Koppla loss kontaktdonet från bränslepumpen och tejpa kontaktdonet på bilens kaross för att det inte ska försvinna in bakom tanken **(se bild)**.

4 Tryck ner fästklämman och lossa bränsleröret/rören från pumpens ovansida, kom ihåg informationen i avsnitt 7 om tryckavlastning i bränslesystemet. Plugga igen rörets/rörens öppna ändar för att minimera bränsleförlusten och hindra smuts från att tränga in. På dieselmodeller bör du notera att rören identifieras med pilar som anger bränslematning och retur **(se bilder)**.

5 Notera inställningsmarkeringarna på tanken, pumpkåpan och låsringen. Skruva loss ringen och ta bort den från tanken. Detta gör du bäst med hjälp av en skruvmejsel på låsringens upphöjda räfflor. Knacka försiktigt på skruvmejseln för att vrida ringen moturs tills den kan skruvas loss för hand **(se bild)**. Alternativt finns det ett specialverktyg från

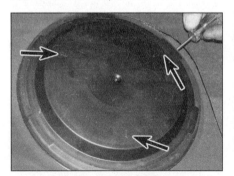

8.2 Bränslepumpens åtkomstlucka – fästklämmornas lossningspunkter (markerade med pil)

8.3 Lossa pumpens anslutningskontakt

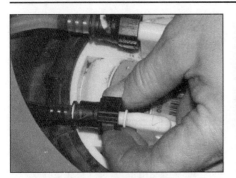

8.4a Tryck in lossningsknappen och demontera bränsleröret

8.4b Observera pilarna som markera bränsleflödet på dieselmodeller (markerade med pil)

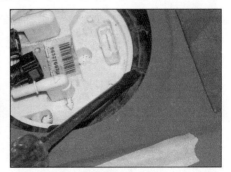

8.5 Knacka på skruvmejseln för att vrida låsringen moturs

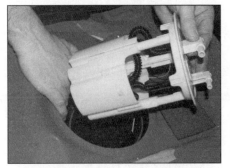

8.6 Lyft upp bränslepumpsenheten, var försiktig så att du inte skadar flottörarmen

8.8 Montera en ny tätningsring på tankens ovansida

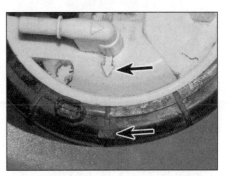

8.11 Vrid låsringen tills markeringarna linjeras med pumpkåpans markering (markerad med pil)

Peugeot som passar över kragen och låter den lossas med en spärrhake och en förlängning.

6 Lyft försiktigt upp bränslepumpsenheten från bränsletanken, var mycket försiktig så att du inte skadar bränslemätargivarens flottörarm, eller spiller bränsle i bilen **(se bild)**. Ta loss gummitätningen och kasta den, eftersom en ny måste användas vid monteringen.

7 Observera att bränslepumpen endast kan köpas som en komplett enhet – det finns inga delar att köpa separat.

Montering

8 Montera den nya tätningsringen ovanpå bränsletanken **(se bild)**.

9 Flytta försiktigt in pumpenheten i bränsletanken, var försiktig så att du inte skadar flottörarmen.

10 Linjera pilen på bränslepumpskåpan med tidigare gjorda markeringar på bränsletanken och sätt fast pumpen ordentligt.

11 Sätt tillbaka låsringen och dra åt den ordentligt tills inställningsmarkeringarna linjerar med pumpkåpans pil **(se bild)**.

12 Återanslut bränsleröret/rören ordentligt på pumpkåpan och återanslut sedan pumpens kontaktdon.

13 Trycksätt bränslesystemet (se avsnitt 7). Starta motorn och kontrollera att bränslepumpens matnings- och returslangsanslutningar inte läcker.

14 Om allt är som det ska återmonterar du plaståtkomstluckan med inpassningsfliken framtill.

15 Sätt tillbaka den bakre sittdynan (se kapitel 11).

9 Bränslemätargivare – demontering och montering

Bränslemätargivaren är inbyggd i bränslepumpsenheten och kan inte köpas separat. Se avsnitt 8 för information om demontering och montering.

10 Bränsletank – demontering och montering

Observera: Läs varningen i avsnitt 1 innan du fortsätter.

Demontering

1 Innan tanken kan demonteras måste den tömmas på så mycket bränsle som möjligt. Eftersom det inte finns någon

10.6a Tryck in mittsprinten något och bänd sedan ur hela plastniten . .

avtappningsplugg till bränsletanken är det bättre att utföra demonteringen när tanken är nästintill tom. Innan du går vidare kopplar du ifrån batteriet (se kapitel 5A) och sifonerar eller handpumpar ut det resterande bränslet från tanken.

2 Ta bort den bakre sittdynan och använd en skruvmejsel för att försiktigt lossa de tre åtkomstluckornas fästklämmor på de platser som markeras med små pilar. Ta bort luckan från golvet för att få fram bränslepumpen **(se bild 8.2)**.

3 Koppla loss kontaktdonet från bränslepumpen och tejpa kontaktdonet på bilens kaross för att det inte ska försvinna in bakom tanken **(se bild 8.3)**.

4 Tryck ner fästklämman och lossa bränsleröret/rören från pumpens ovansida, kom ihåg informationen i avsnitt 7 om tryckavlastning i bränslesystemet.**(se bild 8.4)**. Plugga igen rörets/rörens öppna ändar för att minimera bränsleförlusten och hindra smuts från att tränga in.

5 Klossa bakhjulen, lyft upp framvagnen och ställ den på pallbockar (se Lyftning och stödpunkter). Demontera det högra bakhjulet.

6 Ta bort fästmuttrarna och fästena (tryck in centrumsprinten lite och ta sedan bort hela fästena) och ta bort höger bakhjuls hjulhusfoder **(se bild)**.

7 Demontera avgassystemet enligt beskrivningen i avsnitt 16.

8 Skruva loss centrumsprintarna lite och bänd sedan ut hela expanderplastnitarna och ta bort värmeskyddet från tankens undersida. På bensinmodeller skruvar du loss muttrarna,

10.6b . . . skruva loss muttrarna (markerade med pil) . . .

10.6c . . . och ta bort hjulhusfodret

10.8a Skruva loss centrumsprinten lite och bänd sedan ut fästena

lossar plastnitarna och tar bort den/de undre plastskyddskåpan/kåporna från bränsletanken **(se bilder)**.

9 Ta bort de bakre spiralfjädrarna enligt beskrivningen i kapitel 10.

10.8b Skruva loss muttrarna, bänd ut plastnitarna (markerade med pil) och ta bort den undre plastskyddskåpan

10 Placera en garagedomkraft tillsammans med en träbit under tanken, höj sedan upp domkraften tills den tar upp tankens tyngd.

11 Skruva loss de fyra bultarna som fäster tanken på karossen och bultarna som

fäster påfyllningsröret **(se bilder)**. Lossa påfyllningsrörets tätning från karossen vid öppningen på påfyllningslocket.

12 Sänk långsamt ner bränsletanken, se till att påfyllningsrörsenheten styrs bort från sin plats utan att belastas.

13 Om tanken är förorenad med sediment eller vatten tar du bort bränslepumpen (avsnitt 8) och sköljer ur tanken med rent bränsle. Tanken är gjuten i syntetmaterial, och om den skadas måste den bytas ut. I somliga fall kan det dock vara möjligt att reparera små läckor eller mindre skador. Kontakta en specialist innan några försök görs att reparera bensintanken.

14 Det går inte att skilja påfyllningsröret från tanken. Om pumpen är skadad, måste den bytas som en enhet.

Montering

15 Montera i omvänd ordningsföljd mot demonteringen. Tänk på följande:
   a) Se till att kontaktdonet och bränslerören är ordentligt återanslutna och hålls fast med alla berörda klämmor. Var noga med att se till att inga slangar kommer i kläm mellan tanken och bilens underrede när tanken lyfts tillbaka på sin plats.
   b) Montera tillbaka bakfjädringens fjädrar enligt beskrivningen i kapitel 10.
   c) Montera tillbaka avgassystemet enligt beskrivningen i avsnitt 16.
   d) Avsluta med att fylla på tanken med lite bränsle och trycksätt bränslesystemet enligt beskrivningen i avsnitt 7. Kontrollera om det finns tecken på läckage innan du kör bilen på vägen.

11 Motorstyrningssystem – kontroll och justering

Kontroll

1 Om ett fel uppstår i motorstyrningssystemet, se först till att alla systemets kontaktdon är ordentligt anslutna och fria från korrosion. Kontrollera att felet inte beror på bristande underhåll; d.v.s. kontrollera att luftrenarfiltret

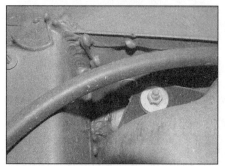

10.11a Bränsletankens stödbyglar (markerade med pil) . . .

10.11b . . . höger . . .

10.11c . . . och främre vänstra hörnens bultar

10.11d Bränslepåfyllningsrörets övre . . .

10.11e . . . och nedre fästbultar

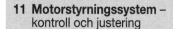

är rent, att tändstiften är i gott skick och har rätt elektrodavstånd, att bränslefiltret är i gott skick, att cylindrarnas kompressionstryck är korrekta samt att motorns ventilationsslangar inte är igentäppta eller skadade, enligt beskrivningarna i kapitel 1A, 2A, 2B och 5B.

2 Om dessa kontroller inte avslöjar orsaken till problemet ska bilen lämnas in till en Peugeot-verkstad som har den utrustning som krävs för att felsöka systemet. Felsökningsverktyget ansluts till diagnosuttaget bakom klädselpanelen till höger om rattstången **(se bild)**. Testverktyget hittar felet snabbt och lätt och minskar behovet av att kontrollera alla systemkomponenter enskilt, något som är tidskrävande och medför stora risker för att skada styrenheten.

Justering

3 Även om det går att kontrollera CO-nivån i avgaserna och tomgångsvarvtalet så måste bilen lämnas in till en Peugeot-verkstad eller annan lämplig specialist för fler test om något av dessa variabler är felaktiga. Varken blandningsjusteringen (CO-nivå i avgaserna) eller tomgångsvarvtalet kan justeras. Om något av dem är felaktigt måste det föreligga ett fel i motorstyrningssystemet.

12 Gasspjällhus – demontering och montering

Demontering

1 På 2,0-liters modellerna roterar du de sex fästena 90° moturs och tar bort plastkåpan från motorns övre del. På alla modeller tar du bort ventilpanelens klädselpanel och tvärbalken enligt beskrivningen i avsnitt 13, punkt 1.
2 Lossa fästklämmorna och frigör sedan luftkanalen från gasspjällhuset och luftrenarhuset, och ta bort den från motorrummet.
3 Lossa gaspedalens inre vajer från gasspjällskammen (i förekommande fall).
4 Notera var de är placerade och tryck sedan ner fästklämman och koppla loss kontaktdonen från gasspjällhuset **(se bild)**.
5 Skruva loss de tre fästskruvarna och ta bort gasspjällhuset från insugsgrenröret **(se bilder)**. Ta loss tätningsringen från grenröret och kasta den. du måste sätta dit en ny vid monteringen.

Montering

6 Montera i omvänd ordningsföljd mot demonteringen. Tänk på följande:
a) Montera en ny tätningsring på grenröret och montera sedan gasspjällhuset och dra åt dess fästskruvar ordentligt.
b) Se till att allt kablage är korrekt draget och att kontaktdonen är ordentligt återanslutna.
c) Avsluta med att justera gasvajern (i förekommande fall) enligt beskrivningen i avsnitt 3.

11.2 Diagnosanslutning

13 Motorstyrningssystem komponenter – demontering och montering

Bränslefördelarskena och bränsleinsprutare

Observera: *Läs varningen i avsnitt 1 innan du fortsätter.*
Observera: *Om en bränsleinsprutare misstänks vara defekt kan det vara idé att försöka rengöra bränsleinsprutaren med en därför avsedd behandling från en biltillbehörsaffär, innan insprutaren döms ut.*

1 Lossa fästklämmorna och frigör sedan luftkanalen från gasspjällhuset och luftrenarhuset, och ta bort den från motorrummet. **Observera:** *För att kunna förbättra åtkomsten tar du bort torkarbladen och ventilpanelen i plast. Panelen är fäst*

12.5a Skruva loss de tre fästskruvarna (markerade med pil) . . .

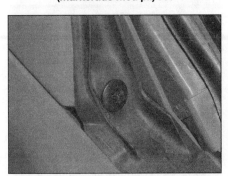

13.1a Tryck in stiften i mitten och bänd ut nitarna

12.4 Koppla loss kontaktdon från gasspjällhusets komponenter

med en plastexpandernit i var ände – tryck in centrumsprintarna lite och bänd sedan ut hela nitarna. Skruva loss de båda skruvarna och lägg huvudcylinderns övre behållare åt sidan. Lossa ljudisoleringspanelen från ventilpanelens tvärbalk, skruva loss bulten på var ände och ta bort tvärbalken från bilen (se bilder).

1,4-liters modeller

2 Ta bort tändspolarna enligt beskrivningen i kapitel 5B.
3 Lossa den inre gasvajern (i förekommande fall) från gasspjällhusets kam. Dra sedan ut vajerhöljet från gummigenomföringen i dess fästbygel, tillsammans med fjäderklämman (se bild 3.1).
4 Skruva loss bultarna och ta bort gasvajerns fästbygel (i förekommande fall) från grenröret/topplocket.
5 Tryck ner fästklämman och koppla loss bränsleröret från bränslefördelarskenans högra

12.5b . . . och ta sedan bort gasspjällhuset från grenröret och ta bort tätningsringen (1,4-liters motor)

13.1b Skruva loss skruvarna (markerade med pil) och lägg huvudcylinderbehållaren åt sidan

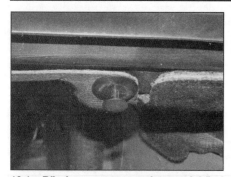

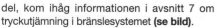

13.1c Bänd upp centrumsprinten och bänd ut niten som fäster isoleringsmaterialet

13.1d Plasttvärbalken är fäst med en bult i varje ände

13.5 Tryck ner fästklämman (markerade med pil) och koppla loss bränsleslangen från bränslefördelarskenan

del, kom ihåg informationen i avsnitt 7 om tryckutjämning i bränslesystemet **(se bild)**.
6 Skruva loss de båda bultarna som fäster bränslefördelarskenan på topplocket och muttern som fäster skenan på grenröret. Lossa bulten som fäster bränslefördelarskenans mittersta fästbygel på insugsgrenröret. Lyft sedan bort fästbygeln (fästbygeln är skårad för att underlätta borttagningen) **(se bilder)**.
7 Koppla ifrån insprutningsventilens kablagekontaktdon och lossa sedan kontaktdonet från baksidan av insugsgrenröret. Koppla även loss kontaktdonen från gasspjällshuset och passa in kablaget ur vägen för grenröret så att det inte hindrar borttagningen av bränslefördelarskenan.
8 Lossa försiktigt enheten med bränslefördelarskena och insprutningsventiler från topplocket och ta bort den. Ta bort

tätningarna från varje insprutningsventils ände och kasta bort dem; de måste bytas när de har lossats **(se bild)**.
9 Monteringen sker i omvänd ordningsföljd mot demonteringen. Tänk på följande.
 a) Sätt dit nya tätningar på alla insprutnings-ventilsanslutningar som har rörts.
 b) Applicera ett lager motorolja på tätningarna för att underlätta ditsättningen. Passa sedan in insprutningsventilerna och bränslefördelarskenan, se till att ingen av tätningarna hamnar fel.
 c) Avsluta med att trycksätte bränslesystemet enligt beskrivningen i avsnitt 7. Starta motorn och leta efter bränsleläckor.

1,6-liters modeller

10 Demontera insugningsröret enligt beskrivningen i avsnitt 14.
11 Skruva loss de båda bultarna och

ta bort bränslefördelarskenan med insprutningsventilerna från grenröret **(se bild)**.
12 Koppla ifrån kontaktdonet/donen, skjut sedan ut fästklämman/klämmorna och ta bort den berörda insprutningsventilen/ventilerna från bränslefördelarskenan. Ta bort tätningarna från alla insprutningsventiler som har rörts och kasta dem. alla tätningar som har rörts måste bytas **(se bild)**.
13 Monteringen sker i omvänd ordningsföljd mot demonteringen. Tänk på följande.
 a) Sätt dit nya tätningar på alla insprutningsventilsanslutningar som har rörts **(se bild)**.
 b) Applicera ett lager motorolja på tätningarna för att underlätta ditsättningen. Passa sedan in insprutningsventilerna och bränslefördelarskenan, se till att ingen av tätningarna hamnar fel.

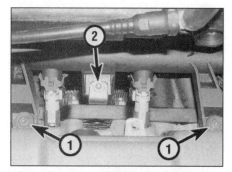

13.6a Skruva loss bränslefördelarskenans fästbultar (1) och muttern (2) . . .

13.6b . . . och lossa sedan bulten (markerade med pil) och lyft bort den från den mittersta fästbygeln

13.8 Ta bort tätningen från varje insprutningsventils ände

13.11 Skruva loss de båda bultarna (markerade med pil) och ta bort bränslefördelarskenan med insprutningsventilerna från grenröret

13.12 Skjut bort fästklämmorna och ta bort insprutningsventilen från bränslefördelarskenan

13.13 Byt alla insprutningsventilstätningar (markerade med pil) som har rörts vid borttagningen

13.14 Skruva loss skruvarna (markerade med pil) och ta bort motorns övre skyddskåpa

13.17 Tryck ner knappen (markerade med pil) och koppla loss bränslematningsslangen från bränslefördelarskenan

13.18 Lossa klämmorna och koppla loss insprutningsventilernas anslutningskontakter (mittenkontakterna markerade med pil)

c) Avsluta med att trycksätte bränslesystemet enligt beskrivningen i avsnitt 7. Starta motorn och leta efter bränsleläckor.

2,0-liters modeller

14 Skruva loss motorns övre skyddskåpa (se bild), koppla sedan loss luftkanalen mellan luftrenaren och gasspjällshuset.
15 Lossa kablage från intagslufttemperaturgivaren
16 Skruva loss kablagebrickan från insugsgrenrörets ovansida och lägg den åt sidan.
17 Tryck ner lossningsknappen och koppla loss bränslematningsslangen från bränslefördelarskenan (se bild)
18 Tryck ner fästklämman/klämmorna och koppla loss kontaktdonet/donen från insprutningsventilen/ventilerna (se bild).
19 Skruva loss fästbultarna och lossa försiktigt bränslefördelarskenan, tillsammans med insprutningsventilerna, från insugsgrenröret (se bild). Ta bort O-ringarna från varje insprutningsventils ände och kasta dem. o-ringarna måste bytas om de har rörts.
20 Skjut sedan ut fästklämman/klämmorna och ta bort den berörda insprutningsventilen/ventilerna från. Ta bort den övre O-ringen från alla insprutningsventiler som har rörts och kasta dem. alla O-ringar som har rörts måste bytas.
21 Monteringen sker i omvänd ordningsföljd mot demonteringen. Tänk på följande.
  a) Sätt dit nya O-ringar på alla insprutningsventilsanslutningar som har rörts.
  b) Applicera ett lager motorolja på O-ringarna för att underlätta ditsättningen. Passa sedan in insprutningsventilerna och

bränslefördelarskenan, se till att ingen av O-ringarna hamnar fel.
c) Avsluta med att starta motorn och kontrollera om det finns bränsleläckage.

Bränsletrycksregulator

22 Bränsletrycksregulatorn är inbyggd i bränslepumpsenheten och kan inte fås separat. Se avsnitt 8 för information om demontering och montering.

Gasspjällets potentiometer

23 Tryck ner fästklämman och koppla loss kontaktdonet från gasspjällspotentiometern (se bild).
24 Skruva loss de båda fästskruvarna. Lossa sedan potentiometern från gasspjällets spindel och ta bort den från bilen (se bild).
25 Monteringen sker i omvänd ordningsföljd mot demonteringen.

13.19 Skruva loss bränslefördelarskenans fästbultar (markerade med pil)

26 Se till att potentiometern hakar i gasspjällets spindel som den ska.

Elektronisk styrenhet (ECU)

Observera: Om en ny ECU ska monteras startar inte bilen förrän startspärrens ECU har kopplats ihop med motorstyrningen . Detta kan endast åstadkommas med en särskild testutrustning. Följaktligen måste arbetet utföras av en Peugeot-verkstad eller annan lämplig specialist.
27 Styrenheten är placerat i motorrummets vänstra del.
28 Ta bort eldosan och koppla loss anslutningskontakterna (se bild).
29 ECU:n lyfts upp från eldosan (se bild).
30 Återmontering utförs i omvänd ordning mot demonteringen, se till att kontaktdonen är ordentligt återanslutna.

13.23 Koppla loss gasspjälletspotentiometerns anslutningskontakt . . .

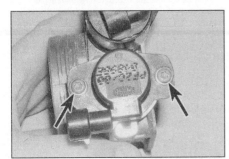

13.24 . . . skruva sedan loss fästskruvarna (markerade med pil) och ta bort den från gasspjällshuset (1,4-liters motor)

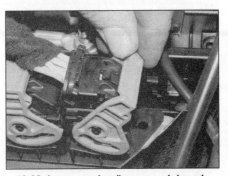

13.28 Lossa spakspärrarna och koppla loss ECU:ns anslutningskontakter

13.29 Lyft upp ECU:n från eldosan

13.32 Koppla loss tomgångsstegmotorns anslutningskontakt (markerade med pil) (1,4-liters motor)

Stegmotor för styrning av tomgångsvarvtalet

31 Tomgångsstegmotorn sitter på gasspjällshusets baksida.
32 Koppla loss kontaktdonet från motorn (se bild).
33 Skruva loss fästskruvarna och ta sedan bort motorn från gasspjällshuset (se bild). Om det behövs tar du bort gasspjällspotentiometern för att förbättra åtkomsten till motorns nedre skruv.
34 Återmonteringen utförs i omvänd ordning mot demonteringen, se till att tätningen är i gott skick.

Grenrörets tryckgivare

35 MAP-sensorn sitter på insugningsröret.
36 Koppla loss kontaktdonet och lossa sedan skruven och ta bort givaren från grenröret (se bilder).
37 Återmonteringen utförs i omvänd ordning

---

mot demonteringen, se till att givarens tätning är i gott skick.

Temperaturgivare för kylvätska

38 Kylvätskatemperaturgivaren sitter på kylvätskeutloppet mot vänster sida av motorblocket. Se kapitel 3, avsnitt 7, för information om demontering och montering.

Insugsluftens temperaturgivare

39 Insugsluftens temperaturgivare är inbyggd i gasspjällshuset och kan inte köpas separat.

Vevaxelns lägesgivare

40 Vevaxelgivaren sitter på den främre delen av transmissionens kopplingshus.
41 Koppla loss givarens kontaktdon och lossa kablaget. Skruva loss fästbulten och ta bort givaren och fästbygelenheten från växellådsenheten (se bild).
42 Monteringen sker i omvänd ordning.

Gasspjällhusets uppvärmningselement

Observera: Värmeelementet finns endast på gasspjällshus i aluminium. Plasthus behöver ingen värmeenhet.
43 Värmeelementet sitter ovanpå gasspjällshuset.
44 Koppla loss kontaktdonet och skruva sedan loss fästskruven och ta bort värmeelementet från gasspjällshuset (se bild).
45 Återmonteringen sker i omvänd ordningsföljd mot demonteringen.

Hastighetsgivare

46 Hastighetsgivaren är inbyggd i hastighetsmätaren på 1,4-liters modeller med TU-motor. Se kapitel 7A om demonterings-

---

13.33 Skruva loss fästskruven/skruvarna och ta bort motorn från huset

och monteringsdetaljer. På andra modeller får ECU:n information om fordonshastigheten från hjulhastighetsgivarna, via ABS-systemets ECU.

Knacksensor

47 Se kapitel 5B.

Luftkonditioneringens tryckbrytare

48 Luftkonditioneringens tryckbrytare sitter på kylmedieröret, till höger i motorrummet. Om brytaren ska bytas måste luftkonditioneringssystemet laddas ur och tömmas

Kamaxelgivare

49 Kamaxelgivaren sitter på avgaskamaxelns ventilkåpas vänstra sida enbart på 2,0-liters modeller.
50 Vrid de 6 fästena 90° moturs och ta bort plastkåpan från motorns övre del.

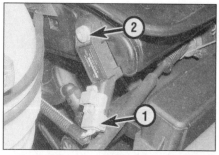

13.36a Lossa kontaktdonet (1) och skruva sedan loss fästskruven (2) och ta bort MAP-givaren (1,4-liters motor) . . .

13.36b . . . 1,6-liters motor . . .

13.36c . . . och 2,0-liters motor

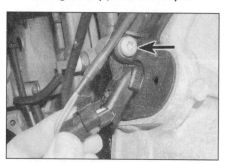

13.41a Lossa anslutningskontakten och skruva loss fästskruven (markerad med pil) . . .

13.41b . . . ta sedan bort vevaxelns lägesgivare från växellådshusets främre del

13.44 Ta bort gasspjällhusets uppvärmningselement (1,4-liters motor)

51 Lossa anslutningskontakten, skruva sedan loss bulten och ta bort givaren från ventilkåpan **(se bild)**.
52 Återmonteringen utförs i omvänd ordning mot demonteringen, se till att givarens tätning är i gott skick.

Gasspjällets lägesmotor

53 Gasspjällsjusterarmotorn (i förekommande fall) är inbyggd i gasspjällshuset och kan inte köpas separat.

Gaspedalens lägesgivare

54 Lägesgivaren är inbyggt i gaspedalen – se avsnitt 4.

14 Insugningsrör – demontering och montering

Demontering

Observera: Läs varningen i avsnitt 1 innan du fortsätter.

1,4-liters modeller

1 Demontera bränslefördelarskenan och insprutningsventilerna enligt beskrivningen i avsnitt 13.
2 Om det inte redan är gjort ska kontaktdonen kopplas loss från gasspjällshusets komponenter. Lossa sedan kablaget och placera det ur vägen för grenröret

1,6- och 2,0-litersmodeller

3 Ta bort gasspjällshuset enligt beskrivningen i avsnitt 12.

13.51 Kamaxelgivare (2,0-liters motor)

Alla modeller

4 Lossa fästklämmorna och koppla loss vakuumservoenhetens rör och urluftningsventilsröret från insugsgrenröret **(se bild)**.
5 Notera hur de olika kontaktdon sitter

14.4a Koppla loss vakuumservo-röret . . .

14.4c . . . och 2,0-liters motor (markerad med pil)

14.8c Ta bort grenröret (2,0-liters motor)

monterade och koppla loss dem från grenröret. Lossa kablaget från eventuella fästklämmor.
6 Tryck ner lossningsknappen och koppla loss bränsleröret. Lägg det så att det inte är i vägen för grenröret.
7 Skruva vid behov loss fästbultarna och ta bort stödfästet från grenrörets undersida.
8 Skruva loss de grenrörets fästskruvar och ta bort grenröret från motorrummet. Ta loss de fyra grenrörstätningarna och kasta dem. nya måste användas vid återmonteringen **(se bilder)**.

Montering

9 Montera i omvänd ordningsföljd mot demonteringen. Tänk på följande:
a) *Se till att grenröret och topplockets fogytor är rena och torra. Passa sedan in de nya tätningarna i deras spår på grenröret **(se bilder)**. Sätt tillbaka grenröret och dra åt dess fästmuttrar till angivet moment.*

14.4b . . . och urluftningsventilens rör från grenröret . .

14.8a Insugningsrörets muttrar (markerade med pil) (1,4-liters motor)

14.8b Observera mittenfästbygeln (markerad med pil) som finns på 1,6-liters motorn

14.9a Se till att nya grenrörspackningar monteras (1,4-liters motor) . . .

14.9b . . . 1,6-liters motor . . .

b)   Se till att alla berörda slangar
återansluts på sina ursprungliga platser
och att de hålls fast ordentligt (om det
behövs) av fästklämmorna.

c) Se till att kablaget är korrekt draget
och att alla kontaktdon är ordentligt
återanslutna.

d) Justera gasvajern (i förekommande fall)
enligt beskrivningen i avsnitt 3.

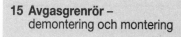

15 Avgasgrenrör –
demontering och montering

Demontering

1,4- och 1,6-liters modeller

1 Koppla loss och ta bort batteriet, enligt
beskrivningen i kapitel 5A.
2 Skruva loss fästskruvarna och ta bort kåpan
från avgasgrenrörets ovansida. Du kan behöva
ta bort motorns lyftöglebygel från topplockets
vänstra del, och lossa bulten och ta bort
oljemätstickans rör (se bilder).
3 Dra åt handbromsen. Lyft upp framvagnen
och ställ den på pallbockar (se Lyftning och
stödpunkter). Lossa skruvarna och ta bort
motorns undre skyddskåpa (om en sådan
finns).
4 På vissa modeller sitter det ett andra
värmeskydd under grenröret, ovanför oljefiltret.
Skruva loss bultarna och ta bort värmeskyddet.
5 Följ lambdasondernas kablage till
kontaktdonen och koppla ifrån dem.
6 Skruva loss muttrarna som fäster det främre
avgasröret på grenröret. Ta sedan bort bulten
som fäster det främre röret på dess fästbygel.
Lossa det främre röret från grenröret och ta
bort packningen.
**Varning: Belasta inte den flexibla delen av
det främre avgasröret (i förekommande
fall), det skadas lätt.**
7 Skruva loss fästmuttrarna som håller fast
grenröret på locket. Ta bort grenröret från
motorrummet och kasta dess packning(ar).

2,0-liters modeller

8 Vrid de 6 fästena 90° moturs och ta bort
plastkåpan från motorns övre del.
9 Ta bort den högra drivaxeln enligt
beskrivningen i kapitel 8.

**15.2a Skruva loss värmeskyddets bultar
(markerade med pil) . . .**

14.9c . . . och 2,0-liters motor

10 Skruva loss bultarna och ta bort
värmeskyddet från avgasgrenröret och höger
drivaxel.
11 Skruva loss bulten och ta bort klämman
mellan avgasrör och grenrör.
12 Följ lambdasondernas kablage till
kontaktdonen och koppla ifrån dem.
13 Lossa avgassystemet från dess
fästpunkter och sänk ner det främre röret.
Stöd det främre röret med en träkloss – låt det
inte hänga fritt.
14 Arbeta under bilen, skruva loss bultarna
och ta bort motorns rörelsebegränsningslänk
15 Lägg en bit tjock kartong över kylarens
bakre yta och luta motorn lite framåt. Kila fast
den i detta läge med hjälp av en träkloss.
16 Skruva loss muttrarna mellan grenrör
och topplocket och ta bort grenröret från
bilen. Kasta packningen.

Montering

17 Montera i omvänd ordningsföljd mot
demonteringen. Tänk på följande:
a) Undersök om det finns tecken på
skada eller korrosion på någon av
avgasgrenrörets pinnbultar; ta bort alla
korrosionsspår och laga eller byt ut alla
skadade pinnbultar.
b) Se till att grenrörets och topplockets
tätningsytor är rena och plana och montera
sedan den nya grenrörspackningen/de nya
packningarna. Dra åt grenrörets fästmuttrar
till angivet moment.
c) Återanslut det främre röret till grenröret
enligt anvisningarna i avsnitt 16.
d) Byt O-ringen till oljemätstickans rör om
det behövs.

15.2b . . . och oljemätstickans rörbult

16 Avgassystem –
allmän information,
demontering och montering

Allmän information

1 Avgassystemet består av tre sektioner: det
främre avgasröret med inbyggd katalysator,
mellanröret och den bakre ljuddämparen med
bakre avgasrör. På 1,4- och 1,6-liters modeller
är det främre avgasröret och mellanröret
sammanfogade med flänsfogar. Alla andra
fogar sitter ihop med klämringar.
2 Systemet är upphängt med gummifästen.
3 Varje avgasdel kan tas bort separat. Man
kan också ta bort hela systemet som en enda
enhet. Även om endast en del av systemet
behöver åtgärdas är det ofta lättare att ta
bort hela systemet och separera delarna på
arbetsbänken.
4 Om någon del av systemet ska demonteras,
börja med att lyfta upp fram- eller bakvagnen
och ställ den på pallbockar (se Lyftning
och stödpunkter). Eller så kan bilen ställas
över en smörjgrop eller på ramper. Skruva
loss skruvarna och ta bort motorns undre
skyddskåpa.

Framrör – demontering

Observera: Katalysatorn är inbyggt i
framröret.
5 Följ lambdasondernas kablage bakåt till
deras kontaktdon. Koppla ifrån kontaktdonen
och lossa kablaget från alla dess klämmor och
band så att givarna kan tas bort tillsammans
med det främre avgasröret. På 1,4- och
1,6-liters modeller behöver man endast koppla
loss givaren efter katalysatorn.

1,4- och 1,6-liters modeller

6 Skruva loss de båda bultarna som fäster
krängningshämmaren på undersidan av
växellådshuset.
7 Skruva loss muttrarna som fäster det främre
avgasrörets flänsfog på grenröret och den
ensamma bulten som fäster det främre röret
på dess fästbygel. Dela på flänsfogen ta bort
packningen.
8 Skruva loss de båda muttrarna som fäster
det främre avgasrörets flänsfog på mellanröret
och ta bort fjädersätena och fjädrarna. Ta
bort bultarna och kragarna. Ta sedan bort det
främre avgasröret från bilens undersida. Ta
loss metallnätspackningen.

2,0-liters modeller

9 Skruva loss bulten och ta bort klämman
mellan det främre röret och grenröret.
10 Skruva loss bulten och ta bort
klämman mellan det främre avgasröret och
mellanröret. Ta bort röret/katalysatorn från
bilen.

Demontering av mellanrör

1,4- och 1,6-liters modeller

11 Skruva loss de två muttrarna som håller

det främre rörets fläns till mellanröret. Ta loss fjädrarna och fjädersätena och ta bort bultarna och kragarna.

12 Skruva loss muttern, brickan och bulten från klämringen mellan mellanröret och den bakre ljuddämparen och ta bort klämman från fogen.

13 Lossa mellanröret och ta bort det från bilens undersida. Ta loss metallnätspackningen från det främre avgasrörets fog.

2,0-liters modeller

14 Skruva loss klämbultarna på var ände av mellanröret.

15 Lossa röret från gummifästet och ta bort röret från bilens undersida.

Bakre avgasrör/bakre ljuddämpare – borttagning

16 Lossa klämbulten mellan det bakre avgasröret/ljuddämparen och mellanröret.

17 Haka loss det bakre avgasröret/ljuddämparen från dess gummifästen och ta bort det från bilen.

Borttagning av hela systemet (utom främre avgasrör)

18 På 1,4- och 1,6-liters modeller skruvar du loss de båda muttrarna som fäster det främre avgasrörets flänsfog på mellanröret. Ta loss fjädrarna och fjädersätena och ta bort bultarna och kragarna.

19 På 2,0-liters modeller lossar du klämbulten mellan det främre avgasröret och mellanröret.

20 Lossa systemet från alla dess gummifästen och sänk ner det från bilens undersida. På 1,4- och 1,6-liters modeller tar bort metallnätspackningen från det främre avgasrörets fog.

Värmeskydd – borttagning

21 Värmeskydden är fästa på karossens undersida med hjälp av olika muttrar och fästen. Om ett skydd tas bort för att du ska komma åt en komponent som är placerad bakom det, ta bort fästmuttrarna och/eller fästena (skruva loss mittskruven och dra sedan ut hela fästet), och flytta bort skyddet **(se bild 10.8b)**. På vissa modeller kan man behöva

lossa avgassystemet från dess fästen för att få plats att ta bort det större värmeskyddet.

Montering

22 Varje del monteras i omvänd ordning, och notera följande punkter:

a) *Se till fram alla spår av korrosion har tagits bort från flänsarna, och att alla packningar bytts.*

b) *Undersök gummifästena efter tecken på skador eller åldrande och byt ut dem om det behövs.*

c) *Där fogarna är sammanfästa med en klämring applicerar du ett lager fogmassa för avgassystem på flänsfogen för att säkerställa en gastät tätning. Sätt i bulten genom klämringen och montera brickan. Se till att bulten och brickans utskärningar hakar i klämringen som de ska och dra sedan åt muttern ordentligt.*

d) *Kontrollera innan avgassystemets fästen och klämmor dras åt att alla gummiupphängningar är korrekt placerade och att det finns tillräckligt med mellanrum mellan avgassystemet och underredet.*

Anteckningar

Kapitel 4 Del B:
Bränsle- och avgassystem – dieselmodeller

Innehåll

Svårighetsgrad

Enkelt, passar novisen med lite erfarenhet	Ganska enkelt, passar nybörjaren med viss erfarenhet	Ganska svårt, passar kompetent hemmamekaniker	Svårt, passar hemmamekaniker med erfarenhet	Mycket svårt, för professionell mekaniker

Specifikationer

Motoridentifiering

Motoridentifiering

Motoridentifiering	Beteckning	Motorkod
1,4 liter	DVTD	8HZ
1,6 liter	DV6ATED4	9HX
1,6 liter	DV6TED4	9HY och 9HZ
2,0 liter SOHC	DW10TD	RHY
2,0 liter SOHC	DW10ATED	RHZ och RHS
2,0 liter DOHC	DW10BTED4	RHR

Allmänt

Systemtyp . . . . HDi (High-pressure Diesel injection) med helt elektronisk styrning, direktinsprutning och turboaggregat

Beteckning:
   1,4 liter . . . . Bosch EDC 16
   2,0 liter:
      SOHC . . . . Bosch EDC 15 C2
      DOHC . . . . Siemens SID 803
Tändföljd . . . . 1-3-4-2 (Nr 1 vid svänghjulsänden)
Bränslesystemets arbetstryck . . . . 200 till 1 800 bar (beroende på motorvarvtal)
Tomgångsvarvtal:
   1,4 liter . . . . 800 ± 20 varv/minut (styrs av ECU)
   2,0 liter . . . . 800 ± 20 varv/minut (styrs av ECU)
Motorns avstängningshastighet:
   1,4 liter . . . . 5000 varv/minut (styrs av ECU)
   2,0 liter . . . . 5000 varv/minut (styrs av ECU)

Högtrycksbränslepump

Typ:
   1,4 liter CP3.2
   2,0 liter . . . . Bosch CP 1
Rotationsriktning . . . . Medurs, sett från drevänden

Bränsleinsprutare

Typ . . . . Electromagnetic eller Piezo

Turboaggregat

Typ:

1,4 liter	KKK
1,6-liters motor	Garrett GT1544V
2,0-liters motorer:	
SOHC	Garrett GT15 eller KKK K03
DOHC	Garrett GT1749V
Laddtryck (ungefärligt):	
1,4- och 1,6-liters motor	0,9 bar @ 3500 varv/minut
2,0-liters motorer:	
SOHC	1,2 bar @ 3000 varv/minut
DOHC	1,0 bar @ 4000 varv/minut

Åtdragningsmoment

	Nm
Ackumulatorskenans fästbultar	23
Anslutningar mellan ackumulatorskenan och bränsleinsprutarnas bränslerör*:	
1,4-liters motor:	
Steg 1	17
Steg 2	22
1,6- och 2,0-liters motorer:	
Insprutningsventiländens anslutning:	
Steg 1	25
Steg 2	27
Skenändens anslutning:	
Steg 1	24
Steg 2	26
Kamaxelns lägesgivares bult	5
Fästringmuttrar	20
Vevaxelläge/hastighetsgivare	5
Avgasgrenrörets muttrar	20
Avgassystemet hållare:	
Muttrar mellan katalysator och grenrör	40
Fästringmuttrar	20
Bränsleinsprutningsventilens klämbult:	
1,4-liters motor	20
1,6-liters motor:	
Steg 1	4
Steg 2	Vinkeldra ytterligare 65°
2,0-liters motorer:	
SOHC	30
DOHC:	
Steg 1	4
Steg 2	Vinkeldra ytterligare 65°
Bränsleinsprutarens klämtapp	7
Bränsletrycksgivare till ackumulatorskena	45
Anslutningar mellan bränslepump och ackumulatorskenans bränslerör*:	
1,4-liters motor:	
Steg 1	17
Steg 2	22
1,6-liters motor	25
2,0-liters motorer:	
SOHC	20
DOHC	25
Högtrycksbränslepumpens fästbultar	
1,4-liters motor	25
1,6-liters motor	23
2,0-liters motorer	20
Högtrycksbränslepumpens bakre fästbultar/mutter (8 mm)	17
Högtrycksbränslepumpens drevmutter	50
Insugningsgrenrörets bult	10
Turboaggregatets fästbultar/muttrar	25
Banjobultar till turboaggregatets oljematningsrör:	
1,4-liters och 2,0-liters SOHC motorer	25
1,6-liters motor	30
2,0-liters DOHC motor:	
Motorrör till motorblock	40
Alla övriga anslutningar	25

* Dessa åtdragningsmoment gäller med Peugeots kråkfotsadapter

1 Allmän information och systemfunktion

Bränslesystemet består av en bränsletank bak, en bränslesugpump, ett bränslefilter med inbyggd vattenavskiljare, på vissa modeller även en bränslekylare under bilen, och ett elektroniskt styrt dieselinsprutnings-system (HDi), tillsammans med ett turboaggregat.

Avgassystemet ser ut som vanligt, men för att uppfylla de senaste kraven på avgasutsläpp har alla modeller en oreglerad katalysator och ett avgasåterföringssystem. Vissa 1,6- och 2,0-liters modeller har ett partikelfilter – se kapitel 4C för mer information.

HDi-systemet (kallas vanligtvis för "common rail") heter så eftersom en gemensam skena (common rail, kallas här ackumulatorskena), eller bränslebehållare används för att förse alla bränsleinsprutarna med bränsle. Istället för en rak insprutningspump eller en pump av fördelartyp, som fördelar bränsle direkt till varje insprutningsventil, används en högtryckspump som genererar ett mycket högt bränsletryck (1 350 bar vid höga motorvarvtal) i ackumulatorskenan. Ackumulatorskenan förvarar bränsle och bibehåller ett konstant bränsletryck, med hjälp av en tryckstyrningsventil. Varje insprutningsventil får högtrycksbränsle från ackumulatorskenan och insprutningsventilerna styrs individuellt med hjälp av signaler från systemets elektroniska styrmodul (ECU). Insprutningsventilerna styrs elektroniskt.

Förutom de olika givare som används på modeller med en vanlig bränsleinsprutningspump, har common rail-system också en bränsletrycksgivare. Med bränsletrycksgivaren kan ECU:n bibehålla det bränsletryck som krävs, via tryckkontrollventilen.

System funktion

I syfte att beskriva funktionen i ett common rail-insprutningssystem kan komponenterna delas upp i tre undersystem: lågtrycksbränslesystemet, högtrycks-bränslesystemet och det elektroniska styrsystemet.

Lågtrycksbränslesystem

Lågtrycksbränslesystemet består av följande komponenter:
a) Bränsletank.
b) Bränslesugpump.
c) Bränslekylare (ej alla modeller).
d) Bränslevärmare (ej alla modeller).
e) Bränslefilter/vattenfälla.
f) Lågtrycksbränsleledningar.

Lågtryckssystemet (bränslematnings-systemet) förser högtrycksbränslesystemet med rent bränsle.

Högtrycksbränslesystem

Högtrycksbränslesystemet består av följande komponenter:
a) Högtrycksbränslepump med tryckregleringsventil.
b) Ackumulatorskenan med högtrycksbränsle.
c) Bränsleinjektoren.
d) Högtryckbränsleledningarna.

Efter det att bränslet har passerat igenom bränslefiltret når det högtryckspumpen, som tvingar in det i ackumulatorskenan. Eftersom dieselbränsle har en viss elasticitet förblir trycket i ackumulatorskenan konstant, trots att bränslet lämnar skenan varje gång en av insprutningsventilerna är aktiv. Dessutom finns det en tryckstyrningsventil på högtryckspumpen som ser till att bränsletrycket hålls inom de fastställda gränserna.

Tryckstyrningsventilen styrs av ECU:n. När ventilen öppnas returneras bränslet från högtryckspumpen till tanken via bränslereturledningarna och trycket i ackumulatorskenan sjunker. För att ECU:n ska kunna aktivera tryckstyrningsventilen vid rätt tillfälle mäts trycket i ackumulatorskenan av en bränsletrycksgivare.

De elektroniskt styrda bränsleinsprutarna styrs individuellt, via signaler från ECU:n, och varje insprutningsventil sprutar in bränsle direkt i den aktuella förbränningskammaren. Det faktum att högtrycksbränsle alltid finns tillgängligt medger mycket exakt och flexibel insprutning jämfört med en vanlig insprutningspump: t.ex. kan förbränningen vid huvudinsprutningsfasen förbättras betydligt genom förinsprutning av en mycket liten mängd bränsle.

Elektroniska styrsystemet

Det elektroniska styrsystemet består av följande komponenter:
a) Elektronisk styrmodul (ECU).
b) Vevaxelns hastighets-/lägesgivare.
c) Kamaxellägesgivare.
d) Gaspedalens lägesgivare
e) Temperaturgivare för kylvätska.
f) Bränsletemperaturgivare.
g) Luftflödesmätaren
h) Bränsletrycksgivare.
i) Bränsleinjektoren.
j) Bränsletryckets styrventil.
k) Förvärmningsstyrenhet
l) EGR magnetventil.
m) Lufttemperaturgivare
n) Atmosfärstryckgivare – inbyggd i ECU:n (endast DV6TED4, DW10ATED och DW10BTED4 motorer).
o) Insugsgrenrörets tryckgivare (endast DV6TED4 och DW10BTED4 motorer).

Informationen från de olika givarna förs vidare till ECU:n, som utvärderar signalerna. ECU:n innehåller elektroniska "kartor" som gör det möjligt för enheten att beräkna den optimala mängden bränsle som ska sprutas in, korrekt insprutningsstart, och till och med för- och efterinsprutningens bränslemängd,

för var och en av motorns cylindrar när som helst under motordriften.

Dessutom utför ECU:n övervaknings- och självfelsökningsfunktioner. Eventuella fel i systemet lagras i ECU-minnet, vilket möjliggör snabb och korrekt feldiagnostisering med hjälp av lämplig diagnosutrustning (t.ex. lämplig felkodsläsare).

System komponenter

Bränslesugpump

Bränslesugpumpen (endast 2,0-liters modeller med partikelfilter) och den inbyggda bränslemätargivaren styrs elektriskt och sitter i bränsletanken.

Högtryckspump

Högtryckspumpen är fäst på motorn på den plats som normalt fylls av den vanliga bränsleinsprutningspumpen av fördelartyp. Pumpen drivs av kamremmen med halva motorvarvtalet och den smörjs av bränslet som den pumpar.

Bränslesugpumpen tvingar in bränslet i högtryckspumpkammaren, via en säkerhetsventil.

Högtryckspumpen består av tre radiellt monterade kolvar och cylindrar. Kolvarna styrs av en excenterkam på pumpens drivspindel. När kolven rör sig nedåt kommer det in bränsle i cylindern via en insugsventil. När kolven når den nedre dödpunkten (nd) stängs insugsventilen. När kolven rör sig uppåt i cylindern igen trycks bränslet ihop. När trycket i cylindern uppnår trycket i ackumulatorskenan öppnas en utloppsventil och bränsle tvingas in i ackumulatorskenan. När kolven når den övre dödpunkten (öd) stängs utloppsventilen på grund av tryckfallet, och pumpcykeln upprepas. Tack vare att man använder flera cylindrar får man en jämn ström av bränsle, med minimala pulsar och tryckvariationer.

Eftersom pumpen måste kunna leverera tillräckligt med bränsle under förhållanden med full belastning matar den för mycket bränsle vid tomgång och förhållanden med delvis belastning. Detta bränsleöverskott returneras från högtryckskretsen till lågtryckskretsen (till tanken) via tryckstyrningsventilen.

Pumpen innehåller en funktion som effektivt stänger av en av cylindrarna för att förbättra effektiviteten och minska bränsleförbrukningen när maximal pumpkapacitet inte krävs. När den funktionen används håller en magnetventilstyrd nål insugsventilen i den berörda cylindern öppen under matningsslaget, vilket förhindrar bränslet från att komprimeras.

Ackumulatorskena

Som namnet avslöjar fungerar ackumulatorskenan (kallas även common rail) som en ackumulator genom att förvara bränsle och förhindra tryckvariationer. Bränsle kommer in från högtryckspumpen och varje insprutningsventil har sin egen anslutning till skenan. Bränsletrycksgivaren sitter i skenan och skenan har också en anslutning till bränsletryckstyrningsventilen på pumpen.

Tryckstyrningsventil

Tryckstyrningsventilen styrs av ECU:n och sköter systemets tryck. Ventilen är inbyggd i högtryckspumpen och kan inte separeras från den.

Om bränsletrycket är för högt öppnas ventilen och bränsle flödar tillbaka till tanken. Om trycket är för lågt stängs ventilen, vilket gör att högtryckspumpen kan öka trycket.

Ventilen är en elektroniskt styrd kulventil. Kulan trycks mot sitt säte, mot bränsletrycket, av en kraftig fjäder och av kraften från elektromagneten. Den kraft som elektromagneten genererar står i direkt proportion till strömmen från ECU:n. Det önskade trycket kan därför ställas in genom att man varierar strömmen till elektromagneten. Eventuella tryckvariationer dämpas av fjädern.

Bränsletryckgivare

Bränsletrycksgivaren sitter i ackumulatorskenan och ger mycket exakt information om bränsletrycket till ECU:n.

Bränsleinsprutningsventil

Insprutningsventilerna sitter på motorn ungefär som vanliga dieselinsprutningsventiler. Insprutningsventilerna är elektroniskt styrda via signaler från ECU:n och bränslet sprutas in med det tryck som finns i ackumulatorskenan. Insprutningsventilerna är mycket exakta instrument som tillverkas med mycket snäva toleranser.

Bränsle flödar in i insprutningsventilen från ackumulatorskenan via en insugsventil och ett insugsgasspjäll, och en elektromagnet gör att insprutningsventilens munstycke lyfter från sitt säte, vilket möjliggör insprutning. Överflödigt bränsle returneras från insprutningsventilerna till tanken via en returledning. Insprutningsventilen styrs enligt en hydraulisk servoprincip: Krafterna inuti insprutningsventilen som uppstår på grund av bränsletrycket förstärker elektromagnetens effekt, som normalt inte avger tillräcklig kraft för att öppna insprutningsventilens munstycke direkt. Insprutningsventilen fungerar enligt följande. Det krävs fem separata krafter för att driva insprutningsventilen.

a) *En munstyckesfjäder tvingar munstyckesnålen mot munstyckets säte längst ner på insprutningsventilen, vilket förhindrar att det kommer in bränsle i förbränningskammaren.*

b) *I ventilen ovanpå insprutningsventilen tvingar ventilfjädern ventilkulan mot öppningen till ventilstyrkammaren. Bränslet i kammaren kan inte smita ut via bränslereturen.*

c) *När den aktiveras avger elektromagneten en kraft som är starkare än ventilfjäderkraften och flyttar bort ventilkulan från dess säte. Detta är aktiveringskraften som startar insprutningen. När ventilkulan flyttas från sitt säte kommer det in bränsle i ventilkontrollkammaren.*

d) *Bränsletrycket i ventilstyrningskammaren trycker på ventilstyrningslyftaren, vilket läggs till kraften på munstyckets fjäder.*

e) *En liten fasning mot munstyckets nedre ände gör att bränslet i styrningskammaren utövar tryck på munstyckets nål.*

När dessa krafter är i balans är insprutningsventilen i sitt viloläge, men när elektromagneten spänningsmatas arbetar krafterna för att lyfta upp munstyckesnålen, och spruta in bränsle i förbränningskammaren. Insprutningsventilerna har fyra arbetsfaser:

a) *Viloläge – alla krafter är i balans. Munstyckesnålen stänger till munstyckets öppning och ventilfjädern tvingar ventilkulan mot dess säte.*

b) *Öppning – elektromagneten aktiveras vilket öppnar munstycket och aktiverar insprutningprocessen. Kraften från elektromagneten hjälper ventilkulan att lämna sitt säte. Bränslet från ventilstyrningskammaren rinner tillbaka till tanken via bränslereturledningen. När ventilen öppnas sjunker trycket i ventilstyrningskammaren, och trycket på ventillyftaren sjunker. Men på grund av insugsgasspjällets effekt förblir trycket på munstyckets nål oförändrat. Den kraft som finns kvar i ventilstyrningskammaren räcker för att lyfta munstycket från dess säte, och insprutningsprocessen börjar.*

c) *Insprutning – inom några millisekunder sänks aktiveringsströmmen i elektromagneten till en lägre hållström. Munstycket är nu helt öppet och bränsle sprutas in i förbränningskammaren med det tryck som finns i ackumulatorskenan.*

d) *Stängning – elektromagneten stängs av, och då tvingar ventilfjädern ventilkulan hårt mot dess säte, och i ventilstyrningskammaren är trycket detsamma som vid munstyckesnålen. Kraften på ventillyftaren ökar och munstyckesnålen stänger munstyckesöppningen. Krafterna är nu åter i balans och insprutningsventilen återgår till viloläget, i väntan på nästa insprutningsföljd.*

ECU och givare

ECU:n och givarna beskrivs tidigare i detta avsnitt – se *Elektroniskt styrsystem*.

Luftintagsgivare och turboaggregat

Det sitter en luftflödesgivare efter luftfiltret som övervakar luftmängden som matas till turboaggregatet. På 1,6- och 2,0-liters modeller leds luft från turboaggregatets högtryckssida antingen genom laddluftkylaren, eller in i grenröret utan att kylas först, beroende på lufttemperaturen **(se bild 4.27)**. Insugsluftens flöde och dragning styrs av motorstyrningens elektroniska styrmodul. På dessa modeller sitter ett värmepaket som värms av motorns kylvätska längst ner på luftrenarhuset. Paketet värmer upp den inkommande luften, vilket minskar mängden farliga avgaser som släpps ut.

Turboaggregaten har en fast geometri på 2,0-liters SOHC modeller, och variabel munstyckesgeometri på övriga modeller.

Varningar och föreskrifter

1 Det är viktigt att följa föreskrifterna noggrant vid arbete på komponenterna i motorns bränslesystemet, särskilt systemets högtryckssida. Innan arbetet på bränslesystemet påbörjas, se föreskrifterna i *Säkerheten främst!* i början av den här handboken och följande extrainformation.

- Utför inga reparationer på högtrycks-bränslesystemet om du inte är säker på att du kompetent nog att göra det. Se till att du har tillgång till alla verktyg och all utrustning som krävs och att du känner till säkerhetsföreskrifterna som gäller.
- Innan du påbörjar reparationer av bränslesystemet, vänta minst 30 sekunder efter det att motorn har slagits av för att bränslekretsens tryck ska hinna sjunka.
- Arbeta aldrig med högtrycks-bränslesystemet med motorn igång.
- Håll dig borta från alla eventuella källor till bränsleläckage, framförallt när du startar motorn efter det att du har utfört reparationer. Ett läcka i systemet kan orsaka en stråle med extremt högt tryck, vilket kan leda till allvarliga personskador.
- Placera aldrig händerna eller någon annan kroppsdel nära en läcka i högtrycksbränslesystemet.
- Använd inte ångtvätt eller tryckluft för att rengöra motorn eller någon av delarna i bränslesystemet.

Procedurer och information

2 Man måste vara mycket noga med renlighet och hygien när man arbetar med bränslesystemets delar. Detta gäller både arbetsplatsen i allmänhet, personen som utför arbetet och de komponenter som man arbetar med.

3 Innan du börjar arbeta med bränslesystemets komponenter måste de rengöras ordentligt med ett lämpligt avfettningsmedel. Man kan köpa speciella rengöringsprodukter från Peugeot-verkstäder. Annars kan man använda en lämplig bromsrengöringsvätska. Renlighet är särskilt viktigt när man arbetar med bränslesystemets anslutningar på följande komponenter:

a) *Bränslefilter.*
b) *Högtrycksbränslepump.*
c) *Ackumulatorskena.*
d) *Bränsleinjektoren.*
e) *Högtryckbränslerör*

4 När bränslerör eller andra komponenter har kopplats loss måste den öppna anslutningen eller öppningen täppas till omedelbart för att förhindra att det kommer in smuts eller främmande föremål. Plastpluggar och lock i olika storlekar kan köpas i större förpackningar från motorspecialister och tillbehörsbutiker, och passar mycket bra för detta arbete

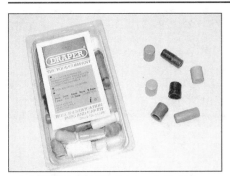

2.4 Typisk uppsättning med plastplugg och kåpa för att täppa till frånkopplade bränslerör och komponenter

2.7 Två kråkfotsadaptrar krävs för att dra åt bränslerörsanslutningarna

3.1 Kör den manuella handsnapspumpen tills det syns bränsle som är fritt från bubblor i bränsleröret (markerad med pil)

(se bild). Fingrar som klippts av från gummihandskar kan användas för att skydda komponenter som bränslerör, bränsleinsprutare och kontaktdon, och kan fästas på plats med hjälp av gummisnoddar. Du kan hämta lämpliga handskar gratis på de flesta bensinstationer.

5 När något av högtrycksbränslerören kopplas loss eller tas bort måste du skaffa nya rör för monteringen.

6 När reparationer av högtrycksbränslesystemet ska avslutas rekommenderar Peugeot att man använder läckavkänningsmedel. Det är ett pulver som man använder på bränslerörens anslutningar och förbindningar, och som blir vitt när det torkar. Läckage i systemet gör att produkten mörknar, vilket visar var läckaget finns.

7 Åtdragningsmomenten i Specifikationer måste följas noggrant när man drar åt komponenternas fästen och anslutningar. Detta är särskilt viktigt när man drar åt högtrycksbränslerörens anslutningar. För att man ska kunna använda en momentnyckel på bränslerörens anslutningar krävs två av Peugeots kråkfotsadaptrar. Lämpliga alternativ finns att köpa från motorspecialister och tillbehörsbutiker (se bild).

3 Bränslesystemet – snapsning och luftning

1 Om bränslematningssystemet kopplas loss mellan bränsletanken och högtryckspumpen måste bränslesystemet snapsas. Detta gör du med hjälp av handsnapspumpen (i

förekommande fall) tills du känner motstånd (1,6- och 2,0-liters modeller) eller tills det syns bränsle i det genomskinliga bränslematningsröret i motorrummet (1,4-liters modeller) (se bild). Ta bort plastkåpan från motorns ovansida för att komma åt snapspumpen.

2 Observera att om en handsnapspump inte har monterats utför du snapsning genom att ansluta en lämplig slang (om det behövs kan en speciell Peugeot-slang med nr 444-T finnas) från bränslefiltrets utgående rör till bränslereturröret och tvinga bränsle genom filtret, in i retursystemet. Om du inte har tillgång till den speciella slangen räcker det att ansluta en bit slang till filterutloppet, och lägga den andra slangänden i en lämplig behållare (se bild). Metoden för att tvinga igenom bränsle varierar beroende på motortyp:

DV6TED4 och DV6ATED4 – Använd handsnapspumpen i cirka 2 minuter.

DW10TD – Använd handsnapspumpen i cirka 2 minuter.

DW10ATED – Vrid tändningsnyckeln till läge ON, låt bränslepumpen på tanken gå (den körs bara tillfälligt), och slå sedan av tändningen. Upprepa totalt 10 gånger, ta sedan bort förbikopplingsslangen, återanslut de vanliga bränsleslangarna och vrid tändningsnyckeln till läget ON. Låt pumpen gå och vrid nyckeln till OFF. Upprepa ON/OFF-proceduren med nyckeln en gång till.

DW10BTED4 – Använd handsnapspumpen i cirka 1 minut.

3 När systemet är snapsat återansluter du slangarna och drar sedan igång motorn med startmotorn.

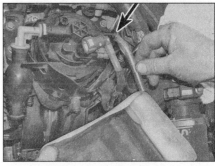

3.2 Fäst en slang på filterutloppet och låt bränslet rinna ner i en behållare

4 Luftrenare och luftkanaler – demontering och montering

Luftrenaren och inloppskanalen – demontering

1,4-liters modeller

1 Dra upp plastmotorkåpan och ta bort den.

2 Lossa turboaggregatets insugsslangklämma och lossa dieselsnapsningskolven från dess fästbyglar på husets högra ände.

3 Lossa klämman som fäster turboutloppsslangen, skruva loss bulten som fäster resonatorlådan och bulten som fäster resonatorlådan på turboaggregatet, vrid lådan uppåt och ta bort den (se bilder). Observera: För att kunna förbättra åtkomsten tar du bort

4.3a Lossa klämman och koppla loss turboutloppsslangen (markerad med pil) . . .

4.3b . . . sedan skruva loss fästbultarna (markerade med pil) . . .

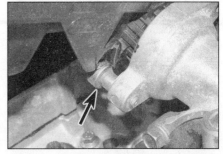

4.3c . . . vrid lådans högra ände uppåt och haka loss den från turbons utloppsstift (markerad med pil)

4.4a Skruva loss luftrenarhusets båda skruvar (markerade med pil)

4.4b Luftrenarhusets bakre del passar in i två gummifästen (markerade med pil)

4.5 Tryck in centrumsprinten och bänd sedan ut hela plastniten (markerad med pil) och ta bort luftintagskanalen

torkarbladen och ventilpanelen i plast. Panelen är fäst med en plastexpandernit i var ände – tryck in centrumsprintarna lite och bänd sedan ut hela nitarna. Lossa ljudisoleringspanelen från ventilpanelens tvärbalk, skruva loss bulten på var ände och ta bort tvärbalken från bilen (se bilder 14.3a, 14.3b och 14.3c).

4 Skruva loss de båda skruvarna och ta bort luftrenarhuset, koppla ifrån alla anslutningskontakter som behövs allt eftersom huset tas bort **(se bilder)**.

5 När du ska ta bort luftintagskanalen lossar du fästklämmorna och tar bort den berörda biten kanal. Luftkanalen sitter i motorrummets främre vänstra hörn och hålls fast av en plastexpandernit. Tryck ner centrumsprinten och dra sedan bort hela niten **(se bild)**. Luftavskiljaren i motorrummets vänstra främre hörn lyfter du enkelt bort, och vid monteringen passar du in den över en klämma på eldosans

framsida. Kanalen på motorns baksida kan endast nås om batterihyllan har tagits bort

1,6-liters modeller

6 Ta bort torkararmarna (kapitel 12) och lossa sedan ventilpanelen i plast. Panelen är fäst med en plastexpandernit i var ände – tryck in centrumsprintarna lite och bänd sedan ut hela nitarna. Dra upp panelens ändar för att lossa den från vindrutans klämmor och dra mittdelen av panelen nedåt för att lossa den från vindrutans mittersta klämma. Skruva loss de två bultar som håller fast bromsens/kopplingens huvudcylinderns övre behållare och flytta den åt sidan. Lossa ljudisoleringspanelen från ventilpanelens tvärbalk, skruva loss bulten på var ände och ta bort tvärbalken från bilen.

7 Skruva loss skruven och ta bort luftintagskanalen från motorrummets främre del till luftfilterhuset **(se bild)**.

8 Skruva loss de båda skruvarna som fäster luftfilterkåpan på huset, koppla ifrån massluftflödesgivarens anslutningskontakt och lossa klämman som fäster luftintagskanalen på turboaggregatet. Lossa klämmorna som fäster ventilröret på ventilkåpan, flytta sedan bort insugskanalen/filterkåpan **(se bilder)**.

9 Dra luftfilterhuset uppåt från gummifästesgenomföringarna.

2,0-liters modeller

10 Skruva loss de fyra fästena och lyft bort motorkåpan **(se bild)**.

11 Lossa luftflödesmätarens anslutningskontakt.

12 Lossa fästklämmorna och koppla loss den flexibla luftintagskanalen från luftmängdmätaren **(se bild)**.

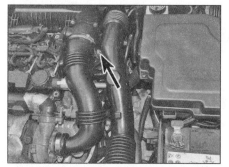

4.7 Skruva loss skruven (markerad med pil) och ta bort inloppskanalen

4.8a Skruva loss luftfilterkåpans skruvar (markerad med pil) . . .

4.8b . . . koppla loss turboaggregatets inloppskanal . . .

4.8c . . . lossa klämman (markerad med pil) och koppla loss ventilen . . .

4.8d . . . ta sedan bort kåp-/kanalenheten

4.10 Skruva loss fästena (markerade med pil) och ta bort plastmotorkåpan

4.12 Lossa klämman (markerad med pil) och koppla loss den flexibla kanalen från luftmängdmätaren

4.15 Skruva loss de fem skruvarna (markerade med pil) som fäster värmepaketet i luftrenarhuset

4.16 Tryck ner klämman (markerad med pil) och skjut upp huset från fästbygeln

13 I förekommande fall kopplar du loss anslutningskontakten från gaspedalens lägesgivare, alldeles intill luftrenarhuset.
14 Vrid gaspedalens lägesgivarkvadrant och lossa den inre vajern från kvadranten.
15 På modeller med laddluftkylare (DW10ATED) kopplar du loss vattenventilens anslutningskontakt och lossar sedan de fem skruvarna som fäster ventilen och värmepaketet på luftrenarhuset **(se bild)**.
16 Lossa fästklämman och lyft sedan upp huset. I förekommande fall skjuter du ut värmepaketet från huset och kopplar loss vattendräneringsslangen **(se bild)**.
17 När du ska ta bort luftrenarens luftintagskanal trycker du ner låsklacken och skjuter bort kanalen från fästbygeln **(se bild)**.
18 Demontera den främre stötfångaren enligt beskrivningen i kapitel 11.
19 Tryck in centrumsprintarna lite och bänd sedan ut hela plastnitarna som fäster insugskanalen på stötfångaren.
20 Ta bort kanalen från motorrummet.

Insugsluftsresonator – demontering

1,4-liters modeller

21 När du ska ta bort resonatorn drar du upp och tar bort plastkåpan från motorns ovansida. Notera sedan var den sitter och lossa utloppskanalens klämma. Den måste sättas tillbaka på sin ursprungliga plats.
22 Skruva loss bulten som fäster resonatorlådan och bulten som håller fast

4.17 Tryck ner tappen (markerad med pil) och skjut bort kanalen från fästbygeln

turboaggregatets utloppsrör på lådan **(se bilder 4.3a, 4.3b och 4.3c)**.
23 Lyft upp kanalens högra ände och ta bort lådan och kanalen.

Turboaggregatets kanaler – demontering

Observera: *För 1,4- och 1,6-liters modeller, se Luftrenare och luftkanaler – demontering.*

2,0-liters modeller

24 På 2,0-liters motorer är de styva kanalerna på motorns baksida som ansluter turboaggregatet till luftintagskanalen och till insugsgrenröret inte åtkomliga när motorn är kvar i bilen. För att komma åt kanalerna måste du ta bort framfjädringens kryssrambalk enligt beskrivningen i kapitel 10.
25 När du kommer åt kanalerna lossar du

bulten som fäster kanalen på insugsgrenrörets krök.
26 På den nedre änden skruvar du loss bulten som fäster kanalen på turboaggregatet. Lyft bort kanalen och ta bort tätningen från den nedre änden.
27 När du ska ta bort de styva plastkanalerna mellan turboaggregatet och insugsgrenröret på DW10TD-motorerna (utan laddluftkylning) lossar du klämmorna och kopplar loss anslutningsslangen från insugsgrenrörets krök. Lossa klämman som fäster anslutningsslangen på kanalens nedre ände på turboaggregatet. Lossa remmen från tappen på turboaggregatet och ta bort kanalen från motorn **(se bild)**.
28 På DW10ATED-motorerna lämnar insugsluften turboaggregatet och kommer in i ett mellangrenrör, där luften flödar genom en passage som antingen är laddluftkyld eller inte

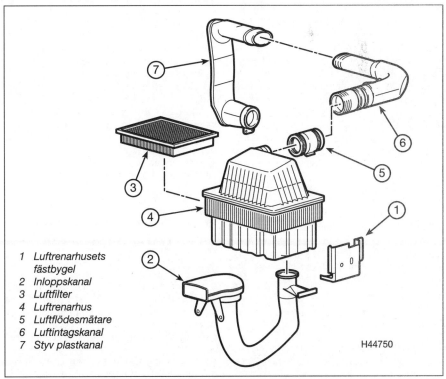

1 Luftrenarhusets fästbygel
2 Inloppskanal
3 Luftfilter
4 Luftrenarhus
5 Luftflödesmätare
6 Luftintagskanal
7 Styv plastkanal

4.27 Luftintagskanal (utan laddluftkylning, 2,0-liters DW10TD-motor)

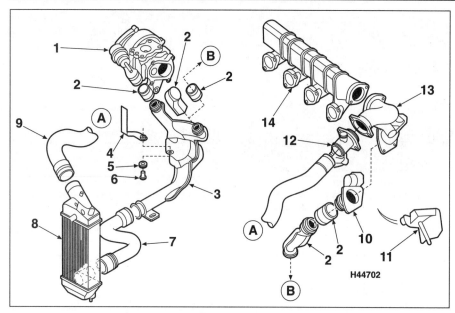

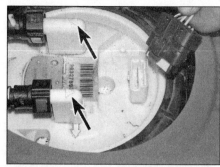

7.1 Pilarna på pumpkåpan anger tillförsel och retur (markerad med pil)

4.28 Luftkanal mellan turboaggregat och grenrör

1 Turboaggregat	5 Muff	10 Ventilhus
2 Anslutningsdel	6 Hylsa	11 Värmesköld
3 Mellanliggande	7 Kanal	12 Ventilhus
grenrör	8 Mellankylare	13 Insugningskrök
4 Stödfäste	9 Kanal	14 Insugningsgrenrör

(se bild). När du ska ta bort mellangrenröret lyfter du upp framvagnen och ställer den på pallbockar (se *Lyftning och stödpunkter*). Skruva loss skruvarna och ta bort motorns undre skyddskåpa.

29 Lossa klämmorna som fäster insugskanalen på mellangrenröret. Lossa bultar och ta bort enheten.

30 De återstående kanalerna är fästa med slangklämmor. Innan du tar bort några kanaler ska du notera var eventuella vakuumslangar eller elkablage/anslutningar är placerade för att underlätta monteringen.

Montering

31 Monteringen sker i omvänd ordning. Undersök hur tätningarna och fästklämmorna ser ut, och byt dem om de inte är i gott skick.

32 Montera i förekommande fall tillbaka framfjädringens kryssrambalk enligt beskrivningen i kapitel 10.

33 Återanslut och justera gasvajern vid behov enligt beskrivningen i avsnitt 5.

5 Gasvajer – demontering, återmontering och justering

Observera: *Det är endast vissa 2,0-liters modeller som har en gasvajer*

Demontering

1 Skruva loss de 4 hållarna och ta bort kåpan från motorn.

2 Vrid gaspedalens lägesgivarkvadrant och lossa den inre vajern från kvadranten.

3 Ta bort vajerhöljet från genomföringen i pedallägesgivarens hus, ta bort den plana brickan från vajeränden och ta bort fjäderklämman.

4 Lossa vajern från de resterande klämmorna och byglarna i motorrummet, notera hur den är dragen.

5 Arbeta i passagerarutrymmet, sträck in handen under instrumentbrädan, tryck ner vajerändbeslagets ändar och lossa den inre vajern från gaspedalens ovansida.

6 Loss vajerhöljet från pedalfästbygeln. Bind sedan en bit snöre runt vajeränden.

7 Återgå till motorrummet, lossa vajergenomföringen från mellanväggen och dra bort vajern. När du ser vajeränden knyter du upp du snöret och lämnar kvar det – det kan användas för att dra tillbaka vajern på plats vid återmonteringen.

Montering

8 Monteringen utförs i omvänd ordningsföljd mot demonteringen, men se till att vajern dras som före demonteringen och avsluta med att justera den enligt följande.

Justering

9 Ta bort fjäderklämman från gaspedalens vajerhölje. Se till att pedalens lägesgivarkvadrant ligger helt mot sitt stopp och dra försiktigt ut vajern från genomföringen tills allt slack har försvunnit från den inre vajern.

10 Med vajeränden i detta läge sätter du tillbaka fjäderklämman på det sista exponerade vajerhöljesspåret framför gummigenomföringen och brickan. När klämman sätts tillbaka och vajerhöljet lossas ska det endast finnas kvar ytterst lite slack i den inre vajern.

11 Be en medhjälpare att trycka ner gaspedalen och kontrollera att pedallägesgivarens kvadrant öppnas helt och smidigt återgår till stoppet.

12 Avsluta med att sätta tillbaka motorkåpan.

6 Gaspedal – demontering och montering

Se kapitel 4A.

7 Bränslesugpump – demontering och montering

Dieselbränslesugpumpen sitter på samma plats som en vanlig bränslepump på besinmodeller, och borttagningen och ditsättningen är i princip desamma (se bild). Se kapitel 4A. Observera: *Det sitter ingen sugpump på 1,4-liters motorn, men bränslemätargivaren sitter i bränsletanken – på samma ställe som på andra modeller.*

8 Bränslemätargivare – demontering och montering

Bränslemätargivaren är inbyggt i bränslesugpumpen. Se avsnitt 7.

9 Bränsletank och kylare – demontering och montering

Bränsletank

Se kapitel 4A.

Bränslekylare

Demontering

1 Bränslekylaren sitter under bilens högra sida. Lyft upp bakvagnen och ställ den på pallbockar (se *Lyftning och stödpunkter*).

2 Arbeta under bilen, skruva loss de

9.2 Skruva loss de båda muttrarna (markerade med pil) som fäster bränslekylaren

båda fästmuttrarna och lossa kylaren från inpassningshålen (**se bild**).
3 a Tryck in lossningsknappen och lossa bränslematning- och returslangen från kylaren. Var beredd på bränslespill och plugga igen slang- och kylaröppningarna för att förhindra att det kommer in smuts (**se bild**).

Montering
4 Monteringen utförs i omvänd ordningsföljd mot demonteringen,

10 Högtrycksbränslepump – demontering och montering

⚠ **Varning: Se försiktighetsåtgärderna i avsnitt 2 innan du fortsätter.**

10.3 Tryck in lossningsknappen (markerad med pil) och lossa bränslematning- och returslangen från pumpen.

10.6 Håll emot pumpanslutningen med en andra nyckel samtidigt som du lossar anslutningen mellan ackumulatorn och pumpröret

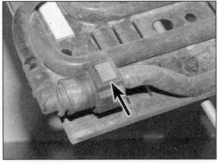

9.3 Tryck ner lossningsknappen (markerad med pil) och koppla loss slangen

Observera: *Det krävs ett nytt högtrycksbränslerör mellan bränslepumpen och ackumulatorskenan vid monteringen.*

Demontering

1,4-liters SOHC motor

1 Koppla från batteriet (se kapitel 5A) och ta bort kamremmen enligt beskrivningen i kapitel 2C. När kamremmen har tagits bort sätter du tillfälligt tillbaka höger motorfäste men drar inte åt bultarna ordentligt.
2 Ta bort ventilkåporna/luftfilterhus enligt beskrivningen i kapitel 2C.
3 Tryck ner klämknapparna och lossa bränslematning- och returslangen från pumpen (**se bild**). Plugga slangarnas ändar för att hindra att det kommer in smuts.

10.4 Hindra bränslepumpens drev från att rotera genom att föra in ett borrbit på 8 mm genom drevet in i fästplattan

10.8a Skruva loss pumpens bakre stödfästesbultar/muttrar (markerade med pil) . . .

4 Håll pumpdrevet stilla och lossa mittmuttern som fäster det på pumpaxeln. Tillverkarna rekommenderar att man använder ett stift på 8 mm genom remskivan och in i pumpfästet (**se bild**).
5 Pumpdrevet är konmonterat på pumpaxeln och man måste tillverka ett annat verktyg för att lossa det från konen (**se Verktygstips 1**). Skruva delvis loss drevets fästmutter, sätt dit det egentillverkade verktyget och fäst det på drevet med två 7,0 mm bultar och muttrar. Förhindra drevet från att rotera enligt ovan och skruva i muttrarna, vilket tvingar av drevet från spindelkonan. När konformen har lossnat tar du bort verktyget, skruvar loss muttern hel och tar bort drevet från pumpaxeln.
6 Skruva loss anslutningarna och ta bort metallröret mellan pumpen och ackumulatorskenan. Håll emot pumpanslutningen med en andra nyckel – anslutningen som är fastskruvad i pumpen får inte lossna (**se bild**). Kasta röret, eftersom en ny måste användas.
7 Lossa anslutningskontakterna från pumpen, notera var de sitter.
8 Skruva loss muttrarna/bultarna och ta bort pumpens fästbygel från pumpens baksida, och fästbygeln på topplocket (**se bilder**).
9 Demontera avgasåterföringsventilen enligt beskrivningen i kapitel 4C.

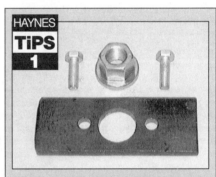

HAYNES TiPS 1

Tillverka ett drevlossningsverktyg av en kort stålremsa. Borra två hål i remsan som motsvarar de två hålen i drevet. Borra ett tredje hål som är lagom stort att rymma de flata delarna av drevets fästmutter.

10.8b . . . och bultarna som håller fast fästbygeln på topplocket

10.10 Skruva loss de tre bultarna (markerade med pil) och ta bort pumpen

10.14a Ta bort luftfiltrets stödfäste (markerad med pil) . . .

10.14b . . . och fästbyglarna runt bränslepumpen (markerade med pil)

Du kan tillverka ett drevhållverktyg av två stålremsor som sammanfogas med bultar för att bilda en gaffelformad ände. Böj remsans ände 90° för att bilda gaffelspetsarna.

10 Skruva loss de tre bultarna, och ta bort oljepumpen **(se bild)**.

Varning: Högtrycksbränslepumpen är tillverkad med mycket snäva toleranser och får inte tas isär på något sätt. Skruva inte loss bränslepumpens hananslutning på pumpens baksida, och försök inte att ta bort givaren, kolvens avaktiveringsbrytare eller tätningen på pumpaxeln. Det finns inga delar till pumpen att köpa separat, och om du misstänker något som helst fel på enheten måste den bytas.

1,6-liters DOHC motor

11 Koppla från batteriet (se kapitel 5A) och ta bort kamremmen enligt beskrivningen i kapitel 2D. När kamremmen har tagits bort sätter du

tillfälligt tillbaka höger motorfäste men drar inte åt bultarna ordentligt.
12 Demontera ftfiltret enligt beskrivningen i avsnitt 4.
13 Ta bort EGR kylaren enligt beskrivningen i kapitel 4C.
14 Skruva loss bultarna/muttrarna och ta bort de tre stödfästena ovanför bränsleackumulatorskenan och högtryckspumpen **(se bilder)**.
15 Skruva loss anslutningsmuttrarna och ta bort högtrycksbränsleröret mellan bränsleackumulatorskenan och högtryckspumpen. Täpp igen öppningen för att hindra smuts från att tränga in.
16 Lossa anslutningskontakten från högtrycksbränslepumpen.
17 Tryck in lossningsknappen och lossa bränslematning- och returslangen från pumpen. Observera att slangarna kan ha en lossningsknapp på var sida om beslaget. Täpp igen öppningen för att hindra smuts från att tränga in.
18 Håll pumpdrevet stilla och lossa mittmuttern som fäster det på pumpaxeln **(se Verktygstips 1)**.
19 Pumpdrevet är konmonterat på pumpaxeln och man måste tillverka ett annat verktyg för att lossa det från konen **(se Verktygstips 2)**. Skruva delvis loss drevets fästmutter, sätt dit det egentillverkade verktyget och fäst det på drevet med två 7,0 mm bultar och muttrar. Förhindra drevet från att rotera enligt ovan och skruva i muttrarna, vilket tvingar av drevet från spindelkonan. När konformen har lossnat tar du bort verktyget, skruvar loss muttern hel

och tar bort drevet från pumpaxeln.
20 Skruva loss de tre bultarna och ta bort fästbygeln från pumpen.
Varning: Högtrycksbränslepumpen är tillverkad med mycket snäva toleranser och får inte tas isär på något sätt. Skruva inte loss bränslepumpens hananslutning på pumpens baksida, och försök inte att ta bort givaren, kolvens avaktiveringsbrytare eller tätningen på pumpaxeln. Det finns inga delar till pumpen att köpa separat, och om du misstänker något som helst fel på enheten måste den bytas.

2,0-liters SOHC motor

21 Koppla från batteriet (se kapitel 5A) och ta bort kamremmen enligt beskrivningen i kapitel 2C. När kamremmen har tagits bort sätter du tillfälligt tillbaka höger motorfäste men drar inte åt bultarna ordentligt.
22 Skruva loss bultarna som fäster kablagets plaststyrning på motorns framsida **(se bild)**. Du måste lyfta upp kablaget så långt som möjligt för att komma åt bränslepumpens baksida. Koppla vid behov loss de berörda kontaktdonen för att kunna flytta kablaget och styrningen så att du kan arbeta.
23 Ta bort bränslefiltret enligt beskrivningen kapitel 1B och lossa bultarna och ta bort bränslefiltrets fäste.
24 Rengör högtrycksbränslepumpens anslutningar på bränslepumpen och ackumulatorskenan ordentligt. Använd en öppen nyckel och skruva loss anslutningsmuttrarna som fäster högtrycksbränsleröret på bränslepumpen och ackumulatorskenan. Håll emot anslutningarna på pumpen och ackumulatorskenan

10.22 Skruva loss bulten (markerad med pil) för att lossa kablagets plaststyrning

10.24a Tryck in knapparna (markerade med pil) och koppla loss bränslematnings- och returslangarnas snabbkoppling vid anslutningarna

10.24b Skruva loss anslutningarna och ta bort högtrycksbränsleröret

med en andra nyckel, samtidigt som du skruvar loss anslutningsmuttrarna. Ta bort högtrycksbränsleröret och plugga igen eller täck över de öppna anslutningarna för att förhindra att det kommer in smuts **(se bild)**. Observera att det behövs ett nytt högtrycksbränslerör vid monteringen. **Observera:** *Bränsleledningarna måste bytas varje gång de har tagits bort, eftersom mycket små metallpartiklar kan leta sig in när man drar åt anslutningsmuttrarna. Om dessa partiklar kommer in i bränsleinsprutarna, kan bränsle med högt tryck fritt komma in i förbränningskamrarna.*

25 Koppla loss lågtrycksslangarna från bränslepumpen och tejpa sedan över öppningarna. Flytta slangarna åt sidan.

26 Skruva loss muttern och bulten som fäster bränslepumpens bakre fäste på fästbygeln **(se bild)**.

27 Koppla ifrån kontaktdonet vid tryckstyrningsventilen på bränslepumpens baksida, och vid kolvens avaktiveringsbrytare ovanpå pumpen.

28 Håll pumpremskivan/drevet stilla och lossa mittmuttern som fäster den på pumpaxeln. Tillverkaren rekommenderar att man för in ett stift genom remskivan och topplocket. Men du kan använda ett egentillverkat förgrenat verktyg som hakas i remskivans hål istället **(se bild)**.

29 Pumpdrevet är konmonterat på pumpaxeln och man måste tillverka ett annat verktyg för att lossa det från konen **(se Verktygstips 1)**. Skruva delvis loss drevets fästmutter, sätt dit det egentillverkade verktyget och fäst det på drevet med två 7,00 mm bultar. Hindra drevet från att rotera som tidigare och skruva loss drevets fästmutter Muttern kommer att ligga emot verktyget när den lossas så att drevet tvingas av axelns koniska form. När konformen har lossnat tar du bort verktyget, skruvar loss muttern hel och tar bort drevet från pumpaxeln.

30 Skruva loss muttern och de två bultar som fäster bränslepumpens främre del på fästbygeln **(se bild)**. Ta bort pumpen och lyft bort den från motorn.

Varning: Högtrycksbränslepumpen är tillverkad med mycket snäva toleranser och får inte tas isär på något sätt. Skruva inte loss bränslepumpens hananslutning på pumpens baksida, och försök inte att ta bort tryckstyrningsventilen, kolvens avaktiveringsbrytare eller tätningen på pumpaxeln. Det finns inga delar till pumpen

10.26 Skruva loss muttern och bulten (markerade med pil) som fäster bränslepumpens bakre fäste på fästbygeln

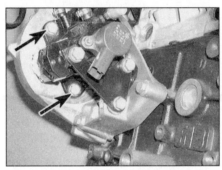

10.30a Bränslepumpens främre fästbultar (markerade med pil) . . .

att köpa separat, och om du misstänker något som helst fel på enheten måste den bytas.

2,0-liters DOHC motor

31 Koppla loss och ta bort batteriets jordledning enligt beskrivningen i kapitel 5A.

32 Ta bort plastkåpan från motorns överdel.

33 Demontera ftfiltret enligt beskrivningen i avsnitt 4.

34 Lossa klämmorna och koppla loss ventilrören från ventilkåpans vänstra sida.

35 Rengör högtrycksbränslepumpens anslutningar på bränslepumpen och ackumulatorskenan ordentligt. Använd en öppen nyckel och skruva loss anslutningsmuttrarna som fäster högtrycksbränsleröret på bränslepumpen och ackumulatorskenan. Håll emot anslutningarna på pumpen och ackumulatorskenan med en andra nyckel, samtidigt som du skruvar loss anslutningsmuttrarna. Ta bort högtrycks-bränsleröret och plugga igen eller täck över

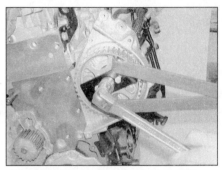

10.28 Använd de egentillverkade verktygen för att ta bort bränslepumpdrevet

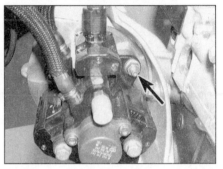

10.30b . . . och fästmutter (markerad med pil)

de öppna anslutningarna för att förhindra att det kommer in smuts **(se bild)**. Observera att det behövs ett nytt högtrycksbränslerör vid monteringen. **Observera:** *Bränsleledningarna måste bytas varje gång de har tagits bort, eftersom mycket små metallpartiklar kan leta sig in när man drar åt anslutningsmuttrarna. Om dessa partiklar kommer in i bränsleinsprutarna, kan bränsle med högt tryck fritt komma in i förbränningskamrarna.*

36 Lossa matnings- och returbränsleslangarna från högtryckspump. Täpp igen öppningen för att hindra smuts från att tränga in.

37 Notera hur anslutningskontakterna sitter monterade och koppla loss dem från pumpen. Flytta kabelhärvan åt sidan.

38 Skruva loss fästbulten och lägg turbo-aggregatets inloppskanal åt sidan **(se bild)**.

39 Skruva loss bultarna/muttrarna och ta bort stödfästet från pumpen.

40 Skruva loss de 3 bultarna, och ta bort pumpen **(se bild)**.

10.35 Ta bort röret (markerad med pil) mellan pumpen och ackumulatorskenan

10.38 Flytta insugningskanalen (markerad med pil) åt sidan

10.40 Skruva loss de 3 bultarna (markerade med pil) och ta bort pumpen

Varning: Högtrycksbränslepumpen är tillverkad med mycket snäva toleranser och får inte tas isär på något sätt. Skruva inte loss bränslepumpens hananslutning på pumpens baksida, och försök inte att ta bort tryckstyrningsventilen, kolvens avaktiveringsbrytare eller tätningen på pumpaxeln. Det finns inga delar till pumpen att köpa separat, och om du misstänker något som helst fel på enheten måste den bytas.

Montering

41 Monteringen sker i omvänd ordningsföljd mot demonteringen. Tänk på följande:
a) Byt alltid högtrycksröret mellan pumpen och ackumulatorskenan.
b) På motorer med en kamaxeldriven pump (dvs. DW10BTED4) byter du drivningstätningen.
c) När allt är ihopmonterat och återanslutet, enligt anvisningarna i avsnitt 2, startar du motorn och låter den gå på tomgång. Leta efter läckor vid högtrycksbränslerörens anslutningar med motorn på tomgång. Om kontrollen inte avslöjar några läckor ökar du motorvarvtalet till 3 000 varv/minut och letar efter läckor igen.
d) Kör bilen en kort sväng och leta efter läckor igen när du kommer tillbaka. Om du upptäcker några läckor måste du köpa och montera ett nytt högtrycksbränslerör. *Försök inte* att laga ens en mycket liten läcka genom att dra åt röranslutningarna ännu mer. Vid landsvägsprovet initieras

motorstyrningens elektroniska styrmodul på följande sätt – lägg i trean och låt motorn stabiliseras på 1 000 varv/minut, accelerera sedan upp till 3 500 varv/minut.

11 Ackumulatorskena – demontering och montering

> **Varning: Se försiktighetsåtgärderna i avsnitt 2 innan du fortsätter.**

Observera: Observera att det behövs ett nytt komplett set med högtrycksbränslerör vid monteringen.

Demontering

1 Koppla loss batteriet (se kapitel 5A).
2 Ta bort plastkåpan från motorns överdel.

1,4-liters modeller

3 Ta bort ventilkåporna/luftfilterhus enligt beskrivningen i kapitel 2C.
4 Rengör området runt högtrycksbränslerören till och från ackumulatorskenan. Skruva sedan loss röranslutningarna mellan pumpen och ackumulatorskenan. Använd en andra nyckel för att hålla emot anslutningen som är fastskruvad i pumphuset **(se bild 10.6)**. Den iskruvade anslutningen får inte röra sig. Ta bort röret.
5 Upprepa proceduren på bränslerören mellan ackumulatorskenan och

insprutningsventilerna. Använd en andra nyckel för att hålla emot anslutningarna som är fastskruvade i insprutningsventilerna **(se bild)**. Dessa anslutningar får inte röra sig. Notera var rören är monterade och ta bort dem.
6 Plugga igen öppningarna i ackumulatorskenan och bränslepumpen för att förhindra att det kommer in smuts.
7 Lossa tryckgivarens anslutningskontakt från ackumulatorskenan **(se bild)**.
8 Koppla loss bränslereturröret från skenan **(se bild)**.
9 Skruva loss skenans båda fästbultar och ta bort den **(se bild)**. *Observera: Peugeot understryker att bränsletrycksgivaren i ackumulatorskenan inte får tas bort.*

1,6-liters motor

10 Ta bort ventilkåporna/insugningsröret enligt beskrivningen i kapitel 2D.
11 Töm kylsystemet enligt beskrivningen i kapitel 1B.
12 Ta bort EGR kylaren enligt beskrivningen i kapitel 4C.
13 Skruva loss de båda fästbultarna, lossa klämmorna och lägg kylvätskepumpens utloppsenhet åt sidan **(se bild)**.
14 Gör rent runt röret och lossa sedan anslutningarna och ta bort högtrycksröret från ackumulatorskenan till högtryckspumpen. Täpp igen öppningen för att hindra smuts från att tränga in.
15 Lossa tryckgivarens anslutningskontakt från ackumulatorskenan **(se bild)**.
16 Skruva loss skenans båda fästbultar och

11.5 Använd en andra nyckel för att hålla emot bränsleinsprutaranslutningarna samtidigt som du lossar röranslutningarna

11.7 Koppla ifrån ackumulatorskenans tryckgivaranslutningskontakt

11.8 Tryck ner lossningsknappen (markerad med pil) och koppla ifrån bränslereturröret

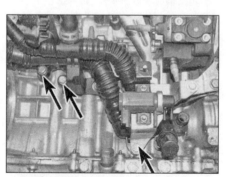

11.9 Ta bort ackumulatorskenans fästbultar (markerade med pil)

11.13 Skruva loss bultarna (markerade med pil) och lägg kylvätskepumpens utloppsenhet åt sidan

11.15 Tryckgivaren sitter längst ut på ackumulatorskenan (markerad med pil)

11.16 Ackumulatorskenans fästbult/ pinnbult (markerad med pil)

11.17a Koppla loss kontaktdon vid bränsleinjektoren . . .

11.17b . . . och på kolvens avaktiveringsbrytare ovanpå bränslepumpen

ta bort den **(se bild)**. **Observera:** *Peugeot understryker att bränsletrycksgivaren i ackumulatorskenan inte får tas bort.*
Varning: Försök inte att ta bort de fyra högtrycksbränslerörens hananslutningar från ackumulatorskenan. Dessa delar kan inte köpas separat och om de störs leder detta troligen till bränsleläckage vid återmonteringen.

2,0-liters SOHC motor

17 Lossa kontaktdonen vid bränsleinsprutarna och vid kolvens avaktiveringsbrytare ovanpå bränslepumpen, eller vid givaren mitt i ackumulatorskenan **(se bilder)**.
18 Skruva loss de båda muttrarna som fäster kablagets plaststyrning på topplocket. Lyft bort styrningen från de båda pinnbultarna och lägg den åt sidan **(se bild)**. Koppla loss eventuella andra kontaktdon vid behov så att kablaget och styrningsenheten kan flyttas ännu mer för ökad åtkomst.
19 Lossa fästklämman och lossa vevhusets ventilationsslang från ventilkåpan. Lägg den åt sidan.
20 Vid anslutningarna över bränslepumpen lossar du bränsletillförsel- och returslangens snabbanslutningar med en liten skruvmejsel som trycks ner och lossar låsklämman. Plugga igen eller täck över öppna anslutningar på lämpligt sätt för att förhindra att det kommer in smuts.
21 Koppla även loss matnings- och returslangarnas snabbkopplingar vid bränslefiltret och plugga igen eller täck över de öppna anslutningarna. Lossa bränsleslangarna från de berörda fästklämmorna, lossa sedan fästena och lägg bränslefiltrets fästbygel åt sidan.
22 Koppla ifrån bränsletemperaturgivarens anslutningskontakt från ackumulatorskenans vänstra ände.
23 Rengör alla högtrycksbränslepumpens anslutningar på ackumulatorskenan, bränslepumpen och insprutningsventilerna ordentligt. Använd en öppen nyckel och skruva loss anslutningsmuttrarna som fäster högtrycksbränsleröret på bränslepumpen och ackumulatorskenan. Håll emot anslutningarna på pumpen och ackumulatorskenan med en andra nyckel, samtidigt som du skruvar loss anslutningsmuttrarna. Ta bort högtrycksbränslerören och plugga igen eller

täck över de öppna anslutningarna för att förhindra att det kommer in smuts.
24 Använd två nycklar, håll i anslutningarna och skruva loss anslutningsmuttrarna som fäster högtrycksbränslerören på bränsleinsprutarna och ackumulatorskenan **(se bilder)**. Ta bort högtrycksbränslerören och plugga igen eller täck över de öppna anslutningarna för att förhindra att det kommer in smuts.
25 Skruva loss de tre bultarna som fäster ackumulatorskenan på topplocket och ta bort skenan från dess plats **(se bild)**.
Varning: Försök inte att ta bort de fyra högtrycksbränslerörens hananslutningar från ackumulatorskenan. Dessa delar kan inte köpas separat och om de störs leder detta troligen till bränsleläckage vid återmonteringen.

2,0-liters DOHC motor

26 Lossa motorns luftningsslang från ventilkåpans anslutning.

11.18 Skruva loss muttrarna och lyft bort kablagets plaststyrning

11.24b . . . och på varje insprutningsventil

27 Demontera luftfiltret enligt beskrivningen i avsnitt 4.
28 Demontera insugningsröret enligt beskrivningen i avsnitt 14.
29 Lägg oljepåfyllningsröret åt sidan.
30 Rengör alla högtrycksbränslepumpens anslutningar på ackumulatorskenan, bränslepumpen och insprutningsventilerna ordentligt. Använd en öppen nyckel och skruva loss anslutningsmuttrarna som fäster högtrycksbränsleröret på bränslepumpen och ackumulatorskenan. Håll emot anslutningarna på pumpen och ackumulatorskenan med en andra nyckel, samtidigt som du skruvar loss anslutningsmuttrarna. Ta bort högtrycksbränslerören och plugga igen eller täck över de öppna anslutningarna för att förhindra att det kommer in smuts.
31 Använd två nycklar, håll i anslutningarna och skruva loss anslutningsmuttrarna som fäster högtrycksbränslerören på

11.24a Använd två nycklar och skruva loss bränslerörsanslutningarna på ackumulatorskenan . . .

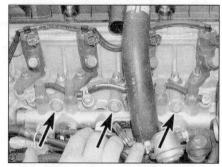

11.25 Ackumulatorskenans fästbulter (markerade med pil)

bränsleinsprutarna och ackumulatorskenan **(se bild 11.24a och 11.24b)**. Ta bort högtrycksbränslerören och plugga igen eller täck över de öppna anslutningarna för att förhindra att det kommer in smuts.

32 Skruva loss de båda fästmuttrarna och flytta bort ackumulatorskenan. Ta loss fästdistanserna. Koppla ifrån givarens anslutningskontakt(er) när ackumulatorskenan tas bort.

Montering

33 Passa in ackumulatorskenan och montera och dra åt fästbultarna/muttrarna för hand.

34 Återanslut ackumulatorskenans anslutningskontakt(er).

35 Montera det nya högtrycksröret mellan pumpen och skenan, dra endast åt anslutningarna för hand först. Dra sedan åt anslutningarna till angivet moment. Använd en andra nyckel för att hålla emot anslutningen som är fastskruvad i pumphuset

36 Montera den nya uppsättningen högtrycksrör mellan skenan och insprutningsventilerna och dra åt anslutningarna för hand. Om det inte går att montera de nya rören på insprutningsventilernas anslutningar, ta bort och sätt tillbaka insprutningsventilerna enligt beskrivningen i avsnitt 12 och försök igen.

37 Dra åt ackumulatorskenans fästbultar/muttrar till angivet moment.

38 Dra åt röranslutningarna mellan skenan och insprutningsventilerna till angivet moment. Använd en andra nyckel för att hålla emot insprutningsventilernas anslutningar.

39 Resten av återmonteringen sker i omvänd ordning mot demonteringen. Tänk på följande:

12.4 Bänd ut låsringen och koppla loss bränslespillröret

12.5b ... och ta bort klämman

a) Se till att alla kontaktdon och kablage är korrekt återmonterade och fästa.

b) Återanslut och ta bort batteriet, enligt beskrivningen i kapitel 5A.

c) Enligt anvisningarna i avsnitt 2, startar du motorn och låter den gå på tomgång. Leta efter läckor vid högtrycksbränslerörens anslutningar med motorn på tomgång. Om kontrollen inte avslöjar några läckor ökar du motorvarvtalet till 3 000 varv/minut och letar efter läckor igen. Kör bilen en kort sväng och leta efter läckor igen när du kommer tillbaka. Om du upptäcker läckage, införskaffa och montera nya högtrycksbränslerör efter behov. Försök inte att laga ens en mycket liten läcka genom att dra åt röranslutningarna ännu mer.

12 Bränsleinjektoren – demontering och montering

> **Varning: Se försiktighetsåtgärderna i avsnitt 2 innan du fortsätter.**

Demontering

1 Ta bort plastkåpan från motorns överdel.

1,4-liters modeller

Observera: *Följande metod beskriver demontering och montering av insprutningsventilerna som en enhet, men varje insprutningsventil kan tas bort separat vid behov. Vid återmonteringen krävs nya kopparbrickor, övre tätningar, fästmuttrar till insprutningsventilernas klämmor och ett*

12.5a Skruva loss insprutningsventilens klämbult ...

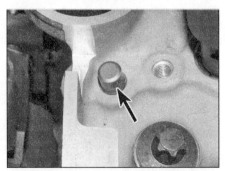

12.5c Om styrstiftet är löst tar du bort det (markerad med pil)

högtrycksbränslerör för varje insprutningsventil som har störts.

2 Ta bort ventilkåporna/luftfilterhus enligt beskrivningen i kapitel 2C.

3 Rengör området runt högtrycksbränslerören mellan insprutningsventilerna och ackumulatorskenan, skruva sedan loss röranslutningarna. Använd en andra nyckel för att hålla emot anslutningen som är inskruvad i insprutningsventilhuset **(se bild 11.5)**. Insprutningsventilernas inskruvade anslutningar får inte röras. Ta bort rören. Plugga igen öppningarna i ackumulatorskenan och insprutningsventilerna för att förhindra att det kommer in smuts.

4 Ta bort fästlåsringen och koppla loss spillrören från alla bränsleinsprutare **(se bild)**.

5 Skruva loss insprutningsventilens fästbult, och ta bort klämman. Om klämmans styrstift är löst tar du bort det från topplocket **(se bild)**.

6 Dra eller bänd ut insprutningsventilen. Ta inte stöd mot och dra inte i magnetventilens hus längst upp på insprutningsventilen.

7 Ta bort kopparbrickan och den övre tätningen från varje insprutningsventil, eller från topplocket om de satt kvar vid demonteringen av insprutningsventilen **(se bild)**. Det behövs nya kopparbrickor och övre tätningar vid monteringen. Täck över insprutningsventilens hål i topplocket för att förhindra att det kommer in smuts.

8 Undersök varje insprutningsventil visuellt och leta efter tecken på uppenbara skador eller åldrande. Om det finns uppenbara fel byter du insprutningsventilen/ventilerna.

9 Om insprutningsventilerna är i gott skick pluggar du igen bränslerörsanslutningen (om detta inte redan har gjorts) och täcker för den elektriska delen och insprutningsmunstycket på lämpligt sätt.

> **Varning: Insprutningsventilerna är tillverkade med mycket snäva toleranser och får inte tas isär på något sätt. Skruva inte loss bränslerörsanslutningen på insprutningsventilens sida, och separera inte insprutningsventilens husdelar. Försök inte att ta bort sotavlagringar från insprutningsmunstycket eller utföra någon form av ultraljuds- eller trycktest.**

1,6-liters motor

Observera: *Följande metod beskriver demontering och montering av*

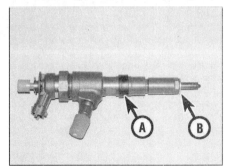

12.7 Bränsleinsprutarens övre tätning (A) och kopparbricka (B)

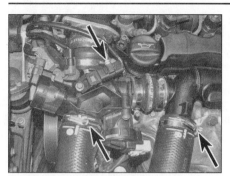

12.11a Insugningskanalens klämmor (markerade med pil) . . .

12.11b . . . och bultar (markerade med pil)

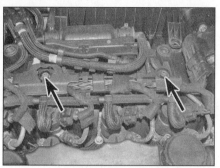

12.13 Kablagets stödfästesbultar (markerade med pil)

insprutningsventilerna som en enhet, men varje insprutningsventil kan tas bort separat vid behov. Vid återmonteringen krävs nya kopparbrickor, övre tätningar och ett högtrycksbränslerör för varje insprutningsventil som har störts.

10 Ta bort EGR kylaren enligt beskrivningen i kapitel 4C.

11 Skruva loss bultarna, lossa klämmorna och ta bort luftintagskanalenheten mellan turboaggregatet och insugsgrenröret. Notera var de är monterade och koppla därefter bort de olika anslutningskontakterna när enheten tas bort **(se bilder)**.

12 Koppla loss insprutningsventilens anslutningskontakter.

13 Skruva loss bultarna och lägg kablagets stödfäste åt sidan **(se bild)**.

14 Lossa den manuella bränsleevakueringspumpen och dess fäste.

15 Ta bort fästlåsringen och koppla loss spillrören från alla bränsleinsprutare **(se bild)**.

16 Rengörområdetruntgögtrycksbränslerören mellan insprutningsventilerna och ackumulatorskenan, skruva sedan loss röranslutningarna. Använd en andra nyckel för att hålla emot anslutningen som är fastskruvad i insprutningsventilhuset **(se bild)**. Insprutningsventilernas inskruvade anslutningar får inte röras. Ta bort fästbygeln ovanför ackumulatorskenan och ta sedan bort rören. Plugga igen öppningarna i ackumulatorskenan och insprutningsventilerna för att förhindra att det kommer in smuts.

17 Skruva loss insprutningsventilens fästmuttrar och dra försiktigt ut eller bänd loss insprutningsventilen. Om det behövs använder du en öppen nyckel och vrider

insprutningsventilen för att lossa den **(se bild)**. Ta inte stöd mot och dra inte i magnetventilens hus längst upp på insprutningsventilen. Notera insprutningsventilernas lägen – om insprutningsventilerna ska återmonteras måste de placeras på sina ursprungliga platser. Om det krävs bättre åtkomst skruvar du loss bultarna och tar bort oljeavskiljarens hus från ventilkåpans främre del.

18 Ta bort kopparbrickan och den övre tätningen från varje insprutningsventil, eller från topplocket om de satt kvar vid demonteringen av insprutningsventilen. Det behövs nya kopparbrickor och övre tätningar vid monteringen. Täck över insprutningsventilens hål i topplocket för att förhindra att det kommer in smuts.

19 Undersök varje insprutningsventil visuellt och leta efter tecken på uppenbara skador eller åldrande. Om det finns uppenbara fel byter du insprutningsventilen/ventilerna.

12.15 Bänd ut klämman och dra loss returröret från respektive insprutningsventil

Anteckna den åttasiffriga klassifikationskoden för insprutningsventilen – den kan behövas vid monteringen om ECU:n har bytts **(se bild)**.

20 Om insprutningsventilerna är i gott skick pluggar du igen bränslerörsanslutningen (om detta redan har gjorts) och täcker för den elektriska delen och insprutningsmunstycket på lämpligt sätt.

Varning: Insprutningsventilerna är tillverkade med mycket snäva toleranser och får inte tas isär på något sätt. Skruva inte loss bränslerörsanslutningen på insprutningsventilens sida, och separera inte insprutningsventilens husdelar. Försök inte att ta bort sotavlagringar från insprutningsmunstycket eller utföra någon form av ultraljuds- eller trycktest.

2,0-liters SOHC motor

Observera: *Följande metod beskriver demontering och montering av*

12.16 Använd en andra nyckel för att hålla emot högtrycksrörens anslutningsmuttrar

12.17a Insprutningsventilens fästmuttrar (markerade med pil)

12.17b Använd en nyckel för att vrida insprutningsventilen och ta bort den

12.19 Notera insprutningsventilens klassificeringsnummer

12.21 Koppla loss insprutningsventilens anslutningskontakter

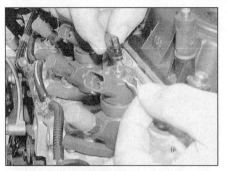

12.23 Ta bort klämman och koppla loss spillrören

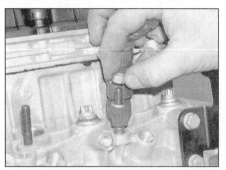

12.25a Skruva loss insprutningsventilens fästmutter . . .

12.25b . . . och ta bort brickan

12.26 Ta bort insprutningsventilerna tillsammans med klämmorna

insprutningsventilerna som en enhet, men varje insprutningsventil kan tas bort separat vid behov. Vid återmonteringen krävs nya kopparbrickor, övre tätningar, fästbult/ mutter och ett högtrycksbränslerör för varje insprutningsventil som har störts.

21 Koppla loss kontaktdon vid bränsleinjektoren **(se bild)**. Lossa fästklämman och lossa vevhusets ventilationsslang från ventilkåpan där det behövs. Lägg den åt sidan.

22 Skruva loss de båda muttrarna som fäster kablagets plaststyrning på topplocket. Lyft bort styrningen från de båda pinnbultarna och lägg den åt sidan Koppla loss eventuella andra kontaktdon vid behov för att kablaget och styrningsenheten ska kunna läggas åt sidan.

23 Ta bort fästlåsringen och koppla loss spillrören från alla bränsleinsprutare **(se bild)**.

24 Rengör alla högtrycksbränslepumpens anslutningar på ackumulatorskenan, bränslepumpen och insprutningsventilerna

ordentligt. Använd två öppna nycklar och skruva loss anslutningsmuttrarna som fäster högtrycksbränslerörenpåinsprutningsventilerna och ackumulatorskenan **(se bilder 11.24a och 11.24b)**. Ta bort högtrycksbränslerören och plugga igen eller täck över de öppna anslutningarna på insprutningsventilerna och ackumulatorskenan för att förhindra att det kommer in smuts. Observera att det behövs ett nytt högtrycksbränslerör till varje borttagen insprutningsventil vid monteringen.

25 Skruva loss bulten/muttern som fäster varje insprutningsventilsklämma på dess topplock **(se bilder)**. Observera att det behövs nya klämbultar/muttrar vid monteringen.

26 Ta bort insprutningsventilerna tillsammans med deras klämmor från topplocket. Skjut bort klämman från insprutningsventilen när pinnbulten inte är i vägen. Om insprutningsventilerna sitter hårt fast i topplocket och inte kan lossas kan du

använda två skruvmejslar för att försiktigt lirka ut dem **(se bild)**. Annars kan du skruva loss en pinnbult (i förekommande fall) med hjälp av en pinnbultsutdragare och skjuta bort insprutningsventilens klämma. Använd en öppen nyckel som hakar i klämmans inpassningsspår på insprutningsventilens hus och lossa insprutningsventilen genom att vrida den och samtidigt lyfta den uppåt.

27 Ta loss styrstiftet till insprutningsventilens klämma från topplocket **(se bild)**.

28 Ta bort kopparbrickan och den övre tätningen från varje insprutningsventil, eller från topplocket om de satt kvar vid demonteringen av insprutningsventilen. Det behövs nya kopparbrickor och övre tätningar vid monteringen.

29 Undersök varje insprutningsventil visuellt och leta efter tecken på uppenbara skador eller åldrande. Om det finns uppenbara fel byter du insprutningsventilen/ventilerna.

Varning: Insprutningsventilerna är tillverkade med mycket snäva toleranser och får inte tas isär på något sätt. Skruva inte loss bränslerörsanslutningen på insprutningsventilens sida, och separera inte insprutningsventilens husdelar. Försök inte att ta bort sotavlagringar från insprutningsmunstycket eller utföra någon form av ultraljuds- eller trycktest.

30 Om insprutningsventilerna är i gott skick pluggar du igen bränslerörsanslutningen (om detta inte redan har gjorts) och täcker för den elektriska delen och insprutningsmunstycket på lämpligt sätt.

2,0-liters DOHC motor

Observera: *Vid återmonteringen krävs nya kopparbrickor, övre tätningar och ett högtrycksbränslerör för varje insprutningsventil som har störts.*

31 Demontera insugningsröret enligt beskrivningen i avsnitt 14.

32 Lossa anslutningskontakterna från insprutningsventilerna.

33 Rengör alla högtrycksbränslepumpens anslutningar på ackumulatorskenan, bränslepumpen och insprutningsventilerna ordentligt. Använd två öppna nycklar och skruva loss anslutningsmuttrarna som fäster högtrycksbränslerören på insprutningsventilerna och ackumulatorskenan **(se bild)**. Ta bort högtrycksbränslerören

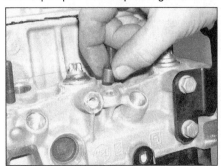

12.27 Ta loss klämmans styrstift från topplocket

12.33 Använd en andra nyckel för att hålla emot insprutningsventilen när du lossar anslutningsmuttern

12.34a Bänd ner fästklämmans nedre kant (visas med spillslangen bortkopplad för ökad tydlighet) . . .

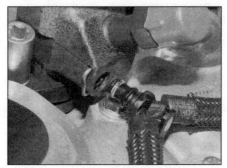

12.34b . . . dra sedan loss slangen från insprutningsventilen

12.35 Insprutningsventilens klämmuttrar (markerade med pil)

och plugga igen eller täck över de öppna anslutningarna på insprutningsventilerna och ackumulatorskenan för att förhindra att det kommer in smuts. Observera att det behövs ett nytt högtrycksbränslerör till varje borttagen insprutningsventil vid monteringen.

34 Lossa fästklämman och koppla loss spillröret från alla bränsleinsprutare **(se bilder)**.

35 Lossa insprutningsventilernas fästmuttrar stegvis och jämnt **(se bild)**.

36 Dra försiktigt insprutningsventilerna uppåt från topplocket. Notera insprutningsventilernas lägen – om insprutningsventilerna ska monteras tillbaka måste de placeras på sina ursprungliga platser.

37 Ta bort den nedre kopparbrickan och den övre tätningen från varje insprutningsventil.

38 Undersök varje insprutningsventil visuellt och leta efter tecken på uppenbara skador eller åldrande. Om det finns uppenbara fel byter du insprutningsventilen/ventilerna. Anteckna den åttasiffriga klassifikationskoden för insprutningsventilen – den kan behövas vid monteringen om ECU:n har bytts **(se bild 12.19)**.

Varning: Insprutningsventilerna är tillverkade med mycket snäva toleranser och får inte tas isär på något sätt. Skruva inte loss bränslerörsanslutningen på insprutningsventilens sida, och separera inte insprutningsventilens husdelar. Försök inte att ta bort sotavlagringar från insprutningsmunstycket eller utföra någon form av ultraljuds- eller trycktest.

39 Om insprutningsventilerna är i gott skick pluggar du igen bränslerörsanslutningen (om detta inte redan har gjorts) och täcker för den elektriska delen och insprutningsmunstycket på lämpligt sätt.

Montering

40 Passa in en ny övre tätning på alla insprutningsventilers hus och placera en ny kopparbricka på insprutningsventilens munstycke **(se bilder)**.

41 Sätt tillbaka styrstiften på insprutningsventilens klämma (i förekommande fall) på topplocket.

1,4- och 2,0-liters SOHC motor

42 Placera insprutningsventilens klämma i spåret på respektive insprutningsventilhus och sätt tillbaka insprutningsventilerna i topplocket.

12.40a Se till att låsringen (markerad med pil) sitter på plats på 1,6-liters motorns insprutningsventiler . . .

Styr klämman över pinnbulten och på styrstiftet när varje insprutningsventil sätts in. Se till att de övre insprutningsventilstätningarna sitter rätt i topplocket.

43 Montera brickan och en ny fästmutter till insprutningsventilklämmorna på varje pinnbult. Dra bara åt muttrarna med fingrarna än så länge.

1,6-liters och 2,0-liters DOHC motorer

44 Se till att insprutningsventilklämmorna sitter på plats över sina respektive låsringar på insprutningsventilhusen. Sätt sedan dit insprutningsventilerna i topplocket. Om de ursprungliga insprutningsventilerna ska återmonteras, se till att de placeras på sina ursprungliga platser **(se bild)**.

45 Montera insprutningsventilernas fästbultar/muttrar men dra endast åt dem för hand i detta skede. När du drar åt muttrarna/bultarna, se till att klämmorna förblir horisontella.

12.44 Sätt dit insprutningsventilerna på deras ursprungliga platser

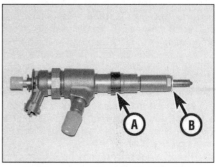

12.40b . . . montera sedan den övre tätningen (A) och kopparbrickan (B)

Alla motorer

46 Arbeta med en bränsleinsprutare i taget och ta bort täckpluggen från bränslerörsanslutningarna på ackumulatorskenan och den berörda insprutningsventilen. Passa in ett nytt högtrycksbränslerör över anslutningarna och skruva på anslutningsmuttrarna. Var noga med att inte felgänga muttrarna eller belasta bränslerören när de återmonteras. När anslutningsmuttrarnas gängor tar i, dra åt muttrarna för hand till gängornas slut.

47 När alla bränslerör är på plats drar du åt fästmuttrarna/bultarna till insprutningsventilklämmorna till angivet moment (och vinkel efter tillämplighet).

48 Använd en öppen nyckel och håll fast en bränslerörsanslutning i taget och dra åt anslutningsmuttern till angivet moment med en momentnyckel och kråkfotsadapter **(se bild)**. Dra åt alla anslutningsmuttrar som har rörts på samma sätt.

12.48 Dra åt högtrycksrörens anslutningsmuttrar med en kråkfotsadapter

13.6a Tryck ner fästfliken (markerad med pil) . . .

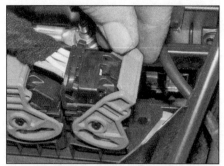

13.6b . . . och lyft spaken från det vertikala till det horisontella läget

13.7 Lyft bort ECU:n från eldosan

49 På 1,6-liters och 2,0-liters DOHC motorer där nya insprutningsventiler har monterats måste deras klassificeringsnummer programmeras in i ECU-motorstyrningen med en särskild diagnosutrustning/skanner. Om du inte har tillgång till den här utrustningen ska arbetet överlåtas till en Peugeot-verkstad eller annan verkstad med lämplig utrustning. Observera att man måste kunna köra bilen, även om den har sänkta prestanda/ökade utsläpp, till en verkstad för att numren ska kunna programmeras.

50 Resten av återmonteringen sker i omvänd ordning mot demonteringen. Följ anvisningarna i punkt 39 i det föregående avsnittet.

13 Elektronisk styrsystem komponenter – kontroll, demontering och montering

Kontroll

1 Om ett fel uppstår i motorstyrningssystemet, se först till att alla systemets kontaktdon är ordentligt anslutna och fria från korrosion. Se till att det misstänkta problemet inte är av mekanisk typ, eller beror på dåligt underhåll. dvs. kontrollera att luftfiltret är rent, att cylinderkompressionstrycken är korrekta och att motorns ventilationsslangar är rena och hela, se kapitel 1B and 2C, D eller E.

2 Om dessa kontroller inte visar på problemets orsak ska bilen tas till en lämpligt utrustad Peugeot-verkstad för test. Det sitter ett diagnosuttag bakom klädselpanelen, till höger om ratten. Där ansluter man en felkodsläsare

eller annan lämplig testutrustning. Med hjälp av kodavläsaren eller testutrustningen kan motorstyrningens elektroniska styrmodul (och de andra fordonssystemens ECU:er) undersökas och eventuella felkoder kan hämtas.

3 Testverktyget hittar felet snabbt och lätt och minskar behovet av att kontrollera alla systemkomponenter enskilt, något som är tidskrävande och medför stora risker för att skada styrenheten.

Styrmodul

Observera: *Om en ny ECU ska monteras måste detta arbete utföras av en Peugeot-verkstad eller annan lämplig specialist. Man måste initiera den nya ECU:n efter installation, vilket kräver att man använder särskild Peugeot-diagnosutrustning.*

Observera: *Koppla ur batteriet innan du börjar arbeta (se kapitel 5A). Återanslut batteriet när monteringen är klar.*

4 ECU:n sitter i en plastlåda på vänster främre hjulhus.

5 Lyft av ECU-modulens lådlock.

6 Lossa kontaktdonet/donen genom att trycka ner fliken och flytta låsspaken på kontaktdonets ovansida från det vertikala till det helt horisontella läget. Ta försiktigt bort kontaktdonet från ECU-stiften **(se bilder)**

7 Lyft ECU:n uppåt och ta bort den från dess plats **(se bild)**.

8 När du ska ta bort ECU-modullådan, skruva loss de invändiga och utvändiga fästbultarna och ta bort modullådan.

9 Monteringen sker i omvänd ordning.

Vevaxelns hastighets-/ lägesgivare

Observera: *Koppla ur batteriet innan du börjar arbeta (se kapitel 5A). Återanslut batteriet när monteringen är klar.*

1,4-liters motor

10 Vevaxelns lägesgivare sitter bredvid vevaxelns remskiva på motorns högra del. Lossa det högra framhjulets bultar, och lyft sedan upp framvagnen och ställ den på pallbockar (se *Lyftning och stödpunkter*). Demontera höger framhjul.

11 Tryck in mittsprintarna något och bänd därefter ut hela nitarna och lossa hjulhusfodret.

12 Koppla loss givarens anslutningskontakt **(se bild)**.

13 Skruva loss bulten och ta bort givaren.

14 Återmonteringen sker i omvänd ordningsföljd mot demonteringen. Dra åt sensorns fästmutter ordentligt.

2,0-liters SOHC motor

15 Vevaxelns hastighets-/lägesgivare sitter ovanpå svänghjulskåpan, precis ovanför motorns svänghjul. För att komma åt tar du bort luftrenarenheten enligt beskrivningen i avsnitt 4 och tar sedan bort batteriet och batterihyllan (se kapitel 5A).

16 Skruva loss fästmuttrarna och bultarna och lossa kablagets plaststyrning från dess fästen **(se bild)**.

17 Arbeta under termostathuset och koppla loss kontaktdonet från vevaxelns hastighets-/ lägesgivare.

18 Lossa bulten som fäster givaren på

13.12 Koppla loss anslutningskontakten till vevaxelns lägesgivare

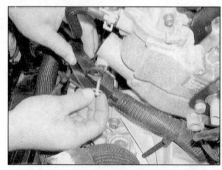

13.16 Lossa kablagets plaststyrning för att komma åt vevaxelns lägesgivare

13.18 Lossa bulten som håller fast givaren till balanshjulskåpan

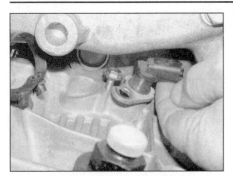

13.19 Vrid givarhuset så att det inte tar i bulten och ta bort det från svänghjulskåpan

13.23 Vevaxelns lägesgivare (markerad med pil) (1,6-liters och 2,0-liters DOHC motor)

13.28 Koppla ifrån kamaxelgivarens anslutningskontakt (markerad med pil)

svänghjulskåpan **(se bild)**. Du måste inte ta bort bulten helt eftersom givarens fästfläns är skårad.

19 Vrid givarhuset så att fästbulten inte är i vägen. Ta sedan bort givaren från svänghjulskåpan **(se bild)**.

20 Återmonteringen utförs i omvänd ordning mot demonteringen. Se till att givarens fästbult är ordentligt åtdragen.

1,6-liters och 2,0-liters DOHC motorer

21 Vevaxelns lägesgivare sitter bredvid vevaxelns remskiva på motorns högra del. Lossa det högra framhjulets bultar, och lyft sedan upp framvagnen och ställ den på pallbockar (se *Lyftning och stödpunkter*). Demontera höger framhjul.

22 Tryck in mittsprintarna något och

bänd därefter ut hela nitarna och lossa hjulhusfodret.

23 Koppla loss givarens anslutningskontakt **(se bild)**.

24 Skruva loss bulten och ta bort givaren.

25 Återmonteringen sker i omvänd ordningsföljd mot demonteringen. Dra åt sensorns fästmutter ordentligt.

Kamaxelgivare

Observera: *Koppla ur batteriet innan du börjar arbeta (se kapitel 5A). Återanslut batteriet när monteringen är klar.*

26 Kamaxelns lägesgivare sitter på ventilkåpans högra ände, precis bakom kamaxeldrevet.

1,4-liters motor

27 Ta bort kamremmens övre kåpa enligt beskrivningen i kapitel 2C.

28 Koppla loss givarens anslutningskontakt **(se bild)**.

29 Skruva loss bulten och dra bort givaren.

30 Vid monteringen placerar du givaren så att luftspelet mellan givaren och signalhjulets ribba är 1,2 mm, mätt med bladmått, för en använd givare. Om du sätter dit en ny givare ska givarens lilla spets precis vidröra en av de tre ribborna på signalringen Dra åt sensorns fästbult till angivet moment i ordningsföljd **(se bild)**.

31 Resten av monteringen sker i omvänd ordningsföljd mot demonteringen.

1,6-liters motor

32 Ta bort kamremmens övre kåpa enligt beskrivningen i kapitel 2D.

33 Koppla loss givarens kontaktdon.

34 Skruva loss bulten och dra bort givaren **(se bild)**.

35 Vid monteringen placerar du givaren så att luftspelet mellan givaren och signalhjulets ribba är 1,2 mm, mätt med bladmått **(se bilder)**. Om du monterar en ny givare ska den placeras så att givarens nippel precis tar i kamaxelsignalhjulet. Dra åt givarens bult till angivet moment.

36 Resten av monteringen sker i omvänd ordningsföljd mot demonteringen.

2,0-liters SOHC motor

37 Ta bort kamremmens övre kåpa enligt beskrivningen i kapitel 2C.

38 Lossa givarens anslutningskontakt **(se bild)**.

13.30 Avståndet mellan givarens spets och signalhjulets ribbor måste vara 1,2 mm (endast begagnad givare)

13.34 Skruva loss kamaxelgivarens fästbult (markerad med pil) (1,6-liters motor)

13.35a Avståndet mellan den begagnade givaren och signalhjulet (markerad med pil) . . .

13.35b . . . måste vara 1,2 mm, mätt med ett bladmått

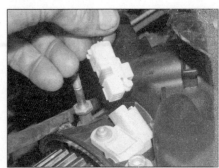

13.38 Koppla loss kablarna . . .

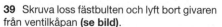

13.39 . . . och ta bort givaren

13.41 Sätt in bladmått böjda i 90° genom drevet för att mäta kamaxelgivarens luftspel

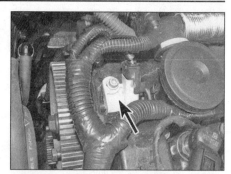

13.45 Kamaxelgivare (markerad med pil)

39 Skruva loss fästbulten och lyft bort givaren från ventilkåpan **(se bild)**.
40 När du ska montera och justera givarens läge passar du in givaren på ventilkåpan och sätter tillbaka fästbulten löst.
41 Luftspelet mellan givarens spets och signalhjulet på baksidan av kamaxeldrevets nav måste vara 1,2 mm, med hjälp av bladmått. Spelet för bladmåttet är begränsat av kamremmen och kamaxeldrevet, men det går precis att få in det om du böjer bladmåttet 90° så att bladen kan föras in genom hålen i drevet och vila mot signalhjulets inre yta. Observera att om du monterar en ny givare ska nippeln placeras så att givarens ände precis tar i signalhjulet **(se bild)**.
42 Håll givaren i detta läge och dra åt fästbulten.
43 När spelet är korrekt inställt återansluter du givarens kontaktdon. Montera sedan

kamremmens övre och mellankåpor enligt beskrivningen i kapitel 2C.

2,0-liters DOHC motor
44 Ta bort plastkåpan från motorns överdel.
45 Koppla loss givarens anslutningskontakt **(se bild)**.
46 Skruva loss fästbulten och ta bort givaren.
47 När du ska montera och justera givarens läge passar du in givaren på ventilkåpan och sätter tillbaka fästbulten löst.
48 När du monterar en använd givare ska den placeras mot kamaxeldrevets eker, och sedan dras tillbaka 1,2 mm **(se bilder)**. Dra åt fästbulten ordentligt.
49 När du monterar en ny givare ska den placeras så att nippeln på dess spets precis tar i signalhjulet. Dra åt fästbulten ordentligt.

Gaspedalens lägesgivare
Observera: Koppla ur batteriet innan du börjar arbeta (se kapitel 5A). Återanslut batteriet när monteringen är klar.

Modeller utan gasvajer
50 På dessa modeller är pedalgivaren inbyggd i gaspedalsenheten. Se den aktuella delen av kapitel 4A för borttagning av pedalen.

Modeller med gasvajer
51 Gaspedalens lägesgivare sitter i motorrummets främre vänstra hörn.
52 Demontera luftrenaren enligt beskrivningen i avsnitt 4.
53 Skruva loss de båda muttrarna och bultarna och ta bort givarenheten från fästbygeln på luftrenarhusets sida.
54 Monteringen sker i omvänd ordning.

Temperaturgivare för kylvätska:
55 Se kapitel 3, avsnitt 7.

Bränsletemperaturgivare
⚠️ **Varning: Se försiktighetsåtgärderna i avsnitt 2 innan du fortsätter.**

Observera: Koppla ur batteriet innan du börjar arbeta (se kapitel 5A). Återanslut batteriet när monteringen är klar.

1,4- och 1,6-liters motorer
56 Givaren fästs med klämmor i plastbränsleröret på topplockets högra bakre ände. När du ska ta bort givaren kopplar du ifrån anslutningskontakten och lossar sedan givaren från röret. Var beredd på bränslespill **(se bild)**.
57 Monteringen sker i omvänd ordningsföljd mot demonteringen. Enligt anvisningarna i avsnitt 2, startar du motorn och låter den gå på tomgång. Kontrollera att det inte förekommer läckor vid bränsletemperaturgivaren när motorn går på tomgång. Om kontrollen inte avslöjar några läckor ökar du motorvarvtalet till 4000 varv/minut och letar efter läckor igen. Kör bilen en kort sväng och leta efter läckor igen när du kommer tillbaka. Om du upptäcker läckor ska en ny givare monteras.

2,0-liters motor
58 Bränsletemperaturgivaren sitter till vänster om oljepåfyllningslocket **(se bild)**.

13.48a Placera givaren mot kamaxeldrevets eker . . .

13.48b . . . och dra den sedan bakåt 1,2 mm

13.56 Bränsletemperaturgivare (markerad med pil) (1,4-liters motor)

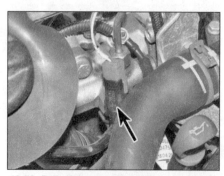

13.58 Bränsletemperaturgivare (markerad med pil) (2,0-liters motor)

59 Skruva loss de 4 plasthållarna och ta bort kåpan från motorn.
60 Lossa bränsletemperaturgivarens kontaktdon.
61 Rengör området runt givaren ordentligt.
62 Skydda komponenterna under givaren på lämpligt sätt och ha många rena trasor till hands. Var beredd på stort bränslespill.
63 Lossa fästklämmorna och lossa givaren från bränslerören.
64 Montera tillbaka givaren till bränslerören och se till att klämmorna fastnar ordentligt.
65 Återanslut givarens anslutningskontakt.
66 Montera tillbaka motorkåpan.

Alla modeller

67 Enligt anvisningarna i avsnitt 2, startar du motorn och låter den gå på tomgång. Kontrollera att det inte förekommer läckor vid bränsletemperaturgivaren när motorn går på tomgång. Om kontrollen inte avslöjar några läckor ökar du motorvarvtalet till 4000 varv/minut och letar efter läckor igen. Kör bilen en kort sväng och leta efter läckor igen när du kommer tillbaka. Om du upptäcker läckor ska en ny givare monteras.

Luftflödesmätare

Observera: *Koppla ur batteriet innan du börjar arbeta (se kapitel 5A). Återanslut batteriet när monteringen är klar.*
68 Luftmängdmätaren sitter i insugsröret från luftrenarhuset. På 1,4-liters motorer drar du loss plastkåpan från dess fästen ovanpå motorn.
69 Koppla loss mätarens anslutningskontakt **(se bilder)**.
70 Lossa fästklämmorna och koppla loss luftintagskanalen från var sida om luftmängdmätaren. Plugga igen eller täck över turboaggregatets inloppskanal, använd en ren trasa för att förhindra att det kommer in smuts eller främmande material. På 1,4-liters motorer är luftrenarens utlopp fäst med bultar på luftmängdmätaren.
71 Monteringen sker i omvänd ordning.

Bränsletryckgivare

72 Bränsletrycksgivaren är inbyggd i ackumulatorskenan och kan inte köpas separat. Peugeot understryker att det är viktigt att man inte tar bort givaren från skenan.

Bränsletryckets styrventil

73 Bränsletrycksstyrningsventilen är inbyggd i högtrycksbränslepumpen och kan inte tas bort enskilt.

Förvärmningstyrenhet

74 Se kapitel 5C.

Avgasåterföringens solenoidventil

75 Se kapitel 4C, avsnitt 2.

Hastighetsgivare

76 Motorstyrningens elektroniska styrmodul mottar fordonshastighetssignalen från hjulhastighetsgivarna via ABS-ECU:n.

13.69a Luftmängdmätarens anslutningskontakt (markerad med pil) (1,4-liters motor)

Se kapitel 9 för borttagning av hjulhastighetsgivare.

14 Insugningsgrenrör – demontering och montering

Alla utom 2,0-liters SOHC motor

1 Insugningsrör är inbyggt i ventilkåpan.

2,0-liters SOHC motor

Observera: *Byt grenrörspackningen vid återmonteringen.*

Demontering

2 Insugsgrenröret sitter på topplockets baksida, tillsammans med avgasgrenröret. Ta

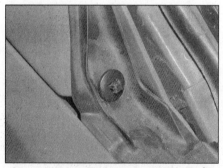

14.3a Tryck in mittsprinten något och bänd sedan ur hela plastniten

14.3c ... skruva sedan loss bultarna (en i var ände) och ta bort plastventilluckans tvärbalk

13.69b Luftmängdmätarens anslutningskontakt (2,0-liters motor)

först bort avgasgrenröret enligt beskrivningen i avsnitt 15.
3 Ta bort torkararmarna (kapitel 12), och lossa sedan ventilpanelen i plast. Panelen är fäst med en plastexpandernit i var ände – tryck in centrumsprintarna lite och bänd sedan ut hela nitarna. Dra upp panelens ändar för att lossa den från vindrutans klämmor och dra mittdelen av panelen nedåt för att lossa den från vindrutans mittersta klämma. Skruva loss de två bultar som håller fast bromsen/kopplingens huvudcylinders övre behållare och flytta den åt sidan. Lossa ljudisoleringspanelen från ventilpanelens tvärbalk, skruva loss bulten på var ände och ta bort tvärbalken från bilen **(se bilder)**.
4 Skruva loss de fyra bultarna och muttrarna som fäster insugsgrenrörets flänsar på topplocket **(se bild)** och ta bort brickorna. Om

14.3b Bänd upp centrumsprintarna, bänd ut plastniten och lossa isoleringsmaterialet från tvärbalken ...

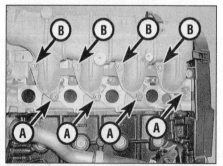

14.4 Insugsgrenrörets fästmuttrar (A) och bultar (B)

du föredrar det kan de nedre fästmuttrarna lossas utan att tas bort, eftersom de nedre insugsgrenrörshålen är skårade för att grenröret ska kunna lyftas upp när de övre bultarna har tagits bort.

5 Lyft topplocket från blocket och ta loss packningen.

Montering

6 Monteringen utförs i omvänd ordning, och tänk på följande:

    a) Se till att grenrörets och topplockets fogytor är rena och att alla spår av gamla tätningar är borta.

    b) Använd en ny packning när man sätter tillbaka grenröret.

    c) Se till att alla fästen och beslag är ordentligt åtdragna.

    d) Montera tillbaka avgasgrenröret enligt beskrivningen i avsnitt 15.

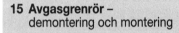

15 Avgasgrenrör – demontering och montering

Demontering

Alla utom 2,0-liters SOHC motor

1 Demontera turboaggregatet enligt beskrivningen i avsnitt 17.

2 Skruva loss fästmuttrarna, ta bort distansbrickorna och ta bort grenröret. Ta loss packningen **(se bilder)**.

15.2a Skruva loss avgasgrenrörets muttrar, ta bort distansbrickorna och ta bort grenröret

2,0-liters SOHC motor

3 Avgasgrenröret sitter nära topplockets bakre del och åtkomsten är mycket begränsad. Dra åt handbromsen. Lyft upp framvagnen och ställ den på pallbockar (se *Lyftning och stödpunkter*).

4 Koppla loss batteriet (se kapitel 5A).

5 Demontera det främre avgasröret enligt beskrivningen i avsnitt 19C.

6 Ta bort turboaggregatets inlopps- och utloppskanaler enligt beskrivningen i avsnitt 4.

7 Skruva loss anslutningsmuttern som fäster turboaggregatets oljematningsrör på motorblocket. Ta sedan bort röret **(se bild)**.

8 Ta bort filtret från oljematningsrörets

15.2b Ta loss grenrörspackningen

ände och undersök om det är nedsmutsat **(se bild)**. Ren och byt om det behövs.

9 Skruva loss de båda bultarna som fäster oljereturrörets fläns på turboaggregatet. Separera flänsen och ta bort packningen **(se bilder)**.

10 Ta bort avgasåterföringsventilen (EGR) och anslutningsröret från grenröret enligt beskrivningen i kapitel 4C.

11 Skruva loss grenrörets fästmuttrar och ta bort distansbrickorna från pinnbultarna **(se bilder)**.

12 Skruva loss muttern och bulten som fäster turboaggregatets nedre del på stödfästet på motorblocket.

13 Ta bort turboaggregatet och

15.7 Skruva loss anslutningsmuttern på turboaggregatets oljematningsrör

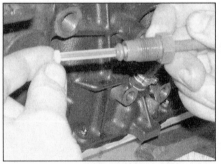

15.8 Ta bort oljematningsröret och ta bort filtret

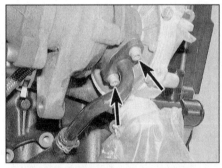

15.9a Skruva loss oljereturrörets flänsfästbultar (markerade med pil) . . .

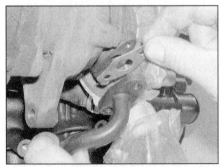

15.9b . . . dela på flänsfogen ta bort packningen.

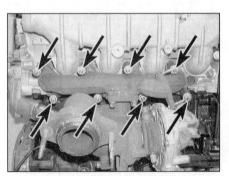

15.11a Skruva loss avgasgrenrörets fästmuttrar (markerade med pil) . . .

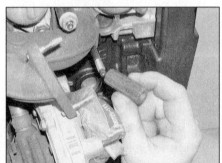

15.11b . . . och ta bort distansbrickorna

grenröret från pinnbultarna och ta bort enheten från motorn. Ta loss grenrörspackningen **(se bilder)**.

Montering

14 Monteringen utförs i omvänd ordning, och tänk på följande:

a) Se till att grenrörets och topplockets fogytor är rena och att alla spår av gamla tätningar är borta.

b) Använd nya packningar när du sätter tillbaka grenröret på topplocket, och på 2,0-liters SOHC motorer oljereturrörets fläns på turboaggregatet.

c) Dra åt avgasgrenröret fästmuttrar till angivet moment.

d) På 2,0-liters SOHC motorer monterar du avgasåterföringsventilen och anslutningsröret.

e) Montera tillbaka turboaggregatets bakre inlopps- och utloppskanaler

f) Montera tillbaka det främre avgasröret enligt beskrivningen i avsnitt 19.

16 Turboaggregat – beskrivning och föreskrifter

Beskrivning

1 Turboaggregatet ökar motorns verkningsgrad genom att höja trycket i insugningsgrenröret över atmosfäriskt tryck. I stället för att luft bara sugs in i cylindrarna tvingas den dit.

2 Turboaggregatet drivs av avgasen. Gasen flödar genom ett specialutformat hus (turbinhuset) där den får turbinhjulet att snurra. Turbinhjulet sitter på en axel och i änden av axeln sitter ett till vingförsett hjul, kompressorhjulet. Kompressorhjulet snurrar i sitt eget hus och komprimerar insugsluften på väg till insugsröret.

3 Laddtrycket (trycket i insugsröret) begränsas av en övertrycksventil, som leder bort utblåsningsgasen från turbinhjulet som reaktion på ett tryckkänsligt manövreringsorgan. På

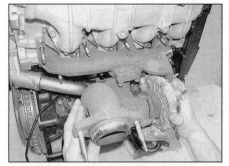

15.13a Ta bort turboaggregatet och grenröret . . .

senare modeller innehåller turboaggregatet ett variabelt insugsmunstycke som förbättrar laddtrycket vid låga motorvarvtal.

4 Turboaxeln trycksmörjs av ett oljematarrör från huvudoljeledningarna. Axeln flyter på en "kudde" av olja. Ett avtappningsrör för tillbaka oljan till sumpen.

Föreskrifter

5 Turboaggregatet arbetar vid extremt höga hastigheter och temperaturer. Vissa säkerhetsåtgärder måste vidtas för att undvika personskador och skador på turboaggregatet.

• Använd inte turbon när någon av dess delar är exponerade, eller när någon av dess slangar är borttagna. Om ett föremål skulle falla ner på de roterande vingarna kan det orsaka omfattande materiella skador och (om det skjuts ut) personskador.

• Varva inte motorn direkt efter starten, särskilt inte om den är kall. Låt oljan cirkulera i några sekunder.

• Låt alltid motorn gå ned på tomgång innan den stängs av – varva inte upp motorn och vrid av tändningen, eftersom aggregatet då inte får någon smörjning.

• Låt motorn gå på tomgång i flera minuter innan den stängs av efter en snabb körtur.

• Observera de rekommenderade intervallen för påfyllning av olja och byte av oljefilter och använd olja av rätt märke och kvalitet. Bristande oljebyten eller användning av begagnad olja eller olja av dålig kvalitet kan

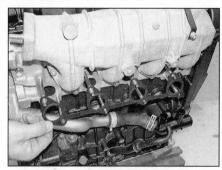

15.13b . . . och ta hand om packningen

orsaka sotavlagringar på turboaxeln med driftstopp som följd.

17 Turboaggregat – demontering, kontroll och återmontering

Demontering

1 Dra åt handbromsen. Lyft sedan upp framvagnen och ställ den på pallbockar (se *Lyftning och stödpunkter*). Skruva loss skruvarna och ta bort motorns undre skyddskåpa. Koppla loss och ta bort batteriets jordledning enligt beskrivningen i kapitel 5A, avsnitt 4.

1,4-liters motor

2 Skruva loss de båda bultarna och de fyra klämmorna, lyft sedan bort frontens överdel lite och rör den framåt samtidigt som du lutar kylaren **(se bilder)**. Placera en bit tjock kartong över kylarens bakre del för att skydda den från skador.

3 Skruva loss värmeskyddets fästbultar **(se bild)**, och ta bort värmeskyddet ovanifrån.

4 Lossa klämmorna och ta bort turboaggregatets luftintagsrör och resonatorlåda.

5 Skruva loss bultarna och ta bort det övre värmeskyddet från grenröret.

6 Lossa klämman som fäster det främre röret/katalysatorn på turboaggregatet.

17.2a Skruva loss de båda bultarna (en på var sida – markerade med pil) . . .

17.2b . . . bänd ut de fyra plastnitarna och förflytta frontens överdel lite framåt

17.3 Skruva loss värmeskölden fästbultar (markerade med pil)

17.7a Skruva loss banjobultarna till turboaggregatets oljematningsrör från motorblocket . . .

7 Skruva loss oljematningsrörets banjobultar och ta bort tätningsbrickan **(se bilder)**.
8 Lossa fästklämman och koppla loss

17.8 Lossa oljereturrörets klämma (markerad med pil)

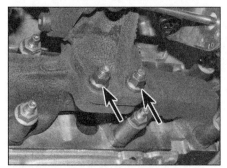

17.9a Skruva loss de nedre muttrarna (markerade med pil) . . .

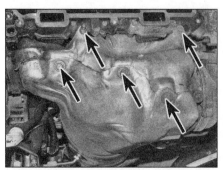

17.13 Skruva loss bultarna och ta bort turboaggregatets värmeskydd (markerad med pil)

17.7b . . . och turboaggregat

oljereturröret från turboaggregatet **(se bild)**.
9 Skruva loss de fyra muttrarna och ta bort turboaggregatet från grenröret **(se bild)**.

1,6-liters motor

10 Placera en bit tjock kartong över kylarens bakre del för att skydda den från skador.
11 Lossa klämmorna, skruva loss bultarna och ta bort luftkanalen till och från turboaggregatet och insugsgrenröret. Notera monteringsläget för de olika anslutningskontakterna och koppla från dem när enheten tas bort .
12 Lossa vakuumslangen från styrenheten till turboaggregatets övertrycksventil **(se bild)**.
13 Skruva loss fästbultarna **(se bild)**, och ta bort värmeskyddet från turboaggregatets ovansida.
14 Ta bort katalysatorn/partikelfiltret (i förekommande fall)

17.9b . . . och de övre muttrarna som fäster turboaggregatet

17.15 Turboaggregatets oljematnings- och returrör (markerad med pil)

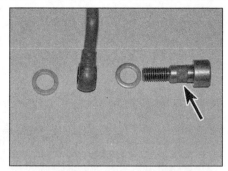

17.7c Observera filtret som sitter ihop med banjobulten (markerad med pil)

15 Skruva loss oljematningsrörets banjobultar och ta bort tätningsbrickan **(se bild)**.
16 Lossa fästklämman och koppla loss oljereturröret från turboaggregatet och motorblocket.
17 Skruva loss de fyra muttrarna och muttern som fäster stödfästet. Ta sedan bort turboaggregatet från grenröret **(se bild)**.

2,0-liters SOHC motor

18 Demontera avgassystemet enligt beskrivningen i avsnitt 19. **Observera:** *Detta krävs för att förhindra skador på avgassystemets flexibla fog.*
19 Ta bort den främre golvtunnelns värmeskydd och kuggstångens värmeskydd.
20 Ta bort turboaggregatets inlopps- och utloppskanaler enligt beskrivningen i avsnitt 4. På DW10ATED-motorer (laddluftkylda)

17.12 Koppla loss vakuumröret från övertrycksventilens reglageenhet (markerad med pil)

17.17 Skruva loss de 3 muttrarna (markerade med pil – en dold) och ta bort stödfästet (markerad med pil)

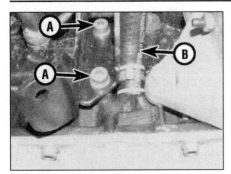

17.21 Turboaggregatets nedre fästbygelsbultar (A) och oljereturrör (B)

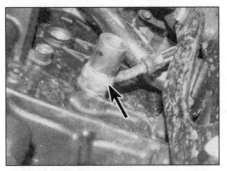

17.22 Turboaggregatets oljematningsrörs banjo (markerad med pil) på motorblockets baksida

17.23 Turboaggregatets vakuumstyrningsrör (markerad med pil)

tar du bort det mellanliggande grenröret till turboaggregatets luftintagskanal
21 Skruva loss turboaggregatets övre och nedre fästbyglar **(se bild)**.
22 Skruva loss anslutningsmuttrarna och koppla loss oljematnings- och returrören från turboaggregatet och motorblocket **(se bild)**. Tejpa över öppningarna.
23 Koppla ifrån vakuumstyrningsröret **(se bild)**.
24 På modeller utan laddluftkylare skruvar du loss de tre fästmuttrarna och tar bort turboaggregatet från grenrörets pinnbultar.
25 Skruva loss de tre muttrarna som fäster turboaggregatet på avgasgrenröret och ta sedan bort turboaggregatet nedför avgastunneln **(se bild)**. Ta loss packningen från grenröret.

2,0-liters DOHC motor

26 Demontera ftfiltret enligt beskrivningen i avsnitt 4.
27 Ta bort den främre kryssrambalken enligt beskrivningen i kapitel 10.
28 Ta bort den högra drivaxeln enligt beskrivningen i kapitel 8.
29 Ta bort partikelfiltret och kuggstångens värmeskydd.
30 Flytta avgasåterföringsventilen och kylarenheten åt sidan utan att koppla loss kylvätskeslangarna (se kapitel 4C).
31 Skruva loss bultarna och ta bort värmeskölden över turboaggregatet.
32 Koppla loss höger drivaxels mellanliggande lagerhus från motorblocket.

17.25 Fästmuttrarna mellan turboaggregatet och avgasgrenröret (markerade med pil)

33 Ta bort värmeskydden över förkatalysatorn. Lossa sedan fästena, ta bort förkatalysatorns stödfäste i den högra änden, skruva loss fästbulten i den vänstra änden, lossa klämman som fäster förkatalysatorn på turboaggregatet och ta bort förkatalysatorn.
34 Koppla loss turboaggregatets luftintags- och utloppskanaler.
35 Ta bort stödfästet under turboaggregatet.
36 Koppla loss vakuumröret och anslutningskontakten från turboaggregatets reglage.
37 Lossa oljematnings- och returrören från motorblocket. Tejpa över öppningarna.
38 Skruva loss muttrarna/bultarna som fäster turboaggregatet på avgasgrenröret, lyft upp enheten lite och sänk sedan ner turboaggregatet.

Kontroll

39 När turboaggregatet demonterats, undersök om det finns sprickor eller andra synliga skador på huset.
40 Vrid runt turbinen eller kompressorhjulet för att kontrollera att axeln är hel och för att känna om den går skakigt eller ojämnt. Ett visst spel är normalt eftersom axeln "flyter" på en oljefilm när den är i rörelse. Kontrollera att hjulskovlarna inte är skadade.
41 Om det syns tecken på oljenedsmutsning på avgas- eller insugningspassagerna är det troligt att turboaxelns packboxar är trasiga.
42 Man kan inte laga turbon själv, och inga av de inre eller yttre delarna kan

18.5 På 1,6-liters modeller lossar du klämmorna från in- och utloppskanalerna

köpas separat. Om du misstänker att det är fel på turboaggregatet måste en ny enhet monteras. Försök inte att ta isär turboaggregatsenheterna.

Montering

43 Monteringen utförs i omvänd ordning, och tänk på följande:
a) Byt turboaggregatets fästmuttrar och packningar.
b) Om ett nytt turboaggregatet ska monteras byter du motoroljan och filtret. Byt även filtret i oljematningsröret.
c) Flöda turboaggregatet genom att spruta in ren motorolja genom oljematningsröranslutningen innan du återansluter anslutningen.

18 Laddluftkylaren och luftinsugsvärmere – demontering och montering

Observera: Följande procedur gäller endast för DV6ATED4, DW10ATED och DW10BTED4 motorer.

Laddluftkylare

Demontering

1 Laddluftkylaren sitter i motorrummets främre del, till vänster om kylaren på 2,0-liters modeller och till höger om kylaren på 1,6-liters modeller. Dra åt handbromsen. Lyft upp framvagnen och ställ den på pallbockar (se *Lyftning och stödpunkter*). Skruva loss skruvarna och ta bort motorns undre skyddskåpa.
2 Demontera motorns övre skyddskåpa.
3 På 2,0-liters modeller tar du bort luftfilterenheten enligt beskrivningen i avsnitt 4.
4 Demontera den främre stötfångaren enligt beskrivningen i kapitel 11.
5 På 1,6-liters modeller lossar du klämmorna och kopplar loss insugs- och utloppskanalerna från laddluftkylarens ovansida **(se bild)**.
6 På 2,0-liters modeller lossar du klämmorna och kopplar loss utloppsluftkanalen från laddluftkylaren. Arbeta sedan under bilen och lossa klämman och koppla loss

18.6 På 2,0-liters modeller lossar du klämman från inloppskanalen (markerad med pil)

18.12 Lossa klämman (markerad med pil) och koppla loss slangarna från värmepaket och ventilen

insugsluftkanalen från laddluftkylaren **(se bild)**.
7 Skruva loss bulten/bultarna som fäster laddluftkylaren på motorrummets främre tvärbalk **(se bild)**.
8 Koppla loss anslutningskontakten från givaren ovanpå laddluftkylaren **(se bild)**.
9 Lyft av laddluftkylaren från dess nedre fästen och ta bort den från bilen.

Montering
10 Montering sker i omvänd ordningsföljd.

Luftintagsvärmare

Demontering
11 Tappa ur kylvätskan enligt beskrivningen i kapitel 1B.

18.7 Laddluftkylarens övre fästbultar på 1,6-liters modeller

12 Lossa slangarna från värmepaketet och ventilen **(se bild)**.
13 Ta bort luftrenarhuset enligt beskrivningen i avsnitt 4, skjut bort värmepaketet från huset.

Montering
14 Monteringen sker i omvänd ordningsföljd. Fyll på kylvätskan enligt beskrivningen i kapitel 1B.

19 Avgassystem – allmän information och byte av komponenter

Allmän information
1 Beroende på modell består avgassystemet antingen av två, tre eller fyra delar. Det tredelade systemet består av en katalysator, ett mellanrör och ett bakre avgasrör. Det tre- eller fyrdelade systemet består av en förkatalysator efter turboaggregatet, följt av en katalysator, partikelfilter (inte alla modeller), mellanrör och bakre avgasrör. På tvådelade system kombineras katalysatorn och mellanröret så att de utgör en enda del.
2 Avgassystemets fogar har antingen fjäderbelastad kula (för att möjliggöra rörelse i avgassystemet) eller klämring.
3 Systemet är upphängt med gummifästen.
4 Varje avgasdel kan tas bort separat. Man kan också ta bort hela systemet som en enda enhet. Även om endast en del av systemet

18.8 Koppla ifrån givarens anslutningskontakt

behöver åtgärdas är det ofta lättare att ta bort hela systemet och separera delarna på arbetsbänken.
5 Om någon del av systemet ska demonteras, börja med att lyfta upp fram- eller bakvagnen och ställ den på pallbockar (se *Lyftning och stödpunkter*). Alternativt kan bilen placeras över en smörjgrop eller på ramper.

Katalysator – borttagning

1,4-liters SOHC motor
6 Skruva loss skruvarna och ta bort motorns undre skyddskåpa.
7 Skruva loss bultar och ta bort värmeskyddet från katalysator **(se bild 17.3)**.
8 Lossa fästklämmorna som fäster katalysatorn på turboaggregatet och avgasröret. Var försiktig så att du inte skadar det främre avgasrörets böjliga del **(se bild)**.
9 Skruva loss bultarna som fäster katalysatorn på motorblocket och för det nedåt och ut ur motorrummet **(se bild)**.

2,0-liters SOHC DW10TD motor
10 Katalysatorn är inbyggd i avgasrörets främre del. Skruva loss skruvarna och ta bort motorns undre skyddskåpa.
11 Lossa fästklämmorna som fäster det främre röret på grenröret och mellanröret.
12 Lossa röret från gummifästena och ta bort det från bilens undersida.

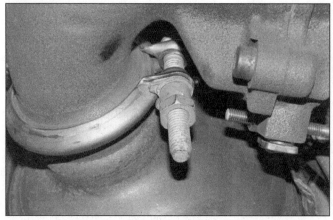

19.8 Klämbulten mellan katalysatorn och turboaggregatet

19.9 Katalysatorns fästbultar (markerade med pil)

19.14a Skruva loss tryckavlastningsanslutningen från sidan av katalysatorn/filtret. . .

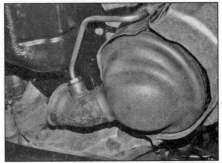

19.14b . . . och en längst ner

19.17 Klämma mellan avgasrör till katalysator/filter (markerad med pil)

Katalysator/ partikelfilter – borttagning

1,6-liters motor

13 Skruva loss skruvarna och ta bort motorns undre skyddskåpa.
14 Skruvalosstryckavlastningsanslutningarna från enhetens sida och nedre del **(se bilder)**.
15 Koppla loss givarens anslutningskontakt på katalysatorns sida.
16 Skruva loss bultarna och ta bort värmeskyddet från katalysatorn/partikelfiltret.
17 Lossa fästklämmorna som fäster katalysatorn på turboaggregatet, och avgasröret. Var försiktig så att du inte skadar det främre avgasrörets böjliga del **(se bild)**.
18 Lossa klämman som fäster katalysatorn på turboaggregatet.
19 Skruva loss de två muttrarna som fäster katalysatorn på motorblocket och för det nedåt och ut ur motorrummet **(se bild)**.
20 Om det behövs noterar du dess placering, lossar klämman och kopplar loss partikelfiltret från katalysatorns nedre del **(se bild)**.

2,0-liters SOHC DW10ATED och DOHC motorer

21 Koppla loss kontaktdonet från partikelfiltret.
22 Märk påfyllnings-/tryckrören för att underlätta monteringen och koppla sedan loss dem från kontaktdonen **(se bild)**. Var beredd på spill.

19.19 Katalysatorns/partikelfiltrets fästmuttrar (markerade med pil)

23 Skruva loss temperaturgivaren från enheten **(se bild)**. Var noga med att inte skada givarsonden vid borttagningen.
24 Skruva loss enhetens främre och bakre fästbultar och sänk försiktigt ner den från bilen.
25 Från produktionsnr RPO 09436 kan man lossa partikelfiltret från katalysatorn. Med enheten placerad på en arbetsbänk skruvar du loss de fyra bultarna/muttrarna och delar de båda halvorna. Ta loss packningen.

Förkatalysator – demontering

2,0-liters DOHC motor

26 Demonteringen av förkatalysatorn beskrivs i metoden för borttagning av turboaggregatet

19.20 Skruva loss klämman (markerad med pil) och skjut bort partikelfiltret från katalysatorn

Demontering av mellanrör

27 Lossa fästringbultarna och haka loss de båda klämmorna från flänsfogarna.
28 Lossa röret från dess gummifästen och ta bort det från bilens undersida. Annars kan du lossa muttrarna/bultarna som håller fast fästena på karossen **(se bild)**.

Bakre avgasrör – demontering

29 Lossa det bakre avgasrörets fästringbultar och lossa klämman från flänsfogen.
30 Haka loss det bakre avgasröret från dess gummifästen och ta bort det från bilen **(se bild)**. Annars kan du lossa muttrarna/bultarna som håller fast fästena på karossen.

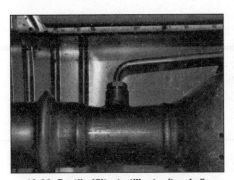

19.22 Partikelfiltrets tillsats-/tryckrör

19.23 Skruva loss temperaturgivaren

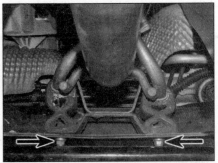

19.28 Skruva loss muttrarna (markerade med pil) och ta bort röret tillsammans med fästena

19.30 Haka loss avgasröret från fästena eller lossa fästmuttrarna (markerade med pil)

Demontering av hela systemet

31 Skruva loss den främre fästringbulten och lossa katalysatorn eller det främre avgasröret från turboaggregatet **(se bild 19.8)**. På modeller med partikelfilter noterar du deras placering och kopplar sedan loss de olika rören/givarna från systemet. Lossa systemet från dess gummifästen och ta bort det från bilens undersida. Annars kan du lossa muttrarna/bultarna som håller fast fästena på karossen.

Värmeskydd – borttagning

32 Värmeskydden är fästa på karossens undersida med hjälp av olika muttrar och bultarna. Varje skärm kan tas bort så fort relevant del av avgasgrenröret har demonterats. Om ett skydd tas bort för att du ska komma åt en komponent som är placerad bakom det, kan det i vissa fall räcka att ta bort fästmuttrarna och/eller bultarna, och helt enkelt sänka ner skyddet, utan att röra avgassystemet.

Montering

33 Varje del monteras i omvänd ordning, och notera följande punkter:

a) Se till fram alla spår av korrosion har tagits bort från flänsarna, och att alla packningar bytts.

b) Undersök gummifästena efter tecken på skador eller åldrande och byt ut dem om det behövs.

Där fogarna är sammanfästa med en klämring applicerar du ett lager fogmassa för avgassystem på flänsfogen för att säkerställa en gastät tätning. Dra åt fästringmuttrarna jämnt och stegvis så att spelet mellan klämhalvorna förblir lika stort på båda sidor.

d) Kontrollera innan avgassystemets fästen och klämmor dras åt att alla gummiupphängningar är korrekt placerade och att det finns tillräckligt med mellanrum mellan avgassystemet och underredet.

e) På modeller med partikelfilter fyller du på tillsatsbehållaren enligt beskrivningen i kapitel 1B.

Kapitel 4 Del C:
Avgasreningssystem

Innehåll

Svårighetsgrad

Enkelt, passar novisen med lite erfarenhet	Ganska enkelt, passar nybörjaren med viss erfarenhet	Ganska svårt, passar kompetent hemmamekaniker	Svårt, passar hemmamekaniker med erfarenhet	Mycket svårt, för professionell mekaniker

1 Allmän information

Alla bensinmotorer körs på blyfri bensin och har även många andra inbyggda funktioner i bränslesystemet som hjälper till att minska de skadliga utsläppen. Dessutom har alla motorer det avgasreningssystem för vevhuset som beskrivs nedan. Alla motorer har också en katalysator och ett avdunstningsregleringssystem. Vissa 2,0-liters bensinmotorer som uppfyller avgasreningsstandard L4 använder också ett andra luftinsprutningssystem för att snabbt skapa rätt arbetstemperatur i katalysatorn.

Alla dieselmotorer uppfyller också stränga utsläppskrav och är utrustade med ett avgasreningssystem för vevhuset och en katalysator. För att minska utsläppen ytterligare har alla dieselmotorer också avgasåterföringssystem. 2.0 dieselmotorer kan dessutom vara utrustade med ett särskilt kolfilter innehållande poröst kiselkarbidsubstrat som fångar upp kolpartiklarna när avgaserna passerar genom filtret.

Avgasreningssystemen fungerar på följande sätt.

Bensinmotorer
Vevhusventilation

För att minska utsläppen av oförbrända kolväten från vevhuset ut i atmosfären tätas motorn, och genomblåsningsgaserna och oljan dras ut från vevhuset genom en nätbandsoljeavskiljare och in i insugningssystemet för att förbrännas under den normala förbränningen.

Oavsett system så tvingas gaserna ut ur vevhuset av det (relativt) högre vevhustrycket. Om motorn är sliten gör det högre vevhustrycket (p.g.a. ökad genomblåsning) att en viss del av flödet alltid går tillbaka oavsett tryck i grenröret.

Avgasrening

För att minimera mängden föroreningar som släpps ut i atmosfären är alla modeller försedda med en katalysator i avgassystemet. På alla modeller som har en katalysator är systemet av typen med sluten slinga, där lambdasonderna (syresond) i avgassystemet ger konstant feedback till bränsleinsprutningssystemet/tändningssystemets ECU, vilket gör att ECU:n kan justera blandningen och skapa bästa möjliga arbetsförhållanden för katalysatorn.

Lambdasonderna har ett inbyggt värmeelement som styrs av styrmodulen via lambdasondsrelät för att snabbt få upp sondspetsen till optimal arbetstemperatur. Sondens spets är känslig för syre, och sänder en spänning till styrmodulen som varierar i enlighet med mängden syre i avgaserna. Om bränsleblandningen är för fet är avgaserna syrefattiga och sonden sänder då en låg spänning till styrenheten. Signalspänningen stiger när blandningen magrar och syrehalten i avgaserna därmed stiger. Maximal omvandlingseffekt för alla större föroreningar uppstår när bränsleblandningen hålls vid den kemiskt korrekta kvoten för fullständig förbränning av bensin, som är 14,7 delar (vikt) luft till 1 del bensin (den stökiometriska kvoten). Sondens signalspänning ändras ett stort steg vid denna punkt och styrmodulen använder detta som referens och korrigerar bränsleblandningen efter detta genom att modifiera insprutningens pulsbredd.

Avdunstningsreglering

För att minimera utsläppen av oförbrända kolväten i atmosfären finns även ett system för avdunstningsreglering på alla bensinmodeller som har katalysator. Tanklocket är tätat och ett kolfilter är monterat i höger främre hjulhus, under höger framskärm, för att samla upp bensinångor från tanken när bilen är parkerad. Ångorna lagras tills de kan sugas ut (styrt av bränsleinsprutnings-/tändningssystemets styrmodul) via en rensventil till insuget, där de sedan förbränns av motorn under den vanliga förbränningen.

För att motorn ska fungera bra när det är kallt och/eller vid tomgång, samt för att skydda katalysatorn från skador vid en alltför mättad blandning, öppnar inte motorns elektroniska styrsystem rensstyrventilerna förrän motorn är uppvärmd och under belastning. Magnetventilen öppnas och stängs då så att ångorna kan dras in i insugskanalen.

Sekundär luftinsprutning

2,0-liters bensinmotorer som uppfyller utsläppskraven L4 har också ett sekundärt luftinsprutningssystem. Detta system är utvecklat för att minska avgasutsläppen mellan motorstart och tills katalysatorn uppnår sin arbetstemperatur (drifttemperatur). När man släpper in luft i avgassystemet under den första startperioden skapas en "efterbränningseffekt" som snabbt höjer temperaturen i avgassystemets främre rör. Detta gör att katalysatorn mycket snabbt når sin normala arbetstemperatur.

Systemet består av en luftpump som sitter på bilens främre vänstra sida, en luftinsprutningsventil som sitter på en fästbygel på topplockets framsida, ett anslutningsrör som kopplar samman ventilen med avgasgrenröret, och mellankopplande luftslangar.

Systemet arbetar i mellan 10 och 45 sekunder efter motorstart, beroende på kylvätsketemperaturen.

Dieselmodeller
Vevhusventilation

Se beskrivningen för bensinmotorer.

Avgasrening

För att minimera mängden föroreningar som släpps ut i atmosfären är alla modeller försedda med en katalysator i avgassystemet.

Katalysatorn består av en kanister med ett finmaskigt nät som är impregnerat med ett katalyserande material. de heta gaserna passerar över nätet. Katalysatorn snabbar

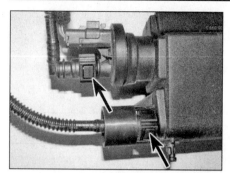

2.5 Tryck ner snabbkopplingsknapparna och koppla loss slangarna (markerade med pil)

på oxideringen av skadligt kolmonoxid, icke-förbrända kolväten och sot, vilket effektivt minskar mängden skadliga ämnen som släpps ut i atmosfären med avgaserna.

Avgasåterföringssystem

Systemets syfte är att återcirkulera små avgasmängder till insuget och vidare in i förbränningsprocessen. Detta minskar halten av kväveoxider i avgaserna.

Mängden avgaser som recirkuleras styrs av systemets elektroniska styrmodul.

Det sitter en vakuumstyrd ventil på avgasgrenröret som styr mängden avgaser som recirkuleras. Ventilen styrs av vakuumet från magnetventilen.

Partikelfiltersystem

Partikelfiltret kombineras med katalysatorn i avgassystemet och dess uppgift är att fånga kolpartiklar (sot) när avgaserna passerar genom filtret, för att kunna följa de senaste utsläppsreglerna.

Filtret kan rengöras automatiskt av systemets styrmodul i bilen. Motorns högtrycksinsprutningssystem sprutar in bränsle till avgaserna under efterinsprutningen, det ökar filtrets temperatur tillräckligt för att partiklarna ska oxidera och bilda aska. Rengöringsperioden styrs automatiskt av bilens ECU. Följaktligen måste filtret tas bort från avgassystemet och bytas vid de serviceintervall som anges.

För att underlätta förbränningen av det fångade kolet (sot) under rengöringen blandas en bränsletillsats (cerium-baserad Eolys) automatiskt med dieseln i bränsletanken. Tillsatsen förvars i en 5-litersbehållare under bränsletanken, och ECU:n styr hur mycket tillsats som skickas till bränsletanken via en tillsatsinsprutare ovanpå bränsletanken.

2 Avgasreningssystem
– kontroll och byte av komponenter

Bensinmodeller:

Vevhusventilation

1 Inga komponenter i det här systemet behöver tillsyn, förutom slangen/slangarna som måste kontrolleras regelbundet så att de inte är igentäppta eller skadade.

Avdunstningsreglering

2 Om systemet misstänks vara defekt, koppla loss slangarna från kolkanistern och rensventilen och kontrollera att de inte är igentäppta genom att blåsa i dem. Om rensventilen eller kolkanistern misstänks vara defekta måste de bytas ut.

Kolfilter – byte

3 Kolfiltret sitter under hjulhuset, på höger sida. För att komma åt den, lossa det högra framhjulets bultar, och lyft sedan upp framvagnen och ställ den på pallbockar. Ta bort hjulet, tryck mittsprintarna något, bänd sedan ur hela plastnitarna och ta bort hjulhusfodret.
4 Bänd försiktigt loss kanistern från dess tre fästklämmor och sänk ner från hjulhusets övre del.
5 Identifiera var de båda slangarna är placerade och tryck sedan ner snabbkopplingsknappen och koppla loss slangarna från avluftningsventilen och kanistern. Koppla loss avluftningsventilens anslutningskontakt **(se bild)**.
6 Återmontering utförs i omvänd ordning mot demonteringen, se till att slangarna är ordentligt återanslutna.

Avluftningsventil – byte

7 Avluftningsventil är inbyggt i kolkanister, och kan inte bytas separat.

Avgasrening

8 Katalysatorns funktion kan endast kontrolleras genom att man mäter avgaserna med en välkalibrerad avgasanalyserare av bra kvalitet.
9 Om CO-nivån i avgasröret är för hög ska bilen lämnas in till en Peugeot-verkstad eller annan specialist så att hela bränsleinsprutnings- och tändsystemen, inklusive lambdasonden, kan kontrolleras noggrant med hjälp av den särskilda diagnosutrustningen. När dessa system har kontrollerats och man inte har hittat några fel, måste felet ligga i katalysatorn. Den ska då bytas enligt beskrivningen i del A av detta kapitel.

Katalysator – byte

10 Se del A i detta kapitel.

Lambdasond – byte

Observera: Lambdasonden är ömtålig och går sönder om den tappas i golvet eller stöts till, om dess strömförsörjning bryts eller om den kommer i kontakt med rengöringsmedel.
11 Spåra kablaget tillbaka från lambdasonden/ sonderna, som är placerade före och efter katalysatorerna. På 1,4- och 1,6-liters bensinmotorer med avgasnivå L4 sitter en sond i avgasgrenröret och en efter katalysatorn. På 2,0-liters bensinmotorer är en sond fastskruvad ovanpå det främre avgasröret, och en efter katalysatorn. Koppla loss anslutningskontakten och ta loss kablarna från fästklämmorna.
12 Skruva loss sonden från avgassystemets framrör/grenrör och ta till vara på tätningsbrickan **(se bild)**.
13 Monteringen sker i omvänd ordningsföljd mot demonteringen. Använd en ny tätningsbricka. Innan sonden monteras ska du smörja på ett lager högtemperaturfett på sondgängorna. Se till att sonden är ordentligt åtdragen och att kablaget är rätt draget, och inte riskerar att komma i kontakt med vare sig avgassystemet eller motorn.

Kontroll av sekundär luftinsprutning

14 Inga komponenter i det här systemet behöver tillsyn, förutom slangen/slangarna som måste kontrolleras regelbundet så att de inte är igentäppta eller skadade.
15 Noggranna test av systemets funktion kräver diagnosutrustning och ska överlåtas till en Peugeot-verkstad eller specialist.

Luftpump – byte

16 Luftpumpen sitter på motorns främre högra hörn **(se bild)**.
17 Lossa och ta bort de tre muttrarna och ta bort pumpen från fästbygeln.
18 Koppla loss luftslangarna och kontaktdonet och ta bort pumpen.

2.12 Lambdasond (1,6-liters modell)

2.16 Sekundär luftinsprutningspump

2.23 Sekundär luftinsprutningsventil

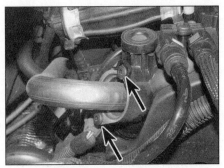

2.37a EGR röret är fäst vid grenröret med två skruvar (markerade med pil) . . .

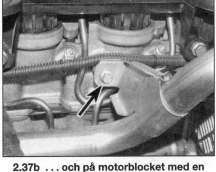

2.37b . . . och på motorblocket med en bult (markerad med pil)

19 Återmontering utförs i omvänd ordning mot demonteringen, se till att slangarna är ordentligt återanslutna.

Luftinsprutningsventil – byte

20 Koppla loss batteriet (se kapitel 5A).
21 Skruva loss fästskruvarna och ta bort kåpan från avgasgrenrörets ovansida.
22 Skruva loss de två bultarna som håller fast anslutningsrörets fläns till avgasgrenröret.
23 Skruva loss de två bultarna som håller fast ventilens fäste till topplocket **(se bild)**.
24 Ta bort ventilen och anslutningsröret, koppla loss luftslangen och ta bort luftinsprutningsventilen och anslutningsröret som en enhet.
25 Om det behövs kan du ta bort luftröret från ventilen och ta bort ventilen från fästbygeln efter att ha lossat de båda fästmuttrarna. Ta hand om flänspackningen efter borttagningen.
26 Återmonteringen utförs i omvänd ordning mot monteringen, men använd en ny packning mellan ventilen och fästbygeln.

Dieselmodeller

Vevhusventilation

27 Inga komponenter i det här systemet behöver tillsyn, förutom slangen/slangarna som måste kontrolleras regelbundet så att de inte är igentäppta eller skadade.

Avgasrening

28 Katalysatorns funktion kan endast kontrolleras genom att man mäter avgaserna med en välkalibrerad avgasanalyserare av bra kvalitet.
29 Om du misstänker att det är fel på katalysatorn är det värt besväret att kontrollera att problemet inte beror på en eller flera felaktiga insprutningsventiler. Rådfråga en Peugeot-verkstad.

Katalysator – byte

30 Se del B i detta kapitel.

Avgasåterföringssystem

31 Test av systemet ska helst överlåtas till en Peugeot-verkstad eftersom det krävs en vakuumpump och en vakuummätare.

EGR-ventil, byte – 1,4-liters motor

32 Ta bort vindrutans klädselpanel och tvärbalk enligt beskrivningen i avsnitt 47 i det

2.37c Du måste montera en ny O-ringstätning mellan avgasåterföringsröret och grenröret

här kapitlet. Koppla loss och ta bort batteriets jordledning enligt beskrivningen i kapitel 5A.
33 Dra plastkåpan uppåt från motorns överdel
34 Ta bort luftrenarhuset enligt beskrivningen i kapitel 4B.
35 Notera hur vakuumrören sitter monterade och koppla loss dem från EGR ventilen.
36 Lossa de två fästklämmorna på EGR röret.
37 Det finns tre bultar som håller fast EGR röret, och två bultar som håller fast EGR ventilen. Skruva loss bultarna och ta bort röret med ventilen. Kassera metalpackningen från ventilen, och O-ringstätningen från röret – de måste bytas ut mot nya **(se bild)**.
38 För att ta bort EGR magnetventil, lossa de två vakuumslangarna och kontaktdonet.

2.38 EGR magnetventilens fästbultar (markerade med pil)

Skruva loss fästbygelns bultar och ta bort ventilen från motorrummet **(se bild)**.
39 Monteringen sker i omvänd ordningsföljd mot demonteringen.

EGR-ventil, byte – 1,6-liters motor

40 EGR ventilen sitter på topplockets vänstra ände. Ta bort vindrutans klädselpanel och tvärbalk enligt beskrivningen i avsnitt 53 i det här kapitlet.
41 Ta bort batteriet enligt beskrivningen i kapitel 5A.
42 Ta bort luftrenarhuset enligt beskrivningen i kapitel 4B.
43 Lossa klämmorna som håller fast EGR röret till EGR-kylaren och EGR-kylaren till EGR ventilen **(se bilder)**.
44 Lossa EGR ventilens anslutningskontakt.

2.43a Klämma mellan avgasåterföringskylare och ventil (markerad med pil) . . .

2.43b . . . Klämma mellan avgasåterföringskylare och rör (markerad med pil)

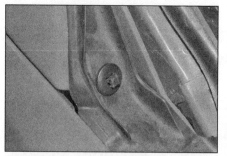

2.45 Avgasåterföringsventilens fästbultar (markerad med pil – en dold)

2.47a Tryck in mittsprinten något och bänd sedan ur hela plastniten . . .

2.47b Bänd upp centrumsprintarna, bänd ut plastniten och lossa isoleringsmaterialet från tvärbalken . . .

45 Skruva loss de 2 EGR-ventilens fästbultar, flytta EGR-kylare åt sidan, och ta bort ventilen (se bild).
46 Ta loss packningen/tätningen. Om det behövs kan du byta ut klämmor av "klicktyp" mot vanliga veckade klämmor.

EGR-ventil, byte – 2,0-liters motor

47 Skruva de fyra hållarna och ta bort plastkåpan från motorns överdel. Ta bort torkararmarna (kapitel 12), lossa klämmorna och ta bort plasttorpedplåtens klädselpanel. Klädseln hålls fast av en plastnit i varje ände. Tryck in mittsprintarna en bit och bänd ur hela nitarna från sin plats. Dra upp klädselns ändar för att lossa den från vindrutans klämmor och dra klädseln nedåt och framåt för att lossa den från vindrutans mitt. Skruva loss de två skruvar som håller fast bromsen/kopplingens huvudcylinder och flytta den åt sidan. Lossa ljudisoleringsmaterialet från torpedplåtens tvärbalk, skruva loss de två skruvar och ta bort tvärbalken (se bilder).
48 Placera en bit tjock kartong över kylarens bakre del för att skydda den från skador.
49 Lyft upp framvagnen och ställ den på pallbockar (se *Lyftning och stödpunkter*). Skruva loss skruvarna och ta bort motorns undre skyddskåpa.
50 Skruva loss muttrarna/bultarna och ta bort motorns bakre fästlänkstag.
51 Koppla loss avgasröret framför katalysatorn/partikelfiltret. På så sätt kan motorn lutas framåt utan att avgssystemet skadas.
52 Använd en motorlyft fäst på topplockets

högra motordel och ta sedan bort bultarna/muttrarna och koppla loss höger motorfäste och fästbygel (se kapitel 2C). Låt motorn tippa lite framåt.
53 Skruva loss de båda fästbultarna och ta bort turboluftinsugskanalen så att du kommer åt avgasåterföringsventilen.
54 Notera hur vakuumrören sitter monterade och koppla loss dem från EGR ventilen.
55 Lossa avgasåterföringsventilens rörkrage, skruva loss de båda muttrarna och ta bort ventilen. Kasta packningen, eftersom en ny en måste användas.
56 För att ta bort EGR magnetventil, lossa de två vakuumslangarna och kontaktdonet. Skruva loss fästbygelns bultar och ta bort ventilen från motorrummet.
57 Monteringen sker i omvänd ordningsföljd mot demonteringen.

EGR värmeväxlare – byte

58 Tappa ur kylsystemet (se kapitel 1B). Alternativt kan du montera slangklämmorna på slangarna som är anslutna till EGR-värmeväxlaren.
59 Fortsätt enligt beskrivningen i punkt 41 till 47.
60 Lossa klämmorna och lossa kylvätskeslangen från EGR värmeväxlare (se bild).
61 Skruva loss bulten(-arna) som håller fast värmeväxlaren.

62 Lossa klämmorna och separera värmeväxlaren från avgasåterföringsventilen och avgasåterföringsröret.
63 Monteringen sker i omvänd ordningsföljd mot demonteringen.

Partikelfilter i bränsletillsatssystemet

64 Man kan kontrollera matningstrycket i tillsatspumpen, men detta ska göras av en Peugeot-verkstad eller specialist.

Byte av bränsletillsatsbehållare

Observera: *Tillsatsbehållaren ska helst vara tom innan den tas bort, annars måste du vidta åtgärder mot spill.*

⚠ *Varning: Använd skyddshandskar och skyddsglasögon när du hanterar behållaren.*

65 För att demontera tillsatsbehållaren , klossa framhjulen och dra åt handbromsen. Lyft sedan upp framvagnen och ställ den på pallbockar (se *Lyftning och stödpunkter*). Behållaren är fäst på bränsletankens vänstra sida.
66 Ta bort underskyddet under bränsletanken (om en sådan finns).
67 Skruva loss de tre muttrarna och ta bort skyddet under tillsatsbehållaren (se bild).
68 Notera var tillsatsrören är placerade på behållaren. Trycka sedan ner lossningsknapparna och koppla loss dem (se bild). Plugga igen eller täck över öppningarna för att hindra att det kommer in smuts.
69 Lossa kablaget från nivågivaren från behållarens baksida.
70 Skruva loss de två muttrarna och ta bort

2.47c . . . skruva sedan loss skruvarna och ta bort tvärbalken

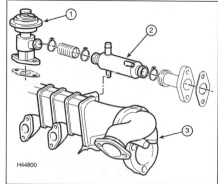

2.60 EGR ventil och värmeväxlare (2,0-liters modeller)

1 Avgasåterföringsventil
2 Värmeväxlare
3 Insugningsgrenrör

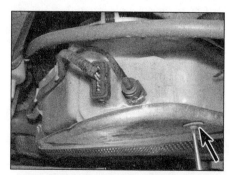

2.67 Tillsatsbehållaren värmeskyddets fästbult (markerad med pil)

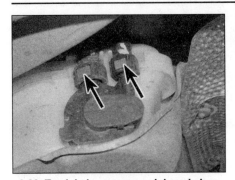

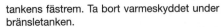

2.68 Tryck in knapparna och koppla loss rören från behållaren (markerad med pil)

2.75a Differential tryckgivaren sitter på kylarens övre högra hörn – 1,6-liters modeller

2.75b På 2,0-liters modeller sitter tryckdifferentialgivaren på motorrummets mellanvägg

tankens fästrem. Ta bort varmeskyddet under bränsletanken.

71 Var beredd med en lämplig behållare så att du kan samla in tillsatsmedelsspill. Skruva loss de båda fästskruvarna och koppla loss behållaren.

72 Monteringen sker i omvänd ordningsföljd mot demonteringen.

73 Låt en Peugeot-verkstad eller specialist fylla på behållaren.

Partikelfilter

74 Byte av partikelfiltret beskrivs i del B i detta kapitel.

Differential tryckgivare

75 Den här givaren mäter partikelfiltrets in- och utgående tryck partikelfiltret. Den sitter i motorrummet **(se bilder)**.

76 Observera var gummislangarna och anslutningskontakten sitter och koppla sedan loss dem från givaren.

77 Skruva loss fästbultarna och ta bort givaren.

3 Katalysator – allmän information och föreskrifter

1 Katalysatorn är en tillförlitlig och enkel anordning som inte kräver något underhåll. Det finns dock några punkter som bör uppmärksammas för att katalysatorn skall fungera ordentligt under hela sin livslängd.

Bensinmodeller:

a) *ANVÄND INTE blyad bensin eller LRP – blyet täcker över ädelmetallerna, och förstör med tiden hela katalysatorn.*

b) *Underhåll tändning och bränslesystem noga enligt tillverkarens schema.*

c) *Om motorn börjar misstända ska bilen inte köras alls (eller kortast möjliga sträcka) förrän felet är åtgärdat.*

d) *STARTA INTE bilen genom att knuffa eller bogsera igång den – då dränks katalysatorn i oförbränt bränsle, vilket leder till att den överhettas då motorn inte startar.*

e) *SLÅ INTE AV tändningen vid höga motorvarv.*

f) *Använd INTE tillsatser i olja eller bensin. Dessa kan innehålla ämnen som skadar katalysatorn.*

g) *Kör INTE bilen om motorn bränner så mycket olja att den avger synlig blårök.*

h) *Kom ihåg att katalysatorn arbetar vid mycket höga temperaturer. Parkera INTE bilen i torr undervegetation, över långt gräs eller lövhögar.*

i) *Kom ihåg att katalysatorn är KÄNSLIG – slå inte på den med verktyg.*

j) *I vissa fall kan en svaveldoft (liknande ruttna ägg) märkas från avgasröret. Detta är vanligt med många katalysatorförsedda bilar och bör försvinna efter några hundratal mil.*

k) *Om katalysatorn inte längre är effektiv ska den bytas ut.*

Dieselmodeller

2 *Se i delarna f, g, h, och i för* bensinmodell informationen ovan.

Anteckningar

Kapitel 5 Del A:
Start- och laddningssystem

Innehåll

Svårighetsgrad

Enkelt, passar novisen med lite erfarenhet	Ganska enkelt, passar nybörjaren med viss erfarenhet	Ganska svårt, passar kompetent hemmamekaniker	Svårt, passar hemmamekaniker med erfarenhet	Mycket svårt, för professionell mekaniker

Specifikationer

Systemtyp... 12 volt, negativ jord

Batteri
Typ .... Lågunderhållsbatteri eller underhållsfritt och livstidsförseglat batteri
Laddningskondition:
  Dålig .... 12,5 volt
  Normal .... 12,6 volt
  Bra .... 12,7 volt

Generator
Typ .... Denso, Bosch, Magneti Marelli, Valeo eller Mitsubishi (beroende på modell)

Kapacitet:
  1,4 och 1,6-liters bensinmodeller........................ 70, 80, 90 eller 120 amp
  2,0-liters bensinmodeller .... 80, 90, 120 eller 150 amp
  Dieselmodeller .... 150 amp

Startmotor
Typ .... Mitsubishi, Valeo, Ducellier, Iskra, eller Bosch (beroende på modell)

Åtdragningsmoment   Nm
Generatorns fästbultar 40
Oljetrycksbrytare 30
Startmotor
  1,4- och 1,6-liters dieselmodeller........................ 20
  Alla övriga modeller 35

1 Allmän information och föreskrifter

Allmän information

Motorns elsystem består i huvudsak av laddnings- och startsystemen. På grund av deras motorrelaterade funktioner behandlas dessa komponenter separat från karossens elektriska enheter, som instrument och belysning etc. (Dessa tas upp i kapitel 12). Om bilen har bensinmotor, se del B för information om tändsystemet. Om bilen har dieselmotor, se del C för information om förvärmningen.

Elsystemet är av typen 12 V negativ jord.

Batteriet är antingen av typen lågunderhåll eller 'underhållsfritt' (livstidsförseglat) och laddas av generatorn, som drivs med en rem från vevaxelns remskiva.

Startmotorn är föringreppad med en inbyggd solenoid. Vid start trycker solenoiden kugghjulet mot kuggkransen på svänghjulet innan startmotorn ges ström. När motorn startat förhindrar en envägskoppling att motorankaret drivs av motorn tills kugghjulet släpper från kuggkransen.

Föreskrifter

Detaljinformation om de olika systemen ges i relevanta avsnitt i detta kapitel. Även om vissa reparationer beskrivs här, är det normala tillvägagångssättet att byta ut defekta komponenter. Ägare som är intresserade av mer än enbart komponentbyte rekommenderas boken *Bilens elektriska och elektroniska system* från detta förlag.

Det är nödvändigt att iaktta extra försiktighet vid arbete med elsystem för att undvika skador på halvledarenheter (dioder och transistorer) och personskador. Utöver de säkerhetsföreskrifter som anges i *Säkerhet först!* i början av den här handboken, iaktta följande vid arbete med systemet.

• *Ta alltid av ringar, klocka och liknande innan något arbete utförs på elsystemet. En urladdning kan inträffa även med batteriet urkopplat, om en komponents strömstift jordas genom ett metallföremål. Detta kan ge stötar och allvarliga brännskador.*

• *Kasta inte om batteripolerna. Då kan komponenter som generatorn, elektroniska styrenheter eller andra komponenter med halvledarkretsar skadas så att de inte går att reparera.*

• *Om motorn startas med hjälp av startkablar och ett laddningsbatteri ska batterierna anslutas plus till plus och minus till minus (se Starthjälp). Detta gäller även vid inkoppling av batteriladdare.*

• *Koppla aldrig loss batteripolerna, generatorn, elektriska kablar eller några testinstrument med motorn igång.*

• *Låt aldrig motorn dra runt generatorn när den inte är ansluten.*

• *Testa aldrig generatorn genom att "gnistra" strömkabeln mot jord.*

• *Testa aldrig kretsar eller anslutningar med en ohmmätare av den typ som har en handvevad generator.*

• *Kontrollera alltid att batteriets jordkabel är urkopplad innan arbete med elsystemet inleds.*

• *Koppla ur batteriet, generatorn och komponenter som bränsleinsprutningens/tändningens elektroniska styrenhet för att skydda dem från skador, innan elektrisk bågsvetsningsutrustning används på bilen.*

2 Felsökning av elsystemet – allmän information

Se kapitel 12.

3 Batteri – kontroll och laddning

Kontroll

Standard- och lågunderhållsbatteri

1 Om bilen inte körs långt under året är det mödan värt att kontrollera batterielektrolytens

densitet var tredje månad för att avgöra batteriets laddningsstatus. Använd hydrometer för kontrollen och jämför resultatet med följande tabell. Observera att densitetsmätningarna förutsätter en elektrolyttemperatur på 15 °C. dra bort 0,007 för varje 10 °C under 15 °C. Lägg till 0,007 för varje 10°C ovan 15°C.

	Över 25°C	Under 25°C
Fulladdat	1.210 till 1.230	*1.270 till 1.290*
70% laddat	1,170 till 1,190	*1,230 till 1,250*
Urladdat	1,050 till 1,070	*1,110 till 1,130*

2 Om batteriet misstänks vara defekt, kontrollera först elektrolytens densitet i varje cell. En variation över 0,040 mellan celler indikerar förlust av elektrolyt eller nedbrytning av plattor.

3 Om densiteterna har en avvikelse på 0,040 eller mer måste batteriet bytas. Om variationen mellan cellerna är tillfredsställande men batteriet är urladdat ska det laddas upp enligt beskrivningen längre fram i detta avsnitt.

Underhållsfritt batteri

4 Om ett 'underhållsfritt' batteri är monterat kan elektrolyten inte testas eller fyllas på. Batteriets skick kan därför bara kontrolleras med en batteriindikator eller en voltmätare.

5 Vissa modeller kan vara utrustade med ett 'Delco-typ' underhållsfritt batteri med inbyggd laddningsindikator. Indikatorn är placerad ovanpå batterihöljet och anger batteriets skick genom att ändra färg. Om indikatorn visar grönt är batteriet i gott skick. Om indikatorn mörknar, möjligen ända till svart, behöver batteriet laddas enligt beskrivning längre fram i detta avsnitt. Om indikatorn är blå betyder detta att elektrolytnivån i batteriet är för låg för att det ska kunna användas, och batteriet måste bytas.

Varning: Försök inte ladda eller hjälpstarta ett batteri då indikatorn är ofärgad eller gul.

Alla batterityper

6 Om du testar batteriet med en voltmätare, anslut voltmetern på batteriet och jämför resultatet med de värden som anges i Specifikationer under "laddningsvillkor". För att kontrollen ska ge korrekt utslag får batteriet inte ha laddats på något sätt under de senaste sex timmarna. Om så inte är fallet, tänd strålkastarna under 30 sekunder och vänta 5 minuter innan batteriet kontrolleras. Alla andra kretsar ska vara frånslagna, så kontrollera att dörrar och baklucka verkligen är stängda när kontrollen görs.

7 Om den uppmätta spänningen understiger 12,2 volt är batteriet urladdat, medan en spänning mellan 12,2 och 12,4 volt indikerar delvis urladdning.

8 Om batteriet ska laddas, ta ut det ur bilen (avsnitt 4) och ladda det enligt beskrivningen senare i detta avsnitt.

Laddning

Observera: *Följande är endast avsett som riktlinjer. Följ alltid tillverkarens rekommendationer (finns ofta på en tryckt etikett på batteriet) vid laddning av ett batteri.*

Standard- och lågunderhållsbatteri

9 Ladda batteriet vid 3,5 till 4 ampere och fortsätt ladda batteriet tills ingen ytterligare ökning av batteriets tyngd noteras under en fyratimmarsperiod.

10 Alternativt kan en droppladdare som laddar med 1,5 ampère användas över natten.

11 Speciella snabbladdare som påstås kunna ladda batteriet på 1-2 timmar är inte att rekommendera, eftersom de kan orsaka allvarliga skador på batteriplattorna genom överhettning.

12 Observera att elektrolytens temperatur aldrig får överskrida 38°C när batteriet laddas.

Underhållsfritt batteri

13 Denna batterityp tar avsevärt längre tid att ladda fullt än standardtypen. Tidsåtgången beror på hur urladdat batteriet är, men det kan ta ända upp till tre dygn.

14 En laddare av konstantspänningstyp krävs. Den ställs in till mellan 13,9 och 14,9 volt med en laddström understigande 25 A. Med denna metod bör batteriet vara användbart inom 3 timmar med en spänning på 12,5 V, men detta gäller ett delvis urladdat batteri. Full laddning kan som sagt ta avsevärt längre tid.

15 Om batteriet ska laddas från fullständig urladdning (under 12,2 volt), låt en Peugeot-verkstad eller bilelektriker ladda batteriet i och med att laddströmmen är högre och att laddningen kräver konstant övervakning.

4 Batteri – demontering och montering

Observera: *Radio-/kassett-/CD-spelaren/ CD-växlaren som är standardutrustning i Peugeot-bilar har ett stöldskyddssystem. Om strömtillförseln kopplas ifrån kodar radio-/ kassettspelaren automatiskt om sig så länge den fortfarande sitter i rätt bil. Om enheten tas bort fungerar den inte i en annan bil.*

Observera: *Innan du kopplar ifrån batteriet måste du vänta 15 minuter efter det att tändningen har slagits av så att bilens ECU:er kan minneslagra alla inlärda värden.*

Demontering

1 Innan du kopplar ifrån batteriet ska alla fönster och taklukan stängas. Se också till att bilens larmsystem är avaktiverat (se instruktionsboken eller kapitel 12, avsnitt 20).

2 Batteriet är placerat i motorrummets vänstra del.

3 Lyft bort skyddet från batteriets pluspol och sedan snabbkopplingsspaken (svart) och ta bort ledningen. På 2,0-liters dieselmodeller, ta bort luftfiltrets övre kåpa enligt beskrivningen i kapitel 1B. På bensinmodeller, ta bort luftfilterhuset enligt beskrivningen i kapitel 4A. Ta bort kåpan och isoleringen från batteriet **(se bilder)**.

4 Koppla loss minuspolens anslutning (grön) på samma sätt **(se bild)**.

5 Skruva loss bulten och ta bort batteriets fästklämma **(se bild)**.

6 Lyft batteriet från motorrummet.

7 Lossa det vänstra framhjulets bultar, och lyft sedan upp framvagnen och ställ den på pallbockar (se *Lyftning och stödpunkter)*.

8 Tryck in mittsprintarna något och bänd därefter ut hela nitarna och lossa hjulhusfodret.

9 Skruva loss de invändiga bultarna som fäster batterilådan på fästbygeln, inklusive en från det inre hjulhusets utsida **(se bild)**.

10 På modeller med automatväxellåda, skjut ut låssprärren och koppla loss växellådans ECU-anslutningskontakt, eller skruva loss muttrarna och ta bort ECU:n från batterilådan **(se bild)**.

11 Lägg försiktigt alla kablar och slangar åt sidan. Lyft sedan bort batterilådan från motorrummet.

Montering

12 Monteringen utförs i omvänd ordningsföljd mot demonteringen, men smörj in polerna med vaselin innan du återansluter ledningarna. Återanslut minuskabeln först och pluskabeln sist.

4.3a Lyft upp snabbkopplingsspaken och koppla loss pluskabeln . . .

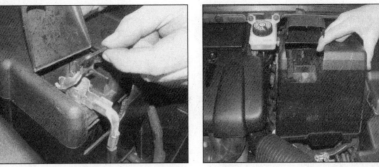

4.3b . . . lyft av kåpan från batteriet

13 Med batteriet återanslutet slår du på tändningen och väntar minst en minut innan du startar motorn. På så sätt kan bilens elektroniska system och styrenheter stabiliseras. Se även kapitel 12, avsnitt 20, om modeller med stöldskyddssystemet.

14 På modeller med tacklucka, efter det att batteriet har återanslutits, initierar du om takluckans mekanism på följande sätt:

a) Vrid brytaren till det maximala delvisa öppningsläget (3:e läget till).

b) Håll styrningsbrytaren intryckt. Takluckan når det maximala delvisa öppningsläget, sedan låter du den gå tillbaka lite.

c) Släpp knappen inom 6 sekunder.

d) Tryck på knappen inom 6 sekunder. Takluckan börjar stänga sig efter fyra sekunder från det att brytaren trycks in. Sedan öppnas den helt och stängs därefter helt.

5 Laddningssystem – kontroll

Observera: *Se varningarna i Säkerheten främst! och i avsnitt 1 i detta kapitel innan arbetet påbörjas.*

1 Om laddningslampan inte tänds när tändningen slås på, ska generatorns kabelanslutningar kontrolleras i första hand. Om de är felfria, kontrollera att inte glödlampan har gått sönder och att glödlampssockeln sitter väl fast i instrumentbrädan. Om lampan fortfarande inte tänds, kontrollera att ström går genom ledningen från generatorn till lampan. Om allt är som det ska är det fel på generatorn, som måste bytas eller tas till en bilelektriker för kontroll och reparation.

2 Om tändningens varningslampa tänds när

4.4 Lyft upp spaken och koppla loss minuskabeln

4.5 Skruva loss batteriets klämbult (markerad med pil)

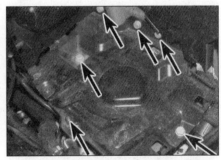

4.9a Skruva loss batterilådans bultar (markerade med pil) . . .

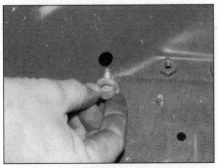

4.9b . . . inklusive den som sitter på hjulhuset

4.10a Skjut ut låssprärren (markerad med pil) och koppla loss automatväxellådans ECU kontaktdon . . .

4.10b . . . eller skruva loss muttrarna (markerade med pil) och ta bort ECU:en

motorn är igång, stanna bilen och kontrollera att drivremmen är korrekt spänd (se kapitel 1A eller 1B) och att generatorns anslutningar sitter ordentligt. Om allt är som det ska så långt, måste generatorn tas till en bilelektriker för kontroll och reparation.

3 Om generatorns arbetseffekt misstänks vara felaktig även om varningslampan fungerar som den ska, kan regulatorspänningen kontrolleras på följande sätt.

4 Anslut en voltmätare över batteripolerna och starta motorn.

5 Öka motorvarvtalet tills voltmätaren står stadigt på; den bör visa ungefär 12 till 13 volt och inte mer än 14 volt.

6 Slå på alla elektriska funktioner och kontrollera att generatorn upprätthåller reglerad spänning mellan 13 och 14 volt.

7 Om spänningen inte ligger inom dessa värden kan felet vara slitna borstar, svaga borstfjädrar, defekt spänningsregulator, defekt diod, kapad fasledning eller slitna/skadade släpringar. Generatorn måste bytas eller lämnas till en bilelektriker för kontroll och reparation.

6 Generatorns drivrem – demontering, återmontering och spänning

Uppgifter om hur du tar bort drivremmen finns i kapitel 1A eller 1B.

7 Generator – demontering och montering

Demontering

1 Koppla loss batteriet (se avsnitt 4A).

2 Demontera drivremmen enligt beskrivningen i kapitel 1A eller 1B. På 1,6-liters modeller, skruva loss bultarna och ta bort bygelbultarna från drivremmens tomgångsremskiva, som skymmer generatorns nedre fästbult.

3 Tryck ner sprintarna i mitten något, bänd ut hela plastnitarna, lossa sidoklämman och ta bort plastkåpan från kylvätske- och spolarvätskebehållaren.

1,4- och 1,6-liters dieselmodeller

4 Ta bort gummikåpan från generatorns poler, skruva sedan loss fästmuttrarna och koppla loss kablaget från generatorns baksida (se bild). Bänd ut fästklämman för att lossa kablaget som är draget runt generatorns vänstra ände.

5 Skruva loss de tre bultar och ta bort drivremmens sträckare (se bild).

6 Skruva loss generatorns fästbultar (se bild). För att komma åt den vänstra nedre fästbulten skruvar du loss luftkonditioneringskompressorn (i förekommande fall) och lägger den åt sidan. **Koppla inte** loss kylmedierören. Flytta bort generatorn från dess fästbyglar och ut ur motorrummet.

7.4 Bänd ut gummikåpan och koppla sedan loss generatorns kablage och kontakt

7.6a Generatorns högra fästbultar (markerade med pil) . . .

Alla övriga modeller

7 Ta bort gummikåporna (i förekommande fall) från generatorns poler, skruva sedan loss fästmuttrarna och koppla loss kablaget från generatorns baksida (se bild). Bänd ut fästklämman för att lossa kablaget som är draget runt generatorns vänstra ände.

8 Skruva loss den/de nedre muttrarna och/eller fästbultarna, eller skruva loss muttern som fäster justeringslåsbulten på generatorn (efter tillämplighet). Observera att om en lång genomgående bult har använts för att hålla generatorn på plats måste inte bulten tas bort helt. Generatorn kan lossas från bulten när den har lossats tillräckligt. På vissa modeller kan man behöva ta bort drivremmens drev/spännarremskiva för att komma åt generatorns fästmuttrar och bultar (beroende på specifikationen). På 2,0-liters dieselmodeller

7.7 Generatorns kabelanslutningar

7.5 Skruva loss drivremsträckarens bultar (markerade med bultar)

7.6b . . . och vänstra fästbultar (markerade med pil)

bär den nedre främre fästbulten också upp drivremmens remskiva som kan lämnas kvar på bulten när ren tas bort (se bild). På 2,0-liters bensinmodeller med sekundär luftinsprutning skruvar du loss bultarna och tar lägger luftpumpen och drivremmens remskivebygel åt sidan.

9 Flytta bort generatorn från dess fästbyglar och ut ur motorrummet (se bild).

Montering

10 Monteringen utförs i omvänd ordningsföljd mot demonteringen, spänn drivremmen enligt beskrivningen i kapitel 1A eller 1B, och se till att generatorns fästen är ordentligt åtdragna. Observera att på dieselmodeller fungerar den övre bulten som en centreringsmekanism och ska dras åt först (se bild).

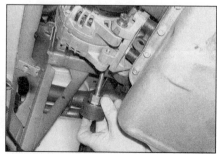

7.8 På 2,0-liters dieselmodeller bär den nedre fästbulten också upp drivremmens remskiva

7.9 Ta bort generatorn från fästet

7.10 På dieselmotorer fungerar de övre bultarna som centreringsmekanismer

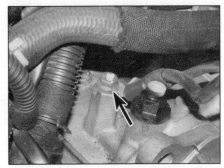

9.3 Motorns/växellådans jordanslutning (markerad med pil)

8 Generator – kontroll och renovering

Om generatorn misstänks vara defekt måste den demonteras och tas till en bilelektriker för kontroll. De flesta bilverkstäder kan erbjuda och montera borstar till överkomliga priser. Kontrollera dock reparationskostnaderna först, det kan vara billigare med en ny eller begagnad generator.

9 Startsystem – kontroll

Observera: *Se föreskrifterna i Säkerheten främst! och i avsnitt 1 i detta kapitel innan arbetet påbörjas.*

1 Om startmotorn inte arbetar när tändningsnyckeln vrids till startläget kan något av följande vara orsaken:

a) *Motorlåsningssystemet är defekt.*
b) *Batteriet är defekt.*
c) *De elektriska anslutningarna mellan strömbrytare, solenoid, batteri och startmotor har ett fel någonstans som gör att ström inte kan passera från batteriet till jorden genom startmotorn.*
d) *Solenoiden är defekt.*
e) *Startmotorn har ett mekaniskt eller elektriskt fel.*

2 Kontrollera batteriet genom att tända strålkastarna. Om de försvagas efter ett par sekunder är batteriet urladdat. Ladda (se avsnitt 3) eller byt batteri. Om strålkastarna lyser klart, vrid om startnyckeln. Om strålkastarna då försvagas betyder det att strömmen når startmotorn, vilket anger att felet finns i startmotorn. Om strålkastarna lyser klart (och inget klick hörs från solenoiden) indikerar detta ett fel i kretsen eller solenoiden – se följande punkter. Om startmotorn snurrar långsamt, trots att batteriet är i bra skick, indikerar detta antingen ett fel i startmotorn eller ett kraftigt motstånd någonstans i kretsen.

3 Om ett fel på kretsen misstänks, kopplar du loss batterikablarna (inklusive jordningen till karossen), startmotorns/solenoidens kablar och motorns/växellådans jordledning – som sitter ovanpå växellådshuset **(se bild)**. Rengör alla anslutningar noga och anslut dem igen. Använd sedan en voltmätare eller testlampa och kontrollera att full batterispänning finns vid strömkabelns anslutning till solenoiden och att jordförbindelsen är god. Smörj in batteripolerna med vaselin så att korrosion undviks – korroderade anslutningar är en av de vanligaste orsakerna till elektriska systemfel.

4 Om batteriet och alla anslutningar är i bra skick, kontrollera kretsen genom att lossa ledningen från solenoidens bladstift. Anslut en voltmätare eller testlampa mellan ledningen och en bra jord (t.ex. batteriets minuspol) och kontrollera att ledningen är strömförande när tändningsnyckeln vrids till startläget. Är den det, fungerar kretsen. Om inte, kan kretsen kontrolleras enligt beskrivningen i kapitel 12.

5 Solenoidens kontakter kan kontrolleras med en voltmätare eller testlampa mellan strömkabeln på solenoidens startmotorsida och jord. När tändningsnyckeln vrids till start ska mätaren ge utslag eller lampan tändas. Om inget sker är solenoiden defekt och måste bytas.

6 Om kretsen och solenoiden fungerar måste felet finnas i startmotorn. I det fallet kan det vara möjligt att låta en specialist renovera

motorn, men kontrollera först pris och tillgång på reservdelar, eftersom det mycket väl kan vara billigare att köpa en ny eller begagnad startmotor.

10 Startmotor – demontering och montering

Demontering

1 Koppla loss batteriet (se avsnitt 4A).

2 För att du ska komma åt motorn både ovanifrån och underifrån, dra åt handbromsen och lyft upp framvagnen och ställ den på pallbockar (se *Lyftning och stödpunkter*). Lossa skruvarna och ta bort motorns undre skyddskåpa (om en sådan finns).

3 På 1,4- och 1,6-liters motorer, ta bort batteriet och batterilådan.

4 Lossa och ta bort de två fästmuttrarna och lossa kablaget från startmotorns solenoid. Ta loss brickorna under muttrarna. På 1,4-liters och 1,6-liters dieselmotorer lossar du kablaget från fästklämmorna. Lossa sedan bulten som fäster kablagets fästplatta ovanför startmotorn **(se bild)**.

5 Skruva loss de tre fästbultarna (två på motorns baksida och en som går igenom växellådshusets ovansida). Stöd motorn medan bultarna tas bort. Ta bort brickorna under bulthuvudena och notera var kablage-

10.4a Skruva loss de två muttrarna (markerade med pil) och lossa startmotorns kablage

10.4b Skruva loss bulten (markerad med pil) som fäster kablagets fästplatta

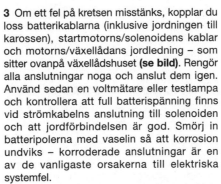

10.5 Startmotorns fästbultar (markerade med pil)

eller slangbyglar som fästs med bultarna sitter **(se bild)**.

6 Ta bort startmotorn från motorns undersida och ta bort styrstiftet/stiften från motorn/växellådan (efter tillämplighet).

Montering

7 Monteringen utförs i omvänd ordningsföljd mot demonteringen, se till att styrstiftet/stiften är rätt placerade. Se även till att kablage. eller slangbyglar sitter på plats under bulthuvudena enligt anteckningarna som gjordes vid demonteringen.

13.3a Oljetryckskontakten sitter på motorblockets framsida. . .

11 Startmotor– kontroll och renovering

Om startmotorn misstänks vara defekt måste den demonteras och tas till en bilelektriker för kontroll. De flesta bilverkstäder kan erbjuda och montera borstar till överkomliga priser. Kontrollera dock reparationskostnaderna först, eftersom det kan vara billigare med en ny eller begagnad motor.

12 Tändningskontakt – demontering och montering

Tändningsbrytaren är inbyggd i rattstångslåset och kan tas bort enligt beskrivningen i kapitel 10.

13 Brytare till varningslampa för oljetryck – demontering och montering

Demontering

1 Brytaren sitter på motorblockets framsida, på följande platser:

Bensinmotorer:
  Fastskruvad längst ner på oljefilterhuset.
1,4- och 1,6-liters dieselmotorer:
  Bredvid oljemätstickans styrhylsa
2,0-liters DW10TD/ATED dieselmotorer
  ovanför oljefilterfästet.
2,0-liters DW10BTED dieselmotorer
  fastskruvad på oljefilterhuset.

På vissa modeller kan det vara lättare att komma åt brytaren om man lyfter upp bilen och stöder den på pallbockar, tar bort motorns undre skyddskåpa (om en sådan finns) så att man kommer åt brytaren från undersidan (se *Lyftning och stödpunkter*).

2 Ta bort skyddshylsan från anslutnings-

kontakten (om tillämpligt), lossa sedan kablaget från brytaren.

3 Skruva loss brytaren från motorblocket, och ta loss tätningsbrickan **(se bilder)**. Var beredd på oljespill och om brytaren ska tas bort från motorn under längre tid, pluggar du igen hålet i motorblocket.

Montering

4 Undersök tätningsbrickan efter tecken på skada eller åldrande, och byt ut om det behövs.

5 Montera kontakten och dess bricka och dra åt ordentligt. Återanslut kontaktdonet.

6 Sänk ner bilen. Kontrollera därefter och fyll vid behov på motorolja enligt beskrivningen i *Veckokontroller*.

14 Oljenivågivare – demontering och montering

1 Givaren sitter på följande platser:
  1,4- och 1,6-liters bensinmotorer:
    Motorblockets främre sida, bredvid oljefilterhuset.
  2,0 liter bensinmotorer:
    Motorblockets baksida vid fogen mellan sumpen och blocket.
  1,4- och 1,6-liters dieselmotorer:
    Motorblockets bakre sida, mellan cylinder 2 och 3.
  2,0-liters SOHC dieselmotorer:
    Motorblockets bakre sida, bredvid växellådshuset.
  2,0-liters DOHC dieselmotorer
    Motorblockets främre sida, bredvid växellådshuset.

2 Demontering och montering utförs enligt beskrivningen för oljetryckskontakten i avsnitt 13. Det är lättast att komma från bilens undersida **(se bild)**.

13.3b . . . längst ner på oljefilterhuset (2,0-liters modell) . . .

13.3c . . . eller ovanför oljefilterhuset

14.2 Oljenivågivare (markerad med pil)

Kapitel 5 Del B:
Tändsystem – bensinmodeller

Innehåll

Svårighetsgrad

Enkelt, passar novisen med lite erfarenhet	Ganska enkelt, passar nybörjaren med viss erfarenhet	Ganska svårt, passar kompetent hemmamekaniker	Svårt, passar hemmamekaniker med erfarenhet	Mycket svårt, för professionell mekaniker

Specifikationer

Allmänt

Systemtyp . . . . Statiskt (fördelarlöst) tändsystem som styrs av motorstyrningens elektroniska styrmodul

Tändföljd . . . . 1-3-4-2 (Nr 1 vid växellådsänden)

Tändstift . . . . Se Kapitel 1A Specifikationer

Tändningsinställning. . . . . styrs av motorstyrmodulen

Åtdragningsmoment

Nm

Knackgivarens fästbult. 20

---

1 Tändsystem – allmän information

Tändsystemet ingår i bränsleinsprutnings-systemet och utgör ett kombinerat motorstyrningssystem som styrs av en elektronisk styrmodul (ECU, se kapitel 4A för mer information). Systemets tändsida är av den statiska (fördelarlösa) typen och består av tändspolarna och tändstiften. Tändspolarna sitter i en gemensam enhet som är monterad precis ovanför tändstiften. Spolarna ingår i tändstiftskabelskorna och trycks direkt på tändstiften, en för varje stift. På så sätt behövs inga tändkablar som ansluter spolarna till kontakterna.

Under ECU:ns styrning fungerar tändspolarna enligt principen "wasted spark", dvs. varje tändstift ger två gnistor för var och en av motorns cykler: en gång under kompressionstakten och en gång under avgastakten. Gnistspänningen är störst när cylindern är i kompressionstakt: när cylindern är i avgastakten är kompressionen låg och så bildas en mycket svag gnista som inte påverkar avgaserna.

ECU:n använder sina indata från de olika givarna för att beräkna vilken tändningsförställning och spolladdningstid som krävs, beroende på motortemperaturen, belastningen och hastigheten. På tomgång varierar ECU:n tändningsinställningen för att ändra motorns vridmomentsegenskaper och möjliggöra kontroll av tomgångsvarvtalet. Systemet arbetar tillsammans med tomgångsstyrmotor – se kapitel 4A för mer information.

Tändningssystemet har också en knacksensor. Sensorn sitter på motorblocket och känner av de högfrekventa vibrationer som uppstår när motorn börjar förtända, eller "spika". Under dessa förhållanden skickar knacksensorn en elektrisk signal till ECU:n som i sin tur försenar tändningsförställningen i små steg tills "spikningen" upphör.

2 Tändsystem – test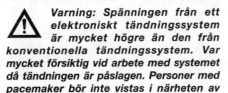

⚠ **Varning: Spänningen från ett elektroniskt tändningssystem är mycket högre än den från konventionella tändningssystem. Var mycket försiktig vid arbete med systemet då tändningen är påslagen. Personer med pacemaker bör inte vistas i närheten av tändningskretsar, delar och testutrustning.**

Om det uppstår ett fel i motorstyrnings-systemet (bränsleinsprutningen/tändningen) bör du först kontrollera att felet inte beror på dålig elektrisk anslutning eller dåligt underhåll. det vill säga, kontrollera att luftfiltret är rent, att tändstiften är hela och har korrekt avstånd, att motorns ventilationsslangar är rena och oskadda, se kapitel 1A för mer information. Kontrollera också att gasvajern är korrekt justerad enligt beskrivningen i kapitel 4A. Om motorn går mycket ojämnt kontrollerar du kompressionstrycken och ventilspel enligt beskrivningen i kapitel 2A eller 2B.

Om dessa kontroller inte visar på problemets orsak ska bilen tas till en lämpligt utrustad Peugeot-verkstad för test. Det sitter ett diagnosuttag i motorstyrningskretsen, där man ansluta ett särskilt elektroniskt diagnosverktyg. Testverktyget hittar felet snabbt och lätt och minskar behovet av att kontrollera alla systemkomponenter enskilt, något som är tidskrävande och medför stora risker för att skada styrenheten.

De enda kontrollerna av tändsystemet som en hemmamekaniker kan utföra är de som beskrivs i kapitel 1A, och som rör tändstiften.

3.1 Lossa ventilationsslangen från ventilkåpans anslutning.

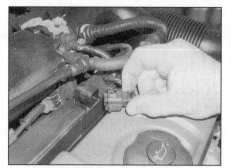

3.2 Koppla loss högspänningskablaget från tändspolen

3.3 Skruva loss spolens fästbultar (markerade med pil) . . .

3 Tändspolenhet – kontroll, demontering och montering

Demontering

1,4-liters motorer

1 Koppla loss motorns ventilationsslang från snabbkopplingsanslutningarna på luftrenarens luftintagskanal, ventilkåpan och insugningsröret **(se bild)**. Flytta slangen åt sidan.
2 Dra ur helljuskontakten från tändspolen **(se bild)**.
3 Skruva loss muttern som fäster tändspolens ändar på pinnbultarna **(se bild)**. Observera att

det är mycket troligt att pinnbulten lossnar tillsammans med muttern.
4 Lyft tändspolen uppåt från pinnbultarna och för samtidigt försiktigt bort tändförlängningarna från tändstiftens ovansida. Lyft bort enheten från tändstiften och ta bort den från motorn **(se bild)**.

1,6-liters motorer

5 Skruva loss de sex skruvarna och ta bort plastkåpan från motorns överdel, mellan de båda ventilkåporna.
6 Koppla loss anslutningskontakten på tändspolmodulens vänstra sida **(se bild)**.
7 Tryck in klämmorna och ta bort de båda ventilrören mellan ventilkåporna **(se bild)**.

8 Skruva loss de fyra fästskruvarna som håller fast spolarna **(se bild)**.
9 Lyft bort tändspolen uppåt och för samtidigt försiktigt bort tändförlängningarna från tändstiftens ovansida. Lyft bort enheten från tändstiften och ta bort den från motorn

2,0-liters motorer

10 Skruva loss de sex skruvarna och ta bort plastkåpan från motorns överdel.
11 Koppla ifrån kontaktdonet från tändspolsenhetens vänstra sida. Skruva loss de tre fästbultarna och lyft spolenheten uppåt, bort från tändstiften och dess plats mellan ventilkåporna **(se bild)**.

Kontroll

12 Strukturen i tändspolsenhetens krets på dessa motorer innebär att test av en enskild spole, isolerat från resten av motorstyrningssystemet, troligen inte ger en effektiv diagnostisering av ett visst fel. Om du av någon anledning misstänker att det är fel på en enskild spole ska motorstyrningssystemet testas av en Peugeot-verkstad eller specialist med hjälp av diagnosutrustning (se avsnitt 2).

Montering

13 Återmontering utförs i omvänd ordning mot demonteringen, se till att kontaktdonen är ordentligt återanslutna.

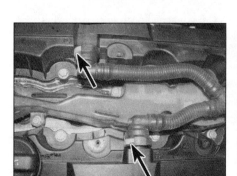

3.4 . . . skjut sedan försiktigt bort tändspolen från tändstiften och ta bort den från motorn

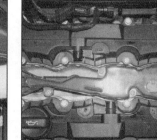

3.6 Koppla loss högspänningskablaget från tändspolen (markerad med pil)

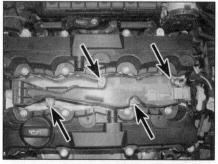

3.7 Tryck in klämmorna och lossa ventilrören (markerade med pil)

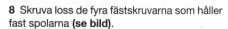

3.8 Skruva loss de fyra fästskruvarna (markerade med pil) .

3.11 Koppla ifrån tändspolens anslutningskontakt (markerad med pil)

4 Tändningsinställning – kontroll och justering

1 Det finns inga tändningsinställningsmärken på svänghjulet eller vevaxelns remskiva. Tändningsinställningen övervakas hela tiden och justeras av motorstyrningens elektroniska styrmodul, och nominalvärden kan inte anges. Därför kan hemmamekanikern inte kontrollera tändningsinställningen.

2 Det enda sätt på vilket tändningsinställningen kan kontrolleras är med speciell elektronisk testutrustning som ansluts till motorstyrningssystemets diagnostikuttag (se kapitel 4A för mer information).

5 Knackgivare – demontering och montering

Demontering

1 På 1,4- och 1,6-liters motorer är knackgivaren fastskruvad på motorblockets baksida och på 2,0-liters motorer sitter den på framsidan.

2 Dra åt handbromsen. Lyft upp framvagnen och ställ den på pallbockar (se *Lyftning och stödpunkter*). Lossa skruvarna och ta bort motorns undre skyddskåpa (om en sådan finns).

3 Följ kablaget bakåt från givaren till anslutningskontakten och koppla loss den från huvudkablaget.

4 Skruva sedan ur sensorns fästbult och ta bort givaren från motorblocket.

Montering

5 Monteringen utförs i omvänd ordningsföljd mot demonteringen, se till att givarens fästbult dras åt till angivet moment.

Kapitel 5 Del C:
För/eftervärmningsystem – dieselmodeller

Innehåll

Svårighetsgrad

Enkelt, passar novisen med lite erfarenhet	Ganska enkelt, passar nybörjaren med viss erfarenhet	Ganska svårt, passar kompetent hemmamekaniker	Svårt, passar hemmamekaniker med erfarenhet	Mycket svårt, för professionell mekaniker 

Specifikationer

Förvärmningsystem

Observera: *I skrivande stund fanns det ingen information om 1,4-liters DV4TD-motorn.*
Förvärmningsperioden med kylvätsketemperaturer på (ungefärliga värden):

1,6-liters motor:
-30°C	15 sekunder
-10°C	5 sekunder
0°C	0,5 sekunder
20°C	0 sekunder

2,0-liters SOHC motor:
-30°C	20 sekunder
-10°C	5 sekunder
0°C	0,5 sekunder
18°C	0 sekunder

2,0-liters DOHC motor:
-30°C	30 sekunder
-10°C	15 sekunder
0°C	10 sekunder
20°C	10 sekunder
80°C	5 sekunder

Eftervärmningssystem

Observera: *I skrivande stund fanns det ingen information om 1,4-liters DV4TD-motorn.*
Eftervärmningsperioden med kylvätsketemperaturer på (ungefärliga värden):

1,6-liters motor:
-30°C	3 minuter
-10°C	3 minuter
0°C	3 minuter
20°C	0,5 sekunder
80°C	0 sekunder

2,0-liters SOHC motor:
-30°C	3 minuter
-10°C	3 minuter
0°C	1 minut
18°	30 sekunder
40°	0 sekunder

2,0-liters DOHC motor:
-30°C	3 minuter
-10°C	3 minuter
0°C	3 minuter
20°	3 minuter
40°	70 sekunder
80°C	0 sekunder

Åtdragningsmoment

Nm

Glödstift:

1,4-liters motor	8
1,6-liters motor	10
2,0-liters motorer	22

1 För/eftervärmningsystem – beskrivning och kontroll

Beskrivning

1 För att underlätta kallstart är dieselmodeller utrustade med förvärmningssystem, vilket består en glödstift per cylinder, en glödstiftsreläenhet (inbyggd i den elektroniska styrenheten), en varningslampa på instrumentbrädan samt tillhörande kablage.

2 Glödstiften är elektriska värmeelement i miniatyr, inkapslade i ett metallhölje med en spets i ena änden och en kontakt i den andra. Varje förbränningskammare har ett glödstift gängat i sig, med spetsen direkt i skottlinjen för den inkommande bränsleinsprutningen. När glödstiftet spänningsmatas värms det snabbt upp, vilket gör att bränslet som passerar över glödstiftet värms upp till sin optimala temperatur, och är redo för förbränning. Dessutom antänds en del av det bränsle som passerar över glödstiftet och detta hjälper till att starta förbränningsprocessen.

3 Förvärmningssystemet aktiveras så snart startnyckeln vrids till det andra läget, men endast om motorns kylvätsketemperatur är under 20 °C och motorn går med mer än 70 varv/minut i 0,2 sekunder. En varningslampa på instrumentbrädan meddelar föraren när förvärmning pågår. Lampan slocknar när tillräcklig förvärmning skett för att starta motorn, men glödstiften är aktiva till dess att motorn startar. Om inga försök görs för att starta motorn stängs strömförsörjningen till glödstiften av efter 10 sekunder för att förhindra att batteriet tar slut och att glödstiften blir utbrända.

4 I de elektroniskt styrda dieselinsprutningssystem som modellerna i den här handboken har styrs glödstiftsreläenheten av motorstyrningssystemets ECU, som bestämmer vilken förvärmningstid som behövs baserat på indata från de olika systemgivarna. Systemet övervakar temperaturen i insugsluften och ändrar därefter förvärmningstiden (hur länge glödstiften spänningsmatas) så att den passar förhållandena.

5 Eftervärmningen sker efter det att startnyckeln har lämnat "startläget", men endast om motorns kylvätsketemperatur är under 20 °C, det insprutade bränslets flöde håller ligger under en viss hastighet och motorvarvtalet är under 2000 varv/minut. Glödstiften fortsätter att vara aktiva i maximalt 60 sekunder, vilket hjälper till att förbättra bränsleförbränningen när motorn värmer upp, och leder till tystare, smidigare körning och minskade avgasutsläpp.

Kontroll

6 Om systemet inte fungerar som det ska utföras test genom att man sätter in delar som man vet fungerar, men vissa förberedande kontroller kan göras enligt följande.

7 Anslut en voltmätare eller en kontrollampa på 12 volt mellan glödstiftets matningskabel och jord (motor eller metalldel i bilen). Kontrollera att den strömförande anslutningen hålls borta från motorn och karossen.

8 Be en medhjälpare slå på tändningen och kontrollera att glödstiften spänningsmatas. Observera hur länge kontrollampan lyser, och den totala tid som spänningen överförs innan systemet slås av. Slå av tändningen.

9 Jämför mätvärdena med värdena i Specifikationer. Varningslampans tid stiger med lägre temperaturer och sjunker med högre temperaturer.

10 Om det inte finns någon matning alls är det fel på styrenheten eller tillhörande kablage.

11 För att du ska komma åt glödstiften för vidare test tar du bort följande komponenter, beroende på modell:

1,4- och 1,6-liters motor:
Ta bort ventilkåporna/grenröret enligt beskrivningen i kapitel 2C.

2,0-liters SOHC motorer:
Skruva de fyra hållarna och ta bort plastkåpan från motorns överdel. Koppla ifrån insprutningsventilernas anslutningskontakter och lägg kablagebrickan åt sidan efter att lossat de båda fästmuttrarna. För att du ska komma åt glödstift nr 4 skruvar du loss de tre bultarna och lägger bränslerörets stödfäste åt sidan **(se bilder)**.

2,0-liters DOHC motorer:
Arbeta enligt beskrivningen i kapitel 4C, skruva loss bultarna och lägg EGR-värmeväxlaren och ventilenheten åt sidan. Du behöver inte koppla ifrån kylvätskeslangarna och därför inte heller tömma kylsystemet.

12 Koppla ifrån huvudmatningskabeln och mellankabeln eller remmen från glödstiftens ovansida. Var försiktig så att du inte tappar muttrarna och brickorna.

13 Använd en kontinuitetsmätare, eller en kontrollampa på 12 volt som är ansluten till batteriets pluspol för att kontrollera förbindelsen mellan alla glödstiftsanslutningar och jord. Resistansen i ett glödstift i gott skick är mycket låg (mindre än 1 ohm), så om kontrollampan inte tänds eller om kontinuitetsmätaren visar en hög resistans, är det fel på glödstiftet.

1.11a Vrid de fyra fästena (markerade med pil) 90° moturs och dra upp plastkåpan

1.11b Skruva loss de båda muttrarna (markerade med pil) och lägg kablagebrickan åt sidan

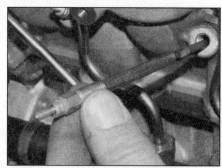

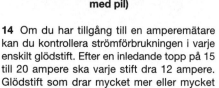

2.2 Skruva loss muttrarna som håller fast glödstiftsanslutningarna (markerade med pil)

2.4 Skruva loss glödstiften från topplocket

3.3 Skruva loss fästmuttern till glödstiftets styrenhet (markerad med pil)

14 Om du har tillgång till en amperemätare kan du kontrollera strömförbrukningen i varje enskilt glödstift. Efter en inledande topp på 15 till 20 ampere ska varje stift dra 12 ampere. Glödstift som drar mycket mer eller mycket mindre än detta är troligtvis defekt.

15 Gör en sista kontroll genom att ta bort glödstiften och undersöka dem visuellt enligt beskrivningen i nästa underavsnitt. Montera tillbaka de komponenter som du eventuellt har tagit bort för att komma åt.

2 Glödstift – demontering, kontroll och återmontering

Varning: Om förvärmningssystemet precis har strömmats, eller om motorn har varit igång, är glödstiften mycket varma.

Demontering

1 Se till att tändningen är avstängd. För att komma åt glödstiften tar du bort komponenterna som beskrivs i avsnitt 1, beroende på aktuell motor.

2 Skruva loss muttrarna från glödstiftsanslutningar och ta bort brickorna. Observera att på vissa 2,0-liters modeller sitter det en mellankopplande kabel/förbiledning mellan de fyra stiften **(se bild)**.

3 I förekommande fall flyttar du bort eventuella störande rör eller kablar och lägger dem åt sidan så att du kommer åt de berörda glödstiften.

4 Skruva loss glödstift(-et) och ta bort från topplocket **(se bild)**.

Kontroll

5 Undersök glödstiften efter tecken på skador. Brända eller nedslitna glödstiftspetsar kan bero på felaktigt sprutmönster hos insprutningsventilerna. Be en mekaniker undersöka insprutningsventilerna om den här typen av skador förekommer.

6 Om glödstiften är i bra fysiskt skick kontrollerar du dem elektriskt med en kontrollampa på 12 volt eller en kontinuitetsmätare föregående avsnitt.

7 Glödstiften kan strömmatas med 12 volt för att kontrollera att de värms upp jämnt och inom den tid som krävs. Följ följande föreskrifter.

a) *Spänn fast glödstiftet i ett skruvstycke eller med självlåsande tänger. Tänk på att det är glödhett.*

b) *Kontrollera att strömförsörjningen eller testsladden har en säkring eller överbelastningsbrytare för att skydda mot skador vid kortslutning.*

c) *Efter testet låter du glödstiftet svalna i flera minuter innan du försöker hantera det.*

8 Ett glödstift i gott skick börjar glöda rött i spetsen efter ett ha dragit ström i cirka 5 sekunder. Stift som tar längre tid på sig att börja glöda eller som börjar glöda i mitten istället för i spetsen är förmodligen defekta.

Montering

9 Monteringen sker i omvänd ordningsföljd mot demonteringen. Applicera kopparbaserat antikärvningsfett på glödstiftets gängor. Dra sedan åt glödstiftet till angivet moment. Dra inte åt för hårt eftersom detta kan skada glödstiftet.

10 Montera tillbaka de komponenter som du eventuellt har tagit bort för att komma åt.

3 För-/eftervärmningssystemets reläenhet – demontering och montering

Demontering

1 Enheten sitter i motorrummets främre vänstra del på en fästbygel, precis framför säkrings- och relähuset.

2 Koppla loss batteriet (se kapitel 5A).

3 Skruva loss fästmuttern som håller fast enheten på fästbygeln **(se bild)**.

4 Skruva loss de båda fästmuttrarna och lossa huvudmatnings- och tillförselkablarna från enhetens nedre del. Koppla sedan ifrån kontaktdonet. Ta bort enheten från motorrummet.

Montering

5 Monteringen utförs i omvänd ordningsföljd mot demonteringen, och kontrollera att anslutningskontakterna sitter ordentligt.

Kapitel 6
Koppling

Innehåll

Svårighetsgrad

| Enkelt, passar novisen med lite erfarenhet | Ganska enkelt, passar nybörjaren med viss erfarenhet | Ganska svårt, passar kompetent hemmamekaniker | Svårt, passar hemmamekaniker med erfarenhet | Mycket svårt, för professionell mekaniker 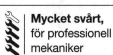 |

Specifikationer

Typ

Alla modeller. . . . . Enkel torrlamell med tallriksfjäder, hydraulisk funktion

Koppling funktion

Alla modeller. . . . . Hydraulisk

Lamell, diameter

Bensinmotormodeller
1,4 liter	180 mm
1,6 liter	200 mm
2,0 liter	230 mm
Dieselmodeller	230 mm

Åtdragningsmoment — **Nm**

Tryckplattans fästbultar 20

---

1 Allmän information

Kopplingen består av en lamell, en tryckplattsenhet, ett urtrampningslager och urtrampningsgaffel. Alla dessa delar sitter i den stora balanshjulkåpan av aluminiumgodslegering, inklämd mellan motorn och växellådan. Urkopplingsmekanismen är hydraulisk på alla modeller.

Lamellen sitter mellan motorns svänghjul och kopplingstryckplattan, och kan glida på växellådans ingående axelräfflor.

Tryckplattan sitter fast med bultar på motorns svänghjul. När motorn är igång överförs drivningen från vevaxeln, via svänghjulet, till lamellen (dessa komponenter är ordentligt sammanhållna av tryckplattsenheten) och från lamellen till växellådans ingående axel.

För att avbryta drivningen måste fjädertrycket sänkas. Detta görs med hjälp av urtrampningslagret, som sitter koncentriskt runt växellådans ingående axel. Lagret trycks på tryckplattsenheten med hjälp av urkopplingsgaffeln, som styrs ut av kopplingens slavcylindertryckstång.

Kopplingspedalen är ansluten till kopplingens huvudcylinder med en kort tryckstång. Huvudcylindern sitter på motorsidan av mellanväggen, framför

föraren, och får sin hydraulvätsketillförsel från bromshuvudcylinderns behållare. När kopplingspedalen trycks ner rör sig kolven i huvudcylindern framåt och tvingar på så sätt hydraulvätska genom kopplingens hydraulrör till slavcylindern. Kolven i slavcylindern rör sig framåt när det kommer in vätska och styr ut urtrampningsgaffeln med en kort tryckstång. Urtrampningsgaffeln vrids på sina pinnbultar och gaffelns andra ände trycker sedan urtrampningslagret mot tryckplattans fjäderfingrar. På så sätt deformeras fjädrarna och frigör fästkraften på tryckplattan.

På alla modeller, är kopplingens styrmekanism självjusterande och det krävs ingen manuell justering.

2.4 Ta bort dammkåpan från luftningsskruven.

2 Kopplingens hydraulsystem – luftning

⚠️ *Varning: Hydraulolja är giftig; tvätta noggrant bort oljan omedelbart vid hudkontakt och sök omedelbar läkarhjälp om olja sväljs eller hamnar i ögonen. Vissa hudrauloljor är lättantändliga och kan självantända om de kommer i kontakt med heta komponenter. vid arbete med hydraulsystem är det alltid säkrast att anta att oljan ÄR brandfarlig, och att vidta samma försiktighetsåtgärder mot brand som när bensin hanteras. Hydraulolja är ett kraftigt färglösningsmedel och angriper även plaster; oljespill ska omedelbart tvättas bort med stora mängder rent vatten. Vid påfyllning eller byte ska alltid rekommenderad typ användas och den måste komma från en nyligen öppnad förseglad förpackning.*

1 Ta fram en genomskinlig burk, en lämplig bit genomskinligt gummi- eller plastslang som sitter ordentligt fast på luftningsskruven på kopplingens slavcylinder, och en bruk av den angivna hydraulvätskan. Dessutom behövs en medhjälpare. (Om du har tillgång till en luftningssats för bromsarnas hydraulsystem som är avsett att användas av en person kan detta också användas för kopplingen. Mer information om hur du använder dessa satser finns i kapitel 9.)
2 På alla modeller utom 1,4-liters

dieselmodeller, ta bort luftrenarhuset enligt beskrivningen i kapitel 4A eller 4B.
3 Ta bort påfyllningslocket från bromshuvudcylinderns behållare, och fyll på om det behövs. Håll behållaren full under de följande åtgärderna.
4 Ta bort dammkåpan från slavcylinderns luftningsskruv, som sitter på växellådans nedre främre yta **(se bild)**.
5 Anslut luftningsslangens ena ände på luftningsskruven och för in slangens andra ände i behållaren som innehåller tillräckligt mycket ren hydraulvätska för att hålla slangänden under ytan.
6 Öppna luftningsskruven ett halvt varv och be din medhjälpare att trycka ner kopplingspedalen och sedan släppa upp den långsamt. Fortsätt med detta tills det kommer ut ren hydraulvätska, fri från luftbubblor, från slangen. Dra nu åt luftningsskruven i slutet av en nedåtgående rörelse. Se till att bromshuvudcylinderns behållare kontrolleras ofta för att säkerställa att nivån inte sjunker för lågt, då det kan komma in luft i systemet.
7 Kontrollera kopplingspedalens funktion. Efter några pumpningar upp och ner ska den kännas normal. Svampighet tyder på att det fortfarande finns luft i systemet.
8 Avsluta med att ta bort luftningsslangen och sätta tillbaka dammkåpan. Fyll på huvudcylinderbehållaren om de behövs och sätt tillbaka kåpan. Vätska som har kommit ut ur hydraulsystemet ska ny kastas eftersom den har blandats med fukt, luft och smuts, vilket gör att den inte är lämplig att användas.

3 Kopplingens huvudcylinder – demontering och montering

Observera: *Se varningen i början av avsnitt 2 angående farorna med hydraulolja, innan arbetet påbörjas.*

Demontering

1 Bänd upp centrumsprintarna, bänd ut hela expanderdintarna och ta bort klädselpanelen ovanför förarens pedaler.

2 Tryck ner kopplingspedalen och bänd sedan loss huvudcylinderns tryckstångsände från pedalstiftet **(se bild 5.2)**.
3 Du minimerar hydraulvätskespillet genom att ta bort bromshuvudcylinderbehållarens påfyllningslock och sedan dra åt det i en bit polyetlyen för att skapa en lufttät packning.
4 Placera absorberande trasor under kopplingens huvudcylinders röranslutningar i motorrummet och var beredd på att det kommer ut hydraulvätska.
5 Lossa huvudcylinderns hydraultryckrör från dess fästklämmor på motorrummets mellanvägg. Bänd sedan ut fästkabelklämman och koppla loss röret från huvudcylindern **(se bild)**. Täpp till eller täck över röränden för att förhindra vidare vätskeförlust och att det kommer in smuts.
6 Tryck ner snabbkopplingens flikar och koppla loss hydraulvätskematningsslangen **(se bild)**. Täpp till eller täck över slangänden.
7 Vrid huvudcylindern 90° medurs, och ta bort den från mellanväggen **(se bild)**.

Montering

8 Monteringen av huvudcylindern utförs i omvänd ordning, och tänk på följande:
 a) Se till att alla fästklämmor are är korrekt monterade.
 b) Avsluta med att fylla på och lufta kopplingens hydraulsystem enligt beskrivningen i avsnitt 2.

4 Kopplingens slavcylinder – demontering och montering

Observera: *Se varningen i början av avsnitt 2 angående farorna med hydraulolja, innan arbetet påbörjas.*

Demontering

1 Du minimerar hydraulvätskespillet genom att ta bort bromshuvudcylinderbehållarens påfyllningslock och sedan dra åt det i en bit polyetlyen för att skapa en lufttät packning.
2 På alla modeller utom 1,4- och 1,6-liters dieselmodeller, ta bort luftrenarhuset enligt beskrivningen i kapitel 4A eller 4B.

3.5 Bänd ut klämman, och lossa röret från huvudcylindern

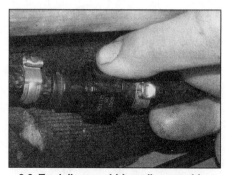

3.6 Tryck ihop snabbkopplingens sidor och koppla loss matningsslangen

3.7 Vrid huvudcylindern 90° medurs, och ta bort den från mellanväggen

3 Placera absorberande trasor under kopplingens slavcylinder, på den nedre främre sidan mot växellådan. Var beredd på visst spill.

4 Där det behövs för att komma åt lossar du kablaget från fästklämmorna och flyttar bort kablaget från slavcylindern.

5 Bänd ut fästklämman lite och koppla sedan ifrån hydraulröret från slavcylinderns sida **(se bild)**. Täpp till eller täck över röränden för att förhindra vidare vätskeförlust och att det kommer in smuts.

6 På MA5 och BE4/5 växellådor, skruva loss de två fästbultar och ta bort cylindern från växellådshuset **(se bild)**. På ML6CL växellådan, lossa slavcylindern från växellådan genom att trycka in den för hand och samtidigt vrida den 90° moturs.

Montering

7 Monteringen av slavcylindern utförs i omvänd ordning mot demonteringen, och tänk på följande:

a) Applicera lite Molykote BR2 Plus-fett på slavcylinderns tryckstångsände.

b) Avsluta med att fylla på och lufta kopplingens hydraulsystem enligt beskrivningen i avsnitt 2.

5 Kopplingspedal – demontering och montering

Demontering

1 Arbeta inuti bilen, bänd upp centrumsprintarna lite, bänd sedan ut hela plastexpandernitarna och ta bort den nedre klädselpanelen ovanför pedalerna på förarsidan.

2 Tryck ner kopplingspedalen tills huvudcylinderns tryckstångsände syns genom hålet i pedalbygelns sida. Använd en skruvmejsel och bänd loss tryckstångsänden från pedalstiftet **(se bild)**.

3 Använd en skruvmejsel och tryck ihop hjälpfjädern lite och ta bort den från pedalen och pedalbygeln.

4 Skruva loss mutter från kopplingspedalens styrbult och ta bort bulten **(se bild)**. Observera att bulten också fungerar som styrbult för bromspedalen.

5 Ta bort kopplingspedalen från pedalbygeln

4.5 Bänd ut hydraulrörets fästklämma

och ta bort bussningen från pedalpivån.

6 Kontrollera skicket på pedalen, styrbultsbussning och hjälpfjäderenheten, och byt komponenter vid behov.

Montering

7 Smörj pedalstyrbulten med flerfunktionsfett och passa sedan in pedalen i fästbygeln och sätt in styrbulten. Montera tillbaka muttern på styrbulten och dra åt den ordentligt.

8 Återanslut hjälpfjädern på pedalen och pedalbygeln.

9 Tryck ner pedalen två eller tre gånger och kontrollera funktionen i urtrampningsmekanismen.

10 Montera tillbaka instrumentbrädans nedre klädselpanel och fäst den med plastklämmor.

6 Koppling – demontering, kontroll och återmontering

⚠️ **Varning: Dammet från kopplingsslitage som avlagrats på kopplingskomponenterna kan innehålla hälsovådlig asbest. Blås aldrig bort det med tryckluft och andas inte in det. ANVÄND INTE bensin eller bensinbaserade lösningsmedel för att tvätta bort dammet. Rengöringsmedel för bromssystem eller T-sprit bör användas för att spola ner dammet i en lämplig behållare. När kopplingens komponenter har torkats rena med trasor måste trasorna och rengöringsmedlet kastas i en tät, märkt behållare.**

4.6 Skruva loss de två bultar (markerad med pil) och ta bort kopplingens slavcylinder

Observera: *Även om de flesta friktionsmaterial inte längre innehåller asbest är det säkrast att anta att vissa ändå gör det och vidta säkerhetsåtgärder utifrån detta.*

Demontering

1 Om inte hela motor-/växellådsenheten ska tas bort från bilen och separeras för en större genomgång (se kapitel 2F), kan kopplingen nås om man tar bort växellådan enligt beskrivningen i kapitel 7A.

2 Innan du rör kopplingen bör du markera förhållandet tryckplattsenheten och svänghjulet med krita eller märkpenna.

3 Arbeta diagonalt, lossa tryckplattans bultar ett halvt varv i taget tills fjädertrycket har släppt och bultarna kan skruvas ur för hand **(se bild)**.

4 Bänd loss tryckplattsenheten från dess styrstift och ta bort lamellerna. Anteckna hur de sitter.

Kontroll

Observera: *På grund av det stora arbete som krävs för att ta bort och sätta tillbaka kopplingskomponenter är det en bra idé att byta kopplingslamellerna, tryckplattsenheten och urtrampningslagret tillsammans, även om det bara är en av dessa delar som är tillräckligt sliten för behöva bytas. Det är värt att överväga att byta kopplingskomponenterna som en förebyggande åtgärd om motorn och/ eller växellådan ändå har tagits bort av något annat skäl.*

5 När du rengör kopplingskomponenter

5.2 Bänd loss tryckstångsänden från pedalstiftet

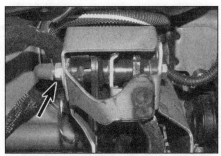

5.4 Kopplingspedalens bult (markerad med pil) fungerar också som styrbult för bromspedalen

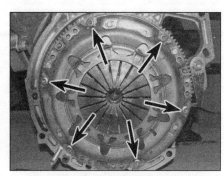

6.3 Skruva loss tryckplattans bultar (markerade med pil)

6.13 Montera lamellen så att dess fjädernav är vänt bort från svänghjulet.

6.16 Använd ett syftningsverktyg för kopplingar för att centrera lamellen

ska du först läsa varningen i början av detta avsnitt. Ta bort damm med en ren torr trasa och arbeta i en välventilerad lokal.

6 Kontrollera lamellernas ytor och undersök om de är slitna, skadade eller nedsmutsade med olja. Om friktionsmaterialet har spruckit, är bränt, repat eller skadat, eller om det har smutsats ner med olja eller fett (syns som blanka svarta fläckar), måste lamellen bytas.

7 Om friktionsmaterialet fortfarande kan användas, kontrollera att de mittersta räfflorna inte är slitna, att torsionsfjädrarna är i gott skick och ordentligt fastsatta, och att alla nitar sitter ordentligt. Om tecken på slitage eller skada påträffas, måste lamellen bytas.

8 Om friktionsmaterialet är nedsmutsat med olja måste detta bero på ett oljeläckage i vevaxelns vänstra oljetätning, i fogen mellan sumpen och motorblocket eller i växellådans ingående axel. Byt oljetätningen eller reparera fogen, efter tillämplighet, enligt beskrivningen i den aktuella delen av kapitel 2 eller 7, innan du monterar den nya lamellen.

9 Kontrollera tryckplattsenheten och leta efter tydliga tecken på slitage eller skada. skaka den för att leta efter lösa nitar eller slitna eller skadade stödpunktsringar. Kontrollera också att remmarna som håller fast tryckplattan på kåpan inte visar tecken på överhettning (t.ex. mörkgula eller blå missfärgningar). Om tallriksfjädern är sliten eller skadad, eller om dess tryck på något sätt verkar misstänkt, ska tryckplattsenheten bytas.

10 Undersök svänghjulets och tryckplattans slipade sidor. de ska vara rena, helt plana och

utan repor och sprickor. Om någon av delarna missfärgad på grund av för hög värme, eller visar tecken på sprickor, ska den bytas – men mindre skador av den här typen kan ibland poleras bort med slippapper.

11 Kontrollera att urtrampningslagrets kontaktyta roterar mjukt och lätt, utan tecken på oljud eller kärvning. Kontrollera också att själva ytan är slät och inte sliten, och inte uppvisar tecken på sprickor, punktkorrosion eller repor. Om det råder minsta tvekan om en komponents skick ska den bytas.

Montering

12 Vid monteringen ser du till att lagerytorna på svänghjulet och tryckplattan är helt rena, släta och fria från olja och fett. Använd lösningsmedel för att ta bort eventuellt skyddande fett från nya komponenter.

13 Montera lamellen så att dess fjädernav är vänt bort från svänghjulet. de kan finnas en markering som visar hur lamellen ska återmonteras **(se bild)**.

14 Montera tillbaka tryckplattsenheten, linjera märkningarna som gjordes vid demonteringen (om den ursprungliga tryckplattan återanvänds), och passa in tryckplattan på dess tre styrstift. Montera tryckplattans bultar, men dra endast åt dem för hand så att lamellen fortfarande kan röras.

15 Lamellen ska nu centreras så att växellådan ingående axel går genom räfflorna mitt i lamellen när växellådan monteras.

16 Centreringen kan åstadkommas genom att

du för en skruvmejsel eller annan längre stång genom lamellen och in i hålet på vevaxeln. då kan lamellen flyttas runt tills den är centrerad på vevaxelhålet. Du kan även använda ett syftningsverktyg för kopplingen för att slippa eventuell osäkerhet. Verktyget finns i de flesta tillbehörsbutiker **(se bild)**.

> **HAYNES TiPS** *Du kan tillverka ett eget syftningsverktyg av en bit metallstång eller en träplugg som passar precis inuti vevaxelhålet, och är lindad med isolerande tejp för att passa diametern på lamellens räfflade hål.*

17 När lamellen har centrerats drar du åt tryckplattans bultar jämnt och korsvis till angivet moment.

18 Applicera ett tunt lager molybdendisulfidfett (Peugeot rekommenderar att du använder Molykote BR2 Plus – finns att köpa hos din återförsäljare) på lamellens räfflor och växellådans ingående axel, och även på urtrampningslagrets lopp samt urtrampningsgaffelns skaft.

19 Montera tillbaka växellådan enligt beskrivningen i kapitel 7A.

7 Urtrampningsmekanisme – demontering, kontroll och återmontering

Observera: *Se varningen i början av avsnitt 6 beträffande riskerna med asbestdamm innan arbetet påbörjas.*

Demontering

1 Om inte hela motor-/växellådsenheten ska tas bort från bilen och separeras för en större genomgång (se kapitel 2F), kan urtrampningsmekanismen nås om man tar bort växellådan enligt beskrivningen i kapitel 7A.

2 När växellådan är borttagen trycker du ihop fästklämmans flikar och drar loss urtrampningsgaffel från styrbulten. Ta bort mellanlägget i förekommande fall. Pinnbulten skruvas loss från växellådshuset **(se bilder)**.

7.2a Tryck ihop fästklämmans flikar och ta bort urtrampningsgaffeln . . .

7.2b . . . ta loss mellanlägget (markerad med pil) . . .

7.2c . . . skruva sedan bort styrbulten

3 Skjut loss urtrampningslagret från styrhylsan och haka loss urtrampningsgaffelns armar **(se bilder)**.

Kontroll

4 Kontrollera att urtrampningslagrets kontaktyta roterar mjukt och lätt, utan tecken på oljud eller kärvning, och att själva ytan är slät och inte sliten, utan tecken på sprickor, gropbildning eller repor. Om det råder minsta tvekan om en komponents skick ska den bytas.
5 Kontrollera lagerytorna och kontaktpunkterna på urtrampningsgaffeln och styrbulten, byt komponenter som är slitna eller skadade.

Montering

6 Applicera ett lager molybdendisulfidfett på styrbulten.

7.3 Lossa urtrampningslagret från urtrampningsgaffeln

7 För in urtrampningsgaffelns yttre ände genom gummidamasken på balanshjulskåpans sida.
8 Haka i urtrampningsgaffelns armar i urtrampningslagrets urtag. Skjut sedan på urtrampningslagret på styrhylsan.

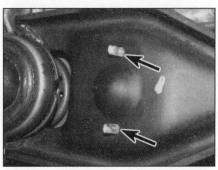

7.9 Se till att fästflikarna (markerade med pil) hakar i urtrampningsgaffeln ordentligt

9 Passa in mellanlägget över flikarna på styrbultens klämma. Tryck sedan gaffelns över bulten, se till att klämmans flikar hakar i gaffeln ordentligt **(se bild)**.
10 Montera tillbaka växellådan enligt beskrivningen i kapitel 7A.

Kapitel 7 Del A:
Manuell växellåda

Innehåll

Svårighetsgrad

Enkelt, passar novisen med lite erfarenhet	Ganska enkelt, passar nybörjaren med viss erfarenhet	Ganska svårt, passar kompetent hemmamekaniker	Svårt, passar hemmamekaniker med erfarenhet	Mycket svårt, för professionell mekaniker

Specifikationer

Allmänt

Typ	Fem eller sex växlar framåt och en bakåt. Synkroinkoppling på alla växlar

Beteckning:
Bensinmotormodeller

1,4 och 1,6 liter	MA5
2,0 liter	BE4/5

Dieselmotormodeller:

Utom DW10BTED4	BE4/5
DW10BTED4	ML6CL

Smörjning

Volym:

MA5	2,0 liter
BE4/5	1,9 liter

ML6CL:

Utan kylfenor på växellådskåpan	2,6 liter
Med kylfenor på växellådskåpan	1,9 liter
Rekommenderade oljor	*Se Smörjmedel och vätskor*

Åtdragningsmoment

Nm

MA5 växellåda

Urtrampningslagrets styrhylsebultar	12
Fästbultar mellan motorn och växellådan	40
Växelspakens fästmuttrar	8
Vänster motor/växellåda fäste	Se kapitel 2A
Oljedräneringsplugg	25
Oljepåfyllnings-/nivåplugg	25
Bakre fästlänk	Se kapitel 2A
Backljusbrytare	25
Hjulbultar	90
Hastighetsmätarens drivhjulsbygel	10

Atdragningsmoment (forts.)   Nm

BE4/5 växellåda

Urtrampningslagrets styrhylsebultar	12
Fästbultar mellan motorn och växellådan	45
Växelspakens fästmuttrar	8
Vänster motor/växellåda fäste	Se kapitel 2B, 2C eller 2D
Oljedräneringsplugg	35
Oljepåfyllnings-/nivåplugg	20
Bakre fästlänk	Se Kapitel 2B, 2C eller 2D
Backljusbrytare	25
Hjulbultar	90
Hastighetsmätarens drivhusbultar	15

ML6CL växellåda

Urtrampningslagrets styrhylsebultar	10
Motorns momentbegränsare till kryssrambalk	65
Fästbultar mellan motorn och växellådan	60
Växelspakshusets bultar	7
Vänster motor/växellåda fäste:	
Växellådsfästet	45
Fastsättning på fästbygel	45
Fästbultar kaross	27
Oljeavtappningsplugg	30
Backljusbrytare	25
Hjulbultar	90

---

1 Allmän information

1 Transmissionen ligger i ett hus av aluminiumgods som är fäst med bultar på motorns vänstra ände och består av växellådan och slutväxelns differential – som ofta kallas transaxel.

2 Drivkraften från vevaxeln överförs via kopplingen till växellådans ingående axel, som har en räfflad förlängning för kopplingslamellen, och roterar i packboxar. Från den ingående axeln överförs drivningen till den utgående axeln, som roterar i ett rullager i den högra änden, och i en packbox i den vänstra änden. Från den utgående axeln överförs drivningen till differentialens kronhjul, som roterar med differentialhuset och planetdrev, vilket driver solhjulen och drivaxlarna. Planetdrevens rotation på sina axlar vilket gör att de inre hjulet kan rotera lång-sammare än de yttre i svängar.

3 De ingående och utgående axlarna är placerade sida vid sida, parallellt med vevaxeln och drivaxlarna, så att deras drevkugghjul hela tiden griper in. I neutralläget roterar den utgående axelns kugghjul fritt, så att drivningen inte kan överföras till kronhjulet.

4 Växlarna väljs via en golvmonterad spak- och vajermekanism **(se bild)**. Väljar-/ växlingsvajrarna gör så att rätt väljargaffel rör sig i respektive synkroniseringsmuff längs med axeln, vilket leder till att växelkugghjulet låses på synkroniseringsnavet. Eftersom synkroniseringsnaven är räfflade på den utgående axeln låses kugghjulet på axeln så att drivningen kan överföras. För att säkerställa att växlingen kan utföras snabbt och tyst har alla framåtgående växlar ett synkroniserat system som består av balkringar och fjäderbelastade fingrar, liksom växelkugghjulen och synkroniseringsnav. Synkroniseringskonorna formas på balkringarnas och kugghjulens fogytor.

5 Det används tre olika manuella växellådor på modellerna som ingår i den här handboken. 1,4 och 1,6-liters bensinmodeller är utrustade med MA5 växellåda. 2,0-liters bensin och 2,0-liters SOHC dieselmodeller har BE4/5 enheten, och 2,0-liters DOHC dieselmodeller har ML6CL enheten. Växellådan ML6CL är särskilt framtagen för att klara av det höga vridmomentet i de senare 2,0-liters dieselmotorerna. Med 6 framåtgående växlar och kapacitet att klara av ett vridmoment på 350 Nm är växellådan "livstidsfylld" med olja – det finns inget rekommenderat bytesintervall för oljan, även om det kan vara bra att byta den någon gång under bilens livstid.

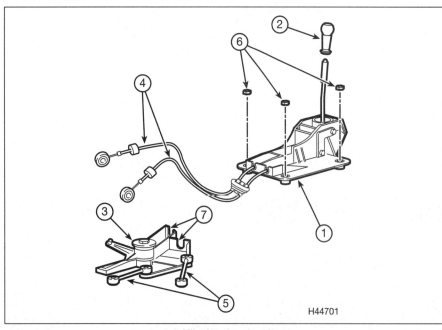

H44701

1.4 Växelspak och vajrar

1 Växelspak och hus	4 Vajrar	7 Hästskoformade
2 Växelspaksknopp	5 Växlingslänkar	klämmor
3 Fästbygel	6 Muttrar	

2 Manuell växellåda – avtappning och påfyllning

Observera: *Du kan behöva en lämplig nyckel för att kunna skruva loss växellådans påfyllnings-/nivåplugg på vissa modeller. Lämpliga nycklar kan köpas hos de flesta motorspecialister eller Peugeot-verkstäder.*

1 Detta arbete går mycket snabbare och effektivare om bilen först körs en tillräckligt lång sväng för att värma upp motorn/växellådan till normal arbetstemperatur.

2 Parkera bilen på plant underlag. Lägg i handbromsen och slå av tändningen. Hissa upp framvagnen och ställ den på pallbockar för att lättare komma åt (se *Lyftning och stödpunkter*). Observera att bilen måste stå på plant underlag för att påfyllning och kontroll av oljenivån ska vara exakt. Lossa skruvarna och ta bort motorns undre skyddskåpa (om en sådan finns).

3 Om du vill förbättra åtkomsten till påfyllnings-/nivåpluggen, ta bort plastnitarna (tryck in centrumsprinten lite och ta sedan bort hela plastniten) och ta bort vänster hjulhusfoder.

4 Torka rent området runt påfyllnings-/nivåpluggen. På MA5-växellådan sitter påfyllnings-/nivåpluggen på växellådans vänstra del, bredvid ändkåpan. På BE4/5-växellådan är påfyllnings-/nivåpluggen den största av bultarna som håller fast ändkåpan på växellådan. Ta bort påfyllnings-/nivåpluggen från växellådan och ta loss tätningsbrickan **(se bilder)**. I ML6CL-växellådan fyller du på olja genom ventilen på växellådans ovansida.

5 Placera ett lämpligt kärl under dräneringspluggen (sitter på slutväxelns hus, på växellådans baksida) och skruva loss pluggen **(se bilder)**

6 Låt all olja rinna ut i kärlet. Akta så att du inte bränner dig om oljan är het. Rengör både påfyllningspluggen och nivåpluggen, var särskilt noga med att torka bort eventuella metallpartiklar från de magnetiska insatserna. Kasta de ursprungliga tätningsbrickorna. o-ringarna måste bytas om de har rörts.

7 När all olja har runnit ut, torka av dräneringspluggen och dess gängor i växellådshuset. Sätt sedan tillbaka pluggen med en ny tätningsbricka **(se bild)**, och dra åt den till angivet moment. Montera den undre skyddskåpan och sänk ner bilen.

8 Det är svårt att fylla på växellådan. Framför allt måste du låta det gå tillräckligt mycket tid för att oljenivån ska hinna stabiliseras innan du kontrollerar den. Observera att bilen måste vara parkerad på plant underlag när du kontrollerar oljenivån.

MA5 och BE4/5 växellådor

9 Fyll på växellådan med exakt mängd av den angivna oljetypen och kontrollera sedan oljenivån enligt beskrivningen i relevant del

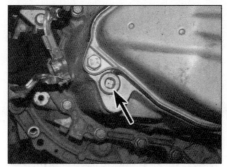

2.4a Oljepåfyllnings-/nivåplugg (markerad med pil) (MA5 växellåda)

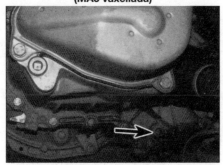

2.5a Oljedräneringsplugg (markerad med pil) (MA5 växellåda)

av kapitel 1. Om du fyller på en stor volym i växellådan och en stor volym rinner ut när du kontrollerar nivån sätter du tillbaka påfyllnings-/nivåpluggen och kör en kort sträcka med bilen så att den nya oljan fördelas i alla delar av växellådan och kontrollerar därefter nivån när den har stabiliserats igen. När oljenivån är rätt sätter du tillbaka den inre kåpan/hjulhusfodret (efter tillämplighet).

ML6CL växellåda

10 Demontera luftrenaren enligt beskrivningen i kapitel 4B.

11 Bänd försiktigt bort locket från växellådshusets ovansida och fyll på exakt den mängd som anges.

12 Sätt tillbaka locket.

13 Montera tillbaka luftrenaren, och motorns/växellådans nedre skyddskåpa, och sänk ner bilen på marken.

3.5 Ta bort luftkanalerna ovanför växelspakshuset

2.4b Oljenivå/påfyllningsplugg (BE4/5 växellåda)

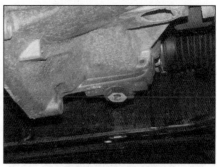

2.5b Oljedräneringsplugg (BE4/5 växellåda)

3 Växelspak och vajrar – demontering och montering

Demontering

1 Dra åt handbromsen. Lyft upp framvagnen och ställ den på pallbockar (se *Lyftning och stödpunkter*).

2 Lossa växelspakens damask från mittkonsolen.

3 Dra växelspaksknoppen kraftigt uppåt och ta bort den tillsammans med damasken.

4 Ta bort mittkonsolen enligt beskrivningen i kapitel 11.

5 Dra försiktigt bort de bakre luftkanalerna från passagerarutrymmet ovanför växelspakens hus **(se bild)**.

6 Skruva loss de fyra muttrar som håller fast växelspaken vid golvet **(se bild)**.

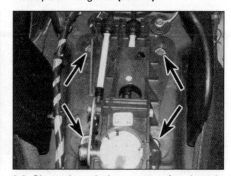

3.6 Skruva loss de fyra muttrar (markerade med pil) som håller fast huset vid golvet

3.11a Tryck in klämmans flikar och bänd vajerhöljet uppåt

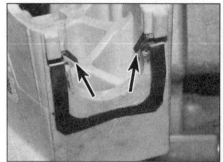

3.11b Flikarna på vajerns fästklämma (markerad med pil) – visade med vajern borttagen

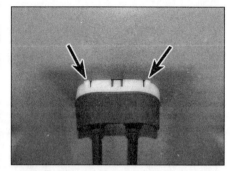

3.12 Tryck ner klämman (markerad med pil) och lossa vajerns tätningsmuff från golvet

Montering

17 Monteringen sker i omvänd ordningsföljd mot demonteringen. Tänk på följande:
a) Bind ihop de båda vajrarna för att göra det lättare att dra dem genom golvet till rätt lägen..
b) Applicera fett på kullederna innan du fortsätter.
c) På ML6CL växellådan, byt O-ringen från backväxelns upplåsningsmekanism
d) Du kan inte justera växlingsvajrarna.

3.13a Bänd loss vajerns kulled från spaken. . .

3.13b . . . och tryck sedan ner klämman och drar upp kabeln från huset

7 På alla modeller utom 1,4- och 1,6-liters dieselmodeller, ta bort luftrenarhuset enligt beskrivningen i kapitel 4A eller 4B. På 1,4- och 1,6-liters dieselmodeller, ta bort luftrenarens insugskanaler.
8 Ta bort batteriet och batterilådan enligt beskrivningen i kapitel 5A.
9 Arbeta i motorrummet, anteckna var de är placerade och bänd sedan försiktigt loss växlingsvajerns båda kulleder från växelväljarna på växellådan.
10 Arbeta under bilen, ta bort det främre avgasrörets värmesköldsfästen och låt värmeskölden vila på avgasröret.

MA5 och BE4/5 växellådor

11 Använd en liten skruvmejsel, tryck ner de båda hästskoformade klämmornas övre spetsar. Bänd eller dra sedan varjarna uppåt och lossa dem från stödfästet (se bilder).

12 Lossa vajerns tätningsmuff från golvet och flytta spaken, huset och kabelenheten tillsammans, ut ur bilen (se bild).
13 När du ska lossa vajrarna från spakens hus bänder du loss vajerns kulled från spaken och trycker sedan ner klämman och drar upp kabeln från huset (se bilder)
14 Växelspaken är inbyggd i huset och kan inte köpas separat.

ML6CL växellåda

15 Skruva loss bulten och ta bort backväxelns upplåsningsenhet från den vänstra över bakre kanten av växellådshuset. Lossa på vajern från fästbygeln. Kasta O-ringstätningen, du måste sätta dit en ny.
16 Observera var de placerade och bänd sedan försiktigt loss änden på växeliläggningens styrvajrar från spaken. Bända ut fästklämman och dra bort vajrarna från huset.

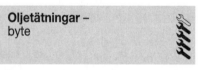

4 Oljetätningar – byte

Drivaxelns oljetätningar

1 Demontera relevant drivaxel enligt beskrivningen i kapitel 8.
2 Bänd försiktigt loss oljetätningen från växellådan med en flatbladig skruvmejsel (se bild).
3 Torka bort all smuts kring oljetätningens öppning, och applicera sedan lite fett på den nya oljetätningens yttre läpp. Montera den nya tätningen med en rörformig dorn, t.ex. en hylsa, som endast vilar på tätningens hårda yttre kant för att knacka tätningen på plats tills den ligger mot klacken. Om tätningen levererades med en plastskyddshylsa låter du den sitta kvar tills drivaxeln har monterats (se bilder).

4.2 Bänd ut drivaxelns oljetätningar med en stor skruvmejsel

4.3a Monter en ny tätning på växellådan, observera plastskyddet . . .

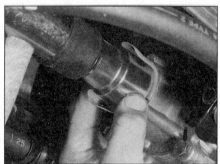

4.3b . . . och knacka den på plats med en rörformig dorn

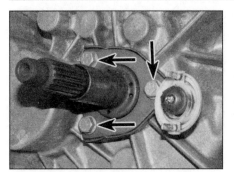

4.7 Skruva loss de tre bultarna (markerade med pil) som håller fast styrhylsan

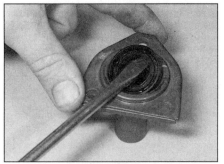

4.8 Ta bort den ingående axelns tätning från styrhylsan

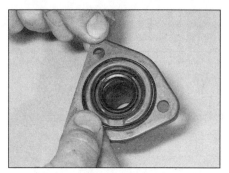

4.11 Montera en ny O-ring/packning (efter tillämplighet) på styrhylsan

4 Applicera ett tunt lager fett på oljetätningens läpp.
5 Montera tillbaka drivaxeln enligt beskrivningen i kapitel 8.

Ingående axelns oljetätning

6 Ta bort växellådan enligt beskrivningen i avsnitt 7, och urtrampningsmekanismen enligt beskrivningen i kapitel 6.
7 Skruva loss de tre bultarna som fäster urtrampningslagrets styrhylsa på plats och skjut bort styrningen från den ingående axeln tillsammans med dess tätningsring eller packning (efter tillämplighet) **(se bild)**. Ta loss eventuella mellanlägg eller tryckbrickor som har fastnat på baksidan av styrhylsan och återmontera dem på den ingående axeln. Observera att på ML6CL-växellådan verkar oljetätningen vara inbyggd i styrhylsan. Kontakta en Peugeot verkstad.
8 Bänd försiktigt ut oljetätningen från styrningen med hjälp av en lämplig spårskruvmejsel **(se bild)**.
9 Innan du monterar en ny oljetätning, kontrollera den ingående axelns tätningsyta och leta efter tecken på grader, repor eller andra skador som kan ha lett till att oljetätningen gick sönder från början. Det kan gå att polera bort mindre fel av den här typen med hjälp av fint slippapper. men allvarligare skador kräver att ingående axeln byts. Se till att den ingående axel är ren och infettad för att skydda oljetätningarnas kanter vid återmonteringen.
10 Doppa den nya oljetätningen i ren olja och montera den på styrhylsan.
11 Montera en ny tätningsring eller packning (efter tillämplighet) på styrhylsans bakre del. Skjut sedan försiktigt hylsan på plats över den ingående axeln. Montera tillbaka fästbultarna och dra åt dem till angivet moment **(se bild)**.
12 Ta tillfället i akt och undersök kopplings-delarna om detta inte redan är gjort (kapitel 6). Montera tillbaka växellådan enligt beskrivningen i avsnitt 7.

Växelgivarspakens oljetätning

MA5-växellådor

13 När du ska byta väljaraxelns oljetätning måste växellådan vara isärtagen. Arbetet bör överlåtas till en Peugeot -återförsäljare eller lämpligt utrustad specialist.

BE4/5-växellådor

14 Parkera bilen på plant underlag, dra åt handbromsen, lossa det vänstra framhjulets bultar, och lyft sedan upp framvagnen och ställ den på pallbockar (se *Lyftning och stödpunkter*). Demontera vänster framhjul.
15 Använd en stor spårskruvmejsel och bänd loss länkstagets kulled från växellådans väljaraxel, och koppla loss länkstaget.
16 Använd en stor spårskruvmejsel och bänd försiktigt ut väljaraxelns tätning från huset och låt den glida av axelns ände.
17 Innan du monterar en ny tätning måste du kontrollera väljaraxelns tätningsyta och leta efter tecken på grader, repor eller andra skador som kan vara orsaken till att tätningen gick sönder från början. Det kan gå att polera bort mindre fel av den här typen med hjälp av fint slippapper. men allvarligare skador kräver att väljaraxeln byts.
18 Smörj på ett lager fett på den nya tätningens ytterkant och tätningsläpp. Skjut sedan oljetätningen försiktigt längs med väljarstaget. Tryck in tätningen på plats i växellådshuset.
19 Montera tillbaka länkstaget på väljaraxeln, se till att dess kulled är ordentligt intryckt i axeln. Sänk ner bilen.

---

5 Backljus brytare – kontroll, demontering och montering

Kontroll

1 Backljuskretsen styrs av en brytare av

5.4 Skruva loss backljusbrytaren från växellådshuset

tryckkolvstyp som är fastskruvad ovanpå växellådshuset. Om det uppstår ett fel ska du först kontrollera att ingen säkring har brunnit.
2 Du testar brytaren genom att koppla ifrån kontaktdonet och använda en multimeter (inställd på resistans) eller en testutrustning med lampa för att kontrollera att det endast finns förbindelse mellan brytarens poler när backväxeln är vald. Om så inte är fallet, och det inte finns några uppenbara brott eller andra skador på ledningarna, är det fel på brytaren och den måste bytas.

Demontering

3 Vid behov kan du för att förbättra åtkomligheten till brytaren ta bort luftrenarhusets insugskanal/batteri och batterilådan (efter tillämplighet – se berörd del av kapitel 4 och 5A).
4 Koppla ifrån kontaktdonet, skruva sedan loss brytaren från växellådshuset tillsammans med dess tätningsbricka **(se bild)**.

Montering

5 Montera en ny tätningsbricka på brytaren. Skruva sedan tillbaka den ovanpå växellådshuset och dra åt den till angivet moment. Montera tillbaka anslutningskontakten, och kontrollera kretsens funktion. Montera tillbaka de komponenter som du eventuellt har tagit bort för att komma åt.

---

6 Hastighetsmätardrev – demontering och montering

Observera: *Enligt Peugeot är det endast växellådorna i 1,4-liters bensinmodellen som har ett drivhjul till hastighetsmätaren. På andra modeller mottar hastighetsmätaren information om fordonshastigheten från motorstyrningen ECU. Informationen kommer från hjulhastighetsgivarna och ABS-ECU:n.*

Demontering

1 Klossa bakhjulen och dra åt handbromsen. Lyft sedan upp framvagnen och ställ den på pallbockar (se *Lyftning och stödpunkter*). Hastighetsmätardrevet sitter

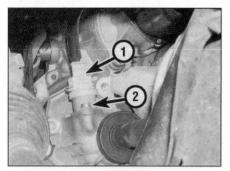

6.2 Lossa anslutningskontakten (1), skruva loss fästbulten (2) och ta bort hastighetsmätarens drev

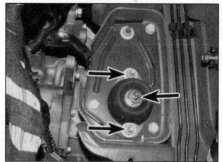

7.15a Skruva loss centrummuttern (markerad med pil), skruva sedan loss fästmuttrarna (markerade med pil) . . .

7.15b . . . och sedan bultarna (markerade med pil) som håller fast fästet på karossen

på växellådshusets baksida, bredvid höger drivaxels innerände. Lossa skruvarna och ta bort motorns/växellådans undre skyddskåpa (om en sådan finns).

2 Lossa anslutningskontakten från hastighetsmätardrevet **(se bild)**.

3 Skruva loss fästbulten och ta bort värmeskyddet (om en sådan finns). Ta bort hastighetsmätardrevet och drivhjulet från växellådshus, tillsammans med dess tätningsring.

4 Om det behövs kan kugghjulet skjutas ut ur huset och packboxen tas bort från husets ovansida. Undersök kugghjulet efter tecken på skada, och byt ut dem om det behövs. Byt alltid husets tätningsring.

5 Om drivhjulet är slitet eller skadat ska du också undersöka drivhjulet i växellådshus och leta efter tecken på liknande problem.

6 När du ska byta drivhjulet måste växellådan tas isär och planetväxeln bytas. Arbetet bör överlåtas till en Peugeot-verkstad eller lämpligt utrustad specialist.

Montering

7 Stryk på ett lager fett på packboxens läppar och på drivhjulets axel. Skjut kugghjulet på plats i hastighetsmätarens drev.

8 Sätt dit en ny tätningsring på hastighetsmätarens drev och återmontera det på växellådan, se till att drevet och drivhjulen hakar i ordentligt. Montera tillbaka drevets fästbult, tillsammans med värmeskölden (i förekommande fall), dra åt ordentligt.

9 Återanslut kontaktdonet till hastighetsmätardrevet och sänk ner bilen.

7.17 Ta bort pinnbulten och brickan från växellådshuset

7 Manuell växellåda – demontering och montering

Demontering

1 Dra åt handbromsen ordentligt och klossa bakhjulen. Lossa framhjulsbultarna. Hissa upp bilens framvagn och ställ den på pallbockar (se *Lyftning och stödpunkter)*. Demontera båda framhjulen.

2 Tappa ur växellådsolja enligt beskrivningen i avsnitt 2, montera sedan tillbaka dränerings- och påfyllningspluggen, och dra åt dem till angivet moment.

3 Ta bort båda drivaxlar enligt beskrivningen i kapitel 8.

4 För att förhindra skador måste du ta bort avgassystemet enligt beskrivningen i kpitel 4A eller 4B.

5 Ta bort batteriet och batterilådan (se kapitel 5A).

6 På alla modeller utom 1,4- och 1,6-liters dieselmodeller, ta bort luftrenarhuset och insugskanalen enligt beskrivningen i relevant del av kapitel 4A eller B. På 1,4- och 1,6-liters dieselmodeller, ta bort luftintagskanalen ovanför växellådan.

7 Ta bort startmotorn (se kapitel 5A).

8 Lossa kopplingens slavcylinder från växellådan enligt beskrivningen i kapitel 6. Observera att du inte behöver koppla loss vätskeröret från cylindern.

9 Lossa växlingsvajrar från växellådan

7.19 Skruva loss muttrarna och bultarna som håller fast motorns bakre fästlänk

och stödfästbygeln enligt beskrivningen i avsnitt 3.

10 Notera hur anslutningskontakterna och kablaget sitter monterade och koppla loss dem från växellådan. Anteckna hur kablaget är draget och lägg det åt sidan.

11 Skruva loss fästbultarna, och ta bort svänghjulets nedre täckplatta (om en sådan finns,) från växellådan.

12 På 2,0-liters dieselmotorer tar du bort motorns/växellådans stödfäste under bilen.

13 Placera en domkraft med en träkloss under motorn, för att hålla uppe motorns tyngd. Du kan även fästa ett par lyftöglor på motorn och placera en lyft eller lyftbalk som håller uppe motorns tyngd. Om du använder en lyftbalk kan du behöva ta bort torkararmen och ventilpanelens plastklädselpanel.

14 Placera en domkraft med en träkloss under växellådan och höj upp domkraften så att den håller uppe växellådans tyngd.

15 Skruva loss mittmuttern och brickan från det vänstra motor/växellådsfästet och skruva sedan loss fästmuttrarna och ta bort fästet. Skruva loss muttrarna/bultarna som håller fast fästbygeln vid karossen och sedan ta bort fastbygeln **(se bilder)**.

16 På MA5-växellådor skruvar du loss de tre fästmuttrarna och tar bort fästplattan från växellådans ovansida.

17 På BE4/5 växellådor drar du av distansbrickan (i förekommande fall) från fästbulten, skruvar loss bulten från växellådshusets överdel och tar bort den tillsammans med brickan **(se bild)**.

18 På ML6CL växellådan, skruva loss de 3 muttrarna/1 bult och ta bort växellådans stötfångare från växellådshusets ände. Skruva sedan loss bulten, bänd isär kulleden och ta bort motvikten från växellådan.

19 På alla modeller, skruva loss muttrarna och bultarna. Ta bort fästlänken som håller fast det bakre motor-/växellådsfästet på kryssrambalken **(se bild)**.

20 Med domkraften placerad under växellådan för att hålla upp vikten lossar du och tar bort de återstående bultarna som fäster växellådshuset på motorn. Notera de korrekta monteringslägena för varje bult (och de relevanta fästena) när du tar bort dem så

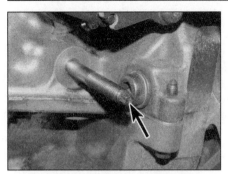

7.20 På 1,4-liters och 1,6-liters dieselmotorer tar du bort pinnbulten (markerad med pil) som är i vägen för bulten mellan växellådan och motorn

att du vet var de ska sitta vid återmonteringen. På 1,4- och 1,6-liters dieselmodeller måste man ta bort katalysatorns vänstra fästbult för att komma åt den främre bulten mellan växellådan och motorn **(se bild)**.

21 Kontrollera en sista gång att alla komponenter har lossats och flyttats åt sidan så att de inte är i vägen vid demonteringen.

22 Med bultarna borttagna flyttar du garagedomkraften och växellådan åt vänster för att lossa den från styrstiften. Sänk ner motorn lite för att växellådan ska kunna lossas.

Varning: Var mycket försiktig så att du inte skadar kylaren om motorn flyttas – placera en bit tjock kartong över kylarens bakre yta. På modeller med luftkonditionering måste du också vara försiktig så att drivremmens remskivor inte skadar

luftkonditioneringsrören i motorrummets högra sida.

23 När växellådan är lös sänker du ner domkraften och flyttar bort enheten från bilens undersida. Om de är lösa tar du bort styrstiften från motorn eller växellådan och förvarar dem på en säker plats.

Montering

24 Monteringen av växellådan utförs i omvänd arbetsordning, men lägg märke till följande:

a) *Före återmonteringen kontrollerar du komponenterna i kopplingsenheten och urtrampningsmekanismen (se kapitel 6). Smörj in urtrampningslagrets styrning med lite fett med hög smältpunkt (Peugeot rekommenderar Molykote BR2 Plus). Använd inte för mycket fett eftersom det kan smutsa ner kopplingslamellerna. Se också till att det inte kommer fett på räfflorna på den ingående axeln/lamellen.*

b) *Se till att styrstiften är korrekt placerade före installationen.*

c) *På BE4/5 växellådor, applicera låsvätska på motorns/växellådans vänstra pinnbultsgängor före återmonteringen på växellådan. Dra åt pinnbulten till angivet moment.*

d) *Dra åt alla muttrar och bultar till angivet moment (om det är tillämpligt).*

e) *Byt drivaxelns packboxar, och montera sedan tillbaka drivaxlarna (se kapitel 8).*

f) *Montera tillbaka slavcylindern (se kapitel 6).*

g) *Avsluta med att fylla på växellådan med smörjmedel av angiven typ och kvalitet, enligt beskrivningen i avsnitt 2.*

8 Översyn av manuell växellåda – allmän information

1 Att utföra en översyn av en manuell växellåda är ett svårt jobb för en hemmamekaniker. Arbetet omfattar isärtagning och ihopsättning av många små delar. Dessutom måste ett stort antal avstånd mätas exakt och vid behov justeras med mellanlägg och distansbrickor. Reservdelar till växellådans inre delar är ofta svåra att få tag på och i många fall mycket dyra. Därför är det bäst att överlåta växellådan till en specialist eller byta ut den om den går sönder eller börjar låta illa.

2 Det är dock möjligt för en erfaren hemmamekaniker att renovera en växellåda, under förutsättning att de verktyg som behövs finns tillgängliga och att arbetet utförs metodiskt och stegvis, utan att något förbises.

3 De verktyg som krävs är tänger för inre och yttre låsringar, en lageravdragare, en draghammare, en sats drivdorn, en indikatorklocka, möjligen en hydraulpress Dessutom krävs en stor, stadig arbetsbänk och ett skruvstäd.

4 Anteckna noga hur alla komponenter är placerade medan växellådan tas isär, det underlättar en korrekt återmontering.

5 Innan växellådan tas isär är det till stor hjälp om felet är lokaliserat. Vissa problem kan höra nära samman med vissa delar av växellådan, vilket kan underlätta undersökningen och bytet av komponenter. Se avsnittet *Felsökning* i denna handbok för mer information.

Kapitel 7 Del B:
Automatväxellåda

Innehåll

Svårighetsgrad

Enkelt, passar novisen med lite erfarenhet	Ganska enkelt, passar nybörjaren med viss erfarenhet	Ganska svårt, passar kompetent hemmamekaniker	Svårt, passar hemmamekaniker med erfarenhet	Mycket svårt, för professionell mekaniker 

Specifikationer

Allmänt

Typ	Autoadaptiv fyrväxlad elektroniskt styrd automatlåda med tre körlägen (normal, sport och vinter)
Beteckning	AL4

Smörjning

Volym:	
Fyll på efter att ha tömt	3,0 liter*
Från torr	6,0 liter
Rekommenderade vätskor.	Se *Smörjmedel och vätskor* på sidan 0•18

* Om momentomvandlaren också tas bort och töms fyller du på ytterligare 2 liter

Åtdragningsmoment

	Nm
Fästbultar mellan motorn och växellådan	35
Vätskekylarens mittbult	50
Vätskedräneringsplugg.	33
Vätskepåfyllningsplugg	24
Vätskenivåpluggen:	
Till RPO 9855 (sexkantig)	24
Från RPO 9856 (hylsnyckel)	9
Vätsketryckgivarens bultar.	9
Ingående axelns hastighetsgivarbult	10
Vänster motor/växellåda fäste	Se kapitel 2A, 2B eller 2C
Flerfunktionsbrytarens fästbultar	10
Utgående axelns hastighetsgivare bult	10
Bakre fästlänk.	Se Kapitel 2A, 2B eller 2C
Hjulbultar	90
Momentomvandlare till drivplatta, muttrar:	
Steg 1	10
Steg 2	30

1 Allmän information

1 Vissa modeller såldes med tillvalet fyrväxlad elektroniskt styrd automatväxellåda, bestående av en momentomvandlare, en planetväxel och hydraulstyrda kopplingar och bromsar. Enheten styrs av den elektroniska styrmodulen, via de eldrivna magnetventilerna i hydraulenheten i växellådsenheten. Växellådan har tre körlägen: normal, sport och vinter; lägesknapparna sitter till höger om växelväljaren och lägesindikatorlamporna är inbyggda i instrumentbrädan.

2 Normalläget är standardläge för körning där växellådan växlar upp vid ett relativt lågt varvtal för att kunna kombinera rimliga prestanda med låg förbrukning. Om växellådan övergår till sportläge växlar växellådan endast upp vid höga varvtal, vilket ger bättre acceleration och omkörningsmöjligheter. I vinterläget väljer växellådan 2:ans växel när man kör iväg från stillastående. på så sätt bibehåller man väggreppet på hala underlag.

3 Momentomvandlaren ger en hydraulisk koppling mellan motorn och växellådan. Den fungerar som en automatisk koppling

och ger även något bättre vridmoment vid acceleration.

4 Planetväxelns kugghjulsdrivna kraftöverföring ger antingen en av fyra framåtdrivande utväxlingsförhållanden, eller en bakåtväxel, beroende på vilka av dess komponenter som är stilla och vilka som vrids. Planetväxelns komponenter hålls och släpps av bromsar och kopplingar som styrs av ECU:n via de elstyrda magnetventilerna i hydraulenheten. En oljepump inuti växellådan ger nödvändigt hydrauliskt tryck för att bromsarna och kopplingarna ska gå att styra.

5 Föraren sköter växlingen med hjälp av en växelväljare med sex lägen. Växellådan har ett "körläge" och en "spärrfunktion" för de första tre utväxlingsförhållandena. I körläget", D, får man automatisk växling i alla fyra utväxlingsförhållandena och det är detta läge man ska välja för normal körning. En automatisk kick-downkontakt växlar ner växellådan ett läge när gaspedalen trycks i botten. "Spärrfunktionen" är väldigt lik D, men begränsar antalet tillgängliga utväxlingsförhållanden – dvs. när växelväljaren är i läge 3 kan endast de tre första växlarna väljas. I läge 2 kan endast de två lägsta växlarna väljas. När spaken är i läge 2 kan växellådan låsas på 1:ans växel med hjälp av knappen på växelväljarspakens högra sida. Dessa "spärrfunktioner" för lägre växlar är användbara när man behöver motorbromsa vid branta lutningar och för att förhindra oönskad iläggning av högre växlar på slingriga vägar. Observera dock att växellådan aldrig ska växla ner vid höga motorvarvtal.

6 På vissa modeller har växelväljaren en shift-lock-funktion. Den används för att förhindra att växelväljaren flyttas från läget P om inte bromspedalen är nedtryckt.

7 På grund av automatväxellådans komplexa sammansättning måste alla reparationer överlåtas till en Peugeot-verkstad som har tillgång till den specialutrustning som krävs för felsökning och reparationer. Följande avsnitt innehåller därför endast allmän information och sådan underhållsinformation och instruktioner som ägaren kan ha nytta av.

Observera: *Automatväxellådan är av den "autoadaptiva" typen. Detta innebär att den tar hänsyn till din körstil och ändrar växellådans växlingspunkter för att ge bästa möjliga prestanda och ekonomi. När batteriet kopplas ifrån förlorar växellådan minnet och återtar ett av sina många basprogram. Växellådan lär sedan in de bästa växlingspunkterna när bilen har körts några kilometer. Under dessa första kilometer kan du som förare uppleva en märkbar skillnad i prestanda, när växellådan anpassar sig efter din personliga stil.*

2 Automatväxelolja – dränering och påfyllning

Observera: *Du kan behöva en lämplig nyckel för att lossa växellådans påfyllningsplugg. Lämpliga nycklar kan köpas hos de flesta motorspecialister eller Peugeot-verkstäder.*

Observera: *Växellådan har en vätskebytesindikator som informerar föraren om när det är dags att byta vätska (ECU tänder Sport- och snölägelamporna och låter dem blinka när det är dags att byta vätska). Om växellådan har tömts och fyllts på med ny olja ska den här givaren återställas. Detta kan endast åstadkommas med särskild Peugeot testutrustning.*

Avtappning

1 Detta arbete går mycket snabbare och effektivare om bilen först körs en tillräckligt lång sväng för att värma upp motorn/växellådan till normal arbetstemperatur.

2 Parkera bilen på plant underlag. Lägg i handbromsen och slå av tändningen. Hissa upp framvagnen och ställ den på pallbockar för att lättare komma åt (se *Lyftning och stödpunkter*). Lossa skruvarna och ta bort motorns/växellådans undre skyddskåpa (om en sådan finns).

3 Placera en lämplig behållare under dräneringspluggen längst ner på växellådan. Skruva loss avtappningspluggen (den mindre pluggen mitt i avtappningspluggen är nivåpluggen – se kapitel 1A eller 1B) och ta bort tätningsbrickan **(se bild)**. Låt all olja rinna ut i kärlet.

> ⚠ **Varning: Akta så att du inte bränner dig om oljan är het.**

4 Rengör avtappningspluggen, var extra noga med att torka bort eventuella metallpartiklar. Kassera tätningsbrickan. den ska bytas om den har rörts.

5 När all olja har runnit ut, torka av dräneringspluggen och dess gängor i växellådshuset. Sätt sedan tillbaka pluggen med en ny tätningsbricka **(se bild)**, och dra åt den till angivet moment. Om bilen har höjts upp för tömningen ska den nu sänkas ner.

Påfyllning

6 För att förbättra åtkomligheten till påfyllningspluggen, ta bort luftrenarhuset (kapitel 4A eller 4B), och batteriet och batterilådan enligt beskrivningen i kapitel 5A. Om det behövs lossar du också växelvajerns ändbeslag från dess kulled på växelförararmen.

7 Rengör området runt påfyllningspluggen som sitter på precis bakom växelväljaren **(se bild)**. Skruva loss påfyllningspluggen från växellådan och ta loss tätningsbrickan.

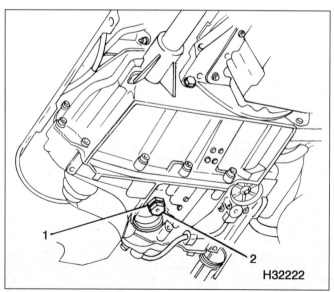

2.3 Växellådans oljedräneringsplugg (1) och oljenivåplugg (2), inuti dräneringspluggen

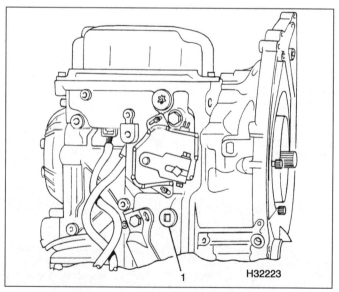

2.7 Växellådans oljepåfyllningsplugg (1) sedd från ovan

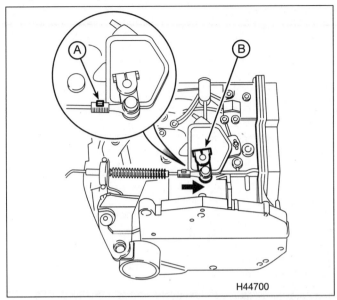

H44700

3.3 Tryck på den gula plastdelen (A) för att låsa upp justerare. Tryck sedan växelväljaren (B) så långt framåt det går

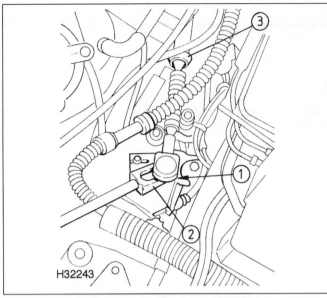

H32243

4.3 Bänd bort växelvajerns kulled (1) med ett förgrenat verktyg (2). Ta sedan bort vajern från fästbygeln (3)

Varning: Skruva inte loss väljaraxelns bult (sitter framför växelväljaren).

8 Fyll försiktigt på växellådan med rätt mängd angiven vätska. Sätt dit en ny tätningsbricka på påfyllningspluggen, sätt tillbaka pluggen och dra åt den till angivet moment. Återanslut växelvajern på spaken (om den har tagits bort – stöd spaken när du trycker in vajern i dess kulled för att förhindra att spaken böjs) och montera sedan tillbaka batteriet (se kapitel 5A) och luftrenarhuset (kapitel 4A eller 4B).

9 Kör bilen en kort sträcka så att växellådan värms upp till normal arbetstemperatur.

10 Avsluta med att kontrolera växellådans vätskenivå enligt beskrivningen i kapitel 1A eller 1B.

3 Växelväljarkabel –
justering

1 För att komma åt växellådans väljaraxel tar du bort batteriet och batterifacket, ta bort batteriet och batterilådan enligt beskrivningen i kapitel 5A.

2 Passa in växelväljaren mot dess spärrhake i P-läget (parkering).

3 Tryck på den gula plastdelen av vajerns ändbeslag för att låsa upp justeringssystemet **(se bild)**.

4 Se till att växelväljaren ovanpå växellådan är i det läget längst fram och tryck sedan ner den gula delen av växelvajern igen för att låsa den på plats.

5 Kontrollera växelspakens funktion innan batterilådan och batteriet (se kapitel 5A) och luftrenarhuset (kapitel 4A eller 4B) återmonteras.

4 Växelspak och vajer –
demontering och montering

Demontering

1 Dra åt handbromsen. Lyft upp framvagnen och ställ den på pallbockar (se *Lyftning och stödpunkter*). För växelspaken till läge P.

2 För att komma åt växellådans väljaraxel

tar du bort batteriet och batterifacket, ta bort batteriet och batterilådan enligt beskrivningen i kapitel 5A.

3 Lossa växelvajerns ändbeslag från kulleden på växelförararmen. Ta bort fästklämman och lossa vajern från växellådans fästbygel (se bild).

4 Ta bort mittkonsolen enligt beskrivningen i kapitel 11.

5 Dra försiktigt bort de bakre plastluftventilerna **(se bild)**.

6 Notera hur anslutningskontakterna sitter monterade och koppla loss dem från huset.

7 Skruva loss de fyra muttrarna och ta bort spakhuset och vajrarna från bilen **(se bild)**. Bänd bort vajerns tätningsmuff från golvet när du tar bort enheten.

8 Bänd bort växelvajern från växelväljarens kulled. Dra sedan ut det fjäderbelastade svarta stiftet och dra bort vajerhöljet från husets framsida **(se bilder)**. Observera att i skrivande stund kunde man endast köpa spaken och huset tillsammans som en enhet – fråga din Peugeot-verkstad om situationen med reservdelar.

4.5 Flytta lastluftmunstyckena åt sidan

4.7 Skruva loss de fyra muttrar (markerade med pil – på varje sida) och ta bort huset

4.8a Bänd loss växelvajerns ändbeslag från kulleden

4.8b Dra ut sprinten (markerad med pil) lite och skjut sedan upp vajerhöljets beslag

Montering

9 Monteringen sker i omvänd ordningsföljd mot demonteringen, och tänk på följande.

a) Stöd växellådans växelväljare när du trycker fast vajern på dess kulled för att förhindra att spaken böjs.

b) Justera vajern enligt beskrivningen i avsnitt 3 innan innan du återmonterar alla komponenter som du tog bort.

5 Hastighetsmätardrev – demontering och montering

Se kapitel 7A, avsnitt 6.

6 Oljetätningar – byte

Drivaxelns oljetätningar

1 Demontera relevant drivaxel enligt beskrivningen i kapitel 8.

Högersidans tätning

2 Ta bort O-ringen från differentialens solhjulsaxel. Ta sedan försiktigt bort oljetätningen från växellådan, var försiktig så att du inte skadar axeln eller huset. Stansa eller borra försiktigt två hål på var sin sida av oljetätningen när du ska ta bort den. Skruva i självgängande skruvar i hålen och dra i skruvarna för att få ut tätningen.

6.12 Skruva loss muttern och klämbulten (markerad med pil) och lossa växelväljaren från växellådans axel

3 Torka bort all smuts kring oljetätningens öppning, och applicera sedan lite fett på den nya oljetätningens yttre läpp. Skjut försiktigt den nya oljetätningen på axeln och in i öppningen, var försiktig så att du inte skadar dess läppar. Montera den nya tätningen med en rörformig dorn, t.ex. en hylsa, som endast vilar på tätningens hårda yttre kant användas för att knacka tätningen på plats.

4 När oljetätningen är korrekt placerad sätter du dit en ny O-ring på solhjulsaxeln och skjuter den tills den ligger mot oljetätningen.

5 Montera tillbaka drivaxeln enligt beskrivningen i kapitel 8.

Vänstersidans tätning

6 Bänd försiktigt ut oljetätningen från växellådan med hjälp av en stor spårskruvmejsel

7 Torka bort all smuts kring oljetätningens öppning, och applicera sedan lite fett på den nya oljetätningens yttre läpp. Montera den nya tätningen med en rörformig dorn, t.ex. en hylsa, som endast vilar på tätningens hårda yttre kant för att knacka tätningen på plats tills den ligger mot klacken. Om tätningen levererades med en plastskyddshylsa låter du den sitta kvar tills drivaxeln har monterats

8 Applicera ett tunt lager fett på oljetätningens läpp.

9 Montera tillbaka drivaxeln enligt beskrivningen i kapitel 8.

Väljaraxels oljetätning

10 För att komma åt växellådans väljaraxel, ta bort batteriet och batterilådan enligt beskrivningen i kapitel 5A.

11 Passa in växelväljaren mot dess spärrhake i P-läget (parkering).

12 Lossa och ta bort muttern och fästbulten som håller fast växelspaken vid växellådans axel **(se bild)**. Gör inställningsmärken mellan axeln och spaken. Lossa sedan spaken från axeln.

13 Ta bort fästklämman och lossa växelvajern från växellådans fästbygel (se bild 4.3). Passa in vajern så att den inte tar i väljaraxeln.

14 Gör inställningsmärken mellan flerfunktionsbrytaren och växellådsenheten. Skruva sedan loss fästbultarna och ta bort brytaren.

15 Ta försiktigt bort oljetätningen från växellådan, var försiktig så att du inte skadar axeln eller huset. Stansa eller borra försiktigt två hål på var sin sida av oljetätningen när du ska ta bort den. Skruva i självgängande skruvar i hålen och dra i skruvarna för att få ut tätningen.

16 Torka bort all smuts kring oljetätningens öppning, och applicera sedan lite fett på den nya oljetätningens yttre läpp. Skjut försiktigt den nya oljetätningen på axeln och rakt in i öppningen, var försiktig så att du inte skadar dess läppar.

17 Passa in flerfunktionsbrytaren på väljaraxeln igen. Linjera märkningarna som gjordes före demonteringen. Sätt sedan tillbaka brytarbultarna, dra åt dem till angivet moment.

18 Passa in växelvajern i växellådans fästbygel och haka i växelväljaren med växellådans axel. Se till att markeringarna som gjordes vid demonteringen är korrekt placerade. Montera sedan spakens fästbult och mutter igen, och dra åt ordentligt.

19 Fäst växelvajern på plats med fästklämman. Justera sedan vajern enligt beskrivningen i avsnitt 3.

20 Montera tillbaka de komponenter som du eventuellt har tagit bort för att komma åt.

Momentomvandlarens tätning

21 Demontera växellådan enligt beskrivningen i avsnitt 9.

22 Dra försiktigt bort momentomvandlaren från växellådans axel, var beredd på oljespill.

23 Notera var tätningen i huset är placerad och bänd sedan försiktigt loss den, var noga med att inte göra märken i huset eller på axeln.

24 Ta bort alla spår av smuts i området runt oljetätningens öppning. Passa in den nya tätningen i öppningen. Se till att dess tätningsläpp är vänd inåt och tryck sedan fast den ordentligt.

25 Haka i momentomvandlaren i växellådans axelräfflor och skjut den på plats, var försiktig så att du inte skadar oljetätningen.

26 Montera tillbaka växellådan enligt beskrivningen i avsnitt 9.

7 Vätskekylare – demontering och montering

Varning: Var noga med att inte släppa in smuts i växellådan när du utför detta.

Demontering

1 Vätskekylaren sitter på växellådshusets baksida. För att komma åt kylaren, ta bort batteriet och batterilådan enligt beskrivningen i kapitel 5A.

2 Ta bort alla spår av smuts i området runt vätskekylaren innan du går vidare.

3 Använd en slangklämma eller liknande och kläm av båda vätskekylarens kylvätskeslangar för att minska kylvätskeförlust vid det efterföljande arbetet.

4 Lossa fästklämmorna och koppla ifrån de båda kylvätskeslangarna från vätskekylaren – var beredd på visst kylvätskespill **(se bild)**. Tvätta bort eventuellt kylvätskespill omedelbart med hjälp av kallt vatten och torka det omgivande området innan du går vidare.

5 Skruva loss och ta bort vätskekylarens centrumbult och ta bort kylaren från växellådan. Ta bort tätningen från centrumbulten och de båda tätningarna från kylarens baksida, och kasta dem. nya måste användas vid återmonteringen **(se bild)**.

Montering

6 Smörj in de nya tätningarna med ren

automatväxellådsolja. Sätt sedan dit de två nya tätningarna på vätskekylarens baksida och en ny tätning på centrumbulten.

7 Placera vätskekylaren på växellådshusets baksida och sätt sedan tillbaka centrumbulten. Se till att kylaren är korrekt placerad och dra sedan åt mittbulten till angivet moment.

8 Återanslut kylvätskeslangen till vätskekylaren, och fäst den med fästklämmorna. Ta bort slangklämmorna.

9 Montera tillbaka batteriet och batteriådan (se kapitel 5A).

10 Fyll på kylsystemet enligt beskrivningen i *Veckokontroller* och kontrollera växellådans vätskenivå enligt beskrivningen i kapitel 1A eller 1B.

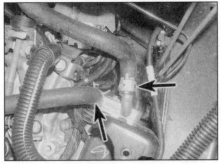

7.4 Lossa fästklämmorna och lossa kylvätskeslangarna (markerad med pil) från vätskekylaren (sedd från ovan)

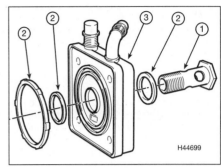

7.5 Vätskekylare

1 Bult   3 Vätskekylare
2 Tätningar

---

8 Komponenter i växellådsstyrningssystemet – demontering och montering

Styrmodul

Observera: *Automatväxellådans elektroniska styrsystem är beroende av exakt kommunikation mellan motorstyrningens ECU och automatväxelådans ECU. Om gasvajern (i förekommande fall) tas bort och/eller justeras, eller om någon av ECU:erna byts, måste båda ECU:erna "initieras". Initieringen kräver tillgång till speciell elektronisk testutrustning och därför rekommenderar vi att du överlåter detta arbete till en Peugeot-verkstad eller specialist som har rätt utrustning.*

Demontering

1 Ta bort batteriet och batteriådan (se kapitel 5A).

2 Skjut ut låsspärren och koppla loss kontaktdonet från ECU:n **(se bild)**.

3 Skruva loss de två fästmuttrarna och ta bort ECU:n från fästplattan **(se bild)**.

Montering

4 Monteringen sker i omvänd ordningsföljd mot demonteringen, och se till att kontaktdonet är ordentligt återanslutet.

Utgående axelns hastighetsgivare

Varning: Var noga med att inte släppa in smuts i växellådan när du utför detta.

Demontering

5 Den utgående axelns givare sitter på växellådans baksida.

6 Hissa upp framvagnen och ställ den på pallbockar om du behöver mer utrymme för att komma åt givaren (se *Lyftning och stödpunkter*). Lossa skruvarna och ta bort motorns/växellådans undre skyddskåpa (om en sådan finns).

7 Spåra givarens kablage tillbaka till dess kontaktdon som sitter bredvid växellådans huvudkablageanslutning. Lossa kontaktdonet från dess fästbygel och koppla sedan ifrån det.

8 Torka rent området runt givaren. Skruva sedan loss och ta bort givarens fästbult. Ta bort givaren tillsammans med tätningsringen; kasta tätningsringarna, eftersom nya måste användas vid återmonteringen.

Montering

9 Monteringen sker i omvänd ordningsföljd mot demonteringen, och tänk på följande.

a) Montera en ny tätningsring på givaren och dra åt givarens bult till angivet moment.

b) Avsluta med att kontrolera växellådans vätskenivå enligt beskrivningen i kapitel 1A eller 1B.

Ingående axelns hastighetsgivare

Varning: Var noga med att inte släppa in smuts i växellådan när du utför detta.

Demontering

10 Den ingående axelns hastighetsgivare sitter på växellådsenhetens vänstra ände.

11 För att komma åt givaren, dra åt handbromsen, lyft upp framvagnen och ställ den på pallbockar (se *Lyftning och stödpunkter*).

12 För att komma åt huvudkontaktdonet, ta bort batteriet och batteriådan (se kapitel 5A).

13 Lyft bort fästklämman och koppla loss huvudkontaktdonet från växellådsenhetens ovansida.

14 Skruva loss de båda bultarna och lossa

8.2 Dra ut spärren (markerad med pil) och lossa styrmodulens anslutningskontakt.

huvudkontaktdonet från växellådsenheten. Kapa buntbandet som fäster kablaget på kontaktdonskåpan. Lossa sedan klämmorna och skjut bort kåpan från kontaktdonet.

15 Spåra kablaget tillbaka från den givare som tas bort, lossa det från alla fästklämmor och buntband, till huvudkontaktdonet. Lossa försiktigt fästklämmorna och skjut sedan bort givarens kontakt från huvudkontaktdonets baksida, observera hur den är placerad.

16 Rengör området runt givaren. Lossa fästbulten och ta bort givaren, tillsammans med tätningsringen. Kasta tätningsringarna, eftersom nya måste användas vid återmonteringen.

Montering

17 Återmontering sker i omvänd ordningsföljd, men observera följande:

a) Montera en ny tätningsring på givaren och dra åt givarens bult till angivet moment.

b) Se till att givarens kablaget är korrekt draget och hålls fast av de klämmor och buntband som behövs.

c) Fäst givarens kablage i huvudkontaktdonet med klämmor igen, se till att det är korrekt placerat. Skjut på kåpan på huvudkontakten, se till att den fästs ordentligt. Fäst kablaget på kåpan med ett nytt buntband. Fäst kontaktdonet på växellådsenheten med fästbultarna.

d) Avsluta med att kontrolera växellådans vätskenivå enligt beskrivningen i kapitel 1A eller 1B.

8.3 Skruva loss ECU:ns fästmuttrar (markerade med pil)

Vätsketryckgivare

Varning: Var noga med att inte släppa in smuts i växellådan när du utför detta.

Demontering

18 Vätsketryckgivaren sitter längst ner på växellådsenheten.

19 För att komma åt givaren, dra åt handbromsen, lyft upp framvagnen och ställ den på pallbockar (se *Lyftning och stödpunkter*).

20 Ta bort batteriet och batterilådan enligt beskrivningen i kapitel 5A.

21 Skruva loss de båda bultarna och lossa huvudkontaktdonet från växellådsenheten. Kapa buntbandet som fäster kablaget på kontaktdonskåpan. Lossa sedan klämmorna och skjut bort kåpan från kontaktdonet.

22 Spåra kablaget tillbaka från den givare som tas bort, lossa det från alla fästklämmor och buntband, till huvudkontaktdonet. Lossa försiktigt fästklämmorna och skjut sedan bort givarens gröna 3-vägskontakt från huvudkontaktdonets baksida, observera hur den är placerad.

23 Rengör området runt givaren. Lossa fästbultarna och ta bort givaren, tillsammans med tätningsringen **(se bild)**. Kasta tätningsringarna, eftersom nya måste användas vid återmonteringen. Var beredd på spill och plugga öppningarna för att minimera kylvätskeförlusten.

Montering

24 Monteringen sker i omvänd ordningsföljd mot demonteringen, och tänk på följande.

a) *Montera en ny tätningsring på givaren och dra åt givarens bult till angivet moment.*

b) *Se till att givarens kablaget är korrekt draget och hålls fast av de klämmor och buntband som behövs.*

c) *Fäst givarens kablage i huvudkontaktdonet med klämmor igen, se till att det är korrekt placerat. Skjut på kåpan på huvudkontakten, se till att den fästs ordentligt. Fäst kablaget på kåpan med ett nytt buntband..*

d) *Avsluta med att kontrolera växellådans vätskenivå enligt beskrivningen i kapitel 1A eller 1B.*

Flerfunktionsbrytare

Observera: *Flerfunktionsbrytaren är spårad för att underlätta justering. Korrekt justering kräver att man använder en exakt multimeter – se informationen senare i detta avsnitt.*

Demontering

25 Ta bort batteriet och batterilådan (se kapitel 5A).

26 Passa in växelväljaren mot dess spärrhake i P-läget (parkering).

27 Lossa och ta bort muttern och fästbulten som håller fast växelspaken vid växellådans axel **(se bild 6.12)**. Gör inställningsmärken mellan axeln och spaken. Lossa sedan spaken från axeln.

8.23 Vätsketrycksgivaren är fäst på växellådans nedre del med två bultar (markerade med pil)

28 Ta bort fästklämman och lossa växelvajern från växellådans fästbygel Passa in vajern så att den inte tar i väljaraxeln.

29 Skruva loss de båda bultarna och lossa huvudkontaktdonet från växellådsenheten. Kapa buntbandet som fäster kablaget på kontaktdonskåpan. Lossa sedan klämmorna och skjut bort kåpan från kontaktdonet.

30 Spåra kablaget tillbaka från brytaren till huvudkontaktdonet, lossa det från alla fästklämmor och buntband. Lossa försiktigt fästklämmorna och skjut sedan bort givarens kontakt från huvudkontaktdonets baksida, observera hur den är placerad.

31 Gör inställningsmärken mellan flerfunktionsbrytaren och växellådsenheten. Skruva sedan loss fästbultarna och ta bort brytaren.

Montering

32 Passa in flerfunktionsbrytaren på väljaraxeln igen. Linjera märkningarna som gjordes före demonteringen. Sätt sedan tillbaka brytarbultarna, dra åt dem till angivet moment.

33 Fäst kablaget i huvudkontaktdonet med

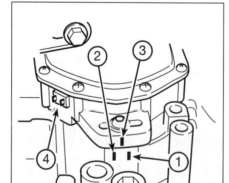

8.42 Flerfunktionsbrytare – justering

1 *1:a inställningsmärket*
2 *2:a inställningsmärket*
3 *Brytarkroppens inställningsmärke*
4 *Brytarens utvändiga kontakter*

klämmor igen, se till att det är korrekt placerat. Skjut på kåpan på huvudkontakten, se till att den fästs ordentligt. Fäst kablaget på kåpan med ett nytt buntband. Placera kontaktdonet på växellådsenheten och dra åt fästbultarna ordentligt.

34 Återanslut huvudkontaktdonet på växellådsenheten.

35 Passa in växelvajern i växellådans fästbygel och haka i växelväljaren med växellådans axel. Se till att markeringarna som gjordes vid demonteringen är korrekt placerade. Montera sedan spakens fästbult och mutter igen, och dra åt ordentligt.

36 Fäst växelvajern på plats med fästklämman. Justera sedan vajern enligt beskrivningen i avsnitt 3 och flerfunktionsbrytaren enligt följande beskrivning.

Justering

37 Lossa brytarens fästbultar och vrid brytaren helt moturs så långt det går.

38 Ställ in multimetern på ohm och anslut mätarens anslutningar på de yttre brytarkontakterna.

39 Vrid brytaren sakta medurs tills brytarens kontakt sluts (mätaren ska registrera noll ohm – ingen resistans).

40 I detta läge gör du en inställningsmärke mellan brytaren och växellådshuset.

41 Fortsätt att vrida brytaren medurs tills kontakten öppnas (mätaren ska registrera oändligt ohm eller liknande).

42 Gör ett till inställningsmärke mellan växellådshuset och det märke som du gjorde på brytaren tidigare **(se bild)**.

43 Vrid brytaren tills inställningsmärket på brytarkroppen är precis halvvägs mellan de båda märkena som har gjorts på växellådshuset. Dra åt brytarens fästbultar till angivet moment.

44 Montera tillbaka batteriet och batterilådan enligt beskrivningen i kapitel 5A.

45 Kontrollera att växelväljarens läge motsvarar det som visas på instrumentpanelen.

9 Automatväxellåda – demontering och montering

Demontering

1 Dra åt handbromsen ordentligt och klossa bakhjulen. Lossa framhjulsbultarna. Hissa upp bilens framvagn och ställ den på pallbockar (se *Lyftning och stödpunkter*). Demontera båda framhjulen.

2 Ta bort båda drivaxlar enligt beskrivningen i kapitel 8.

3 Ta bort luftrenarhuset och insugskanalen enligt beskrivningen i kapitel 4A eller 4B.

4 Demontera automatväxellådans ECU enligt beskrivningen i avsnitt 8.

5 Ta bort startmotorn (se kapitel 5A).

6 Demontera avgassystemet enligt beskrivningen i kapitel 4A eller 4B.

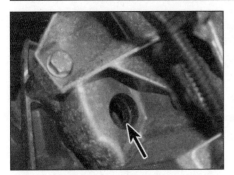

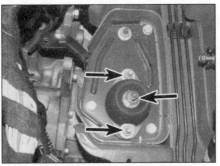

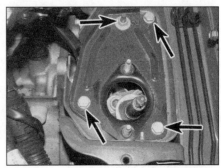

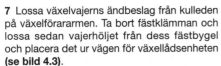

9.12 Du kommer åt momentomvandlarens muttrar via åtkomsthålet (markerad med pil) ovanför drivaxeln

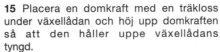

9.16a Skruva loss centrummuttern (markerad med pil), skruva sedan loss fästmuttrarna (markerad med pil) . . .

9.16b . . . och sedan bultarna (markerade med pil) som håller fast fästet på karossen

7 Lossa växelvajerns ändbeslag från kulleden på växelförararmen. Ta bort fästklämman och lossa sedan vajerhöljet från dess fästbygel och placera det ur vägen för växellådsenheten **(se bild 4.3)**.

8 Använd en slangklämma eller liknande och kläm av båda vätskekylarens kylvätskeslangar för att minska kylvätskeförlust. Lossa fästklämmorna och koppla ifrån de båda kylvätskeslangarna från vätskekylaren – var beredd på visst kylvätskespill. Tvätta bort eventuellt kylvätskespill omedelbart med hjälp av kallt vatten och torka det omgivande området innan du går vidare.

9 Lyft bort fästklämman och koppla loss huvudkontaktdonet från växellådsenhetens kablage som sitter på enhetens baksida. Koppla även loss kontaktdonet till den utgående axelns hastighetsgivare (sitter bredvid huvudkontaktdonet) och lägg sedan kablaget så att det inte är i vägen för växellådsenheten.

10 Skruva loss fästmutter/bulten(-arna), och lossa jordremsan från växellådshusets överdel. Lossa kablaget från fästklämmorna och placera det så att det inte är i vägen för växellådan.

11 Skruva loss fästbultarna, och ta bort drivplattans nedre täckplatta (om en sådan finns,) från växellådan.

12 Du kommer åt momentomvandlarens fästmuttrar via ett åtkomsthål ovanför höger drivaxel bakom motorblocket. Använd en hylsnyckel för att vrida vevaxelns remskiva och linjera den första muttern med öppningen **(se bild)**. Skruva loss muttern och vrid vevaxeln 120°. Ta bort den andra muttern och vrid sedan vevaxeln ytterligare 120°. Skruva loss den tredje och sista muttern och kasta alla tre muttrarna. du måste sätta dit nya vid monteringen.

13 För att säkerställa att momentomvandlaren inte ramlar ut när du tar bort växellådan fäster du den på plats med en bit metallvajer som du fäster med bultar i ett av startmotorns bulthål.

14 Placera en domkraft med en träkloss under motorn, för att hålla uppe motorns tyngd. Du kan även fästa ett par lyftöglor på motorn och placera en lyft eller lyftbalk som håller uppe motorns tyngd.

15 Placera en domkraft med en träkloss under växellådan och höj upp domkraften så att den håller uppe växellådans tyngd.

16 Skruva loss mittmuttern och brickan från det vänstra motor/växellådsfästet och skruva sedan loss fästbultarna och ta bort fästet. Skruva loss bultarna som håller fast fästbygeln vid karossen och sedan ta bort fastbygeln **(se bilder)**.

17 Skjut av distansbrickan från pinnbulten. Skruva sedan bort pinnbulten från växellådshusets ovansida och ta bort den tillsammans med dess bricka. Om fästbulten sitter hårt kan du använda en universalbultavdragare för att skruva loss den.

18 Skruva loss muttrarna och bultarna. Ta bort fästlänken som håller fast det bakre motor-/växellådsfästet på kryssrambalken **(se bild)**.

19 Med domkraften placerad under växellådan för att hålla upp vikten lossar du och tar bort de återstående bultarna som fäster växellådshuset på motorn. Notera de korrekta monteringslägena för varje bult (och de relevanta fästena) när du tar bort dem så att du vet var de ska sitta vid återmonteringen. Kontrollera en sista gång att alla komponenter har lossats och flyttats åt sidan så att de inte är i vägen vid demonteringen.

20 Med bultarna borttagna flyttar du garagedomkraften och växellådan åt vänster för att lossa den från styrstiften. Om det behövs kan du sänk ner motorn lite för att växellådan ska kunna lossas.

21 När växellådan är lös sänker du ner domkraften och flyttar bort enheten från bilens undersida. Om de är lösa tar du bort styrstiften från motorn eller växellådan och förvarar dem på en säker plats.

Montering

22 Se till att bussningen mitt på vevaxeln är i gott skick och applicera lite Molykote BR2-fett på momentomvandlarens centrumsprint.

Varning: Använd inte för mycket fett eftersom det finns risk att fettet förorenar momentomvandlaren.

23 Se till att motorns/växellådans styrstift är korrekt placerade. Höj sedan upp växellådan till rätt läge. Linjera momentomvandlarens pinnbultar med drivplattans hål. Haka sedan i växllådsenheten med motorn.

Varning: Låt inte växellådsenhetens tyngd belasta momentomvandlaren när enheten monteras.

24 Med växellådan och motorn på plats igen sätter du tillbaka bultarna mellan växellådan och motorn och drar åt dem till angivet moment.

25 Skruva fast de nya muttrarna på momentomvandlarens pinnbultar, dra endast åt dem lite, rotera vevaxeln efter behov. Dra åt de tre muttrar och bultar till angivet Steg 1 moment. När alla har dragits åt till momentet för steg 1 går du igenom dem igen och drar åt det till det moment som anges för steg 2.

26 Ytterligare återmontering utförs i omvänd ordningsföljd, observera följande.

a) Applicera låsvätska på motorns/ växellådans vänstra pinnbultsgängor före återmonteringen på växellådan. Dra åt pinnbulten till angivet moment.

b) Dra åt alla muttrar och bultar till angivet moment (om det är tillämpligt).

c) Byt drivaxelns oljetätningar, och montera sedan tillbaka drivaxlarna (se kapitel 8).

d) Anslut och justera väljarvajern enligt beskrivning i avsnitt 3.

e) Avsluta med att kontrolera växellådans vätskenivå enligt beskrivningen i kapitel 1A eller 1B.

9.18 Skruva loss muttrarna och bultarna som håller fast motorns bakre fästlänk

10 Automatväxellåda, renovering – allmän information

1 Om det uppstår fel i växellådan måste man först avgöra om det är ett elektriskt, mekaniskt eller hydrauliskt fel. För att göra detta krävs särskild testutrustning. Därför är det mycket viktigt att arbetet utförs av en Peugeot-verkstad eller specialist om man misstänker att det föreligger ett fel i växellådan.

2 Ta inte bort växellådan från bilen innan en professionell feldiagnos har ställts, för de flesta tester krävs att växellådan är monterad i bilen.

Kapitel 8
Drivaxlar

Innehåll

Svårighetsgrad

Enkelt, passar novisen med lite erfarenhet	Ganska enkelt, passar nybörjaren med viss erfarenhet	Ganska svårt, passar kompetent hemmamekaniker	Svårt, passar hemmamekaniker med erfarenhet	Mycket svårt, för professionell mekaniker

Specifikationer

Smörjning (endast renovering – se text)
Smörjmedelstyp/specifikation ....   Använd endast specialfett som är förpackat i påsar med damasksatser – kullederna är annars förfyllda med fett och förslutna

Åtdragningsmoment   Nm
Drivaxelns fästmutter...................................... 325
Höger drivaxels mellanlager – fästbultar/muttrar.......... 10
Hjulbultar... 90
Bultarna mellan fjädringsbenet och navhållare 90

---

1 Allmän information

Kraften överförs från differentialen till framhjulen via två olika långa drivaxlar i solitt stål.

Båda drivaxlarna är räfflade i ytterändarna för att passa in i hjulnaven, och är fästa vid naven med en stor mutter eller bult. Varje drivaxels innerände är räfflad för att differentialens solhjul ska passa där.

Det sitter drivknutar på var ände av drivaxlarna för att säkerställa mjuk och effektiv överföring av effekt till alla fjädrings- och styrvinklar. De yttre drivknutarna är av kulhållartypen och de inre drivknutarna är av trebenstypen.

På höger sida innebär drivaxelns längd att den inre drivknuten sitter ungefär mitt på axeln och att ett mellanliggande stödlager är monterat på motorns/växellådans bakre fästbygel. Drivaxelns inre ände går igenom lagret (som förhindrar all rörelse i sidled för drivaxelns inre ände) och den inre drivknutens

yttre del. På modeller med automatväxellåda, passar höger drivaxels inre ände över en spårförsedd axel från växellådans differential.

2 Drivaxlar – demontering och montering

Observera: *Det behövs en ny nedre kulledsmutter till fjädringen vid monteringen.*

Demontering

1 Ta bort navkapseln och sedan R-klämman. Ta bort låslocket från drivaxelns fästmutter. Lossa drivaxelmuttern med bilen kvar på hjulen. Lossa även hjulbultarna.

2 Klossa bakhjulen och dra åt handbromsen. Lyft sedan upp framvagnen och ställ den på pallbockar (se *Lyftning och stödpunkter*). Demontera relevant framhjul.

3 På modeller med manuell växellåda, tappa ur växellådsolja enligt beskrivningen i kapitel 7A. På modeller med automatväxellåda behöver oljan inte tappas ur.

4 Ta bort hjulsensorn enligt beskrivningen i kapitel 9, avsnitt 19.

5 Skruva loss drivaxelns fästmutter och ta bort den. Om muttern inte lossades när hjulen stod på marken (se avsnitt 1) tar du bort R-klämman och låslocket **(se bild)**. Montera tillbaka minst två hjulbultar på det främre navet och dra åt dem ordentligt. Be sedan en medhjälpare att trycka ner bromspedalen hårt för att förhindra att det främre navet roterar samtidigt som du skruvar loss drivaxelns fästmutter. Du kan även tillverka ett verktyg av två bitar plattjärn (en lång, en kort) och en mutter och bult.

2.5 Använd en skruvmejsel för att bända loss R-klämman

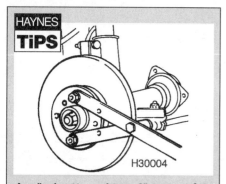

Använd ett verktyg för att hålla det främre navet på plats när drivaxelmuttern lossas.

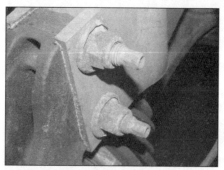

2.7a Skruva loss de två bultar och ta loss bultarna som håller fast fjäderbenet vid navhållaren.

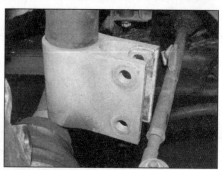

2.7b Vrid fjäderbenets nedre del 90° bakåt för att minimera risken för skador på drivaxeldamasken

muttern och bulten utgör pivån i ett förgrenat verktyg **(se Verktygstips)**.

6 Skruva loss bromsokets styrsprintsbultar och skjut bort bromsoket från skivan. Häng upp bromsoket från fjädringens spiralfjäder med hjälp av ett buntband för att förhindra att bromsslangen belastas. Kassera styrsprintsbultarna, eftersom nya måste användas.

Vänster drivaxel

7 Skruva loss de båda bultarna som fäster navhållaren på fjäderbenets nedre del. Dra navhållaren utåt för att lossa den från benet. **Observera:** *När du har släppt navhållaren roterar du benets nedre del 90° mot bilen bakände för att minimera risken att skada gummidrivaxeldamasken* **(se bild)**.

8 Vrid styrningen till vänster ändläge och dra försiktigt svängnavsenheten utåt. Ta bort drivaxelns yttre drivknut från navenheten. Om det behövs kan axeln knackas ut ur navet med en mjuk klubba.

9 Stötta upp drivaxeln och ta sedan bort den inre drivknuten från växellådan, var försiktig så att dy inte skadar drivaxelns packbox. Ta bort drivaxeln från bilen. **Observera:** *Låt inte bilen stå på hjulen med ena eller båda drivaxlarna demonterade, eftersom detta kan skada hjullagren. Om bilen måste flyttas, sätt tillfälligt tillbaka drivaxel (ar) yttre ändar i nav(en) och dra åt drivaxelmuttrarna. Stöd drivaxlarnas inre ändar för att undvika skador.*

Höger drivaxel

10 Lossa de båda mellanliggande lagerfästbultarnas muttrar. Vrid sedan bultarna 90° så att deras förskjutningshuvuden ligger helt fria från den yttre lagerbanan (se bilder).

11 Skruva loss de båda bultarna som fäster navhållaren på fjäderbenets nedre del. Dra navhållaren utåt för att lossa den från benet. **Observera:** *När du har släppt navhållaren roterar du benets nedre del 90° mot bilen bakände för att minimera risken att skada gummidrivaxeldamasken* **(se bilder 2.7 och 2.7b).**

12 Dra försiktigt svängnavsenheten utåt och dra ut den yttre drivknuten ur navet. Om det behövs kan axeln knackas ut ur navet med en mjuk klubba.

13 Stötta upp drivaxelns yttre ände. Dra sedan i axelns inre ände för att lossa det mellanliggande lagret från dess fästbygel.

14 När drivaxeländen har lossnat från växellådan skjuter du bort dammtätningen (om en sådan finns,) från axelns inre ände, notera hur den sitter och ta bort drivaxeln från bilen. På modeller med automatväxellåda, passar axelns invändiga ände på en spårförsedd axel från differentialen. Kontrollera den spårförsedda axelns O-ring. **Observera:** *Låt inte bilen stå på hjulen med ena eller båda drivaxlarna demonterade, eftersom detta kan skada hjullagren. Om bilen måste*

flyttas, sätt tillfälligt tillbaka drivaxel(ar) yttre ändar i nav(en) och dra åt drivaxelmuttrarna. Stöd drivaxlarnas inre ändar för att undvika skador.

Montering

15 Innan du installerar drivaxeln ska du undersöka drivaxelns oljetätning i växellådan och leta efter tecken på skador och slitage och byta den vid behov enligt beskrivningen i kapitel 7A eller 7B. Vi rekommenderar verkligen att du byter oljetätningen oavsett i vilket skick den är.

16 Rengör drivaxelspåren samt öppningarna i växellådan och navenheten noga. Lägg ett tunt lager fett på oljetätningsläpparna och på drivaxelspårningen och klackarna. Kontrollera att alla damaskklämmor är ordentligt fästa.

Vänster drivaxel

17 Passa in drivaxeln och passa ihop knutens räfflor med räfflorna på differentialens solhjul. Var mycket försiktig så att du inte skadar oljetätningen. Tryck in knuten på plats.

18 Passa in den yttre drivknutens räfflor med spåren på svängnavet och skjut leden tillbaka på plats i navet.

19 Vrid benets nedre del 90° och linjera navhållaren med fästbyglarna på fjäderbenet. Sätt i och dra åt skruvarna till angivet åtdragningsmoment.

20 Smörj drivaxelmutterns inre yta och gängor med ren motorolja och sätt tillbaka den på drivaxeländen. Använd samma metod som användes vid demonteringen för att förhindra navet från att rotera (se stycke 5). Dra åt drivaxelns fästmutter till angivet moment. Kontrollera att navet roterar fritt och haka sedan i låslocket med drivaxelmuttern så att en av dess utskärningar linjeras med drivaxelhålet. Fäst locket på plats med R-klämman **(se bilder)**. Alternativt, dra åt muttern löst i det här stadiet och dra åt den till angivet moment när bilen står på marken igen.

21 Montera tillbaka ABS-hjulsensorn och bromsoket enligt beskrivningen i kapitel 9.

2.10a Lossa mellanlagrets båda fästmuttrar (markerade med pil) . . .

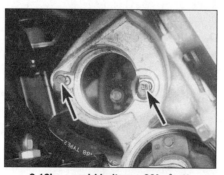

2.10b . . . vrid bultarna 90° så att förskjutningshuvudena (markerade med pil) inte är i vägen för den yttre banan (drivaxel borttagen för tydlighetens skull)

22 Montera tillbaka hjulet, sänk ner bilen och dra åt hjulbultarna till angivet moment. Om du inte redan har gjort det ska drivaxelns fästmutter dras åt till angivet moment, Sätt sedan tillbaka låslocket, linjera dess utskärningar med drivaxelhålet och fäst den på plats med R-klämman.

23 Fyll på växellådan med angiven mängd olja av rätt typ. Kontrollera nivån med hjälp av informationen i berörd del av kapitel 1.

Höger drivaxel

24 Kontrollera att mellanlagret roterar smidigt, utan tecken på kärvning eller för stort spel mellan dess inre och yttre lagerbanor. Om det behövs, byt lagret enligt beskrivningen i avsnitt 5. Undersök tätningen och leta efter tecken på skador och slitage. Byt den om det behövs. Kontrollera skicket på O-ringstätningarna på differentialens spårförsedda axel och byt vid behov.

25 Applicera ett lager fett på mellanlagrets yttre lagerbana och på dammtätningens inre läpp (i förekommande fall).

26 För axelns inre ände genom lagrets fästbygel. Skjut vid behov dammtätningen på plats på drivaxeln, se till att dess platta yta är vänd mot växellådan **(se bild)**.

27 På modeller med manuell växellåda, passa försiktigt ihop den inre drivaxelns räfflor med räfflorna på differentialens solhjul. Var mycket försiktig så att du inte skadar oljetätningen.

28 På modeller med automatväxellåda placerar du drivaxeländen över differentialens spårförsedd axel.

29 På alla modeller, linjera mellanlagret med dess fästbygel och tryck drivaxeln helt på plats. Om det behövs kan du använda en mjuk klubba för att knacka lagrets yttre lagerbana på plats i fästbygeln.

30 Passa in den yttre drivknutens räfflor med spåren på svängnavet och skjut leden tillbaka på plats i navet.

31 Se till att mellanlaget är korrekt placerat. Vrid sedan dess fästbultar tillbaka 90° så att deras förskjutningshuvuden vilar mot lagrets yttre lagerbana. Dra åt fästmuttrarna till angivet moment. Se vid behov till att dammtätningen ligger mot drivaxelns oljetätning **(se bild)**.

32 Utför de åtgärder som beskrivs i punkt 18 till 23.

3 Drivaxelns gummidamasker – byte

Yttre drivknut

1 Demontera drivaxeln enligt beskrivningen i avsnitt 2.

2 Lås drivaxeln i ett skruvstycke med mjuka käftar och lossa ytterdamaskens fästklämmor. Vid behov kan klämmorna kapas för demontering.

2.20a Dra åt drivaxelmuttern till angivet moment, och montera sedan tillbaka lås kåpan . . .

2.20b . . . fäst den med R-klämman

2.26 Placera dammtätningen (i förekommande fall) på höger drivaxelns innerände, se till att den hamnar rätt

2.31 Fäst mellanlagret på plats och skjut dammtätningen uppåt så att den ligger an mot drivaxelns oljetätning (vid behov)

3 Dra damasken utmed axeln för att blotta den yttre drivknuten. Ta bort överflödigt fett.

4 Använd en hammare och en lämplig dorn i mjuk metall. Slå hårt på den yttre drivknutens inre del för att få bort den från axeländen. Knuten hålls fast på drivaxeln med en låsring. Om man slår bort knuten på det här sättet tvingas låsringen in i sitt spår, vilket gör att leden kan glida av.

5 När drivknuten tagits bort, ta bort låsringen från spåret på drivaxeln och kasta den. En ny låsring måste användas vid ihopsättningen.

6 Ta bort gummidamasken från drivaxeln. Där det behövs skjuter du bort plastbussningen från damaskens inre ände.

7 Med drivknuten demonterad från drivaxeln, rengör knuten noga med fotogen eller lämpligt lösningsmedel och torka av den noga. Kontrollera att knuten ser bra ut.

8 Rör den inre räfflade axeln från sida till sida, så att varje kula syns i tur och ordning längst upp i spåret. Undersök kulorna och leta efter sprickor, flata delar eller gropar.

9 Undersök kulspåren på de inre och yttre delarna. Om spåren är slitna, sitter kulorna inte längre riktigt tätt. Undersök samtidigt kulburens fönster och leta efter tecken på slitage eller sprickbildning mellan fönstren.

10 Om du vid en undersökning finner att någon av drivknutarnas delar är sliten eller skadad måste hela knuten bytas (efter tillämplighet),

eller hela drivaxeln (om inga knutdelar kan köpas separat). Rådfråga en Peugeot-verkstad för information om tillgängliga delar. Om knuten är i tillfredsställande skick, skaffa en renoveringssats bestående av en ny damask, fasthållningsklämmor, låsringen och rätt typ fett av rätt mängd.

11 När du ska montera den nya damasken utför du de åtgärder som visas **(se bilder)**. Var noga med ordningsföljden och följ anvisningarna till punkt och pricka. Observera att de hårda plastringarna och plastbussningarna inte finns på alla damasker, och att damaskens fästklämmor som levereras med renoveringssatsen kan vara annorlunda än de som visas i ordningsföljden. För att säkre den här andra typen av klämma på plats

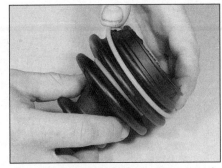

3.11a Montera de hårda plastringarna på den yttre drivaxeldamasken . . .

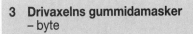

3.11b ... skjut sedan på den nya plastbussningen (markerad med pil) och passa in dess urtag på axeln. Skjut på damasken på axeln ...

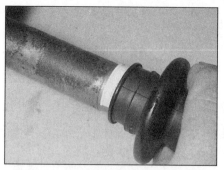

3.11c ... och passa in damaskens inre ände ovanpå plastbussningen (efter tillämplighet)

3.11d Montera den nya låsringen på dess spår i drivaxelns räfflor ...

3.11e ... passa sedan in knutens yttre fel på räfflorna och skjut den på plats över låsringen. Kontrollera att knuten hålls fast av låsringen.

3.11f Fyll knuten med fett, arbeta in det i kulspåren samtidigt som du vrider på knuten. Passa sedan in damaskens yttre läpp i dess spår på den yttre delen

3.11g Montera den yttre damaskens fästklämma och använd en krok som tillverkats av svetsstång och en tång för få bort allt slack i klämman

3.11h Böj klämman bakåt över spännet och skär av överflödet

3.11i Vik in klämmans ände under spännet ...

3.11j ... vik sedan spännet hårt över klämman för att den ska sitta kvar

3.11k Lyft försiktigt damaskens inre ände för att jämna ut lufttrycket i damasken, fäst sedan den inre damaskens fästklämman på plats på samma sätt

3.16a Lossa den inre damaskens fästklämmor och ta bort knutens yttre del

3.16b För damasken från drivaxelns ände ...

låser du ihop klämmans ändar och tar sedan bort allt slack i klämman genom att försiktigt klämma ihop dess upphöjda del med hjälp av en avbitartång.

12 Kontrollera att drivknuten kan röra sig fritt i alla riktningar. Montera sedan tillbaka drivaxeln i bilen enligt beskrivningen i avsnitt 2.

Inre drivknut

13 Demontera drivaxeln enligt beskrivningen i avsnitt 2.

14 Ta bort den yttre drivknuten enligt beskrivningen i punkt 1 till 5.

15 Tejpa över räfflorna på drivaxeln och ta försiktigt bort den yttre drivknutens gummidamask, och (i förekommande fall) plastbussningen från damaskens innerände. Vi rekommenderar att du också byter den yttre drivknutens damask, oavsett i vilket skick den är.

16 Lossa fästklämmorna och skjut sedan bort den inre damasken från axeln och (i förekommande fall) ta bort dess plastbussning. När damasken lossas frigörs även knutens yttre del från axeländen **(se bilder)**.

17 Rengör drivknuten noga med fotogen eller lämpligt lösningsmedel, och torka den noggrant. Kontrollera trebensdrivknutens lager och den yttre delen efter tecken på slitage, punktkorrosion eller skavning på lagerytorna. Kontrollera att lagervalsarna roterar mjukt och lätt runt trebensknuten, utan tecken på kärvning.

18 Om trebensknuten eller den yttre delen visar tecken på slitage eller skador när du undersöker dem måste du byta hela drivaxelenheten eftersom du inte kan köpa knuten separat. Om knuten är i tillfredsställande skick, skaffa en renoveringssats bestående av en ny damask, fasthållningsklämmor, och rätt typ fett av rätt mängd.

19 Vid monteringen fyller du den inre drivknuten med fettet från damasksatsen. Arbeta in fettet ordentligt i lagerspåren och valsarna, samtidigt som du vrider på knuten.

20 Rengör axeln, använd smärgelduk för att ta bort rost eller vassa kanter som kan skada damasken. Skjut sedan plastbussningen (om en sådan finns,) och den inre drivknutens damask längs med drivaxeln. Passa in plastbussningen i dess urholkningar på axeln, och damaskens inre ände ovanpå bussningen. om det inte finns någon bussning placerar du drivaxelns inre ände i urtaget på axeln.

21 Placera den yttre delen över axelns ände

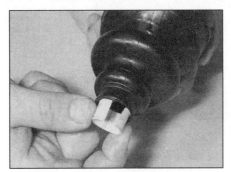

3.16c . . . och ta bort plastbussningen

och passa in damasken i spåret på knutens yttre del. Tryck in den yttre delen i knuten så att dess fjäderbelastade tryckkolv tryck ihop. Lyft sedan bort damaskens ytterkant för att jämna ut lufttrycket i damasken. Montera både de inre och yttre fästklämmorna, fäst dem på plats med hjälp av informationen i stycke 11. Se till att damaskens fästklämmor sitter ordentligt och kontrollera sedan att knuten rör sig fritt i alla riktningar.

22 Montera tillbaka delar i den yttre drivknuten enligt beskrivningen i stycke 11.

4 Drivaxel, översyn – allmän information

1 Om någon av de kontroller som beskrivs i kapitel 1A eller 1B påvisar slitage i någon.

2 Om R-klämman fortfarande sitter på plats ska drivaxelmuttern dras åt ordentligt. Om du är tveksam tar du bort R-klämman och låslocket, och använd en momentnyckel för att kontrollera att muttern är ordentligt fäst. När den har dragits åt sätter du tillbaka låslocket och R-klämman. Sätt sedan tillbaka mittenlocket eller panelen. Upprepa denna kontroll på den andra drivaxelmuttern.

3 Provkör bilen och lyssna efter metalliska klick från framvagnen när bilen körs långsamt i en cirkel med fullt rattutslag. Om ett klickande hörs indikerar detta slitage i den yttre drivknuten. Det innebär att drivknuten måste bytas. den kan inte renoveras.

4 Om vibrationer som följer hastigheten känns i bilen vid acceleration, kan det vara de inre drivknutarna som är slitna.

5 Kontrollera om fogytorna är slitna genom att ta bort drivaxlarna och ta isär dem enligt

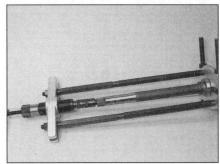

5.3 Använd en lageravdragare med lång räckvidd för att ta bort mellanlagret från höger drivaxel

beskrivningen i avsnitt 3; om du upptäcker något slitage eller fritt spel måste drivknuten bytas ut. Om det är de inre drivknutarna som måste bytas (och på vissa modeller, de yttre drivknutarna), måste hela drivaxeln bytas ut eftersom det inte går att få tag på drivknutarna separat. Vänd dig till en Peugeot-verkstad för information om tillgången på drivaxelkomponenter.

5 Höger drivaxels mellanlager – byte

Observera: *Du behöver en lämplig lageravdragare för att ta bort lagret och kragen från drivaxeländen.*

1 Ta bort höger drivaxel enligt beskrivningen i avsnitt 2 i detta kapitel.

2 Kontrollera att lagrets yttre lagerbana roterar smidigt och lätt, utan tecken på kärvning eller för stort spel mellan de inre och yttre lagerbanorna. Om det behövs byter du lagren enligt följande.

3 Använd en universell lageravdragare med lång räckvidd och dra försiktigt loss kragen och mellanlagret från drivaxelns inre ände **(se bild)**. Applicera ett lager fett på det nya lagrets inre bana. Montera sedan lagret på drivaxeländen. Använd en hammare och en bit lämpligt rör som endast ska ligga an mot lagrets inre bana. Knacka det nya lagret på plats på drivaxeln tills den ligger mot drivknutens yttre del. När lagret är korrekt placerat knackar du lagerkragen på axeln tills den ligger mot lagrets inre bana.

4 Kontrollera att lagret roterar fritt och sätt sedan tillbaka drivaxeln enligt beskrivningen i avsnitt 2.

Kapitel 9
Bromssystem

Innehåll

Svårighetsgrad

Enkelt, passar novisen med lite erfarenhet	**Ganska enkelt,** passar nybörjaren med viss erfarenhet	**Ganska svårt,** passar kompetent hemmamekaniker
Svårt, passar hemmamekaniker med erfarenhet	**Mycket svårt,** för professionell mekaniker	

Specifikationer

Främre bromsar

Typ	Skivbroms, glidande bromsok med enkel kolv
Skivans diameter:	
1,4-liters modeller.....................................	266 mm
Alla övriga modeller	283 mm
Skivtjocklek:	
1,4-liters modeller:	
Ny	22,0 mm
Minimi	20,0 mm
Alla övriga modeller:	
Ny	26,0 mm
Minimi	24,0 mm
Maximalt kast...	0,05 mm
Bromsklossbeläggens tjocklek:	
Ny	13,0 mm
Minimum..	2,0 mm

Bakre skivbromsar

Skivdiameter...	247 mm
Skivtjocklek:	
Ny	9,0 mm
Minsta tjocklek	7.0 mm
Maximalt kast...	0,05 mm
Bromsklossbeläggens tjocklek:	
Ny	11,0 mm
Minimum..	2,0 mm

Åtdragningsmoment

	Nm
ABS system komponenter:	
Regulatorenhetens muttrar...............................	20
Hjulgivarens fästbultar*..................................	10
Crossoverlänksystemets husmuttrar och bultar (högerstyrda modeller) ..	25
Skivans fästskruvar	10
Främre bromsok:	
Styrsprintsbultar*..	30
Bultar mellan fäste och fästbygel*	105
Handbromsspakens muttrar.............................	15
Hydraulslang-/röranslutningsmuttrar	15
Huvudcylinderns fästmuttrar	20
Bakre bromsok:	
Styrsprintsbultar*..	30
Bultar mellan fäste och fästbygel*	50
Hjulbultar	90
Vakuumservons fästmuttrar................................	20

*Återanvänds inte.

---

1 Allmän information

Bromssystemet är av servoassisterad tvåkretstyp. Hydraulsystemet är inrättat så att varje krets styr en framhjuls- och en bakhjulsbroms från en tandemhuvudcylinder. Under normala förhållanden arbetar båda kretsarna samtidigt. Skulle en av hydraulkretsarna gå sönder finns dock fortfarande full bromsverkan på två hjul.

Samtliga modeller har skivbromsar på alla hjul. ABS är standard (se avsnitt 18 för mer information om ABS-funktionen).

Skivbromsarna aktiveras av flytande enkelkolvsok som ger lika tryck på alla bromsklossarna.

På alla modeller har handbromsen en fristående bakbromsmekanism. Bromsoken bak på samtliga modeller har en inbyggd handbromsfunktion. Handbromsvajern styr en spak på bromsoket som tvingar kolven att trycka klossen mot skivytan. En självjusteringsmekanism ingår som kompenserar för slitage av bromsbackarna.

På bilar med dieselmotorer är det för lite vakuum i insugningsröret för att bromsservon alltid ska fungera effektivt. För att lösa detta sitter det en vakuumpump på motorn som ger tillräckligt vakuum för att styra servoenheten. Vakuumpumpen sitter på topplockets ände och drivs direkt av kamaxelns ände.

Observera: *När man underhåller någon del i systemet måste man arbeta försiktigt och metodiskt. var också mycket noggrann med renligheten när du renoverar någon del av hydraulsystemet. Byt alltid ut komponenter som är i tvivelaktigt skick (axelvis om det är tillämpligt). Använd endast Peugeot-reservdelar, eller åtminstone delar av erkänt god kvalitet. Läs varningarna i Säkerheten*

främst! och relevanta punkter i detta kapitel som rör asbestdamm och hydraulolja.

2 Hydraulsystem – luftning

⚠️ *Varning: Hydraulolja är giftig; tvätta noggrant bort oljan omedelbart vid hudkontakt och sök omedelbar läkarhjälp om olja sväljs eller hamnar i ögonen. Vissa hudrauloljor är lättantändliga och kan självantända om de kommer i kontakt med heta komponenter. vid arbete med hydraulsystem är det alltid säkrast att anta att oljan ÄR brandfarlig, och att vidta samma försiktighetsåtgärder mot brand som när bensin hanteras. Hydraulolja är ett kraftigt färglösningsmedel och angriper även plaster; vid spill ska vätskan sköljas bort omedelbart med stora mängder rent vatten. Hydraulolja är också hygroskopisk (den absorberar luftens fuktighet) och gammal olja kan vara förorenad och oduglig för användning. Vid påfyllning eller byte ska alltid rekommenderad typ användas och den måste komma från en nyligen öppnad förseglad förpackning.*

Varning: Se till att tändningen stängs av innan du startar luftningen för att undvika risk för att hydraulmodulatorn spänningsmatas innan luftningen har slutförts. Batteriet ska helst kopplas ifrån. Om modulatorn spänningsmatas innan luftningen är slutförd töms den på hydraulvätska vilket gör att enheten inte kan användas. Försök därför inte att "köra" modulatorn för att lufta bromsarna.

Observera: *Om det är svårt att lufta bromskretsen kan detta bero på att det finns luft i ABS-regulatorenheten. Om så är fallet ska bilen lämnas in till en Peugeot-verkstad eller*

annan lämplig specialist så att systemet kan luftas med hjälp av den speciella elektroniska testutrustningen.

Observera: *En hydraulisk koppling delar vätskebehållare med bromssystemet och kan också behöva luftas (se kapitel 6).*

Allmänt

1 Ett hydraulsystem kan inte fungera som det ska förrän all luft har avlägsnats från komponenterna och kretsen. detta uppnås genom att man luftar systemet.

2 Tillsätt endast ren, oanvänd hydraulvätska av rekommenderad typ under luftningen. återanvänd aldrig gammal vätska som tömts ur systemet. Se till att ha tillräckligt med olja till hands innan arbetet påbörjas.

3 Om det finns någon möjlighet att fel typ av olja finns i systemet måste bromsarnas komponenter och kretsar spolas ur helt med ren olja av rätt typ, och alla tätningar måste bytas.

4 Om hydraulolja har läckt ur systemet eller om luft har trängt in på grund av en läcka måste läckaget åtgärdas innan arbetet fortsätter.

5 Parkera bilen på plant underlag, stäng av motorn och lägg i 1:an eller backen. Klossa sedan hjulen och lossa handbromsen.

6 Kontrollera att alla rör och slangar sitter säkert, att anslutningarna är ordentligt åtdragna och att luftningsskruvarna är stängda. Avlägsna all smuts från områdena kring luftningsskruvarna.

7 Skruva loss huvudcylinderbehållarens lock och fyll på behållaren till MAX-markeringen; Montera locket löst. Kom ihåg att oljenivån aldrig får sjunka under MIN/DANGER-nivån under arbetet, annars är det risk för att ytterligare luft tränger in i systemet.

8 Det finns ett antal enmans gör-det-själv-luftningssatser att köpa i motortillbehörsbutiker. Vi rekommenderar att en sådan sats används närhelst möjligt eftersom de i hög grad förenklar arbetet och dessutom minskar risken för att avtappad olja och luft sugs tillbaka in i systemet. Om en sådan sats inte finns tillgänglig måste grundmetoden (för två personer) användas, den beskrivs i detalj nedan.

9 Om en luftningssats ska användas, förbered bilen enligt beskrivningen ovan och följ sedan luftningssatstillverkarens instruktioner, eftersom metoden kan variera något mellan olika luftningssatser. de flesta typerna beskrivs nedan i de aktuella avsnitten.

10 Oavsett vilken metod som används måste ordningen för luftning (se punkt 11 och 12) följas för att systemet garanterat ska tömmas på all luft.

Luftning

Ordningsföljd

11 Om systemet endast har kopplats ur delvis och lämpliga åtgärder vidtagits för att minimera oljespill bör endast den aktuella delen av systemet behöva luftas (det vill säga antingen primär- eller sekundärkretsen).

12 Om hela systemet ska luftas ska det göras i följande ordningsföljd:

a) Vänster frambroms.
b) Höger frambroms.
c) Vänster bakbroms.
d) Höger bakbroms.

Grundmetod (för två personer)

13 Skaffa en ren glasburk, en lagom lång plast- eller gummislang som sluter tätt över luftningsskruven och en ringnyckel som passar skruven. Dessutom behövs en medhjälpare.

14 Ta bort dammkåpan från den första skruven i ordningsföljden. Trä nyckel och slang på luftningsskruven och för ner andra slangänden i glasburken. Häll i tillräckligt med hydraulolja för att väl täcka slangänden.

15 Se till att oljenivån i huvudcylinderbehållaren överstiger linjen för MIN/DANGER nivå under hela arbetets gång.

16 Låt medhjälparen trampa bromsen i botten ett flertal gånger, så att trycket byggs upp, och sedan hålla kvar bromsen i botten.

17 Medan pedaltrycket upprätthålls, lossa luftningsskruven (cirka ett varv) och låt olja/luft strömma ut i burken. Medhjälparen måste hålla trycket på pedalen, ända ner till golvet om så behövs, och inte släppa förrän du säger till. När flödet stannat upp, dra åt luftningsskruven, låt medhjälparen sakta släppa upp pedalen och kontrollera sedan nivån i oljebehållaren.

18 Upprepa stegen i punkt 16 och 17 till dess att oljan som kommer ut från luftningsskruven är fri från luftbubblor. Om huvudcylindern har tömts och fyllts och det kommer ut luft från den första skruven i ordningsföljden, vänta ungefär fem sekunder mellan cyklerna så att huvudcylinderns passager hinner fyllas.

19 Dra åt luftningsskruven ordentligt när inga fler bubblor förekommer. Ta sedan bort slangen

och nyckeln, och montera dammkåpan. Dra inte åt luftningsskruven för hårt.

20 Upprepa proceduren med de återstående luftningsskruvarna i ordningsföljden tills all luft är borta från systemet och bromspedalen känns fast igen.

Med hjälp av en luftningssats med backventil

21 Som namnet anger består de här luftningssatserna av en slang med en backventil monterad för att hindra uttömd luft och olja att dras tillbaka in i systemet. vissa satser innehåller en genomskinlig behållare som kan placeras så att luftbubblorna lättare kan ses flöda från änden av slangen .

22 Avluftningssatsen kopplas till avluftningsskruven som sedan öppnas **(se bild)**. Återvänd till förarsätet, tryck ner bromspedalen mjukt och stadigt och släpp sedan långsamt upp den igen. det här upprepas tills all olja som rinner ur slangen är fri från luftbubblor.

23 Observera att dessa luftningssatser underlättar arbetet så mycket att man lätt glömmer huvudcylinderns vätskebehållarens nivå. se till att nivået hela tiden överstiger MIN/DANGER-markeringen genom hela luftningsproceduren.

Med hjälp av en tryckluftssats

24 Dessa luftningssatser drivs vanligen av lufttrycket i reservdäcket. Observera dock att trycket i däcket troligen måste minskas till under normaltryck. se instruktionerna som följer med luftningssatsen.

25 Genom att koppla en trycksatt, oljefylld behållare till huvudcylinderbehållaren kan luftningen utföras genom att luftningsskruvarna helt enkelt öppnas en i taget (i angiven ordningsföljd), och oljan får flöda tills den inte innehåller några luftbubblor.

26 En fördel med den här metoden är att den stora vätskebehållaren ytterligare förhindrar att luft dras tillbaka in i systemet under luftningen.

27 Trycksatt luftning är speciellt effektiv för luftning av "svåra" system och vid rutinbyte av all vätska.

Alla metoder

28 Efter avslutad luftning och när pedalkänslan är fast, spola bort eventuellt spill och dra åt luftningsskruvarna ordentligt, samt montera dammkåporna.

29 Kontrollera hydrauloljenivån i huvudcylinderbehållaren och fyll på om det behövs (se Veckokontroller).

30 Kassera hydraulvätska som har luftats från systemet. den får inte att återanvändas.

31 Kontrollera känslan i bromspedalen. Om den känns det minsta svampig finns det fortfarande luft i systemet som måste luftas ytterligare. Om fullständig luftning inte uppnåtts efter ett rimligt antal luftningsförsök kan detta bero på slitna tätningar i huvudcylindern.

2.22 Anslut satsen till luftningsskruven

3 Hydraulrör och slangar – byte

Varning: Se till att tändningen är avslagen innan du kopplar ifrån någon av bromssystemets hydraulanslutningar. Slå inte på tändningen igen innan hydraulsystemet har luftats. Om du inte följer anvisningarna kan det komma in luft i regulatorenheten vilket gör att den måste luftas med speciell Peugeot-testutrustning (se avsnitt 2).

Observera: Se varningen i början av avsnitt 2 angående farorna med hydraulolja, innan arbetet påbörjas.

1 Om ett rör eller en slang måste bytas ut, minimera oljespillet genom att först ta bort huvudcylinderbehållarens lock och sedan skruva på det igen över en bit plastfolie så att det blir lufttätt. Alternativt kan slangklämmor användas på slangar för att isolera delar av kretsen; bromsrörsanslutningar av metall kan pluggas igen (var försiktig så att inte smuts tränger in i systemet) eller täckas över så fort de kopplas loss. Placera trasor under de anslutningar som ska lossas för att fånga upp eventuellt oljespill.

2 Om en slang ska kopplas loss, skruva loss bromsrörets anslutningsmutter innan fjäderklämman som fäster slangen till fästbygeln tas bort.

3 När anslutningsmuttrarna ska skruvas ur är det bäst att använda en bromsrörsnyckel av korrekt storlek; de finns att köpa i välsorterade motortillbehörsbutiker. Om en bromsrörsnyckel inte finns tillgänglig går det att använda en öppen nyckel av rätt storlek, men om muttrarna sitter hårt eller är korroderade kan de runddras. Om det skulle hända kan de envisa anslutningarna skruvas loss med en självlåsande tång, men då måste röret och de skadade muttrarna bytas ut vid återmonteringen. Rengör alltid anslutningar och området kring den innan du skruvas loss. Om en komponent med mer än en anslutning demonteras, anteckna noga hur anslutningarna är monterade innan de lossas.

4 Om ett bromsrör måste bytas ut kan ett nytt köpas färdigkapat, med muttrar och flänsar monterade, hos en Peugeot-verkstad. Allt

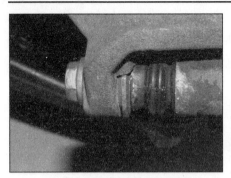

4.3 Ta bort bromsokets nedre styrsprintsbult . . .

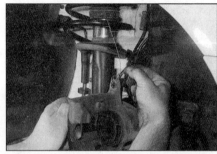

4.4 . . . vrid sedan bromsoket uppåt, bort från bromsklossarna, och bind fast det på fjäderbenet

4.5 Ta bort bromsbackarna från bromsokets fästbygel

som då behöver göras är att kröka röret med det gamla röret som mall, innan det monteras. Alternativt kan de flesta tillbehörsbutiker bygga upp bromsrör av satser men det kräver noggrann uppmätning av originalet för att utbytesdelen ska hålla rätt längd. Det säkraste alternativet är att ta med det gamla bromsröret till verkstaden som mall.

5 Dra inte åt anslutningsmuttrarna för hårt vid återmonteringen. Det är inte nödvändigt att bruka våld för att få en säker anslutning.

6 Se till att rören och slangarna dras korrekt, utan veck, och att de monteras ordentligt i klämmor och fästen. Ta bort plastfolien från behållaren och lufta bromsarnas hydraulsystem enligt beskrivningen i avsnitt 2 efter monteringen. Skölj bort eventuell utspilld vätska och undersök noga om det finns vätskeläckage.

4 Främre bromsklossar – byte

⚠️ *Varning: Byt ut BÅDA främre bromsklossuppsättningarna på en gång – byt ALDRIG bromsklossar bara på ena hjulet eftersom det kan ge ojämn bromsverkan. Notera att dammet från bromsklossarnas slitage kan innehålla asbest vilket är hälsovådligt. Blås aldrig bort det med tryckluft och andas inte in det. En godkänd ansiktsmask bör bäras vid arbete med bromsarna. ANVÄND INTE bensin*

eller bensinbaserade lösningsmedel för att rengöra bromskomponenter. använd endast bromsrengöringsmedel eller T-sprit.
Observera: *Nya styrsprintsbultar måste användas vid återmonteringen.*

1 Dra åt handbromsen och lossa de relevanta framhjulsbultarna. Lyft upp framvagnen och ställ den på pallbockar. Demontera framhjulen.

2 Tryck in kolven i dess lopp genom att dra bromsoket utåt.

3 Skruva loss bromsokets nedre styrsprintsbult **(se bild)**. Kasta styrsprintsbulten. Vid återmonteringen måste en ny bult användas.

4 Med den nedre styrsprintsbulten borttagen vrider du bromsoket bort från bromsklossarna och fästbygeln. Bind fast det på fjäderbenet med en lämplig bit snöre **(se bild)**.

5 Ta bort de två bromsbackarna från bromsokets fästbygel; mellanläggen (i förekommande fall) ska vara fästa på bromsklossen men kan ha lossnat vid användning **(se bild)**.

6 Mät först tjockleken på beläggen på varje bromsbelägg **(se bild)**. Om någon kloss är sliten ner till angiven minimitjocklek eller under måste alla fyra klossarna bytas. Dessutom ska klossarna bytas ut om de är förorenade med olja eller fett. det finns inget bra sätt att avfetta belägg när det väl har blivit smutsigt. Om någon bromskloss är ojämnt sliten eller förorenad ska orsaken spåras och åtgärdas innan ihopsättningen.

7 Om bromsklossarna fortfarande är användbara, rengör dem noga med en fin

stålborste eller liknande, var extra noga med stödplattans kanter och baksida. Rengör spåren i beläggen och ta bort större partiklar som bäddats in om det behövs. Rengör noga bromsklossarnas säten i bromsokets fästbygel.

8 Kontrollera innan klossarna monteras att styrsprintarna löper lätt i okfästet och att styrsprintsdamaskerna är hela **(se bild)**. Torka bort damm och smuts från bromsoket och kolven, **men andas** inte in det, eftersom det är skadligt. Kontrollera att kolvens dammskydd är intakt och om kolven visar spår av oljeläckage, korrosion eller skador. Om någon av dessa komponenter måste åtgärdas, se avsnitt 8.

9 Om nya bromsklossar ska monteras måste okets kolv tryckas in i cylindern för att ge plats åt dem. Använd antingen en G-klammer eller liknande, eller använd lämpliga trästycken som hävarmar. Kläm ihop den böjliga bromsslangen som leder till bromsoket, och anslut sedan en luftningssats till bromsokets luftningsnippel. Öppna luftningsnippeln när kolven tas bort. Överflödig vätska samlas upp i luftningssatsens kärl **(se bild)**. Stäng nippeln precis innan bromsokets kolv trycks in helt i bromsoket. Detta ska förhindra att det kommer in luft i hydraulsystemet. **Observera:** *ABS-enheten innehåller hydrauliska komponenter som är mycket känsliga för orenheter i bromsoljan. Även de minsta partiklar kan få systemet att sluta fungera. Metoden för borttagning av bromskloss som beskrivs här förhindrar att eventuellt skräp i bromsoljan från bromsoket kommer tillbaka in*

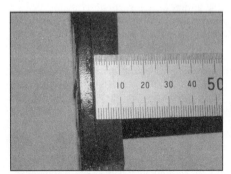

4.6 Mät tjockleken på bromsklossarnas friktionsbelägg.

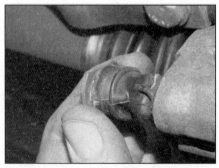

4.8 Kontrollera skicket på styrsprintarnas gummidelar

4.9 Öppna luftningsnippeln och tryck tillbaka kolven (kolvverktyget visas)

4.10 Se till att mellanläggen på den övre och nedre delen av bromsokets fästbygel är korrekt monterade

4.11 Montera tillbaka bromsklossarna (markerade med pil) med fasningen uppåt

4.12 Vrid bromsoket nedåt och över bromsklossarna. Montera sedan bromsokets nya styrsprintsbult och dra åt den

i ABS-systemets hydraulenhet, liksom risken för att det uppstår skador på huvudcylinderns tätningar.

10 Kontrollera och se till att mellanläggen på den övre och nedre delen av bromsokets fästbygel är korrekt monterade **(se bild).**

11 Se till att friktionsmaterialet på respektive bromskloss ligger mot bromsskivan, montera bromsklossarna på bromsokets fästbygel. Om mellanläggen (i förekommande fall) har lossnat, se till att de monteras tillbaka på rätt plats på var och en av bromsklossarnas stödplåt. Om bromsklossarna har en fasad kant ska de monteras så att fasningen är vänd uppåt **(se bild).**

12 Vrid bromsoket nedåt, på plats över bromsklossarna. Om gängorna på de nya styrstiftsbultarna inte redan är täckta med gänglåsmassa ska lämplig sådan strykas på (Peugeot rekommenderar

Loctite Frenetanch – finns att köpa hos din Peugeot-verkstad). Tryck bromsoket på plats och montera sedan styrsprintsbulten, dra åt den till angivet moment **(se bild).**

13 Tryck ner bromspedalen upprepade gånger, tills bromsklossarna pressas tätt mot bromsskivan och normalt pedaltryck uppstår (utan hjälp).

14 Upprepa ovanstående procedur med det andra främre bromsoket.

15 Montera tillbaka hjulen, sänk ner bilen och dra åt hjulbultarna till angivet moment.

16 Kontrollera hydrauloljenivån enligt beskrivningen i *Veckokontroller.*

Varning: Nya bromsklossar ger inte full bromseffekt förrän de har körts in. Var beredd på detta och undvik hårda inbromsningar i möjligaste mån i ungefär 160 km efter att bromsklossarna bytts ut.

5 Bakre bromsklossar – byte

⚠️ *Varning: Byt ut BÅDA bakre bromsklossuppsättningarna på en gång – byt ALDRIG bromsklossar bara på ena hjulet eftersom det kan ge ojämn bromsverkan. Notera att dammet från bromsklossarnas slitage kan innehålla asbest vilket är hälsovådligt. Blås aldrig bort det med tryckluft och andas inte in det. En godkänd ansiktsmask bör bäras vid arbete med bromsarna. ANVÄND INTE bensin eller bensinbaserade lösningsmedel för att rengöra bromskomponenter. använd endast bromsrengöringsmedel eller T-sprit.*

Observera: *Nya styrsprintsbultar måste användas vid återmonteringen.*

1 Lossa bakhjulbultarna, klossa sedan framhjulen, lyft upp bakre delen av bilen och stötta den på pallbockar (se *Lyftning och stödpunkter).* Demontera bakhjulen.

2 Använd en tång och lossa handbromsvajern från bromsoksarmen. Tryck ihop klämman och dra loss vajern från stödfästbygeln **(se bilder).**

3 Skruva loss och ta bort bromsokets nedre styrsprintsbult och sväng bromsoket uppåt, vrid det runt den övre styrsprintsbulten och bind fast det på plats **(se bild).**

4 Ta bort de inre och yttre bromsklossarna från bromsokets fästbygel. Notera var eventuella mellanlägg är placerade mellan bromsklossarna och bromsoket **(se bilder).**

5.2a Lossa handbromsvajern från bromsokets spak . . .

5.2b . . . tryck sedan ihop klämman och dra bort vajerhöljet från stödfästet

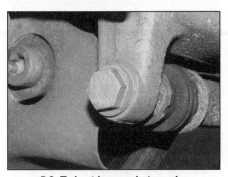

5.3 Ta bort bromsokets nedre styrsprintsbult .

5.4a Ta bort de inre . . .

5.4b . . . och yttre bromsklossarna

5.4c Notera var eventuella mellanlägg som sitter mellan bromsklossarna och bromsoket är placerade

5.8 Använd ett specialverktyg för att vrida kolven samtidigt som du trycker på den

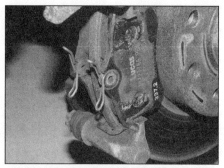

5.9 Se till att bromsklossarna monteras med friktionsmaterialet vänt mot bromsskivan

5 Mät först tjockleken på beläggen på varje bromsbelägg. Om någon kloss är sliten ner till angiven minimitjocklek eller under måste alla fyra klossarna bytas. Dessutom ska klossarna bytas ut om de är förorenade med olja eller fett. det finns inget bra sätt att avfetta belägg när det väl har blivit smutsigt. Om någon bromskloss är ojämnt sliten eller förorenad ska orsaken spåras och åtgärdas innan ihopsättningen. Undersök fästsprintarna efter tecken på slitage, och byt ut dem om det behövs. Satser med nya bromsklossar och fästsprintarna finns hos Peugeot-handlare.

6 Om bromsklossarna fortfarande är användbara, rengör dem noga med en fin stålborste eller liknande. Var extra noga med stödplattans kanter och baksida. Rengör spåren i beläggen och ta bort större partiklar som bäddats in om det behövs. Rengör noga bromsklossarnas säten i bromsokshuset/ monteringskonsolen.

7 Kontrollera innan klossarna monteras att styrhylsorna löper lätt i oket och att styrhylsedamaskerna är hela. Torka bort damm och smuts från bromsoket och kolven, men **andas inte** in det, eftersom det är skadligt. Kontrollera att kolvens dammskydd är intakt och om kolven visar spår av oljeläckage, korrosion eller skador. Om någon av dessa komponenter måste åtgärdas, se avsnitt 9.

8 Om nya bromsklossar ska monteras måste okets kolv tryckas in i cylindern för att ge plats åt dem. För att kunna ta bort kolven måste den vridas medurs när den trycks in i bromsoket. Peugeot-verktyget nr DF61 kan användas för att ta bort kolvarna. Man kan även använda andra verktyg från välsorterade tillbehörsbutiker/reservdelsaffärer **(se bild)**. Kläm ihop den böjliga bromsslangen som leder till bromsoket, och anslut sedan en luftningssats till bromsokets luftningsnippel. Öppna luftningsnippeln när kolven tas bort. Överflödig vätska samlas upp i luftningssatsens kärl Stäng nippeln precis innan bromsokets kolv trycks in helt i bromsoket. Detta ska förhindra att det kommer in luft i hydraulsystemet. **Observera**: *ABS-enheten innehåller hydrauliska komponenter som är mycket känsliga för orenheter i bromsoljan. Även de minsta*

partiklar kan få systemet att sluta fungera. Metoden för borttagning av bromskloss som beskrivs här förhindrar att eventuellt skräp i bromsoljan från bromsoket kommer tillbaka in i ABS-systemets hydraulenhet, liksom risken för att det uppstår skador på huvudcylinderns tätningar.

9 Skjut bromsklossarna på plats i bromsoket, se till att varje bromskloss friktionsmaterial är vänt mot bromsskivan. Om mellanläggen (i förekommande fall) har lossnat, se till att de monteras tillbaka på rätt plats på var och en av bromsklossarnas stödplåt **(se bild)**.

10 Lossa bromsokets bindning och sänk ner det på plats. Sätt i bromsokets nya nedre styrsprintsbult och dra åt den till angivet moment.

11 Skjut in handbromsvajern i stödfästbygeln och återanslut vajerändens beslag.

12 Tryck ner bromspedalen upprepade gånger, tills bromsklossarna pressas tätt mot bromsskivan och normalt pedaltryck uppstår (utan hjälp).

13 Upprepa ovanstående procedur med det andra bakre bromsoket.

14 Kontrollera handbromsens funktion. Utför vid behov justeringsproceduren enligt beskrivningen i avsnitt 14.

15 Sätt på hjulen, sänk ner bilen och dra åt hjulbultarna till angivet moment.

16 Kontrollera hydrauloljenivån enligt beskrivningen i *Veckokontroller*.
Varning: Nya bromsklossar ger inte full bromseffekt förrän de har körts in.

6.3 Mät skivans tjocklek med en mikrometer

Var beredd på detta och undvik hårda inbromsningar i möjligaste mån i ungefär 160 km efter att bromsklossarna bytts ut.

6 Främre bromsskiva – kontroll, demontering och montering

Observera: *Innan arbetet påbörjas, se varningen i början av avsnitt 4 rörande riskerna med asbestdamm.*

Kontroll

Observera: *Om någon av skivorna behöver bytas ut ska BÅDA skivorna bytas ut samtidigt, så att bromsarna verkar jämnt på båda sidor. Nya bromsklossar ska också monteras.*

1 Dra åt handbromsen, lossa det högra framhjulets bultar, och lyft sedan upp framvagnen och ställ den på pallbockar (se *Lyftning och stödpunkter*). Demontera relevant framhjul.

2 Rotera bromsskivan långsamt så att hela ytan på båda sidor kan kontrolleras. ta bort bromsklossarna om det krävs bättre åtkomst till den inre ytan. Viss spårning är normalt i det område som kommer i kontakt med bromsklossarna, men om kraftiga spår eller sprickor förekommer måste skivan bytas ut.

3 Det är normalt med en liten kant av rost och bromsdamm runt skivans yttre kant. denna kan skrapas bort om så önskas. Men om en kant uppstått på grund av överdrivet slitage på den bromsklossvepta ytan måste skivans tjocklek mätas med en mikrometer. Ta måtten på flera ställen runt skivan, på insidan och utsidan av det område som bromsklossen sveper över. om skivan på något ställe har nötts ner till den angivna minimitjockleken eller under denna, måste skivan bytas **(se bild)**.

4 Om skivan misstänks ha slagit sig, kan eventuell skevhet kontrolleras. Använd antingen en mätklocka monterad på någon passande fast punkt, med långsamt roterande skiva, eller använd bladmått (på flera punkter runt skivan) och mät spelet mellan skivan och en fast punkt som exempelvis okfästet **(se bild)**. Om mätningarna ligger på eller över maxgränsen är skivan mycket skev och måste bytas ut, men det kan vara en god idé att först kontrollera att navlagret är i gott

skick (kapitel 1A eller 1B). Prova också vad som
händer om du tar bort skivan och vrider den 180°
innan du monterar tillbaka den på navet. om
kastet är för stort, byt skiva.
5 Kontrollera om skivan är sprucken, speciellt
kring hjulbultshålen, eller om den på annat
sätt är sliten eller skadad och byt vid behov.

Demontering

6 Skruva loss de båda bultarna som fäster
bromsokets fästbygel på navhållaren.
Skjut av enheten från skivan och bind
fast den på spiralfjädern, använd en bit
snöre vajer eller snöre, för att inte belasta
hydraulbromsslangen.
7 Använd krita eller färg och märk skivans
läge i förhållande till navet, skruva sedan ur
den skruv som fäster skivan vid navet och lyft
av skivan **(se bild)**. Sitter den hårt, knacka lätt
på baksidan av skivan med en mjuk klubba.

Montering

8 Monteringen sker i omvänd ordning, och
tänk på följande:
a) Se till att skivans och navets fogytor är
   rena och flata.
b) Rikta in märkena som gjordes vid
   demonteringen (om tillämpligt) dra åt
   skivans fästskruvar till angivet moment.
c) Om en ny skiva har monterats, använd
   ett lämpligt lösningsmedel för att få bort
   skyddslagret från skivan innan bromsoket
   återmonteras.
d) Montera tillbaka hjulet, sänk ner bilen och
   dra åt hjulbultarna till angivet moment.
   Tryck ner bromspedalen flera gånger för
   att tvinga bromsklossarna i kontakt med
   skivan innan bilen körs.

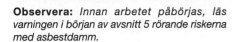

7 Bakre bromsskiva –
kontroll, demontering
och montering

Observera: *Innan arbetet påbörjas, läs
varningen i början av avsnitt 5 rörande riskerna
med asbestdamm.*

Kontroll

Observera: *Om någon av skivorna behöver
bytas ut ska BÅDA skivorna bytas ut samtidigt,
så att bromsarna verkar jämnt på båda sidor.
Nya bromsklossar ska också monteras.*

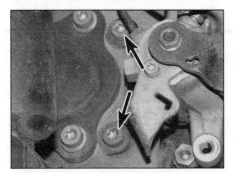

**7.4 Lossa bromsokets båda torxskruvar
på fästbygeln (markerad med pil)**

**6.4 Kontrollera skivans kast med hjälp av
en mätklocka**

1 Lossa bakhjulbultarna, klossa sedan
framhjulen, lyft upp bakre delen av bilen och
stötta den på pallbockar (se *Lyftning och
stödpunkter*). Lyft av det relevanta bakhjulet.
2 Undersök skivan enligt beskrivningen i
avsnitt 6.

Demontering

3 Demontera bromsklossarna enligt
beskrivningen i avsnitt 5.
4 Lossa de två torxbultar som håller fast
bromsokets fäste vid axeltappen **(se bild)**.
5 Använd krita eller färg och märk ut
förhållandet mellan skivan och navet. Skruva
sedan loss skruven/skruvarna som fäster
skivan på navet. Om det behövs kan du
försiktigt knacka på skivan bakifrån och lossa
den från navet **(se bild)**.

Montering

6 Montera i omvänd ordningsföljd mot
demonteringen. Tänk på följande:
a) Se till att skivans och navets fogytor är
   rena och flata.
b) Rikta in märkena som gjordes vid
   demonteringen (om tillämpligt) dra åt
   skivans fästskruvar till angivet moment.
c) Om en ny skiva har monterats, använd
   ett lämpligt lösningsmedel för att få bort
   skyddslagret från skivan innan bromsoket
   återmonteras.
d) Sätt på hjulet, ställ ner bilen och dra åt
   hjulbultarna till angivet moment. Tryck ner
   bromspedalen flera gånger för att tvinga
   tillbaka bromsklossarna så att de ligger an
   mot skivan.

**7.5 Skruva loss torxskruvarna och ta bort
skivan**

**6.7 Skruva loss de två torxskruvar och ta
bort skivan**

8 Främre bromsok –
demontering, renovering och
återmontering

**Varning: Se till att tändningen är
avslagen innan du kopplar ifrån någon
av bromssystemets hydraulanslutningar.
Slå inte på tändningen igen innan
hydraulsystemet har luftats. Om du inte
följer anvisningarna kan det komma in luft
i regulatorenheten vilket gör att den måste
luftas med speciell Peugeot-testutrustning
(se avsnitt 2).**
Observera: *Innan arbetet påbörjas, läs
varningen i början av avsnitt 2 angående
farorna med hydraulolja, och varningen i
början av avsnitt 4 angående farorna med
asbestdamm.*
Observera: *Det behövs nya styrsprintsbultar
till bromsoket och dess fästbygelbultar vid
ihopsättningen.*

Demontering

1 Dra åt handbromsen, lossa det högra
framhjulets bultar, och lyft sedan upp
framvagnen och ställ den på pallbockar (se
Lyftning och stödpunkter). Demontera det
relevanta hjulet.
2 Minimera eventuellt oljespill genom att
skruva bort huvudcylinderbehållarens lock och
sedan skruva på det igen över en bit plastfolie,
så att det blir lufttätt. Alternativt, använd en
bromsslangklämma, G-klammer eller liknande
och kläm ihop slangen **(se bild)**.

**8.2 För att minimera vätskeförlusten sätter
du en bromsslangklämma på den böjliga
slangen**

3 Rengör området runt bromsokets slanganslutning och lossa sedan anslutningen.

4 Skruva loss bromsokets övre och nedre styrsprintsbultar (se bild 4.12). Kasta bultarna, nya måste användas vid monteringen. Lyft bort bromsoket från bromsskivan. Skruva loss bromsoket från bromsslangens ände. Observera att bromsbackarna inte behöver åtgärdas och att de kan lämnas kvar på plats i bromsokets fästbygel.

5 Om det behövs kan bromsokets fästbygel lossas från navhållaren. Kasta bultarna och använd nya vid återmonteringen.

Renovering

Observera: *Kontrollera om du har tillgång till renoveringssats för bromsoket innan du tar isär det.*

6 Lägg oket på en arbetsbänk och torka bort all smuts och damm, men *undvik att andas in dammet eftersom det är hälsovådligt.*

7 Dra ut den delvis utskjutna kolven från bromsokshuset och ta bort dammtätningen.

 Om kolven inte kan dras ut för hand kan den tryckas ut med hjälp av tryckluft som kopplas till bromsslangens anslutningshål. Det tryck man får från en fotpump bör räcka för att få bort kolven. Var försiktig så du inte klämmer fingrarna mellan kolven och bromsoket när kolven skjuts ut.

8 Använd en liten skruvmejsel och ta bort kolvens hydraultätning. Var noga med att inte skada bromsoksloppet.

9 Rengör alla komponenter noggrant. Använd endast T-sprit, isopropylalkohol eller ren hydraulolja som rengöringsmedel. Använd aldrig mineralbaserade lösningsmedel som bensin eller fotogen, eftersom de kommer att angripa hydraulsystemets gummikomponenter. Torka omedelbart av delarna med tryckluft eller en ren, luddfri trasa. Använd tryckluft för att blåsa rent oljepassagerna.

10 Kontrollera alla komponenter och byt ut de som är slitna eller skadade. Kontrollera särskilt cylinderloppet och kolven. dessa komponenter ska bytas ut (observera att det gäller byte av hela enheten) om de är repade, slitna eller korroderade. Kontrollera skicket hos styrsprintarna och deras lopp på samma sätt; båda stiften ska vara oskadda och (efter rengöring) ha en tillräckligt bra skjutpassning i bromsokets fästbygel. Om det råder minsta tvekan om en komponents skick ska den bytas.

11 Om enheten kan fortsätta användas kan du skaffa en renoveringssats. komponenterna finns i olika kombinationer hos din Peugeot-verkstad. Alla gummitätningar ska bytas, dessa får aldrig återanvändas.

12 Vid ihopsättningen ska alla delar vara rena och torra.

13 Sänk ner kolven och den nya kolvtätningen

(flytande) i ren bromsvätska. Smörj ren olja på cylinderloppets yta.

14 Sätt på den nya kolvtätningen (oljetätningen). Använd fingrarna (inga verktyg) för att få in tätningen i cylinderloppets spår.

15 Montera den nya dammtätningen på kolvens baksida och placera tätningens yttre läpp i bromsokshusets spår. För försiktigt kolven rakt in i cylinderloppet med en vridande rörelse. Tryck ner kolven helt på plats och passa in dammtätningens inre läpp i kolvspåret.

16 Om styrsprintarna ska bytas ska sprintskaften smörjas in med specialfettet från renoveringssatsen och damaskerna monteras på sprintspåren. Montera sprintarna i bromsokens fästbygel och placera damaskerna korrekt i fästbygelns spår.

Montering

17 Om bromsokets fästbygel har tagits bort ska det sättas tillbaka på navhållaren. Dra åt de nya bultarna till angivet moment.

18 Skruva åt oket på bromsslangen.

19 Se till att bromsklossarna är korrekt monterade i bromsokets fästbygel och sätt tillbaka bromsoket (se avsnitt 4).

20 Om gängorna på de nya styrstiftsbultarna inte redan är täckta med gänglåsmassa ska lämplig sådan strykas på (Peugeot rekommenderar Loctite Frenetanch – finns att köpa hos din Peugeot-verkstad). Sätt dit den nya nedre styrsprintsbulten. Tryck sedan dit bromsoket på plats och montera den nya övre styrsprintsbulten. Dra åt styrsprintsbultarna till angivet moment.

21 Dra åt bromsslangsanslutningens mutter till angivet moment. Ta sedan bort bromsslangklämman eller polytenet (i förekommande fall).

22 Lufta hydraulsystemet enligt beskrivningen i avsnitt 2. Observera att om angivna åtgärder vidtogs för att förhindra förlust av bromsvätska behöver man bara lufta den relevanta frambromsen.

23 Montera tillbaka hjulet, sänk ner bilen och dra åt hjulbultarna till angivet moment.

9 Bakre bromsok – demontering, renovering och montering

Varning: Se till att tändningen är avslagen innan du kopplar ifrån någon av bromssystemets hydraulanslutningar. Slå inte på tändningen igen innan hydraulsystemet har luftats. Om du inte följer anvisningarna kan det komma in luft i regulatorenheten vilket gör att den måste luftas med speciell Peugeot-testutrustning (se avsnitt 2).

Observera: *Läs varningen i början av avsnitt 2 angående farorna med hydraulolja, och varningen i början av avsnitt 5 angående farorna med asbestdamm innan arbetet påbörjas.*

Observera: *Det behövs nya bultar till*

bromsokets fästbygel och nya styrsprintsbultar vid ihopsättningen.

Demontering

1 Lossa bakhjulbultarna, klossa sedan framhjulen, lyft upp bakre delen av bilen och stötta den på pallbockar (se *Lyftning och stödpunkter*). Demontera relevant bakhjul.

2 Demontera bromsklossarna (se avsnitt 5).

3 Minimera eventuellt oljespill genom att skruva bort huvudcylinderbehållarens lock och sedan skruva på igen över en bit plastfolie, så att det blir lufttätt. Alternativt, använd en bromsslangklämma, G-klammer eller liknande och kläm ihop slangen så nära bromsoket som praktiskt möjligt.

4 Torka bort alla spår av smuts runt bromsslangsanslutningen på bromsoket. Skruva loss anslutningsmuttern och koppla loss bromsröret från bromsoket **(se bild)**. Plugga igen rör- och bromsoksanslutningarna för att minska vätskeförlusten och förhindra att det kommer in smuts.

5 Skruva loss styrsprintsbulten. Ta bort bromsoket från bilen. Om det behövs kan bromsokets fästbygel lossas från navhållaren. Kasta bultarna och använd nya vid återmonteringen.

Renovering

6 I skrivande stund fanns det inte delar för att renovera den bakre bromsoksenheten, förutom styrsprintsbultar, styrsprintar och styrsprintsdamasker. Kontrollera skicket hos styrsprintarna och deras lopp på samma sätt; båda stiften ska vara oskadda och (efter rengöring) ha en tillräckligt bra skjutpassning i bromsokets fästbygel. Om det råder minsta tvekan om en komponents skick ska den bytas.

Montering

7 Om bromsokets fästbygel har tagits bort ska det sättas tillbaka på navhållaren. Dra åt de nya bultarna till angivet moment.

8 Montera tillbaka bromsoket och sätt in de nya styrsprintsbultarna, dra åt dem till angivet moment.

9 Återanslut bromsröret på bromsoket och dra åt bromsslangens anslutningsmutter till angivet moment. Ta bort bromsslangklämman eller polytenet (om en sådan finns).

10 Montera bromsklossarna enligt beskrivningen i avsnitt 5.

9.4 Skruva loss anslutningsmuttern (markerad med pil)

10.3a Skruva loss de två bultarna som håller fast den övre behållaren . . .

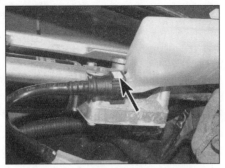

10.3b . . . tryck sedan ner knappen (markerad med pil) och koppla ifrån röret

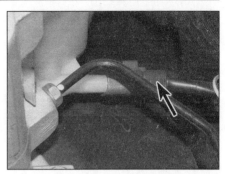

10.4 Lossa nivågivarens anslutningskontakt (markerad med pil)

11 Lufta hydraulsystemet enligt beskrivningen i avsnitt 2. Observera att om angivna åtgärder vidtogs för att förhindra förlust av bromsvätska behöver man bara lufta den relevanta bakbromsen.

12 Montera tillbaka hjulet, sänk ner bilen och dra åt hjulbultarna till angivet moment.

10 Huvudcylinder –
demontering, renovering och montering

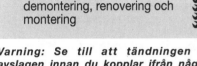

Varning: Se till att tändningen är avslagen innan du kopplar ifrån någon av bromssystemets hydraulanslutningar. Slå inte på tändningen igen innan hydraulsystemet har luftats. Om du inte följer anvisningarna kan det komma in luft i regulatorenheten vilket gör att den måste luftas med speciell Peugeot-testutrustning (se avsnitt 2).

Observera: *Se varningen i början av avsnitt 2 angående farorna med hydraulolja, innan arbetet påbörjas.*

Demontering

1 Ta bort batteriet och batterilådan enligt beskrivningen i kapitel 5A.

2 Ta bort huvudcylinderbehållarens lock och filter. Siffonera ut hydraulvätskan från behållaren. **Observera:** *Sug inte med munnen, vätskan är giftig; använd en bollspruta eller en gammal testare för frostskyddsmedel. Du*

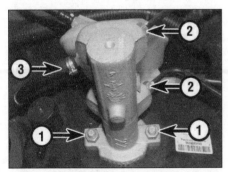

10.5 Bromshuvudcylinder

1 *Fästmuttrar*
2 *Anslutningsmuttrar*
3 *Kopplingens huvudcylinder vätskematningsrör*

kan också öppna en lämplig luftningsskruv i systemet och försiktigt pumpa bromspedalen för att få ut vätskan genom ett plaströr som har anslutits till skruven, tills behållaren är tom (se avsnitt 2).

3 Skruva loss de båda bultarna och ta bort den övre behållaren. Tryck sedan ner lossningsknappen och koppla loss plaströret från den övre behållaren till den nedre behållaren på huvudcylindern **(se bilder)**. Var beredd på spill.

4 Lossa kontaktdonet från bromsoljans nivågivarenhet **(se bild)**.

5 Töm den nedre behållaren genom att koppla loss vätskematningsröret till kopplingens huvudcylinder och tömma ut vätskan i en behållare **(se bild)**. Täpp igen röröppningen för att förhindra att det kommer in smuts.

6 Torka rent området runt bromsrörsanslutningarna på sidan av huvudcylindern. Placera absorberande trasor under röranslutningarna för att fånga upp överflödig olja. Notera hur anslutningarna sitter monterade, och skruva sedan bort anslutningsmuttrarna och dra försiktigt ut rören. Plugga eller tejpa igen rörändarna och huvudcylinderns öppningar för att minimera bromsoljespill och för att hindra smuts från att tränga in i systemet. Tvätta omedelbart bort allt oljespill med kallt vatten.

7 Skruva loss de två muttrar som håller fast huvudcylindern vid vakuumservon, och ta sedan bort enheten från motorrummet. Om tätningsringen på huvudcylinderns baksida visar tecken på skador eller slitage måste den bytas. Om det behövs drar du i låsklackarna och skiljer behållaren från huvudcylindern **(se bild)**.

Renovering

8 Huvudcylindern kan renoveras om man har införskaffar den renoveringssats som behövs från en Peugeot-verkstad. Se till att du har rätt renoveringssats för den huvudcylinder som du arbetar med. Notera var alla komponenter är placerade för att säkerställa korrekt återmontering och smörj in de nya tätningarna med ren bromsvätska. Följ anvisningarna som medföljer renoveringssatsen.

Montering

9 Ta bort alla spår av smuts från huvudcylinderns och servoenhetens fogytor och se till att tätningsringen sitter som den ska på huvudcylinderns baksida.

10 Montera huvudcylindern på servoenheten. Montera tillbaka huvudcylinderns fästmuttrar, och dra åt dem till angivet moment.

11 Torka rent bromsrörsanslutningarna och montera tillbaka dem på huvudcylinderöppningarna, dra åt dem till angivet moment.

12 Tryck in fästtätningarna helt i huvudcylinderns öppningar. Passa sedan försiktigt in vätskebehållaren på plats. Skjut behållarens fäststift på plats och fäst det. Se till att fästklämman är korrekt placerad i stiftspåret.

13 Återanslut matningsröret till kopplingens huvudcylinder och nivågivarens anslutningskontakt.

14 Montera tillbaka den övre behållaren och dra åt fästskruvarna ordentligt.

15 Montera tillbaka komponenter som har tagits bort för att förbättra åtkomligheten. Fyll sedan på huvudcylinderbehållaren med ny vätska. Lufta hydraulsystemet enligt beskrivningen i avsnitt 2. **Observera:** *En hydraulisk koppling delar vätskebehållare med bromssystemet och kan också behöva luftas (se kapitel 6).*

11 Bromspedal –
demontering och montering

Demontering

1 Bänd upp centrumsprintarna, bänd ut hela plastexpandernitarna och ta bort den nedre instrumentbrädan ovanför pedalerna på förarsidan.

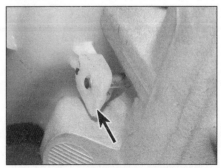

10.7 Dra bort fästtapparna (markerade med pil) från behållaren över fäststiftet

11.2 Skjut bort gaffelbultens fästklämma (markerad med pil)

2 Skjut bort fästklämman och ta bort gaffelbulten som håller fast tryckstången till pedalens crossover-länksystem på pedalen **(se bild)**. Kasta gaffelbulten, du måste sätta dit en ny.
3 Skruva loss styrbulten och muttern **(se bild)**, och ta bort bromspedalen från bilen. Skjut bort mellanlägget och brickan (i förekommande fall) från pedalens styrbult. Kontrollera om någon komponent visar spår av slitage eller skador och byt efter behov.

Montering

4 Stryk på ett lager flerfunktionsfett på mellanlägget och brickan, och sätt in dem i pedalstyrbultens lopp.
5 För pedalen på plats, se till att den hakar i tryckstången ordentligt och sätt in styrbulten. Montera tillbaka muttern på styrbulten och dra åt den ordentligt.
6 Linjera pedalen med tryckstången och sätt in den nya gaffelbulten, fäst den på plats med fästklämman/klämmorna.
7 Montera tillbaka den nedre panelen på instrumentbrädan.

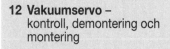

12 Vakuumservo –
kontroll, demontering och montering

Kontroll

1 Testa servons funktion genom att trycka ner bromspedalen flera gånger för att häva vakuumet. Starta sedan motorn medan

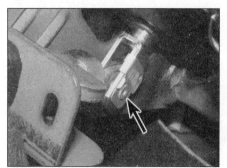

12.8 Vrid klämman (markerad med pil) och dra sedan bort den

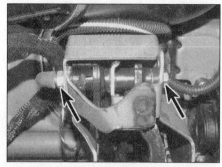

11.3 Skruva loss styrbulten och muttern (markerad med pil)

bromspedalen hålls hårt nedtryckt. När motorn startar ska pedalen ge efter märkbart medan vakuumet byggs upp. Låt motorn gå i minst två minuter och stäng sedan av den. Om bromspedalen nu trycks ner ska den kännas normal men vid ytterligare nedtryckningar ska den kännas fastare. Pedalvägen ska bli allt kortare för varje nedtryckning.
2 Om servon inte fungerar enligt ovan, kontrollera först servons backventil enligt beskrivningen i avsnitt 13. På dieselmodeller ska man även kontrollera funktionen hos vakuumpumpen enligt beskrivningen i avsnitt 21.
3 Om servon fortfarande inte fungerar som den ska finns felet i själva servoenheten. Om servoenheten är defekt måste den bytas ut, den går inte att reparera.

Demontering

4 Demontera huvudcylindern enligt beskrivningen i avsnitt 10.
5 Lossa kablaget bredvid servon från dess fästklämmor och lägg det åt sidan.
6 Lossa eller frigör fästklämman (beroende på typ av fästklämma). Koppla sedan loss vakuumröret från servoenhetens backventil.
7 Arbeta i passagerarplatsens fotutrymme, bänd upp centrumsprintarna, bänd ut hela plastnitarna och ta bort panelen under passagerarsidans handskfack.
8 Vrid gaffelbulten mellan axeln och servons stötstång och ta bort den från länksystemet **(se bild)**. Kasta gaffelbulten, du måste sätta dit en ny.
9 Skruva loss de fyra muttrar som fäster huset på mellanväggen **(se bild)**.

12.9 Skruva loss de fyra servofästskruvarna (markerad med pil)

10 Tryck ner de båda fästklämmorna (en till vänster om servodamasken och en till höger). Lirka sedan bort huset från mellanväggen **(se bild)**.
11 Flytta bort servoenheten tillsammans med dess packning som sitter mellan servon och huset. Byt packningen om den verkar skadad.

Montering

12 Monteringen sker i omvänd ordningsföljd mot demonteringen, och tänk på följande.
a) Före återmonteringen mäter du avståndet mellan slutet av vakuumservoenhetens tryckstång och fogytan på servons huvudcylinder. Avståndet ska vara 19,85 ± 0,3 mm. Om så inte är fallet bör du rådfråga en Peugeot-verkstad innan du återmonterar huvudcylindern.
b) Smörj alla pivåpunkterna i crossover-länksystemet med flerfunktionsfett.
c) Dra åt servoenhetens och fästbygelns muttrar och bultar till angivet moment.
d) Montera tillbaka huvudcylindern enligt beskrivningen i avsnitt 10 och lufta hela hydraulsystemet enligt beskrivningen i avsnitt 2.
e) Byt alltid gaffelbultarna på crossover-axeln.

13 Vakuumservons backventil –
demontering, kontroll och montering

Demontering

1 Lossa eller frigör fästklämman (beroende på typ av fästklämma). Koppla sedan loss vakuumslangen från servoenhetens backventil.
2 Ta bort ventilen från dess gummiplugg genom att dra och vrida samtidigt **(se bild)**. Ta bort genomföringen från servon.

Kontroll

3 Undersök backventilen och leta efter tecken på skador. Byt den vid behov. Ventilen kan testas genom att luft blåses genom den i båda riktningarna. Luften ska endast kunna komma igenom ventilen i ena riktningen – när man

12.10 Lossa på servofästklämmorna (vänster markerad med pil)

13.2 Servoenhetens kontrollventil

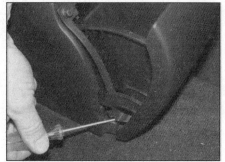

14.2 Bänd försiktigt ut den nedre kanten och ta bort askkoppen

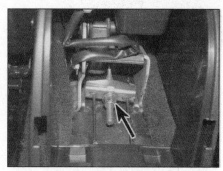

14.4 Utjämnarplattans justeringsmutter (markerad med pil)

blåser från den sida av ventilen som är vänd mot servoenheten. Byt ut ventilen om så inte är fallet.

4 Undersök gummitätningsmuff och den flexibla vakuumslangen, leta efter tecken på skador och åldrande och byt ut om det behövs.

Montering

5 Sätt tätningsmuffen på plats i servoenheten.

6 Skjut försiktigt in backventilen på plats, var mycket noga med att inte flytta på eller skada genomföringen. Återanslut vakuumslangen på ventilen och dra åt dess fästklämma där det behövs.

7 Avsluta med att starta motorn och leta efter luftläckor i anslutningen mellan backventilen och servoenheten.

14 Handbroms – justering

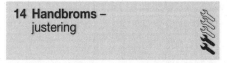

1 Använd normal kraft och dra åt handbromsspaken för fullt, räkna antalet klick i spärrhaksmekanismen. Om justeringen är korrekt ska det höras två klickljud innan bromsarna börjar ta, och inte mer än åtta klick innan handbromsen är helt åtdragen. Om så inte är fallet utför du följande justeringar.

2 Arbeta på mittkonsolens baksida, dra upp locket, bänd försiktigt ut den nedre kanten på var sida och ta bort askkoppen **(se bild)**.

3 Klossa bakhjulen, lyft upp framvagnen

15.5 Skruva loss handbromsspakens muttrar (markerade med pil)

och ställ den på pallbockar (se *Lyftning och stödpunkter*).

4 Lossa justeringsmuttern bakom utjämnarplattan på staget från spaken **(se bild)**.

5 Starta motorn och tryck ner bromspedalen cirka 40 gånger. Stanna motorn.

6 Dra åt justeringsmuttern precis så mycket som behövs för att ta bort allt spel i vajrarna.

7 Dra i handbromsspaken 10 gånger. Vid den sista iläggningen drar du spaken ända upp och stannar efter det att det andra klickljudet hörs.

8 Dra åt justeringsmuttern tills de bakre bromsklossarna börjar ta i skivorna.

9 Lossa spaken och kontrollera för hand att bakhjulen roterar fritt. Kontrollera sedan att det inte hörs mer än åtta klick innan handbromsen är helt ilagd.

10 Montera tillbaka askkoppen och sänk sedan ner bilen till marken.

15 Handbromsspak – demontering och montering

Demontering

1 Klossa bakhjulen, lyft upp framvagnen och ställ den på pallbockar (se *Lyftning och stödpunkter*).

2 Enligt beskrivningen i avsnitt 14 lossar du handbromsspaken och justeringsmuttern för att få maximalt spel i vajern.

3 Ta bort mittkonsolen enligt beskrivningen i kapitel 11.

4 Skala bort damasken (om det behövs) och koppla loss kontaktdonet från handbromsens varningslampbrytare.

5 Lossa handbromsvajern från spaken. Skruva sedan loss och ta bort spakens fästmuttrar och ta bort spaken från bilen **(se bild)**.

Montering

6 Monteringen sker i omvänd ordningsföljd mot demonteringen. Dra åt spakens fästmuttrar till angivet moment och justera handbromsen (se avsnitt 14).

16 Handbromsvajrar – demontering och montering

Demontering

1 Hanbromsvajern består av en vänster- och en högerdel som ansluter bakbromsarna till justeringsmekanismen på handbromsspakens stag. Vajrarna kan tas bort separat.

2 Lossa bakhjulbultarna, klossa sedan framhjulen, lyft upp bakre delen av bilen och stötta den på pallbockar (se *Lyftning och stödpunkter*).

3 Lossa handbromsens justeringsmutter tillräckligt mycket för att kunna haka loss det berörda vajerändbeslaget från utjämnarplattan enligt beskrivningen i avsnitt 14 **(se bild)**.

4 Lossa vajerns ändbeslag från spaken på bromsoket och ta bort vajern från stödfästet **(se bild 5.2a)**.

5 Arbeta under bilen, notera dess placering och lossa sedan vajern från de olika fästklämmorna/byglarna längs med dess dragning. Dra bort vajerns främre del genom öppningen i golvet. Dra ut vajern från undersidan av bilen.

Montering

6 Montering sker i omvänd ordningsföljd, justera handbromsen enligt beskrivningen i avsnitt 14.

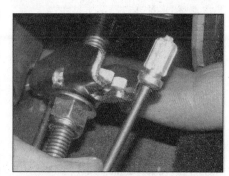

16.3 Lossa vajerns ändbeslag från utjämnarplattan

17.3 Vrid bromsljusbrytaren 90° moturs, och dra ut den ur fästbygeln.

17 Bromsljusbrytare –
demontering, montering och justering

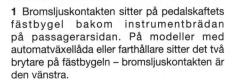

1 Bromsljuskontakten sitter på pedalskaftets fästbygel bakom instrumentbrädan på passagerarsidan. På modeller med automatväxellåda eller farthållare sitter det två brytare på fästbygeln – bromsljuskontakten är den vänstra.

Demontering

2 Arbeta i passagerarplatsens fotutrymme, bänd upp centrumsprintarna, bänd ut hela plastnitarna och ta bort panelen under passagerarsidans handskfack.
3 Lossa kablarna, och vrid brytaren 90 grader moturs och ta bort en från fästbygeln **(se bild)**.

Montering och justering

4 Dra ut brytarkolven helt och tryck sedan ner bromspedalen för hand.
5 Sätt tillbaka brytaren på plats i fästbygeln. Lossa sedan bromspedalen och dra upp den så långt det går. Brytaren ska nu vara rätt placerad.
6 Återanslut kontaktdonen och kontrollera bromsljusfunktionen. Montera tillbaka handskfacket.

18 Låsningsfria bromsar (ABS) – allmän information

Alla modeller har ABS som standard. Systemet består av en hydraulisk regulatorenhet och fyra hjulgivare. Regulatorenheten innehåller den elektroniska styrenheten, de hydrauliska magnetventilerna och den eldrivna returpumpen. Syftet med systemet är att förhindra att hjulen låser sig vid hård inbromsning. Detta uppnås genom att bromsen på relevant hjul släpps upp för att sedan åter läggas an.

Magnetventilerna styrs av ECU:n som själv tar emot signaler från de fyra hjulgivarna (de främre givarna sitter på navet och de bakre på bromsokets fästbyglar), som övervakar varje hjuls rotationshastighet. Genom att jämföra dessa signaler kan styrmodulen avgöra hur fort bilen går. Med utgångspunkt från denna hastighet kan styrmodulen avgöra om ett hjul bromsas onormalt i förhållande till bilens hastighet, och på så sätt förutsäga när ett hjul är på väg att låsa sig. Under normala förhållanden fungerar systemet som ett bromssystem utan ABS.

Om styrenheten känner att ett hjul är på väg att låsa manövrerar den relevanta solenoid i hydraulenheten, vilket isolerar oket på det hjulet från huvudcylindern, vilket stänger in hydraultrycket.

Om hjulets rotationshastighet fortsätter att bromsas med onormal hastighet öppnar ECU:n insugsmagnetventilerna på den/de berörda bromsarna och styr den eldrivna returpumpen som pumpar hydraulvätskan tillbaka till huvudcylindern, vilket lossar bromsen. När hjulen återfår en acceptabel hastighet stannar pumpen. magnetventilerna växlar igen vilket gör att den hydrauliska huvudcylinderns tryck återgår till bromsoket, som då lägger i bromsen igen. Den här cykeln kan upprepas flera gånger i sekunden.

Magnetventilernas och returpumpens agerande skapar pulser i hydraulkretsen. När ABS-systemet arbetar kan dessa pulser kännas i bromspedalen.

ABS-systemets funktion är helt beroende av elektriska signaler. För att förhindra att systemet reagerar på felaktiga signaler finns en inbyggd skyddskrets som övervakar alla signaler till styrmodulen. Om en felaktig signal eller låg batterispänning upptäcks stängs ABS-systemet automatiskt av och varningslampan på instrumentbrädan tänds för att informera föraren om att ABS-systemet inte längre fungerar. Normal bromseffekt ska dock finnas kvar.

Peugeot 307 har också ytterligare säkerhetsfunktioner inbyggda runt ABS-systemet. Dessa system är EBFD (elektronisk bromskraftsfördelning), som automatiskt fördelar bromskraften mellan fram- och bakhjulen, EBA (nödbromsassistans) som säkerställer full bromskraft vid ett

19.4 Lyft upp spaken (markerad med pil) och koppla loss regulatorns kontaktdon

nödstopp genom att övervaka den hastighet med vilken bromspedalen trycks ner samt ESP (elektroniskt stabiliseringssystem) som övervakar bilens kurvtagningskrafter och rattvinkel för att sedan applicera bromskraften på lämpligt hjul för att förbättra bilens stabilitet.

Om ett fel uppstår i något av dessa system måste bilen tas till en Peugeot-verkstad eller annan lämplig specialist för felsökning och reparation.

19 Låsningsfria bromsar (ABS), komponenter –
demontering och montering

Regulatorenhet

Varning: Koppla ifrån batteriet (se kapitel 5A) innan du kopplar loss regulatorns hydraulanslutningar. Återanslut inte batteriet innan hydraulsystemet har luftats. Se också till att enheten förvaras stående (i samma position som den monteras på bilen) och inte lutas åt sidan eller placeras upp och ner. Om du inte följer anvisningarna kan det komma in luft i regulatorenheten vilket gör att den måste luftas med speciell Peugeot-testutrustning (se avsnitt 2).

Observera: Se varningen i början av avsnitt 2 angående farorna med hydraulolja, innan arbetet påbörjas.

Demontering

1 Koppla loss batteriet (se kapitel 5A).
2 Regulatorn sitter längst fram till vänster i motorrummet. Lossa det vänstra framhjulets bultar, och lyft sedan upp framvagnen och ställ den på pallbockar (se *Lyftning och stödpunkter*).
3 Tryck mittsprintarna något, bänd sedan ur hela plastnitarna och ta bort det vänstra främre hjulhusfodret.
4 Lyft bort plastkåpan och lossa fästklämman samt koppla ifrån huvudkontaktdonet från regulatorenheten **(se bild)**. I förekommande fall skruvar du loss fästmuttern och kopplar ifrån jordledningen från regulatorn.
5 Märk ut hydraulvätskerörens placering för att säkerställa korrekt återmontering för att säkerställa korrekt återmontering. Skruva sedan loss anslutningsmuttrarna och koppla loss rören från regulatorenheten **(se bild)**. Var beredd på vätskespill och plugga genast igen röröppningarna och regulatorn för att minimera ytterligare spill och förhindra att smuts kommer in.
6 Skruva loss regulatorns fästmuttrar och ta bort enheten från motorrummet. Om det behövs kan fästbygeln skruvas loss och tas bort från bilen. Byt ut regulatorfästena om de visar tecken på slitage eller skador.

Montering

7 För regulatorn på plats och passa in den i fästbygeln. Montera tillbaka fästmuttrarna och dra åt dem till angivet moment.

8 Återanslut hydraulrören på rätt anslutningar på regulatorn och dra åt anslutningsmuttrarna till angivet moment.
9 Återanslut kontaktdonet till regulatorn och anslut jordledningen, dra åt dess fästmutter ordentligt.
10 Lufta hydraulsystemet enligt beskrivningen i avsnitt 2. När systemet har luftats sätter du tillbaka hjulhusfodret samt hjulet och återansluter batteriet.

Styrmodul

11 ECU:n ingår i regulatorenheten och kan inte köpas separat.

Främre hjulsensor

Demontering

12 Se till att tändningen är avstängd.
13 Dra åt handbromsen, lossa det högra framhjulets bultar, och lyft sedan upp framvagnen och ställ den på pallbockar (se *Lyftning och stödpunkter*).
14 Följ kabeln bakåt från givaren, ta loss den från alla relevanta klamrar och notera hur den är dragen, och koppla loss kontaktdonet.
15 Skruva loss fästbulten och ta bort givaren från navhållaren **(se bild)**.

Montering

16 Se till att fogytorna på givaren och svängnavet är rena och stryk på lite antikärvningsfett på svängnavets lopp före monteringen.
17 Se till att givarens spets är ren och för den försiktigt på plats i svängnavet.
18 Rengör givarbultens gängor och stryk på några droppar gänglåsningsmedel (Peugeot rekommenderar Loctite Frenetanch – finns att köpa hos din Peugeot-verkstad). Skruva i bulten och dra åt den till angivet moment.
19 Arbeta längs med givarkablaget, se till att det är korrekt draget, och fäst det på plats med alla relevanta klämmor och band. Återanslut kontaktdonet.
20 Sänk ner bilen och dra åt hjulbultarna till angivet moment.

Bakre hjulsensor

Demontering

21 Se till att tändningen är avstängd.
22 Lossa bakhjulbultarna, klossa sedan framhjulen, lyft upp bakre delen av bilen och stötta den på pallbockar (se *Lyftning och stödpunkter*). Demontera det relevanta hjulet.
23 Följ kabeln bakåt från givaren, ta loss den från alla relevanta klamrar och notera hur den är dragen, och koppla loss kontaktdonet.
24 Skruva loss fästbulten och ta bort givaren **(se bild)**.

Montering

25 Se till att fogytorna på givaren och navet är rena och stryk på lite antikärvningsfett på navets lopp före monteringen.
26 Se till att givarens spets är ren och för den

19.5 Markera bar de olika bromsrören är placerade innan du kopplar loss dem från regulatorn

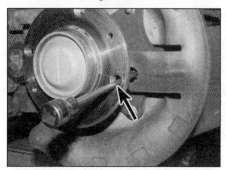

19.24 Sätt in verktyget (markerad med pil) genom ett av hjulbultshålen för att skruva loss hastighetsgivarens fästbult

försiktigt på plats i svängnavet.
27 Rengör givarbultens gängor och stryk på några droppar gänglåsningsmedel (Peugeot rekommenderar Loctite Frenetanch – finns att köpa hos din Peugeot-verkstad). Skruva i bulten och dra åt den till angivet moment.
28 Arbeta längs med givarkablaget, se till att det är korrekt draget, och fäst det på plats med alla relevanta klämmor och band. Återanslut kontaktdonet, sänk sedan ner bilen och (vid behov) dra åt hjulbultarna till angivet moment.

Kursstabilitetsgivaren

29 Ta bort mittkonsolen enligt beskrivningen i kapitel 11.

20.3 Vakuumpump fästbultar (markerade med pil) (1,4-liters modeller)

19.15 Skruva loss hjulhastighetsgivarens bult (markerad med pil)

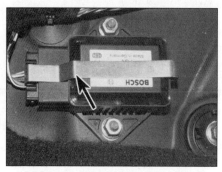

19.30 Lossa klämman (markerad med pil) och lossa kursstabilitetsgivarens anslutningskontakt

30 Lossa klämman och sedan lossa anslutningskontakten **(se bild)**.
31 Skruva loss de två muttrar och ta bort givaren.
32 Monteringen utförs i omvänd ordningsföljd mot demonteringen, se till att pilen ovanpå givaren pekar mot bilens främre del.

20 Vakuumpump (dieselmodeller) – demontering och montering

Demontering

1 Pumpen sitter på topplockets vänstra ände. Om det behövs kan du för att förbättra åtkomligheten ta bort luftrenarkanalen och luftrenaren (se kapitel 4B), batteriet och batterilådan (se kapitel 5A). **Observera:** *På 2,0-liters DOHC dieselmotorer kopplar du också loss kablaget från magnetventilen för kylvätskeflöde och tar bort fästbygeln och bulten direkt över vakuumpumpen.*
2 Tryck ner fästklämmans knapp och koppla loss vakuumslangen från pumpen.
3 Skruva loss fästbultarna/muttrarna (efter tillämplighet) som håller fast pumpen vid topplockets vänstra ände, och ta bort pumpen **(se bild)**. Kasta tätningsringarna, eftersom nya måste användas vid återmonteringen.

Montering

4 Montera en ny tätningsring/nya tätningsringar i pumpurtagen. Linjera sedan medbringaren med spåret i kamaxelns ände,. Sätt tillbaka pumpen på topplocket, se till att tätningsringen/ringarna förblir korrekt placerade **(se bilder)**.
5 Montera tillbaka pumpens fästbultar/mutter (efter tillämplighet) och dra åt dem ordentligt.
6 Återanslut vakuumslangen till pumpen, se till att dess fästklämma hakar i ordentligt. Och sätt vid behov tillbaka luftrenarkanalen.

21 Vakuumpump
(dieselmodeller) – kontroll

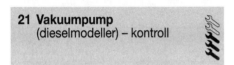

1 Funktionen för bromssystemets vakuumpump kan kontrolleras med en vakuummätare.
2 Lossa vakuumröret från pumpen och anslut

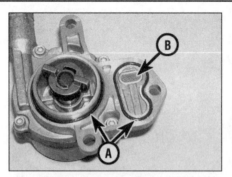

20.4a Vakuumpumpens O-ringstätningar , placering (A) och fiberduksfiltret (B) (2,0-liters modeller)

mätaren till pumpanslutningen med en lämplig slang.
3 Starta motorn och låt den gå på tomgång, mät sedan det vakuum pumpen alstrar. En tumregel är att efter cirka en minut ska ett minimum om cirka 500 mmHg visas. Om uppmätt vakuum är betydligt mindre än detta

20.4b Se till att pumpens medbringare hakar i urtaget i kamaxelns ände (markerad med pil)

är det troligt att pumpen är defekt. Rådfråga dock en Peugeot-verkstad innan pumpen döms ut.
4 Det är inte möjligt att renovera vakuumpumpen eftersom det inte går att få tag på separata delar. Om pumpen är defekt måste den bytas som en enhet.

Kapitel 10
Fjädring och styrning

Innehåll

Svårighetsgrad

Enkelt, passar novisen med lite erfarenhet		Ganska enkelt, passar nybörjaren med viss erfarenhet		Ganska svårt, passar kompetent hemmamekaniker		Svårt, passar hemmamekaniker med erfarenhet		Mycket svårt, för professionell mekaniker	

Specifikationer

Hjulinställning och styrningsvinklar

Framhjul:
Toe-in	-0° 11' ± 4'
Camber	0° ± 30'
Caster (beroende på karossform och däckstorlek)	5° 00' ± 30' (nominal)
Spindelbultens lutning	11° 41' ± 30'

Bakhjul:
Toe-in:	
Halvkombi	0° 28' ± 4'
Kombi	0° 30' ± 4'
Camber	1° 45' ± 30'

Hjul

Typ	Pressat stål eller aluminiumlegering (beroende på modell)
Däcktryck	Se slutet av Veckokontroller på sidan 0•18

Åtdragningsmoment

Nm

Framfjädring

Krängningshämmare:	
Anslutningslänk muttrar*	36
Fästklämmebultar	104
Bromsokets fästbultar*	105
Drivaxelns fästmutter	325
Navhållare till ben	90
Bultar mellan länkarm och kryssrambalk	110
Nedre kulled:	
Kulled till navhållare*	230
Fästmutter*	50
Kryssrambalkens fästbultar	100
Fjäderben:	
Övre fästplattans mutter	69
Övre fjädersätesmutter	69

Atdragningsmoment (forts.)   Nm

Bakfjädring

Bromsokets fästbygelbultar* 50
Navmutter* 210
Bakaxel monteringskonsol-till-karossbultar 62
Bakaxel till fästbygel 76
Stötdämpare:
   Nedre fästmutter* 57
   Övre fästbultar 62
Axeltapp bultar 62

Styrning

Klämbult mellan rattstång och kuggstång 22
Servostyrningspumpens fästbultar:
   Nedre fäste 17
   Övre fäste 22
Rattstångens fästbultar 22
Kuggstångens fästmuttrar* 80
Rattbult 33
Styrstag:
   Muttrarna mellan kulled och navhållare* 35
   Kulled låsmutter 40
   Inre kulled till kuggstång 80

Hjul

Hjulbultar 90
* Återanvänds inte

1 Allmän information

Den oberoende framfjädringen är av MacPherson-bentyp, med spiralfjädrar och inbyggda teleskopiska stötdämpare. MacPherson fjäderbenen befinner sig vid tvärställda nedre fjädringsarmar, som använder inre fästbussningar av gummi. De främre navhållarna som håller fast hjullagren, bromsoken och naven/skivorna samt de nedre kullederna är fastskruvade vid MacPherson-benen och anslutna till länkarmarna via kullederna. En främre krängningshämmare finns på alla modeller. Krängningshämmaren är gummimonterad på kryssrambalken och ansluten till de främre fjäderbenen via länkstag **(se bild)**.

Bakfjädringen har separata teleskopstötdämpare och spiralfjädrar mellan axelbalken och karossen. Bakaxelbalken har en inbyggd krängningshämmare och vrids runt gummibussningar som är fästa på de främre fästbyglarna **(se bild här bredvid)**.

Rattstången har en universalled på den nedre änden, som är ansluten till kuggstångens kugghjul genom en klämbult.

Kuggstången är monterad på den främre kryssrambalken och är ansluten via två styrstag med kulleder på de yttre ändarna till styrarmarna som går bakåt från navhållare. Styrstagsändarna är gängade för att möjliggöra justering. Det hydrauliska styrsystemet metas av en elstyrd pump som i sin tur styrs av motorstyrningens elektroniska styrmodul.

Bilen har ett variabelt servostyrningssystem. Hydraulpumpen varierar hydraultrycket till

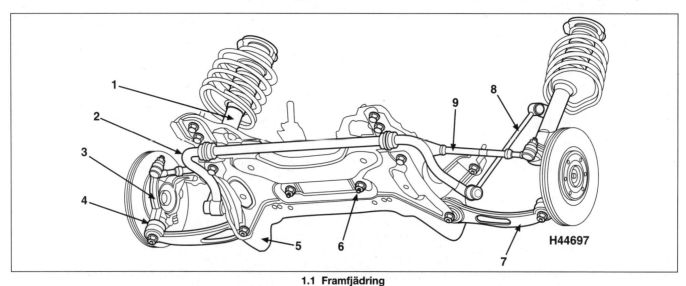

1.1 Framfjädring

1 Fjäderben av MacPherson-typ
2 Krängningshämmare
3 Navhållare

4 Nedre kulled
5 Kryssrambalk
6 Kuggstångens fästmuttrar

7 Nedre pivåarm
8 Krängningshämmarlänk
9 Parallellstag

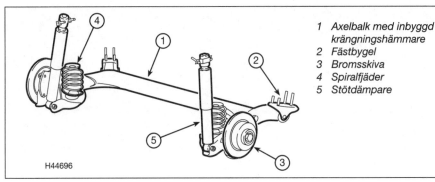

1 Axelbalk med inbyggd krängningshämmare
2 Fästbygel
3 Bromsskiva
4 Spiralfjäder
5 Stötdämpare

H44696

1.2 Bakfjädring

2.1 Bänd ut R-klämman (markerad med pil), ta bort låskragen och lossa drivaxelmuttern

kuggstången för att passa alla förhållanden, dvs. matar med högt tryck när bilen körs långsamt/är parkerade och lägre tryck när bilen körs i högre hastigheter.

2 Främre navbärare – demontering och montering

Observera: *Byt alltid alla självlåsande muttrar när du arbetar på fjädrings-/styrningskomponenter.*

Demontering

1 Ta bort navkapseln och sedan R-klämman. Ta bort låslocket från drivaxelns fästmutter. Lossa drivaxelmuttern med bilen kvar på hjulen **(se bild)**. Lossa även hjulbultarna.

2 Klossa bakhjulen och dra åt handbromsen. Lyft sedan upp framvagnen och ställ den på pallbockar (se *Lyftning och stödpunkter*). Demontera relevant framhjul.

3 Skruva loss hjulgivaren och lägg den ur vägen för navenheten (se kapitel 9). Observera att du inte behöver lossa kablaget.

4 Skruva loss drivaxelns fästmutter och ta bort den. Om muttern inte lossades när hjulen stod på marken (se stycke 1) tar du bort R-klämman och låslocket Montera tillbaka minst två hjulbultar på det främre navet och dra åt dem ordentligt. Be sedan en medhjälpare att trycka ner bromspedalen hårt för att förhindra att det främre navet roterar samtidigt som du skruvar loss drivaxelns fästmutter. Du kan också tillverka ett verktyg som håller navet stilla (se kapitel 8, avsnitt 2).

5 Skruva loss muttern som fäster kuggstångens parallellstag på hjulspindeln. Lossa sedan kulleden från navet. Om den sitter hårt, lossa den med en kulledsavdragare. Kasta muttern, eftersom en ny måste användas vid återmonteringen.

6 Om du ska hantera hjullagren måste bromsskivorna tas bort enligt beskrivningen i kapitel 9. Om så inte är fallet, skruva loss de två bultarna som håller fast bromsokets fästbygelenhet i hjulspindeln och skjut loss bromsoksenheten från skivan. Bind upp oket i spiralfjädern så att inte bromsslangen belastas.

7 Skruva loss den nedre kulledsmutter och lossa kulledstången från länkarmen. Använd vid behov en universell kulledsavdragare **(se bild)**. Använd en torxbit i änden av kulledet för att hålla emot muttern Kasta muttern och lyft bort skyddsplattan (om den är lös).

8 Skruva loss muttern och ta bort bultarna mellan hjulspindeln och fjäderbenet, observera att bultarna förs in från bilens främre del.

9 Lossa navhållarenheten från fjäderbensänden. Lossa den sedan från den yttre drivknutens räfflor och ta bort den från bilen. Häng upp drivaxeln med snöre från fjäderbenet för att förhindra skador på drivknutarna.

Montering

10 Se till att drivaxelns yttre drivknuts- och navräfflor är rena. Skjut sedan på navet helt på drivaxelns räfflor.

11 Skjut in navenheten helt i fjäderbenets fästbygel. Sätt in bultarna framifrån med hjälp av nya muttrar och dra åt dem till angivet moment.

12 Montera tillbaka skyddsplattan (om den har tagits bort) till den nedre kulleden. Linjera kulleden med länkarmen och sätt dit den nya fästmuttern, dra åt den till angivet moment.

13 Haka i styrstagets kulled i hjulspindeln. Sätt sedan dit den nya fästmuttern och dra åt den till angivet moment.

14 Sätt vid behov tillbaka bromsskivan på navet, se kapitel 9 för mer information. Skjut bromsoket på plats, se till att bromsklossarna

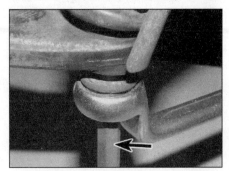

2.7 Använd en torxbit (markerad med pil) i änden av kulleden för att hålla emot muttern

går på var sida om skivan. Dra åt bromsokets nya fästbygelbultar till angivet moment.

15 Montera tillbaka hjulsensorn enligt beskrivningen i kapitel 9.

16 Smörj in de inre ytorna och gängorna på drivaxelns fästmutter med ren motorolja, och sätt tillbaka den på drivaxeländen. Använd samma metod som användes vid demonteringen för att förhindra navet från att rotera (se avsnitt 5). Dra åt drivaxelns fästmutter till angivet moment. Kontrollera att navet roterar fritt och haka sedan i låslocket med drivaxelmuttern så att en av dess utskärningar linjeras med drivaxelhålet. Fäst locket på plats med R-klämman Alternativt, dra åt muttern löst i det här stadiet och dra åt den till angivet moment när bilen står på marken igen.

17 Montera tillbaka hjulet, sänk ner bilen och dra åt hjulbultarna till angivet moment. Om du inte redan har gjort det ska drivaxelns fästmutter dras åt till angivet moment. Sätt sedan tillbaka låslocket, linjera dess utskärningar med drivaxelhålet och fäst den på plats med R-klämman.

3 Främre navlager – byte

Observera: *Navlagret är förseglat, förinställt och försmort, med dubbla rullerader, och ska räcka hela bilens livstid utan att behöva service. Dra aldrig åt drivaxelmuttern mer än det angivna momentet för att "justera" lagret.*

Observera: *Det behövs en press för att ta isär och bygga ihop enheten. Om du inte har tillgång till ett sådant verktyg kan du använda ett stort skruvstäd och mellanlägg (t.ex. stora hylsor) istället. Lagrets inre banor är presspassade på navet. Om den inre banan sitter kvar på navet när den trycks ut ur hjulspindeln krävs det en kniveggslageravdragare för att ta bort den. Du måste sätta dit en ny låsring till lagret vid återmonteringen.*

1 Demontera navhållaren enligt beskrivningen i avsnitt 2.

2 Stöd navhållaren på block eller i ett skruvstäd. Använd en rörformig distansbricka som endast ska ligga mot navflänsens inre

3.2 Tryck bort navflänsen från lagret

3.3 Ta bort låsringen från hjulhållarens insida

3.7 Var mycket noga med att inte skada tätningen i lagret (markerad med pil) – den innehåller hjulhastighetsgivarens kodare

ände och tryck ut navflänsen från lagret **(se bild)**. Om den yttre delen av lagrets inre bana sitter kvar på navet, ta bort den med en lageravdragare (se anmärkningen ovan).

3 Ta loss lagrets fästlåsring från den inre änden av hjulspindelenheten **(se bild)**.

4 Vid behov kan du sätta tillbaka den inre banan över kulhållaren och stöd hjulspindelns inre yta. Använd en rörformig distansbricka som endast ska ligga mot den inre banan och tryck ut hela lagerenheten från lagret

5 Rengör navet och navhållaren noga. Torka bort alla spår av smuts och fett, och putsa bort alla gjutgrader eller kanter som kan vara till hinder vid återmonteringen. Leta både efter sprickor och andra tecken på slitage eller skador. Byt dem om det behövs. Byt alltid låsringen, oberoende av dess skick.

6 Vid återmonteringen applicerar du en tunn oljefilm (Peugeot rekommenderar Molykote 321R – finns hos din Peugeot-verkstad) på lagrets yttre bana och navflänsskaftet för att underlätta lagermonteringen.

7 Stöd navhållaren ordentligt och passa in lager i navet. Tryck in lagret rakt i navet med ett rörformigt mellanlägg som bara ligger an mot lagrets yttre bana. Observera att lagret har en magnetisk kodare på dess invändiga yta. När du monterar lagret är det viktigt att denna yta är vänd inåt bredvid ABS-systemets hjulhastighetsgivare **(se bild)**. Var försiktig så att du inte skadar kodaren eller placerar den bredvid en magnetisk källa. Se till att kodarens yta är ren.

8 När lagret sitter som det ska fäster du det på plats med den nya låsringen, se till att ringen placeras rätt i spåret på navhållaren.

Observera: *Linjera avståndet mellan låsringens ändar med öppningen för ABS-systemets hjulhastighetsgivare.*

9 Stöd navflänsens yttre yta ordentligt och passa in den inre banan på hjulspindelns lager över navflänsens ände. Tryck på lagret på navet med ett rörformigt mellanlägg som bara ligger an mot navlagrets inre bana, tills det ligger emot navklacken. Kontrollera att navflänsen kan rotera fritt och torka av överflödig olja eller fett.

10 Montera tillbaka navhållaren enligt beskrivningen i avsnitt 2.

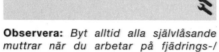

4 Främre fjäderben –
demontering och montering

Observera: *Byt alltid alla självlåsande muttrar när du arbetar på fjädrings-/styrningskomponenter.*

Demontering

1 Klossa bakhjulen och dra åt handbromsen, lossa det högra framhjulets bultar, och lyft sedan upp framvagnen och ställ den på pallbockar (se *Lyftning och stödpunkter*). Demontera det relevanta hjulet.

2 Skruva loss muttern som fäster krängningshämmarens anslutningslänk på fjäderbenet och placera länken så att den inte är i vägen för fjäderbenet. Om det behövs kan du hålla fast kulledstången med en torxbit för att förhindra rotation när muttern lossas **(se bild)**. Kasta muttern, eftersom en ny måste användas vid återmonteringen.

3 Skruva loss bultarna och dra bort navhållaren från fjäderbenets nedre ände, observera att bultarna är fästa från fjäderbenets framsida **(se bild)**. För att förhindra att navhållarenheten ramlar ner när fjäderbenets tas bort ska länkarmen stöttas. Var noga med att inte belasta bromsslangen och kablaget som är fäst på bromsoket och navhållaren.

4 Ta bort båda torkararmar enligt beskrivningen i kapitel 12.

5 Ta bort plastventilpanelen framför vindrutan. Klädseln hålls fast av en plastnit i varje ände. Tryck in mittsprintarna en bit och bänd ur hela nitarna från sin plats Lyft upp panelens ändar för att lossa panelen. Dra den sedan nedåt för att lossa den från vindrutans under kant,

6 Arbeta i ventilpanelens öppning och lossa och ta bort fjäderbenets övre fästmutter. Håll emot fjäderbensstaget med en insexnyckel i stagets ände. Ta bort fjäderbenet genom hjulhusöppningen **(se bild)**.

Varning: *Så snart den övre fästmuttern har tagits bort saknar fjäderbenet stöd.*

Montering

7 Sätt fjäderbensenheten på plats, se till att fjäderbensstagets ände är korrekt placerat i motsvarande håll i innerskärmen. Montera fästets mutter och dra åt den till angivet moment.

8 Haka i fjäderbenets nedre ände med navhållaren, sätt in bultarna framifrån och dra åt dem till angivet moment.

9 Sätt tillbaka ventilpanelens plastpanel och torkararmarna.

10 Återanslut krängningshämmares

4.2 Använd en torxbit för att förhindra rotation när krängningshämmarlänkens mutter lossas

4.3 Observera att bultarna mellan fjäderben och hjulspindel sätts in från bilens framsida

4.6 Använd en insexnyckel på stagets ände för att hålla emot när du lossar benets mutter

5.1 Montera kompressorerna på fjädrarna

5.2 Lossa den övre muttern samtidigt som du håller fast staget med en insexnyckel

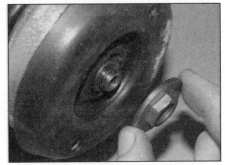

5.3a Ta bort muttern . . .

anslutningslänk till fjäderbenet. Glöm inte kablagets stödfäste. Dra åt muttern till angivet moment.

11 Montera tillbaka hjulet, sänk ner bilen och dra åt hjulbultarna till angivet moment.

5 Främre fjäderben – renovering

> ⚠ *Varning: Innan det främre fjäderbenet kan demonteras måste ett passande verktyg för komprimering av spiralfjädern anskaffas. Justerbara spiralfjäderkompressorer finns att köpa och rekommenderas för detta arbete. Alla försök att ta isär fjäderbenet utan ett sådant verktyg innebär stora risker för materiella skador och/eller personskador.*
> **Observera:** *Byt alltid alla självlåsande*

muttrar när du arbetar på fjädrings-/ styrningskomponenter.

1 När fjäderbenet är borttaget (enligt beskrivningen i avsnitt 4) tar du bort all utvändig smuts och placerar det stående i ett skruvstäd. Passa in fjäderkompressorn och tryck ner spiralfjädern tills spänningen försvinner från fjädersätena **(se bild)**.

2 Skruva loss den övre fjädersätesmuttern samtidigt som du håller i stötdämparkolven med en lämplig insexnyckel **(se bild)**.

3 Ta bort muttern och lyft sedan bort trycklagret följt av fjädersätet **(se bild)**.

4 Lyft bort spiralfjädern och ta bort kåpan, dammdamasken och gummistoppklacken från stötdämparkolven **(se bild)**.

5 Undersök stötdämparen efter tecken på oljeläckage. Undersök kolven efter tecken på punktkorrosion efter hela dess längd och kontrollera stötdämparhuset efter tecken på skador. Kontrollera stötdämparens funktion genom att hålla den upprätt och först röra

kolven ett fullt slag, och sedan flera korta slag på 50 till 100 mm. I bägge fallen ska motståndet vara jämnt och kontinuerligt. Om resistansen är hoppig eller ojämn, eller om det finns synliga tecken på att stötdämparen är sliten eller skadad, måste den bytas ut.

6 Undersök övriga komponenter efter tecken på skador eller åldrande och byt ut alla misstänkta komponenter.

7 Skjut på gummistoppklacken på kolven. Sätt dit dammdamasken och kåpan, se till att damasken nedre ände passas in rätt över stötdämparänden.

8 Sätt tillbaka spiralfjädern, se till att dess nedre ände är korrekt placerad mot fjädersätets stopp. Montera det övre fjädersätet, linjera dess stopp med fjäderänden, och sedan trycklagret **(se bild)**.

9 Sätt dit den nya muttern. Håll fast stötdämparkolven och dra åt den övre fjädersätesmuttern till angivet moment.

5.3b . . . trycklagret . . .

5.3c . . . fjädersätet . . .

5.4a . . . följt av kåpan . . .

5.4b . . . dammkåpan . . .

5.4c . . . och stoppklacken

5.8 Se till att fjäderns nedre ände passas in korrekt mot fjädersätets stopp

6 Framfjädringens nedre arm – demontering, renovering och montering

Observera: *Byt alltid alla självlåsande muttrar när du arbetar på fjädrings-/styrningskomponenter.*

Demontering

1 Demontera relevant drivaxel enligt beskrivningen i kapitel 8.
2 Skruva loss muttern, lossa sedan den nedre kulledstången från länkarmen, använd vid behov en universell kulledsavdragare. Kasta muttern och lyft bort skyddsplattan (om den är lös). Använd en torxbit i änden av kulledstången för att hålla emot muttern
3 Skruva loss länkarmens främre styrbult och mutter **(se bild)**.
4 Skruva loss den bakre styrbult och mutter **(se bild)**.
5 Ta bort länkarmsenheten från bilens undersida.

Renovering

6 Rengör länkarmen och området runt armfästena ordentligt, ta bort alla spår smuts och underredsbehandling om det behövs. Leta sedan noga efter sprickor, förvridningar och andra tecken på slitage eller skador, var särskilt noga med styrbussningarna och byt komponenter vid behov.
7 Byte av den främre styrbussningen och den bakre fästbygeln kräver att man använder en hydraulisk press, en lageravdragare och flera mellanlägg, och ska därför överlåtas till en Peugeot-verkstad eller specialist med tillgång till den utrustning som behövs.

7.2 Lossa klämmorna och ta bort kulledens skyddsplatta

7.3 Använd en mejsel eller en körnare för att få loss kulleden

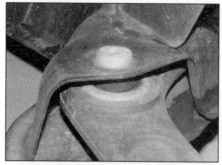

6.3 Skruva loss länkarmens främre styrbult . . .

Montering

8 Sätt länkarmsenheten på plats och sätt tillbaka den främre styrbulten och muttern, dra endast åt dem för hand.
9 Montera tillbaka den bakre styrbult och mutter, och dra åt till angivet moment.
10 Montera tillbaka skyddsplattan (om den har tagits bort) på den nedre kulleden. Passa sedan in kulledstången i länkarmen. Montera en ny fästmutter och dra åt den till angivet moment.
11 Montera drivaxeln (se kapitel 8).
12 Montera tillbaka hjulet, sänk ner bilen och dra åt hjulbultarna till angivet moment. Vicka på bilen för att de berörda komponenterna ska hamna på plats. Dra sedan åt länkarmens främre styrbult till angivet moment.
13 Kontrollera och, om det behövs, justera framhjulsinställningen enligt beskrivningen i avsnitt 26.

7 Framfjädringens nedre kulled – demontering och montering

Demontering

1 Demontera navhållaren enligt beskrivningen i avsnitt 2.
2 Ta bort skyddsplattan från kulleden och fäst enheten ordentligt i ett skruvstäd **(se bild)**.
3 Använd en hammar och en spetsig mejsel för att knacka loss kulleden **(se bild)**.
4 Sätt dit en djup hylsa på kulleden. Skruva sedan loss den och ta bort den från navhållaren.

8.2 Använd en torxbit för att hålla emot den nedre krängningshämmarlänk mutter

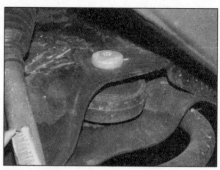

6.4 . . . och bakre styrbult

Montering

5 Skruva fast kulleden i hjulspindelenheten. Sätt dit specialverktyget, var försiktig så att du inte skadar kulledsdamasken, och dra åt kulleden till angivet moment. Sätt kulleden på plats genom att driva in den i ett av hjulspindelns spår med hjälp av en hammare och en körnare.
6 Montera den nya skyddsplattan på kulleden och fäst den på plats genom att knacka in den i ett av kulledens spår.
7 Montera tillbaka navhållaren (se avsnitt 2).

8 Framfjädringens krängningshämmare – demontering och montering

Observera: *Byt alltid alla självlåsande muttrar när du arbetar på fjädrings-/styrningskomponenter.*

Demontering

1 Klossa bakhjulen och dra åt handbromsen, lossa det högra framhjulets bultar, och lyft sedan upp framvagnen och ställ den på pallbockar (se *Lyftning och stödpunkter*). Demontera båda framhjulen.
2 Skruva loss muttrarna som fäster vänster och höger anslutningslänkar på krängningshämmaren och lägg länkarna så att de inte är i vägen för armen. Om det behövs kan du hålla fast kulledstången med en torxbit för att förhindra rotation när muttern lossas **(se bild)**. Kasta muttrarna, eftersom nya måste användas vid återmonteringen.
3 Lossa fästbultarna och muttrarna till krängningshämmarens båda fästklämmor

8.3 Skruva loss krängningshämmarens klämbultar (höger sida markerad med pil)

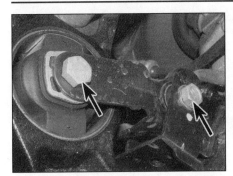

10.3 Skruva loss bultarna (markerad med pil) som håller fast motorns/växellådans bakre länkstag

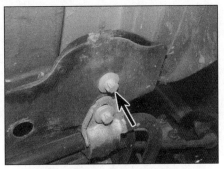

10.9a Skruva loss den främre kryssrambalkens bakre fästbultar (markerade med pil) . . .

10.9b . . . och främre fästbultar (markerade med pil)

och ta bort de båda fästklämmorna från kryssrambalkens ovansida **(se bild)**.

4 Ta bort krängningshämmaren från bilens undersida och ta bort fästhylsorna från staget.

5 Undersök krängningshämmarens delar noggrant efter tecken på slitage, skada eller åldrande. Var särskilt noga med fästbussningarna. Byt ut slitna komponenter.

Montering

6 Montera gummifästbussningarna på krängningshämmaren. Placera bussningarna så att deras plana yta längst ner och dess invändiga plana ytor hakar i de plana ytorna på krängningshämmaren. bussningens öppning ska vara vänd bakåt.

7 Håll upp krängningshämmaren och passa in den på plats i kryssrambalken. Montera tillbaka fästklämmorna, se till att deras ändar är rätt placerade i krokarna på kryssrambalken och sätt tillbaka fästbultarna och muttrarna. Haka i anslutningslänkarna med stagändarna. Dra sedan åt fästklämmans fästbultar till angivet moment.

8 Montera nya fästmuttrar till sidolänkarna och dra åt dem till angivet moment.

9 Montera tillbaka hjulen. Sänk sedan ner bilen och dra åt hjulbultarna till angivet moment.

9 Framfjädringens krängningshämmares anslutningslänk – demontering och montering

Observera: *Vid återmonteringen krävs nya muttrar till anslutningslänkarna.*

Demontering

1 Klossa bakhjulen och dra åt handbromsen, lossa det högra framhjulets bultar, och lyft sedan upp framvagnen och ställ den på pallbockar (se *Lyftning och stödpunkter*). Demontera det relevanta hjulet.

2 Skruva loss muttrarna som fäster anslutningslänken på krängningshämmaren och fjäderbenet, och ta bort länken från bilen. om det behövs kan du hålla fast kulledstångerna med en torxbit för att förhindra rotation när muttrarna lossas **(se bild 4.2)**.

3 Undersök länken och leta efter tecken på slitage eller skada. Byt ut det om det behövs.

Montering

4 Monteringen utförs i omvänd ordningsföljd mot demonteringen, använd nya muttrar och dra åt dem till angivet moment.

10 Främre fjädringens kryssrambalk – demontering och montering

Observera: *Byt alltid alla självlåsande muttrar när du arbetar på fjädrings-/styrningskomponenter.*

Demontering

1 Klossa bakhjulen och dra åt handbromsen, lossa det högra framhjulets bultar, och lyft sedan upp framvagnen och ställ den på pallbockar (se *Lyftning och stödpunkter*). Demontera båda framhjulen.

2 Ta bort krängningshämmaren enligt beskrivningen i avsnitt 8.

3 Skruva loss motorns/växellådans bakre nedre fästbult och mutter. Skruva sedan loss muttern och bulten som fäster länkstaget på kryssrambalken och ta bort länken **(se bild)**.

4 Skruva loss vänster nedre kulledsmutter och lossa kulledstången från länkarmen. Använd vid behov en universell kulledsavdragare Kasta muttern. Upprepa proceduren på höger sida.

5 Skruva loss kuggstångens fästmuttrar och brickor. Kasta muttrarna och använd nya vid återmonteringen.

6 Lossa värmeskyddet från kuggstången. Skruva sedan loss bulten som fäster servostyrningens rörfästbygel på kryssrambalken.

7 Kontrollera en sista gång att alla kablar/slangar som är anslutna till kryssrambalken har lossats och flyttats åt sidan så att de inte är i vägen vid demonteringen.

8 Ställ en domkraft och ett passande träblock som stöd under kryssrambalken.

9 Skruva loss kryssrambalkens fästbultar. Sänk sedan försiktigt ner kryssrambalksenheten och ta bort den från bilens undersida. Var mycket försiktig så att kryssrambalksenheten inte hakar i servostyrningsrören när den sänks

ner. Ta loss brickorna mellan kuggstången och kryssrambalken **(se bilder)**.

Montering

10 Montera i omvänd ordningsföljd mot demonteringen. Tänk på följande:

a) *Använd nya muttrar till anslutningslänken och den nedre kulleden, och nya kuggstångsmuttrar.*

b) *Dra åt alla muttrar och bultar till angivet moment (om det är tillämpligt).*

c) *Avsluta med att kontrollera och, om det behövs, justera framhjulsinställningen enligt beskrivningen i avsnitt 26.*

11 Bakre nav – demontering och montering

Observera: *Ta inte bort navenheten om det inte är absolut nödvändigt. Du behöver en avdragare för att ta bort navenheten från axeltappen. Navlagret kommer med största sannolikhet att skadas vid borttagningen, vilket gör att hela navenheten måste bytas. Du måste använda en ny navmutter och centrumkåpa vid återmonteringen.*

Demontering

1 Demontera den bakre bromsskivan enligt beskrivningen i kapitel 9.

2 Bänd ut kåpan från navets mitt och kasta bort den. En ny en måste användas vid återmonteringen **(se bild)**.

3 Använd en hammare och körnare för att

11.2 Bänd loss kapseln från navet

11.3 Lossa fästmuttern

11.5 Använd en avdragare för att ta bort navet

11.10a Kila fast den nya muttern . . .

knacka upp navets fästmutter till spåret i axeltappen **(se bild)**.

4 Använd en hylsa och ett långt stag för att skruva lossa den bakre navmuttern och kasta den, en ny navmutter behövs vid monteringen.

5 Använd en avdragare och ta bort navenheten från axeltappen, tillsammans med den yttre lagerbanan **(se bild)**. Om det behövs kan du med navet borttaget använda avdragaren för att ta bort den inre lagerbanan från axeltappen.

6 Kontrollera att navlagren inte visar tecken på ojämnheter. Vi rekommenderar att navlagret alltid ska bytas eftersom det med största sannolikhet har skadats vid demonteringen. Detta innebär att hela navenheten måste bytas eftersom man inte kan köpa lagret separat.

7 När navet är borttaget undersöker du axeltappens skaft och letar efter tecken på slitage eller skador. Byt det vid behov (se avsnitt 15).

Montering

8 Se till att lagret är fyllt med fett och smörj in axeltappens skaft med ren motorolja.

9 Montera den nya lagerenheten, knacka in den helt på axeltappen med en hammare och en rörformig dorn som endast ska ligga an mot den inre lagerbanans plana inre kant.

10 Montera en ny navmutter och dra åt den till angivet moment. Se till att muttern hamnar ända längst in i spåret på axeltappen, knacka sedan den nya navkapseln på plats mitt i navet **(se bild)**.

11 Montera tillbaka den bakre bromsskivan enligt beskrivningen i kapitel 9.

12 Bakre navlager – byte

Navlagret ingår i navenheten och kan inte köpas separat. Om lagret är slitet ska hela navenheten bytas enligt beskrivningen i avsnitt 11.

13 Bakfjädringens stötdämpare – demontering, kontroll och montering 🔧

Observera: *Byt alltid alla självlåsande muttrar när du arbetar på fjädrings-/styrningskomponenter.*

Demontering

1 Lossa bakhjulbultarna, klossa sedan framhjulen, lyft upp bakre delen av bilen och stötta den på pallbockar (se *Lyftning och stödpunkter*). Lyft av det relevanta bakhjulet.

2 Använd en garagedomkraft under fjädersätet, lyft upp länkarmen tills bakfjädringens spiralfjäder är lite ihoptryckt.

3 Arbeta i hjulhuset och lossa stötdämparnas övre fästbultar **(se bild)**.

4 Skruva loss den nedre fästbulten och muttern och flytta sedan bort stötdämparen **(se bild)**.

Kontroll

5 Undersök stötdämparen efter tecken på oljeläckage eller skador. Kontrollera stötdämparens funktion genom att hålla den upprätt och först röra kolven ett fullt slag, och sedan flera korta slag på 50 till 100 mm. I bägge fallen ska motståndet vara jämnt och kontinuerligt. Om motståndet är hoppigt eller ojämnt, eller om det finns synliga tecken på slitage eller skada, måste stötdämparen bytas ut. Kontrollera också om gummifästena är skadade eller slitna. Byt ut slitna komponenter. Undersök fästbulten och leta efter tecken på slitage och skador, byt vid behov. De självlåsande muttrarna ska alltid bytas.

Montering

6 Innan du monterar tillbaka stötdämparen ska den placeras stående i skruvstädet. Där ska den luftas genom att den rörs upp och ner till ändlägena flera gånger. Stryk på ett lager flerfunktionsfett på den nedre fästbulten och kontaktytan på den nya muttern (Peugeot rekommenderar Molykote G Rapide Plus – finns hos din Peugeot-verkstad).

7 Sträck ut kolven helt och sätt enheten på plats. Montera tillbaka de övre fästbultar och dra åt till angivet moment.

8 Linjera stötdämparens nedre fäste med länkarmen och montera tillbaka fästbulten. Montera en nya mutter och dra åt den för hand.

9 Montera tillbaka bakhjulet, sänk ner bilen och dra åt hjulbultarna till angivet moment. Vicka på bilen för att stötdämparen ska hamna på plats. Dra sedan åt stötdämparens nedre fäste till angivet moment.

11.10b . . . sätt sedan dit en ny navkapsel med hjälp av en stor hylsa

13.3 Skruva loss stötdämparens båda övre fästbultar

13.4 Ta bort stötdämparens nedre fästbult (markerade med pil)

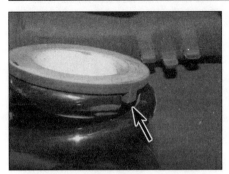

14.9 Se till att spiralfjädrarnas ändar linjers korrekt med sätena (markerade med pil)

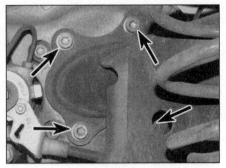

15.5 Skruva loss de fyra bultar (markerade med pil) som håller fast axeltappen vid den nedre armen

16.3 Skruva loss muttern där metallbromsröret ansluter till det böjliga röret

14 Bakre fjädringens spiralfjäder – demontering och montering

Observera: Byt alltid alla självlåsande muttrar när du arbetar på fjädrings-/ styrningskomponenter.

Demontering

1 Lossa bakhjulbultarna, klossa sedan framhjulen, lyft upp bakre delen av bilen och stötta den på pallbockar (se *Lyftning och stödpunkter*). Demontera bakhjulen.
2 Passa in en garagedomkraft under en av länkarmens fjädersäten och lyft upp armen tills bakfjädringens spiralfjäder på den sidan trycks ihop lite.
3 Skruva loss stötdämparens nedre fästbult/ mutter och ta bort den. Kasta muttern; du måste sätta dit nya vid monteringen.
4 Sänk långsamt ner domkraften så långt som länkarmen tillåter. Passa sedan in domkraften under länkarmens fjädersäte på den andra sidan, och lyft upp armen tills spiralfjädern på den sidan trycks ihop lite.
5 Skruva loss stötdämparens nedre fästbult. Kasta muttern, eftersom en ny en måste användas.
6 Sänk ner domkraften tills all spänning i fjädrarna har släppt. Ta sedan bort fjädrarna.
7 Undersök spiralfjädern och dess säten, leta efter tecken på slitage och skador, byt vid behov.

Montering

8 Sätt dit det nedre fjädersätet på länkarmen och passa in det övre sätet ovanpå spiralfjädern. Smörj in stötdämparens skaft och länkarmens bultar samt de nya muttrarnas fogytor med flerfunktionsfett (Peugeot rekommenderar Molykote G Rapide Plus – finns hos din Peugeot-verkstad).
9 Passa in fjädrarna på plats och höj försiktigt en länkarm med domkraften, se till att spiralfjäderändarna är korrekt linjerade med båda sätena, och pekar mot bilens främre del **(se bild)**.
10 Linjera stötdämpare med den nedre arm

och montera tillbaka fästbulten. Montera en ny mutter och dra åt den för hand.
11 Ta bort domkraften under länkarmen och passa in den under länkarmens fjädersäte på den kvarvarande sidan.
12 Lyft upp domkraften och linjera stötdämparens nedre fäste med armen. Sätt in bulten och montera en ny mutter, dra endast åt den lätt i detta skede.
13 Montera tillbaka bakhjulet, sänk ner bilen och dra åt hjulbultarna till angivet moment. Vicka på bilen för att länkarmen ska hamna på plats. Dra sedan åt stötdämparens nedre fästbultar/muttrar till angivet moment.

15 Bakfjädring axeltapp – demontering och montering

Observera: Byt alltid alla självlåsande muttrar när du arbetar på fjädrings-/ styrningskomponenter.

Demontering

1 Lossa bakhjulbultarna, klossa sedan framhjulen, lyft upp bakre delen av bilen och stötta den på pallbockar (se *Lyftning och stödpunkter*). Demontera det relevanta hjulet.
2 Skruva loss hjulgivaren och lägg den ur vägen för axeltappen (se kapitel 9). Observera att du inte behöver lossa kablaget.
3 Demontera navenheten enligt beskrivningen i avsnitt 11. **Observera:** *Om axeltappen ska bytas måste du inte ta bort navenheten eftersom detta förstört lagret, vilket gör att byte krävs.*
4 Skruva loss bakbromsokfästens fästbultar, och För bromsoket och fästen från skivan. Man behöver inte koppla loss handbromsvajern eller bromsokslangen på det här stadiet.
5 Skruva loss de fyra bultarna som fäster axeltappen på länkarmen och ta bort den tillsammans med skivans fästplatta **(se bild)**.
6 Undersök axeltappen efter tecken på slitage och skador. Om axeltappens skaft är sliten eller skadad måste hela enheten bytas.

Montering

7 Ta fram de nya muttrar som krävs och smörj

in styrbultarnas skaft och de nya muttrarnas fogytor med flerfunktionsfett (Peugeot rekommenderar Molykote G Rapide Plus – finns hos din Peugeot-verkstad).
8 Passa in axeltappen och fästplattan, sätt in bultarna och dra åt dem till angivet moment.
9 Montera navenheten enligt beskrivningen i avsnitt 11.
10 Montera tillbaka skivan på navet och dra åt dess båda fästskruvar.
11 Skjut bromsoks- och fästbygelsenheten över skivans kant och dra åt fästbygelsbultarna till angivet moment.
12 Montera tillbaka hjulsensorn till axeltappen (se kapitel 9).
13 Montera tillbaka bakhjulet, sänk ner bilen och dra åt hjulbultarna till angivet moment.

16 Bakaxelbalken – demontering, renovering och montering

Observera: Byt alltid alla självlåsande muttrar när du arbetar på fjädrings-/ styrningskomponenter.

Demontering

1 Ta bort spiralfjädern enligt beskrivningen i avsnitt 14.
2 Följ ABS-hjulhastighetsgivarens kablage tillbaka till dess kontaktdon och koppla ifrån det. Lossa givarens kablage från eventuella fästklämmor på axeln.
3 Fäst bromsslangen och lossa slanganslutningen där den flexibla slangen ansluter till den styva slangen **(se bild)**. Plugga slangens/rörets ändar för att hindra att det kommer in smuts. Upprepa det här momentet på andra sidan.
4 Lossa handbromsvajrarna från fästklämmorna längs med axeln. Lossa sedan vajerändarna från bromsoksarmarna och stödfästena (se kapitel 9). Upprepa det här momentet på andra sidan.
5 Gör inställningsmarkeringar mellan axelns fästbyglar och karossen för att underlätta monteringen. Skruva loss de fyra bultarna som håller fast fästbygeln på karossen och

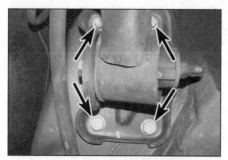

16.5 Skruva loss de fyra bultarna (markerade med pil) på var sida som fäster axelbyglarna på karossen

17.1 Lyft bort spärrfliken för att koppla ifrån rattens nedre kontaktdon

17.3 Skruva loss rattens fästbult

sänk ner axeln till golvet **(se bild)**. Om axeln ska bytas tar du bort bromsoket och skivan (kapitel 9) samt axeltappen (avsnitt 15).

Renovering

6 Rengör axeln och området runt axelfästena ordentligt. Ta bort alla spår av smuts och underredsbehandling om dessa förekommer. Leta sedan noga efter sprickor, förvridningar och andra tecken på slitage och skador, var särskilt uppmärksam på styrbussningarna.
7 Vid byte av styrbussningarna behövs en hydraulisk press och flera mellanlägg, och ska därför överlåtas till en Peugeot-verkstad eller specialist med tillgång till den utrustning som behövs.

Montering

8 Smörj in skaften på axelns fästbygelbultar med flerfunktionsfett (Peugeot rekommenderar Molykote G Rapide Plus – finns hos din Peugeot-verkstad).
9 Passa in axeln och fästbyglarna, linjera de markeringar som gjordes tidigare och sätt in fästbultarna. Dra åt dem till angivet moment.
10 Sätt tillbaka handbromsvajrarna i deras fästklämmor på axeln och återanslut vajerändarna på bromsoksspakarna (se kapitel 9).
11 Återanslut de flexibla bakre bromsslangarna, dra åt slang-/röranslutningarna ordentligt. Ta bort slangklämmorna.
12 Montera tillbaka spiralfjädern enligt beskrivningen i avsnitt 14. Avsluta med att lufta bromsarna enligt beskrivningen i kapitel 9.

17 Ratt –
demontering och montering

Observera: *Alla modeller har krockkudde på förarsidan.*

⚠️ **Varning:Seföreskrifternaikapitel12 innan du fortsätter.**

Demontering

1 Demontera krockkudden enligt beskrivningen i kapitel 12. Koppla loss den nedre anslutningskontakten **(se bild)**.

2 Ställ framhjulen rakt fram och aktivera rattlåset.
3 Lossa och ta bort rattens fästbult. Märk sedan ut rattens och rattstångens placeringar i förhållande till varandra **(se bild)**.
4 Lyft bort ratten från stångräfflorna, mata krockkuddens kablage genom öppningen i ratten när den tas bort.

HAYNES TiPS *Om ratten sitter hårt knackar du upp den nära mitten med hjälp av handflatan, eller vrid den från sida till sida samtidigt som du försiktigt drar den uppåt för att lossa den från skafträfflorna.*

Montering

5 Kontrollera att framhjulen fortfarande pekar rakt fram innan du sätter tillbaka ratten.
6 Monteringen sker i omvänd ordningsföljd mot demonteringen. Tänk på följande:
 a) Innan återmonteringen ser du till att körriktningsvisarens arm står i mittläget. Om inte, kan tappen på ratten bryta av brytarfliken när ratten monteras tillbaka.
 b) Vid återmonteringen linjerar du markeringarna som gjordes vid demonteringen, var mycket försiktig så att du inte skadar krockkuddens kablage. Dra sedan åt fästbulten till angivet moment.
 c) Avsluta med att montera krockkudden enligt beskrivningen i kapitel 12.

18 Rattstång –
demontering, kontroll och montering

Observera: *Eftersom alla modeller har en krockkudde på förarsidan, se föreskrifterna i kapitel 12 innan du fortsätter.*
Observera: *Du behöver en ny klämbultsmutter vid återmonteringen.*

Demontering

1 Demontera ratten enligt beskrivning i avsnitt 17.
2 Skjut tillbaka förarsätet så långt det går.
3 Arbeta i förarsidans golvutrymme och gör inställningsmarkeringar mellan universalleden och kuggstångens drev. Lossa fästklämman och ta sedan bort klämbulten/muttern från leden längst ner på rattstången **(se bild)**.
4 Ta bort kombinationsbrytarna ovanpå rattstången enligt beskrivningen i kapitel 12.
5 Lossa fästklämmorna och ta bort den nedre instrumentbrädan ovanför förarsidans pedaler.
6 Följ kablaget bakåt från tändningsbrytaren och koppla ifrån det vid kontaktdonen.
7 Om det behövs skruvar du loss fästbulten och lossar kablagets fästbygel från rattstången. Notera var kablaget är monterat och lossa det sedan från fästklämmorna och placera det så att det inte är i vägen när rattstången ska tas bort.
8 Om det behövs skruvar du loss fästbulten och lossar kablagets fästbygel från rattstången **(se bild)**. Skjut stångenheten uppåt, bort

18.3 Lossa fästklämman (markerad med pil) och ta bort klämbulten/muttern

18.8 Skruva loss rattstångens fästbultar (markerade med pil)

19.3 Skruva loss den nedre kåpans fästskruvar (markerade med pil)

19.6 Lyft upp transponderringens klämmor (övre markerade med pil) och skjut ut den från tändningslåset

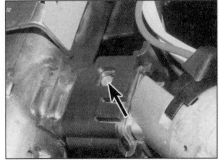

19.9 Tryck ner stiftet (markerad med pil) och skjut bort låset från rattstången

från kuggstångens drev, och ta bort den från bilen.

Kontroll

9 Innan rattstången monteras tillbaka, undersök stången och fästena och leta efter tecken på skada och deformering. Byt ut komponenter om det behövs. Undersök om styrstången har spel i rattstångsbussningarna. Kontrollera också om kardanknutarna visar tecken på skador eller kärvning i ledlagren. Om skador eller slitage upptäcks på rattstångens universalkoppling eller bussningar måste hela stången bytas.

Montering

10 Linjera markeringarna som gjordes vid demonteringen och haka i stångens universalled med kuggstångens drev.
11 Skjut stångenheten på plats, se till att dess fästbygel hakar i instrumentbrädan ordentligt. Montera tillbaka rattstångens fästbultar och dra åt dem till angivet moment.
12 Sätt tillbaka universalledens klämbult och mutter, dra åt dem till angivet moment och sätt sedan dit fästklämman.
13 Ytterligare återmontering utförs i omvänd ordningsföljd, observera följande.
 a) Se till att allt kablage är korrekt draget och hålls fast av de klämmor och buntband som behövs.
 b) Montera tillbaka ratten enligt beskrivningen i avsnitt 17.

19 Tändningsbrytare/ låscylinder/rattlås – demontering och montering

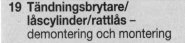

Tändningslås/rattlås

Demontering

1 Koppla loss batteriet (se kapitel 5A).
2 Lossa och ta bort instrumentbrädan under rattstången (se kapitel 11, avsnitt 27).
3 Skruva loss fästskruvarna som håller fast rattstångens undre kåpa. Lyft sedan upp den

övre kåpans bakre kant och lossa den från de båda fästklämmorna i framkanten **(se bild)**.
4 Lossa tändningsbrytarens kablage från fästklämman på rattstångens undersida.
5 Använd en körnare för att markera mitten på låshusets fästskruv och ta sedan bort skruven med hjälp av en borr och en avdragare. Du kommer naturligtvis att behöva en ny skruv.
6 Lyft upp de båda fästklämmorna och dra försiktigt bort startspärrsenhetens transponder för att lossa den från tändningsbrytarens hus **(se bild)**. Transpondern kan sedan läggas åt sidan med kablaget anslutet. Var försiktig så att du inte skadar transponderenheten.
7 Notera kablagets dragning och följ det sedan tillbaka från tändningsbrytaren och koppla loss dess kontaktdon från huvudkablaget.
8 Sätt in nyckeln i rattlåset och vrid det till det första läget.
9 Använd en liten skruvmejsel för att trycka ner styrstiftet och skjut bort enheten från rattstångshuset **(se bild)**.
10 Ta bort tändningsbrytaren tillsammans med kablagekontakterna från rattstången.

Montering

11 Montering sker i omvänd ordningsföljd, men observera följande:
 a) Se till att allt kablage är korrekt draget och ordentligt fäst på sin ursprungsplats.
 b) Sätt tillbaka rattlåshuset med en ny skruv, dra åt den tills den skjuvar.

Låscylinder

12 Observera att låscylindern i skrivande

stund inte fanns att få tag i lös utan tändningslåsenheten.

20 Kuggstång – demontering, renovering och montering

Observera: *Byt alltid alla självlåsande muttrar när du arbetar på fjädrings-/ styrningskomponenter.*

Demontering

1 Dra åt handbromsen, lossa framhjulets bultar, och lyft sedan upp framvagnen och ställ den på pallbockar (se *Lyftning och stödpunkter*). Demontera båda framhjulen.
2 Skruva loss muttrarna som fäster kuggstångens styrstagskulleder på hjulspindlarna. Lossa kulledens koniska skaft med hjälp av en universell kulledsavdragare. Kasta muttrarna, eftersom nya måste användas vid återmonteringen.
3 Ta bort plastkåpan från motorrummets främre högra hörn och skruva loss locket från behållaren för servostyrningsvätska.
4 Arbeta under bilen och ta bort stångens fästmuttrar och pinnbultar. Ta loss brickorna mellan stången och kryssrambalken, notera var de är placerade **(se bild)**. Kasta stångens pinnbultar och muttrar, du behöver nya.
5 Skruva loss bulten som fäster kuggstångens rörfästbyglar på kryssrambalkens framsida **(se bild)**.

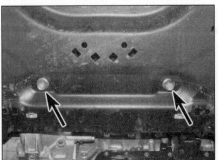

20.4 Kuggstång fästmuttrar (markerade med pil)

20.5 Kuggstångsrörens fästbygel (markerad med pil)

20.8 Skruva loss vätskerörsanslutningarna

21.3 Kuggstångens damaskventilrör och inre klämma (markerad med pil)

21.4 Kuggstångens damask, yttre fästklämma (markerad med pil)

6 Placera en garagedomkraft under kryssrambalkens mitt. Ta bort de fyra fästbultar **(se bilder 10.9a och 10.9b). Observera:** *Lossa avgassystemets gummifästen från kryssrambalken.*

7 Skruva loss bulten och lossa motorns bakre fästlänk från fästbygeln på baksidan av motorblocket. Sänk ner kryssrambalk ungefär 60 mm **(se bild 10.3).**

8 Rengör området runt kuggstångsdrevets hus. Skruva sedan loss muttrarna som fäster vätskerören på kuggstångsdrevets hus, lossa rören från fästklämman och töm ut vätskan i en behållare **(se bild).** Vrid ratten från ändläge till ändläge för att underlätta tömningen. Kom ihåg att centrera om ratten efteråt. Kasta rörens O-ringtätningarna, nya tätningar måste användas vid återmonteringen. Plugga rörens ändar för att hindra att det kommer in smuts.

9 Arbeta i förarsidans golvutrymme och gör inställningsmarkeringar mellan rattstångens kardanknut och kuggstångens drev med färg eller märkpenna. Ta sedan bort universalledens klämbult och lossa fästklämman **(se bild 18.3).**

10 Stanna kvar i förarsidans golvutrymme och skruva loss de båda fästmuttrarna och ta bort tätningen runt kuggstångens drev.

11 Lossa kuggstångens drev från stångens universalled och ta bort det genom förarsidans hjulhusöppning.

Renovering

12 Undersök styrväxeln efter tecken på slitage eller skada, och kontrollera att kuggstången kan röra sig fritt i hela sin längd, utan tecken på grovhet eller för stort fritt spel mellan styrväxeldrevet och kuggstången. Undersök kuggstångens alla vätskeanslutningar och leta efter tecken på läckage. Kontrollera att alla anslutningsmuttrar är ordentligt åtdragna.

13 Det är möjligt att renovera kuggstångsenhetens husdelar, men detta ska utföras av en Peugeot-verkstad eller specialist. De enda delar som enkelt kan bytas av en hemmamekaniker är kuggstångsdamaskerna, styrstagets kulleder och styrstagen vilket beskrivs på annat ställe i detta kapitel.

Montering

14 Flytta kuggstången till rätt läge och haka i den med stångens universalled, linjera markeringarna som gjordes före demonteringen.

15 Skjut brickorna på plats mellan kryssrambalken och kuggstången. Sätt i de nya pinnbultarna och dra åt muttrarna till angivet moment.

16 Resten av återmonteringen sker i omvänd ordning mot demonteringen. Tänk på följande:

a) *Fyll på vätskebehållaren och lufta hydraulsystemet enligt beskrivningen i avsnitt 22.*

b) *Avsluta med att kontrollera och, om det behövs, justera framhjulsinställningen enligt beskrivningen i avsnitt 26.*

21 Kuggstångens gummidamasker – byte

1 Demontera styrstagets kulled enligt beskrivningen i avsnitt 24.

2 Om du ska byta vänster damask, ta bort batteriet och batterilådan enligt beskrivningen i kapitel 5A.

3 Koppla loss ventilröret från damasken **(se bild).**

4 Märk ut damaskens position på styrstaget, och lossa sedan fasthållningsklämmorna och dra loss damasken från kuggstångshuset och styrstagsänden **(se bild).**

5 Rengör styrstaget och kuggstångshuset ordentligt med finkornigt slippapper för att polera bort korrosion, grader och vassa kanter som kan skada den nya damaskens tätningsläppar vid monteringen. Skrapa bort allt fett från den gamla damasken och applicera det på styrstagets inre kulled. (Under

23.2 Lossa vätskerören (markerade med pil) från pumpen

förutsättning att fettet inte har förorenats som ett resultat av skada på den gamla damasken. Använd nytt fett om du är tveksam.)

6 Dra försiktigt på den nya damasken på styrstaget och sätt på den på styrinrättningshuset. Linjera damaskens yttre kant med markeringen som gjordes på styrstaget före demonteringen. Fäst den sedan på plats med nya fästklämmor (i förekommande fall).

7 Återanslut ventilröret på damasken.

8 Om tillämpligt, montera tillbaka batterilådan och batteriet enligt beskrivningen i kapitel 5A.

9 Montera tillbaka styrstagets kulled enligt beskrivningen i avsnitt 24.

22 Servostyrningssystem – luftning

1 Detta moment behöver endast utföras om något av hydraulsystemen har kopplats loss.

2 Se *Veckokontroller* och ta bort vätskebehållarens påfyllningslock och fyll på med ny vätska av angiven typ till den övre markeringen.

3 Starta motorn och låt den gå på tomgång i 3 minuter utan att röra ratten. Kontrollera vätskenivån flera gånger under denna operation, och fyll på mer om det behövs.

4 Flytta sakta ratten från ändläge till ändläge flera gånger för att lufta systemet. Fyll sedan på vätskebehållaren. Upprepa proceduren tills oljenivån i behållaren inte sjunker mer.

5 Stäng av motorn och låt systemet svalna. När det är kallt kontrollerar du att vätskenivån är vid den övre markeringen på behållaren för servostyrningsvätska och fyller på vid behov.

23 Servostyrningspump – demontering och montering

Demontering

1 Ta bort vindrutans spolarvätskebehållare från höger hjulhus fram enligt beskrivningen i kapitel 12.

2 Lossa fästklämmorna och koppla ifrån vätskerören från servostyrningspumpen **(se bild).** Var beredd på vätskespill och plugga

23.4 Skruva loss pumpens övre och nedre fästbultar/muttrar

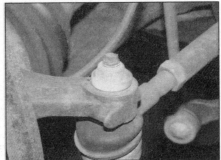

24.4a Skruva loss kulledmuttern . . .

24.4b . . . använd sedan en kulledsavdragare för att lossa det koniska skaftet

igen pumpens och rörens öppningar för att hindra att det kommer in smuts.

Varning: Böj inte servostyrningspumpens styva vätskerör.

3 Koppla ifrån servostyrningspumpens anslutningskontakt/kontakter.

4 Skruva loss pumpens övre och nedre fästbult/muttrar och ta bort pumpen från hjulhuset **(se bild)**.

5 Om det är något fel på servostyrningspumpen måste den bytas. Pumpen är förseglad och kan inte renoveras.

Montering

6 Lirka in pumpen på sin plats. Montera sedan fästbultarna och dra åt dem till angivet moment.

7 Återanslut matningsrören till pumpen och dra åt fästmuttern ordentligt. Sätt tillbaka matningsröret på pumpen och fäst den med en ny klämma.

8 Sätt tillbaka vindrutansspolarvätskebehållare enligt beskrivningen i kapitel 12.

9 Sätt tillbaka plastkåpan på motorrummets högra sida.

10 Avsluta med att lufta hydraulsystemet enligt beskrivningen i avsnitt 22.

24 Styrstagets kulled – demontering och montering

Observera: *En ny kulledsfästmutter krävs vid återmontering.*

Demontering

1 Dra åt handbromsen, lossa det högra framhjulets bultar, och lyft sedan upp framvagnen och ställ den på pallbockar (se *Lyftning och stödpunkter*). Demontera relevant framhjul.

2 Om kulleden ska återanvändas använder du en ställinjal och en ritsspets, eller liknande, för att markera dess placering i förhållande till styrstaget.

3 Håll fast styrstaget och skruva loss kulledens låsmutter ett kvarts varv. Flytta inte låsmuttern från denna position, eftersom den är ett praktiskt referensmärke vid återmontering.

4 Skruva loss muttern som fäster styrstagets kulled på navhållaren. kasta muttern, eftersom

en ny måste användas vid återmonteringen. Lossa kulledens koniska skaft med hjälp av en universell kulledsavdragare **(se bilder)**.

5 Räkn exakt antal varv medan du skruvar av styrstagsänden från styrstaget.

6 Räkna antalet exponerade gängor mellan kulledsänden och låsmuttern, och skriv upp antalet. Om du ska montera en ny kulled, skruva loss låsmuttern från den gamla kulleden.

7 Rengör kulleden och gängorna noga. Byt kulleden om den är slapp eller för stel, mycket sliten eller om den är skadad på något sätt. kontrollera noggrant pinnbultstapparna och gängorna. Om kulledens damask är skada måste hela kulledsenheten bytas. det går inte att skaffa en ny damask separat.

Montering

8 Om du ska montera en ny kulled, skruva i låsmuttern så långt att samma antal exponerade gängor syns (enligt anteckningarna som gjordes före demonteringen).

9 Skruva i kulleden i styrstaget lika många varv som noterades vid demonteringen. Detta ska få kulledens låsmutter att hamna inom ett kvarts varv från inpassningsmarkeringarna som gjordes vid demonteringen (om du gjorde sådana).

10 Se till att skyddsplattan sitter på plats och passa sedan in kulledstången i navhållaren. Montera en ny fästmutter och dra åt den till angivet moment.

11 Montera tillbaka hjulet, sänk ner bilen och dra åt hjulbultarna till angivet moment.

12 Avsluta med att kontrollera och, om det behövs, justera framhjulsinställningen enligt beskrivningen i avsnitt 26 och dra åt kulledens låsmutter ordentligt.

25 Styrstag – demontering och montering

Observera: *Det behövs en speciell nyckel (Peugeot-nummer 0721-A) för att ta bort/sätta dit styrstagets inre kulled på kuggstångsänden. Utan klämman är risken för skador på enheten stor. Specialnyckeln hakar i kulledshuset så att styrstaget lätt kan lossas/dras åt utan risk för skador. Observera att utan tillgång*

till specialverktyget blir det svårt att ta bort styrstaget, framförallt utan skador.

Observera: *En ny kulledsfästmutter krävs vid återmontering.*

Demontering

1 Ta bort relevant kuggstångs gummidamask enligt beskrivningen i avsnitt 21.

2 Använd specialnyckeln (se anteckning i början av stycket) och skruva loss styrstagets inre kulled från kuggstångsänden. Var mycket försiktig så att du inte utsätter stången för för hög belastning när leden skruvas loss. Förhindra vid behov att kuggstången snurrar genom att hålla i den med en tång. Var försiktig så att du inte gör märken i ytan på kuggstången och kulleden. För att eliminera risken för skador finns ett specialverktyg från Peugeot (0721-B) som förhindrar att stången vrids.

3 Ta bort styrstagsenheten. Undersök styrstagets inre kulled och leta efter tecken på slapphet eller kärvande punkter. Kontrollera att själva styrstaget är rakt och oskadat. Byt styrstaget vid behov. vi rekommenderar också att kuggstångsdamasken/dammkåpan byts.

Montering

4 Skruva in kulleden i kuggstången och dra åt den till angivet moment. Håll vid behov fast kuggstången med en tång eller det speciella Peugeot-verktyget. Var noga med att inte skada eller göra märken i styrstagets kulled eller kuggstång.

5 Skjut försiktigt på den nya damasken och passa in den på kuggstångens hus. Vrid styrningen helt från ändläge till ändläge för att kontrollera att damasken är korrekt placerad på styrstaget. Fäst den sedan på plats med nya fästklämmor (i förekommande fall).

6 Montera tillbaka styrstagets kulled enligt beskrivningen i avsnitt 24.

26 Hjulinställnings- och styrvinklar – information, kontroll och justering

Definitioner

1 En bils styrnings- och fjädringsgeometri definieras av fyra huvudsakliga inställningar. Alla vinklar uttrycks i grader (toe-inställningar uttrycks även som en sträcka) styraxeln definieras som en tänkt linje som dras genom fjäderbenets axel, och som vid behov utökas för att komma i kontakt med marken.

2 Camber är vinkeln mellan varje hjul och en vertikal linje dragen genom dess centrum och däckets kontaktyta, sedd framifrån eller bakifrån bilen. Positiv camber är när hjulens överdel är utåtvinklad från den vertikala linjen, negativ camber är när de är vinklade inåt. Cambervinkeln kan inte justeras.

3 Caster är vinkeln mellan styraxeln och en vertikal linje dragen genom varje hjuls centrum och däckets kontaktyta, sedd från bilens sida. Positiv caster är när styraxeln är vinklad så att den kommer i kontakt med marken framför den vertikala linjen. negativ caster är när den kommer i kontakt med marken bakom den vertikala linjen. Castorvinkeln kan inte justeras.

4 Toe är skillnaden, sett från ovan, mellan linjer dragna genom hjulens centrum och bilens centrumlinje. 'Toe-in' föreligger när hjulen pekar inåt mot varandra i framkanten, och toe-out föreligger om de pekar utåt från varandra.

5 Framhjulens toe-inställning justeras genom att man skruvar styrstaget in i eller ut ur kullederna, för att på så sätt ändra styrstagsenhetens faktiska längd.

6 Bakhjulets toe-inställning kan inte justeras.

Kontroll och justering

7 I och med den speciella mätutrustning som krävs för att kontrollera hjulinställningen och den skicklighet som krävs för att använda utrustningen korrekt ska kontroll och justering av dessa inställningar helst överlåtas till en Peugeot-verkstad eller annan expert. Observera att de flesta däckverkstäder nu för tiden har sofistikerad kontrollutrustning. Följande är en guide, om ägaren skulle bestämma sig för att utföra en kontroll själv.

Framhjulens toe-inställning

8 Framhjulets toe-inställning kontrolleras genom att man mäter hjulens vinkel i förhållande till bilens längsgående axel.

Mätare för toe-vinklar kan köpas hos motortillbehörsbutiker. Justeringen utförs genom att man skruvar kullederna in eller ut ur deras styrstag för att förändra styrstagsenheternas effektiva längd.

9 För **noggrann** kontroll måste bilen ha referenshöjden. Denna höjd är avståndet mellan den förstärkta tröskelfogens nedre kant på domkraftsstödet på tröskelns framsida (H1) och tröskelns baksida (H2). Dessa båda referenshöjder (H1 och H2) beror på däckstorleken:

Däckstorlek	H1	H2
195/65	157 mm	150 mm
205/55	152 mm	147 mm
205/50	160 mm	153 mm

Du kan få fram höjderna genom att dra bilen nedåt med hjälp av klämmor på en fyrpunktslyft. Det kan också vara möjligt att få fram referenshöjden genom att placera vikter mitt i bilen. Följaktligen ger en kontroll av hjulinställningen med mätare utan att bilen har referenshöjden endast en ungefärlig inställning.

10 Innan arbetet påbörjas ska du kontrollera att däckstorlekarna och typerna stämmer. Kontrollera sedan däcktrycket och mönsterdjupet, hjulkast, skicket på hjullagret, rattens spel och skicket på framfjädringens komponenter (se *Veckokontroller* och berörd del av kapitel 1). Åtgärda alla eventuella fel.

11 Parkera bilen på plant underlag. Kontrollera att framhjulen pekar rakt fram och vicka sedan på bakvagnen och framvagnen för att fjädringen ska hamna rätt. Lossa handbromsen och rulla bilen bakåt en meter, sedan framåt igen, för att ta bort spänningar i styr- och fjädringsdelarna. Ställ om möjligt in bilens referenshöjd enligt beskrivningen i avsnitt 9.

12 Följ anvisningarna från tillverkaren av hjulinställningsmätaren och mät toe-inställningen.

13 Om justering krävs, dra åt handbromsen och hissa upp framvagnen på pallbockar. Vrid ratten så långt som möjligt till vänster och mät hur mycket av gängorna som syns på höger styrstagsände. Vrid nu ratten helt åt höger

och räkna antalet gängor som syns på vänster sida. Om lika mycket av gängorna syns på båda sidor ska efterföljande justeringar göras lika mycket på båda sidor. Om fler gängor syns på endera sidan måste detta kompenseras vid justeringen. **Observera:** *Det är mycket viktigt att man efter justeringen ser samma antal gängor på båda styrstagändarna.*

14 Rengör först styrstagsgängorna. om de har drabbats av korrosion, stryk på inträngande vätska innan du påbörjar justeringen. Lossa gummidamaskens utvändiga klämmor (vid behov) och vik ner damaskerna. stryk på ett lager fett på damaskernas insida så att båda är fria och inte vrids eller belastas när deras respektive styrstag vrids.

15 Använd en stållinjal och en ritsspets eller liknande för att märka ut respektive styrstags förhållande till dess kulled. Håll sedan ett styrstag i taget och skruva loss dess låsmutter helt.

16 Ändra styrstagens längd, kom ihåg anteckningen från stycke 13. Skruva in eller ut dem ur kullederna, rotera styrstaget med en öppen nyckel på stagets platta ytor. Om styrstagen förkortas (skruvas in i kullederna) förändras toe-inställningen (toe-in minskar/toe-out ökar).

17 När inställningen är korrekt, håll fast styrstagen och dra åt kulledernas låsmuttrar till angivet moment. Kontrollera att kullederna sitter korrekt i sina fästen. Kontrollera styrstagens längd genom att räkna antalet gängor som syns. Om styrstagen inte är lika långa är justeringen ojämn och det kommer att uppstå problem med däckskrap i svängar. Rattens ekrar är inte heller längre horisontella när hjulen är riktade rakt fram.

18 Om styrstagen är lika långa sänker du ner bilen till marken och kontrollerar toe-inställningen igen, gör om justeringen vid behov. När inställningen är korrekt, dra åt låsmuttrarna för styrstagets kulleder till angivet moment. Se till att gummidamaskerna sitter korrekt och att de inte är vridna eller belastade. Fäst dem på plats med nya fasthållningsklämmorna (vid behov).

Kapitel 11
Kaross och detaljer

Innehåll

Svårighetsgrad

| Enkelt, passar novisen med lite erfarenhet | Ganska enkelt, passar nybörjaren med viss erfarenhet | Ganska svårt, passar kompetent hemmamekaniker | Svårt, passar hemmamekaniker med erfarenhet | Mycket svårt, för professionell mekaniker |

Specifikationer

Åtdragningsmoment   **Nm**
Säkerhetsbält fästen. 30

---

1 Allmän information

Ytterkarossen är gjord av pressade stålsektioner och finns som 3- eller 5-dörrars halvkombi eller som 5-dörrars kombimodell De flesta komponenter är sammansvetsade, men ibland används fästmedel. Framskärmarna är fastbultade.

Motorhuven, dörren och några andra ömtåliga delar är gjorda av zinkbelagd metall och skyddas dessutom av tålig grundfärg innan de lackeras.

Plastmaterial används mycket, framför allt till de inre detaljerna men även till vissa yttre komponenter. De främre och bakre stötfångarna och framgrillen är gjutna av ett syntetmaterial som är mycket starkt men lätt. Plastkomponenter, som hjulhusfoder, sitter monterade på bilens undersida för att öka bilens motståndskraft mot rostangrepp.

2 Underhåll – kaross och underrede

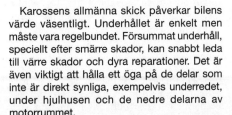

Karossens allmänna skick påverkar bilens värde väsentligt. Underhållet är enkelt men måste vara regelbundet. Försummat underhåll, speciellt efter smärre skador, kan snabbt leda till värre skador och dyra reparationer. Det är även viktigt att hålla ett öga på de delar som inte är direkt synliga, exempelvis underredet, under hjulhusen och de nedre delarna av motorrummet.

Tvättning utgör grundläggande underhåll av karossen. Tvätta helst med stora mängder vatten från en slang. Detta tar bort all lös smuts som har fastnat på bilen. Det är viktigt att smutsen spolas bort på ett sätt som förhindrar att lacken skadas. Hjulhusen och underredet måste tvättas rena från lera på samma sätt. Fukten som binds i leran kan annars leda till rostangrepp. Paradoxalt nog är det bäst att tvätta av underredet och hjulhuset

när det regnar eftersom leran då är blöt och mjuk. Vid körning i mycket våt väderlek spolas vanligen underredet av automatiskt vilket ger ett lämpligt tillfälle för kontroll.

Med undantag för bilar med vaxade underreden är det bra att periodvis rengöra hela undersidan av bilen, inklusive motorrummet, med ångtvätt så att en grundlig kontroll kan utföras för att se vilka åtgärder och mindre reparationer som behöver utföras. Ångtvättar finns att få tag på hos bensinstationer och verkstäder och behövs när man ska ta bort de ansamlingar av oljeblandad smuts som ibland lägger sig tjockt i vissa utrymmen. Om en ångtvätt inte finns tillgänglig finns det ett par utmärkta avfettningsmedel som man stryker på med borste för att sedan spola bort smutsen. Observera att ingen av ovanstående metoder ska användas på bilar med vaxade underreden, eftersom de tar bort vaxet. Bilar med vaxade underreden ska kontrolleras årligen, helst på senhösten. Underredet ska då tvättas av så att skador i vaxbestrykningen kan hittas och åtgärdas med underredesbehandling. Helst ska ett helt nytt lager vax läggas på. Det är även värt att överväga att spruta in vaxbaserat skydd i dörrpaneler, trösklar, balkar och liknande som ett extra rostskydd där tillverkaren inte redan åtgärdat den saken.

Torka av lacken med sämskskinn efter tvätten så att den får en fin yta. Ett lager med genomskinligt skyddsvax ger förbättrat skydd mot kemiska föroreningar i luften. Om lacken mattats eller oxiderats kan ett kombinerat rengörings-/polermedel återställa glansen. Detta kräver lite arbete, men sådan mattning orsakas vanligen av slarv med regelbundenheten i tvättningen. Metalliclacker kräver extra försiktighet, och speciella slipmedelsfria rengörings-/polermedel krävs för att inte skada ytan. Kontrollera alltid att dräneringshål och rör i dörrar och ventilation är öppna så att vatten kan rinna ut. Kromade ytor ska behandlas på samma sätt som lackerade. Fönster och vindrutor ska hållas fria från fett och smuts med hjälp av fönsterputs. Vax eller andra medel för polering av lack eller krom ska inte användas på glas.

3 Underhåll – klädsel och mattor

Mattorna ska borstas eller dammsugas med jämna mellanrum så att de hålls rena. Om de är svårt nedsmutsade kan de tas ut ur bilen och skrubbas. Se i så fall till att de är helt torra innan de läggs tillbaka i bilen. Säten och inre klädselpaneler kan hållas rena genom att de torkas av med fuktig trasa och lämpligt klädselrengöringsmedel. Om de smutsas ner (syns ofta bäst i ljusa inredningar) kan lite flytande tvättmedel och en mjuk nagelborste användas för att skrubba ut smutsen ur materialet. Glöm inte takets insida. Håll det rent på samma sätt som klädseln. När flytande rengöringsmedel används inne i en bil får de tvättade ytorna inte överfuktas. För mycket fukt kan tränga in i sömmar och stoppning och framkalla fläckar, störande lukter och till och med röta. Om insidan av bilen blir mycket blöt är det mödan värt att torka ur den ordentligt, speciellt mattorna.

Varning: Lämna inte olje- eller eldrivna värmare i bilen för detta ändamål.

4 Mindre karosskador – reparation

Repor

Om en repa är mycket ytlig och inte har trängt ner till karossmetallen är reparationen mycket enkel att utföra. Gnugga det skadade området helt lätt med lackrenoveringsmedel eller en mycket finkornig slippasta så att lös lack tas bort från repan och det omgivande området befrias från vax. Skölj med rent vatten.

Lägg bättringslack på skråman med en fin pensel. Lägg på i många tunna lager till dess att ytan i skråman är i jämnhöjd med den omgivande lacken. Låt den nya lacken härda i minst två veckor och jämna sedan ut den mot omgivande lack genom att gnugga hela området kring repan med lackrenoveringsmedel eller en mycket finkornig slippasta. Avsluta med en vaxpolering.

Om repan gått ner till karossmetallen och denna börjat rosta krävs en annan teknik. Ta bort lös rost från botten av repan med ett vasst föremål och lägg sedan på rostskyddsfärg så att framtida rostbildning förhindras. Använd sedan en spackel av gummi eller nylon och fyll upp repan med spackelmassa. Vid behov kan spacklet tunnas ut med thinner så att det blir mycket tunt vilket är idealiskt för smala repor. Innan spacklet härdar, linda ett stycke mjuk bomullstrasa runt en fingertopp. Doppa fingret i cellulosaförtunning och stryk snabbt över fyllningen i repan. Detta ser till att spackelytan blir något ihålig. Lacka sedan över repan enligt tidigare anvisningar.

Bucklor

När en djup buckla uppstått i bilens kaross blir den första uppgiften att räta ut den så att karossen i det närmaste återfår ursprungsformen. Det finns ingen anledning att försöka återställa formen helt eftersom metallen i det skadade området sträckt sig vid skadans uppkomst och aldrig helt kommer att återta sin gamla form. Det är bättre att försöka höja bucklans nivå till ca 3 mm under den omgivande karossens nivå. Om bucklan är mycket grund är det inte värt besväret att räta ut den. Om undersidan av bucklan är åtkomlig kan den knackas ut med en träklubba eller plasthammare. När detta görs ska mothåll användas på plåtens utsida så att inte större delar knackas ut.

Skulle bucklan finnas i en del av karossen som har dubbel plåt eller om den av någon annan anledning är oåtkomlig från insidan krävs en annan teknik. Borra ett flertal hål genom metallen i bucklan – speciellt i de djupare delarna. Skruva därefter in långa plåtskruvar precis så långt att de får ett fast grepp i metallen. Dra sedan ut bucklan genom att dra i skruvskallarna med en tång.

Nästa steg är att ta bort lacken från det skadade området och ca 3 cm runt den omgivande oskadade plåten. Detta görs enklast med stålborste eller slipskiva monterad på borrmaskin, men det kan även göras för hand med slippapper. Fullborda underarbetet genom att repa den nakna plåten med en skruvmejsel eller filspets, eller genom att borra små hål i det område som ska spacklas. Detta gör att spacklet fäster bättre.

Se avsnittet om spackling och sprutning för att avsluta reparationen.

Rosthål och revor

Ta bort lacken från det drabbade området och ca 30 mm av den omgivande oskadade plåten med en sliptrissa eller stålborste monterad i en borrmaskin. Om sådana verktyg inte finns tillgängliga kan ett antal ark slippapper göra jobbet lika effektivt. När lacken är borttagen kan rostskadans omfattning uppskattas mer exakt och därmed kan man avgöra om hela panelen (om möjligt) ska bytas ut eller om rostskadan ska repareras. Nya plåtdelar är inte så dyra som de flesta tror och det går ofta snabbare och ger bättre resultat med plåtbyte än att försöka reparera större rostskador.

Ta bort all dekor från det drabbade området, utom den som styr den ursprungliga formen, exempelvis lyktsarger. Ta sedan bort lös eller rostig metall med plåtsax eller bågfil. Knacka kanterna något inåt så att du får en grop för spacklingsmassan.

Borsta av det drabbade området med en stålborste så att rostdamm tas bort från ytan av kvarvarande metall. Lacka det berörda området med rostskyddsfärg om baksidan på det rostiga området går att komma åt behandlar du även det.

Före spacklingen måste hålet blockeras på något sätt. Detta kan göras med nät av plast eller aluminium eller med aluminiumtejp.

Nät av plast eller aluminium eller glasfiberväv är antagligen det bästa materialet för ett stort hål. Skär ut en bit som är ungefär lika stor som det hål som ska fyllas och placera den i hålet så att kanterna är under nivån för den omgivande plåten. Ett antal klickar spackelmassa runt hålet fäster materialet.

Aluminiumtejp bör användas till små eller mycket smala hål. Dra av en bit tejp från rullen och klipp till den storlek och form som behövs. Dra bort eventuellt skyddspapper och fäst tejpen över hålet. Flera remsor kan läggas bredvid varandra om bredden på en inte räcker till. Tryck ner tejpkanterna med ett skruvmejselhandtag eller liknande så att tejpen fäster ordentligt på metallen.

Spackling och sprutning

Se tidigare anvisningar beträffande reparation av bucklor, repor, rosthål och andra hål innan beskrivningarna i det här avsnittet följs.

Det finns många typer av spackelmassa. Generellt sett är de som består av grundmassa och härdare bäst vid den här typen av reparationer; vissa kan användas direkt från tuben. En bred och följsam spackel av nylon eller gummi är ett ovärderligt verktyg för att skapa en väl formad spackling med fin yta.

Blanda lite massa och härdare på en skiva av exempelvis kartong eller masonit. Följ tillverkarens instruktioner och mät härdaren noga, i annat fall härdar spacklingen för snabbt eller för långsamt. Bred ut massan på det förberedda området med spackeln; dra applikatorn över massans yta för att forma den och göra den jämn. Sluta bearbeta massan så snart den börjar anta rätt form. Om du arbetar för länge kommer massan att bli klibbig och fastna på spackeln. Fortsätt lägga på tunna lager med ca 20 minuters mellanrum till dess att massan är något högre än den omgivande plåten.

När massan härdat kan överskottet tas bort med hyvel eller fil. Börja med nr 40 och avsluta med nr 400 våt- och torrpapper. Linda alltid papperet runt en slipkloss, i annat fall blir inte den slipade ytan plan. Vid slutpoleringen med torr- och våtpapper ska papperet då och då sköljas med vatten. Det skapar en mycket slät yta på massan i slutskedet.

På det här stadiet bör bucklan vara omgiven av en ring med ren metall, som i sin tur omges av den ruggade kanten av den "friska" lacken. Skölj av reparationsområdet med rent vatten tills allt slipdamm har försvunnit.

Spruta ett tunt lager grundfärg på hela reparationsområdet. Då avslöjas mindre ytfel i spacklingen. Laga dessa med ny spackelmassa eller filler och slipa av ytan igen. Massa kan tunnas ut med thinner så att den blir mer lämpad för riktigt små hål. Upprepa denna sprutning och reparation till dess att du är nöjd med spackelytan och den ruggade lacken. Rengör reparationsytan med rent vatten och låt den torka helt.

Reparationsytan är nu klar för lackering. Färgsprutning måste utföras i ett varmt, torrt, drag- och dammfritt utrymme. Detta kan åstadkommas inomhus om det finns tillgång till ett större arbetsområde. Om arbetet måste äga rum utomhus är valet av dag av stor betydelse. Om arbetet utförs inomhus är det bra om golvet kan spolas av med vatten, eftersom detta binder damm som annars skulle finnas i luften. Om reparationsområdet begränsas till en karosspanel täcker du över omgivande paneler. Det hjälper till att minimera effekten av små skillnader i lackfärgen. Dekorer och detaljer (kromlister, handtag med mera) ska även de maskeras. Använd riktig maskeringstejp och flera lager tidningspapper för att göra detta.

Före sprutning, skaka burken ordentligt och spruta på en provbit, exempelvis en konservburk, tills tekniken behärskas. Täck reparationsområdet med ett tjockt lager grundfärg. Tjockleken ska byggas upp med flera tunna färglager, inte ett enda tjockt lager. Polera sedan grundfärgsytan med nr 400 våt- och torrpapper, till dess att den är helt slät. Medan detta utförs ska ytan hållas våt och pappret ska periodvis sköljas i vatten. Låt torka innan mer färg läggs på.

Spruta på färglagret och bygg upp tjockleken med flera tunna lager färg. Börja spruta i ena kanten och arbeta med sidledes rörelser till dess att hela reparationsytan och ca 5 cm av den omgivande lackeringen täcks. Ta bort maskeringen 10 – 15 minuter efter att det sista färglagret sprutats på.

Låt den nya lacken härda i minst två veckor innan den nya lackens kanter jämnas ut mot den gamla med en lackrenoverare eller mycket fin slippasta. Avsluta med en vaxpolering.

Plastdetaljer

Eftersom biltillverkarna använder mer och mer plast i karosskomponenterna (t.ex. i stötfångare, spoilrar och i vissa fall även i de större karosspanelerna), har reparationer av allvarligare skador på sådana komponenter blivit fall för specialister eller så får hela komponenterna bytas ut. Gör-det-självreparationer av sådana skador lönar sig inte på grund av kostnaden för den specialutrustning och de speciella material som krävs. Principen för dessa reparationer är dock att en skåra tas upp längs med skadan med en roterande rasp i en borrmaskin. Den skadade delen svetsas sedan ihop med en varmluftspistol och en plaststav i skåran. Plastöverskott tas bort och ytan slipas ner. Det är viktigt att rätt typ av plastlod används. Plasttypen i karossdelar varierar och kan bestå av exempelvis PCB, ABS eller PPP.

Mindre allvarliga skador (skrapningar, små sprickor) kan lagas av hemmamekaniker med hjälp av en tvåkomponents epoxymassa. Den blandas i lika delar och används på liknande sätt som spackelmassa på plåt. Epoxyn härdar i regel inom 30 minuter och kan sedan slipas och målas.

Om ägaren har bytt en komponent på egen hand eller reparerat med epoxymassa återstår svårigheten att hitta en färg som lämpar sig för den aktuella plasten. Tidigare fanns ingen universalfärg som kunde användas, på grund av det breda utbudet av plaster i karossdelar. Standardfärger fäster i allmänhet inte särskilt bra på plast eller gummi. Nu för tiden kan man dock köpa plastrenoveringssatser för karossdelar. Dessa består i princip av förprimer, grundfärg och överlack. Kompletta instruktioner finns i satserna, men grundmetoden är att först lägga på förprimern på den aktuella delen och låta den torka i 30 minuter. Sedan ska grundfärgen läggas på och lämnas att torka i ungefär en timme innan det färgade ytlacket läggs på. Resultatet blir en komponent med rätt färg där färgen kan följa plastens eller gummits rörelser, något som vanlig färg normalt inte klarar.

5 Större karosskador – reparation

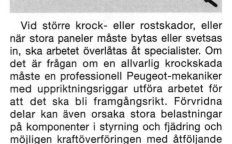

Vid större krock- eller rostskador, eller när stora paneler måste bytas eller svetsas in, ska arbetet överlåtas åt specialister. Om det är frågan om en allvarlig krockskada måste en professionell Peugeot-mekaniker med uppriktningsriggar utföra arbetet för att det ska bli framgångsrikt. Förvridna delar kan även orsaka stora belastningar på komponenter i styrning och fjädring och möjligen kraftöverföringen med åtföljande slitage och förtida haveri, i synnerhet då däcken.

6 Främre stötfångare – demontering och montering

Observera: *Det är bra med en medhjälpare som stöder stötfångaren under demontering och montering.*

Demontering

1 Dra åt handbromsen. Lyft upp framvagnen och ställ den på pallbockar (se *Lyftning och stödpunkter*). För att förbättra åtkomsten till stötfångarens fästen tar du bort båda framhjulen.

2 Ta bort strålkastarens spolarmunstycken i förekommande fall, enligt beskrivningen i kapitel 12.

3 Tryck mittsprintarna något, bänd sedan ur hela plastnitarna som fäster hjulhusfodret på karossen.

4 Ta bort skruvarna (en på var sida) som håller fast stötfångarens övre kant på skärmens undersida **(se bild).**

5 Använd en bit stag med en 90°-böj på 10,00 mm i änden och lossa de fyra klämmorna (två på var sida) som håller fast stötfångaren på skärmen **(se bild).** Sätt in staget längs med klämman och vrid sedan staget 90° för att dra ner klämman och lossa stötfångaren.

6 Stötfångaren är fäst med fyra plastnitar längs med den övre kanten och två skruvar

6.4 Skruva loss skruvarna mellan stötfångaren och skärmen (markerad med pil)

6.5 Sätt in staget längs med klämman och vrid sedan på staget och dra ner klämman

6.6a Bänd upp centrumsprintarna och bänd ut expandernitarna

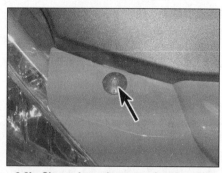

6.6b Skruva loss skruvarna (markerade med pil)

6.7 Tryck ner spakarna för att lossa klämmorna

6.11 Skruva loss stötfångarbalkens bultar (markerade med pil)

bredvid strålkastarna. Bänd upp mittsprintarna en bit och bänd ur hela nitarna från sin plats **(se bild)**, skruva sedan loss skruvarna **(se bild)**.

7 Tryck ner armarna för att lossa de båda klämmorna på stötfångarens undersida och skruva loss de tre fästen som håller fast motorns undre skyddskåpa på stötfångaren **(se bild)**.

8 Be en medhjälpare om hjälp och dra försiktigt stötfångaren framåt. Var försiktig så

att du inte skadar grillen när den placeras över huvens låsenhet.

9 Om det behövs kan stötfångarens gummiinsatser försiktigt bändas loss med hjälp av en plastspatel.

10 När du ska ta bort stötfångarbalken måste spolarvätskebehållaren och strålkastarna tas bort enligt beskrivningen i kapitel 12.

11 Skruva loss de fyra bultarna på var sida och ta bort stötfångarbalken **(se bild)**. Bind fast signalhornet på ena sidan eller koppla

loss anslutningskontakten och ta bort det från bilen.

Montering

12 Monteringen utförs i omvänd ordningsföljd mot demonteringen, se till att stötfångaren hakar i fästklämmorna på båda sidor ordentligt när den sätts på plats.

7 Bakre stötfångare – demontering och montering

Observera: Det är bra med en medhjälpare som stöder stötfångaren under demontering och montering.

Demontering

1 Klossa bakhjulen, lyft upp framvagnen och ställ den på pallbockar (se *Lyftning och stödpunkter*).

Halvkombi modeller

2 Ta bort båda bakljus enligt beskrivningen i kapitel 12.

3 Tryck ner centrumsprinten, bänd upp plastexpanderniten och skruva sedan loss bulten under bakljusöppningen **(se bild)**. Upprepa det här momentet på andra sidan.

4 Skruva loss skruven mitt på stötfångarens undersida **(se bild)**.

5 På var ände av stötfångarens undersida trycker du in centrumsprintarna och bänder ut plastnitarna **(se bild)**.

6 Tryck in centrumsprinten och bänd ut plastexpanderniten. Skruva sedan loss muttern och dra den bakre delen av bakhjulets hjulhusfoder framåt **(se bilder)**.

7 Skruva loss torxskruven på stötfångarens främre övre kant **(se bild)**.

8 Koppla från nummerplåtsbelysningen när stötfångeren tas bort.

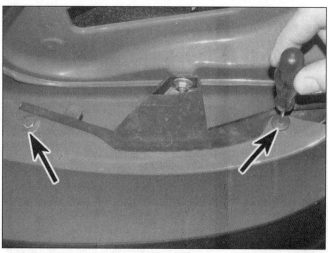

7.3 Ta bort bulten och plastniten under öppningen för bakljuset (markerad med pil)

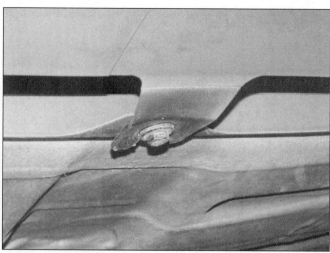

7.4 Skruva loss skruven mitt i stötfångaren

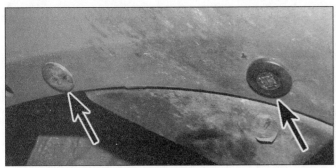

7.5 Tryck in stiften i mitten och bänd ut plastnitarna (markerade med pil)

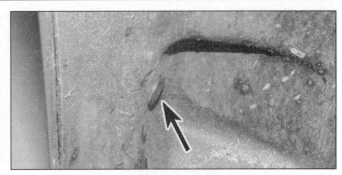

7.6a Tryck in centrumsprinten, bänd ut plastniten (markerad med pil) . . .

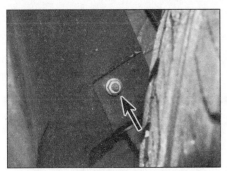

7.6b . . . skruva sedan loss muttern (markerad med pil) och dra den bakre delen av hjulhusfodret framåt

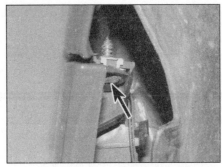

7.7 Skruva loss torxskruven (markerad med pil) på stötfångarens främre övre kant

7.9 Skruva loss stötfångarens stagbultar (vänster sida)

9 När du ska ta bort stötfångarbalken, skruva loss de tre bultarna på vänster sida och de fyra bultarna på höger sida (lyft upp bagageutrymmets golv för att komma åt den inre bulten) och ta bort staget från bilen **(se bild)**.
10 Om det behövs kan stötfångarens gummiinsatser försiktigt bändas loss med hjälp av en plastspatel efter det att stötfångarens kåpa har tagits bort.

Kombi-/SW-modeller

11 Ta bort båda bakljus enligt beskrivningen i kapitel 12.
12 Skruva loss bulten från var sida om armaturöppningen **(se bild)**.
13 Tryck in mittsprintarna något och bänd därefter ut hela nitarna och lossa muttrarna och hjulhusfodret.

14 Skruva loss de båda skruvarna på var sida som fäster stötfångarens övre främre hörn på bakskärmen **(se bild)**.
15 Tryck in centrumsprintarna och bänd ut hela de båda plastexpandernitarna som håller fast stötfångaren underifrån på båda sidor **(se bild)**.
16 Skruva loss de tre skruvarna under den bakre stötfångarens mitt och ta bort stötfångaren från bilen.
17 Om det behövs, ta bort stötfångarbalken enligt beskrivningen i stycke 9.

Montering

18 Monteringen sker i omvänd ordningsföljd mot demonteringen.

8 Motorhuv –
demontering, montering och justering

Demontering

1 Öppna huven och be en medhjälpare hålla upp den. Använd sedan en blyertspenna eller en filtspetspenna för att markera konturerna av motorhuvens gångjärn i förhållande till motorhuven. Markeringarna är till hjälp vid monteringen.
2 Motorhuvens isoleringspanel är fäst med plastnitar. Bänd upp centrumsprintarna lite, bänd ut nitarna och ta bort isoleringspanelen **(se bild)**.
3 Koppla ifrån spolarmunstyckets rör och munstyckets värmekablage (i förekommande

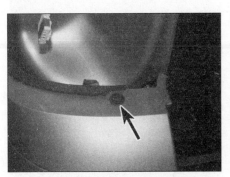

7.12 Skruva loss bulten under öppningen för bakljuset (markerad med pil)

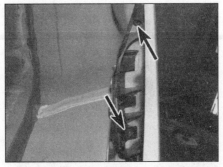

7.14 Stötfångarens övre kant är fäst med två torxskruvar (markerade med pil)

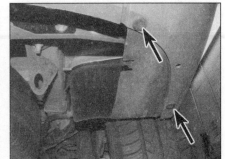

7.15 Tryck in stiften i mitten och bänd ut de två plastnitarna på varje sida (markerade med pil)

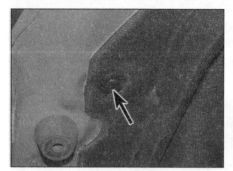

8.2 Tryck in centrumsprinten, bänd ut plastniten (markerad med pil)

8.4 Skruva loss motorhuvens båda gångjärnsbultar

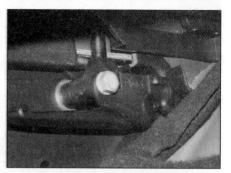

9.5 Skruva loss bulten som fäster motorhuvens handtag

fall). Lossa rören och kablaget från eventuella fästklämmor.

4 Skruva loss fästbultarna mellan huven och gångjärnen på båda sidor **(se bild)**. Med hjälp av en medhjälpare lyfter du sedan bort motorhuven från bilen. Lyft bort motorhuven och ställ den på en säker plats.

5 Undersök motorhuvens gångjärn efter tecken på slitage och fritt spel vid kulbultarna och byt ut dem om det behövs. Varje gångjärn är fäst på karossen med två bultar som du kommer åt efter att tagit bort ventilpanelen enligt beskrivningen i avsnitt 22. Vid återmonteringen stryker du på ett lager fett på gångjärnen.

Montering och justering

6 Ta någon till hjälp för att passa in motorhuven. Dra åt fästbultarna löst. Rikta in gångjärnen med de märken som gjordes vid demonteringen. Dra sedan åt fästbultarna ordentligt.

7 Stäng motorhuven och kontrollera att den är korrekt placerad i förhållande till den omgivande karossen. Lossa gångjärnens bultar och justera motorhuven om det behövs. Dra åt gångjärnbultarna när motorhuven är korrekt placerad.

8 När motorhuven är korrekt placerad kontrollerar du att den stängs och öppnas som den ska. Om justeringar måste utföras lossar du motorhuvslåsets fästbultar och justerar låsets position. Dra åt fästbultarna när låset fungerar korrekt.

9 Återanslut spolarmunstyckets rör och kablage (om tillämpligt) och sätt tillbaka motorhuvens isoleringspanel

10.2 Motorhuvlås fästbultar (markerade med pil)

9 Motorhuvslåsvajer – demontering och montering

Demontering

1 Demontera den främre stötfångaren enligt beskrivningen i avsnitt 6.

2 Arbeta i motorrummet och koppla loss vajeränden från låsspaken. Arbeta längs med vajern i motorrummet, notera var fästklämmorna sitter och lossa dem sedan.

3 Använd en skruvmejsel för att trycka in vajerns torpedväggsgenomföring i passagerarutrymmet.

4 Ta bort det inbyggda systemgränssnittet/ säkringsdosan enligt beskrivningen i kapitel 12.

5 Arbeta under instrumentbrädan på vänster sida och skruva loss lossningsspakens bult och ta bort armen **(se bild)**.

6 Bind fast en bit snöre i vajeränden i motorrummet, anteckna hur den dras, och dra sedan försiktigt igenom vajern, in i passagerarutrymmet. Lossa snöret från vajeränden och låt det sitta kvar för att underlätta återmonteringen.

Montering

7 Passa in vajern på plats i passagerarutrymmet.

8 Bind fast den nya vajerns ände i snöret och dra igenom den, in i motorrummet.

9 Kontrollera att torpedväggens genomföring sitter ordentligt och ta sedan bort snöret och anslut vajern till motorhuvens låsspak.

11.1 Bänd ut kablagets styrning

10 Fäst lossningsspaken på plats, dra åt dess fästbult ordentligt.

11 Fäst vajern på plats med fästklämmorna. Kontrollera att låset fungerar som det ska innan du går vidare.

12 Montera tillbaka det inbyggda systemgränssnittet/säkringsdosan enligt beskrivningen i kapitel 12.

13 Montera tillbaka den främre stötfångaren enligt beskrivningen i avsnitt 6.

10 Motorhuvslås – demontering och montering

Demontering

1 Demontera den främre stötfångaren enligt beskrivningen i avsnitt 6.

2 Skruva loss de båda bultarna som fäster låsenheten på karossens övre tvärbalk **(se bild)**.

3 Ta bort låset och koppla loss motorhuvslåsvajern från låsspaken.

Montering

4 Montering sker i omvänd ordningsföljd. Avsluta med att kontrollera låsets funktion och justera vid behov dess position inom de avlånga bulthålen för innan du stänger motorhuven.

11 Dörr – demontering, montering och justering

Framdörr

Demontering

1 Använd en liten skruvmejsel och lossa kablagestyrningens fästklämmor. Ta bort kablaget och styrningen från dörrstolpen **(se bild)**.

2 Bänd upp låsspärren och koppla ifrån dörrens kontaktdon **(se bild)**.

3 Skruva loss fästbulten och koppla ifrån dörrhållarremmen från dörrstolpen **(se bild)**.

4 Se till att dörren har tillräckligt stöd, skjut ut gångjärnens stiftklämmor och ta sedan bort de övre och nedre gångjärnssprintarna. Lyft försiktigt bort dörren från bilen.

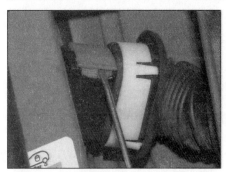

11.2 Bänd upp låsspärren och koppla ifrån anslutningskontakten

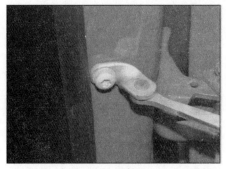

11.3 Skruva loss dörrhållarremmens bult

12.1a Skruva loss skruven (markerad med pil) . . .

Montering

5 Montera tillbaka i omvänd ordningsföljd mot demonteringen.

Bakdörr

6 Metoden som beskrivs gäller för framdörrarna, men du kommer åt bultarna mellan gångjärn och dörr för justering med framdörren öppen.

> **12 Dörrens inre klädselpanel –**
> demontering och montering

Framdörr

Demontering

1 Skruva loss dörrhandtagets brytarfästskruv

och bänd försiktigt upp brytar-/panelenheten. Lossa brytarens anslutningskontakt **(se bilder)**.
2 Dra försiktigt loss ytterbackspegelns fästkåpa **(se bild)**.
3 Öppna det invändiga dörrhandtaget, sätt in en liten skruvmejsel i hålet ovanpå öppningens panel. Lossa fästklämman och ta bort handtagets panel **(se bilder)**.
4 Skruva loss de båda skruvarna på dörrklädselns främre kant och den ensamma skruven på dess bakre kant **(se bild)**.
5 Använd ett lämpligt förgrenat verktyg för att lossa fästklämmorna runt klädselpanelens nedre kant och på dess sidor **(se bild)**.
6 Dra panelen utåt, lyft upp den och ta bort den från dörren. När panelen är borttagen, lossa högtalarens anslutningskontakter.

Montering

7 Före monteringen kontrollerar du om någon av klädselpanelens fästen skadade vid demonteringen. Byt panelens fästen om det behövs och montera sedan panelen i omvänd ordning mot borttagningen.

Bakdörr

Demontering

8 Öppna det invändiga dörrhandtaget, sätt in en liten skruvmejsel i hålet ovanpå öppningens panel. Lossa fästklämman och ta bort handtagets panel **(se bild 12.3)**. På Kombi- och SW-modeller måste handtagets omgivande panel först försiktigt bändas loss **(se bild)**. Koppla loss fönsterbrytarens anslutningskontakt (efter tillämplighet) när panelen tas bort.

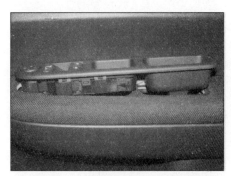

12.1b . . . bänd sedan upp brytar-/ panelenheten

12.2 Dra loss ytterbackspegelns fästkåpa

12.3 Sätt i en skruvmejsel i hålet och lossa fästklämman

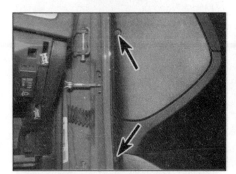

12.4a Skruva loss de båda skruvarna (markerade med pil) på dörrklädselns främre kanttrim . . .

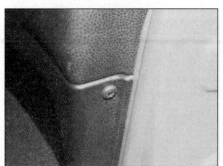

12.4b . . . och en längst bak

12.5 Använd ett förgrenat verktyg och lossa fästklämmorna runt dörrklädseln

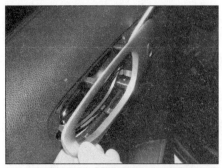

12.8 Bänd försiktigt loss handtagets sargpanel (Kombi/SW modeller)

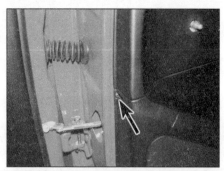

12.9a Det sitter en skruv (markerad med pil) på dörrklädselns främre kanttrim . . .

12.9b . . . och en i handtagsöppningen

12.10 Dra bort den manuella fönsterhissveven från axeln

9 Skruva loss panelens fästskruvar. Det sitter en skruv på panelens framkant och en i öppningen för dörrhandtaget **(se bilder)**.
10 På modeller med handvevade fönster

drar du bort vevhandtaget från axeln och tar sedan bort axelns panelplatta (se bild).
11 Använd ett lämpligt förgrenat verktyg för

13.2 På framdörrarna bänder du ut dörrhandtagets inre fästklämma (markerad med pil)

13.3 Lossa vevstaken från handtaget

att lossa fästklämmorna runt klädselpanelens nedre kant och på dess sidor **(se bild 12.5)**.
12 Dra panelen utåt och uppåt, och ta bort panelen från dörren. När panelen är borttagen, lossa högtalarens anslutningskontakt.

Montering

13 Monteringen utförs i omvänd ordningsföljd mot demonteringen efter att först ha bytt eventuella trasiga panelfästen vid behov.

13 Dörrhandtag och låskomponenter – demontering och montering

Inre handtag

Demontering

1 Ta bort dörrens inre klädselpanel, enligt beskrivningen i avsnitt 12.
2 Lossa handtaget från dess plats genom att bända ut fästklämman (endast framdörren) och sedan dra det mot dörren framkant **(se bild)**.
3 Lossa anslutningsstaget från handtaget **(se bild)**.

Montering

4 Monteringen utförs i omvänd ordningsföljd mot demonteringen, se till att länkstaget ansluts korrekt och sätt tillbaka den inre klädselpanelen (se avsnitt 12).

Framdörrens låscylinder

Observera 1: *Du kan behöva ett nytt dörrtätningsskikt vid monteringen.*
Observera 2: *Ytterhandtagets fästbygel är fastnitad på dörren. Se till att du har tillgång till nya nitar i rätt storlek inför monteringen.*

Demontering

5 Ta bort ytterhandtagets stödfäste enligt beskrivningen i stycke 18 till 23.
6 Bänd bort låsringen från cylinderns baksida och ta försiktigt bort styrarmen, fjädern och kragen, och anteckna var de satt **(se bilder)**.
7 Sätt in tändningsnyckeln och dra bort cylindern.

Montering

8 Monteringen utförs i omvänd ordningsföljd

13.6a Bänd loss låsringen och sedan styrarmen . . .

13.6b . . . fjäder . . .

13.6c . . . och kragen

mot demonteringen och se till att låscylinderns fästklämma sätts tillbaka ordentligt.

Framdörrens lås

Observera: *Du kan behöva ett nytt dörrtätningsskikt vid monteringen.*

Demontering

9 Ta bort handtaget enligt beskrivningen ovan.

10 Använd en vass kniv och lossa plasttätningsskiktet och ta bort skiktet från området runt dörrlåset. Om du är försiktig kan det gå att ta bort skiktet i ett stycke och återanvända det vid monteringen

11 Skruva loss de båda muttrarna som fäster den bakre fönsterstyrningskanalen och för kanalen mot dörrens främre del för att komma åt låset **(se bild)**.

12 Lossa dörrlåsets länkstag från spaken på ytterhandtaget och dörrlåset **(se bild)**.

13 Skruva loss de tre skruvarna som fäster låsenheten på dörrkanten **(se bild)**.

14 Lossa den inre handtagslänkvajern från styrklämman på dörren och sänk sedan ner låsenheten och lirka ut den genom dörröppningen.

15 Lossa centrallåsmotorns anslutningskontakt och ta bort låsenhet.

16 Om det behövs kan du lossa den inre dörrhandtagsvajern från låsenheten **(se bilder)**.

Montering

17 Montering sker i omvänd ordningsföljd. Sätt dit ett nytt tätningsskikt i dörren om det ursprungliga skadades vid demonteringen. Avsluta med att montera dörrens inre klädselpanel, enligt beskrivningen i avsnitt 12.

Framdörrens ytterhandtag

Observera 1: *Du kan behöva ett nytt dörrtätningsskikt vid monteringen.*
Observera 2: *Ytterhandtagets fästbygel är fastnitad på dörren. Se till att du har tillgång till nya nitar i rätt storlek inför monteringen.*

Demontering

18 Ta bort handtaget enligt beskrivningen ovan.

19 Använd en vass kniv och lossa plasttätningsskiktet och ta bort skiktet från området runt dörrlåset. Om du är försiktig kan det gå att ta bort skiktet i ett stycke och återanvända det vid monteringen

20 Skruva loss de båda muttrarna som fäster den bakre fönsterstyrningskanalen och för kanalen mot dörrens främre del för att komma åt handtaget **(se bild 13.11)**.

21 Skjut den vita plaststyrarmen framåt så att låsklämman hakar i spåret, och ytterhandtagets bakre del inte längre hakar i det **(se bild)**.

22 Dra ytterhandtagets bakre del utåt och använd en skruvmejsel för att bända loss

13.11 Skruva loss fästmuttrarna på fönstrets bakre styrningskanal (markerad med pil)

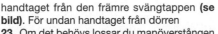

13.13 Tre skruvar fäster låset på dörrkanten

handtaget från den främre svängtappen **(se bild)**. För undan handtaget från dörren
23 Om det behövs lossar du manöverstången från låscylindern och styrarmen, och cylinderns

13.16b . . . koppla sedan loss den inre vajern

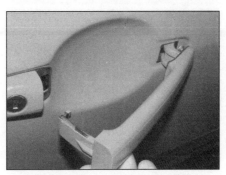

13.22 Dra ut handtagets bakre del och haka loss sprinten framtill

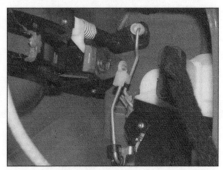

13.12 Lossa länkstaget från handtaget till låset

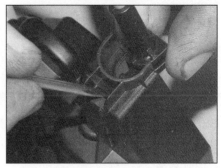

13.16a Tryck ner klämman och skjut ut vajerhöljet . . .

yttre plastkåpa. Använd ett borrbit med diametern 6,0 mm för att borra ut nithuvudena från utsidan och ta bort handtagsbygeln från dörren **(se bild)**.

13.21 Skjut den vita spaken framåt så att handtaget inte längre hakar i den

13.23 Bänd loss kåpan för att få fram de båda bakre nitarna

13.30a Skruva loss de tre låsskruvar . . .

Montering

24 Monteringen utförs i omvänd ordningsföljd mot demonteringen, använd popnitar för att montera handtaget. Sätt dit ett nytt tätningsskikt i dörren om det ursprungliga skadades vid demonteringen. Avsluta med att montera dörrens inre klädselpanel, enligt beskrivningen i avsnitt 12.

Bakdörrens lås

Observera: *Du kan behöva ett nytt dörrtätningsskikt vid monteringen.*

Demontering

25 Ta bort handtaget enligt beskrivningen ovan.
26 Använd en vass kniv och lossa plasttätningsskiktet och ta bort skiktet från området runt dörrlåset. Om du är försiktig kan det gå att ta bort skiktet i ett stycke och återanvända det vid monteringen
27 Lossa den inre handtagslänkvajern från styrklämmorna på dörren.
28 Lossa kablageklämman från dörramen.
29 Lossa ytterhandtagets länkstag från armen på dörrlåset.
30 Skruva loss de tre skruvarna som fäster låsenheten på dörrkanten. Ta sedan bort enheten genom dörröppningen **(se bilder)**. Koppla loss låsets anslutningskontakter när du tar bort den.

Montering

31 Monteringen sker i omvänd ordningsföljd mot demonteringen. Sätt dit ett nytt tätningsskikt i dörren om det ursprungliga skadades vid demonteringen. Avsluta med

13.30b . . . koppla från anslutningskontakten när låset tas bort.

att montera dörrens inre klädselpanel, enligt beskrivningen i avsnitt 12.

Bakdörrens ytterhandtag

Observera 1: *Du kan behöva ett nytt dörrtätningsskikt vid monteringen.*
Observera 2: *Ytterhandtagets fästbygel är fastnitad på dörren. Se till att du har tillgång till nya nitar i rätt storlek inför monteringen.*

Demontering

32 Ta bort handtaget enligt beskrivningen ovan.
33 Använd en vass kniv och lossa plasttätningsskiktet och ta bort skiktet från området runt dörrlåset. Om du är försiktig kan det gå att ta bort skiktet i ett stycke och återanvända det vid monteringen
34 Skjut den vita plaststyrarmen framåt så att låsklämman hakar i spåret, och ytterhandtagets bakre del inte längre hakar i det **(se bild 13.21)**.
35 Dra ytterhandtagets bakre del utåt och använd en skruvmejsel för att bända loss handtaget från den främre svängtappen **(se bild 13.22)**. För undan handtaget från dörren.
36 Om det behövs kan du ta bort den yttre plastkåpan och använda ett borrbit med diameter 6,0 mm för att borra ut nithuvudena från utsidan och ta bort handtagsbygeln från dörren.

Montering

37 Montering sker i omvänd ordning. Sätt dit ett nytt tätningsskikt i dörren om det ursprungliga skadades vid demonteringen. Avsluta med att montera dörrens inre klädselpanel, enligt beskrivningen i avsnitt 12.

14 Fönsterglas i dörr, hiss och bakre hörnruta – demontering och montering

Framdörrens fönsterglas

Observera: *Du kan behöva ett nytt dörrtätningsskikt vid monteringen.*
1 Sänk ner fönstret helt och ta försiktigt bort den inre och yttre tätningen från fönsteröppningen **(se bild)**. Höj upp fönstret cirka en tredjedel.
2 Ta bort dörrens inre klädselpanel enligt beskrivningen i avsnitt 12.
3 Borra ur nitarna som fäster dörrklädselpanelens stödfäste **(se bild)**.
4 Använd en vass kniv och lossa plasttätningsskiktet och ta bort skiktet från området runt dörrlåset. Om du är försiktig kan det gå att ta bort skiktet i ett stycke och återanvända det vid monteringen.
5 Skruva loss de båda fönsterklämskruvarna och ta bort fönstret genom öppningen, bort från dörren **(se bild)**.
6 Monteringen utförs i omvänd ordningsföljd mot demonteringen, men sätt dit ett nytt tätningsskikt i dörren om det ursprungliga skadades vid demonteringen. Avsluta med att montera dörrens inre klädselpanel, enligt beskrivningen i avsnitt 12.

Framdörrens fönsterhiss

7 Placera fönstret cirka en tredjedel upp.
8 Ta bort dörrens inre klädselpanel enligt beskrivningen i avsnitt 12.
9 Borra ur nitarna som fäster dörrklädselpanelens stödfäste på dörren **(se bild 14.3)**.
10 Använd en vass kniv och lossa plasttätningsskiktet och ta bort skiktet från området runt dörrlåset. Om du är försiktig kan det gå att ta bort skiktet i ett stycke och återanvända det vid monteringen.
11 Skruva loss de båda fönsterklämbultarna **(se bild 14.5)**.
12 Höj upp fönstret till helt stängt läge och fäst det på plats med maskeringstejp över dörrarmens ovansida. Återanslut fönsterbrytaren tillfälligt och sänk ner mekanismen helt.

14.1 Bänd försiktigt upp dörrens tätningar

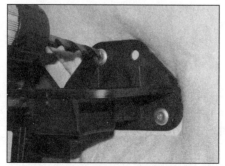

14.3 Borra ur nitarna i dörrklädselns panelstödfäste

14.5 Skruva loss de båda fönsterklämskruvarna (markerade med pil)

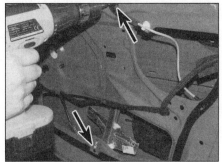

14.13 Skruva loss de tre torxskruvarna (markerade med pil) och ta bort fönstermotorn

14.14 Borra ur de två nitarna (markerade med pil) . .

14.15 . . . och lossa klämmorna

13 Skruva loss de tre torxskruvar och ta bort elmotorn från hissen **(se bild)**. Koppla loss motorns anslutningskontakt.
14 Borra ur de båda nitarna som fäster hissenheten på dörramen **(se bild)**.
15 Lossa de tre klämmorna som fäster hissenheten på dörrpanelen **(se bild)**.
16 Sänk ner hissmekanismen och ta bort den från dörren.
17 Montering sker i omvänd ordningsföljd.

Bakdörrens fönsterglas

Observera: *Du kan behöva ett nytt dörrtätningsskikt vid monteringen.*
18 Ta bort dörrens inre handtag enligt beskrivningen i avsnitt 13.
19 Borra ur niten som håller fast dörrklädselns stödfästbygel på dörramen, lyft sedan bygeln uppåt och ta bort den.
20 Använd en vass kniv och lossa plasttätningsskiktet och ta bort skiktet från området runt dörrlåset. Om du är försiktig kan det gå att ta bort skiktet i ett stycke och återanvända det vid monteringen.
21 Bänd loss dörrens nedre inre gummitätning från dörramen **(se bild)**.

5-dörrars halvkombi modeller

22 Återanslut tillfälligt fönsterbrytaren/hisshandtaget och höj upp fönstret tills dess klämskruvar syns genom öppningen i dörramen. Skruva loss de båda fönsterklämskruvarna **(se bild)**.

Kombi-/SW-modeller

23 Bänd försiktigt loss den trekantiga plastpanelen från det yttre nedre hörnet av

fönstrets yttre öppning. Panelen hålls fast av två tryckklämmor **(se bild)**.
24 Bänd upp och ta bort den yttre tätningen från fönsteröppningen.

Alla modeller

25 Börja i det bakre nedre hörnet och ta försiktigt bort fönsteröppningens kanaltätning från dörramen.
26 Skruva loss de båda muttrarna på dörramens baksida som fäster fönstrets styrningskanal och ta bort styrningskanalen **(se bild)**.
27 Höj upp fönstret till helt stängt läge och fäst det på plats med maskeringstejp över dörrarmens ovansida.
28 Använd brytaren/hisshandtaget och sänk ner hissmekanismen så långt det går.
29 Sänk ner fönstret helt och lyft sedan upp fönsterglasets bakre del och ta bort det från

14.21 Bänd loss den inre tätningen från dörren

14.26 Skruva loss de båda muttrarna som håller fast fönstrets styrningskanal

dörrens **(se bild)**. Var noga med att inte repa dörrlacken.
30 Monteringen utförs i omvänd ordningsföljd mot demonteringen, men sätt dit ett nytt tätningsskikt i dörren om det ursprungliga skadades vid demonteringen. Avsluta med att montera dörrens inre handtag, enligt beskrivningen i avsnitt 13.

Bakdörrens fönsterhiss

Observera: *Du kan behöva ett nytt dörrtätningsskikt vid monteringen.*
31 Ta bort dörrens inre handtag enligt beskrivningen i avsnitt 13.
32 Borra ur niten som håller fast dörrklädselns stödfästbygel på dörramen, lyft sedan bygeln uppåt och ta bort den.
33 Använd en vass kniv och lossa plasttätningsskiktet och ta bort skiktet från området runt dörrlåset. Om du är försiktig

14.22 Skruva loss de båda fönsterklämskruvarna (markerade med pil)

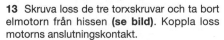

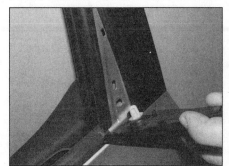

14.23 På kombi/SW modeller, bänd loss den trekantiga panelen från dörrens utsida

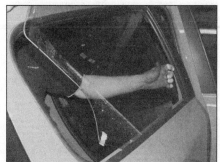

14.29 Lyft upp den bakre änden och ta bort fönstret från dörren

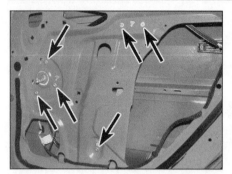

14.37 Borra ur nitarna (markerade med pil) och ta bort hissenheten

14.41 Skruva loss hörnruteramens fästskruv (markerad med pil)

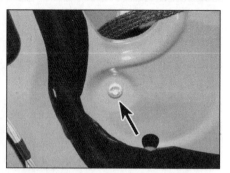

14.43 Borra ur det främre fönstrets styrningsnit (markerad med pil)

kan det gå att ta bort skiktet i ett stycke och återanvända det vid monteringen.

34 Återanslut fönsterbrytaren tillfälligt, eller sätt tillbaka hissmekanismen, och passa in fönstret så att kopplingen till lyftkanalen kan nås via dörröppningen. Lossa klämskruvarna på lyftkanalens bygel **(se bild 14.22)**.

35 Skjut fönsterglaset uppåt för hand och tejpa fast det på dörramens ovandel för att fästa det i upphöjt läge.

36 Sänk ner fönsterhissmekanismen med hjälp av brytaren eller handtaget.

37 Borra ur nitarna eller skruva loss bultarna som fäster hissenheten på dörramen och ta bort den från dörren **(se bild)**.

38 Monteringen utförs i omvänd ordningsföljd mot demonteringen, men sätt dit ett nytt tätningsskikt i dörren om det ursprungliga skadades vid demonteringen. Avsluta med att montera dörrens inre handtag, enligt beskrivningen i avsnitt 13.

Framdörrens hörnruta

39 Ta bort framdörrens fönsterglas enligt beskrivningen tidigare i detta avsnitt.

40 Bänd loss fönstrets styrningsgummi från fönsteröppningen bredvid hörnrutans stolpe.

41 Skruva loss hörnrutans fästskruv **(se bild)**.

42 Skruva loss de tre torxskruvarna och ta bort spegeln.

43 Borra ur niten som fäster den nedre änden av rutans främre styrning **(se bild)**.

44 Dra upp den yttre tätningen. Dra sedan ovandelen av hörnrutans stolpe bakåt och ta bort hörnrutan från dörren.

15.9 Bänd ut klämman och dra bort benet från kulleden

45 Monteringen sker i omvänd ordningsföljd mot demonteringen.

15 Baklucka och stödfjädrar – demontering och montering

Baklucka

Demontering

1 Ta bort bakluckan enligt beskrivningen i avsnitt 25.

2 Koppla ifrån kablagets kontaktdon från bakluckans inre komponenter, se relevant metodbeskrivning i kapitel 12. Lossa genomföringen från bakluckan och ta bort kablaget.

3 Ta bort det höga bromsljuset enligt beskrivningen i kapitel 12.

4 Ta hjälp av en medhjälpare och stötta upp bakluckan ordentligt. Bänd sedan ut stödbenen fjäderklämmor, dra bort benen från kullederna på bakluckan.

5 Skruva loss de båda bultarna på båda sidor som fäster gångjärnen på bakluckan och lyft försiktigt bort bakluckan från bilen.

Montering

6 Om du ska montera en ny baklucka ska alla användbara komponenter överföras till den (låsmekanism, torkarmotor etc.) enligt de metodbeskrivningar som anges i detta kapitel och i kapitel 12.

7 Monteringen sker i omvänd ordningsföljd. Tänk på följande:

a) *Om det behövs justerar du gummikuddarna för att få en bra passform när bakluckan är stängd.*

b) *Om det behövs justerar du placeringen av bakluckans lås och/eller gångjärnsbultar i deras avlånga hål för att låset ska fungera bättre.*

Stödben

Demontering

8 Stötta upp bakluckan i öppet läge med hjälp av en medhjälpare, eller använd en kraftig träbit.

9 Använd en liten skruvmejsel, lossa fjäderklämman och dra bort stödbenet från dess kulled på karossen **(se bild)**.

10 Lossa också benet från kulleden på bakluckan och ta bort benet från bilen.

Montering

11 Monteringen utförs i omvänd ordningsföljd mot demonteringen, men kontrollera att fjäderklämmorna hakar i ordentligt.

16 Bakluckans låskomponenter – demontering och montering

Bakluckans lås

1 Ta bort bakrutans nedre klädselpanel enligt beskrivningen i avsnitt 25.

2 Koppla loss kontaktdonet.

3 Skruva loss de två låsfästskruvar och ta bort låset **(se bild)**.

4 Monteringen utförs i omvänd ordningsföljd mot demonteringen, men justera bakluckans låsgrepp om det behövs.

Bakluckans låsgrepp

5 Skruva loss skruvarna och ta bort bakluckeöppningens nedre panel (se avsnitt 25) för åtkomst till låsbleckets fästbultar.

6 Märk ut låstungans placering på karossen för att underlätta monteringen. Skruva loss de båda fästbultarna och ta bort låstungan från karossen **(se bild)**.

7 Montering sker i omvänd ordningsföljd. Innan du drar åt fästbultarna ska låstungans placering ändras (fästbulthålen är avlånga) tills låset fungerar tillfredsställande. Använd markeringarna som gjordes före demonteringen om du behöver.

16.3 Skruva loss de två bultar och ta bort låset

16.6 Skruva loss de två bultar och ta bort låsgreppet (markerad med pil)

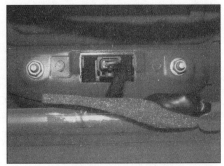

16.9 Koppla loss handtagets anslutningskontakt (halvkombi modeller)

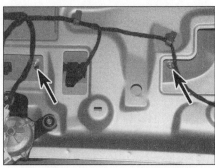

16.11a Skruva loss de fyra muttrarna (de båda vänstra är markerade med pil) . . .

Bakrutans yttre handtag

8 Ta bort bakrutans nedre klädselpanel enligt beskrivningen i avsnitt 25.
9 Koppla loss handtagets anslutningskontakt **(se bild)**.

Halvkombi modeller

10 Skruva handtagets båda fästmuttrar och ta bort handtagsenheten tillsammans med dess tätning.

Kombi-/SW-modeller

11 Skruva loss de fyra muttrarna, lossa de båda fästklämmorna och ta bort handtagshuset/nummerplåtsbelysningens kåpa från bakluckan **(se bilder)**.
12 Lossa de båda fästklämmorna och ta bort handtaget **(se bild)**.

Alla modeller

13 Monteringen sker i omvänd ordningsföljd mot demonteringen.

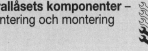

16.11b . . . lossa sedan fästklämmorna

16.12 Lossa klämmorna och skjut ut handtaget

Styrenhet

1 Centrallåssystemet styrs av BSI:n – bilens centraldator – som styr de viktigaste funktionerna i karossens elsystem. Enheten sitter under instrumentbrädan, bredvid rattstången. Se kapitel 12 för ytterligare information.
2 Om det uppstår problem vid användningen av centrallåssystemet eller några av de andra funktionerna som BSI-enheten styr, ska bilen lämna in till en Peugeot-verkstad för felsökning.

Dörrlåsmotor

3 Motorn är inbyggt i låset. Demontering och montering av låsenheten beskrivs i avsnitt 13.

Bakrutans låsmotor

4 Demonteringen av bakluckans låsmotor beskrivs som en del av metoden för demontering och montering av bakluckan i avsnitt 16.

Fjärrkontroll sändare

Batteribyte

5 När fjärrkontrollens sändarbatteri är nästan slut hörs en ljudsignal i bilen, följt av ett meddelande på instrumentbrädans flerfunktionsskärm. Batteriet ska då bytas mot ett av typen CR 2016 (3 volt).
6 Använd en liten skruvmejsel och lossa skruven, bänd försiktigt isär sändarens båda halvor och ta bort batteriet.
7 Sätt dit det nya batteriet och sätt ihop sändaren.

Initiering

8 När du ska initiera enheten efter batteribyte slår du först av och sedan på tändningen och trycker omedelbart in låsknappen. Slå av tändningen och ta bort nyckeln från tändningslåset.

18.4 Skruva loss de tre skruvarna (markerade med pil) och ta bort spegeln från dörramen

Utvändiga speglar

1 Se till att tändningen är avstängd.
2 Ta bort dörrens inre klädselpanel enligt beskrivningen i avsnitt 12.
3 Koppla loss speglets anslutningskontakter.
4 Skruva loss de tre fästskruvarna och ta bort spegeln från dörramen **(se bild)**.
5 Montera tillbaka i omvänd ordningsföljd mot demonteringen.

Utvändigt spegelglas

6 Arbeta genom öppningen i spegelglasets inre kant, använd en skruvmejsel och lossa ändarna på fjäderklämman som fäster glaset på spegelkroppen **(se bilder)**.

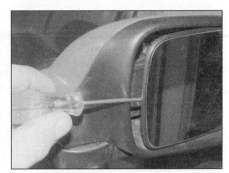

18.6a Sätt in en skruvmejsel vid spegelglasets inre kant . . .

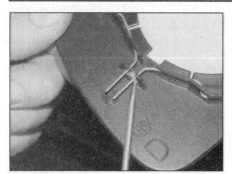

18.6b ... för att lossa fästklämman

18.10 Skjut upp spegeln från den nedre delen

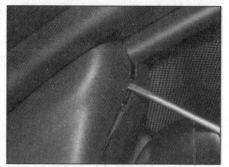

18.11 Bänd isär plastkåpan över spegeln

18.12a Tryck ner spegelhuset för att lossa det ...

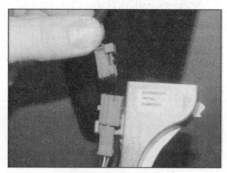

18.12b ... lossa sedan anslutningskontakten

7 Ta bort glaset och koppla ifrån kontaktdonet (i förekommande fall).
8 Montera tillbaka fjäderklämmans ändar på spegelglasets baksida, se till att klämman hamnar rätt i spåren på glasets baksida.
9 Tryck in spegelglasets ändar i spegeln tills klämman låses på plats i spegelns justeringsspår.

Innerspegel

Standardspegel

10 Skjut upp spegeln från vindrutans nedre del **(se bild)**.

Anti-reflexspegel

11 Använd en liten spårskruvmejsel och bänd försiktigt isär de båda plastkåporna över spegelns nedre hus, lossa sedan klämmorna och lossa höger kåpa från huset **(se bild)**.
12 Tryck spegelns nedre hus kraftigt nedåt

för att lossa det från fästet på vindrutan. Lossa anslutningskontakten när speglet tas bort **(se bilder)**.

Alla speglar

13 Monteringen sker i omvänd ordningsföljd mot demonteringen.

---

19 Vindruta, bakruta och fasta fönster - allmän information

Dessa glasområden sitter fast tack vare att tätningsremsans sitter så hårt i karossöppningen och de är fästa med ett speciellt lim. Det är svårt, kladdigt och tidsödande att byta ut dessa glas och arbetet är utanför vad en hemmamekaniker klarar av. Det är svårt att få fönsterglaset att sitta

19.2 Bänd loss kåpan och lossa gångjärnsmuttern (markerad med pil)

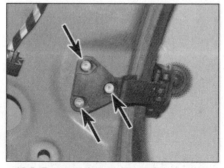

19.3 Borra ur de tre nitarna (markerade med pil)

säkert och att få skarvarna vattentäta om man inte har mycket stor erfarenhet av arbetet. Dessutom innebär arbetet stor risk för att glaset går sönder. detta gäller särskilt den laminerade glasvindrutan. Vi rekommenderar alltså starkt att du låter en specialist utföra allt arbete av denna typ.

Observera att de bakre sidofönstren med gångjärn på 3-dörrarsmodellerna också är fästa framtill, och därför ska ett eventuellt byte överlåtas till en specialist.

Bakre sidofönstergångjärn

3-dörrars halvkombi modeller

1 Ta bort klädselpanelen från C-stolpen enligt beskrivningen i avsnitt 25.
2 Bänd försiktigt loss kåpan och lossa sedan fästmuttern på gångjärnets fönsterände **(se bild)**.
3 Borra ur nitarna som fäster gångjärnet på C-stolpen **(se bild)**.
4 Montering sker i omvänd ordningsföljd.

---

20 Soltak – allmän information

Den fabriksmonterade takluckan är elstyrd.
På grund av komplexiteten i soltakets mekanism, krävs avsevärd expertis för att reparera, byta eller justera soltakets delar. Om soltaket ska tas bort måste först den inre takklädseln tas bort, vilket är en komplicerad och tidsödande uppgift som inte bör underskattas. Eventuella problem med soltaket ska därför överlåtas till en Peugeot-verkstad.

---

21 Yttre karossdetaljer – demontering och montering

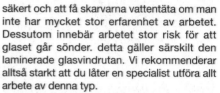

Hjulhusfoder/stänkskärmar

1 Hjulhusfodret hålls fast av flera expanderande plastnitar. Ta bort fodren genom att tryck in mittsprintarna en bit och bänd sedan ur hela nitarna från deras plats. När alla nitar är borttagna tar du bort fodret från hjulhuset. Observera att de bakre fodren

21.1a Tryck in stiften i mitten och bänd ut plastnitarna

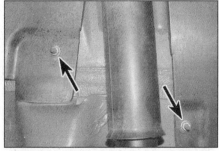

21.1b De bakre fodren också fästs med två muttrar på varje sida (markerade med pil)

22.3 Skruva loss de två skruvarna som håller fast huvudcylinderns övre behållare (markerade med pil)

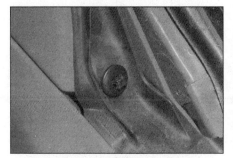

22.4 Tryck in stiften i mitten och bänd ut de plastniten i varje ände av klädselpanelen

22.5c Bänd upp centrumsprinten och bänd ut niten som fäster isoleringsmaterialet

22.6 Skruva loss bulten i båda ändarna som fäster ventilpanelens tvärbalk

också fästs med två muttrar på varje sida **(se bild)**

Karossens dekorremsor och modellbeteckningar

2 Karossens olika panelremsor och märken hålls på plats med ett särskilt häftande membran. Vid demontering måste dekoren/modellbeteckningen värmas upp så att fästmedlet mjuknar, och sedan skäras bort från ytan. På grund av risken för skador på bilens lack rekommenderas att det här arbetet överlåts till en Peugeot-verkstad.

22 Framgrill – demontering och montering

Demontering

1 Öppna motorhuven och stöd upp den i det högsta läget.
2 Demontera vindrutans torkararmar enligt beskrivningen i kapitel 12.
3 Skruva loss de två skruvar som håller fast bromsen/kopplingens huvudcylinder till tvärbalken och flytta den åt sidan. Du behöver inte lossa behållarens slangar **(se bild)**.
4 Tryck in centrumsprintarna lite och bänd sedan upp hel plastexpanderniten i panelens båda ändar **(se bild)**.
5 Bänd upp centrumsprintarna. Bänd sedan ut hela plastnitarna som fäster ljudisoleringsmaterialet på torpedplåtens tvärbalk **(se bild)**.
6 Lossa bultarna i båda ändar som fäster

torpedplåtens tvärbalk och ta bort den **(se bild)**.
7 Dra ventilpanelen uppåt i båda ändarna för att lossa den från vindrutans klämmor. Dra den sedan nedåt och framåt för att lossa den från den nedre mittersta vindruteklämman.

Montering

8 Monteringen sker i omvänd ordningsföljd mot demonteringen.

23 Säten – demontering och montering

Framsäten

⚠️ **Varning: Framsätena har sidokrockkuddar inbyggda i utsidorna. Se kapitel 12 för föreskrifterna som ska följas**

23.5 Skruva loss de båda bultarna på tätningsskenornas främre del (markerad med pil)

när man hanterar krockkuddssystemet. Manipulera inte krockkuddsenheten på något sätt och försök inte att testa någon av systemets komponenter. Observera att krockkudden löses ut om mekanismen spänningsmatas (inklusive via en ohmmätare), eller om enheten utsätts för en temperatur över 100 °C.

1 Avaktivera krockkuddssystemet (se kapitel 12) innan du försöker ta bort sätet.
2 Skjut fram sätet så långt det går.
3 Ta bort bultarna (en på var sida) som fäster den bakre delen av sätets skenor på bilens golv.
4 Flytta sätet så långt bakåt det går.
5 Ta bort bultarna (en på var sida) som fäster den främre delen av sätesramen på bilens golv **(se bild)**.
6 Koppla loss sätets anslutningskontakter och ta bort det från passagerarutrymmet **(se bild)**.

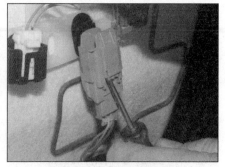

23.6 Koppla loss sätets anslutningskontakt/kontakter

23.9 Skruva loss gångjärnsmuttern i mitten

23.13 Skruva loss de båda bultarna och ta bort spärren från sätet

23.14 Lossa klämman (markerad med pil) och lyft bort sätet

7 Monteringen utförs i omvänd ordningsföljd mot demonteringen, men ta hänsyn till följande föreskrifter innan du kopplar ifrån batteriet.

a) Se till att det inte befinner sig någon i bilen och att det inte ligger några lösa föremål nära sätena.

b) Se till att tändningen är avslagen och återanslut sedan krockkuddens styrmodul och batteriet.

c) Öppna förardörren och slå på tändningen. Kontrollera att krockkuddens varningslampa tänds en lyser en kort stund för att sedan slockna.

d) Slå av tändningen.

e) Om krockkuddens varningslampa inte fungerar som beskrivs i punkt c), kontakta en Peugeot-verkstad innan du kör bilen.

Baksäte

Halvkombi-/kombimodeller, sätesdyna

8 Lyft upp framkanten först, följt av bakkanten. Tryck sedan stagen åt sidan och ta bort sätet från bilen.

Halvkombi-/kombimodeller, sätenas ryggstöd

9 Med sätesdynorna vikta framåt lossar du gångjärnsmuttern i mitten **(se bild)**.
10 Vik ryggstödet framåt och lossa bulten som fäster gångjärnet på bilens golv.
11 Lyft upp ryggstödet i gångjärnet, haka loss det yttre gångjärnet och ta bort det från bilen.
12 När du ska ta bort baksätets ryggstödsspärr, lossa sätesklädselns inre nedre kanter och sidokanter **(se bilder 24.13a och 24.13b)**.

13 Skruva loss de båda bultarna och ta bort spärren från ryggstödet **(se bild)**.

SW modeller

14 Vik ryggstödet framåt, följt av sätesbotten. Lossa fästklämman och lyft upp sätet från passagerarutrymmet **(se bild)**.

Alla modeller

15 Återmonteringen sker i omvänd ordningsföljd mot demonteringen. Dra åt gångjärn bultarna ordentligt.

24 Säkerhetsbältenas komponenter – demontering och montering

Observera: Anteckna var mellanläggen och brickorna på säkerhetsbältets fästen är placerade och se till att de återmonteras på sina ursprungliga platser.

Främre säkerhetsbälte

⚠️ **Varning: Det främre säkerhetsbältenas bältesrullar har en pyroteknisk försträckarmekanism. Se föreskrifterna för krockkuddssystemet i kapitel 12, som också gäller för bältesförsträckarna. Manipulera inte bältesrullens försträckare på något sätt och försök inte att testa någon av enhetens komponenter. Observera att enheten löses ut om mekanismen spänningsmatas (inklusive via en ohmmätare), eller om enheten utsätts för en temperatur över 100 °C.**

1 Avaktivera krockkuddssystemet (vilket också avaktiverar den pyrotekniska försträckarmekanismen) enligt beskrivningen i kapitel 12 innan du försöker ta bort säkerhetsbältet.
2 Om du vill kan du för att åka åtkomligheten ta bort det berörda framsätet enligt beskrivningen i avsnitt 23.
3 Ta bort klädselpanelen från B-stolpen enligt beskrivningen i avsnitt 25.
4 Koppla ifrån kontaktdonet från bältesrullens försträckarenhet.
5 Skruva loss säkerhetsbältets nedre fästbult och bältesrullens fästbult, och ta bort brickorna **(se bild)**.
6 Skruva loss säkerhetsbältets övre fästbult och ta bort bältesrullen från dörrstolpen **(se bild)**. Ta bort säkerhetsbältsenheten från bilen.
7 Monteringen utförs i omvänd ordningsföljd mot demonteringen, men ta hänsyn till följande föreskrifter innan du kopplar ifrån batteriet.

a) Se till att det inte befinner sig någon i bilen och att det inte ligger några lösa föremål nära sätena.

b) Se till att tändningen är avstängd och återanslut sedan batteriet.

c) Öppna förardörren och slå på tändningen. Kontrollera att krockkuddens varningslampa tänds en lyser en kort stund för att sedan slockna.

d) Slå av tändningen.

e) Om krockkuddens varningslampa inte fungerar som beskrivs i punkt c), kontakta en Peugeot-verkstad innan du kör bilen.

f) Dra åt säkerhetsbältenas fästen till angivet moment.

24.5a Skruva loss säkerhetsbältets nedre fästbult (markerad med pil)

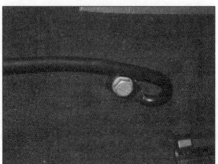

24.5b Bänd loss gummilocket och skruva loss fästbulten (3-dörrars modell)

24.6 Säkerhetsbältets övre fästbult (markerad med pil)

24.9 Skruva loss muttern från säkerhetsbältets rulle (markerad med pil)

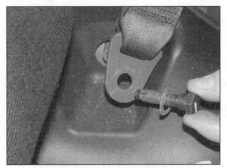

24.10 Skruva loss bulten från säkerhetsbältets fäste

24.11 Bult till baksätets säkerhetsbältesstam

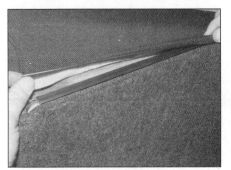

24.13a Lossa den nedre kanten . . .

24.13b . . . och sidokanterna av ryggstödets klädsel . . .

24.13c . . . för att få fram det mittersta säkerhetsbältets bältesrulle

Bakre säkerhetsbälter

Halvkombi och kombi modeller

8 Ta bort klädselpanelen från C-stolpen enligt beskrivningen i avsnitt 25.

9 Skruva loss muttern som fäster säkerhetsbältets bältesrulle på karossen (**se bild**).

10 Skruva loss bulten som fäster säkerhetsbältets fäste på karossen (**se bild**).

11 När du ska ta bort säkerhetsbältets stam viker du baksätets dynor framåt och lossar bulten som fäster säkerhetsbältets stam på karossen (**se bild**).

12 När du ska ta bort det mittersta säkerhetsbältets bältesrulle måste ryggstödets klädsel delvis tas bort. Ta bort ryggstödet enligt beskrivningen i avsnitt 23.

13 Lossa sätesklädselns inre nedre kanter och sidokanter för att bältesrullens fästmutter ska bli synlig (**se bild**).

14 Använd en skruvmejsel för att lossa säkerhetsbältets remände från sätets ovandel. Skruva sedan loss muttern och ta bort bältesrullen och bältesenheten (**se bild**).

SW modeller

15 Ta bort bagageutrymmets sidopanel enligt beskrivningen i avsnitt 25.

16 Skruva loss bultarna som fäster de övre fästena på C- eller D-stolparnas paneler (**se bild**).

17 Skruva loss bultarna som fäste säkerhetsbältets bältesrullar (**se bilder**).

18 När du ska ta bort den mittersta platsens bältesrulle drar du ut säkerhetsbältet lite och skruvar sedan loss torxskruven på panelens främre del (**se bild**).

19 Dra panelen nedåt för att lossa den från de bakre fästklämmorna.

20 Skruva loss bulten som fäster bältesrullen på bilen (**se bild**).

21 När du ska ta bort säkerhetsbältets

stammar viker du baksätets ryggstöd och dynor framåt och lossar sedan skruven som fäster panelen över stammen (**se bild**).

22 Dra ut panelens nedre del och skjut den sedan uppåt.

24.14 Lossa säkerhetsbältets remände

24.16 Skruva loss säkerhetsbältets övre förankringsbult

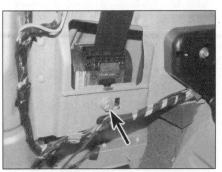

24.17a Bult till det bakre säkerhetsbältets bältesrulle (markerad med pil) . . .

24.17b . . . och bult till säkerhetsbältes bältesrulle på mellanraden (markerad med pil)

24.18 Skruva loss torxskruven på panelens främre kant (markerad med pil)

24.20 Bult till bakre bältesrullen i mitten

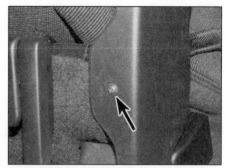

24.21 Skruva loss kåpskruven på säkerhetsbältets stam (markerad med pil)

24.23 Skruva loss bulten från säkerhetsbältets stam

23 Skruva loss bulten som håller fast säkerhetsbältets stam **(se bild)**.

Alla modeller

24 Monteringen sker i omvänd ordningsföljd mot demonteringen. Dra åt fästbultarna till angivet moment.

25 Inre dekor – demontering och montering

Dörrens inre klädselpanel

1 Se avsnitt 12.

Klädselpanel på A-stolpen

2 Dra bort gummilisten från dörröppningen bredvid stolpens klädselpanel .
3 Bänd försiktigt loss panelen från stolpen, börja i mitten, och dra sedan loss den övre kanten bakom takklädseln **(se bild)**.
4 Lyft upp panelen för att haka loss de nedre styrtapparna och ta bort den från bilen.
5 Monteringen utförs i omvänd ordningsföljd mot demonteringen, men se till att alla fästklämmor hakar i ordentligt och att tätningsremsan sitter där den ska.

Nedre klädselpanel på B-stolpen

5-dörrars halvkombi och kombi/SW modeller

6 Dra försiktigt den främre rampanelen uppåt för att lossa dess fästklämmor **(se bild)**. Lossa den bakre rampanelens främre kant från dess fästklämmor.
7 Dra panelens nedre kant från fästklämmorna och dra den sedan nedåt för att lossa den från de över styrtapparna **(se bild)**.

Övre klädselpanel på B-stolpen

3-dörrars halvkombi modeller

8 Ta bort den bakre sidoklädselpanelen enligt beskrivningen i detta avsnitt.
9 Skruva loss bulten som fäster skenan till det nedre säkerhetsbältesfästet på bilen.
10 Lossa klämman längst ner och dra sedan panelen mot kupéns mitt och lossa den från fästklämmorna **(se bild)**. Mata igenom säkerhetsbältet när panelen tas bort.
11 Monteringen utförs i omvänd ordningsföljd mot demonteringen, men se till att alla fästklämmorna hakar i ordentligt.

5-dörrars halvkombi och kombi/SW modeller

12 Ta bort den nedre klädselpanelen från stolpen enligt tidigare beskrivning. Skruva loss säkerhetsbältets nedre fästbult och ta bort eventuella brickor/mellanlägg och anteckna var de satt.
13 Skruva loss skruven/klämman som fäster panelens nedre kant **(se bild)**.
14 Dra panelen mot kupéns mitt, och ta

25.3 Lossa panelen från A-stolpen

25.6 Dra loss dörrens rampanel från dess klämmor

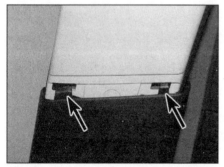

25.7 Dra B-stolpens panel nedåt får att lossa tapparna högst upp (markerad med pil)

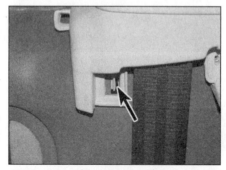

25.10 Lossa klämman (markerad med pil) och dra loss panelen

25.13 Skruva loss skruven och klämman på panelens nedre kant (markerad med pil)

bort den från fästklämmorna. Mata igenom säkerhetsbältet när panelen tas bort **(se bild)**.
15 Monteringen utförs i omvänd ordningsföljd mot demonteringen, men se till att alla fästklämmorna hakar i ordentligt.

Klädselpanel på C-stolpen

5-dörrars halvkombi modeller

16 Ta bort bagagehyllans stöd enligt beskrivningen nedan.
17 Skruva loss skruven som fäster den nedre kanten av C-stolpens/bakdörrens rampanel. Dra sedan försiktigt loss stolpens klädselpanel från bilens kaross för att lossa dess fästklämmor **(se bild)**.
18 Monteringen sker i omvänd ordningsföljd mot demonteringen.

3-dörrars halvkombi modeller

19 Ta bort bagagehyllans fäste och sidoklädselpanel enligt beskrivningen nedan.
20 Dra försiktigt bort panelen från stolpen, lossa fästklämmorna.

Kombi-/SW-modeller

21 Ta bort bagagehyllans stöd enligt beskrivningen nedan.
22 Bänd bort plastkåpan och lossa sedan bulten som fäster säkerhetsbältets övre bygel.
23 Skruva loss skruven längst ner på panelen. Lossa fästklämman och dra försiktigt loss panelen från bilen **(se bild)**.

Alla modeller

24 Monteringen sker i omvänd ordningsföljd mot demonteringen.

Klädselpanel på D-stolpen

Kombi-/SW-modeller

25 Dra bort gummilisten från bakluckans öppning, bredvid D-stolpen.
26 Dra försiktigt bort D-stolpens klädselpanel, och lossa fästklämmorna när den tas bort **(se bild)**.
27 Monteringen sker i omvänd ordningsföljd mot demonteringen.

Bagagehyllans stödpanel

Halvkombi modeller

28 Vik berört baksäte framåt.
29 Skruva loss skruven och muttern som fäster bagagehyllans fäste på karossens sidobalk **(se bild)**.
30 Koppla loss kontaktdonen från tillbehörskontakten och innerbelysningen (om det är tillämpligt) när fästet tas bort.

Kombi-/SW-modeller

31 Ta bort D-stolpens klädselpanel enligt beskrivningen i detta avsnitt. Lyft bort bagageutrymmets kåpa/tvärbalk från bilen.
32 På SW modeller, bänd upp centrumsprinten lite och bänd sedan ut hela plastniten på panelens främre del **(se bild)**.
33 Bänd ut luftgallret ovanpå panelen och skruva loss de båda torxskruvarna i galleröppningen **(se bild)**.

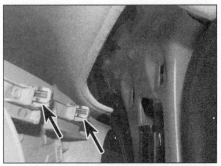
25.14 Lossa klämmorna (markerade med pil) på panelens övre kant

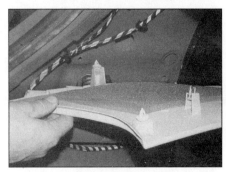
25.17b ... dra sedan loss stolppanelen från fästklämmorna

34 Skruva loss de båda skruvarna, lossa fästklämmorna och ta bort stödpanelen **(se bild)**. Koppla loss tillbehörsuttagets anslutningskontakt (i förekommande fall) när panelen tas bort

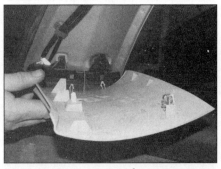
25.26 Dra bort panelen från stolpen för att lossa klämmorna

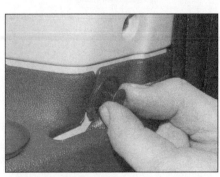
25.32 Bänd upp centrumsprinten lite och bänd sedan ut hela plastexpanderniten

25.17a Skruva loss skruven från stolppanelens nedre kant ...

25.23 Skruva loss skruven och lossa klämman (markerad med pil)

Alla modeller

35 Monteringen utförs i omvänd ordningsföljd mot demonteringen, men se till att alla fästklämmorna hakar i ordentligt, att säkerhetsbältet ligger rätt i spåret på fästet

25.29 Bagagehyllan är fäst med en skruv och en mutter (markerade med pil)

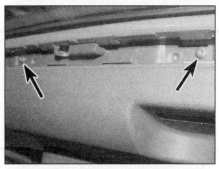
25.33 Bänd ut gallret och lossa de båda torxskruvarna (markerade med pil)

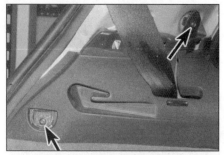

25.34 Skruva loss de båda skruvarna (markerade med pil) och ta bort bagagehyllans stödpanel

och att bagageutrymmets lampkablage är korrekt draget (i förekommande fall).

Bagagerummets nedre sidopanel

36 Ta bort bagagehyllans stödfästbygeln enligt den tidigare beskrivningen.

Halvkombi modeller

37 Bänd loss tätningsremsan från botten av bakluckeöppningen. Skruva sedan loss skruvarna och ta bort bakluckans rampanel enligt beskrivningen i stycke 73 till 75.
38 Om du arbetar på vänster sida i bilar som har satellitnavigeringssystem måste du ta bort förvaringsutrymmets kåpa. Skruva loss de tre bultarna som fäster navigeringsenheten på karossens sidobalk. Ta bort enheten och koppla ifrån kontaktdonen.
39 Bänd upp centrumsprinten och sedan hela plastexpandernitarna på panelens nedre kant **(se bild)**.

25.45a Ta bort de båda plastex-pandernitarna från panelens främre del . . .

25.46 Ta bort förvaringsfackets sargpanel

25.39 Ta bort expanderniten på panelens nedre kant

40 Skruva loss skruven som håller fast den övre kanten av C-stolpens nedre rampanel/bakdörrens rampanel **(se bild 25.17a)**. Dra ut panelens övre kant och ta bort bagagerummets nedre sidopanel från bilen.

Kombimodeller

41 Ta bort baksätets ryggstöd på berörd sida, enligt beskrivningen i avsnitt 23.
42 Skruva loss de fyra torxskruvarna och ta bort bakluckans nedre öppningspanel **(se bild 25.76)**.
43 Skruva loss säkerhetsbältets nedre fästpunkt och lossa sedan fästklämmorna från plastpanelen på bakdörrens tröskel/C-stolpens nedre del **(se bild)**.
44 Börja i enhetens främre del, bänd ut bagageutrymmets lampa och koppla ifrån anslutningskontakten.
45 Bänd upp centrumsprintarna lite, bänd sedan ut de båda plastnitarna från

25.45b . . . och en längst bak

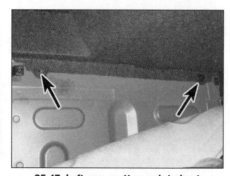

25.47 Lyft upp mattan och ta bort plastnitarna (markerade med pil)

25.43 Lossa plastpanelen från C-stolpens nedre del/bakdörrens tröskel

sidopanelens främre del och en på den bakre **(se bild)**.
46 Bänd försiktigt loss förvaringsfackets panelsarg **(se bild)**.
47 Lyft upp bagageutrymmets matta bredvid sidopanelen och bänd upp centrumsprintarna lite. Bänd sedan ut de båda plastnitarna längst ner på sidopanelen **(se bild)**.
48 Ta bort sidopanelen från bilen.

SW modeller

49 Dra upp överdraget från hjulhusets ovansida för att lossa dess fästklämmor. Skruva loss de båda torxskruvarna och ta bort plasthandtaget från hjulhusets ovansida **(se bild)**.
50 Skruva loss de fyra torxskruvarna och ta bort bakluckans nedre öppningspanel **(se bild 25.76)**.
51 Sträck in handen bakom sidopanelen och koppla ifrån anslutningskontakten till bagageutrymmets lampa.
52 Skruva loss bulten som håller fast säkerhetsbältets nedre fästpunkt på sidopanelens främre del.
53 Dra försiktigt upp den bakre delen av dörrtröskelns plastpanel mot kupéns mitt för att lossa den från fästklämman.
54 Bänd upp centrumsprintarna lite, bänd sedan ut de båda plastnitarna från sidopanelens främre nedre och ta bort panelen från bilen **(se bild)**.

Alla modeller

55 Monteringen utförs i omvänd ordningsföljd mot demonteringen, men se till att alla fästklämmorna hakar i ordentligt.

25.49 Skruva loss de båda skruvarna (markerade med pil) och ta bort handtaget

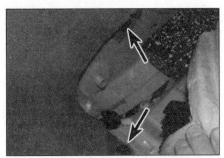

25.54 Ta bort de båda plastnitarna (markerade med pil) på sidpanelens främre del

Bakre sidoklädselpanelen

Modeller med 3 dörrar

56 Ta bort baksäten enligt beskrivningen i avsnitt 23.
57 Skruva loss den nedre fästbulten till baksätets säkerhetsbälte.
58 Skruva loss skruven på fram- och baksidan av panelen (se bilder).
59 Öppna det sidohängda bakre fönstret och dra upp tätningsremsan bredvid panelen.
60 Dra försiktigt bort panelen från bilens kaross för att lossa klämmorna på dess främre och bakre kant, och ta bort den.
61 Monteringen utförs i omvänd ordningsföljd mot demonteringen, dra åt säkerhetsbältets fästbult till angivet moment.

Bakluckans panel

Nedre panel – halvkombi

62 Skruva loss de båda skruvarna i handtagsöppningarna (se bild).
63 Dra försiktigt bort panelen från bakluckan, lossa fästklämmorna.

Nedre panel – Kombi/SW modeller

64 Ta bort de övre panelerna och de på sidan.
65 Tryck in mittsprintarna en bit och bänd ur hela plastexpandernitarna bredvid bakluckans lås (se bild).
66 Dra försiktigt bort panelen från bakluckan, lossa fästklämmornana.

Övre panel

67 Öppna bakluckan och haka loss hyllans remmar.

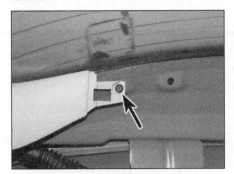

25.70 Ta bort sidopanelens skruv (markerad med pil)

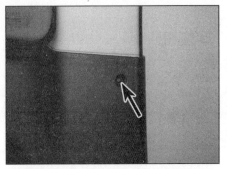

25.58a Skruva loss skruven (markerad med pil) längst fram. . .

68 Dra bort panelen från bakluckan i de övre hörnen för att lossa fästklämmorna. Ta sedan bort panelen från bakluckan (se bild).

Sidopaneler – halvkombi modeller

69 Ta bort den övre panelen och den nedre panelen enligt tidigare beskrivning.
70 Skruva loss de båda skruvarna (en för varje panel) och lossa panelen (se bild).

Sidopaneler – Kombi/SW modeller

71 Ta bort den övre panelen.
72 Bänd försiktigt loss sidopanelernas båda halvor (se bild).

Rampanel – halvkombi modeller

73 Lyft upp bagageutrymmets golvpanel.
74 Bänd upp centrumsprintarna och ta sedan bort hela plastexpandernitarna (se bild).
75 Dra rampanelen rakt uppåt för att lossa fästklämmorna och ta bort panelen.

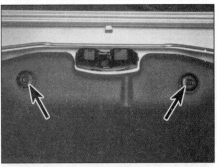

25.65a Tryck in mittsprinten något och bänd sedan ur plastnitarna (markerade med pil)

25.72 Lossa sidopaneler från bakluckans båda halvor

25.58b . . . och sidopanelens bakre del (markerad med pil)

25.62 Ta bort skruven i handtagsöppningarna på båda sidorna

Rampanel – kombimodeller

76 Panelen är fäst med fyra torxskruvar, två på varje sida. Skruva loss skruvarna och ta bort panelen (se bild).

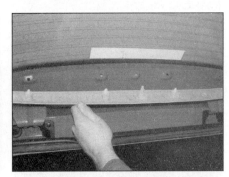

25.68 Dra loss den övre panelen för att lossa klämmorna

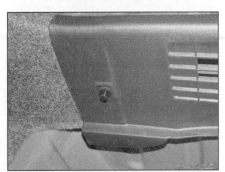

25.74 Ta bort plastniten från båda ändarna av bakluckans rampanel (halvkombi modeller)

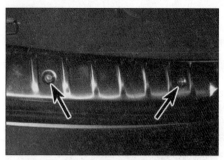

25.76 På kombi/SW modeller, är bakluckans rampanel fäst med två skruvar på vardera sida (markerade med pil)

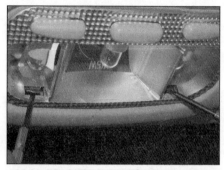

25.80 Bänd tillbaka de båda klämmorna och ta bort armaturen

25.81 Lossa de båda klämmorna och dra konsolens främre del nedåt

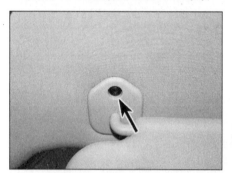

25.83 Solskyddet hålls fast med en enda skruv (markerad med pil)

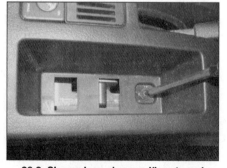

25.88 Skruva loss skruven på båda sidor om kurvhandtaget

Alla modeller

77 Monteringen utförs i omvänd ordningsföljd mot demonteringen, men se till att alla fästklämmorna hakar i ordentligt.

Inre takklädsel

Observera: *Observera att demontering och montering av den inre takklädseln kräver betydande skicklighet och erfarenhet om arbetet ska kunna utföras utan skador. Därför bör arbetet överlåtas till en Peugeot återförsäljare eller till en specialist på bilklädslar. Det finns en allmän översikt över metoden nedan, avsedd för de som har tillräcklig kunskap för att utföra åtgärden i egenskap av hemmamekaniker.*

78 Takklädseln är fäst med klämmor och limmad på taket. Den kan endast tas bort när alla beslag som t.ex. kurvhandtagen, kupélampor, solskydd, taklucka (i förekommande fall), stolparnas klädselpaneler och andra tillhörande extra paneler har tagits

bort. Tätningsremsorna i öppningen till dörrar, baklucka och taklucka måste också tas bort liksom alla eventuella extra skruvar och klämmor. När takklädselns fästen har lossats måste du knäcka limmet på mittenpanelerna med hjälp av en varmluftspistol och en spatel. Börja framifrån och arbeta dig bakåt.

79 Vid återmonteringen måste du stryka på ett lager neoprenlim (kan köpas hos Peugeot-verkstäder) på de mitterstas panelerna på de platser som antecknades vid demonteringen. Passa försiktigt in takklädseln och sätt tillbaka alla komponenter som har hanterats vid demonteringen. Avsluta med att rengöra takklädseln med tvål och vatten eller lacknafta.

Takkonsolen

80 Bänd loss linsen från innerbelysnings-senheten. Bänd sedan de båda fästklämmorna bakåt och ta bort armaturen **(se bild)**. När enheten är borttagen, lossa anslutningskontakterna.

81 Lossa de båda fästklämmorna och dra konsolens framsida nedåt och sedan framåt för att lossa styrtappen på baksidan **(se bild)**. Koppla ifrån alla eventuella anslutningskontakter när konsolen tas bort.

82 Monteringen sker i omvänd ordningsföljd mot demonteringen.

Solskydd

83 Solskyddet hålls fast med en enda skruv **(se bild)**. Innan du tar bort solskyddet ska du ta bort innerbelysningsenheten enlight beskrivningen i stycke 80, och koppla ifrån anslutningskontakterna.

84 Ta bort solskyddets fästskruv och lossa fästet från takklädseln. Leta reda på anslutningskontakten till solskyddets makeup-spegel på takkonsolen och bind fast en bit snöre i den. Ta bort solskyddet och dra snöret genom innerbelysningens öppning. När snöret kommer fram vid solskyddets fästesöppning lossar du det från anslutningskontakten.

85 Bind fast en bit snöre på skyddets kablage och dra det igenom innerbelysnings öppning. Återanslut anslutningskontakten.

86 Montera tillbaka solskyddets fäste på takklädseln och dra åt fästskruven ordentligt.

Handtag

87 Bänd i de övre och nedre kanterna för att ta bort plastkåporna från kurvhandtagets fram- och bakände.

88 Skruva loss fästskruvarna och ta bort handtaget **(se bild)**.

89 Monteringen sker i omvänd ordningsföljd mot demonteringen.

26 Mittkonsol – demontering och montering

Demontering

1 Ta bort instrumentbrädans nedre mittersta panel enligt beskrivningen i nästa avsnitt.

2 Dra upp och ta bort förvaringsfacket/mugghållaren från mittkonsolen framför handbromsspaken **(se bild)**.

3 Lyft upp gummibotten från förvaringsfacket bakom konsolen och lossa fästskruven **(se bild)**.

4 Bänd upp och koppla ifrån

26.2 Ta bort förvaringsutrymmet/mugghållaren framför handbromsspaken

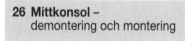

26.3 Skruva loss skruven längst ner i förvaringsfacket

26.4 Bänd upp och koppla ifrån krockkuddens avaktiveringsbrytare

avaktiveringsbrytaren till passagerarsidans krockkudde **(se bild)**.
5 Lyft upp konsolens främre del, sträck in handen under och koppla ifrån 12-voltsuttagets anslutningskontakt.
6 Lyft konsolen över handbromsspaken, bakåt ut från bilen.

Montering

7 Montering sker i omvänd ordningsföljd.

27 Instrumentpanelens komponenter – demontering och montering

Den övre mittersta panelen
Demontering

1 Ta bort den nedre mittersta panelen enligt beskrivningen i detta avsnitt.

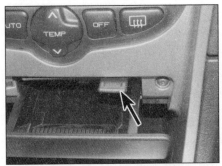

27.8 Tryck ner fästklämman (markerad med pil) och ta bort askkoppen

27.11b ... eller bänd upp panelen på växelväljarespakens lägesdisplay på modeller med automatväxellåda

27.2 Bänd försiktigt ut de yttre brytarna/attrapperna ovanför ventilationsmunstyckena

2 Bänd försiktigt ut de båda yttre brytarna (eller brytarattraperna) från panelens övre kant, ovanför de mittersta luftventilationsmunstyckena **(se bild)**.
3 Skruva loss de båda skruvarna från brytarens/attrappens öppning och de båda skruvarna på panelens nedre kant **(se bild)**.
4 Dra försiktigt tillbaka panelen och koppla ifrån de olika anslutningskontakterna. Anteckna först var de är placerade.

Montering

5 Montera tillbaka i omvänd ordningsföljd mot demonteringen.

Den nedre mittersta panelen
Demontering

6 Koppla loss och ta bort batteriet, enligt beskrivningen i kapitel 5A.

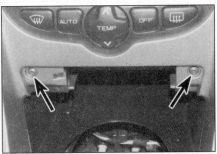

27.9 Skruva loss de båda skruvarna (markerade med pil) ovanför askkoppsöppningen

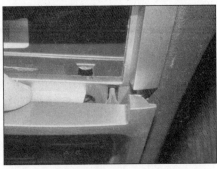

27.12 Börja uppifrån och bänd loss panelen

27.3 Skruva loss de två skruvarna (markerade med pil)

7 Ta bort radio-/kassett-/CD-spelaren enligt beskrivningen i kapitel 12.
8 Ta bort askkoppen från panelen genom att öppna den och trycka ner fästklämman **(se bild)**.
9 Skruva loss de båda skruvarna från askkoppens öppning **(se bild)**.
10 Ta bort gummipanelen från förvaringsfacket.
11 På modeller med manuell växellåda, lossa försiktigt växelspakens damask från panelen. På modeller med automatväxellåda, bänd försiktigt upp panelen runt växelväljarens positionsdisplay **(se bilder)**.
12 Bänd bort panelens övre del **(se bild)**.

Montering

13 Monteringen utförs i omvänd ordningsföljd mot demonteringen, se till att tappen på panelens baksida hakar i urtaget i mittkonsolen **(se bild)**.

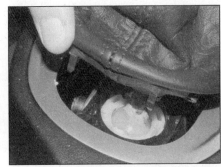

27.11a På modeller med manuell växellåda, bänd upp växelspakens damask ...

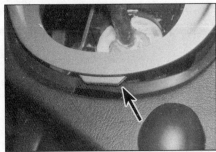

27.13 Se till att tappen på baksidan av mittenpanelen (markerad med pil) hakar i ordentligt

27.14a Två skruvar (markerade med pil) håller fast rattstångens nedre kåpa

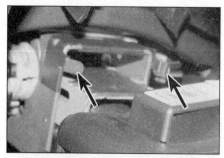

27.14b När du sätter tillbaka den övre kåpan är det viktigt att styrningstapparna (markerade med pil) hakar i ordentligt

27.16a Klädselpanelen under rattstången är fäst med klämmor . . .

27.16b . . . och den intilliggande panelen är fäst med ett beslag av skruvtyp och tryckklämmor

27.17 Fotbrunnens paneler är fästa med plastexpandernitar (markerade med pil)

27.21a Öppna handskfacket och ta bort de 4 övre skruvarna (markerade med pil) . . .

Rattstångens höljen

Demontering

14 Skruva loss de båda nedre fästskruvarna till rattstångens kåpa. Lossa och lyft bort den övre kåpan och ta sedan bort den nedre kåpan **(se bilder)**.

Montering

15 Monteringen sker i omvänd ordning mot demonteringen.

Nedre instrumentbrädan

Demontering

16 Klädselpanelen på förarsidan under rattstångens kåpor är fäst med klämmor och den intilliggande panelen tas bort efter det att skruvfästet har lossats ett kvarts varv och då den dras bort från klämmorna. Vid återmonteringen ska metallklämmorna sättas tillbaka på panelen **(se bilder)**.

17 Klädselpanelerna ovanför förarsidans pedaler och passagerarsidans fotutrymme är fästa med expanderande plastnitar. Tryck in mittsprintarna en bit och bänd ur hela nitarna från sin plats **(se bild)**. Vid återmonteringen ska du se till att panelens främre kant hakar i stödfästet.

Montering

18 Monteringen sker i omvänd ordningsföljd mot demonteringen.

Instrumentpanelen

19 Se kapitel 12.

Passagerarsidans handskfack

Demontering

20 Lossa de tre klämmorna och ta bort panelen under instrumentbrädan **(se bild 27.17)**.
21 Öppna handskfacket och lossa de sju skruvarna som fäster handskfacket på

instrumentbrädan och ta bort det. Lossa ljusanslutningskontakten när handskfacket tas bort **(se bilder)**.
22 Om det behövs kan handskfackets låscylinder tas bort genom att du för in ett verktyg med platt blad mellan låsspärren och handskfackets lock och sedan trycker spärren nedåt för att lossa fästklämmorna **(se bild)**. Montera tillbaka låscylindern genom att trycka den på plats.

Montering

23 Monteringen sker i omvänd ordningsföljd mot demonteringen.

Flerfunktionsdisplay

Demontering

24 Se till att tändningen är avstängd.
25 Dra försiktigt upp sargen bakre kant och lossa den från instrumentbrädan **(se bild)**.

27.21b . . . och de 3 nedre skruvar (markerade med pil)

27.22a Sätt in ett verktyg med platt blad mellan låsspärren och handskfacksluckan . . .

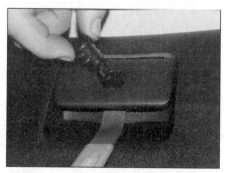

27.22b . . . tryck sedan ner spärren för att lossa cylindern

27.25 Dra upp enhetens bakre del för att lossa klämmorna (markerade med pil)

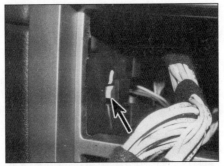

27.34 Tryck på klämman (markerad med pil) för att lossa den invändiga temperaturgivaren

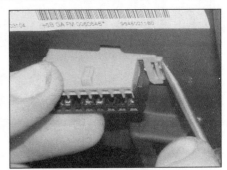

27.39 Tryck ner klämman och tryck in diagnosuttaget

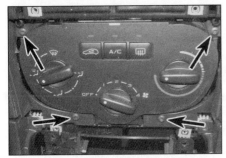

27.40 Skruva loss de 4 skruvarna (markerade med pil) och tryck in kontrollpanelen i instrumentbrädan

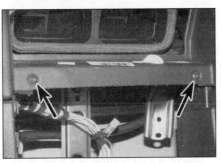

27.41 Skruva loss de båda skruvarna (markerade med pil) i öppningen för ljudanläggningen

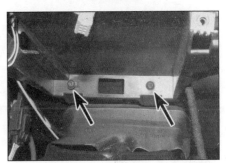

27.44 Skruva loss de båda skruvarna (markerade med pil) på instrumentbrädans nedre mittersta del

26 Koppla från anslutningskontakten när enheten tas bort.
27 Monteringen sker i omvänd ordningsföljd mot demonteringen.

Komplett instrumentbrädesenhet

Observera: *Detta innebär att flera delar och enheter måste tas bort, och att flera kontaktdon måste koppla ifrån. Anteckna var alla frånkopplade kablage sitter, eller fäst etiketter på anslutningskontakterna för att undvika problem vid monteringen.*

Demontering

28 Koppla loss batteriet (se kapitel 5A).
29 Skjut tillbaka framsätena så långt det går. Ställ in ratten i läget rakt fram och aktivera rattlåset.
30 Demontera mittkonsolen enligt beskrivningen i avsnitt 26.
31 Ta bort plastklämmorna av pinnbultstyp med ett förgrenat verktyg och ta bort den nedre klädselpanelen från fotbrunnens båda sidor.
32 Demontera ratten enligt beskrivningen i kapitel 10.
33 Ta bort följande instrumentbrädespaneler enligt beskrivningen tidigare i detta stycke:

a) *Instrumentbrädans övre mittenpanel.*
b) *Instrumentbrädans nedre mittenpanel.*
c) *Instrumentbrädans nedre paneler.*
d) *Instrumentbrädan.*
e) *Flerfunktionsdisplay*
f) *Passagerarsidans handskfack*

34 På modeller med automatisk klimatanläggning arbetar du i öppningen där

det mittersta ventilationsmunstycket brukar sitta. Lossa och ta bort kupétemperaturgivaren. Lossa anslutningskontakten när den tas bort **(se bild)**.
35 På modeller med automattändning av strålkastarna sträcker du in handen genom öppningen för flerfunktionsdisplayen och trycker ljussensorn uppåt för att lossa den. Koppla loss anslutningskontakten.
36 Ta bort rattstångens kombinationsbrytare enligt beskrivningen i kapitel 12.
37 Ta bort den inbyggda systemgränssnittsenheten från instrumentbrädan enligt beskrivningen i kapitel 12.
38 Bänd försiktigt ut förarsidans och passagerarsidans ventilationsmunstycken. Sträck in händerna genom öppningarna och lossa fästklämman från instrumentbrädans ändkåpa. Dra försiktigt loss ändpanelerna från instrumentbrädan, lossa fästklämmorna när

27.46 Instrumentbrädans skruv (markerad med pil) i öppningen till flerfunktionsdisplayen

panelen tas bort.
39 Bänd ut och koppla loss strålkastarens höjdjusteringsreglage och tryck sedan ner fästklämmorna och tryck in diagnosuttaget **(se bild)**. Lossa fästklämman från deras kablage bredvid kontaktdonsöppningen.
40 Skruva loss de fyra skruvarna runt värmereglagepanelen, lossa de båda fästklämmorna och tryck kontrollpanelen framåt in i instrumentbrädan **(se bild)**.
41 Arbeta i öppningen för ljudanläggningen, skruva loss de båda skruvarna som fäster instrumentbrädan på värmeenhetens/luftkonditioneringens hus **(se bild)**.
42 Skruva loss de båda skruvarna, lossa fästpinnbulten och ta bort fotbrunnens mittersta fotpaneler från förarsidan och passagerarsidan.
43 Koppla ifrån de båda bakre luftkanalerna från värmeenhetens hus.
44 Skruva loss de båda skruvarna på instrumentbrädans nedre mittersta del **(se bild)**.
45 Arbeta enligt beskrivningen i kapitel 10, skruva loss rattstångens övre fästmuttrar och nedre fästbultar och sänk ner rattstången från dess plats. Observera att du inte behöver koppla loss rattstångens kardanknut.
46 Skruva loss torxskruven som syns genom öppningen för flerfunktionsdisplayen **(se bild)**.
47 Skruva loss bulten som fäster instrumentbrädans bygel på golvets mittersta del på passagerarsidan samt bulten som nås genom öppningen i instrumentpanelen **(se bild)**.
48 Arbeta genom hålen i instrumentbrädans

27.47 Instrumentbrädans skruv (markerad med pil) i öppningen till instrumentpanelen

vardera ände och skruva loss de båda bultarna på båda sidor som fäster instrumentbrädans tvärbalk.

49 Anteckna var kablagets anlsutningskontakter sitter och hur kablaget är draget innan du kopplar ifrån dem. Anteckna var kablagets olika fästklämmor sitter för att underlätta monteringen.

50 Be en medhjälpare om hjälp och lyft bort instrumentbrädan och ta bort den från bilen.

Montering

51 Monteringen utförs i omvänd ordningsföljd mot demonteringon, oc till att alla kablage är rätt återanslutna och att alla fästen är ordentligt åtdragna.

Kapitel 12
Karossens elsystem

Innehåll

Svårighetsgrad

Enkelt, passar novisen med lite erfarenhet	Ganska enkelt, passar nybörjaren med viss erfarenhet	Ganska svårt, passar kompetent hemmamekaniker	Svårt, passar hemmamekaniker med erfarenhet	Mycket svårt, för professionell mekaniker

Specifikationer

Allmänt

Systemtyp . . . .   12 volt, negativ jord

Glödlampor

	Typ	Watt
Körriktningsvisare.	bajonett	21
Körriktningsvisare.	skjutpassning	5
Främre askkoppsbelysning	skjutpassning	1.2
Främre dimstrålkastare.	H1	55
Främre parkeringsljus.	skjutpassning	5
Handskfackets belysning	skjutpassning	5
Strålkastare:		
Helljusglödlampor.	H1	55
Halvljusglödlampor.	H7	55
Högt bromsljus.	skjutpassning	5
Invändig belysning/kupélampa.	skjutpassning	5
Bagageutrymmesbelysning	skjutpassning	5
Nummerplåtsbelysning.	skjutpassning	5
Bakre dimstrålkastare.	bajonett	21
Backljus	bajonett	21
Bromsljus	bajonett	21
Baklyktor	bajonett	5
Sminkspegelsbelysning	slingfäste	3

Åtdragningsmoment

	Nm
Krockkuddens styrenhetens fästmuttrar	8

1 Allmän information

⚠️ **Varning: Innan något arbete utförs på elsystemet, läs igenom föreskrifterna i Säkerheten främst! i början av denna handbok och i kapitel 5A.**

Systemet är ett 12 volts elsystem med negativ jordning. Strömmen till lamporna och alla andra elektriska tillbehör kommer från ett bly-/syrabatteri som laddas av generatorn.

Många av karossens elsystem styrs av olika elektroniska styrmoduler (ECU) som i sin tur styrs av en huvud-ECU som kallas inbyggt systemgränssnitt (BSI, Built-in Systems Interface) De olika ECU:erna och BSI:n utbyter data med varandra via ett multiplexnät. Det multiplexa nätet är ett tvåkabelsystem som kopplar samman BSI:n med systemets ECU:er och kallas av Peugeot för CAN (Controlled Area Network) och VAN (Vehicle Area Network). Detta betyder att BSI:n och ECU:erna som styr "komfortsystemen", säkerhetssystemen och underhållningssystemen i bilen alla är sammankopplade via VAN-nätverk (Vehicle Area Network) **(se bild)**.

En ECU som är ansluten till det multiplexa nätet mottar endast en del av de data som behövs för direkt användning, resterande data levereras av de andra ECU:erna i nätverket. Eftersom ECU:erna delar information via nätverket kan flera ECU:er styrs driften av ett och samma system. En ECU kan också styra flera system självständigt. BSI styr detta informationsutbyte och är också ansvarig för styrningen av vissa fordonssystem. BSI:n har fullständig diagnostisk kapacitet vilket innebär att eventuella fel i någon av ECU:erna i det multiplexa nätverket kan spåras med hjälp av diagnosutrustning som ansluts till bilens diagnosuttag. Om det uppstår fel i något av nätverkets system låter du en Peugeot-verkstad eller annan specialist använda självdiagnostiseringssystemet.

Detta kapitel tar upp reparations- och servicearbeten för de elkomponenter som inte hör till motorn. Information om batteriet, generatorn och startmotorn finns i kapitel 5A.

Observera att man före arbete på någon av elsystemets komponenter först måste koppla ifrån batteriet för att förhindra kortslutningar (se kapitel 5A).

2 Felsökning av elsystemet – allmän information

Observera: Se föreskrifterna i Säkerheten främst! och i kapitel 5A innan arbetet påbörjas. Följande tester relaterar till huvudkretsen och ska inte användas för att testa känsliga elektroniska kretsar (t.ex. system för låsningsfria bromsar), speciellt där en elektronisk styrmodul eller multiplex används (se avsnitt 1)

Allmänt

1 En typisk elkrets består av en elektrisk komponent, alla brytare, reläer, motorer, säkringar, smältinsatser eller kretsbrytare som rör den komponenten, samt det kablage och de kontaktdon som länkar komponenten till batteriet och karossen. För att underlätta felsökningen i elkretsarna finns kopplingsscheman i slutet av det här kapitlet.

2 Studera relevant kopplingsschema för att bättre förstå den aktuella kretsens olika komponenter, innan du försöker diagnosticera ett elfel. De möjliga felkällorna kan reduceras genom att man kontrollerar om andra komponenter i kretsen fungerar som de ska. Om flera komponenter eller kretsar slutar fungera samtidigt, rör felet antagligen en delad säkring eller jordanslutning.

3 Elfel har ofta enkla orsaker, som lösa eller korroderade anslutningar, dålig jordanslutning, en trasig säkring, en avsmält förbindelse eller ett krånglande relä (se avsnitt 3 för testning av reläer). Se över skicket på alla säkringar, kablar och anslutningar i en felaktig krets innan komponenterna kontrolleras. Använd kopplingsscheman för att se vilken terminalkoppling som behöver kontrolleras för att komma åt felet.

4 Bland grundverktygen som krävs för felsökning av elsystemet finns en kretsprovare eller voltmätare, en ohmmätare (för att mäta resistans), ett batteri och en uppsättning testkablar samt en testkabel, helst med en kretsbrytare eller inbyggd säkring som kan användas för att koppla förbi misstänkta kablar eller elkomponenter. Innan felsökning med hjälp av testinstrument påbörjas, använd kopplingsschemat för att bestämma var kopplingarna ska göras.

5 För att hitta källan till ett periodiskt återkommande kabelfel (vanligen orsakat av en felaktig eller smutsig anslutning eller skadad isolering), kan ett vicktest göras på kablarna. Det innebär att man vickar på kabeln för hand för att se om felet uppstår när den rubbas. Det ska därmed vara möjligt att ringa in felet till en speciell kabelsträcka. Denna testmetod kan användas tillsammans med vilken annan testmetod som helst i de följande underavsnitten.

6 Förutom problem som uppstår på grund av dåliga anslutningar kan två typer av fel uppstå i en elkrets – kretsavbrott och kortslutning.

7 Kretsavbrott orsakas av ett brott någonstans i kretsen, vilket hindrar strömmen. Ett kretsbrott

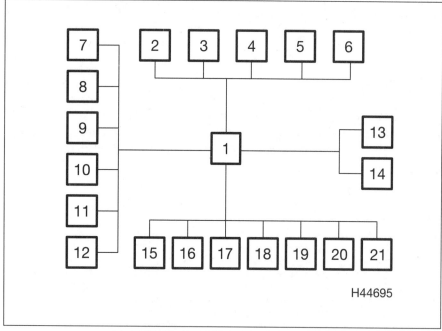

H44695

1.1 Multiplexnät – Vehicle Area Network (VAN)

1 Inbyggt systemgränssnitt (BSI)	11 ESP styrenhet
2 Elektriska fönsterhissar	12 Automatväxellåda ECU
3 ECU för bränsletillsats (2,0-liters dieselmotor med partikelfilter)	13 Krockkudde ECU
4 Stöldskyddslarm	14 Säkringsdosa
5 Centrallås sändaren	15 Luftkonditionering ECU
6 Takluckans motor	16 Instrumentkluster
7 Servostyrningspump	17 CD-spelare
8 Motorstyrningens elektroniska styrenhet	18 Flerfunktionsdisplay
9 Rattstångens kombinationsbrytare	19 ECU för parkeringsassistans
10 ABS styrenhet	20 Radio
	21 Radio/telefon ECU

2.20a Jordanslutning bredvid vänster växellådsfäste . . .

2.20b . . . framför motorrummets säkrings- och relähus . . .

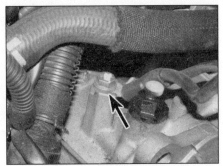

2.20c . . . på växellådans överdel (markerad med pil)

hindrar komponenten från att fungera men kommer inte att utlösa säkringen.

8 Kortslutning orsakas av att ledarna går ihop någonstans i kretsen, vilket medför att strömmen går en annan väg (med mindre motstånd), vanligtvis till jordningen. Kortslutning orsakas oftast av att isoleringen nötts bort, så att en ledare kommer i kontakt med en annan ledare eller jordningen, t.ex. karossen. En kortslutning bränner i regel kretsens säkring. **Observera:** *För att förhindra att batteriet laddas ur kan vissa av elsystemets funktioner endast användas i 30 minuter efter det att motorn har stannats. Kom ihåg detta när du letar efter strömförsörjningsfel i dessa system.*

Berörda funktioner:
Vindrutetorkare.
Elektriska fönsterhissar.
Taklucka.
Kupélampor.
Audio utrustning.

Efter denna period stänger BSI:n (Built-in Systems Interface) av strömförsörjningen till dessa kretsar. För att återställa strömförsörjningen startar du motorn. BSI:n kan också stänga av vissa funktioner (värmefläkt, uppvärmd bakruta) beroende på batteriets laddningsstatus. När du letar efter ett fel ska batteriet alltid vara fulladdat.

Hitta ett kretsbrott

9 Koppla ena ledaren på en kretsprovare eller voltmätare antingen till batteriets negativa pol eller en annan känd jord för att kontrollera om en krets är bruten.

10 Koppla den andra ledaren till en anslutning i den krets som ska provas, helst närmast batteriet eller säkringen.

11 Slå på kretsen, men tänk på att vissa kretsar bara är strömförande med tändningslåset i ett visst läge.

12 Om ström ligger på (visas antingen genom att testlampan lyser eller genom ett utslag från voltmätaren, beroende på vad du använder), betyder det att delen mellan kontakten och batteriet är felfri.

13 Kontrollera resten av kretsen på samma sätt.

14 Om en punkt där det inte finns någon

spänning upptäcks, ligger felet mellan den punkten och den föregående testpunkten med spänning. De flesta fel kan härledas till en trasig, korroderad eller lös anslutning.

Hitta en kortslutning

15 För att söka efter en kortslutning, koppla bort strömförbrukarna från kretsen (strömförbrukare är de delar som drar ström i en krets, t.ex. lampor, motorer och värmeelement).

16 Ta bort den aktuella säkringen från kretsen och anslut en kretsprovare eller voltmätare till säkringens anslutningar.

17 Slå på kretsen, men tänk på att somliga kretsar bara är strömförande med tändningslåset i ett visst läge.

18 Om det finns spänning (visas genom att testlampan lyser eller voltmätaren ger utslag), betyder det att kretsen är kortsluten.

19 Om det inte finns någon ström, men säkringarna fortsätter att gå sönder när strömförbrukarna är påkopplade är det ett tecken på ett internt fel i någon av strömförbrukarna.

Hitta ett jordfel

20 Batteriets minuspol är ansluten till jord (metallen i motorn/växellådan och karossen) och de flesta system är kopplade så att de bara får positiv matning, medan returströmmen går genom metallen i karossen. Det innebär att komponentfästet och karossen utgör en del av kretsen. Lösa eller korroderade fästen kan därför orsaka flera olika elfel, allt ifrån totalt haveri till svårfångade, partiella fel. Vanligast är att lampor lyser svagt (särskilt när en annan krets som delar samma jordpunkt används samtidigt) och att motorer (t.ex. torkarmotorerna eller kylarens fläktmotor) går långsamt. En krets kan påverka en annan, till synes orelaterad, krets. Observera att på många bilar används särskilda jordledningar mellan vissa komponenter, som motorn/växellådan och karossen, vanligtvis där det inte finns någon direkt metallkontakt mellan komponenterna på grund av gummiupphängningar o.s.v. **(se bilder).**

21 Koppla bort batteriet och koppla den ena ledaren på en ohmmätare till en känd jord för att kontrollera om en komponent är korrekt jordad. Koppla den andra ledaren till den kabel eller jordkoppling som ska kontrolleras. Resistansen ska vara noll. Om inte kontrollerar du anslutningen enligt följande.

22 Om en jordanslutning misstänks vara defekt, koppla isär anslutningen och rengör den ner till ren metall både på karossen och kabelanslutningen eller fogytan på komponentens jordanslutning. Se till att få bort alla spår av rost och smuts, och skrapa sedan bort lacken med en kniv för att få fram en ren metallyta. Dra åt kopplingsfästena ordentligt vid monteringen; om en kabelterminal monteras, använd låsbrickor mellan anslutning och karossen för att vara säker på att en ren och säker koppling uppstår. När kopplingen åter görs, rostskydda ytorna med ett lager vaselin, silikonfett eller genom att regelbundet spraya på fuktdrivande aerosol eller vattenavstötande smörjning.

---

3 Säkringar och reläer – allmän information

Säkringar

1 Säkringar är gjorda för att bryta en strömkrets vid en given strömstyrka, för att på så vis skydda komponenter och kablar som skulle kunna skadas av för stark ström. För stor strömstyrka beror alltid på något fel i kretsen, vanligen kortslutning (se avsnitt 2).

2 De flesta säkringarna är placerade bakom handskfacksluckan på passagerarsidan av instrumentbrädan. Ytterligare säkringar (inklusive de större säkringarna med högre kapacitet) sitter i säkrings- och relähuset till vänster i motorrummet.

3 För att komma åt instrumentbrädans säkringar öppnar du handskfacket, vrider luckans fästen 90° och tar sedan bort luckan från instrumentbrädan **(se bild)**. För att komma åt säkringarna i motorrummet lossar du helt enkelt kåpan från säkrings- och relähuset.

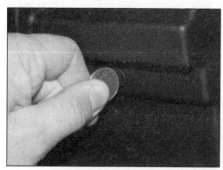

3.3a Vrid hållaren 90°...

3.3b ...och dra bort kåpan...

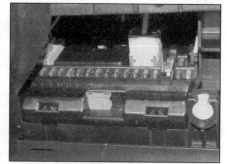

3.3c ...för att komma åt huvudsäkringsdosan

3.5 Dra bort säkringen från hylsan

3.8 Kylfläktsreläerna sitter i den främre panelen

4 Det finns en lista av vilka kretsar respektive säkring skyddar på säkringsdosans lock.

5 För att ta bort en säkring, slå först av den berörda kretsen (eller tändningen), och dra sedan loss säkringen från dess hållare **(se bild)**. Tråden i säkringen ska synas. om en säkring har gått blir den trasig eller smält.

6 Byt alltid ut en säkring mot en som har rätt kapacitet, använd aldrig en säkring som har en annan kapacitet än vad som specificeras. Säkringens kapacitet står ovanpå den. Notera att säkringarna även är färgkodade. Se kopplingsscheman för information om säkringarnas kapacitet och vilka kretsar de tillhör.

Färg	Kapacitet
Orange	5A
Röd	10A
Blå	15A
Gul	20A
Genomskinlig eller vit	25A
Grön	30A

7 Byt aldrig en säkring mer än en gång utan att spåra orsaken till felet. Om den nya säkringen går direkt, letar du rätt på orsaken innan du byter ut den igen. den troligaste orsaken är en kortslutning mot jord på grund av dålig isolering. Om en säkring skyddar fler än en krets, försök att isolera problemet genom att slå på varje krets i tur och ordning (om möjligt) tills säkringen går sönder igen. Ha alltid med dig några reservsäkringar med rätt kapacitet för fordonet. Det ska finnas en extrasäkring per kapacitet i säkringsdosan.

Reläer

8 Merparten av reläfunktionerna är inbyggda i den inbyggda systemgränssnittsenheten (se avsnitt 23). Andra reläer finns i säkrings- och relähuset i motorrummet och kylfläktsreläerna sitter i frontpanelen (se bild).

9 Om en krets eller system som styrs av ett relä uppvisar ett fel, och relät misstänks, aktivera systemet. Om reläet fungerar bör man kunna höra ett klickljud när det aktiveras. Om så är fallet ligger felet i komponenterna eller kablarna till systemet. Om reläet inte aktiveras får det antingen ingen ström eller också kommer inte ställströmmen fram, eller så är reläet i sig defekt. Kontroll av detta görs genom att man byter ut reläet mot ett nytt som veterligen fungerar, men var försiktig eftersom vissa reläer ser lika ut och utför samma funktioner, medan andra ser lika ut men utför olika funktioner.

10 Se till att den aktuella kretsen är avslagen innan reläet tas bort. Reläet kan sedan helt enkelt dras ut ur fästet och sedan tryckas tillbaka på plats.

---

4 Brytare/reglage – demontering och montering

Observera: Koppla ifrån batteriet innan du tar bort någon brytare och återanslut ledningen efter det att brytaren har återmonterats (se kapitel 5A).

Tändningslås

1 Se kapitel 10.

Rattstångens brytare

2 Demontera krockkudden på förarsidan enligt beskrivningen i avsnitt 22.

3 Ta bort ratten enligt beskrivningen i kapitel 10.

4 Ta bort rattstångens nedre och övre kåpor enligt beskrivningen i avsnitt 27 i kapitel 11.

5 Om brytarenheten ska återmonteras ser du till att krockkuddens roterande kontaktskiva hålls stilla med tejp. Observera att så länge hjulen är placerade rakt fram ska kontaktskivan låsas på plats. Lossa brytarenhetens fästklämma. Använd sedan en liten skruvmejsel och bänd försiktigt loss fästhakarna från rattstången och lyft bort brytarenheten **(se bild)**. När enheten är borttagen, lossa anslutningskontakterna.

4.5a Lossa brytarenhetens fästklämbult...

4.5b ...lyft sedan försiktigt upp fästhakarna

4.6 Lossa och skjut ut farthållar-/ radiofjärrbrytaren

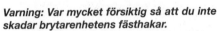

Varning: Var mycket försiktig så att du inte skadar brytarenhetens fästhakar.

6 Om det behövs kan farthållarkontakten och radiofjärrkontrollens brytare lossas från kombinationsbrytarenheten **(se bild)**.

7 Även om monteringen utförs i omvänd ordningsföljd mot demonteringen måste krockkuddskontaktenheten som är inbyggd i brytarenheten ställas in på rätt positioner enligt följande:

8 Kontrollera att framhjulen fortfarande pekar rakt fram.

9 Om du sätter tillbaka en befintlig brytarenhet tar du bort den tejp som sattes dit vid demonteringen.

10 Om den nya brytarenheten är tillverkad av Delphi krävs en installationsprocedur. Enheter från andra tillverkare levereras med kontaktringen spärrad i rätt läge

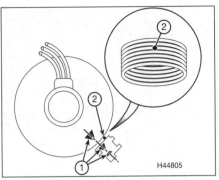

4.11 Linjer de tre trianglarna (1) med kontaktvisaren i det tredje spåret (2)

med hjälp av en självhäftande etikett som ska tas bort precis innan monteringen av ratten.

11 Följande metod gäller för nya och begagnade Delphi-enheter. Tryck in den roterande kontaktenhetens mittenkrage. Vrid sedan kragen försiktigt medurs tills den stannar. Vrid kragen 2,5 varv moturs tills de tre trianglarna är linjerade och kontaktnålen är i det tredje spåret **(se bild)**. Om ratten inte ska monteras direkt låser du kontakten i detta läge med hjälp av tejp.

Varning! Vrid inte kragen moturs till ändläget – detta skadar enheten permanent.

Observera: *Om en ny brytarenhet monteras på en bil med ESP måste enheten initieras med hjälp av särskild testutrustning. Arbetet bör överlåtas till en Peugeot-återförsäljare eller lämpligt utrustad specialist.*

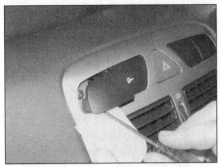

4.15a Arbeta på de övre och nedre kanterna, bänd försiktigt loss brytaren från panelen

Ljudanläggningens styrspak/ farthållare

12 Skruva loss de båda skruvar som fäster rattstångens nedre kåpa på plats. Lyft sedan bort den övre kåpans bakre kant och lossa tapparna på framkanten (se avsnitt 27 i kapitel 11).

13 Lossa klämmorna och skjut bort brytaren, koppla loss anslutningskontakterna när enheten tas bort **(se bild 4.6)**.

14 Monteringen sker i omvänd ordningsföljd mot demonteringen.

Brytare på instrumentbrädan

15 Brytarna på instrumentbrädan för centrallås, larm och ESP sitter ovanför de mittersta ventilationsmunstyckena. När du ska ta bort någon av dessa brytare använder du en plast- eller träspatel och arbetar i de övre och nedre kanterna och bänder försiktigt loss brytaren från panelen, och kopplas loss anslutningskontakten när brytaren tas bort. Strålkastarens höjdkontrollsbrytare bänder du loss efter att ha tagit bort den täckande klädselpanelen **(se bilder)**. Var försiktig så att den omgivande panelen inte skadas.

16 När du ska ta bort varningsblinkersbrytaren tar du bort instrumentbrädans övre mittersta panel enligt beskrivningen i avsnitt 27 i kapitel 11. Bänd ut brytaren/attrapplattan på båda sidor om varniningsblinkersbrytaren, lossa fästklämmorna och ta bort brytaren **(se bild)**.

17 Återmonteringen sker i omvänd ordningsföljd mot demonteringen.

Värme-/ventilationsreglage

18 Brytarna är inbyggda i värme-/ ventilationsreglagepanelen och kan inte tas bort separat. Om det är fel på någon av brytarna måste hela reglagepanelen bytas – se kapitel 3 för information.

Bromsljusbrytare

19 Se kapitel 9.

Brytare till handbromsens varningslampa

20 Ta bort mittkonsolen enligt beskrivningen i kapitel 11.

21 Koppla loss brytarens kontaktdon och tryck sedan brytaren bakåt och lyft upp framkanten. Ta bort brytaren **(se bild)**.

22 Återmonteringen sker i omvänd ordningsföljd mot demonteringen.

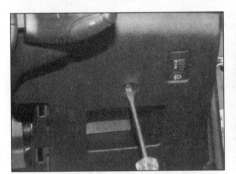

4.15b Skruva loss skruven och ta bort panelen . . .

4.15c . . . och bänd ut strålkastarnas nivåregleringsbrytare

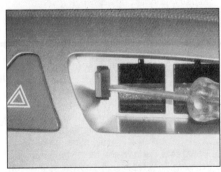

4.16 När du ska ta bort varningsblinkersbrytaren, lossa fästklämman på båda sidor

4.21 Brytare till handbromsens varningslampa

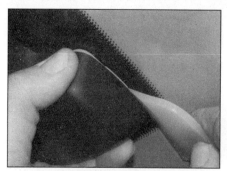

4.29 Tryck ihop plastkåpan och bänd samtidigt loss den

4.31 Bänd upp fästklämmorna till 45°

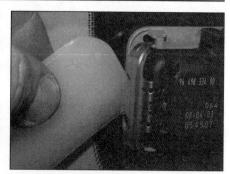

4.32 Bänd försiktigt loss givaren

Kupélampans brytare

23 Kupélampornas brytare är inbyggda i dörrlåsenheterna. Se kapitel 11 om demonterings- och monteringsdetaljer.

Bagageutrymmesbelysningens brytare

24 Bagageutrymmets ljusbrytare är inbyggd i bakluckans låsenhet. Om du ska ta bort bakluckans lås, se kapitel 11.

Vindrutetorkarens regnsensor

Modeller utan ljussensor

25 Koppla loss anslutningskontakten från sensorn som sitter på vindrutan.
26 Koppla loss kontaktdonet och lossa sedan försiktigt sidofästklämmorna och ta bort regnsensorn från vindrutan.
Varning: Rör inte regnsensorns lins eller vindrutans glas i området med sensorn. Dessa områden måste hållas helt rena om sensorn ska kunna fungera korrekt.
27 Monteringen utförs i omvänd ordningsföljd mot demonteringen, se till att givaren sitter fast ordentligt med fästklämmorna i följande ordning:
 a) Sätt dit klämman mitt emot kontakten.
 b) Haka i klämman på höger sida (vid fasningen).
 c) Sätt dit vänster klämma helt.
 d) Sätt dit höger klämma helt.
Om du monterar en ny sensor måste du ta bort skyddsfilmen från sensorn före monteringen. Avsluta med att kontrollera sensorns funktion

genom att spruta vatten på vindrutan (med torkarna på autoläge).

Modeller med ljussensor

28 Se till att tändningen är avstängd. Demontera spegelet enligt beskrivningen i kapitel 11.
29 Kläm fast sensorskyddet mellan fingrarna och tummen och skjut sedan in en plastspatel mellan skyddet och vindrutan. Ta bort skyddet **(se bild)**.
30 Koppla loss sensorns kontaktdon.
31 Använd en liten skruvmejsel och bänd försiktigt loss fjäderklämman från sensorenhetens ändar till 45 grader **(se bild)**.
32 Bänd (från sidan mot mitten) mellan sensorn och foten. Bänd sensorn tills enheten lossnar från vindrutan **(se bild)**.
Varning: Rör inte regnsensorns lins eller vindrutans glas i området med sensorn. Dessa områden måste hållas helt rena om sensorn ska kunna fungera korrekt. Var försiktig så att du inte skadar sensorns "sits".
33 Monteringen sker i omvänd ordningsföljd mot demonteringen. Om du monterar en ny sensor måste du ta bort skyddsfilmen från sensorn före monteringen. Kontrollera att det inte finns luftbubblor mellan sensorn och vindrutan. Avsluta med att kontrollera sensorns funktion genom att spruta vatten på vindrutan (med torkarna på autoläge).

Handskfackets belysningsbrytare

34 Brytaren är inbyggd i lampa. Ta bort ljuset enligt beskrivningen i avsnitt 6.

Soltakets reglage

35 Bänd ut den nedre kanten av innerbelysnings lins från den övre konsolen. Ta bort lampan och koppla loss anslutningskontakten när enheten tas bort. Koppla loss solskyddets anslutningskontakt.
36 Arbeta genom lampöppningen och lossa de båda fästklämmorna och skjut konsolen nedåt för att lossa den.
37 Ta bort brytaren från konsolenheten.
38 Monteringen sker i omvänd ordningsföljd mot demonteringen.

5 Glödlampor (ytterbelysning) – byte

Allmänt

1 Tänk på följande när en glödlampa byts ut:
 a) Kom ihåg att lampan kan vara mycket varm om lyset nyss varit på.
 b) Kontrollera alltid lampans sockel och kontaktytor. Se till att kontaktytorna mellan lampan och ledaren och lampan och jorden är rena. Avlägsna all korrosion och smuts innan en ny lampa sätts i.
 c) Om lampor med bajonettfattning används (see Specifikationer), se till att kontakterna har god kontakt med glödlampan.
 d) Se alltid till att den nya lampan har rätt specifikationer och att den är helt ren innan den monteras. Detta gäller särskilt strålkastaren/dimljuslamporna (se nedan).

Strålkastare

2 För att förbättra åtkomsten till höger strålkastare tar du bort plastkåpan från spolarvätskebehållaren. Kåpan hålls fast med två plastnitar. Tryck in mittsprintarna en bit och bänd ur hela nitarna från sin plats **(se bild)**.
3 Helljuset och halvljuset har var sin glödlampa. Sträck in handen bakom strålkastaren och vrid det berörda ljusets skyddskåpa 90° moturs och ta bort den **(se bild)**.

5.2 Kåpan över behållarna hålls fast av två plastnitar (markerade med pil)

5.3 Vrid strålkastarlampans skyddskåpa 90° moturs

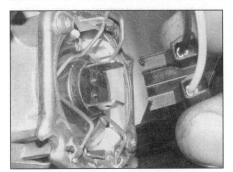

5.4 Koppla loss strålkastarlampans anslutningskontakt

5.5a Lossa fästklämman . . .

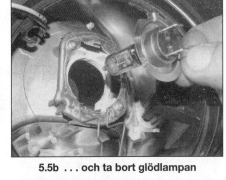

5.5b . . . och ta bort glödlampan

4 Koppla loss anslutningskontakten från glödlampan **(se bild)**.
5 Lossa lampans fästklämma och ta bort lampan **(se bild)**.
6 Vidrör inte glaset på den nya glödlampan med fingrarna. Håll den med en näsduk eller en ren trasa; även mycket små mängder fett eller fukt från fingrarna leder till mörka fläckar och orsakar att lampan går sönder i förtid. Om glaset råkar vidröras, torka av det med T-sprit.
7 Sätt i den nya glödlampan och se till att dess styrflikar sitter korrekt i urtagen. Fäst den på plats med fästklämman.
8 Återanslut anslutningskontakten och sätt tillbaka skyddskåpan med pilen uppåt, vrid den sedan 90° medurs.
9 Montera tillbaka plastkåpan på spolarvätskebehållare.

Främre parkeringsljus

10 För att förbättra åtkomsten till höger strålkastare tar du bort plastkåpan från spolarvätskebehållaren. Kåpan hålls fast med två plastnitar. Tryck in mittsprintarna en bit och bänd ur hela nitarna från sin plats **(se bild 5.2)**.
11 Sträck in handen bakom strålkastaren och vrid den inre skyddskåpan 90° moturs. Tryck ihop fästklämmorna och dra lamphållaren bakåt. Glödlampan har tryckfattning och du kan ta bort den genom att helt enkelt dra loss den från lamphållaren **(se bilder)**.
12 Återmonteringen utförs i omvänd ordning mot demonteringen, se till att lamphållarens tätning är i gott skick.

Främre dimljus

Tidiga modeller

13 För att förbättra åtkomsten till höger strålkastare tar du bort plastkåpan från spolarvätskebehållaren. Kåpan hålls fast med två plastnitar. Tryck in mittsprintarna något och bänd därefter ut hela nitarna och lossa sidoklämman (se bild 5.2).
14 Vrid kåpan moturs och ta bort den **(se bild 5.3)**.
15 Koppla loss kontaktdonet från dimstrålkastarens glödlampa.
16 Haka loss änden på glödlampans fästklämma och lossa den från dimljusenhetens baksida **(se bild)**. Ta bort glödlampan.
17 Vidrör inte glaset på den nya glödlampan med fingrarna. Håll den med en näsduk eller

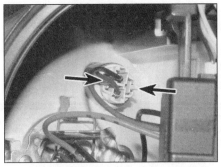

5.11a Tryck ihop klämmorna (markerade med pil), och dra lamphållaren bakåt. . .

5.11b . . . och dra lampan från hållaren

en ren trasa; även mycket små mängder fett eller fukt från fingrarna leder till mörka fläckar och orsakar att lampan går sönder i förtid. Om glaset råkar vidröras, torka av det med T-sprit.
18 Sätt i den nya glödlampan och se till att dess styrflikar sitter korrekt i urtagen. Fäst den på plats med fästklämman och återanslut kablage kontaktdonet.
19 Kontrollera att tätningen är i gott skick och sätt sedan tillbaka kåpan ordentligt på armaturens baksida. Vid behov, montera tillbaka spolarvätskebehållarens plastkåpa.

Senare modeller

20 På nyare modeller sitter dimstrålkastarna i den främre stötfångaren. Klossa bakhjulen, lyft upp framvagnen och ställ den på pallbockar (se *Lyftning och stödpunkter*). Ta bort motorns undre skyddskåpa. När du ska komma åt höger dimljus måste den främre delen av

hjulhusfodret lossas genom att du tar bort fästena.
21 Sträck in handen under den främre stötfångaren och koppla loss kablaget från dimstrålkastarens lamphållare.
22 Vrid lamphållaren 90° moturs och ta bort den från dimljusets baksida. Ta sedan bort glödlampan **(se bild)**.
23 Vidrör inte glaset på den nya glödlampan med fingrarna. Håll den med en näsduk eller en ren trasa; även mycket små mängder fett eller fukt från fingrarna leder till mörka fläckar och orsakar att lampan går sönder i förtid. Om glaset råkar vidröras, torka av det med T-sprit.
24 Montera den nya glödlampan i omvänd ordningsföljd.

Främre körriktningsvisare

25 För att förbättra åtkomsten till höger strålkastare tar du bort plastkåpan från spolarvätskebehållaren. Kåpan hålls fast med

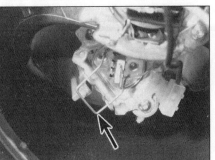

5.16 Lossa dimstrålkastarens glödlampans fästklämma (markerad med pil)

5.22 Ta bort lamphållaren från dimstrålkastaren

5.26a Vrid lamphållaren moturs . . .

5.26b . . . tryck sedan in och vrid glödlampan moturs för att ta bort den

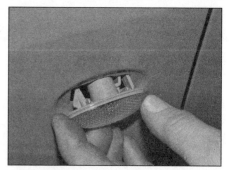

5.28 Tryck körriktningsvisaren bakåt och lirka loss den från skärmen

29 Vrid lamphållaren moturs och lossa den från baksidan av ljuset. Glödlampan har tryckfattning och du kan ta bort den genom att helt enkelt dra loss den från lamphållaren (se bild).
30 Montera i omvänd ordningsföljd mot demonteringen.

Bakljus

Halvkombi modeller

31 Lyft upp bagageutrymmets matta i området runt bakluckans tröskel. Tryck in mittsprintarna något och bänd därefter ut hela nitarna och lyft bakluckans rampanel uppåt (se bild).
32 Lägg rampanelen åt sidan för att komma åt lamphållaren.

Kombi-/SW-modeller

33 Ta bort relevant bakljusenhet enligt beskrivningen i avsnitt 7.

Alla modeller

34 Tryck ihop fästflikarna och ta bort lamphållarenheten (se bild).
35 Alla glödlampor har bajonettfattning. Den aktuella glödlampan kan tas bort genom att du trycker in den och roterar den moturs (se bild).
36 Monteringen utförs i omvänd ordningsföljd mot demonteringen, se till att armaturens och lamphållarens tätningar ät i gott skick.

Övre bromsljus

37 Ta bort ljusenheten (se avsnitt 7).
38 Lossa fästklämmorna och lossa armaturen från lamphållaren (halvkombi modeller) eller vrid lamphållarna 90° moturs. Glödlampan har tryckfattning och du kan ta bort den genom

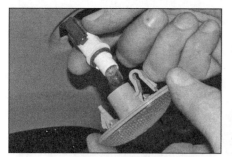

5.29a Vrid lamphållaren moturs och dra ut den ur armaturen . . .

5.29b . . . dra sedan ut den sockellösa glödlampan

två plastnitar. Tryck in mittsprintarna en bit och bänd ur hela nitarna från sin plats (se bild 5.2).
26 Vrid lamphållaren moturs och lossa den från baksidan av strålkastaren. Glödlampan har bajonettfattning i hållaren och kan tas bort genom att den trycks in och roteras moturs (se bild).

27 Återmonteringen utförs i omvänd ordning mot demonteringen, se till att lamphållarens tätning är i gott skick.

Sidoblinker

28 Tryck armaturen bakåt för att lossa den från fästklämman och lirka sedan ut den från framskärmen (se bild).

5.31 Bänd upp centrumsprinten, bänd ut plastnitarna och ta bort bakluckans rampanel

5.34 Tryck ihop flikarna (markerade med pil) och ta bort lamphållarenheten

5.35 Tryck och vrid glödlampan moturs för att ta bort den

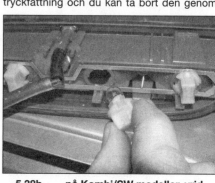

5.38a På Halvkombi modeller trycker du ihop fästklämmorna . . .

5.38b . . . på Kombi/SW modeller, vrid lamphållaren moturs

5.40 Bänd försiktigt bort linserna

5.42 Bänd ut linsens sida för att lossa den från klämman

att helt enkelt dra loss den från lamphållaren **(se bild)**.

39 Montera i omvänd ordningsföljd mot demonteringen. Dra inte åt armaturens fästmuttrar för hårt på halvkombimodeller eftersom plasten lätt går sönder.

Registreringsskyltsbelysning

Halvkombi modeller

40 Använd en liten flatbladig skruvmejsel och bänd försiktigt loss linsens ände nedåt och ta bort den. Glödlampan har tryckfattning och du kan ta bort den genom att helt enkelt dra loss den från lamphållaren **(se bild)**.

41 Återmonteringen utförs i omvänd ordning mot demonteringen, se till att linsen är ordentligt fäst med klämmorna.

Kombi-/SW-modeller

42 Bänd försiktigt loss linsens sida och ta

bort den från armaturen. Glödlampan har tryckfattning och du kan ta bort den genom att helt enkelt dra loss den från lamphållaren **(se bild)**.

43 Monteringen utförs i omvänd ordningsföljd mot demonteringen, se till att linsen är ordentligt fäst med klämmorna.

6 Glödlampor (innerbelysning) – byte

Allmänt

1 Se avsnitt 5, punkt 1.

Passagerarutrymmets lampor

2 Använd en spårskruvmejsel och lossa

försiktigt armaturen. Koppla loss den från kontaktdonet **(se bild)**.

3 Ta bort försiktigt glaset från ljuset. Glödlampan har tryckfattning och du kan ta bort den genom att helt enkelt dra loss den från lamphållaren **(se bild)**.

4 Montera i omvänd ordningsföljd mot demonteringen

Instrumentbrädans glödlampor

5 Instrumentpanelen och varningslamporna lyses upp av inbyggda lysdioder. De kan inte bytas utan att panelen byts. Byte av instrumentpanelen beskrivs i avsnitt 9.

Värme-/ventilationsreglage, belysning

6 Demontera värmereglagepanelen enligt beskrivningen i kapitel 3.

7 Vrid lamphållare moturs och ta bort den Den sockellösa glödlampan dras helt enkelt loss från lamphållaren **(se bild)**.

Flerfunktionsdisplay, belysning

8 Ta bort flerfunktionsdisplayen enligt beskrivningen i avsnitt 10.

9 Vrid lamphållarna moturs och ta bort dem. Den sockellösa glödlampan dras helt enkelt loss från lamphållaren **(se bild)**.

Askkoppsbelysning

10 Lossa askkoppen och ta bort den från mittkonsolen.

11 Lossa lamphållaren från konsolen och dra loss glödlampan från dess hållare **(se bild)**.

6.2 Bänd loss armaturen (bagageutrymmets belysning)

6.3a Ta bort försiktigt glaset från ljuset ...

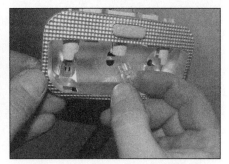

6.3b ... och dra lampan från hållaren

6.7 Vrid lamphållaren moturs och lossa den från baksidan av panelen

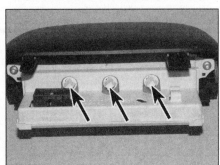

6.9 Flerfunktionsdisplayens lamphållare (markerad med pil)

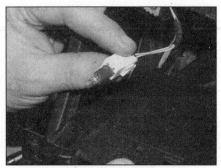

6.11 Dra loss lamphållaren från askkoppens baksida

6.16 Bänd försiktigt loss linsen och spegeln . . .

12 Sätt dit den nya glödlampan i hållaren och fäst sedan hållaren på plats med fästklämmor i konsolen. Montera tillbaka askkoppen.

Brytarbelysning

13 Alla brytarna lyser med hjälp av lysdioder. Dessa lysdioder ingår i brytaren och kan inte bytas separat. Byte kräver därför att hela brytarenheten byts (se avsnitt 4).

Handskfackets belysning

14 Öppna handskfacket och bänd försiktigt loss linsens främre del. Ta bort armaturen och koppla loss anslutningskontakten när den tas bort. Observera att brytaren är inbyggd i ljuset.
15 Den sockellösa glödlampan dras helt enkelt loss från lamphållaren

Sminkspegelsbelysning

16 Bänd försiktigt loss linsen och spegeln från solskyddet (se bild).

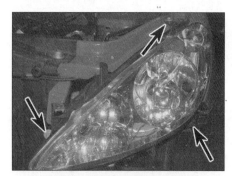

7.4a Skruva loss strålkastarens tre fästbultar (markerade med pil) . . .

7.6 Vrid strålkastarnas höjdinställningsmotor moturs

6.17 . . . bänd sedan ut rörglödlampan

17 Bänd loss rörglödlampan/lamporna (se bild).

---

7 Yttre armaturer – demontering och montering

Strålkastare

1 Ta bort den främre stötfångare (se kapitel 11).
2 Om du ska ta bort vänster strålkastare, bänd ut de båda klämmorna och lossa luftinsugskanalerna bredvid strålkastaren.
3 Lossa spolarmunstycket från strålkastarens lins (i förekommande fall).
4 Skruva loss de tre fästbultarna och loss strålkastararmaturen från dess fäste. Skjut upp låsspärren och koppla loss kontaktdonen från

7.4b . . . skjut sedan upp låsspärren och koppla loss anslutningskontakten

7.7 Bänd försiktigt justeraren uppåt och ta bort motorn

---

strålkastararmaturen. Ta sedan bort armaturen **(se bilder)**.
5 När du ska ta bort strålkastarnas nivåregleringsmotor roterar du det inre skyddslocket moturs. Koppla loss motorns anslutningskontakt.
6 Rotera motorn moturs och använd en spårskruvmejsel för att lossa motorns kulled **(se bild)**.
7 Bänd försiktigt loss justeraren uppåt och ta bort motorn från strålkastaren **(se bild)**.
8 Före monteringen måste du se till att nivåregleringssystemets motor (i förekommande fall) är korrekt installerad.
9 Passa in strålkastararmaturen och återanslut dess kontaktdon ordentligt.
10 Passa in strålkastaren i dess öppning.
11 Montera tillbaka och dra åt strålkastarens fästbultar.
12 Kontrollera strålkastarens funktion och sätt sedan tillbaka den främre stötfångaren. Om vänster strålkastare har tagits bort sätter du tillbaka luftintagskanalen och fästklämmorna innan du monterar stötfångaren.
13 Kontrollera strålkastarinställningen med hjälp av informationen i avsnitt 8.

Strålkastarens ljussensor

14 Ta bort flerfunktionsdisplayet enligt beskrivningen i kapitel 11, avsnitt 27.
15 Sträck in handen genom öppningen och tryck sensorn uppåt, ut ur instrumentbrädan. Koppla loss givarens anslutningskontakter när du tar bort den.

Körriktningsvisarens sidoblinkers

16 Tryck armaturen framåt för att lossa dess fästklämmor och lirka sedan ut den från skärmpanelen **(se bild 5.28)**.
17 Lossa kontaktdonet och ta bort ljusenheten från bilen.
18 Monteringen sker i omvänd ordningsföljd mot demonteringen.

Bakljus

Halvkombi modeller

19 Dra bort klädselpanelen bakom armaturen och lossa de båda muttrarna som fäster armaturen **(se bild)**.
20 Koppla loss kontaktdonet från armaturen

7.19 Skruva loss de två bakljusenhet muttrar (markerade med pil)

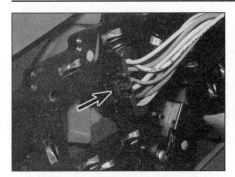

7.20 Lossa klämman (markerad med pil) och koppla loss armaturens anslutningskontakt

7.22 Skruva loss muttern (markerad med pil) på lampans ovansida . . .

7.23 . . . och muttern längst ner (markerad med pil)

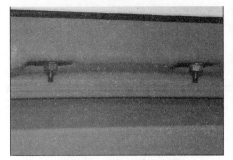

7.26 Högt bromsljus fästmuttrarna (halvkombi modeller)

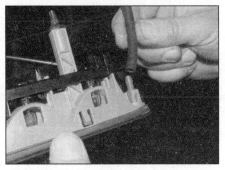

7.27 Koppla loss bakrutans spolarslang

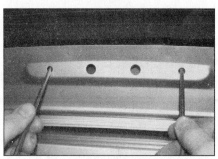

7.31 Använd två skruvmejslar för att lossa det höga bromsljusets klämmor (kombi/SW-modeller)

och ta sedan bort armaturen från bilen **(se bild)**.
21 Återmonteringen utförs i omvänd ordning mot demonteringen, se till att ljusenhetens tätning är i gott skick.

Kombi-/SW-modeller

22 Öppna bakluckan och lossa fästbeslaget ovanpå den berörda armaturen **(se bild)**.
23 Dra bort plastpanelen bakom armaturen och lossa muttern längst ner på den **(se bild)**.
24 Lossa kontaktdonet och ta bort enheten från bilen.
25 Monteringen sker i omvänd ordningsföljd.

Övre bromsljus

Kombikupé

26 Öppna bakrutan och skruva sedan loss muttrarna som fäster armaturen på bakluckan **(se bild)**. Tryck försiktigt på armaturens pinnbultar för att ta bort enheten.

27 Lossa kontaktdonet och spolarröret, ta bort sedan bort armaturen från bakluckan **(se bild)**.
28 Monteringen sker i omvänd ordningsföljd mot demonteringen. Dra inte år armaturens fästmuttrar för hårt eftersom plasten lätt går sönder.

Kombi-/SW-modeller

29 Använd ett förgrenat verktyg och ta bort klämmorna runt om bakluckans inre, övre panel.
30 Dra bort panelen från bakluckan i de övre hörnen för att lossa fästklämmorna. Ta sedan bort panelen från bakluckan
31 Använd två spårskruvmejslar, tryck igenom åtkomsthålen, lossa de båda fästklämmorna och ta bort armaturen. Koppla loss kontaktdonet när enheten tas bort **(se bild)**.
32 Monteringen sker i omvänd ordningsföljd mot demonteringen.

Registreringsskyltsbelysning

Halvkombi modeller

33 Ta bort den bakre stötfångaren (se kapitel 11).
34 Koppla från anslutningskontakten när ljuset tas bort.
35 Tryck försiktigt den aktuella armaturens klämma åt sidan och lossa den **(se bild)**.
36 Monteringen sker i omvänd ordningsföljd mot demonteringen.

Kombi-/SW-modeller

37 Ta bort bakrutans nedre klädselpanel enligt beskrivningen i kapitel 11, avsnitt 25.
38 Skruva loss de fyra fästmuttrarna, lossa fästklämmorna och ta bort den yttre panelen ovanför nummerplåtsbelysningen **(se bilder)**.
39 Tryck ihop fästklämmorna och tryck sedan bort den berörda armaturen från bakluckan.

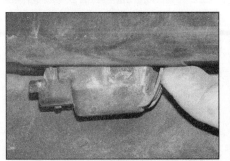

7.35 Tryck ihop klämman och ta bort nummerplåtsbelysningen (halvkombi modeller)

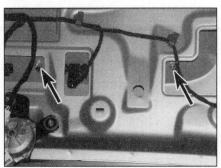

7.38a Skruva loss de yttre panelmuttrarna (de vänstra är markerade med pil) . . .

7.38b . . . och lossa fästklämmorna (markerade med pil)

7.39 Tryck ihop klämmorna (markerade med pil) och ta bort nummerplåtsbelysningen (kombi/SW modeller)

7.43a Skruva loss fästskruvarna . . .

7.43b . . . och ta bort dimstrålkastaren från den främre stötfångaren

8.2a Lodrät strålkastarjusterare (markerad med pil) . . .

8.2b . . . och vågrät justerare (markerad med pil)

Lossa kontaktdonet och ta bort ljusenheten **(se bild)**.
40 Montera i omvänd ordningsföljd mot demonteringen.

Främre dimstrålkastare (senare modeller)

41 Klossa bakhjulen, lyft upp framvagnen och ställ den på pallbockar (se *Lyftning och stödpunkter*). Ta bort motorns undre skyddskåpa. När du ska komma åt höger dimljus måste den främre delen av hjulhusfodret lossas genom att du tar bort fästena.
42 Sträck in handen under den främre stötfångaren och koppla loss kablaget från dimstrålkastarens lamphållare.
43 Skruva loss fästskruvarna och ta bort dimstrålkastaren från den främre stötfångaren **(se bilder)**.
44 Monteringen sker i omvänd ordningsföljd mot demonteringen.

8 Strålkastarinställning – allmän information

1 Korrekt inställning av strålkastarna kan endast utföras med optisk utrustning och ska därför överlåtas till en Peugeot-verkstad eller en annan lämpligt utrustad verkstad.
2 Strålkastarnas vertikala justering utförs med en insexnyckel i lämplig storlek som används för att rotera justerarenheterna ovanpå strålkastarhöljet, medan den horisontella justeringen utförs genom att man tar bort kåpan från halvljuslampan och roterar justeraren med en skruvmejsel **(se bilder)**.
3 På modeller med nivåreglering av strålkastare ser du till att justerarbrytaren är inställd på läge 0 innan strålkastarna justeras.

9 Instrumentbräda – demontering och montering

Demontering

1 Koppla loss och ta bort batteriet, enligt beskrivningen i kapitel 5A.
2 Sätt in två stift enligt bilden för att lossa panelens fästklämmor **(se bild)**. **Observera:** *Om det behövs kan du köpa instrumentpanelens borttagningsstift (nr 1212) från Peugeot-verkstäder.*
3 Med klämmorna borttagna drar du i stiften/verktygen för att ta bort panelen. Koppla loss panelens anslutningskontakt/kontakter när enheten tas bort. Om det uppstår fel i instrumentpanelen låter du en Peugeot-verkstad eller annan lämplig specialist undersöka självfelsökningssystemet. Med undantag för "panelglaset" finns inga delar att köpa separat till instrumentpanelen. Om det är fel på den måste hela enheten bytas **(se bild)**.

Montering

4 Monteringen utförs i omvänd ordningsföljd mot demonteringen, se till att panelens övre styrtappar hakar i ordentligt.

10 Klocka/flerfunktionsenhet – demontering och montering

Demontering

1 Se till att tändningen är avstängd.
2 Dra försiktigt upp sargen bakre kant

9.2 Sätt in två stift för att lossa fästklämmorna

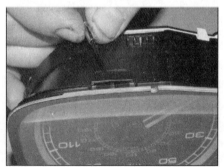

9.3 Lossa klämmorna för att ta bort "panelglaset"

10.2 Dra upp enhetens bakre del för att lossa klämmorna (markerade med pil)

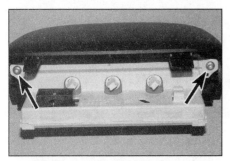

10.4 Skruva loss de båda skruvarna (markerade med pil) och ta bort enheten från kåpan

och lossa den från instrumentbrädan **(se bild)**.
3 Koppla från anslutningskontakten när enheten tas bort.
4 Skruva loss de båda skruvarna och ta bort displayen från kåpan **(se bild)**.

Montering

5 Montera tillbaka i omvänd ordningsföljd mot demonteringen.

11 Cigarrettändare/ tillbehörsuttag – demontering och montering

Demontering

1 Ta bort mittkonsolen enligt beskrivningen i kapitel 11.
2 Lossa försiktigt fästklämmorna och skjut bort belysningsenheten från armaturens bas, var mycket försiktig så att du inte skadar dess elkontakter.
3 Dra ut tändelementet och lossa sedan spetsarna och tryck ut metallinsatsen/tillbehörsuttaget. Den yttre plastdelen kan sedan tas bort från konsolen.

Montering

4 Linjera ytterdelens plastflik med utskärningen och sätt sedan in den i konsolen.
5 Linjera lamphållarens kontakt på metallinsatsen med hållarspetsarna på den yttre plastdelen och sätt sedan insatsen på plats.
6 Skjut på belysningsenheten på

13.1 Torkarbladets inställningsmärke (markerad med pil)

12.3 Skruva loss fästmuttern och ta bort signalhornet

metallinsatsen och fäst den ordentligt på plats på den yttre plastdelen.
7 Kontrollera att cigarrettändaren är korrekt ihopmonterad och sätt sedan tillbaka mittkonsolen.

12 Signalhorn – demontering och montering

Demontering

1 Signalhornen sitter bakom den främre stötfångarens vänstra sida.
2 Demontera den främre stötfångaren enligt beskrivningen i kapitel 11.
3 Koppla ifrån kontaktdonet/donen och lossa sedan fästmuttern och ta bort signalhornet från bilen **(se bild)**.
4 När du ska ta bort signalhornets tuta tar du bort förarsidans krockkudde. Skruva sedan loss de tre skruvarna och ta försiktigt bort tryckringsenheten **(se bild)**.

Montering

5 Montera tillbaka i omvänd ordningsföljd mot demonteringen.

13 Torkararm – demontering och montering

Observera: *Torkararmarna sitter mycket hårt på axlarna och du behöver troligen en avdragare för att får bort dem på ett säkert sätt utan skador.*

13.2 Lyft upp höljet och lossa torkarens spindelmutter

12.4 Skruva loss de tre skruvarna (markerade med pil) och ta bort signalhornsknappen

Demontering

1 Starta torkarmotorn och slå sedan av den, så att armen återgår till viloläget. Fäst tejp på vindrutan längs med torkarbladet för säkerställa korrekt återmontering. Det finns också ett inställningsmärke på vindrutan **(se bild)**.
2 Lyft upp torkararmens axelmutterkåpa (i förekommande fall) och skruva sedan loss axelmuttern **(se bild)**.
3 Lyft bort bladet från glaset och dra bort torkararmarna från axeln. Om armen sitter mycket hårt lossar du den från axeln med hjälp av en lämplig avdragare **(se bild)**.

Montering

4 Se till att torkararmen och spindelspåren är rena och torra, montera sedan tillbaka armen på spindeln och rikta in torkarbladet mot inställningsmärketn eller tejpen som sattes på rutan vid borttagningen.
5 Sätt tillbaka spindelmuttern, dra åt den ordentligt och sätt tillbaka mutterkåpan (i förekommande fall).

14 Vindrutans torkarmotor och länksystem – demontering och montering

Demontering

1 Lyft upp framvagnen och ställ den på pallbockar (se *Lyftning och stödpunkter*). Lossa skruvarna och ta bort motorns undre skyddskåpa (om en sådan finns).
2 Ta bort torkararmen (se avsnitt 13).

13.3 Om torkararmen sitter hårt på axeln använder du en avdragare

14.8a Plastpanelen klädsel hålls fast av en plastnit i varje ände.

14.11 Bänd upp centrumsprintarna lite, bänd upp och ta bort plastnitarna som fäster isoleringspanelen

3 Ta bort batteriet och batterilådan enligt beskrivningen i kapitel 5A.

4 Skruva loss de båda skruvarna och lägg bromsoljans övre behållare åt sidan. Du behöver inte koppla loss matarslangen, men var beredd på vätskespill.

5 Ta bort motorrummets säkringsdoselock och plastkåpan ovanför spolarvätskebehållaren. Kåpan hålls fast med två plastnitar. Tryck in mittsprintarna något och bänd därefter ut hela nitarna och lossa sidoklämman.

6 På 2,0-liters modellerna skruvar du loss muttrarna och tar bort plastkåpan från motorns ovansida. På 1,4-liters motorer drar man bara upp höljet på plats.

7 Ta bort insugskanalen mellan luftrenarhuset och insugningsrör för att förbättra åtkomsten (se kapitel 4A eller 4B). På 1,4- och 1,6-liters

bensinmodeller, ta bort gasspjällshuset enligt beskrivningen i kapitel 4A.

8 Ta bort plastpanelen från ventilpanelen. Panelen hålls fast av en plastnit i varje ände. Tryck in mittsprintarna en bit och bänd ur hela nitarna från sin plats. Lyft upp panelens ytterkanter och dra sedan mittenområdet nedåt för att lossa det från vindrutans nedre del **(se bild)**.

9 Placera en domkraft under växellådshuset och stötta upp växellådans tyngd.

10 Skruva loss den mittersta fästmuttern från växellådans fäste i motorrummets vänstra del (se aktuell del av kapitel 2). Sänk ner växellådan lite för att underlätta borttagningen av torkarmotorn och länkaget.

11 Lossa klämmorna och ta bort ventilpanelens ljudisolering **(se bild)**.

12 Skruva loss de två fästbultar, och ta bort torpedplåtens tvärbalk **(se bild)**.

13 Lossa kablagets fästklämmor, skruva sedan loss fästklämmorna och ta bort ljudisoleringen ovanför torkarmotorn.

14 Använd en skruvmejsel och bänd loss anslutningsstaget från vänster torkaraxellänkage **(se bild)**. Koppla loss torkarmotorns anslutningskontakt.

15 Torkarlänkaget är fäst med en bult på var sida och en mittenmutter. Skruva loss bultarn/muttern och lyft bort enheten från styrsprinten. Tryck ner mitten av länkaget och lyft bort den vänstra änden över fjäderbenets övre fäste. Ta sedan bort enheten från motorrummet **(se bilder)**. **Observera:** *Torkarlänkaget är mycket svåråtkomligt – det krävs både fingerfärdighet och tålamod för att ta bort länkaget. Var noga med att inte skada vindrutan eller bilens lack.*

16 I skrivande stund verkar det som om motorn inte kan köpas separat från länkaget. Kontakta en Peugeot verkstad.

Montering

17 Monteringen sker i omvänd ordningsföljd. Dra åt alla hållare ordentligt. Observera att du innan du drar åt länkages fästmutter/bultar ska kontrollera att enheten sitter rätt över styrstiften. Det är omöjligt att se stiften när länkaget sitter på plats, använd dina fingrar.

15 Bakruta torkarmotor –
demontering och montering

Observera: *Du behöver en popnitpistol och lämpliga nitar vid monteringen.*

Demontering

1 Se till att tändningen är avstängd.

2 Ta bort torkararmen (se avsnitt 13).

3 Ta bort bakrutans nedre klädselpanel enligt beskrivningen i kapitel 11, avsnitt 25.

4 Använd en borr på 7,5 och borra försiktigt ur huvudena på popnitarna som fäster torkarmotorns bygel på bakluckan **(se**

14.12 Plasttvärbalken är fäst med en bult i varje ände

14.14 Bänd bort anslutningsstaget från vänster axellänkage

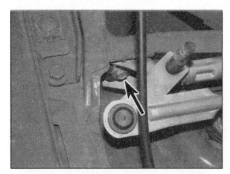

14.15a Torkarlänkagets högra bult (markerad med pil) . . .

14.15b . . . vänster bult . . .

14.15c . . . och mittbult (markerad med pil)

15.4 Borra ur de tre nitarna (markerade med pil)

16.2 Tryck in centrumsprintarna och bänd sedan upp hela plastexpanderniten

16.7 Koppla loss spolarpumpens anslutningskontakt

bild). För att förhindra att nitarna ramlar ner i bakluckan placerar du en trasa på var sida om motorn.

Varning: Var försiktig så att du inte skadar motorn och bakluckan/bakrutan när du borrar ur nitarna.

5 När de tre nitarna är borttagna kopplar du ifrån kontaktdonet och tar bort torkarmotorn från bakluckan. Var försiktig så att du inte lossar ansatserna från motorns gummifästen.

6 Ta bort torkarmotorns tätningsmuff från bakrutan.

7 Ta bort trasorna och ta bort resterna av alla nitar från motorns bygel/bakluckan. Se till att alla spår av nitarna tas bort.

8 Torkarmotorn kan inte köpas separat. Om det är fel på den måste hela enheten bytas.

Montering

9 Före återmonteringen undersöker du tätningsmuffen och gummifästena, leta efter tecken på skador och åldrande och byt ut om det behövs.

10 Se till att gummigenomföringen återmonteras korrekt på bakrutan och att gummifästena oc ansatserna monteras korrekt på motorns fästbygel.

11 Sätt torkarmotorn på plats och fäst den med nya popnitar.

12 Återanslut kontaktdonet till motorn och sätt sedan tillbaka klädselpanelen på bakluckan. Slå på tändningen, kör torkaren och stanna den i parkeringsläget.

13 Montera tillbaka torkararmen enligt beskrivningen i avsnitt 13.

16 Spolarsystemets komponenter – demontering och montering

1 Spolarbehållaren sitter bakom höger framskärm och förser både vindrute- och bakrutespolningen med vätska via samma pump. På modeller med strålkastarspolare matar behållaren också strålkastarspolarmunstyckena via en extra pump.

Spolarvätskebehållare

2 Arbeta i motorrummet och ta bort plastkåpan ovanför spolarvätskebehållaren. Kåpan hålls fast med två plastnitar. Tryck in mittsprintarna en bit och bänd ur hela nitarna från sin plats (se bild).

3 Lossa framhjulsbultarna på höger sida. Hissa upp bilens framvagn och ställ den på pallbockar (se *Lyftning och stödpunkter*). Demontera det högra hjulet.

4 Ta bort höger främre hjulhusfoder. Hjulhusfodret hålls fast av flera expanderande plastnitar. Tryck in centrumsprintarna lite, bänd ut hela nitarna och ta bort fodrets främre del från vingens underdel.

5 Dra behållarens påfyllningsrör uppåt från behållaren.

6 Notera var spolarslangarna är placerade (vid

behov ID-märker du dem) och koppla sedan loss slangarna från spolarpumpen/pumparna.

7 Koppla loss kontaktdonet/donen från spolarpumpen/pumparna (se bild).

8 Skruva loss fästmuttern och flytta sedan behållaren bakåt och lossa den från karossen. Ta bort den under skärmen (se bilder).

9 Återmonteringen sker i omvänd ordningsföljd mot demonteringen. Se till att slangarna är ordentligt återanslutna. Fyll på behållaren och sök efter läckor.

Spolarpump

10 Fortsätt enligt beskrivningen i punkt 3 till 7 och koppla loss slangen/slangarna och kontaktdonet från pumpen.

11 Placera ett kärl under behållaren för att samla upp spolarvätskan när pumpen tas bort.

12 Ta försiktigt bort pumpen från behållaren och ta bort dess tätningsmuff (se bild). Skölj bort utspilld kylvätska med kallt vatten.

13 Monteringen utförs i omvänd ordningsföljd mot demonteringen, använd en ny tätningsmuff om den gamla verkar skadad eller sliten. Fyll på behållaren och avsluta med att leta efter läckor i pumpens muff.

Vindrutespolarmunstycke

14 Öppna motorhuven. Bänd upp centrumsprintarna lite, bänd ut hela plastexpanderniten och ta bort motorhuvens isoleringspanel för att komma åt den nedre

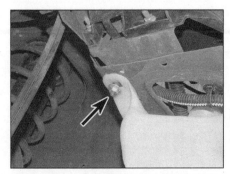

16.8a Skruva loss fästmutter (markerade med pil) . . .

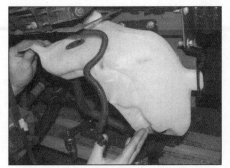

16.8b . . . och flytta sedan behållaren bakåt

16.12 Skjut försiktigt ut spolarpumpen från behållaren

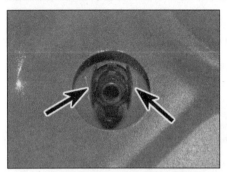

16.14 Tryck ihop klämmorna (markerade med pil) och lossa munstycket från motorhuven

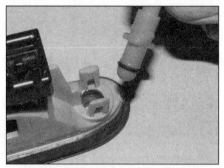

16.18 Lossa klämmorna och ta bort spolarmunstycket

delen av vindrutespolarmunstyckena. Koppla ifrån spolarslangen/slangarna från berört munstycke, tryck sedan ner fästklämmorna och ta bort munstycket **(se bild)**.
15 Vid återmoteringen fäster du munstycket på motorhuven och återansluter slangen. Munstyckena kan inte riktas om.

Bakrutespolarmunstycke

16 Ta bort högt bromsljuset enligt beskrivningen i avsnitt 7.
17 På halvkombi modeller, lossa fästklämmorna och lossa ljusenheten från lamphållaren **(se bild 5.33a)**.
18 Koppla loss spolarslangen från munstycket. Lossa munstycket från armaturen genom att lossa de båda fästklämmorna **(se bild)**. Ta bort munstyckets O-ring.

17.2 Sätt in två stift på var sida om ljudanläggningen för att lossa klämmorna och dra sedan bort enheten

19 Montera i omvänd ordningsföljd mot demonteringen. Dra inte åt armaturens fästmuttrar för hårt på halvkombimodeller eftersom plasten lätt går sönder. Spolarmunstycket kan inte justeras.

Strålkastarspolarmunstycke

20 Bänd försiktigt loss munstyckets kåpa från stötfångaren och dra ut enheten så långt det går.
21 Be en medhjälpare ta tag i spolarmunstyckets slang med en tång och tryck sedan ner de båda fästklämmorna och dra loss munstycket från slangen.
22 11När du ska ta bort spolarcylindrarna tar du bort den främre stötfångaren enligt beskrivningen i kapitel 11 och kopplar sedan loss spolarröret och lossar cylidrarna.
23 Montering sker i omvänd arbetsordning.

17 Ljudanläggning –
demontering och montering

Observera: *Följande metod gäller utrustning som har monterats av Peugeot.*

Demontering

1 Se till att ljudanläggningen och tändningen är avstängda.
2 Sätt in en liten skruvmejsel/körnare i hålet på var sida om enheten och tryck in den tills klämman lossnar **(se bild)**.
3 När båda fästklämmorna har lossats skjuter du ut ljudanläggningen. Koppla loss

kabelanslutningarna och antennsladden (i förekommande fall) och ta bort enheten från bilen.

Montering

4 Före återmonteringen sätter du tillbaka enhetens klämmor.
5 Återanslut antennsladden (i förekommande fall) och kontaktdonen. Skjut sedan enheten på p,plats, var försiktig så att du inte klämmer kablaget.

18 Högtalare –
demontering och montering

Demontering
Framdörrens högtalare

1 Ta bort dörrklädseln enligt beskrivningen i kapitel 11.
2 Skruva loss fästskruvarna och ta sedan bort högtalaren från dörren, koppla loss kontaktdonet när det blir synligt **(se bild)**.

Främre diskanthögtalare

3 Bänd försiktigt loss diskanthögtalarens kåpa från instrumentbrädan och ta bort den tillsammans med diskanthögtalaren **(se bild)**. Koppla loss givarens anslutningskontakter när du tar bort den.
4 Vrid diskanthögtalaren medurs för att lossa den från kåpan.

Bakre högtalare – 5-dörrars modeller

5 Ta bort dörrklädseln enligt beskrivningen i kapitel 11.
6 Skruva loss skruvarna och ta bort högtalaren från dörren, koppla loss anslutningskontakten när den blir åtkomlig.

Bakre högtalare – 3-dörrars modeller

7 Ta bort den bakre sidoklädselpanel enligt beskrivningen i kapitel 11, avsnitt 25.
8 Dra loss skuminfattningen och lossa och ta bort fästskruvarna från karossen. Koppla loss kontaktdonet när det blir åtkomligt **(se bild)**.

Montering

9 Monteringen sker i omvänd ordning. Se till att klädselpanelerna är ordentligt fästa på plats och sitter på rätt ställe bakom tätningsremsornas kanter.

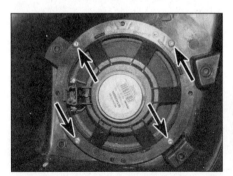

18.2 Skruva loss de skruvarna (markerade med pil) och ta bort högtalaren

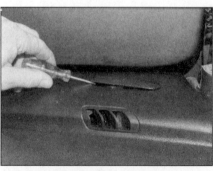

18.3 Bänd försiktigt loss diskanthögtalarens kåpa från instrumentbrädan

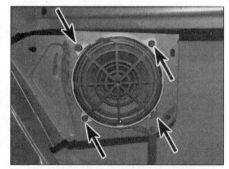

18.8 Bakre högtalarens fästskruvar (markerade med pil) (3-dörrars halvkombi)

19 Radioantenn – demontering och montering

Demontering

1 Antennen har skruvinfattning och tas enkelt bort.

2 När du ska ta bort hela antennen på modeller där den sitter ovanpå taket öppnar du bakluckan och lossar sedan bakluckans tätningsremsa från öppningens övre del. Skruva loss de båda skruvfästena och sänk försiktigt ner takklädselns bakre del för att komma åt antennmuttern.

3 Koppla loss anslutningskontakten, skruva loss muttern och ta bort antennen.

Montering

4 Montering sker i omvänd arbetsordning.

20 Motorlåsningssystemet och stöldskyddssystem – allmän information

Observera: *Den här informationen gäller endast de system som monteras av Peugeot som originalutrustning.*

Motorlåsningssystem

1 Ett motorlåsningssystem finns som standard på alla modeller. Systemet styrs automatiskt varje gång startnyckeln sätts i/tas ur.

2 Startspärrsystemet säkerställer att bilen endast kan startas med originalnyckeln från Peugeot. Nyckeln innehåller en elektronisk krets (transponder) som är programmerad med en kod. När nyckeln sätts in i tändningslåset använder den strömmen i givarringen (som sitter i tändningslåshuset) för att skicka en signal till startspärrens elektroniska styrmodul ECU:n. ECU:n sitter i den inbyggda systemgränssnittsenheten (se avsnitt 23). Styrmodulen kontrollerar denna kod varje gång tändningen slås på. Om nyckelkoden inte stämmer överens med ECU-koden avaktiverar ECU:n startmotorn, bränslematningen och tändningen (efter tillämplighet) för att förhindra att motorn startas.

3 När bilen är ny levereras den med ett hemligt säkerhetskort tillsammans med den övriga dokumentationen. Kortet innehåller stöldskyddskoden som din Peugeot-verkstad behöver för att utföra arbete på startspärrsystemet. Förvara kortet på en säker plats i hemmet. Förvara det aldrig i bilen. Om du tappar bort startnyckeln kan du få en ny från en Peugeot-återförsäljare. Ta med den hemliga säkerhetskortet och alla nycklar till Peugeot-återförsäljaren som ger dig en ny nyckel och programmerar om alla nycklarna med en ny stöldskyddskod. Detta innebär att den borttappade nyckeln inte längre fungerar.

Varning: Utan det hemliga säkerhetskortet

HAYNES TiPS *Om du har köpt bilen begagnad ska alla nycklar och startspärrsystemet programmeras om med en ny stöldskyddskod. Då vet du att dina nycklar är de enda som kan starta bilen och att alla andra nycklar blir oanvändbara.*

kan man inte programmera om nycklarna eller startspärrsystemet.

4 Problem med motorns startspärrsystem ska överlåtas till en Peugeot-verkstad.

Stöldskyddssystem

5 De flesta modeller som ingår i den här handboken hade också stöldskyddssystem som standard. Systemet fanns som tillval på alla övriga modeller. Larmet aktiveras automatiskt när spärren ställs in med hjälp av den fjärrstyrda centrallåssändaren och avaktiveras när dörrarna låses upp med hjälp av fjärrsändaren. Larmsystemet har brytare på motorhuven, bakluckan och på var och en av dörrarna. Det har också ultraljudsavkänning som registrerar rörelser inuti i bilen via givare i kupén.

6 När systemet aktiveras blinkar körriktningsvisarna i två sekunder och indikatorlampan på larmbrytaren, som sitter på mittkonsolens bakre del, blinkar också.

Observera: *Om motorhuven, bakluckan eller någon av dörrarna inte är ordentligt stängda när larmet ställs in hörs en kortare ljudsignal. Om motorhuven/bakluckan/dörren (efter tillämplighet) stängs ordentligt inom 45 sekunder aktiveras larmet. Om så inte sker fortsätter larmet att vara avaktiverat.*

7 Om den fjärrstyrda centrallåssändaren av någon anledning inte fungerar när larmet är aktiverat kan larmet avaktiveras med hjälp av nyckeln. För att göra detta öppnar du dörren med nyckeln och går in i bilen, observera att larmet låter när dörren öppnas. Sätt in nyckeln och slå på tändningen, startspärren känner igen nyckeln och stänger av larmet.

8 Om det behövs kan larmets ultraljudsavkänning stängas av, men systemet på ena sidan förblir ändå aktivt. När du ska stänga av ultraljudsavkänningen har du tändningen avslagen och trycker ner larmbrytaren (på instrumentbrädan ovanför de mittersta ventilationsmunstyckena) tills larmindikatorlampan på brytaren lyser med fast sken. Kliv ur bilen och använd spärrfunktionen med hjälp av sändaren för att aktivera larmet. Körriktningsvisarna blinkar som vanligt med endast den aktiverade (dörr, baklucka och motorhuv) sidan av larmsystemet fungerar. Fördelen med den här valmöjligheten är att du kan lämna fönster eller soltak öppna, och ändå larma bilen. Om fönster eller soltak lämnas öppna med ultraljudssensorn påslagen, kan larmet utlösas av en vindpust.

9 Innan du kopplar ifrån batteriet ska larmsystemet avaktiveras. På så sätt förhindrar man att larmet ljuder när batteriet kopplas

ifrån/kopplas in. Detta gör du genom att slå på tändaren och sedan omedelbart trycka ner larmbrytaren och hålla den nedtryckt i två sekunder. Indikatorlampan på brytaren ska sedan blinka snabbt i cirka tre sekunder, vilket betyder att larmet har avaktiverats. Slå av tändningen och koppla ifrån batteriet.

10 När batteriet har återanslutits styr du spärren med fjärrkontrollen och låser sedan upp bilen. Larmet ställs in som vanligt nästa gång spärren ställs in.

11 Om det uppstår fel i larmsystemet ska bilen lämnas in till en Peugeot-verkstad för undersökning.

21 Krockkuddesystem – allmän information och föreskrifter

1 Samtliga modeller i serien har en krockkudde på förarsidan, passagerarsidan, på sidorna och sidokrockgardiner.

2 Krockkuddssystemet löses ut vid en kraftig frontalkrock som överstiger en förinställd kraft, beroende på träffpunkten. Krockkudden blåses sedan upp inom någon millisekund och utgör en säkerhetskudden mellan de åkande och bilens inre. Detta förebygger kontakt mellan överkroppen och insidan vilket minskar risken för skador avsevärt. Krockkudden töms nästan omedelbart. Styrenheten styr också de främre bältessträckarmekanismerna (se kapitel 11).

3 Sidokrockkuddarna sitter i ryggstödet på de båda framsätena. Varje krockkuddsenhet har sin egen givare för acceleration i sidled, som sitter på karossen vid utsidan av varje framsäte. Sidokrockkuddarna är inte sammankopplade och sköts helt oberoende av varandra.

4 Sidokrockgardinerna sitter bakom vindrutestolparna och takklädseln på båda sidor i kupén.

5 Varje gång tändningen slås på utför krockkuddens kontrollenhet ett självtest. Självtestet tar ungefär sex sekunder och under den tiden lyser varningslampa på instrumentbrädan. När självtestet är slutfört slocknar varningslampan (om in passagerarsidans krockkudde har avaktiverats – se stycke 6). Om varningslampan inte tänds eller inte slocknar efter självtestet, eller tänds då bilen körs, är det fel på krockkuddssystemet. Bilen ska då lämnas till en Peugeot-återförsäljare för undersökning så snart som möjligt.

6 De flesta bilar med krockkudde på passagerarsidan har en avaktiveringsbrytare på mittkonsolen. Brytaren styrs med tändningsnyckeln och stänger av passagerarsidans krockkudde (man kan inte avaktivera krockkudden på förarsidan eller sidokrockgardinerna) så att man kan montera en bakåtvänd bilbarnstol på passagerarplatsen. När passagerarsidans krockkudde är avaktiverad lyser varningslampan för krockkuddar på instrumentpanelen konstant.

Varning: *Innan du utför några arbeten på krockkuddssystemet ska du koppla ifrån batteriet (se kapitel 5A) och vänta minst två minuter.5 Ta bort mittkonsolen (se kapitel 11) lossa sedan fästklämman och koppla loss kontaktdonet/donen från krockkuddens styrenhet. När arbetete är slutfört återansluter du styrenheten igen och sätter tillbaka mittkonsolen (se kapitel 11). Se till att ingen befinner sig i bilen när batteriet kopplas ifrån. Ha sedan förardörren öppen, slå på tändningen utifrån och kontrollera att krockkuddens varningslampa fungerar.*

 Varning: *Utsätt inte karossen runt styrenheten för stötar eller slag som kan lösa ut systemet.*

 Varning: *Observera att krockkudden/krockkuddarna inte får utsättas för temperaturer över 100°C. När krockkudden demonteras, förvara den med rätt sida upp för att förhindra att den blåses upp av misstag.*

 Varning: *Låt inga lösningsmedel eller rengöringsmedel komma i kontakt med krockkudden. De får endast rengöras med en fuktig trasa.*

 Varning: *Krockkuddarna och styrenheterna är stötkänsliga. Om de tappas eller skadas måste de bytas ut.*

 Varning: *Koppla loss anslutningskontakten till krockkuddens styrenhet innan någon svetsning utförs på bilen.*

 Varning: *Montera aldrig en bakåtvänd bilbarnstol på passagerarplatsen fram om inte passagerarsidans krockkudde har avaktiverats (stycke 6).*

 Varning: *Peugeot rekommenderar att krockkuddsenhet byts vart tionde år.*

22 Krockkuddssystemets komponenter – demontering och montering

 Varning: *Se varningarna i avsnitt 21 innan du utför följande arbeten.*

Förarsidans krockkudde

Demontering

1 Koppla loss batteriet (se kapitel 5A) och vänta i 2 minuter innan arbetet påbörjas. Ta bort mittkonsolen (se kapitel 11) lossa sedan fästklämman och koppla loss kontaktdonet/donen från krockkuddens styrenhet **(se bild 22.15)**. Om det behövs kan du ta bort instrumentbrädebygelns nedre fästbult för att få det utrymme som behövs för att kunna koppla ifrån kontakten.

2 Med ratten i läget rakt fram och rattlåset aktiverat sätter du in en tunn spårskruvmejsel

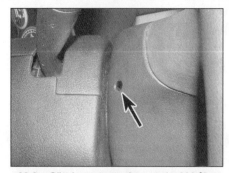

22.2a Sätt in en tunn skruvmejsel i hålet (markerad med pil) på var sida om ratten . . .

22.3a Lossa krockkuddens kontaktdon (markerad med pil) . . .

i hålen på sidan av rattklacken och lossa fästklämmorna **(se bilder)**.

3 Lyft försiktigt upp krockkuddsenheten från ratten, koppla ifrån kontaktdonen när de blir åtkomliga **(se bilder)**.

 Varning: *Knacka inte på och tappa inte krockkuddsenheten och förvara den rättvänd med den stoppade ytan överst.*

Montering

4 Återanslut kontaktdonen ordentligt och placera sedan krockkuddsenheten på ratten, se till att kablaget inte kläms. Observera att huvudkontaktdonen är färgkodade för att passa ihop med respektive uttag.

5 Montera krockkuddsenheten, tryck den på plats tills fästklämmorna hakar i.

6 Avsluta med att återansluta kontaktdonet/donen till krockkuddens styrenhet. Montera tillbaka mittkonsolen (se kapitel 11). Se till

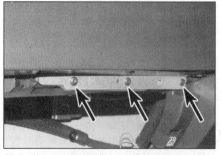

22.9a Instrumentbrädans täckpanel är fäst med flera hållare längs dess nedre kant (markerad med pil) . . .

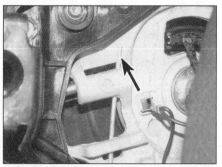

22.2b . . . och tryck in klämman (markerad med pil) för att lossa den

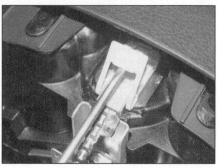

22.3b . . . genom att lyfta upp låsklämman och skjuta bort dem

att ingen befinner sig i bilen och återanslut sedan batteriet. Ha förardörren öppen, slå på tändningen utifrån och kontrollera att varningslampa fungerar.

Passagerarsidans krockkudde

Demontering

7 Koppla loss batteriet och vänta i 2 minuter innan arbetet påbörjas. Ta bort mittkonsolen (se kapitel 11) lossa sedan fästklämman och koppla loss kontaktdonet/donen från krockkuddens styrenhet **(se bild 22.15)**.

8 Demontera instrumentbrädan enligt beskrivningen i kapitel 11.

9 Instrumentbrädans täckpanel är fäst med flera hållare längs dess nedre kant och ändar. Den är också fäst med hållare som kan nås via instrumentpanelsöppningen, och flerfunktionsdisplayens öppning **(se bilder)**. Ta bort hållare.

22.9b . . . och dess ändar (markerad med pil) . . .

10 Koppla loss krockkuddens anslutningskontakt som sitter längst ner på instrumentbrädans mittenpanel, framför växelspaken/växelväljaren. Lossa kablaget från eventuella fästklämmor, notera var de är placerade och hur kablaget är draget.

11 Lyft upp den bakre kanten av instrumentbrädans täckpanel och lossa de återstående fästklämmorna. Ta bort panelen tillsammans med krockkudden.

12 Skruva loss de två muttrar, och ta bort krockkudden **(se bild)**.

Montering

13 Montera krockkuddsenheten och panelen på instrumentbrädans panel, se till att kablaget är korrekt draget och att muttrarna är ordentligt åtdragna.

14 Ytterligare återmontering sker i omvänd ordningsföljd. Avsluta med att återansluta kontaktdonet/donen till krockkuddens styrenhet. Montera tillbaka mittkonsolen (se kapitel 11). Se till att ingen befinner sig i bilen och återanslut sedan batteriet. Ha förardörren öppen, slå på tändningen utifrån och kontrollera att varningslampa fungerar.

Krockkuddens styrenhet

Demontering

15 Koppla loss batteriet (se kapitel 5A) och vänta i 2 minuter innan arbetet påbörjas. Ta bort mittkonsolen (se kapitel 11) lossa sedan fästklämman och koppla loss kontaktdonet/donen från krockkuddens styrenhet **(se bild)**.

16 Skruva loss fästmuttrarna och ta bort styrenheten från bilen.

Montering

17 Montera tillbaka styrenheten, se till att pilen ovanpå enheten pekar mot bilens främre del. Sätt tillbaka styrenhetens fästmuttrar och dra åt dem till angivet moment.

18 Avsluta med att återansluta kontaktdonet/donen till krockkuddens styrenhet.

19 Montera tillbaka mittkonsolen (se kapitel 11). Se till att ingen befinner sig i bilen och återanslut sedan batteriet. Ha förardörren öppen, slå på tändningen utifrån och kontrollera att varningslampa fungerar.

Sidokrockkudde

20 Demontering och montering av sidokrockkuddsenheterna ska utföras av en Peugeot-verkstad. Sätet måste tas isär för att krockkuddsenheten ska kunna tas bort/sättas tillbaka.

Sidokrockkuddens accelerationsgivare

Demontering

21 Ta bort det berörda framsätet enligt beskrivningen i kapitel 11.

22 Se beskrivningen i avsnitt 25 i kapitel 11 om tredörrarsmodeller och ta bort den bakre sidoklädselpanelen, och på femdörrarsmodeller tar du bort B-stolpens övre och nedre klädselpaneler.

23 På alla modeller, ta bort rampanelen.

22.9c ... samt mittsektion (markerad med pil) ...

24 Vik tillbaka mattan för att komma åt sidokrockkuddens styrenhet.

25 Koppla loss kontaktdonet, skruva sedan loss fästbulten och ta bort styrenheten från bilen.

Montering

26 Monteringen utförs i omvänd ordningsföljd mot demonteringen, dra åt accelerationsgivarens bult ordentligt.

Sidokrockgardin

27 Demontering och montering av sidokrockkudsenheterna ska utföras av en Peugeot-verkstad. Takklädseln måste delvis tas bort för att krockkuddsenheten ska kunna tas bort/sättas tillbaka.

23 Systemgränssnittsenheten/ säkringsdosan – allmänt, demontering och montering

Allmän information

1 BSI-enheten är en elektronisk styrenhet som styr flera funktioner som normalt sköts av enskilda styrenheter och reläer. BSI-enheten sitter bakom instrumentbrädans nedre kåpa på passagerarsidan, precis under säkringsdosan. BSI-enheten styr följande funktioner (alla modeller har inte samtliga funktioner).

a) Körriktningsvisare/varningsblinkers.
b) Torkarmotor på bakluckan/vindruta.
c) Bakrutans värmeelement.
d) Motorlåsningssystem.
e) Stöldskyddssystem.

22.15 Lyft upp låsspärren och koppla ifrån anslutningskontakten till krockkuddarnas ECU

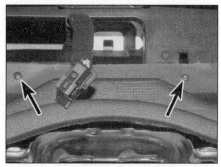

22.9d ... och instrumentklusteröppningen (markerad med pil)

22.12 Skruva krockkuddens båda fästmuttrar (markerade med pil)

f) Varningssignal för tända lysen/ tändningsnyckel.
g) Centrallås/spärr, inklusive den fjärrstyrda centrallåsmottagaren.
h) Indikator för öppen dörr.
i) Fördröjningstimer för kupélampa.
j) Ljudsignal i varningssystem för automatväxellåda.

2 Om det uppstår fel i någon av de ovanstående funktionerna ska du först kontrollera säkringarnas skick. Om du ändå inte hittar problemet, lämna in bilen till en Peugeot-verkstad för test. Det enda säkra sättet att testa BSI-enheten är att byta ut den mot en annan enhet som du vet fungerar som den ska.

Demontering

3 Koppla loss batteriet (se kapitel 5A).

4 Ta bort handskfacket enligt beskrivningen i avsnitt 27 i kapitel 11.

5 Vrid de båda vita plastfästena 90° moturs och bänd säkringsdosan lite utåt **(se bild)**.

23.5 Vrid hållare 90° moturs

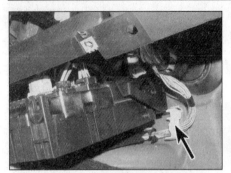

23.6 BSI-enhetens baksida passar i fästklämmorna (markerade med pil)

23.7 Vissa av BSI-kontaktdonen är fästa med klämmor och låsspärrar

6 Sänk ner enhetens bakre kant och lyft sedan upp den främre kanten och skjut ut den **(se bild)**.

7 Notera var de är placerade och lossa sedan fästklämmorna. Koppla sedan ifrån alla kontaktdonen och ta bort BSI-enheten från bilen. Observera att det finns flera olika typer av låshakar för de olika kontaktdonen. Ta dig tid att studera kontaktdonen och lossa dem utan att använda för mycket kraft eftersom de lätt skadas **(se bild)**.

Montering

8 Återmontering utförs i omvänd ordning mot demonteringen, se till att kontaktdonen är ordentligt återanslutna. Observera att kontaktdonets färger är listade bredvid deras respektive uttag i BSI:n.

24 Satellitnavigeringssystem – allmän information

1 Ett satellitnavigeringssystem erbjöds som tillval på vissa modeller. Navigeringsenheten och fjärrkontrollen sitter i handskfacket. Se tillverkarens handbok som levereras med bilen för bruksanvisningar. Eventuella problem med system ska överlåtas till en Peugeot-verkstad.

Peugeot 307 kopplingsscheman

Förklaringar till symboler

Glödlampa   ⊗

Brytare   ─o o─

Säkring/smältlänkar och strömkapacitet   F5 30A

Resistor

Variabelt motstånd

Anslutningskablar

Artikelnr   2

Pump/motor   (M)

Jordningspunkt och placering   (E12)

Mätare

Diod

Trådskarv

Solenoidmanöverdon

Lysdiod (LED)

Skärmad kabel

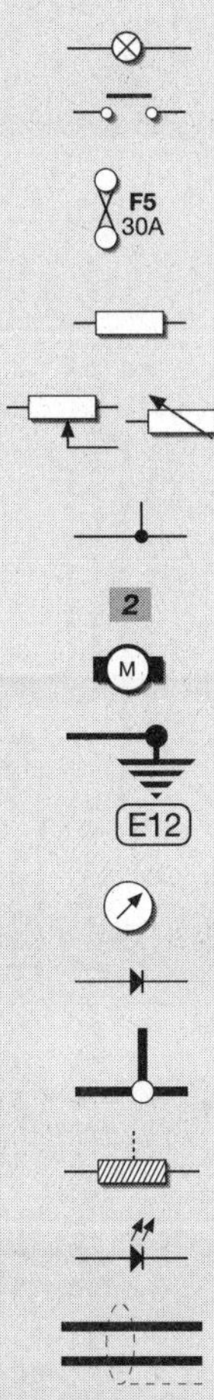

Streckad kontur innebär del av en större artikel, i detta fall innehåller den en elektronisk enhet eller halvledarenhet.
Stifttyper: 
2 - Kontaktdon i ospecificerad färg, stift 2.
2Br 1 - Brunt tvåstiftskontaktdon, stift 1.

Huvudsaklig metod för trådidentifiering är att använda nummer på uttagsstiften (monterade i varje komponent eller kontaktdon och visade i schemana) tillsammans med den nummerkod som är tryckt på varje tråd. Vid ihopkoppling av schema och fordonskablage söker du rätt på relevant komponent eller kontaktdon på bilden och söker efter de trådar som är kopplade till uttagsstiften som visas i schemat.

Varning: En siffra (indikation på trådens funktion) kan vara tryckt på varje tråd, men så är inte alltid fallet. Siffror so inte är relevanta återges inte i våra scheman. Numrering av kontaktdonets/komponentens uttagsstift är inte alltid tillgänglig i tillverkarens dokumentation och saknas då i våra scheman. Det kan i så fall krävas att du vänder dig till den lokala återförsäljaren för att få mer information.

Observera att den vanliga metoden att använda färgkodning inte gäller - även om trådarna på fordonet har färg, så har den ingen relevans. På grund av detta visas trådarna i våra scheman alltid som svarta.

Jordningspunkter

E1	Huvudmotor jord	E8	Vänster växellåda tunnel
E2	Batteri jord	E9	Vänster fotutrymme
E3	Vänster fotutrymme	E10	Höger framskärm
E4	Vänster motorrum	E11	Höger mittkonsol
E5	Nedre mitt på konsol	E12	Vänster framskärm
E6	Bakre övre stolpe	E13	Vänster motormellanvägg
E7	Höger bakpå mittkonsol		

Förklaringar till kretsar

Schema1 — Information om kopplingsscheman
Schema2 — Start och laddning, inbyggt system, gränssnittstillförsel, radio med CD-spelare, signalhorn med dubbel ton, uppvärmd bakruta, cigarrettändare och 12V-uttag
Schema3 — Krockkudde, ABS och taklucka
Schema4 — Elektriska fönsterhissar, servostyrning, elektriska och uppvärmda speglar
Schema5 — Luftkonditionering, spolare/torkare, bromsljus, strålkastare, sidoljus och baklyktor
Schema6 — Körriktningsvisarlampor, varningsblinkers, dimstrålkastare, backljus, innerbelysning och diagnostikkontaktdon
Schema7 — Centrallås, instrumentmodul
Schema8 — Bensin- och dieselmotorkylning

Tabell över normala säkringar
(se fordonets handbok för specifik placering)

Huvudsäkringsdosa

Säkringar	Märkström	Skyddad krets
MF1	30A	Fläkt
MF2	30A	ABS-pump motor
MF3	30A	ABS-solenoidventiler
MF4	60A	Inbyggd systemgränssnitt
MF5	70A	Inbyggd systemgränssnitt
MF6	-	Används ej
MF7	30A	Tändningslås
MF8	70A	Servostyrning
F1	10A	Backljuskontakt, hastighetsgivare, sensor för vatten i diesel
F2	15A	Bränslepump, kolfiltrets manövermagnetventil
F3	10A	ABS, servostyrningspump
F4	10A	Motorstyrenhet, värmereglage automatväxel, fläktreläer
F5	15A	Styrenhet för avgasfilter
F6	15A	Främre dimljus
F7	-	Används ej
F8	20A	Fläktreläer, motorstyrenhet, dieselinsprutningspump
F9	15A	Vänster halvljus
F10	15A	Höger halvljus
F11	10A	Höger helljus
F12	10A	Vänster helljus
F13	15A	Signalhorn
F14	10A	Spolare/torkare
F15	30A	Motorstyrenhet, avgasåterföringsventil, bränsleinjektorer, dieseltryckregulator, luftflödessensor, bränslevärmare, styrmodul för föruppvärmning
F16	40A	Motorns luftpump (automatväxellåda)
F17	30A	Vindrutetorkare
F18	40A	Luftkonditionering

Inbyggt systemgränssnitt

Säkringar	Märkström	Skyddad krets
F1	10A	Bakre dimljus
F2	15A	Bakrutetorkare
F3	-	Används ej
F4	15A	Främre elektriska fönsterhissar, soltak
F5	15A	Vänster bromsljus
F6	-	Används ej
F7	20A	Kupébelysning, cigarrettändare
F8	-	Används ej
F9	30A	Elektriska fönsterhissar, Taklucka
F10	15A	12V bakre uttag, diagnostikkontaktdon
F11	15A	Radio, flerfunktionsdisplay, rattkontroller, automatväxel
F12	10A	Höger sidoljus, nummerskyltsbelysning, instrumentbelysning cigarrettändare, strålkastarbalansering.
F13	-	Används ej
F14	30A	Centrallås
F15	30A	Bakre elektriska fönsterhissar
F16	5A	Huvudsäkringsdosa, larm för krockkuddar, rattkontroller, avgasfilter
F17	10A	Höger bromsljus, högnivåbromsljus
F18	10A	Diagnostikkontaktdon, rattkontroller, bromskontakt, kopplingsbrytare, kylvätskenivåbrytare
F19	30A	PARC-shunt
F20	-	Används ej
F21	-	Används ej
F22	10A	Vänster sidoljus, nummerskyltsbelysning
F23	15A	Larm
F24	15A	Radio, instrumentmodul, parkeringshjälp, luftkonditionering, flerfunktionsdisplay
F25	-	Används ej
F26	30A	Uppvärmd bakruta

H32824/a

Kontakdonsfärger

Bl	Blå	**Or**	Orange
Br	Brun	**Ro**	Röd
Ge	Gul	**Sw**	Svart
Gr	Grå	**Ws**	Vit
Gn	Grön		
Mc	Flerfärgat		

Teckenförklaring

1 Batteri
2 Tändningslås
3 Huvudsäkringsdosa
4 Generator
5 Startmotor
6 Inbyggt systemgränssnitt
7 Motorns styrmodul
8 Signalhornsrelä
9 Signalhorn med låg ton
10 Signalhorn med hög ton
11 Instrumentmodul
12 Antenn
13 Radio
14 CD-spelare
15 Höger främre diskanthögtalare
16 Höger främre diskanthögtalare
17 Vänster främre högtalare
18 Höger främre högtalare
19 Vänster bakre högtalare
20 Höger bakre högtalare
21 Cigarettändare
22 Bakre 12V-uttag
23 Uppvärmd bakruta
24 Uppvärmd bakruta, relä

Schema 2

MTS
H32825

System för start och laddning

Radio med CD-spelare

Inbyggd systemgränssnittstillförsel

Signalhorn med dubbel ton

Cigarettändaren och bakre 12V-uttag

Uppvärmd bakruta

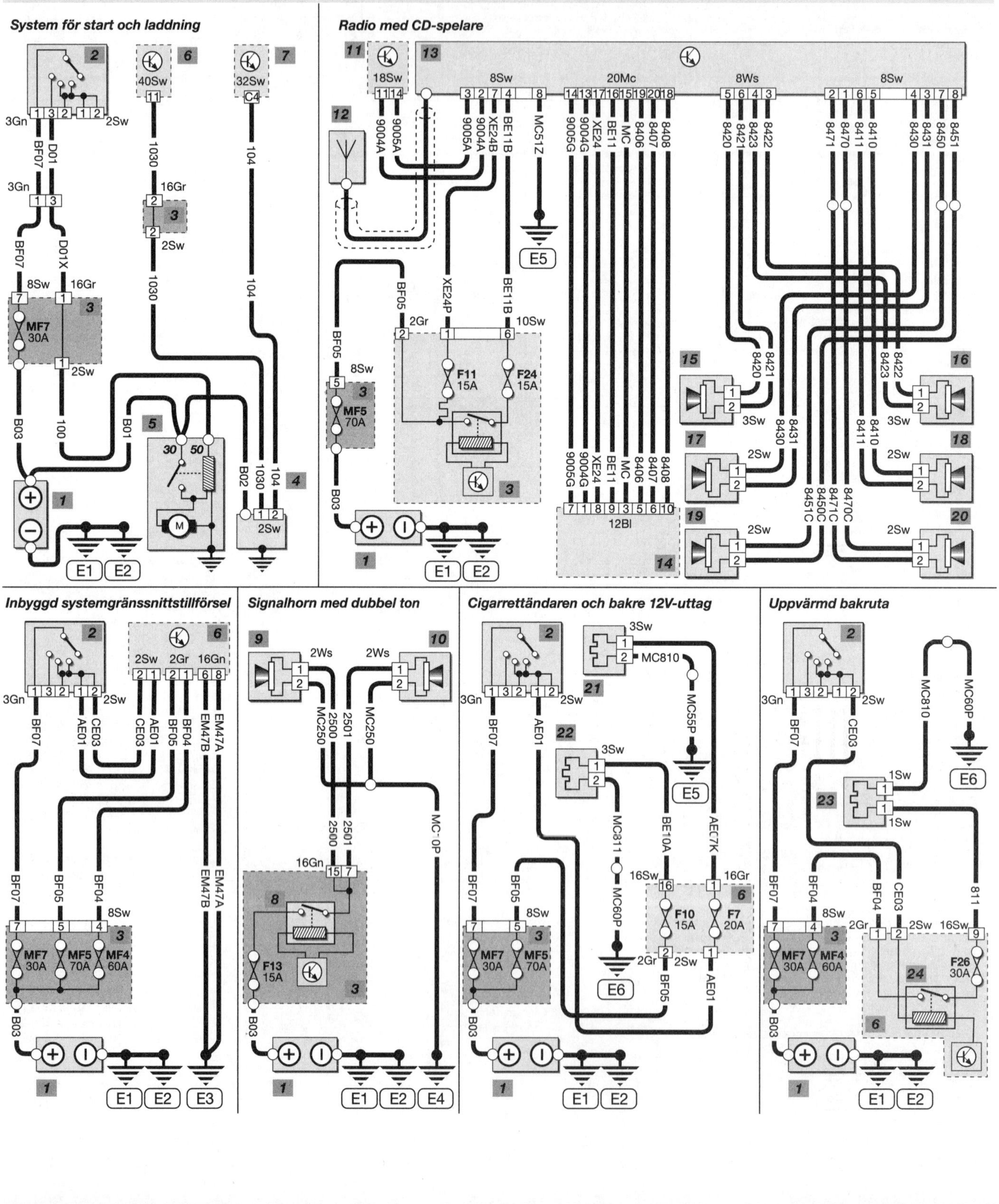

Kontakdonsfärger

Bl	Blå	**Or**	Orange
Br	Brun	**Ro**	Röd
Ge	Gul	**Sw**	Svart
Gr	Grå	**Ws**	Vit
Gn	Grön		
Mc	Flerfärgat		

Teckenförklaring

1 Batteri
2 Tändningslås
3 Huvudsäkringsdosa
6 Inbyggt systemgränssnitt
25 Krockkuddens styrmodul
26 Passagerarkrockkudde
27 Förarkrockkudde
28 Rattens brytare
29 Förarplatsens bilbältesförspännare
30 Passagerarplatsens bilbältesförspännare

31 Höger krockkudde skärmmodul
32 Höger nederkant sidokrockkudde
33 Vänster krockkudde skärmmodul
34 Vänster nederkant sidokrockkudde
35 Vänster nederkant krockkuddesensor
36 Vänster sidokrockkudde skärmmodul
37 Höger nederkant krockkuddesensor
38 Höger sidokrockkudde skärmmodul
39 Förarens fjärrmodul
40 Passagerarens fjärrmodul

41 Passagerarkrockkudde avstängningsknapp
42 ABS-styrenhet
43 Diagnosanslutning
44 Bromsoljenivåkontakt
45 Vänster främre hjulgivare
46 Vänster bakre hjulgivare
47 Höger bakre hjulgivare
48 Höger främre hjulgivare
49 Takluckans motormodul
50 Soltakets brytare

Schema 3

MTS
H32826

Krockkudde

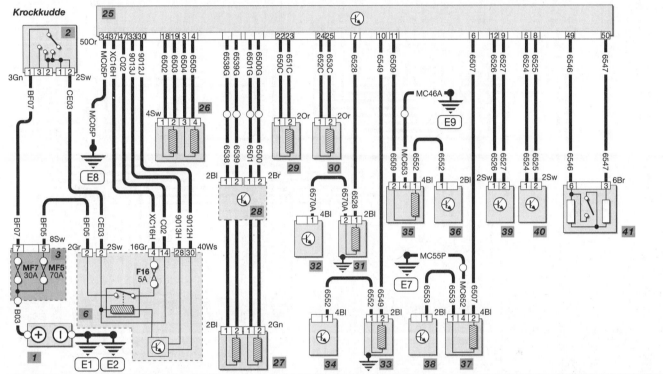

ABS **Soltak**

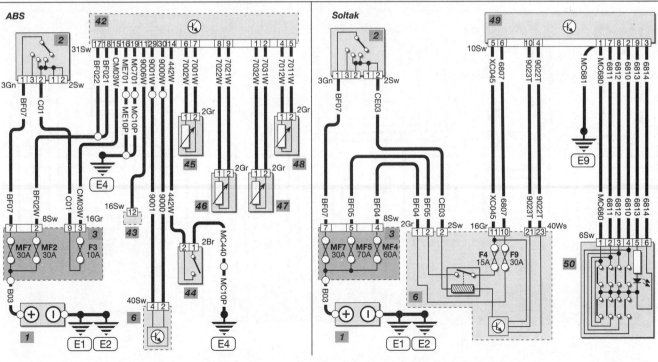

Kontakdonsfärger

Bl	Blå	**Or**	Orange
Br	Brun	**Ro**	Röd
Ge	Gul	**Sw**	Svart
Gr	Grå	**Ws**	Vit
Gn	Grön		
Mc	Flerfärgat		

Teckenförklaring

1 Batteri
2 Tändningslås
3 Huvudsäkringsdosa
6 Inbyggt systemgränssnitt
28 Rattens brytare
42 ABS-styrenhet
43 Diagnosanslutning

51 Förarens one touch-motor och styrmodul
52 Passagerarens one touch-motor och styrmodul
53 Förardörrens dörromkopplarmodul
54 Höger bakre fönsterbrytare
55 Vänster bakre fönsterbrytare
56 Höger bakre fönstermotormodul
57 Vänster bakre fönstermotormodul

58 Passagerarens fönsterbrytare
59 Passagerarens fönstermotor
60 Förarens backspegel
61 Passagerarens backspegel
62 Servostyrningspump

Schema 4

MTS
H32827

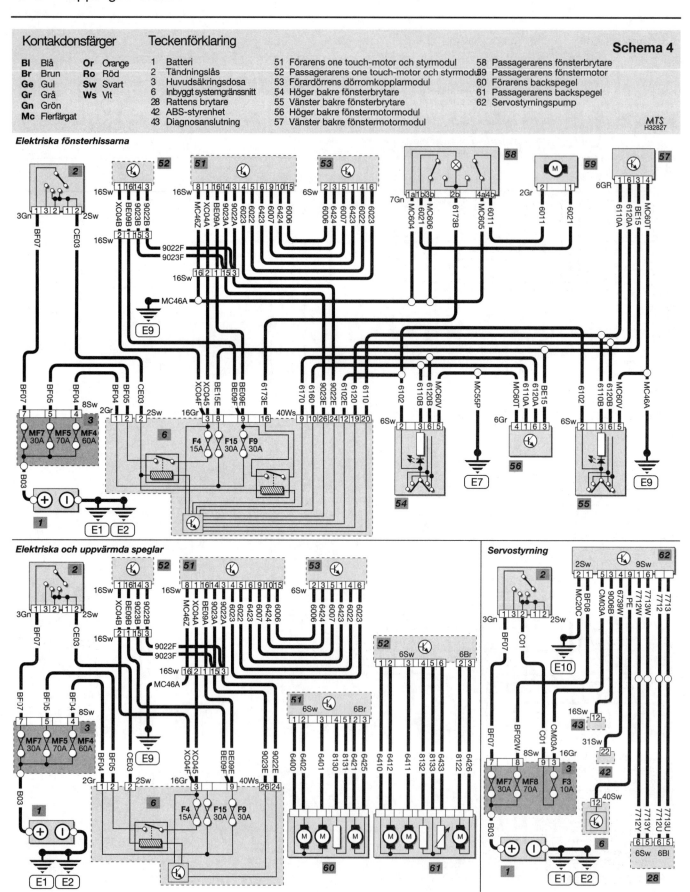

Elektriska fönsterhissarna

Elektriska och uppvärmda speglar

Servostyrning

Kontakdonsfärger

Bl	Blå	**Or**	Orange
Br	Brun	**Ro**	Röd
Ge	Gul	**Sw**	Svart
Gr	Grå	**Ws**	Vit
Gn	Grön		
Mc	Flerfärgat		

★ Om särskild

Teckenförklaring

1 Batteri
2 Tändningslås
3 Huvudsäkringsdosa
6 Inbyggt systemgränssnitt
7 Motorns styrmodul
11 Instrumentmodul
63 Värmeenhetens panel
64 Luftinsug reduceringsspjäll
65 Fläktmotorns resistor

66 Värmefläktens motor
67 Pressostat
68 Luftkonditioneringskompressor
69 Förångningsanordningens termistor
70 Strålkastarspolare
71 Främre/bakre vindrutetorkare
72 Vindrutetorkarmotor
73 Bakrutetorkarmotor
74 Regnsensor

75 Ljussensor
76 Strålkastarbalanseringsmodul
77 Vänster strålkastarenhet
  a) helljus
  b) halvljus
  c) sidoljus
  d) balanseringsmotor
78 Höger strålkastarenhet
  (som 77)

79 Vänster bakljusarmatur
  a) bakljus
  b) bromsljus
80 Höger bakljusarmatur
  (som 79)
81 Vänster nummerskyltsbelysning
82 Höger nummerskyltsbelysning
83 Högt bromsljus
84 Bromsljusbrytare

Schema 5

MTS H32828

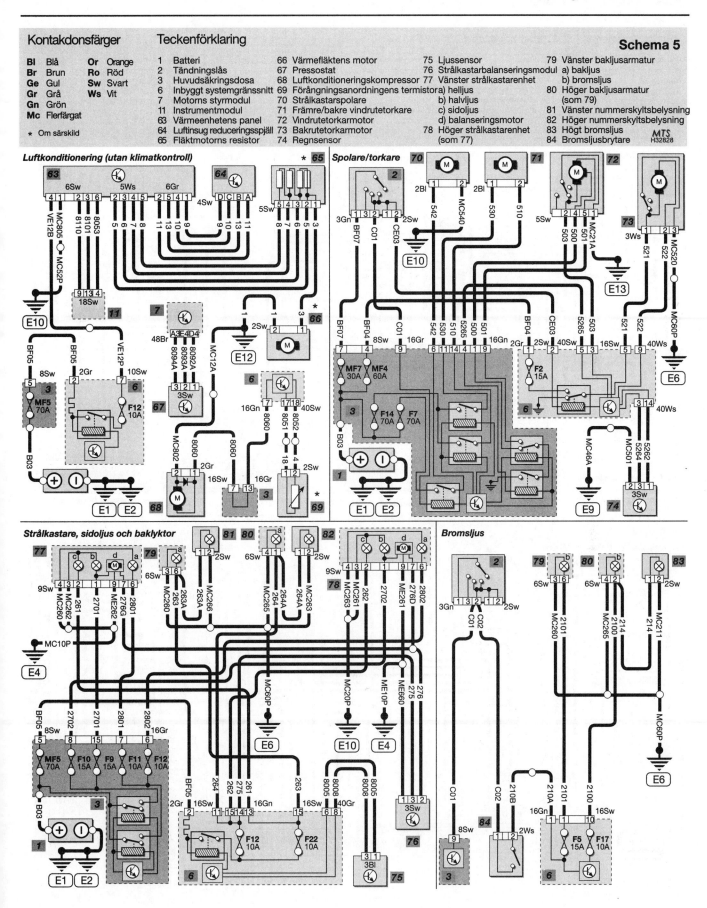

Luftkonditionering (utan klimatkontroll)

Spolare/torkare

Strålkastare, sidoljus och baklyktor

Bromsljus

Kontakdonsfärger

Bl	Blå	**Or**	Orange
Br	Brun	**Ro**	Röd
Ge	Gul	**Sw**	Svart
Gr	Grå	**Ws**	Vit
Gn	Grön		
Mc	Flerfärgat		

Teckenförklaring

1 Batteri
2 Tändningslås
3 Huvudsäkringsdosa
6 Inbyggt systemgränssnitt
7 Motorns styrmodul
11 Instrumentmodul
28 Rattens brytare
43 Diagnostikkontaktdon

77 Vänster strålkastarenhet
  e) körriktningsvisare
  f) dimljus
78 Höger strålkastare
  (som 77)
79 Vänster bakljusarmatur
  c) körriktningsvisare
  d) backljus
  e) dimljus

80 Höger bakljusarmatur
  c) körriktningsvisare
  d) backljus
85 Brytare för varningsblinkers
86 Vänster sida blinkerljus
87 Höger sida blinkerljus
88 Backljuskontakt
89 Handskfacksbelysning
90 Bakre kupélampa

91 Bagagerumsbelysning, kontakt och låsmo
92 Bagageutrymmets belysning
93 Främre kupélampa brytare
94 Vänster främre kupélampa
95 Höger främre kupélampa
96 Främre passagerardörrens lås
97 Främre förardörrens lås

Schema 6

MTS
H32829

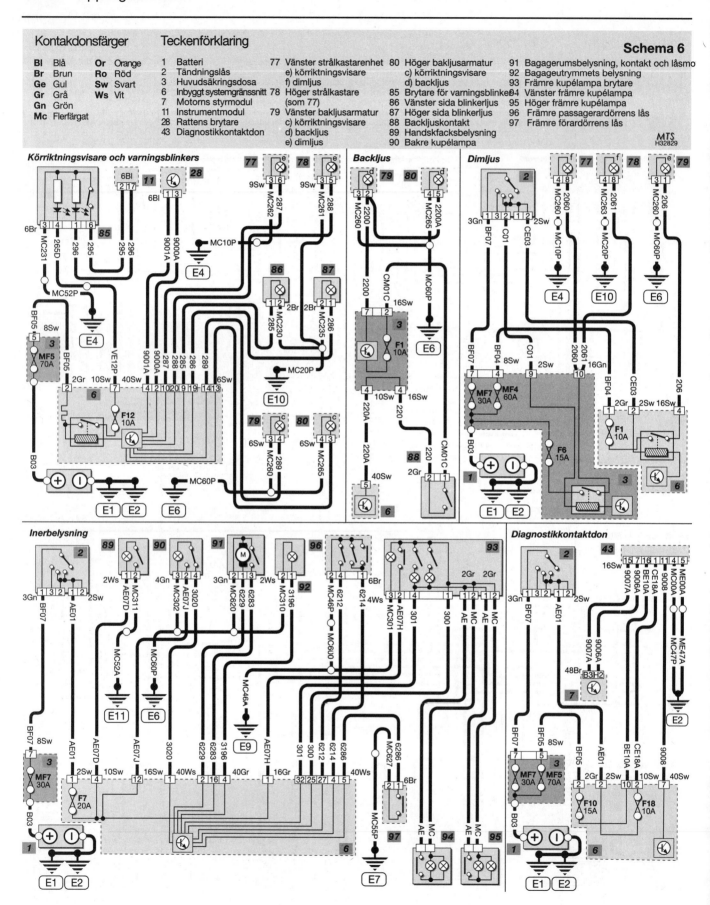

Körriktningsvisare och varningsblinkers

Backljus

Dimljus

Inerbelysning

Diagnostikkontaktdon

Kontakdonsfärger

Bl	Blå	Or	Orange
Br	Brun	Ro	Röd
Ge	Gul	Sw	Svart
Gr	Grå	Ws	Vit
Gn	Grön		
Mc	Flerfärgat		

Teckenförklaring

1 Batteri
2 Tändningslås
3 Huvudsäkringsdosa
6 Inbyggt systemgränssnitt
7 Motorns styrmodul
11 Instrumentkluster
91 Bagagerumsbelysning, kontakt och låsmotor
96 Främre passagerardörrens lås

97 Främre förardörrens lås
98 Vänster bakdörrslås
99 Höger bakdörrslås
100 Bagageutrymmets upplåsningsbrytare
101 Dörrlås brytare
102 Oljetrycksbrytare
103 Bränslepump och mätare
104 Handbromsens brytare

105 Passagerarplatsens bilbältesbrytare
106 Förarplatsens bilbältesbrytare
107 Flerfunktionsdisplay
108 Motortemperatur värmebrytare
109 Kylvätsketemperatur brytare
110 Varvtalsgivare

Schema 7

MTS
H32830

Centrallås

Instrumentmodul

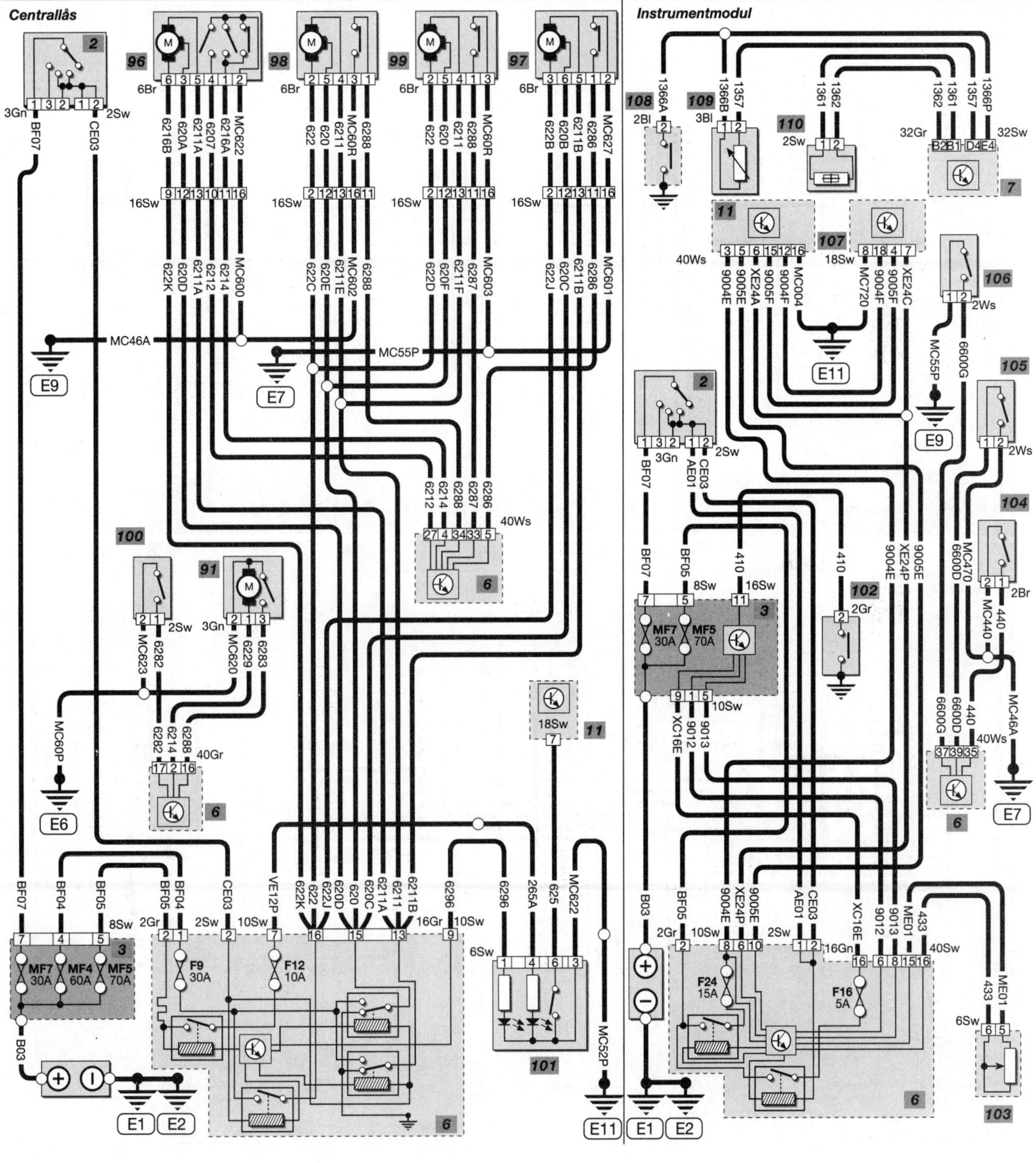

Kontakdonsfärger

Bl	Blå	**Or**	Orange
Br	Brun	**Ro**	Röd
Ge	Gul	**Sw**	Svart
Gr	Grå	**Ws**	Vit
Gn	Grön		
Mc	Flerfärgat		

Key to items

1 Batteri
2 Tändningslås
3 Huvudsäkringsdosa
6 Inbyggt systemgränssnitt
7 Motorns styrmodul
108 Motortemperatur värmebrytare
109 Kylvätsketemperatur brytare
110 Varvtalsgivare

111 Pressostat
112 Höghastighetsfläktrelä
113 Låghastighetsfläktrelä
114 Resistor för kylfläkt med två hastigheter
115 Kylfläkt
116 Kylfläkt säkring
117 Brytare för motorns kylvätskenivå

Schema 8

* endast RFN
** endast KFW & NFU

MTS
H32831

Bensinmotor kylning

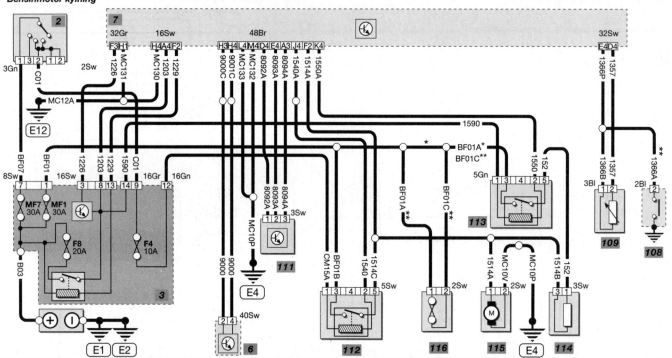

Dieselmotor kylning

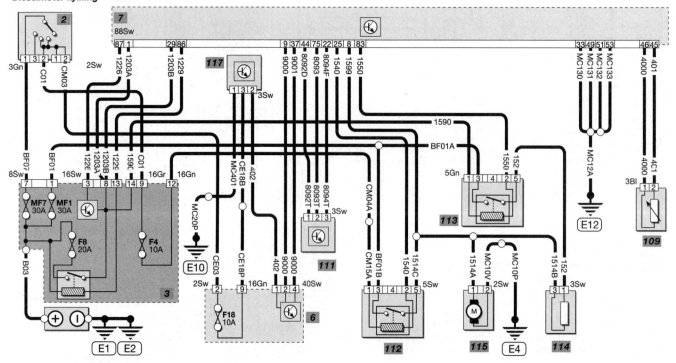

Mått och vikter

Observera: *Alla siffror är ungefärliga och kan variera beroende på modell. Se tillverkarens uppgifter för exakta mått.*

Mått	Halvkombi	Kombi
Total längd	4212 mm	4428 mm
Total bredd (exkl. speglar)	1762 mm	1762 mm
Total höjd (olastad)	1530 mm	1580 mm
Axelavstånd	2608 mm	2708 mm

Vikter

Fordonets vikt utan förare och last:
Bensinmotormodeller
  1,4-liters motor . . . . 1234 kg
  1,6-liters motor . . . . 1268 kg
  2,0-liters motor . . . . 1313 kg
Dieselmotormodeller:
  1,4-liters motor . . . . 1271 kg
  1,6-liters motor . . . . 1325 kg
  2,0-liters motor . . . . 1335 kg

Fordonets maximala bruttovikt*:
Bensinmotormodeller
  1,4-liters motor . . . . 1659 kg
  1,6-liters motor . . . . 1693 kg
  2,0-liters motor . . . . 1719 kg
Dieselmotormodeller:
  1,4-liters motor . . . . 1696 kg
  1,6-liters motor . . . . 1770 kg
  2.0-liters motor:
    SOHC . . . . 1760 kg
    DOHC . . . . 1850 kg

Max. tågvikt (bil och släp)*:
Bensinmotormodeller
  1,4-liters motor . . . . 2659 kg
  1,6-liters motor . . . . 2893 kg
  2,0-liters motor . . . . 3019 kg
Dieselmotormodeller:
  1,4-liters motor . . . . 2836 kg
  1,6-liters motor . . . . 3130 kg
  2.0-liters motor:
    SOHC . . . . 3060 kg
    DOHC . . . . 3450 kg

Maximal bogseringsvikt**:
Släpvagn utan bromsar:
  1,4-liters bensinmotor . . . . 590 kg
  1,6-liters bensinmotor . . . . 610 kg
  2,0-liters bensinmotor . . . . 625 kg
  1,4-liters dieselmotor . . . . 635 kg
  1,6-liters motor . . . . 655 kg
  2.0-liters motor:
    SOHC . . . . 655 kg
    DOHC . . . . 715 kg
Släpvagn med bromsar:
  1,4- och 1,6-liters bensinmodeller . . . . 1200 kg
  1,4-liters dieselmotor . . . . 1140 kg
  1,6-liters motor . . . . 1360 kg
  2.0-liters motor:
    SOHC . . . . 1300 kg
    DOHC . . . . 1600 kg

*Se bilens ID-platta för din bils exakta siffror – se "Identifikationsnummer"
**Kontrollera att den sammanlagda vikten av släpet och bilen aldrig överstiger tågvikten vid bogsering.

Reservdelar finns att köpa på flera ställen, till exempel hos Peugeotverkstäder, tillbehörsbutiker och grossister. För att säkert få rätt del krävs ibland att bilens chassinummer uppges. Ta om möjligt med den gamla delen för säker identifiering. Många delar, t.ex. startmotor och generator, finns att få som fabriksrenoverade utbytesdelar – delar som returneras ska alltid vara rena.

Vårt råd när det gäller reservdelsinköp är följande.

Auktoriserade Peugeotverkstäder

Det här är det bästa stället för reservdelar som är specifika för bilen och som inte finns att få tag på på andra ställen (t.ex. märkesbeteckningar, invändig dekor, vissa karosspaneler, etc). Det är även det enda ställe där man kan få reservdelar om bilens garanti fortfarande gäller.

Tillbehörsbutiker

Dessa är ofta bra ställen för inköp av underhållsmaterial (olje-, luft- och bränslefilter, tändstift, glödlampor, drivremmar, oljor, fett, bromsbackar, bättringslack, etc). Tillbehör av detta slag som säljs av välkända butiker håller samma standard som de som används av biltillverkaren.

Förutom delar säljer dessa butiker även verktyg och allmänna tillbehör. De har ofta bekväma öppettider och är billiga, och det brukar aldrig vara långt till en sådan butik. Vissa tillbehörsbutiker har reservdelsdiskar där så gott som alla typer av komponenter kan köpas eller beställas.

Grossister

Bra grossister lagerhåller alla viktigare komponenter som slits ut relativt snabbt, och kan ibland tillhandahålla enskilda komponenter som behövs för renovering av en större enhet. I vissa fall kan de ta hand om större arbeten

som omborrning av motorblocket, omslipning av vevaxlar, balansering etc.

Specialister på däck och avgassystem

Dessa kan vara oberoende återförsäljare eller ingå i större kedjor. De har ofta bra priser jämfört med märkesverkstäder, men det är lönt att undersöka priser hos flera försäljare. Fråga också vad som ingår i priset. T.ex. får man ofta betala extra för att få en ny ventil monterad och hjulet balanserat när man köper ett nytt däck.

Andra källor

Var misstänksam när det gäller delar som säljs på lågprisförsäljningar och i andra hand. De är inte alltid av usel kvalitet, men det är mycket liten chans att reklamera köpet om de är otillfredsställande. För säkerhetsmässiga delar som bromsklossar finns det inte bara ekonomiska risker utan även allvarliga olycksrisker att ta hänsyn till.

Identifikationsnummer

För biltillverkning sker modifieringar av modeller fortlöpande och det är endast de större modelländringarna som publiceras. Reservdelskataloger och listor sammanställs på numerisk bas, så bilens chassinummer är nödvändigt för att få rätt reservdel.

Lämna alltid så mycket information som möjligt vid beställning av reservdelar. Uppge bilmodell, tillverkningsår samt kaross- och motornummer. Och det viktigaste av allt, den fyrsiffriga produktionskoden (kallas ibland för "reservdelsnummer".

Bilens *produktionskod* är inpräglat eller målad på förarsidans dörrstolpe, bredvid

gångjärnen **(se bild)**. Koden ger Peugeotverkstaden information om det exakta konstruktionsdatumet och modellen. Bilens lackkod anges också här.

Plåten med *bilens identifikationsnummer (VIN)* är fastnitad på höger karosskena, i motorrummet. Plåten innehåller bilens identifikationsnummer (VIN) och information om fordonsvikten **(se bild)**.

Bilens *identifikationsnummer (VIN)* är präglat på en plåt som kan ses genom vindrutans nedre del **(se bild)**.

Motornumret sitter på motorblockets främre del och finns på följande plats:

a) *På bilar med bensinmotor sitter motornumret på motorblockets vänstra sida. Numret är antingen stämplat direkt på blocket eller på en platta som är fastnitad på blocket.*

b) *På dieselmotorer är motornumret präglat på motorblockets nedre del, på den plana ytan på oljefiltrets/kylarens vänstra- (2,0-liters motor) eller högra- (1,4- och 1,6-liters-motor) sida.*

Observera: *Motornumrets första del motsvarar motorkoden, t.ex. KFW.*

Bilens produktions- och lackkoder sitter i förardörrens ram

Plåten med bilens identifikationsnummer sitter på karossen till höger i motorrummet

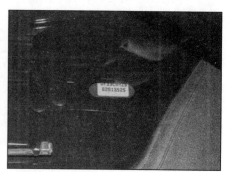

VIN-koden syns också genom vindrutan

När service, reparationer och renoveringar utförs på en bil eller bildel bör följande beskrivningar och instruktioner följas. Detta för att reparationen ska utföras så effektivt och fackmannamässigt som möjligt.

Tätningsytor och packningar

Vid isärtagande av delar vid deras tätningsytor ska dessa aldrig bändas isär med skruvmejsel eller liknande. Detta kan orsaka allvarliga skador som resulterar i oljeläckage, kylvätskeläckage etc. efter montering. Delarna tas vanligen isär genom att man knackar längs fogen med en mjuk klubba. Lägg dock märke till att denna metod kanske inte är lämplig i de fall styrstift används för exakt placering av delar.

Där en packning används mellan två ytor måste den bytas vid ihopsättning. Såvida inte annat anges i den aktuella arbetsbeskrivningen ska den monteras torr. Se till att tätningsytorna är rena och torra och att alla spår av den gamla packningen är borttagna. Vid rengöring av en tätningsyta ska sådana verktyg användas som inte skadar den. Små grader och repor tas bort med bryne eller en finskuren fil.

Rensa gängade hål med piprensare och håll dem fria från tätningsmedel då sådant används, såvida inte annat direkt specificeras.

Se till att alla öppningar, hål och kanaler är rena och blås ur dem, helst med tryckluft.

Oljetätningar

Oljetätningar kan tas ut genom att de bänds ut med en bred spårskruvmejsel eller liknande. Alternativt kan ett antal självgängande skruvar dras in i tätningen och användas som dragpunkter för en tång, så att den kan dras rakt ut.

När en oljetätning tas bort från sin plats, ensam eller som en del av en enhet, ska den alltid kasseras och bytas ut mot en ny.

Tätningsläpparna är tunna och skadas lätt och de tätar inte annat än om kontaktytan är fullständigt ren och oskadad. Om den ursprungliga tätningsytan på delen inte kan återställas till perfekt skick och tillverkaren inte gett utrymme för en viss omplacering av tätningen på kontaktytan, måste delen i fråga bytas ut. Tätningarna bör alltid bytas ut när de har demonterats.

Skydda tätningsläpparna från ytor som kan skada dem under monteringen. Använd tejp eller konisk hylsa där så är möjligt. Smörj läpparna med olja innan monteringen. Om oljetätningen har dubbla läppar ska utrymmet mellan dessa fyllas med fett.

Såvida inte annat anges ska oljetätningar monteras med tätningsläpparna mot det smörjmedel som de ska täta för.

Använd en rörformad dorn eller en träbit i lämplig storlek till att knacka tätningarna på plats. Om sätet är försedd med skuldra, driv tätningen mot den. Om sätet saknar skuldra bör tätningen monteras så att den går jäms med sätets yta (såvida inte annat uttryckligen anges).

Skruvgängor och infästningar

Muttrar, bultar och skruvar som kärvar är ett vanligt förekommande problem när en komponent har börjat rosta. Bruk av rostupplösningsolja och andra krypsmörjmedel löser ofta detta om man dränker in delen som kärvar en stund innan man försöker lossa den. Slagskruvmejsel kan ibland lossa envist fastsittande infästningar när de används tillsammans med rätt mejselhuvud eller hylsa. Om inget av detta fungerar kan försiktig värmning eller i värsta fall bågfil eller mutterspräckare användas.

Pinnbultar tas vanligen ut genom att två muttrar låses vid varandra på den gängade delen och att en blocknyckel sedan vrider den undre muttern så att pinnbulten kan skruvas ut. Bultar som brutits av under fästytan kan ibland avlägsnas med en lämplig bultutdragare. Se alltid till att gängade bottenhål är helt fria från olja, fett, vatten eller andra vätskor innan bulten monteras. Underlåtenhet att göra detta kan spräcka den del som skruven dras in i, tack vare det hydrauliska tryck som uppstår när en bult dras in i ett vätskefyllt hål

Vid åtdragning av en kronmutter där en saxsprint ska monteras ska muttern dras till specificerat moment om sådant anges, och därefter dras till nästa sprinthål. Lossa inte muttern för att passa in saxsprinten, såvida inte detta förfarande särskilt anges i anvisningarna.

Vid kontroll eller omdragning av mutter eller bult till ett specificerat åtdragningsmoment, ska muttern eller bulten lossas ett kvarts varv och sedan dras åt till angivet moment. Detta ska dock inte göras när vinkelåtdragning använts.

För vissa gängade infästningar, speciellt topplocksbultar/muttrar anges inte åtdragningsmoment för de sista stegen. Istället anges en vinkel för åtdragning. Vanligtvis anges ett relativt lågt åtdragningsmoment för bultar/muttrar som dras i specificerad turordning. Detta följs sedan av ett eller flera steg åtdragning med specificerade vinklar.

Låsmuttrar, låsbleck och brickor

Varje infästning som kommer att rotera mot en komponent eller en kåpa under åtdragningen ska alltid ha en bricka mellan åtdragningsdelen och kontaktytan.

Fjäderbrickor ska alltid bytas ut när de använts till att låsa viktiga delar som exempelvis lageröverfall. Låsbleck som viks över för att låsa bult eller mutter ska alltid bytas ut vid ihopsättning.

Självlåsande muttrar kan återanvändas på mindre viktiga detaljer, under förutsättning att motstånd känns vid dragning över gängen. Kom dock ihåg att självlåsande muttrar förlorar låseffekt med tiden och därför alltid bör bytas ut som en rutinåtgärd.

Saxsprintar ska alltid bytas mot nya i rätt storlek för hålet.

När gänglåsmedel påträffas på gängor på en komponent som ska återanvändas bör man göra ren den med en stålborste och lösningsmedel. Applicera nytt gänglåsningsmedel vid montering.

Specialverktyg

Vissa arbeten i denna handbok förutsätter användning av specialverktyg som pressar, avdragare, fjäderkompressorer med mera. Där så är möjligt beskrivs lämpliga lättillgängliga alternativ till tillverkarens specialverktyg och hur dessa används. I vissa fall, där inga alternativ finns, har det varit nödvändigt att använda tillverkarens specialverktyg. Detta har gjorts av säkerhetsskäl, likväl som för att reparationerna ska utföras så effektivt och bra som möjligt. Såvida du inte är mycket kunnig och har stora kunskaper om det arbetsmoment som beskrivs, ska du aldrig försöka använda annat än specialverktyg när sådana anges i anvisningarna. Det föreligger inte bara stor risk för personskador, utan kostbara skador kan också uppstå på komponenterna.

Miljöhänsyn

Vid sluthantering av förbrukad motorolja, bromsvätska, frostskydd etc. ska all vederbörlig hänsyn tas för att skydda miljön. Ingen av ovan nämnda vätskor får hällas ut i avloppet eller direkt på marken. Kommunernas avfallshantering har kapacitet för hantering av miljöfarligt avfall liksom vissa verkstäder. Om inga av dessa finns tillgängliga i din närhet, fråga hälsoskyddskontoret i din kommun om råd.

I och med de allt strängare miljöskyddslagarna beträffande utsläpp av miljöfarliga ämnen från motorfordon har alltfler bilar numera justersäkringar monterade på de mest avgörande justeringspunkterna för bränslesystemet. Dessa är i första hand avsedda att förhindra okvalificerade personer från att justera bränsle/luftblandningen och därmed riskerar en ökning av giftiga utsläpp. Om sådana justersäkringar påträffas under service eller reparationsarbete ska de, närhelst möjligt, bytas eller sättas tillbaka i enlighet med tillverkarens rekommendationer eller aktuell lagstiftning.

Domkraften i bilen ska endast användas för hjulbyten – se *Hjulbyte* i början av den här boken. Vid alla andra arbeten ska bilen lyftas med en hydraulisk domkraft (eller garagedomkraft), som alltid ska åtföljas av pallbockar under bilens stödpunkter.

När hydraulisk domkraft eller pallbockar används ska dessa alltid placeras under en av de relevanta stödpunkterna. Stödpunkten är området under utskärningen på tröskeln **(se bild).** Lägg en träkloss mellan domkraften eller pallbocken och tröskeln – träklossen ska ha ett spår där tröskelns svetsade fläns passar in.

Försök inte placera domkraften under den främre tvärbalken, sumpen eller någon del av fjädringen.

Domkraften som medföljer bilen passas in i stödpunkterna på trösklarnas undersida – se *Hjulbyte*. Se till att domkraftens huvud sitter korrekt innan du börjar lyfta bilen.

Arbeta aldrig under, runt eller nära en lyft bil om den inte har ordentligt stöd på minst två punkter.

Stödpunkten sitter under utskärningen i tröskeln

Inledning

En uppsättning bra verktyg är ett grundläggande krav för var och en som överväger att underhålla och reparera ett motorfordon. För de ägare som saknar sådana kan inköpet av dessa bli en märkbar utgift, som dock uppvägs till en viss del av de besparingar som görs i och med det egna arbetet. Om de anskaffade verktygen uppfyller grundläggande säkerhets- och kvalitetskrav kommer de att hålla i många år och visa sig vara en värdefull investering.

För att hjälpa bilägaren att avgöra vilka verktyg som behövs för att utföra de arbeten som beskrivs i denna handbok har vi sammanställt tre listor med följande rubriker: *Underhåll och mindre reparationer, Reparation och renovering* samt *Specialverktyg*. Nybörjaren bör starta med det första sortimentet och begränsa sig till enklare arbeten på fordonet. Allt eftersom erfarenhet och självförtroende växer kan man sedan prova svårare uppgifter och köpa fler verktyg när och om det behövs. På detta sätt kan den grundläggande verktygssatsen med tiden utvidgas till en reparations- och renoveringssats utan några större enskilda kontantutlägg. Den erfarne hemmamekanikern har redan en verktygssats som räcker till de flesta reparationer och renoveringar och kommer att välja verktyg från specialkategorin när han känner att utgiften är berättigad för den användning verktyget kan ha.

Underhåll och mindre reparationer

Verktygen i den här listan ska betraktas som ett minimum av vad som behövs för rutinmässigt underhåll, service och mindre reparationsarbeten. Vi rekommenderar att man köper blocknycklar (ring i ena änden och öppen i den andra), även om de är dyrare än de med öppen ände, eftersom man får båda sorternas fördelar.

☐ Blocknycklar - 8, 9, 10, 11, 12, 13, 14, 15, 17 och 19 mm
☐ Skiftnyckel - 35 mm gap (ca.)
☐ Tändstiftsnyckel (med gummifoder)
☐ Verktyg för justering av tändstiftens elektrodavstånd
☐ Sats med bladmått
☐ Nyckel för avluftning av bromsar
☐ Skruvmejslar:
   Spårmejsel - 100 mm lång x 6 mm diameter
   Stjärnmejsel - 100 mm lång x 6 mm diameter
☐ Kombinationstång
☐ Bågfil (liten)
☐ Däckpump
☐ Däcktrycksmätare
☐ Oljekanna
☐ Verktyg för demontering av oljefilter
☐ Fin slipduk
☐ Stålborste (liten)
☐ Tratt (medelstor)

Reparation och renovering

Dessa verktyg är ovärderliga för alla som utför större reparationer på ett motorfordon och tillkommer till de som angivits för *Underhåll och mindre reparationer*. I denna lista ingår en grundläggande sats hylsor. Även om dessa är dyra, är de oumbärliga i och med sin mångsidighet - speciellt om satsen innehåller olika typer av drivenheter. Vi rekommenderar 1/2-tums fattning på hylsorna eftersom de flesta momentnycklar har denna fattning.

Verktygen i denna lista kan ibland behöva kompletteras med verktyg från listan för *Specialverktyg*.

☐ Hylsor, dimensioner enligt föregående lista
☐ Spärrskaft med vändbar riktning (för användning med hylsor) **(se bild)**
☐ Förlängare, 250 mm (för användning med hylsor)
☐ Universalknut (för användning med hylsor)
☐ Momentnyckel (för användning med hylsor)
☐ Självlåsande tänger
☐ Kulhammare
☐ Mjuk klubba (plast/aluminium eller gummi)
☐ Skruvmejslar:
   Spårmejsel - en lång och kraftig, en kort (knubbig) och en smal (elektrikertyp)
   Stjärnmejsel - en lång och kraftig och en kort (knubbig)
☐ Tänger:
   Spetsnostång/plattång
   Sidavbitare (elektrikertyp)
   Låsringstång (inre och yttre)
☐ Huggmejsel - 25 mm
☐ Ritspets
☐ Skrapa
☐ Körnare
☐ Purr
☐ Bågfil
☐ Bromsslangklämma
☐ Avluftningssats för bromsar/koppling
☐ Urval av borrar
☐ Ställinjal
☐ Insexnycklar (inkl Torxtyp/med splines) **(se bild)**

☐ Sats med filar
☐ Stor stålborste
☐ Pallbockar
☐ Domkraft (garagedomkraft eller stabil pelarmodell)
☐ Arbetslampa med förlängningssladd

Specialverktyg

Verktygen i denna lista är de som inte används regelbundet, är dyra i inköp eller som måste användas enligt tillverkarens anvisningar. Det är bara om du relativt ofta kommer att utföra tämligen svåra jobb som många av dessa verktyg är lönsamma att köpa. Du kan också överväga att gå samman med någon vän (eller gå med i en motorklubb) och göra et gemensamt inköp, hyra eller låna verktyg om så är möjligt.

Följande lista upptar endast verktyg och instrument som är allmänt tillgängliga och inte sådana som framställs av biltillverkaren speciellt för auktoriserade verkstäder. Ibland nämns dock sådana verktyg i texten. allmänhet anges i alternativ metod att utföra arbetet utan specialverktyg. Ibland finns emellertid inget alternativ till tillverkarens specialverktyg. När så är fallet och relevant verktyg inte kan köpas, hyras eller lånas har du inget annat val än att lämna bilen till en auktoriserad verkstad.

☐ Ventilfjäderkompressor **(se bild)**
☐ Ventilslipningsverktyg
☐ Kolvringskompressor **(se bild)**
☐ Verktyg för demontering/montering av kolvringar **(se bild)**
☐ Honingsverktyg **(se bild)**
☐ Kulledsavdragare
☐ Spiralfjäderkompressor (där tillämplig)
☐ Nav/lageravdragare, två/tre ben **(se bild)**
☐ Slagskruvmejsel
☐ Mikrometer och/eller skjutmått **(se bilder)**
☐ Indikatorklocka **(se bild)**
☐ Stroboskoplampa
☐ Kamvinkelmätare/varvräknare
☐ Multimeter

Hylsor och spärrskaft

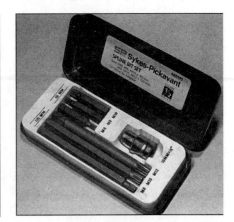

Bits med splines/torx

Verktyg och arbetsutrymmen

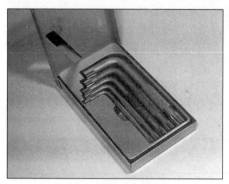
Nycklar med splines/torx

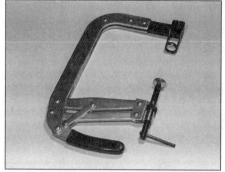
Ventilfjäderkompressor (ventilbåge)

Kolvringskompressor

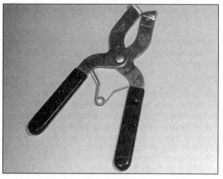
Verktyg för demontering och montering av kolvringar

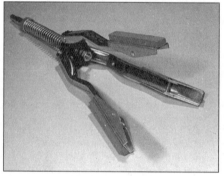
Honingsverktyg

Trebent avdragare för nav och lager

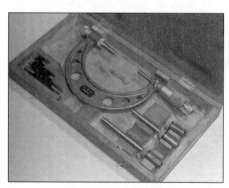
Mikrometerset

Skjutmått

Indikatorklocka med magnetstativ

Kompressionsmätare

Centreringsverktyg för koppling

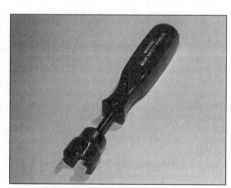
Demonteringsverktyg för bromsbackarnas fjäderskålar

- ☐ Kompressionsmätare *(se bild)*
- ☐ Handmanövrerad vakuumpump och mätare
- ☐ Centreringsverktyg för koppling *(se bild)*
- ☐ Verktyg för demontering av bromsbackarnas fjäderskålar *(se bild)*
- ☐ Sats för montering/demontering av bussningar och lager *(se bild)*
- ☐ Bultutdragare *(se bild)*
- ☐ Gängverktygssats *(se bild)*
- ☐ Lyftblock
- ☐ Garagedomkraft

Inköp av verktyg

När det gäller inköp av verktyg är det i regel bättre att vända sig till en specialist som har ett större sortiment än t ex tillbehörsbutiker och bensinmackar. Tillbehörsbutiker och andra försöljningsställen kan dock erbjuda utmärkta verktyg till låga priser, så det kan löna sig att söka.

Det finns gott om bra verktyg till låga priser, men se till att verktygen uppfyller grundläggande krav på funktion och säkerhet. Fråga gärna någon kunnig person om råd före inköpet.

Vård och underhåll av verktyg

Efter inköp av ett antal verktyg är det nödvändigt att hålla verktygen rena och i fullgott skick. Efter användning, rengör alltid verktygen innan de läggs undan. Låt dem inte ligga framme sedan de använts. En enkel upphängningsanordning på väggen för t ex skruvmejslar och tänger är en bra idé. Nycklar och hylsor bör förvaras i metalllådor. Mätinstrument av skilda slag ska förvaras på platser där de inte kan komma till skada eller börja rosta.

Lägg ner lite omsorg på de verktyg som används. Hammarhuvuden får märken och skruvmejslar slits i spetsen med tiden. Lite polering med slippapper eller en fil återställer snabbt sådana verktyg till gott skick igen.

Arbetsutrymmen

När man diskuterar verktyg får man inte glömma själva arbetsplatsen. Om mer än rutinunderhåll ska utföras bör man skaffa en lämplig arbetsplats.

Vi är medvetna om att många ägare/ mekaniker av omständigheterna tvingas att lyfta ur motor eller liknande utan tillgång till garage eller verkstad. Men när detta är gjort ska fortsättningen av arbetet göras inomhus.

Närhelst möjligt ska isärtagning ske på en ren, plan arbetsbänk eller ett bord med passande arbetshöjd.

En arbetsbänk behöver ett skruvstycke. En käftöppning om 100 mm räcker väl till för de flesta arbeten. Som tidigare sagts, ett rent och torrt förvaringsutrymme krävs för verktyg liksom för smörjmedel, rengöringsmedel, bättringslack (som också måste förvaras frostfritt) och liknande.

Ett annat verktyg som kan behövas och som har en mycket bred användning är en elektrisk borrmaskin med en chuckstorlek om minst 8 mm. Denna, tillsammans med en sats spiralborrar, är i praktiken oumbärlig för montering av tillbehör.

Sist, men inte minst, ha alltid ett förråd med gamla tidningar och rena luddfria trasor tillgängliga och håll arbetsplatsen så ren som möjligt.

Sats för demontering och montering av lager och bussningar

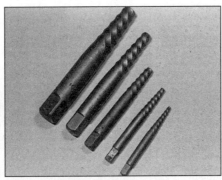

Bultutdragare

Gängverktygssats

Det här avsnittet är till för att hjälpa dig att klara bilbesiktningen. Det är naturligtvis inte möjligt att undersöka ditt fordon lika grundligt som en professionell besiktare, men genom att göra följande kontroller kan du identifiera problemområden och ha en möjlighet att korrigera eventuella fel innan du lämnar bilen till besiktning. Om bilen underhålls och servas regelbundet borde besiktningen inte innebära några större problem.

I besiktningsprogrammet ingår kontroll av nio huvudsystem – stommen, hjulsystemet, drivsystemet, bromssystemet, styrsystemet, karosseriet, kommunikationssystemet, instrumentering och slutligen övriga anordningar (släpvagnskoppling etc).

Kontrollerna som här beskrivs har baserats på Svensk Bilprovnings krav aktuella vid tiden för tryckning. Kraven ändras dock kontinuerligt och särskilt miljöbestämmelserna blir allt strängare.

Kontrollerna har delats in under följande fem rubriker:

1 Kontroller som utförs från förarsätet

2 Kontroller som utförs med bilen på marken

3 Kontroller som utförs med bilen upphissad och med fria hjul

4 Kontroller på bilens avgassystem

5 Körtest

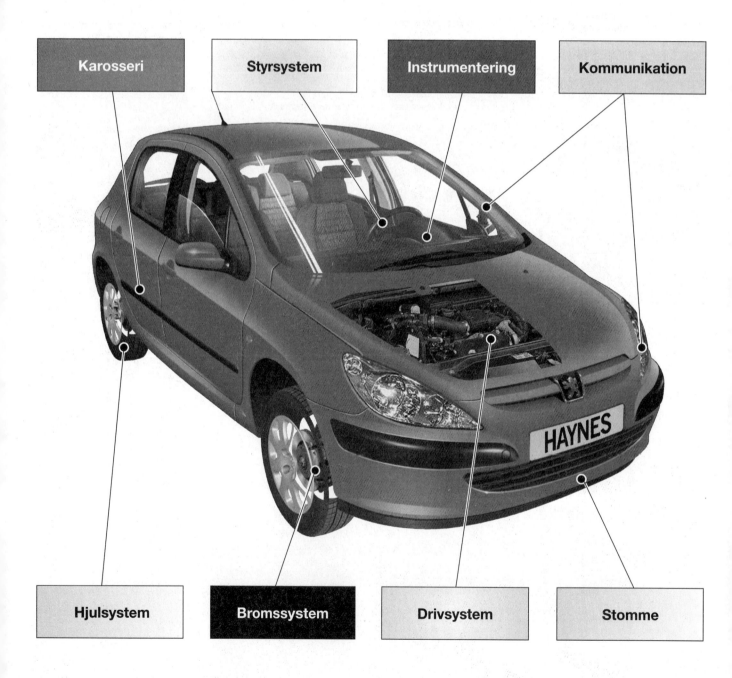

Karosseri

Styrsystem

Instrumentering

Kommunikation

Hjulsystem

Bromssystem

Drivsystem

Stomme

Vanliga personbilar kontrollbesiktigas första gången efter tre år, andra gången två år senare och därefter varje år. Åldern på bilen räknas från det att den tas i bruk, oberoende av årsmodell, och den måste genomgå besiktning inom fem månader.

Tiden på året då fordonet kallas till besiktning bestäms av sista siffran i registreringsnumret, enligt tabellen nedan.

Slutsiffra	Besiktningsperiod
1	november t.o.m. mars
2	december t.o.m. april
3	januari t.o.m. maj
4	februari t.o.m. juni
5	maj t.o.m. september
6	juni t.o.m. oktober
7	juli t.o.m. november
8	augusti t.o.m. december
9	september t.o.m. januari
0	oktober t.o.m. februari

Om fordonet har ändrats, byggts om eller om särskild utrustning har monterats eller demonterats, måste du som fordonsägare göra en registreringsbesiktning inom en månad. I vissa fall räcker det med en begränsad registreringsbesiktning, t.ex. för draganordning, taklucka, taxiutrustning etc.

Efter besiktningen

Nedan visas de system och komponenter som kontrolleras och bedöms av besiktaren på Svensk Bilprovning. Efter besiktningen erhåller du ett protokoll där eventuella anmärkningar noterats.

Har du fått en 2x i protokollet (man kan ha max 3 st 2x) behöver du inte ombesiktiga bilen, men är skyldig att själv åtgärda felet snarast möjligt. Om du inte åtgärdar felen utan återkommer till Svensk Bilprovning året därpå med samma fel, blir dessa automatiskt 2:or som då måste ombesiktigas. Har du en eller flera 2x som ej är åtgärdade och du blir intagen i en flygande besiktning av polisen, blir dessa automatiskt 2:or som måste ombesiktigas. I detta läge får du även böta.

Om du har fått en tvåa i protokollet är fordonet alltså inte godkänt. Felet ska åtgärdas och bilen ombesiktigas inom en månad.

En trea innebär att fordonet har så stora brister att det anses mycket trafikfarligt. Körförbud inträder omedelbart.

Karosseri
- Dörr
- Skärm
- Vindruta
- Säkerhetsbälten
- Lastutrymme
- Övrigt

Vanliga anmärkningar:
Skadad vindruta
Vassa kanter
Glappa gångjärn

Styrsystem
- Styrled
- Styrväxel
- Hjälpstyrarm
- Övrigt

Vanliga anmärkningar:
Glapp i styrleder
Skadade styrväxeldamasker

Instrumentering
- Hastighetsmätare
- Taxameter
- Varningslampor
- Övrigt

Kommunikation
- Vindrutetorkare
- Vindrutespolare
- Backspegel
- Strålkastarinställning
- Strålkastare
- Signalhorn
- Sidoblinkers
- Parkeringsljus fram bak
- Blinkers
- Bromsljus
- Reflex
- Nummerplåtsbelysning
- Övrigt

Vanliga anmärkningar:
Felaktig ljusbild
Skadad strålkastare
Ej fungerande parkeringsljus
Ej fungerande bromsljus

Drivsystem
- Avgasrening, EGR-system (-88)
- Avgasrening
- Bränslesystem
- Avgassystem
- Avgaser (CO, HC)
- Kraftöverföring
- Drivknut
- Elförsörjning
- Batteri
- Övrigt

Vanliga anmärkningar:
Höga halter av CO
Höga halter av HC
Läckage i avgassystemet
Ej fungerande EGR-ventil
Skadade drivknutsdamasker
Löst batteri

Hjulsystem
- Däck
- Stötdämpare
- Hjullager
- Spindelleder
- Länkarm fram bak
- Fjäder
- Fjädersäte
- Övrigt

Vanliga anmärkningar:
Glapp i spindelleder
Utslitna däck
Dåliga stötdämpare
Rostskadade fjädersäten
Brustna fjädrar
Rostskadade länkarmsinfästningar

Bromssystem
- Fotbroms fram bak rörelseres.
- Bromsrör
- Bromsslang
- Handbroms
- Övrigt

Vanliga anmärkningar:
Otillräcklig bromsverkan på handbromsen
Ojämn bromsverkan på fotbromsen
Anliggande bromsar på fotbromsen
Rostskadade bromsrör
Skadade bromsslangar

Stomme
- Sidobalk
- Tvärbalk
- Golv
- Hjulhus
- Övrigt

Vanliga anmärkningar:
Rostskador i sidobalkar, golv och hjulhus

1 Kontroller som utförs från förarsätet

Handbroms

☐ Kontrollera att handbromsen fungerar ordentligt utan för stort spel i spaken. För stort spel tyder på att bromsen eller bromsvajern är felaktigt justerad.

☐ Kontrollera att handbromsen inte kan läggas ur genom att spaken förs åt sidan. Kontrollera även att handbromsspaken är ordentligt monterad.

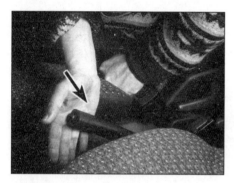

Fotbroms

☐ Tryck ner bromspedalen och håll den nedtryckt i ca 30 sek. Kontrollera att den inte sjunker ner mot golvet, vilket tyder på fel på huvudcylindern. Släpp pedalen, vänta ett par sekunder och tryck sedan ner den igen. Om pedalen tar långt ner måste broms-arna justeras eller repareras. Om pedalens rörelse känns "svampig" finns det luft i bromssystemet som då måste luftas.

☐ Kontrollera att bromspedalen sitter fast ordentligt och att den är i bra skick. Kontrollera även om det finns tecken på oljeläckage på bromspedalen, golvet eller mattan eftersom det kan betyda att packningen i huvudcylindern är trasig.

☐ Om bilen har bromsservo kontrolleras denna genom att man upprepade gånger trycker ner bromspedalen och sedan startar motorn med pedalen nertryckt. När motorn startar skall pedalen sjunka något. Om inte kan vakuumslangen eller själva servoenheten vara trasig.

Ratt och rattstång

☐ Känn efter att ratten sitter fast. Undersök om det finns några sprickor i ratten eller om några delar på den sitter löst.

☐ Rör på ratten uppåt, nedåt och i sidled. Fortsätt att röra på ratten samtidigt som du vrider lite på den från vänster till höger.

☐ Kontrollera att ratten sitter fast ordentligt på rattstången, vilket annars kan tyda på slitage eller att fästmuttern sitter löst. Om ratten går att röra onaturligt kan det tyda på att rattstångens bärlager eller kopplingar är slitna.

Rutor och backspeglar

☐ Vindrutan måste vara fri från sprickor och andra skador som kan vara irriterande eller hindra sikten i förarens synfält. Sikten får inte heller hindras av t.ex. ett färgat eller reflekterande skikt. Samma regler gäller även för de främre sidorutorna.

☐ Backspeglarna måste sitta fast ordentligt och vara hela och ställbara.

Säkerhetsbälten och säten

Observera: Kom ihåg att alla säkerhetsbälten måste kontrolleras - både fram och bak.

☐ Kontrollera att säkerhetsbältena inte är slitna, fransiga eller trasiga i väven och att alla låsmekanismer och rullmekanismer fungerar obehindrat. Se även till att alla infästningar till säkerhetsbältena sitter säkert.

☐ Framsätena måste vara ordentligt fastsatta och om de är fällbara måste de vara låsbara i uppfällt läge.

Dörrar

☐ Framdörrarna måste gå att öppna och stänga från både ut- och insidan och de måste gå ordentligt i lås när de är stängda. Gångjärnen ska sitta säkert och inte glappa eller kärva onormalt.

2 Kontroller som utförs med bilen på marken

Registreringsskyltar

☐ Registreringsskyltarna måste vara väl synliga och lätta att läsa av, d v s om bilen är mycket smutsig kan det ge en anmärkning.

Elektrisk utrustning

☐ Slå på tändningen och kontrollera att signalhornet fungerar och att det avger en jämn ton.

☐ Kontrollera vindrutetorkarna och vindrutespolningen. Svephastigheten får inte vara extremt låg, svepytan får inte vara för liten och torkarnas viloläge ska inte vara inom förarens synfält. Byt ut gamla och skadade torkarblad.

☐ Kontrollera att strålkastarna fungerar och att de är rätt inställda. Reflektorerna får inte vara skadade, lampglasen måste vara hela och lamporna måste vara ordentligt fastsatta. Kontrollera även att bromsljusen fungerar och att det inte krävs högt pedaltryck för att tända dem. (Om du inte har någon medhjälpare kan du kontrollera bromsljusen genom att backa upp bilen mot en garageport, vägg eller liknande reflekterande yta.)

☐ Kontrollera att blinkers och varningsblinkers fungerar och att de blinkar i normal hastighet. Parkeringsljus och bromsljus får inte påverkas av blinkers. Om de påverkas beror detta oftast på jordfel. Se också till att alla övriga lampor på bilen är hela och fungerar som de ska och att t.ex. extraljus inte är placerade så att de skymmer föreskriven belysning.

☐ Se även till att batteri, elledningar, reläer och liknande sitter fast ordentligt och att det inte föreligger någon risk för kortslutning

Fotbroms

☐ Undersök huvudbromscylindern, bromsrören och servoenheten. Leta efter läckage, rost och andra skador.

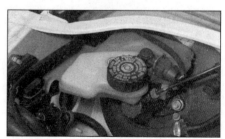

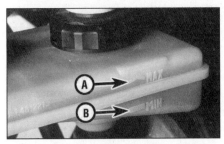

☐ Bromsvätskebehållaren måste sitta fast ordentligt och vätskenivån skall vara mellan max- (A) och min- (B) markeringarna.

☐ Undersök båda främre bromsslangarna efter sprickor och förslitningar. Vrid på ratten till fullt rattutslag och se till att bromsslangarna inte tar i någon del av styrningen eller upphängningen. Tryck sedan ner bromspedalen och se till att det inte finns några läckor eller blåsor på slangarna under tryck.

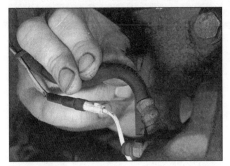

Styrning

☐ Be någon vrida på ratten så att hjulen vrids något. Kontrollera att det inte är för stort spel mellan rattutslaget och styrväxeln vilket kan tyda på att rattstångslederna, kopplingen mellan rattstången och styrväxeln eller själva styrväxeln är sliten eller glappar.

☐ Vrid sedan ratten kraftfullt åt båda hållen så att hjulen vrids något. Undersök då alla damasker, styrleder, länksystem, rörkopplingar och anslutningar/fästen. Byt ut alla delar som verkar utslitna eller skadade. På bilar med servostyrning skall servopumpen, drivremmen och slangarna kontrolleras.

Stötdämpare

☐ Tryck ned hörnen på bilen i tur och ordning och släpp upp. Bilen skall gunga upp och sedan gå tillbaka till ursprungsläget. Om bilen

fortsätter att gunga är stötdämparna dåliga. Stötdämpare som kärvar påtagligt gör också att bilen inte klarar besiktningen. (Observera att stötdämpare kan saknas på vissa fjädersystem.)

☐ Kontrollera också att bilen står rakt och ungefär i rätt höjd.

Avgassystem

☐ Starta motorn medan någon håller en trasa över avgasröret och kontrollera sedan att avgassystemet inte läcker. Reparera eller byt ut de delar som läcker.

Kaross

☐ Skador eller korrosion/rost som utgörs av vassa eller i övrigt farliga kanter med risk för personskada medför vanligtvis att bilen måste repareras och ombesiktas. Det får inte heller finnas delar som sitter påtagligt löst.

☐ Det är inte tillåtet att ha utskjutande detaljer och anordningar med olämplig utformning eller placering (prydnadsföremål, antennfästen, viltfångare och liknande).

☐ Kontrollera att huvlås och säkerhetsspärr fungerar och att gångjärnen inte sitter löst eller på något vis är skadade.

☐ Se också till att stänkskydden täcker hela däckets bredd.

3 Kontroller som utförs med bilen upphissad och med fria hjul

Lyft upp både fram- och bakvagnen och ställ bilen på pallbockar. Placera pallbockarna så att de inte tar i fjäderupphängningen. Se till att hjulen inte tar i marken och att de går att vrida till fullt rattutslag. Om du har begränsad utrustning går det naturligtvis bra att lyfta upp en ände i taget.

Styrsystem

☐ Be någon vrida på ratten till fullt rattutslag. Kontrollera att alla delar i styrningen går mjukt och att ingen del av styrsystemet tar i någonstans.

☐ Undersök kuggstångsdamaskerna så att de inte är skadade eller att metallklämmorna glappar. Om bilen är utrustad med servostyrning ska slangar, rör och kopplingar kontrolleras så att de inte är skadade eller

läcker. Kontrollera också att styrningen inte är onormalt trög eller kärvar. Undersök länkarmar, krängningshämmare, styrstag och styrleder och leta efter glapp och rost.

☐ Se även till att ingen saxpinne eller liknande låsmekanism saknas och att det inte finns gravrost i närheten av någon av styrmekanismens fästpunkter.

Upphängning och hjullager

☐ Börja vid höger framhjul. Ta tag på sidorna av hjulet och skaka det kraftigt. Se till att det inte glappar vid hjullager, spindelleder eller vid upphängningens infästningar och leder.

☐ Ta nu tag upptill och nedtill på hjulet och upprepa ovanstående. Snurra på hjulet och undersök hjullagret angående missljud och glapp.

☐ Om du misstänker att det är för stort spel vid en komponents led kan man kontrollera detta genom att använda en stor skruvmejsel eller liknande och bända mellan infästningen och komponentens fäste. Detta visar om det är bussningen, fästskruven eller själva infästningen som är sliten (bulthålen kan ofta bli uttänjda).

☐ Kontrollera alla fyra hjulen.

Fjädrar och stötdämpare

☐ Undersök fjäderbenen (där så är tillämpligt) angående större läckor, korrosion eller skador i godset. Kontrollera också att fästena sitter säkert.

☐ Om bilen har spiralfjädrar, kontrollera att dessa sitter korrekt i fjädersätena och att de inte är utmattade, rostiga, spruckna eller av.

☐ Om bilen har bladfjädrar, kontrollera att alla bladen är hela, att axeln är ordentligt fastsatt mot fjädrarna och att fjäderöglorna, bussningarna och upphängningarna inte är slitna.

☐ Liknande kontroll utförs på bilar som har annan typ av upphängning såsom torsionfjäder, hydraulisk fjädring etc. Se till att alla infästningar och anslutningar är säkra och inte utslitna, rostiga eller skadade och att den hydrauliska fjädringen inte läcker olja eller på annat sätt är skadad.

☐ Kontrollera att stötdämparna inte läcker och att de är hela och oskadade i övrigt samt se till att bussningar och fästen inte är utslitna.

Drivning

☐ Snurra på varje hjul i tur och ordning. Kontrollera att driv-/kardanknutar inte är lösa, glappa, spruckna eller skadade. Kontrollera också att skyddsbälgarna är intakta och att driv-/kardanaxlar är ordentligt fastsatta, raka och oskadade. Se även till att inga andra detaljer i kraftöverföringen är glappa, lösa, skadade eller slitna.

Bromssystem

☐ Om det är möjligt utan isärtagning, kontrollera hur bromsklossar och bromsskivor ser ut. Se till att friktionsmaterialet på bromsbeläggen (A) inte är slitet under 2 mm och att bromsskivorna (B) inte är spruckna, gropiga, repiga eller utslitna.

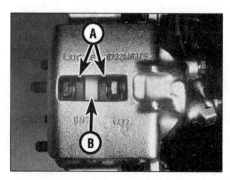

☐ Undersök alla bromsrör under bilen och bromsslangarna bak. Leta efter rost, skavning och övriga skador på ledningarna och efter tecken på blåsor under tryck, skavning, sprickor och förslitning på slangarna. (Det kan vara enklare att upptäcka eventuella sprickor på en slang om den böjs något.)

☐ Leta efter tecken på läckage vid bromsoken och på bromssköldarna. Reparera eller byt ut delar som läcker.

☐ Snurra sakta på varje hjul medan någon trycker ned och släpper upp bromspedalen. Se till att bromsen fungerar och inte ligger an när pedalen inte är nedtryckt.

☐ Undersök handbromsmekanismen och kontrollera att vajern inte har fransat sig, är av eller väldigt rostig eller att länksystemet är utslitet eller glappar. Se till att handbromsen fungerar på båda hjulen och inte ligger an när den läggs ur.

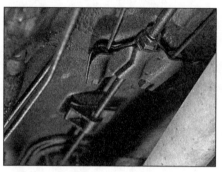

☐ Det är inte möjligt att prova bromsverkan utan specialutrustning, men man kan göra ett körtest och prova att bilen inte drar åt något håll vid en kraftig inbromsning.

Bränsle- och avgassystem

☐ Undersök bränsletanken (inklusive tanklock och påfyllningshals), fastsättning, bränsleledningar, slangar och anslutningar. Alla delar måste sitta fast ordentligt och får inte läcka.

☐ Granska avgassystemet i hela dess längd beträffande skadade, avbrutna eller saknade upphängningar. Kontrollera systemets skick beträffande rost och se till att rörklämmorna är säkert monterade. Svarta sotavlagringar på avgassystemet tyder på ett annalkande läckage.

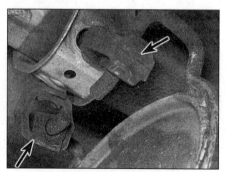

Hjul och däck

☐ Undersök i tur och ordning däcksidorna och slitbanorna på alla däcken. Kontrollera att det inte finns några skärskador, revor eller bulor och att korden inte syns p g a utslitning eller skador. Kontrollera att däcket är korrekt monterat på fälgen och att hjulet inte är deformerat eller skadat.

☐ Se till att det är rätt storlek på däcken för bilen, att det är samma storlek och däcktyp på samma axel och att det är rätt lufttryck i däcken. Se också till att inte ha dubbade och odubbade däck blandat. (Dubbade däck får användas under vinterhalvåret, från 1 oktober till första måndagen efter påsk.)

☐ Kontrollera mönsterdjupet på däcken – minsta tillåtna mönsterdjup är 1,6 mm. Onormalt däckslitage kan tyda på felaktig framhjulsinställning.

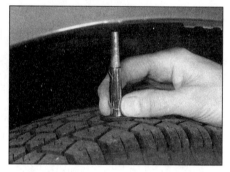

Korrosion

☐ Undersök alla bilens bärande delar efter rost. (Bärande delar innefattar underrede, tröskellådor, tvärbalkar, stolpar och all upphängning, styrsystemet, bromssystemet samt bältesinfästningarna.) Rost som avsevärt har reducerat tjockleken på en bärande yta medför troligtvis en tvåa i besiktningsprotokollet. Sådana skador kan ofta vara svåra att reparera själv.

☐ Var extra noga med att kontrollera att inte rost har gjort det möjligt för avgaser att tränga in i kupén. Om så är fallet kommer fordonet ovillkorligen inte att klara besiktningen och dessutom utgör det en stor trafik- och hälsofara för dig och dina passagerare.

4 Kontroller som utförs på bilens avgassystem

Bensindrivna modeller

☐ Starta motorn och låt den bli varm. Se till att tändningen är rätt inställd, att luftfiltret är rent och att motorn går bra i övrigt.

☐ Varva först upp motorn till ca 2500 varv/min och håll den där i ca 20 sekunder. Låt den sedan gå ner till tomgång och iaktta avgasutsläppen från avgasröret. Om tomgången är onaturligt hög eller om tät blå eller klart synlig svart rök kommer ut med avgaserna i mer än 5 sekunder så kommer bilen antagligen inte att klara besiktningen. I regel tyder blå rök på att motorn är sliten och förbränner olja medan svart rök tyder på att motorn inte förbränner bränslet ordentligt (smutsigt luftfilter eller annat förgasar- eller bränslesystemfel).

□ Vad som då behövs är ett instrument som kan mäta koloxid (CO) och kolväten (HC). Om du inte har möjlighet att låna eller hyra ett dylikt instrument kan du få hjälp med det på en verkstad för en mindre kostnad.

CO- och HC-utsläpp

□ För närvarande är högsta tillåtna gränsvärde för CO- och HC-utsläpp för bilar av årsmodell 1989 och senare (d v s bilar med katalysator enligt lag) 0,5% CO och 100 ppm HC.

På tidigare årsmodeller testas endast CO-halten och följande gränsvärden gäller:

årsmodell 1985-88	3,5% CO
årsmodell 1971-84	4,5% CO
årsmodell -1970	5,5% CO.

Bilar av årsmodell 1987-88 med frivilligt monterad katalysator bedöms enligt 1989 års komponentkrav men 1985 års utsläppskrav.

□ Om CO-halten inte kan reduceras tillräckligt för att klara besiktningen (och bränsle- och tändningssystemet är i bra skick i övrigt) ligger problemet antagligen hos förgasaren/bränsleinsprutningsystemet eller katalysatorn (om monterad).

□ Höga halter av HC kan orsakas av att motorn förbränner olja men troligare är att motorn inte förbränner bränslet ordentligt.

Dieseldrivna modeller

□ Det enda testet för avgasutsläpp på dieseldrivna bilar är att man mäter röktätheten. Testet innebär att man varvar motorn kraftigt upprepade gånger.

Observera: *Det är oerhört viktigt att motorn är rätt inställd innan provet genomförs.*

□ Mycket rök kan orsakas av ett smutsigt luftfilter. Om luftfiltret inte är smutsigt men bilen ändå avger mycket rök kan det vara nödvändigt att söka experthjälp för att hitta orsaken.

5 Körtest

□ Slutligen, provkör bilen. Var extra uppmärksam på eventuella missljud, vibrationer och liknande.

□ Om bilen har automatväxellåda, kontrollera att den endast går att starta i lägena P och N. Om bilen går att starta i andra växellägen måste växelväljarmekanismen justeras.

□ Kontrollera också att hastighetsmätaren fungerar och inte är missvisande.

□ Se till att ingen extrautrustning i kupén, t ex biltelefon och liknande, är placerad så att den vid en eventuell kollision innebär ökad risk för personskada.

□ Bilen får inte dra åt något håll vid normal körning. Gör också en hastig inbromsning och kontrollera att bilen inte då drar åt något håll. Om kraftiga vibrationer känns vid inbromsning kan det tyda på att bromsskivorna är skeva och bör bytas eller fräsas om. (Inte att förväxlas med de låsningsfria bromsarnas karakteristiska vibrationer.)

□ Om vibrationer känns vid acceleration, hastighetsminskning, vid vissa hastigheter eller hela tiden, kan det tyda på att drivknutar eller drivaxlar är slitna eller defekta, att hjulen eller däcken är felaktiga eller skadade, att hjulen är obalanserade eller att styrleder, upphängningens leder, bussningar eller andra komponenter är slitna.

Motor

- [ ] Motorn går inte runt vid startförsök
- [ ] Motorn går runt, men startar inte
- [ ] Motorn är svårstartad när den är kall
- [ ] Motorn är svårstartad när den är värm
- [ ] Startmotorn ger oljud ifrån sig eller går väldigt ojämnt
- [ ] Motor startar, men stannar omedelbart
- [ ] Ojämn tomgång
- [ ] Feltändning vid tomgång
- [ ] Feltändning vid alla varvtal
- [ ] Långsam acceleration
- [ ] Överstegring av motorn
- [ ] Låg motorkapacitet
- [ ] Motorn misständer
- [ ] Varningslampan för oljetryck lyser när motorn är igång
- [ ] Glödtändning
- [ ] Motorljud

Kylsystem

- [ ] Överhettning
- [ ] För stark avkylning
- [ ] Yttre kylvätskeläckage
- [ ] Inre kylvätskeläckage
- [ ] Korrosion

Bränsle- och avgassystem

- [ ] Överdriven bränsleförbrukning
- [ ] Bränsleläckage och/eller bränslelukt
- [ ] Överdriven ljudnivå eller för mycket avgaser från avgassystemet

Koppling

- [ ] Pedalen går i golvet – inget tryck eller mycket lite motstånd
- [ ] Frikopplar inte (går ej att lägga i växlar)
- [ ] Skakningar vid frikopplingKopplingen slirar (motorvarvtalet ökar utan att hastigheten ökar)
- [ ] Skakningar vid frikoppling
- [ ] Missljud när kopplingspedalen trycks ner eller släpps upp

Manuell växellåda

- [ ] Missljud i friläge när motorn går
- [ ] Missljud när en specifik växel ligger i
- [ ] Svårt att lägga i växlar
- [ ] Växeln hoppar ur
- [ ] Vibrationer
- [ ] Smörjmedelsläckage

Automatväxellåda

- [ ] Oljeläckage
- [ ] Växellådsoljan är brun eller luktar bränt
- [ ] Allmänna problem med att växla
- [ ] Växellådan växlar inte ner (kickdown) när gaspedalen är helt nedtryckt
- [ ] Motorn startar inte i någon växel, eller startar i andra växlar än Park eller Neutral
- [ ] Växellådan slirar, växlar trögt, låter illa eller är utan drift i framväxlarna eller backen

Drivaxlar

- [ ] Klickande eller knackande ljud vid svängar (i låg fart med fullt rattutslag)
- [ ] Vibrationer vid acceleration eller inbromsning

Bromssystem

- [ ] Bilen drar åt ena sidan vid inbromsning
- [ ] Oljud (slipljud eller högt gnisslande) vid inbromsning
- [ ] Överdriven pedalväg
- [ ] Bromspedalen känns svampig vid nedtryckning
- [ ] Överdriven pedalkraft krävs för att stanna bilen
- [ ] Skakningar i bromspedal eller ratt vid inbromsning
- [ ] Bromsarna kärvar
- [ ] Bakhjulen låser sig vid normal inbromsning

Fjädrings- och styrningssystem

- [ ] Bilen drar åt ena sidan
- [ ] Hjulen vinglar och skakar
- [ ] Kraftiga skakningar och/eller krängningar vid kurvtagning eller inbromsning
- [ ] Vandrande eller allmän instabilitet
- [ ] Överdrivet stel styrning
- [ ] Överdrivet spel i styrningen
- [ ] Bristande servoeffekt
- [ ] Överdrivet däckslitage

Elsystem

- [ ] Batteriet laddar ur på bara ett par dagar
- [ ] Tändningslampan fortsätter lysa när motorn går
- [ ] Tändningslampan tänds inte
- [ ] Ljusen fungerar inte
- [ ] Instrumentavläsningarna missvisande eller ryckiga
- [ ] Signalhornet fungerar dåligt eller inte alls
- [ ] Vindrute-/bakrutetorkarna fungerar dåligt eller inte alls
- [ ] Vindrute-/bakrutebrickorna fungerar dåligt eller inte alls
- [ ] De elektriska fönsterhissarna fungerar dåligt eller inte alls
- [ ] Centrallåset fungerar dåligt eller inte alls

Inledning

De fordonsägare som underhåller sina bilar inom rekommenderade intervall kommer inte att behöva använda den här delen av handboken ofta. Idag är bilens delar så pålitliga att om de inspekteras eller byts med rekommenderade mellanrum är plötsliga haverier tämligen sällsynta. Fel uppstår vanligen inte plötsligt, de utvecklas med tiden. Speciellt större mekaniska haverier föregås vanligen av karakteristiska symptom under hundra- eller tusentals kilometer. De komponenter som vanligen havererar utan föregående varning är i regel små och lätta att ha med i bilen.

Vid all felsökning är det första steget att bestämma var man ska börja söka. Ibland är detta uppenbart, men ibland behövs lite detektivarbete. En bilägare som gör ett halvdussin slumpvisa justeringar eller komponentbyten kan lyckas åtgärda ett fel (eller dess symptom), men han eller hon kommer inte veta vad felet beror på om det uppstår igen. Till sist kommer bilägaren att ha lagt ner mer tid eller pengar än vad som var nödvändigt. Ett lugnt och metodiskt tillvägagångssätt är bättre i det långa loppet. Försök alltid tänka på vilka varningstecken eller avvikelser från det normala som

förekommit tiden före felet – strömförlust, höga eller låga mätaravläsningar, ovanliga lukter etc. Kom ihåg att defekta komponenter som säkringar eller tändstift kanske bara är tecken på ett bakomliggande fel.

Följande sidor fungerar som en enkel guide till de vanligaste problemen som kan uppstå med bilen. Problemen och deras möjliga orsaker grupperas under rubriker för olika komponenter eller system som Motorn, Kylsystemet etc. kapitel och/eller avsnitt som tar upp detta problem visas inom parentes. Se den aktuella delen i kapitlet för systemspecifik information. Oavsett fel finns vissa grundläggande principer. Dessa är:

Bekräfta felet. Detta görs helt enkelt för att kontrollera att symptomen är kända innan arbetet påbörjas. Detta är extra viktigt om du undersöker ett fel åt någon annan som kanske inte har beskrivit problemet korrekt.

Förbise inte det självklara. Om bilen till exempel inte startar, finns det verkligen bensin i tanken? (Ta inte någon annans ord för givet på denna punkt och lita inte heller på bränslemätaren!) Om ett elektriskt fel indikeras, leta efter lösa eller brutna ledningar innan testutrustningen tas fram.

Bota sjukdomen, inte symptomen. Att byta ett urladdat batteri mot ett fulladdat tar dig från vägkanten, men om orsaken inte åtgärdas kommer det nya batteriet snart att vara urladdat. Byts nedoljade tändstift (bensinmodeller) ut mot nya rullar bilen, men orsaken till nedsmutsningen måste fortfarande

fastställas och åtgärdas (om den inte berodde att tändstiften hade fel värmetal).

Ta inte någonting för givet. Glöm inte att även "nya" delar kan vara defekta (särskilt om de skakat runt i bagageutrymmet månader i sträck). Utelämna inte några komponenter vid en felsökning bara för att de är nya eller nymonterade. När felet slutligen upptäcks inser du antagligen att det fanns tecken på felet från början.

Motor

Motorn går inte runt vid startförsök

- [ ] Batterianslutningarna sitter löst eller är korroderade (*Veckokontroller*).
- [ ] Batteriet urladdat eller defekt (kapitel 5A).
- [ ] Brutna, lösa eller urkopplade ledningar i startmotorkretsen (kapitel 5A).
- [ ] Defekt startmotor (kapitel 5A).
- [ ] Startmotorns kugghjulskuggar eller svänghjulets/drivplattans krondrevskuggar är lösa eller trasiga (kapitel 2A , 2B, 2C, 2D eller 2E och 5A).
- [ ] Motorns jordfläta trasig eller losskopplad (kapitel 5A).

Motorn går runt, men startar inte

- [ ] Bränsletanken tom.
- [ ] Batteriet urladdat (motorn roterar långsamt) (kapitel 5A).
- [ ] Batterianslutningarna sitter löst eller är korroderade (*Veckokontroller*).
- [ ] Slitna, defekta eller felaktigt justerade tändstift – bensinmodeller (kapitel 1A).
- [ ] Förvärmningssystemet defekt – dieselmodeller (kapitel 5C).
- [ ] Motorstyrningssystemet defekt – bensinmodeller (kapitel 4A).
- [ ] Luft i bränslesystemet – dieselmodeller (kapitel 4B).
- [ ] Bränsleinsprutare/insprutningspump felaktig – dieselmodeller (kapitel 4B).
- [ ] Låg cylinderkompression (kapitel 2A, 2B, 2C, 2D eller 2E).
- [ ] Större mekaniskt fel (t.ex. kamaxeldrev) (kapitel 2A, 2B, 2C, 2D eller 2E).

Motorn är svårstartad när den är kall

- [ ] Batteriet urladdat (kapitel 5A).
- [ ] Batterianslutningarna sitter löst eller är korroderade (*Veckokontroller*).
- [ ] Slitna, defekta eller felaktigt justerade tändstift – bensinmodeller (kapitel 1A).
- [ ] Förvärmningssystemet defekt – dieselmodeller (kapitel 5C).
- [ ] Motorstyrningssystemet defekt – bensinmodeller (kapitel 4A).
- [ ] Bränsleinsprutare/insprutningspump felaktig – dieselmodeller (kapitel 4B).

Motorn svårstartad när den är varm

- [ ] Motorstyrningssystemet defekt – bensinmodeller (kapitel 4A).
- [ ] Bränsleinsprutare/insprutningspump felaktig – dieselmodeller (kapitel 4B).
- [ ] Låg cylinderkompression (kapitel 2A, 2B, 2C, 2D eller 2E).

Startmotorn ger oljud ifrån sig eller går väldigt ojämnt

- [ ] Startmotorns kugghjulskuggar eller svänghjulets/drivplattans krondrevskuggar är lösa eller trasiga (kapitel 2A , 2B, 2C, 2D eller 2E och 5A).
- [ ] Startmotorns fästbultar lösa eller saknas (kapitel 5A).
- [ ] Defekt startmotor (kapitel 5A).

Motor startar, men stannar omedelbart

- [ ] Vakuumläcka i gasspjällshus eller insugsgrenrör – bensinmodeller (kapitel 4A).
- [ ] Motorstyrningssystemet defekt – bensinmodeller (kapitel 4A).
- [ ] Luft i bränslesystemet – dieselmodeller (kapitel 4B).
- [ ] Bränsleinsprutare/insprutningspump felaktig – dieselmodeller (kapitel 4B).

Ojämn tomgång

- [ ] Vakuumläcka i gasspjällshus eller insugsgrenrör – bensinmodeller (kapitel 4A).
- [ ] Slitna, defekta eller felaktigt justerade tändstift – bensinmodeller (kapitel 1A).
- [ ] Motorstyrningssystemet defekt – bensinmodeller (kapitel 4A).
- [ ] Luft i bränslesystemet – dieselmodeller (kapitel 4B).
- [ ] Bränsleinsprutare/insprutningspump felaktig – dieselmodeller (kapitel 4B).
- [ ] Ojämn eller låg cylinderkompression (kapitel 2A, 2B, 2C, 2D eller 2E).
- [ ] Slitna kamlober (kapitel 2A, 2B, 2C, 2D eller 2E).
- [ ] Kamremmen felaktigt monterad (kapitel 2A, 2B, 2C, 2D eller 2E).

Feltändning vid tomgång

- [ ] Slitna, defekta eller felaktigt justerade tändstift – bensinmodeller (kapitel 1A).
- [ ] Vakuumläcka i gasspjällshus eller insugsgrenrör – bensinmodeller (kapitel 4A).
- [ ] Motorstyrningssystemet defekt – bensinmodeller (kapitel 4A).
- [ ] Fel på insprutningsventil(er) – dieselmodeller (kapitel 4B).
- [ ] Ojämn eller låg cylinderkompression (kapitel 2A, 2B, 2C, 2D eller 2E).
- [ ] Lös, läckande eller trasig slang i vevhusventilationen (kapitel 4C).

Feltändning vid alla varvtal

- [ ] Igensatt luftfilter (kapitel 1A eller 1B).
- [ ] Fel på bränslepumpen (kapitel 4A eller 4B).
- [ ] Blockerad bensintanksventil eller delvis igentäppta bränslerör (kapitel 4A eller 4B).
- [ ] Slitna, defekta eller felaktigt justerade tändstift – bensinmodeller (kapitel 1A).
- [ ] Vakuumläcka i gasspjällshus eller insugsgrenrör – bensinmodeller (kapitel 4A).
- [ ] Motorstyrningssystemet defekt – bensinmodeller (kapitel 4A).
- [ ] Bränsleinsprutare/insprutningspump felaktig – dieselmodeller (kapitel 4B).
- [ ] Defekt tändspole – bensinmodeller (kapitel 5B).
- [ ] Ojämn eller låg cylinderkompression (kapitel 2A, 2B, 2C, 2D eller 2E).

Långsam acceleration

- [ ] Slitna, defekta eller felaktigt justerade tändstift – bensinmodeller (kapitel 1A).
- [ ] Vakuumläcka i gasspjällshus eller insugsgrenrör – bensinmodeller (kapitel 4A).
- [ ] Motorstyrningssystemet defekt – bensinmodeller (kapitel 4A).
- [ ] Bränsleinsprutare/insprutningspump felaktig – dieselmodeller (kapitel 4B).

Överstegring av motorn

- [ ] Igensatt luftfilter (kapitel 1A eller 1B).
- [ ] Fel på bränslepumpen (kapitel 4A eller 4B).
- [ ] Blockerad bensintanksventil eller delvis igentäppta bränslerör (kapitel 4A eller 4B).
- [ ] Slitna, defekta eller felaktigt justerade tändstift – bensinmodeller (kapitel 1A).
- [ ] Vakuumläcka i gasspjällshus eller insugsgrenrör – bensinmodeller (kapitel 4A).
- [ ] Motorstyrningssystemet defekt – bensinmodeller (kapitel 4A).
- [ ] Bränsleinsprutare/insprutningspump felaktig – dieselmodeller (kapitel 4B).

Motor (fortsättning)

Låg motorkapacitet

☐ Kamremmen felaktigt monterad (kapitel 2A, 2B, 2C, 2D eller 2E).
☐ Igensatt luftfilter (kapitel 1A eller 1B).
☐ Fel på bränslepumpen (kapitel 4A eller 4B).
☐ Ojämn eller låg cylinderkompression (kapitel 2A, 2B, 2C, 2D eller 2E).
☐ Slitna, defekta eller felaktigt justerade tändstift – bensinmodeller (kapitel 1A).
☐ Vakuumläcka i gasspjällshus eller insugsgrenrör – bensinmodeller (kapitel 4A).
☐ Motorstyrningssystemet defekt – bensinmodeller (kapitel 4A).
☐ Bränsleinsprutare/insprutningspump felaktig – dieselmodeller (kapitel 4B).
☐ Kärvande bromsar (kapitlen 1A eller 1B och 9).
☐ Kopplingen slirar (kapitel 6).

Motorn misständer

☐ Kamremmen felaktigt monterad (kapitel 2A, 2B, 2C, 2D eller 2E).
☐ Vakuumläcka i gasspjällshus eller insugsgrenrör – bensinmodeller (kapitel 4A).
☐ Motorstyrningssystemet defekt – bensinmodeller (kapitel 4A).

Varningslampan för oljetryck lyser när motorn är igång

☐ Låg oljenivå eller felaktig oljekvalitet (Veckokontroller).
☐ Fel på brytaren till varningslampa för oljetryck (kapitel 5A).
☐ Slitna motorlager och/eller sliten oljepump (kapitel 2F).
☐ Motorns arbetstemperatur hög (kapitel 3).
☐ Fel på oljeövertrycksventilen (kapitel 2A, 2B, 2C, 2D eller 2E).
☐ Igentäppt oljeupptagarsil (kapitel 2A, 2B, 2C, 2D eller 2E).

Glödtändning

☐ För mycket sotavlagringar i motorn (kapitel 2F).
☐ Motorns arbetstemperatur hög (kapitel 3).

☐ Motorstyrningssystemet defekt – bensinmodeller (kapitel 4A).
☐ Fel på bränsleinsprutningspumpen – dieselmodeller (kapitel 4B).

Motorljud

Förtändning (spikning) eller knackning under acceleration eller belastning

☐ Motorstyrningssystemet defekt – bensinmodeller (kapitel 4A).
☐ Fel värmetal på tändstift – bensinmodeller (kapitel 1A).
☐ Felaktig bränslegrad – bensinmodeller (kapitel 4A).
☐ Vakuumläcka i gasspjällshus eller insugsgrenrör – bensinmodeller (kapitel 4A).
☐ För mycket sotavlagringar i motorn (kapitel 2F).

Visslande eller väsande ljud

☐ Läcka i insugningsörets eller gasspjällshusets packning – bensinmodeller (kapitel 4A).
☐ Läckande vakuumslang (kapitel 4A eller 4B och 9).
☐ Läckande topplockspackning (kapitel 2A, 2B, 2C, 2D eller 2E).

Knackande eller skallrande ljud

☐ Sliten ventilreglering eller kamaxel (kapitel 2A, 2B, 2C, 2D eller 2E).
☐ Defekt hjälpaggregat (kylvätskepump, växelströmsgenerator, etc.) (kapitel 3, 5A, etc).

Knackande ljud eller slag

☐ Slitna vevstakslager (regelbundna hårda knackningar som eventuellt minskar under belastning) (kapitel 2F).
☐ Slitna ramlager (muller och knackningar som eventuellt tilltar vid belastning) (kapitel 2F).
☐ Kolvslammer (hörs mest vid kyla) (kapitel 2F).
☐ Defekt hjälpaggregat (kylvätskepump, växelströmsgenerator, etc.) (kapitel 3, 5A, etc).

Kylsystem

Överhettning

☐ För lite kylvätska i systemet (Veckokontroller).
☐ Fel på termostaten (fast i stängt läge)(kapitel 3).
☐ Igensatt kylare eller grill (kapitel 3).
☐ Fel på elektrisk kylfläkt eller givare (kapitel 3).
☐ Defekt trycklock (kapitel 3).
☐ Inexakt temperaturmätare/givare (kapitel 3).
☐ Luftlås i kylsystemet (kapitel 1A eller 1B).
☐ Defekt motorstyrningssystem (kapitel 4).

För stark avkylning

☐ Fel på termostaten (fast i öppet läge) (kapitel 3).
☐ Inexakt temperaturmätare/givare (kapitel 3).

Yttre kylvätskeläckage

☐ Åldrade eller skadade slangar eller slangklämmor (kapitel 1A eller 1B).

☐ Läckage i kylare eller värmepaket (kapitel 3).
☐ Defekt trycklock (kapitel 3).
☐ Kylvätskepumpens tätning läcker (kapitel 3).
☐ Kokning på grund av överhettning (kapitel 3).
☐ Kylarens hylsplugg läcker (kapitel 2F).

Inre kylvätskeläckage

☐ Läckande topplockspackning (kapitel 2A, 2B, 2C, 2D eller 2E).
☐ Sprucket topplock eller cylinderlopp (kapitel 2A, 2B, 2C, 2D, 2E eller 2F).

Korrosion

☐ Bristfällig avtappning och spolning (kapitel 1A eller 1B).
☐ Felaktig kylvätskeblandning eller fel kylvätsketyp (kapitel 1A eller 1B).

Bränsle- och avgassystem

Överdriven bränsleförbrukning

☐ Smutsigt eller igensatt luftfilter (kapitel 1A eller 1B).
☐ Defekt motorstyrningssystem (kapitel 4).
☐ Fel på insprutningsventil(er) (kapitel 4).
☐ För lite luft i däcken (Veckokontroller).
☐ Kärvande bromsar (kapitlen 1A eller 1B och 9).

Bränsleläckage och/eller bränslelukt

☐ Skadad eller korroderad bränsletank, rör eller anslutningar (kapitel 4A eller 4B).

Överdriven ljudnivå eller för mycket avgaser från avgassystemet

☐ Läckande avgassystem eller grenörsanslutningar (kapitel 1A eller 1B och 4A eller 4B).
☐ Läckande, korroderade eller skadade ljuddämpare eller rör (kapitel 1A eller 1B och 4A eller 4B).
☐ Trasiga fästen som orsakar kontakt med karossen eller fjädringen (kapitel 1A eller 1B och 4A eller 4B).

Koppling

Pedalen går i golvet – inget tryck eller mycket lite motstånd

☐ Luft i hydraulsystemet/defekt huvud- eller slavcylinder (kapitel 6).
☐ Defekt urtrampningslager eller gaffel (kapitel 6).
☐ Trasig tallriksfjäder i kopplingens tryckplatta (kapitel 6).

Frikopplar inte (går ej att lägga i växlar)

☐ Luft i hydraulsystemet/defekt huvud- eller slavcylinder (kapitel 6).
☐ Lamellen fastnar på räfflorna på växellådans ingående axel (kapitel 6).
☐ Lamellen fastnar på svänghjul eller tryckplatta (kapitel 6).
☐ Defekt tryckplatta (kapitel 6).
☐ Urkopplingsmekanismen sliten eller felaktigt ihopsatt (kapitel 6).

Skakningar vid frikopplingKopplingen slirar (motorvarvtalet ökar utan att hastigheten ökar)

☐ Defekt hydraulurkopplingssystem (kapitel 6).

☐ Lamellbeläggen är mycket slitna (kapitel 6).
☐ Lamellbeläggen förorenade med olja eller fett (kapitel 6).
☐ Defekt tryckplatta eller svag tallriksfjäder (kapitel 6).

Skakningar vid frikoppling

☐ Lamellbeläggen förorenade med olja eller fett (kapitel 6).
☐ Lamellbeläggen är mycket slitna (kapitel 6).
☐ Defekt eller skev tryckplatta eller tallriksfjäder (kapitel 6).
☐ Slitna eller lösa motor- eller växellådsfästen (kapitel 2A eller 2B).
☐ Slitna spår på lamellnavet eller växellådans ingående axel (kapitel 6).

Missljud när kopplingspedalen trycks ner eller släpps upp

☐ Slitet urkopplingslager (kapitel 6).
☐ Slitna eller torra kopplingspedalbussningar (kapitel 6).
☐ Defekt tryckplatta (kapitel 6).
☐ Tryckplattans tallriksfjäder trasig (kapitel 6).
☐ Lamellens dynfjädrar defekta (kapitel 6).

Manuell växellåda

Missljud i friläge när motorn går

☐ Slitage i ingående axelns lager (missljud med uppsläppt men inte med nedtryckt kopplingspedal) (kapitel 7A).*
☐ Slitet urkopplingslager (missljud med nedtryckt pedal som möjligen minskar när pedalen släpps upp) (kapitel 6).

Missljud när en specifik växel ligger i

☐ Slitna eller skadade kuggar på växellådsdreven (kapitel 7A).*

Svårt att lägga i växlar

☐ Defekt koppling (kapitel 6).
☐ Slitna eller skadade växleväljarvajrar (kapitel 7A).
☐ Slitna synkroniseringsenheter (kapitel 7A).*

Växeln hoppar ur

☐ Slitna eller skadade växleväljarvajrar (kapitel 7A).
☐ Slitna synkroniseringsenheter (kapitel 7A).*
☐ Slitna väljargafflar (kapitel 7A).*

Vibrationer

☐ För lite olja (kapitel 1 och 7A).
☐ Slitna lager (kapitel 7A).*

Smörjmedelsläckage

☐ Differentialens oljetätning läcker (kapitel 7A).
☐ Läckande husfog (kapitel 7A).*
☐ Läckage i ingående axelns oljetätning (kapitel 7A).
*Även om de åtgärder som krävs för att åtgärda symptomen är för svåra för en hemmamekaniker kan den ovanstående informationen vara till hjälp när orsaken till felet ska fastställas, så att ägaren kan uttrycka sig klart vid samråd med en professionell mekaniker.

Automatväxellåda

Observera: På grund av automatväxelns komplicerade sammansättning är det svårt för hemmamekanikerna att ställa riktiga diagnoser och serva enheten. Om andra problem än följande uppstår ska bilen tas till en Peugeot verkstad eller lämpligt utrustad specialist.

Oljeläckage

☐ Automatväxellådans olja är ofta mörk till färgen. Vätskeläckage ska inte blandas ihop med motorolja, som lätt kan stänka på växellådan av luftflödet.
☐ För att hitta läckan, använd avfettningsmedel eller en ångtvätt och rengör växelhuset och områdena runt omkring från smuts och avlagringar. Kör bilen långsamt så att inte luftflödet blåser den läckande oljan långt från källan. Hissa upp bilen och stöd den på pallbockar, och fastställ varifrån läckan kommer.

Växellådsoljan är brun eller luktar bränt

☐ Växellådsoljenivån låg, eller så måste vätskan bytas (kapitel 1A och 7B).

Allmänna problem med att växla

☐ I kapitel 7B behandlas kontroll och justering av växelvajern på automatväxellådor. Följande problem är vanliga och kan orsakas av dåligt justerat länksystem:
a) Motorn startar i andra växlar än Park eller Neutral.

b) Indikatorpanelen anger en annan växel än den som faktiskt används.
c) Bilen rör sig när växlarna Park eller Neutral ligger i.
d) Dålig eller felaktig utväxling.
☐ Se kapitel 7B för växelvajerns justeringsmetod.

Växellådan växlar inte ner (kickdown) när gaspedalen är helt nedtryckt

☐ Växellådans oljenivå är låg (kapitel 1A).
☐ Felaktig inställning av växelvajer (kapitel 7B).

Motorn startar inte i någon växel, eller startar i andra växlar än Park eller Neutral

☐ Felaktig inställning av flerfunktionsbrytaren (kapitel 7B).
☐ Felaktig inställning av växelvajer (kapitel 7B).

Växellådan slirar, växlar trögt, låter illa eller är utan drift i framväxlarna eller backen

☐ Det finns många möjliga orsaker till ovanstående problem, men hemmamekanikern ska endast bry sig om en av möjligheterna – vätskenivån. Innan du lämnar in bilen hos en verkstad eller till en växellådsspecialist, kontrollera vätskenivån enligt beskrivningen i kapitel 1A. Justera vätskenivån efter behov, eller byt vätskan. Om problemet kvarstår behövs professionell hjälp.

Drivaxlar

Klickande eller knackande ljud vid svängar (i låg fart med fullt rattutslag)

☐ Bristfällig smörjning i knuten, eventuellt på grund av defekt damask (kapitel 8).
☐ Sliten yttre drivknut (kapitel 8).

Vibrationer vid acceleration eller inbromsning

☐ Sliten inre drivknut (kapitel 8).
☐ Böjd eller skev drivaxel (kapitel 8).
☐ Slitet mellanlager (kapitel 8).

Bromssystem

Observera: *Kontrollera däckens skick och lufttryck, framvagnens inställning samt att bilen inte är ojämnt belastad innan bromsarna antas vara defekta. Förutom kontroll av alla anslutningar för rör och slangar, ska fel i ABS-systemet tas om hand av en Peugeot-verkstad.*

Bilen drar åt ena sidan vid inbromsning

☐ Slitna, defekta, skadade eller förorenade bromsklossar/bromsbackar på en sida (kapitel 9).
☐ Främre bromsoket kärvar mer eller mindre (kapitel 9)
☐ Olika bromsklossmaterial på sidorna (kapitel 9)
☐ Bromsokets fästbultar lösa (kapitel 9).
☐ Slitna eller skadade komponenter i styrning eller fjädring (kapitel 1A eller 1B och 10).

Oljud (slipljud eller högt gnisslande) vid inbromsning

☐ Bromsklossarnas eller bromsbackarnas friktionsmaterial nedslitet till metallplattan (kapitel 1A eller 1B och 9).
☐ Kraftig korrosion på bromsskiva. Detta kan visa sig när bilen har stått oanvänd en längre tid (kapitel 9).
☐ Främmande föremål (grus etc.) fast mellan bromsskivan och bromssköldsplåten (kapitel 9).

Överdriven pedalväg

☐ Defekt huvudcylinder (kapitel 9).
☐ Luft i hydraulsystemet (kapitel 9).
☐ Defekt vakuumservo (kapitel 9).

Bromspedalen känns svampig vid nedtryckning

☐ Luft i hydraulsystemet (kapitel 9).
☐ Åldrade bromsslangar (kapitel 1A eller 1B och 9).
☐ Huvudcylinderns fästmuttrar lösa (kapitel 9).
☐ Defekt huvudcylinder (kapitel 9).

Överdriven pedalkraft krävs för att stanna bilen

☐ Defekt vakuumservo (kapitel 9).
☐ Bromsservons vakuumslangar urkopplade, skadade eller lösa (kapitel 9).
☐ Defekt primär- eller sekundärkrets (kapitel 9).
☐ Anfrätt bromsok (kapitel 9).
☐ Bromsklossarna felmonterade (kapitel 9).
☐ Fel typ av klossar monterade (kapitel 9).
☐ Bromsklossarna är nedsmutsade (kapitel 9).

Skakningar i bromspedal eller ratt vid inbromsning

☐ Överdrivet skeva eller ovala skivor (kapitel 9).
☐ Slitna bromsbackar/-klossar (kapitel 1A eller 1B och 9).
☐ Bromsokets fästbultar lösa (kapitel 9).
☐ Slitage in fjädring eller styrningskomponenter eller fästen (kapitel 1A eller 1B och 10).

Bromsarna kärvar

☐ Anfrätt bromsok (kapitel 9).
☐ Felaktigt justerad handbromsmekanism (kapitel 9).
☐ Defekt huvudcylinder (kapitel 9).

Bakhjulen låser sig vid normal inbromsning

☐ Förorenade bakre bromsbackar/-klossar (kapitel 1A eller 1B och 9).
☐ ABS-systemfel (kapitel 9).

Fjädring och styrning

Observera: *Kontrollera att felet inte beror på fel lufttryck i däcken, blandade däcktyper eller kärvande bromsar innan fjädringen eller styrningen diagnosticeras som defekta.*

Bilen drar åt ena sidan

☐ Defekt däck (*Veckokontroller*).
☐ Onormalt slitage i fjädrings- eller styrningskomponenter (kapitel 1A eller 1B och 10).
☐ Felaktig framhjulsinställning (kapitel 10).
☐ Skada på styrning eller fjädringsdelarna (kapitel 1A eller 1B).

Hjulen vinglar och skakar

☐ Framhjulen obalanserade (vibration känns huvudsakligen i ratten) (kapitel 1A eller 1B och 10).
☐ Bakhjulen obalanserade (vibration känns i hela bilen) (kapitel 1A eller 1B och 10).
☐ Hjulen skadade eller skeva (kapitel 1A eller 1B och 10).
☐ Defekt eller skadat däck (*Veckokontroller*).
☐ Slitna styrnings- eller fjädringsleder, bussningar eller komponenter (kapitel 1A eller 1B och 10).
☐ Lösa hjulbultar (kapitel 1A eller 1B och 10).

Fjädring och styrning (fortsättning)

Kraftiga skakningar och/eller krängningar vid kurvtagning eller inbromsning

☐ Defekta stötdämpare (kapitel 1A eller 1B och 10).
☐ Trasig eller svag spiralfjäder och/eller fjädringskomponent (kapitel 1A eller 1B och 10).
☐ Slitage eller skada på krängningshämmare eller fästen (kapitel 10).

Vandrande eller allmän instabilitet

☐ Felaktig framhjulsinställning (kapitel 10).
☐ Slitna styrnings- eller fjädringsleder, bussningar eller komponenter (kapitel 1A eller 1B och 10).
☐ Obalanserade hjul (kapitel 1A eller 1B och 10).
☐ Defekt eller skadat däck (Veckokontroller).
☐ Lösa hjulbultar (kapitel 1A eller 1B och 10).
☐ Defekta stötdämpare (kapitel 1A eller 1B och 10).

Överdrivet stel styrning

☐ För lite servostyrningsvätska (kapitel 10).
☐ Styrstagsändens eller fjädringens kulled anfrätt (kapitel 1A eller 1B och 10).
☐ Felaktig framhjulsinställning (kapitel 10).
☐ Kuggstången eller rattstången böjd eller skadad (kapitel 10).
☐ Defekt servostyrningspump (kapitel 10).

Överdrivet spel i styrningen

☐ Rattstångens kardanknut sliten (kapitel 10).
☐ Styrstagsändens kulleder slitna (kapitel 1A eller 1B och 10).
☐ Sliten styrväxel (kapitel 10).
☐ Slitna styrnings- eller fjädringsleder, bussningar eller komponenter (kapitel 1A eller 1B och 10).

Bristande servoeffekt

☐ För hög eller låg nivå av styrservoolja (Veckokontroller).
☐ Igensatt slang till styrservon (kapitel 1A eller 1B).
☐ Defekt servostyrningspump (kapitel 10).
☐ Defekt styrväxel (kapitel 10).

Överdrivet däckslitage

Däckmönster har fransiga kanter

☐ Felaktig toe-inställning (kapitel 10).

Slitage i mitten av däckmönstret

☐ För mycket luft i däcken (Veckokontroller).

Däcken slitna på inner- och ytterkanten

☐ För lite luft i däcken (Veckokontroller).

Däcken slitna på inner- eller ytterkanten

☐ Felaktiga camber- eller castorvinklar (slitage på en kant) (kapitel 10).
☐ Slitna styrnings- eller fjädringsleder, bussningar eller komponenter (kapitel 1A eller 1B och 10).
☐ Överdrivet hård kurvtagning.
☐ Skada efter olycka.

Ojämnt däckslitage

☐ Obalanserade hjul (Veckokontroller).
☐ Alltför stor skevhet på hjul eller däck (kapitel 1A eller 1B).
☐ Slitna stötdämpare (kapitel 1A eller 1B och 10).
☐ Defekt däck (Veckokontroller).

Elsystem

Observera: Vid problem med start, se felen under Motor tidigare i detta avsnitt.

Batteriet laddar ur på bara ett par dagar

☐ Batteriet defekt invändigt (kapitel 5A).
☐ Batterianslutningarna sitter löst eller är korroderade (Veckokontroller).
☐ Drivremmen trasig, sliten eller felaktigt justerad (kapitel 1A eller 1B).
☐ Generatorn laddar inte vid korrekt effekt (kapitel 5A).
☐ Generatorn eller spänningsregulatorn defekt (kapitel 5A).
☐ Kortslutning ger upphov till kontinuerlig urladdning av batteriet (kapitel 5A och 12).

Tändningslampan fortsätter lysa när motorn går

☐ Drivremmen trasig, sliten eller felaktigt justerad (kapitel 1A eller 1B).
☐ Internt fel i generatorn eller spänningsregulatorn (kapitel 5A).
☐ Trasigt, urkopplat eller löst kablage i laddningskretsen (kapitel 5A).

Tändningslampan tänds inte

☐ Varningslampans glödlampa trasig (kapitel 12).
☐ Trasigt, urkopplat eller löst kablage i varningslampans krets (kapitel 12).
☐ Defekt generator (kapitel 5A).

Ljusen fungerar inte

☐ Trasig glödlampa (kapitel 12).
☐ Korrosion på glödlampa eller sockel (kapitel 12).
☐ Trasig säkring (kapitel 12).
☐ Defekt relä (kapitel 12).
☐ Trasigt, löst eller urkopplat kablage (kapitel 12).
☐ Defekt brytare (kapitel 12).

Instrumentavläsningarna missvisande eller ryckiga

Bränsle- eller temperaturmätaren ger inget utslag

☐ Mätarens givarenhet defekt (kapitel 3 eller 4).
☐ Kretsavbrott (kapitel 12).
☐ Defekt mätare (kapitel 12).

Bränsle- eller temperaturmätaren ger kontinuerligt maximalt utslag

☐ Mätarens givarenhet defekt (kapitel 3 eller 4).
☐ Kortslutning (kapitel 12).
☐ Defekt mätare (kapitel 12).

Signalhornet fungerar dåligt eller inte alls

Signalhornet tjuter hela tiden

☐ Signalhornets tuta är antingen jordad eller har fastnat (kapitel 12).
☐ Vajern till signalhornets tuta jordad (kapitel 12).

Signalhornet fungerar inte

☐ Trasig säkring (kapitel 12).
☐ Vajer eller vajeranslutningar lösa, trasiga eller urkopplade (kapitel 12).
☐ Defekt signalhorn (kapitel 12).

Signalhornet avger ryckigt eller otillfredsställande ljud

☐ Lösa vajeranslutningar (kapitel 12).
☐ Signalhornets fästen sitter löst (kapitel 12).
☐ Defekt signalhorn (kapitel 12).

Elsystem (fortsättning)

Vindrute-/bakrutetorkarna fungerar dåligt eller inte alls

Torkarna fungerar inte eller går mycket långsamt

- [ ] Torkarbladen fastnar vid rutan eller också är länksystemet anfrätt eller kärvar (kapitel 1A eller 1B och 12).
- [ ] Trasig säkring (kapitel 12).
- [ ] Vajer eller vajeranslutningar lösa, trasiga eller urkopplade (kapitel 12).
- [ ] Defekt inbyggt systemgränssnitt (BSI) (kapitel 12).
- [ ] Defekt torkarmotor (kapitel 12).

Torkarbladen sveper över för stor eller för liten yta av rutan

- [ ] Torkararmarna felaktigt placerade i spindlarna (kapitel 12).
- [ ] Påtagligt slitage i torkarnas länksystem (kapitel 12).
- [ ] Torkarmotorns eller länksystemets fästen sitter löst (kapitel 12).

Torkarbladen rengör inte rutan effektivt

- [ ] Torkarbladens gummi slitet eller saknas (Veckokontroller).
- [ ] Torkararmens fjäder trasig eller armtapparna har skurit (kapitel 12).
- [ ] Spolarvätskan har för låg koncentration för att beläggningen ska kunna tvättas bort (Veckokontroller).

Vindrute-/bakrutebrickorna fungerar dåligt eller inte alls

Ett eller flera spolarmunstycken sprutar inte

- [ ] Tilltäppt spolarmunstycke (Veckokontroller).
- [ ] Urkopplad, veckad eller igensatt spolarslang (kapitel 12).
- [ ] För lite spolarvätska i spolarvätskebehållaren (Veckokontroller).

Spolarpumpen fungerar inte

- [ ] Trasiga eller lösa kablar eller anslutningar (kapitel 12).
- [ ] Trasig säkring (kapitel 12).
- [ ] Defekt spolarbrytare (kapitel 12).
- [ ] Defekt spolarpump (kapitel 12).

De elektriska fönsterhissarna fungerar dåligt eller inte alls

Fönsterrutan rör sig bara i en riktning

- [ ] Defekt brytare (kapitel 12).

Fönsterrutan rör sig långsamt

- [ ] Fönsterhissen anfrätt eller skadad, eller behöver smörjas (kapitel 11).
- [ ] Dörrens inre komponenter eller klädsel hindrar fönsterhissen (kapitel 11).
- [ ] Defekt motor (kapitel 11).

Fönsterrutan rör sig inte

- [ ] Trasig säkring (kapitel 12).
- [ ] Trasiga eller lösa kablar eller anslutningar (kapitel 12).
- [ ] Defekt motor (kapitel 11).
- [ ] Defekt inbyggt systemgränssnitt (BSI) (kapitel 12).

Centrallåset fungerar dåligt eller inte alls

Totalt systemhaveri

- [ ] Trasig säkring (kapitel 12).
- [ ] Trasiga eller lösa kablar eller anslutningar (kapitel 12).
- [ ] Defekt inbyggt systemgränssnitt (BSI) (kapitel 12).

Dörren/bakluckan låses men kan inte låsas upp, eller låses upp men kan inte låsas

- [ ] Trasiga eller frånkopplade länkstag (kapitel 11).
- [ ] Fel på låsmotorn (kapitel 11).

Ett lås fungerar inte

- [ ] Trasiga eller lösa kablar eller anslutningar (kapitel 12).
- [ ] Fel på låsmotorn (kapitel 11).
- [ ] Trasiga, kärvande eller frånkopplade länkstag (kapitel 11).

Observera: *Referenserna i sakregistret har formen* **"Kapitelnummer"** • **"Sidnummer"**